KSIĘGA I
1893

PÓŁNOC
Republika Maine

WOLNE STANY
Pensylwania, New Jersey, Nowy Jork, New Hampshire, Massachusetts, Vermont, Rhode Island, Delaware, Connecticut

KOLONIE
Zjednoczone Kolonie
Georgia, Karolina Pd., Wirginia, Karolina Pn., Tennessee, Luizjana, Missisipi, Alabama, Teksas, Arkansas, Floryda

Do raju

Do raju

HANYA YANAGIHARA

przełożyła Jolanta Kozak

wydawnictwo ab

Wydanie I
Warszawa 2023

Danielowi Roseberry'emu
który mnie przejrzał
i
Jaredowi Hohltowi
zawsze

Spis treści

Księga I

Plac Waszyngtona

I

Nabrał zwyczaju odbywania co wieczór przed kolacją spaceru wokół parku: dziesięć okrążeń, czasem rozmyślnie powolnych, czasem dziarskich, a potem powrót po schodach do domu i swojego pokoju, by umyć ręce i poprawić krawat przed zejściem do stołu. Dzisiaj jednak, kiedy już wychodził, mała służąca podająca mu rękawiczki powiedziała: „Pan Bingham kazał przypomnieć panu, że pański brat i siostra przychodzą wieczorem na kolację", na co odparł: „Tak, Jane, dziękuję, że mi przypomniałaś", tak jakby rzeczywiście zapomniał, a ona nieznacznie dygnęła i zamknęła za nim drzwi.

Powinien był iść szybciej, niż szedłby, gdyby był panem swojego czasu, jednak złapał się na tym, że celowo stawia opór i spaceruje swoim wolniejszym krokiem, wsłuchując się w stukot obcasów o płyty chodnika, rozlegający się wyraźnie w zimnym powietrzu. Dzień już prawie się skończył i niebo miało ten szczególnie soczysty odcień atramentowego fioletu, na który nie umiał patrzeć bez bolesnego wspomnienia o pobycie w dalekiej szkole, skąd obserwował, jak wszystko czernieje i zarys drzew topnieje przed jego oczami.

Zbliżała się zima, a on włożył jedynie swój lekki płaszcz, lecz mimo to szedł dalej, krzyżując ciasno ramiona na piersi, z postawionymi klapami. Nawet gdy dzwony wybiły piątą, kontynuował swój marsz ze spuszczoną głową i dopiero gdy skończył piąte okrążenie, odwrócił się, westchnął i ruszył jedną ze ścieżek na północ, do domu. Wspiął się po schludnych kamiennych schodach, a drzwi otwarły się przed nim, jeszcze zanim doszedł do podestu, gdzie kamerdyner już wyciągał rękę po jego kapelusz.

– W bawialni, panie Davidzie.

– Dziękuję, Adams.

Stanął pod drzwiami bawialni i kilkakrotnie przeciągnął dłońmi po włosach – nerwowy zwyczaj, tak samo jak mechaniczne gładzenie loka nad czołem podczas lektury lub rysowania czy lekkie przesuwanie palcem wskazującym pod nosem, gdy się namyślał albo czekał na swój ruch na szachownicy, i niezliczone inne odruchy, do których miał skłonność – zanim znów westchnął i rozwarł oba skrzydła drzwi jednocześnie gestem pewności siebie i stanowczości, których to cech oczywiście nie posiadał. Spojrzeli na niego wszyscy, ale biernie, bez wyraźnej przyjemności czy przykrości. Był krzesłem, zegarem, szalem udrapowanym na oparciu kanapy, czymś, co oko rejestrowało już tyle razy, że teraz prześlizgiwało się po tym obiekcie, ponieważ jego jakże znajoma obecność została już wrysowana i wklejona w scenę przed podniesieniem kurtyny.

– Znów spóźniony – rzekł John, zanim on sam miał okazję powiedzieć cokolwiek, lecz wyrzekł to głosem łagodnym, widocznie nie był w nastroju do połajanek, chociaż z Johnem nigdy nic nie wiadomo.

– John – powiedział, ignorując uwagę brata i podając mu rękę, po czym uścisnął dłoń jego męża, Petera. – Eden. – Ucałował najpierw siostrę, a potem jej żonę, Elizę, obydwie w prawy policzek. – A gdzie Dziadek?

– W piwnicy.

– Ach tak.

Wszyscy stali tak chwilę w milczeniu i David przez sekundę poczuł częste dawniej zażenowanie, że oni troje, rodzeństwo Bingham, nie mają sobie nic do powiedzenia – albo raczej że nie umieją nic powiedzieć, gdy nie ma przy nich Dziadka, tak jakby jedynym czynnikiem, który ich wzajemnie urealniał, nie była wspólnota krwi i historii, ale on.

– Pracowity dzień? – spytał John, a David spojrzał na niego pospiesznie, lecz głowa brata pochylona była nad fajką, więc nie odgadł intencji jego pytania. Kiedy miał wątpliwości, umiał zazwyczaj zinterpretować zamysł Johna, patrząc na twarz Petera – Peter mniej mówił, za to miał żywszą mimikę i David często myślał, że ci dwaj działają jak pojedyncza jednostka komunikacyjna – Peter oczami i szczęką objaśniał to, co powiedział John, a John artykułował marsy, grymasy i przelotne uśmieszki przemykające przez oblicze Petera. Tym razem jednak twarz Petera była bez wyrazu, tak samo jak głos Johna, więc David musiał odpowiedzieć tak, jakby pytanie zadane zostało w dobrej wierze, i może rzeczywiście tak było.

– Nie zanadto – odparł i prawda tej odpowiedzi, jej oczywistość, jej niezaprzeczalność, była tak bezdyskusyjna i jawna, że pokój jakby na nowo znieruchomiał i nawet John zawstydził się swojego pytania. A wtedy David, jak nieraz to czynił, pogarszając sprawę, podjął próbę wytłumaczenia się, próbę nadania znaczenia i formy treści swoich dni. – Czytałem…

Lecz oto oszczędzono mu dalszego upokorzenia, ponieważ do pokoju wkroczył Dziadek, dzierżąc w dłoni ciemną butelkę wina obrośniętą mysioszarym filcem kurzu, i z triumfalnym okrzykiem – znalazł ją! – jeszcze zanim dołączył do nich, oznajmił Adamsowi, że nie ma to jak spontaniczność, więc niech przeleje wino do karafki, bo wypiją je do kolacji.

– Ach, ach, patrzcie tylko, gdy ja szukałem tej przeklętej butelki, tutaj przybyło jeszcze jedno prześliczne zjawisko – rzekł i posłał uśmiech Davidowi. Później odwrócił się i objął tym samym uśmiechem całą grupę, co było z jego strony zaproszeniem, by podążyli za nim do stołu. Ruszyli więc do jadalni, gdzie mieli spożyć tradycyjny comiesięczny niedzielny posiłek, zająwszy swoje tradycyjne miejsca wokół lśniącego dębowego blatu – Dziadek u szczytu, po jego prawej David mający z prawej Elizę, John po lewicy Dziadka, z Peterem po swojej lewej, Eden przy końcu stołu – i odbyć tradycyjną mamrotaną, bezproduktywną rozmowę: co nowego w banku, co nowego na studiach Eden, co nowego u dzieci, co nowego w rodzinach Petera i Elizy. Na zewnątrz świat szalał i płonął, Niemcy posuwali się coraz dalej w głąb Afryki, Francuzi wciąż wyciosywali sobie drogę przez Indochiny, a bliżej były niedawne przerażające wypadki w koloniach: strzelaniny, lincze i chłosty, całopalenia i okropieństwa, o których strach myśleć. Jednak żadne z tych wydarzeń, zwłaszcza najbliższych, nie miało prawa przeniknąć przez chmurę Dziadkowych kolacji, w których wszystko było miękkie, a to, co twarde, zmiękczano; nawet sola została ugotowana na parze tak mistrzowsko, że wystarczyło tylko nabrać ją na podaną łyżkę, a ości uginały się pod najłagodniejszym uciskiem srebra. A jednak trudno, może nawet więcej niż trudno, było nie dopuszczać do siebie świata zewnętrznego, więc przy deserze – syllabub* z winem imbirowym ubity na leciutką mleczną piankę – David zastanawiał się, czy pozostali myślą w tej chwili, tak jak on, o tym cennym korzeniu imbiru, odkrytym i wykopywanym w koloniach, który sprowadzany jest tu, do Wolnych Stanów, gdzie kucharka kupuje go po słonej cenie. Kogo przymuszono do wykopywania i zbierania tych korzeni? Z czyich rąk zostały one wyrwane?

Po obiedzie zebrali się z powrotem w bawialni i Matthew ponalewał kawy i herbaty, a Dziadek nieco poprawił się w fotelu, kiedy Eliza zerwała się znienacka na równe nogi i powiedziała: „Peter, od dawna chcę ci pokazać ilustrację w książce przedstawiającą tego niezwykłego ptaka morskiego, o którym ci wspominałam tydzień temu i obiecałam, że dziś wieczorem już na pewno nie zapomnę; Dziadek Bingham pozwoli?", na co Dziadek skinął głową i powiedział: „Oczywiście, moje dziecko", a wtedy Peter też wstał i oboje, idąc ramię w ramię, opuścili pokój, Eden zaś pękała z dumy, że ma żonę, która tak doskonale umie się do wszystkiego dostroić, która potrafi nawet przeczuć, kiedy Binghamowie zechcą zostać sami, i usunąć się z wdziękiem z ich towarzystwa. Eliza była ruda i gruboкoścista, więc gdy przechodziła przez bawialnię, drobne szklane ozdoby lamp stołowych drżały i pobrzękiwały, ale pod względem manier wyróżniała się lekkością i zwinnością, dlatego wszyscy bywali jej już wdzięczni za umiejętność wyczucia sytuacji.

Mieli więc odbyć rozmowę, o której Dziadek uprzedził go jeszcze w styczniu, gdy rok ledwie się zaczynał. Czekali na to każdego miesiąca po każdym rodzinnym obiedzie – i po pierwszym Dniu Niepodległości, potem po Wielkanocy, po majówce, po urodzinach Dziadka i przy wszystkich innych szczególnych okazjach, na których się gromadzili – lecz wciąż bez żadnego skutku. Ale teraz

* Deser ze śmietanki ubitej z winem i żółtkami (wszystkie przypisy pochodzą od tłumaczki).

nastał ten dzień, druga niedziela października, kiedy mieli to jednak omówić. Pozostali także w mig pojęli temat i nastąpiło gremialne przebudzenie, powrót do talerzy i spodeczków z nadgryzionymi herbatnikami, do niedopitych filiżanek z herbatą, rozplatanie skrzyżowanych nóg i prostowanie kręgosłupów, a wyjątek stanowił Dziadek, który zapadł się głębiej w fotel poskrzypujący pod jego ciężarem.

– Zawsze było dla mnie ważne wychowanie was trojga w uczciwości – odezwał się po jednej z właściwych sobie chwil milczenia. – Wiem, że inni dziadkowie nie podjęliby tej rozmowy z wami, czy to z poczucia dyskrecji, czy dlatego, że woleliby nie wysłuchiwać z bólem waszych sporów i zażaleń, które nieuchronnie się z niej wyłonią. Po co się na to narażać, skoro spory mogą się zacząć po naszym odejściu, gdy już nie będziemy w nie wciągani? Ale ja nie jestem dla was trojga takim dziadkiem, i nigdy nie byłem, więc uważam, że najlepiej jest wyłożyć kawę na ławę. Miejcie na uwadze – tu zawiesił głos i spojrzał surowo na każde z osobna – że to nie oznacza mojej zgody na znoszenie teraz jakichkolwiek zażaleń. To, że powiem wam, co zamierzam uczynić, nie znaczy, że się jeszcze waham: to jest koniec tematu, nie jego początek. Zawiadamiam was osobiście, żeby potem nie doszło do fałszywych interpretacji i spekulacji: usłyszycie to ode mnie na własne uszy, a nie odczytane ze świstka papieru w biurze Frances Holson, kiedy już będziecie chodzić w czerni. Nie powinno was zdziwić, że zamierzam podzielić swój majątek między was troje po równo. Oczywiście wszyscy macie przedmioty osobiste i aktywa po rodzicach, ale ja przydzieliłem każdemu z was część moich własnych skarbów, rzeczy, które, jak mniemam, sprawią radość wam samym lub waszym dzieciom, każdemu z osobna. Ich odkrycie nastąpi dopiero wtedy, kiedy mnie już z wami nie będzie. Zostały odłożone pieniądze dla dzieci, które możecie mieć w przyszłości. Dla dzieci, które już macie, ustanowiłem trusty: Eden, po jednym dla Wolfa i Rosemary; John, jest także trust dla Timothy'ego. Taką samą sumę przeznaczyłem dla każdego z twoich potencjalnych dziedziców, Davidzie. Firma Braci Bingham pozostanie pod kontrolą obecnej rady dyrektorów, a jej akcje zostaną podzielone między was troje. Każde z was zatrzyma swoje miejsce w radzie. Gdyby ktoś z was zdecydował się sprzedać swoje akcje, musi się liczyć z wysoką karą i ma obowiązek uszanować przynależne rodzeństwu prawo pierwokupu po obniżonej cenie, a ponadto transakcję sprzedaży musi zaakceptować reszta rady. Tę kwestię omówiłem już wcześniej z każdym z was oddzielnie. Nic z tego, co powiedziałem, nie powinno budzić waszego zdziwienia.

Ponownie poprawił się w fotelu, a trójka rodzeństwa zrobiła to samo, ponieważ wiedzieli, że to, co teraz zostanie oznajmione, jest prawdziwą zagadką; wiedzieli, że ich dziadek wie, że cokolwiek postanowił, unieszczęśliwi swoją decyzją któryś z rodzinnych układów – nie wiadomo było który.

– Eden – oznajmił – ty obejmiesz Frog's Pond Way i apartament przy Piątej Alei. John, ty obejmiesz majątek Larkspur oraz dom w Newport.

I tu powietrze jakby zagęściło się i zamigotało, gdyż wszyscy uświadomili sobie, co to oznacza: że dom przy placu Waszyngtona dostanie David.

– A dla Davida – rzekł Dziadek, cedząc słowa – plac Waszyngtona. I domek w Hudson. – Wyraźnie zmęczony, zagłębił się w fotelu jak po prawdziwym wysiłku, a nie po zwykłym wystąpieniu. Cisza nadal trwała. – No to tyle, taka jest moja decyzja – podsumował. – Chcę, żebyście wszyscy wyrazili zgodę, na głos, w tej chwili.

– Tak, Dziadku – wymamrotali i dopiero po chwili David zreflektował się i dodał: – Dziękuję, Dziadku – a John i Eden, ocknąwszy się, każde z własnego transu, jak echo powtórzyli podziękowania.

– Proszę bardzo – odrzekł Dziadek. – Chociaż miejmy nadzieję, że minie wiele lat, zanim Eden rozbierze moją ukochaną szopę w Frog's Pond Way. – I uśmiechnął się do niej, co Eden zdołała odwzajemnić.

Zaraz potem, chociaż nikt tego nie powiedział, nastał raptowny koniec wieczoru. John zadzwonił na Matthew, każąc przywołać Petera i Elizę i naszykować powozy. Nastąpiły uściski rąk, całusy i pożegnania i już wszyscy szli do drzwi, jego rodzeństwo oraz ich małżonkowie już drapowali na sobie płaszcze i szale i owijali się szalikami. To, co normalnie było przesadnie hałaśliwą i rozwlekłą ceremonią, punktowaną spóźnionymi zachwytami nad posiłkiem, obwieszczeniami i zapomnianymi nowinkami z życia na zewnątrz, odbyło się w milczeniu i pospiesznie, a Peter i Eliza już przybrali wyczekujące, pobłażliwe, współczujące miny, jakie każdy, kto wżenił się w orbitę Binghamów, uczył się przybierać na wczesnym etapie swojej kadencji. A potem wyszli wśród ostatnich uścisków i pożegnań, które wobec Davida były raczej gestem niż wyrazem serdeczności.

Po niedzielnych kolacjach on i Dziadek mieli w zwyczaju wypijać jeszcze jeden kieliszek porto lub następną herbatę w salonie Davida i omawiać przebieg wieczoru, wymieniając drobne obserwacje nieprzekraczające granicy plotek, w czym Dziadek wykazywał większą zadziorność, do której miał prawo i naturalną skłonność. Czy Peter nie wydał się Davidowi ciut mizerny? Czy ten profesor anatomii, o którym mówiła Eden, nie jest nieznośny? Lecz dziś wieczorem, ledwie drzwi się zamknęły i zostali znów sami w domu, Dziadek powiedział, że jest zmęczony, że to był długi dzień, więc idzie na górę się położyć.

– Oczywiście – odparł David, chociaż nie był proszony o pozwolenie, bo także pragnął w samotności pomyśleć o tym, co wyszło na jaw, a zatem pocałował Dziadka w policzek. Przez chwilę stał w ozłoconym blaskiem świec wejściu do domu, który kiedyś miał stać się jego domem, a później odwrócił się, by pójść na górę do swojego pokoju, lecz najpierw poprosił Matthew, żeby mu przyniósł jeszcze jedną salaterkę syllabubu.

II

Nie sądził, że zdoła usnąć, i rzeczywiście przez wiele godzin, jak mu się zdawało, leżał z przymkniętymi oczami, zdając sobie sprawę z tego, że śni, a jednocześnie jest nadal przytomny, że czuje pod sobą wykrochmalone płótno prześcieradła i że pozycja, w której odpoczywa, z lewą nogą zgiętą w trójkąt, sprawi, że nazajutrz będzie obolały i sztywny. A przecież chyba jednak spał, bo gdy następny raz otworzył oczy, ujrzał cienkie paski białego światła tam, gdzie zasłony nie całkiem się stykały, i usłyszał człapanie koni po ulicach, a za drzwiami jego sypialni służące wędrowały w tę i z powrotem ze swoimi kubłami i szczotkami.

Poniedziałki zawsze go przygnębiały. Budził się z lękiem pozostałym z poprzedniego wieczoru i zazwyczaj próbował wstać wcześnie, nawet przed Dziadkiem, żeby poczuć, że on też włącza się w nurt zajęć wypełniających życie większości ludzi, że on też, tak jak John, Peter czy Eden, ma obowiązki, które musi wypełnić, czy, jak Eliza, miejsca, w których powinien się stawić, a nie jedynie dzień równie nieokreślony jak każdy inny: dzień, który trzeba z wysiłkiem wypełnić samemu. To nieprawda, że nie miał niczego: był tytularnym prezesem dobroczynnej fundacji firmy. To on zatwierdzał wypłaty dla osób prywatnych i na cele społeczne, które, potraktowane zbiorowo, przedstawiały coś w rodzaju historii rodzinnej. Ta historia obejmowała walczących na południu bojowników i organizacje charytatywne zabiegające o mieszkania dla uchodźców i jednoczenie ich rodzin, grupę propagującą edukację Murzynów, organizacje zajmujące się porzuconymi i zaniedbanymi dziećmi i te, które kształciły wrzaskliwe masy biednych imigrantów przypływających codziennie do brzegów kraju i narody, o które otarł się ten czy ów krewniak i wzruszył się ich losem. Więc teraz wspomagał je, jak umiał – a przecież jego odpowiedzialność ograniczała się do zatwierdzania czeków i miesięcznego bilansu wydatków, który księgowi i prawnicy firmy już wcześniej otrzymali od jego sekretarki, kompetentnej młodej kobiety o imieniu Alma – ona praktycznie sama kierowała fundacją, on zaś potrzebny był wyłącznie po to, by zaświadczyć nazwiskiem jako Bingham. Działał także jako wolontariusz, wykonując rozmaite zajęcia licujące z godnością dobrze wychowanego, wciąż jeszcze prawie młodego człowieka: robił paczuszki z gazą, bandażami i maścią ziołową dla walczących w Koloniach, dziergał skarpety dla biednych i raz na tydzień udzielał lekcji rysunku w szkole dla podrzutków, którą finansowała jego rodzina. Lecz wszystkie te wysiłki i działania zajmowały mu w przeliczeniu na godziny może tydzień na miesiąc, a przez resztę czasu pozostawał sam i bez celu. Niekiedy czuł, że tylko czeka, aż zużyje swoje życie, dlatego pod koniec każdego dnia kładł się do łóżka z westchnieniem, świadomy, że przepracował następny kawałeczek swojej egzystencji i przybliżył się o następny centymetr do jej naturalnego końca.

Tego ranka był jednak zadowolony, że obudził się późno, gdyż wciąż nie miał pewności, jak należy rozumieć wydarzenia poprzedniego wieczoru, i z uczuciem wdzięczności liczył na większą jasność umysłu podczas ich kontemplowania. Zadzwonił, żeby mu przyniesiono herbatę i jajka na grzance, które spożył w łóżku, czytając poranną gazetę – następna czystka w Koloniach, bez podania szczegółów; egzaltowany esej ekscentrycznego filantropa znanego z wyrażania skrajnych poglądów, znów o potrzebie rozszerzenia przywilejów obywatelskich na Murzynów, którzy mieszkali na terenach Stanów Wolnych przed ich powstaniem; długi artykuł, dziewiąty w ciągu tyluż miesięcy, z okazji dziesiątej rocznicy ukończenia budowy mostu Brooklińskiego – o tym, jak most usprawnił miejski transport handlowy, tego dnia z dużymi, szczegółowymi rycinami jego wyniosłych masztów górujących ponad rzeką. Później umył się, ubrał i wyszedł z domu, wołając w drzwiach do Adamsa, że zje obiad w klubie.

Dzień był chłodny i słoneczny i o dość już późnym poranku tchnął przyjemną, wesołą energią. Było wystarczająco wcześnie, żeby wszyscy czuli nadzieję – że może właśnie dzisiaj życie dokona cudownego, długo wyczekiwanego zwrotu, że spadnie deszcz pieniędzy albo że konflikty na południu ustaną, albo że chociaż na kolację trafią się dwa plastry bekonu zamiast jednego – i nie tak późno, żeby nadzieje te po raz kolejny spełzły na niczym. Wychodząc na spacer, David nie miał zazwyczaj na myśli konkretnego celu, gotów iść tam, gdzie go stopy poniosą, i oto teraz skręcił prawo, w Piątą Aleję, po drodze kiwając głową stangretowi, który akurat przywiązywał kasztanowatego konia w stajni przed wozownią.

Dom. Miał nadzieję, że teraz, gdy znalazł się na zewnątrz, będzie mógł pomyśleć o domu nieco bardziej obiektywnie, chociaż co by to właściwie miało znaczyć? Nie spędził tam pierwszej części dzieciństwa, jego rodzeństwo także nie – ten zaszczyt należał do dużego, wyziębionego domiszcza w dalekiej północnej części miasta, na zachód od alei Parkowej – właśnie tam on i jego rodzeństwo, a wcześniej ich rodzice, bywali na wszystkich ważnych rodzinnych uroczystościach, a gdy rodzice zmarli, gdy zabrała ich choroba, cała trójka przeprowadziła się do tego domu. W domu dzieciństwa musieli zostawić wszystko, co zrobione było z tkanin i papieru, wszystko, co mogło kryć choć jedną pchłę, wszystko, co dało się spalić – pamiętał, jak płakał po ukochanej lalce z końskiego włosia i Dziadek obiecał mu, że dostanie taką samą. A później, gdy wszyscy troje weszli do swoich pokoi przy placu Waszyngtona, zastali w nich dawne życie odtworzone w najdrobniejszych szczegółach – lalki, zabawki, koce i książki, dywaniki i szlafroczki, i płaszcze, i poduszki. Pod herbem Braci Bingham widniały słowa *Servatur Promissum* – Obietnica Dotrzymana – i w tamtej chwili mali Binghamowie zrozumieli, że te słowa odnoszą się również do nich, że Dziadek zawsze dotrzyma danego im słowa, i przez z górą dwie dekady, które spędzili pod jego opieką, najpierw jako dzieci, potem jako dorośli, ta obietnica nigdy nie została złamana.

Dziadek tak całkowicie zapanował nad nową sytuacją, w której i on, i oni się znaleźli, że doszło – tak to przynajmniej pamiętał później David – do niemal natychmiastowego zaniechania żałoby.

To oczywiście nie mogło być prawdą ani dla niego i jego rodzeństwa, ani dla Dziadka, nagle pozbawionego jedynego dziecka, ale David, jak sam teraz myślał, był tak oszołomiony niewzruszonością Dziadka i królestwa, które Dziadek dla nich stworzył, że nie umiał wyobrażać sobie tamtych lat w żaden inny sposób. Mogło się zdawać, że Dziadek od ich narodzin planował, że kiedyś zostanie ich opiekunem, a oni wprowadzą się do domu, w którym kiedyś mieszkał sam, a nie że spadło to na niego nagle. Później David odnosił wrażenie, że ten dom, już przestronny, wypączkował nowe pokoje, że nowe skrzydła i przestrzenie ujawniły się w sposób magiczny, aby przyjąć ich troje, że pokój, który nauczył się nazywać swoim (i wciąż go tak nazywał), powstał z czystej konieczności, a nie w wyniku przeróbki tego, czym był dawniej – mało używanym dodatkowym salonem. Przez lata Dziadek powtarzał, że wnuki nadały sens temu domowi, że bez nich dom byłby tylko bezładnym labiryntem pokoi, i przykładał wielką wagę do tego, żeby cała trójka, nawet David, uznała to za prawdę, żeby na pewno uwierzyli, że wnieśli do tego domu – a zatem i do życia Dziadka – coś zasadniczego i rzadkiego.

Przypuszczał, że każde z nich uważało ten dom za swój, ale od zawsze lubił sobie wyobrażać, że to jego wyjątkowy matecznik, miejsce, w którym, owszem, mieszka, ale również jest rozumiany. Teraz, jako dorosły, potrafił od czasu do czasu spojrzeć na dom okiem osoby z zewnątrz, na wnętrza stanowiące uporządkowany, lecz przecież ekscentryczny zbiór przedmiotów, które Dziadek zgromadził, podróżując przez Anglię i Kontynent, a nawet przez Kolonie, gdzie bawił w krótkim okresie pokoju. Davidowi przeważnie towarzyszyło wspomnienie z dzieciństwa, gdy potrafił godzinami przemieszczać się z piętra na piętro, otwierając szuflady i szafki, zaglądając pod łóżka i sofki, czując gładki chłód podłóg pod gołymi kolanami. Wyraźnie pamiętał pewien ranek, kiedy był mały i leżał w pościeli do późna, obserwując pasmo światła słonecznego przeświecające przez okno. Wówczas zrozumiał, że to jest jego miejsce, i ta wiedza przyniosła mu ulgę. Nawet później, kiedy nie mógł wychodzić z domu, ze swojego pokoju, kiedy jego życie ograniczyło się do łóżka, nigdy nie uważał tego domu za cokolwiek innego niż sanktuarium, którego ściany nie dość, że powstrzymują strachy tego świata, to jeszcze utrzymują w całości jego własną osobę. A teraz dom miał należeć do niego i on do domu. Po raz pierwszy poczuł, że dom go przytłacza, że jest miejscem, z którego już nigdy nie uda mu się uciec, miejscem, które posiada go w takim samym stopniu, w jakim on je posiada.

Zajmowały go takie myśli, zanim dotarł do ulicy Dwudziestej Drugiej. Chociaż nie miał już ochoty wchodzić do klubu – zresztą bywał tam coraz rzadziej z powodu niechęci do spotykania dawnych kolegów z klasy – głód pchnął go do środka, gdzie zamówił herbatę, chleb i kiełbaski, i zjadłszy pospiesznie, wyszedł i udał się dalej na północ, pokonując spacerkiem cały Broadway, aż doszedł do południowego skraju Central Parku. Tam zawrócił i powędrował do domu. Zanim powrócił na plac Waszyngtona, było już po piątej. Niebo znów powlekało się ciemnym, samotnym odcieniem granatu, więc ledwo starczyło mu czasu, by przebrać się i doprowadzić do ładu, kiedy usłyszał dobiegający z dołu głos Dziadka przemawiającego do Adamsa.

Nie przypuszczał, że Dziadek wspomni o wydarzeniach minionego wieczoru, nie w obecności służby, lecz nawet później, kiedy zostali sami w jego salonie przy swoich drinkach. Dziadek w dalszym ciągu mówił wyłącznie o banku, o wydarzeniach dnia i o nowym kliencie z Rhode Island, właścicielu sporej floty. Matthew przyniósł herbatę i biszkopt z grubą warstwą waniliowego lukru; kucharka, znając słabość Davida do tej przyprawy, ozdobiła wierzch ciasta ułomkami kandyzowanego imbiru. Dziadek zjadł swój kawałek ciasta szybko i schludnie, za to David nie umiał delektować się należycie swoją porcją, gdyż zanadto pochłaniały go przewidywania, co Dziadek powie o wczorajszej wieczornej rozmowie. Obawiał się, że jemu samemu coś może się niechcący wyrwać, coś, co zdradzi jego mieszane uczucia i zabrzmi jak niewdzięczność. Lecz Dziadek w końcu wypuścił dwa razy dym z fajki i nie patrząc na niego, odezwał się:

– Otóż jest jeszcze jedna sprawa, Davidzie, którą muszę z tobą omówić, a nie mogłem tego uczynić w gorączce wczorajszych emocji.

W tym miejscu David ponownie miał okazję do wyrażenia podziękowań, Dziadek jednak rozwiał je machnięciem ręki razem z oparem dymu ze swojej fajki.

– Nie ma potrzeby okazywać wdzięczności. Dom jest twój. Kochasz go przecież.

– Tak – zaczął, bo to była prawda, wciąż jednak myślał o tamtych dziwnych uczuciach z wcześniejszej części dnia, kiedy mijając długie ciągi kamienic, roztrząsał pytanie, dlaczego perspektywa odziedziczenia domu napełnia go nie poczuciem bezpieczeństwa, ale raczej czymś w rodzaju paniki. – Ale...

– Ale co? – spytał Dziadek, przyglądając mu się z dziwną miną, więc David zląkł się, że okazał wahanie, i pospiesznie dodał: – Po prostu martwię się o Eden i Johna, to wszystko. – Na co Dziadek ponownie machnął ręką: – Eden i John sobie poradzą – uciął krótko. – Niepotrzebnie się o nich martwisz.

– Dziadku – rzekł i uśmiechnął się – a ty niepotrzebnie martwisz się o mnie. – Na co Dziadek nic nie odpowiedział, więc nagle obaj umilkli, skrępowani zarówno faktem kłamstwa, jak i jego niegodziwością, tak krzywdzącą, że nawet dobre maniery nie nakazywały jej zaprzeczyć. – Otrzymałem propozycję matrymonialną dla ciebie – przerwał w końcu ciszę Dziadek. – Porządna rodzina, Griffithsowie z Nantucket. Zaczynali oczywiście jako stoczniowcy, ale dziś mają już własną flotę, jak również małe, lecz lukratywne przedsiębiorstwo handlu futrami. Mężczyzna ma na imię Charles, jest wdowcem. Ma siostrę, także wdowę, która z nim mieszka, i razem wychowują jej trzech synów. On spędza sezon handlowy na wyspie, a zimy przemieszkuje na Cape Cod. Nie znam osobiście tej rodziny, ale mają wielce szacowną pozycję: udzielają się we władzach lokalnych, a brat Charlesa Griffitha, z którym on sam i jego siostra kierują przedsiębiorstwem, jest prezesem stowarzyszenia kupców. Jest jeszcze czwarte z rodzeństwa, siostra, zamieszkała na Północy. Charles Griffith jest najstarszy; ich rodzice jeszcze żyją, to dziadkowie Charlesa Griffitha ze strony matki założyli przedsiębiorstwo. Propozycja trafiła do Frances przez ich prawnika.

David poczuł się w obowiązku coś powiedzieć.

– Ile ten mężczyzna ma lat?

Dziadek odchrząknął.
– Czterdzieści jeden – odparł niechętnie.
– Czterdzieści jeden! – wykrzyknął David gwałtowniej, niż zamierzał. – Przepraszam – bąknął. – Ale czterdzieści jeden! Toż to starzec!
Na to Dziadek się uśmiechnął.
– Nie całkiem – powiedział. – Nie dla mnie. I nie dla przeważającej części reszty świata. Ale, owszem, jest starszy. Starszy od ciebie przynajmniej. – A po chwili, ponieważ David nic nie mówił, dodał: – Dziecko, wiesz, że nie chcę, żebyś się żenił, jeśli nie masz ochoty. Ale rozmawialiśmy już o tym i wyrażałeś zainteresowanie; gdyby nie to, nie brałbym wcale tej oferty pod uwagę. Czy mam powiedzieć Frances, że odmawiasz? Czy może chciałbyś odbyć spotkanie?
– Czuję, że zaczynam być dla ciebie ciężarem – wymamrotał wreszcie David.
– Nie – zaprzeczył Dziadek. – Nie ciężarem. Jak powiedziałem, żadne z moich wnuków nie musi się żenić, dopóki nie chce. Ale ty, myślę, mógłbyś się zastanowić. Nie musimy odpowiadać Frances natychmiast.
Siedzieli w ciszy. To prawda, że minęło wiele miesięcy – może rok, może więcej – odkąd dostał ostatnią ofertę matrymonialną czy choćby wyraz zainteresowania, chociaż nie wiedział, czy to dlatego, że dwie ostatnie propozycje odrzucił tak prędko i z taką obojętnością, czy też dlatego, że wieść o jego pobytach w zakładzie zamkniętym, którą obydwaj z Dziadkiem tak skrzętnie starali się ukryć, dotarła wreszcie do społeczeństwa. To prawda, że myśl o małżeństwie budziła w nim niejaki lęk, lecz czy nie było niepokojące również to, że tę najnowszą ofertę składała rodzina im nieznana? Owszem, rodzina o odpowiednim statusie i pozycji – Frances nie śmiałaby wspomnieć o nich Dziadkowi, gdyby tak nie było – ale to oznaczało zarazem, że ci dwoje, Dziadek i Frances, doszli do wniosku, że muszą już uwzględniać kandydatów spoza kręgu znajomych Binghamów, czyli spoza pięćdziesięciu kilku rodzin, które zbudowały Wolne Stany i wśród których nie tylko on i jego rodzeństwo, lecz także ich rodzice, a przed nimi Dziadek, spędzili całe swoje życie. Do tej

małej społeczności należał Peter, podobnie jak Eliza, ale teraz okazywało się, że najstarszy dziedzic Binghamów, gdyby miał wziąć ślub, musiałby szukać sobie współmałżonka poza tym złotym kręgiem, musiałby zwrócić się do innej grupy ludzi. Binghamowie nie wywyższali się, nie wykluczali, nie należeli do tych, co nie zadają się z kupcami i handlarzami, z ludźmi, którzy swoje życie w tym kraju rozpoczynali jako osoby pewnej kategorii, a potem, dzięki swojej pracowitości i sprytowi, awansowali do innej. Taka była rodzina Petera, ale oni nie. A przecież David nie mógł uwolnić się od uczucia, że zawiódł, że spuścizna, na którą tak ciężko pracowali jego przodkowie, umniejsza się przez jego obecność.

Jednocześnie pomimo zapewnienia Dziadka czuł, że nie powinien natychmiast odtrącać tej oferty: za swoją obecną sytuację mógł winić wyłącznie siebie, a obecność w niej Griffithów dowodziła, że jego możliwości wyboru nie będą nieskończone, bez względu na nazwisko i na pieniądze Dziadka. Powiedział mu więc, że zgadza się na spotkanie, a Dziadek – z ulgą, bo czyż nie była to ulga, ledwo skrywana? – odrzekł, że bezzwłocznie powiadomi Frances.

Zmęczony po tym wszystkim, David przeprosił i udał się do swojego pokoju. Chociaż pokój ten zmienił się nie do poznania od czasu, gdy go objął w posiadanie, znał go tak dobrze, że umiał poruszać się po nim nawet po ciemku. Drugie drzwi prowadziły do dawnego pokoju zabaw jego i rodzeństwa, który teraz był jego gabinetem. Właśnie tam zaszył się teraz z kopertą, którą Dziadek wręczył mu przed udaniem się na spoczynek. W kopercie znajdowała się mała akwaforta z podobizną tego mężczyzny, Charlesa Griffitha; obejrzał ją uważnie w świetle lampy. Pan Griffith był blondynem o jasnych brwiach i miękkiej, zaokrąglonej twarzy, z gęstym, lecz nieprzesadnie, wąsem; już sam ten obrazek, choć przedstawiał jedynie twarz, szyję i barki, pozwolił Davidowi domyślić się zwalistej postaci.

Znienacka ogarnęła go panika, więc podszedł do okna, otworzył je gwałtownie i zaczerpnął zimnego, czystego powietrza. Było już późno, uprzytomnił sobie, później, niż przypuszczał, i w dole nic się nie poruszało. Czy naprawdę miał zacząć zastanawiać się nad opuszczeniem placu Waszyngtona, i to tak szybko po tym, gdy wyobraził sobie, że może nigdy do tego nie dojdzie? Odwrócił się na pięcie i uważnie zlustrował pokój, próbując sobie wyobrazić wszystko, co się tam znajdowało – swoje regały z książkami, swoje sztalugi, swoje biurko ze swoimi papierami, atramentami i oprawionym w ramki portretem rodziców, swój szezlong, który miał od czasów college'u, ze szkarłatną rurkową lamówką, spłaszczoną już i popękaną ze starości, swój haftowany w turecki wzór szal z najmiększej wełny, specjalnie sprowadzony na zamówienie z Indii, który Dziadek sprezentował mu na Boże Narodzenie dwa lata temu – wszystko, co było urządzone dla jego wygody lub jego przyjemności, albo i jednej, i drugiej, wyobrażał sobie przeniesione do drewnianego domu w Nantucket, z nim włącznie.

Nie zdołał. Miejsce tych rzeczy było tutaj, w tym domu. Miało się wrażenie, że dom sam je wypączkował, jak coś żywego, co zwiędnie i obumrze po przeniesieniu gdziekolwiek indziej. A potem pomyślał – czy to samo nie odnosiło się do niego? Czy i on sam nie był czymś, co ten dom, jeśli nawet tego nie zrodził, to wychował i wykarmił? Gdyby opuścił plac Waszyngtona, jak w ogóle mógłby orientować się w świecie? Jak mógł opuścić te ściany, które wszystkim jego uczuciom odpowiadały płaskim i beznamiętnym spojrzeniem? Jak mógł opuścić te podłogi, na których słyszał po nocach kroki Dziadka, osobiście przynoszącego mu bulion i lekarstwo przez całe miesiące, gdy on nie potrafił wyjść ze swojego pokoju? Nie zawsze było to miejsce radosne. Czasem bywało straszne. Ale czy gdziekolwiek indziej miałby poczucie czegoś tak bardzo swojego?

III

Raz do roku, na tydzień przed Bożym Narodzeniem, wychowankowie Szkoły i Zakładu Dobroczynnego im. Hirama Binghama podejmowani byli obiadem w którejś z sal konferencyjnych Braci Bingham. Podawano szynkę, słodycze, pieczone jabłka i budyń, a na koniec Nathaniel Bingham, ich mecenas i właściciel banku, przychodził osobiście złożyć im życzenia. Zjawiał się w asyście swoich dwóch urzędników, absolwentów tej szkoły i żywych dowodów dorosłego życia, które było jeszcze (i dla większości z nich miało, niestety, pozostać) zbyt odległe i abstrakcyjne, żeby mogli je sobie wyobrazić. Nathaniel Bingham wygłaszał krótkie przemówienie zachęcające do pracowitości i posłuszeństwa, a potem dzieci ustawiały się w dwuszeregu i od jednego z urzędników każde otrzymywało płaski, gruby batonik miętowy.

W obiedzie uczestniczyła cała trójka rodzeństwa, a ulubioną chwilą Davida była ta, w której widział miny dzieci, ale nie wtedy, gdy ukazywał im się przepych uczty, lecz wcześniej, gdy wstępowały do bankowego hallu. Rozumiał ich nabożne onieśmielenie, gdyż sam nigdy nie przestał go doświadczać: ogromna posadzka ze srebrzystego marmuru wypolerowana na wysoki połysk, kolumny jońskie wykute z tego samego kamienia, wspaniała kopuła sufitowa wyłożona połyskliwą mozaiką, trzy freski zajmujące całą długość litych ścian, namalowane na takiej wysokości, że trzeba było przybrać pozę modlitewną, by dobrze je zobaczyć – pierwszy przedstawiał jego prapradziadka Ezrę, bohatera wojennego, który wyróżnił się w bitwie o niezawisłość od Brytanii; drugi prapradziadka

Edmunda maszerującego na północ z garstką towarzyszy utopistów z Wirginii do Nowego Jorku, by tam zakładać to, czemu później nadano nazwę Wolne Stany; na trzecim widniał jego pradziadek Hiram, którego David nigdy nie poznał, kiedy zakładał bank Braci Bingham i gdy został wybrany burmistrzem Nowego Jorku. W tle owych trzech fresków odmalowano w brązach i szarościach sceny z historii rodziny i kraju: oblężenie Yorktown, gdzie walczył Ezra, pozostawiwszy żonę i dwóch synków w domu w Charlottesville; ślub Edmunda z Markiem i pierwsze wojny z Koloniami, wygrane wprawdzie przez Wolne Stany, lecz kosztem wielkich strat w ludziach i nakładów finansowych; Hiram i jego dwaj bracia, David i John, jako młodzieńcy, nieświadomi, że z nich trzech tylko Hiram, najmłodszy, przekroczy czterdziestkę i że on jeden spłodzi dziedzica – syna Nathaniela, dziadka Davida. Pod każdym z fresków przytwierdzona była marmurowa tablica z wyrytym jednym słowem – Ogłada; Pokora; Życzliwość – które to trzy słowa, wraz z sentencją zawartą w herbie banku, stanowiły motto rodu Binghamów. Czwarty panel, ten nad wielkimi drzwiami wejściowymi, które otwierały się na Wall Street, był pusty, a na jego rozległym, gładkim polu miały pewnego dnia zostać uwiecznione osiągnięcia dziadka Davida: to, że rozwinął Braci Bingham w najzamożniejszą instytucję finansową nie tylko Wolnych Stanów, ale całej Ameryki; to, że zanim udzielił Ameryce pomocy finansowej podczas wojny z rebeliantami i zabezpieczył autonomię swojego kraju, skutecznie ochraniał istnienie Wolnych Stanów w czasie prób ich rozmontowania i obalenia praw jego obywateli; to, że łożył na przesiedlanie wolnych Murzynów, którzy trafili do Wolnych Stanów, pomagając im – jak również uchodźcom z Kolonii – rozpoczynać nowe życie na Północy lub Zachodzie. To prawda, że Bracia Bingham nie byli już jedyną ani nawet najpotężniejszą instytucją w Wolnych Stanach, zwłaszcza ostatnio, odkąd mnożące się bezwzględne banki żydowskie zaczęły pojawiać się w centrum miasta, ale wciąż byli, co do tego panowała powszechna zgoda – najbardziej wpływowi, najbardziej prestiżowi, najszerzej znani. W przeciwieństwie do nowicjuszy, jak lubił powtarzać dziadek Davida, Bingham nie mylił ambicji z zachłannością ani przedsiębiorczości z przebiegłością – odpowiadał zarówno przed Stanami, jak przed ludźmi, którym służył. „Wielki Pan Bingham", pisały o Nathanielu dzienniki, nieraz z przekąsem, gdy próbował wcielić w życie któryś ze swoich ambitnych projektów – na przykład ten sprzed dziesięciu lat, by rozszerzyć powszechne prawo głosu na całą Amerykę – ale najczęściej szczerze, gdyż dziadek Davida był bez wątpienia wielkim człowiekiem, którego czyny i wizerunek zasługiwały na odmalowanie na gipsie przez artystę huśtającego się nad kamienną posadzką na zawieszonym wysoko na linie drewnianym siodełku, skąd przeciągając po powierzchni lśniącym farbą pędzlem, stara się nie spoglądać w dół.

Lecz faktem jest, że nie było piątego ani szóstego panelu: nie przewidziano przestrzeni dla jego ojca, drugiego bohatera wojennego w rodzinie, ani dla niego i jego rodzeństwa. Choć, swoją drogą – co miałaby przedstawiać jego trzecia część panelu? Mężczyznę w domu Dziadka zajętego czekaniem, aż jedna pora roku przejdzie w następną, aż jego życie nareszcie mu się objawi?

Taka słabość i użalanie się nad sobą były niestosowne, wiedział o tym, więc przez foyer przeszedł dostojnie do wyniosłych dębowych drzwi w głębi sali, za którymi sekretarz jego dziadka, człowiek znany jemu i jego rodzeństwu jako Norris, już na niego czekał.

– Pan David – powiedział. – Dawno niewidziany.

– Witaj, Norris. To prawda. Ufam, że masz się dobrze?

– Tak, panie Davidzie. A pan?

– Tak, owszem.

– Ten pan już tu jest. Zaprowadzę pana. Pański dziadek chce się później z panem spotkać.

Ruszyli korytarzem wyłożonym drewnianą boazerią. Norris był zadbanym, schludnym mężczyzną o delikatnych, szlachetnych rysach, którego włosy, w latach młodości Davida jasnozłote, z upływem dekad stały się wyblakłe jak pergamin. Dziadek był otwarty we wszystkich niemal sprawach dotyczących jego samego i życia rodziny, ale o Norrisie wypowiadał się oględnie; wszyscy akceptowali to, że między Norrisem a Dziadkiem panuje jakieś porozumienie, ale Nathaniel Bingham, pomimo deklarowanej tolerancji dla wszystkich klas społecznych i deklarowanej niechęci do tego, co oficjalnie wypada robić, nigdy nie przedstawił Norrisa jako swojego kompana ani też nigdy nie napomknął, czy to wnukom, czy komukolwiek, że może być z nim prawnie związany. Norris swobodnie wchodził i wychodził z ich domu, ale nie miał w nim łóżka ani pokoju; nigdy nie zwracał się do dzieci Binghamów, i to od maleńkości, inaczej, niż poprzedzając ich imiona tytułami „paniczu" lub „panienko", oni zaś dawno już przestali nalegać, by tego zaniechał; bywał obecny na niektórych spotkaniach rodzinnych, ale nigdy nie uczestniczył w poobiednich pogawędkach wnuków z Dziadkiem w bawialni, nie przychodził także w Boże Narodzenie ani w Wigilię. David nadal nie miał pewności co do miejsca zamieszkania Norrisa – zdawało mu się, że kiedyś gdzieś usłyszał, jakoby miał on mieszkanie w pobliżu Gramercy Park, które lata temu kupił mu Dziadek. Nie posiadał także żadnych bliższych informacji o miejscu jego pochodzenia i rodzinie – Norris się zjawił, zanim David przyszedł na świat, przybył z Kolonii i kiedy Dziadek go poznał, pracował w firmie Braci Bingham jako chłopak od węgla. W towarzystwie Binghamów był powściągliwy i milczący, ale równocześnie swobodny; tak się do niego przyzwyczajono, że często o nim zapominano – zakładano jego obecność, ale nie komentowano nieobecności.

Norris zatrzymał się przed jedną z prywatnych sal konferencyjnych i otworzył drzwi, na co obecni wewnątrz mężczyzna i kobieta powstali z krzeseł i zwrócili się ku wchodzącemu Davidowi.

– Zostawię państwa – powiedział Norris, cichutko domykając za nim drzwi. Kobieta już zmierzała w jego stronę.

– Davidzie! – powiedziała. – Dawno cię nie widziałam.

Była to Frances Holson, wieloletnia prokurentka jego dziadka, która, podobnie jak Norris, miała dostęp do wszystkich niemal szczegółów życia Binghamów. Stanowiła niezmienny element tej rodziny, ale miejsce, które zajmowała na rodzinnym firmamencie, było i ważniejsze, i lepiej znane – zaaranżowała małżeństwa zarówno Johna, jak i Eden, i wyglądało na to, że uparła się wyswatać także Davida.

– Davidzie – oznajmiła – jest mi niezmiernie miło przedstawić ci pana Charlesa Griffitha z Nantucket i Falmouth. Panie Griffith, oto młody człowiek, o którym słyszał pan tak wiele, pan David Bingham.

Nie wyglądał tak staro, jak David się obawiał, i pomimo jasnej cery nie miał rumieńca: Charles Griffith był wysoki i zwalisty, lecz w sposób znamionujący pewność siebie, szeroki w barach, torsie i karku. Jego marynarka była pedantycznie dopasowana, z miękkiej, szlachetnej wełny, a pod wąsami rysowały się wyraziste usta, wciąż różowe, których kąciki teraz uniosły się w uśmiechu. Nie był przystojny w ścisłym sensie tego słowa, ale tryskał zręcznością, wigorem i zdrowiem, które sprawiały przyjemne wrażenie.

Gdy przemówił, okazało się, że miał także pociągający, głęboki i lekko chropawy głos: były w nim jakaś miękkość i łagodność, kontrastujące z rozmiarami ciała i wrażeniem siły fizycznej.

– Panie Bingham – rzekł, gdy podali sobie ręce – miło mi poznać. Wiele o panu słyszałem.

– A ja o panu – powiedział David, chociaż nie poszerzył znacząco swojej wiedzy, odkąd blisko sześć tygodni wcześniej po raz pierwszy usłyszał nazwisko „Charles Griffith". – Bardzo dziękuję, że pan przyjechał; ufam, że miał pan dobrą podróż?

– Tak, całkiem dobrą – odparł Griffith. – Ale proszę koniecznie mówić mi Charles.

– A mnie proszę koniecznie mówić David.

– No dobrze! – odezwała się Frances. – W takim razie zostawiam panów, porozmawiajcie sobie. Gdy skończycie, zadzwoń, Davidzie, na Norrisa, a on wyprowadzi pana Griffitha.

Odczekali, aż wyszła i drzwi się za nią zamknęły. Wtedy obaj usiedli. Pomiędzy nimi znajdował się mały stolik z półmiskiem kruchych szkockich ciasteczek oraz imbrykiem, którego zawartość David rozpoznał po zapachu jako lapsang souchong, wściekle drogą i trudną do zdobycia ulubioną herbatę Dziadka, zarezerwowaną na największe okazje. Wiedział, że Dziadek życzy mu w ten sposób powodzenia, i wzruszył go ten gest, a jednocześnie zasmucił. Charles miał już herbatę, więc David nalał tylko sobie, a kiedy uniósł filiżankę do ust, Charles uczynił to samo i równocześnie wypili pierwszy łyk.

– Jest dosyć mocna – stwierdził David, ponieważ wiedział, że smak tej herbaty jest odstręczający dla wielu ludzi; Peter, który jej nie znosił, określił ją kiedyś jako „zakopcone drewno z kominka w postaci ciekłej".

– Ja za nią przepadam – powiedział Charles. – Przypomina mi czasy San Francisco; tam całkiem łatwo było ją zdobyć. Wprawdzie słono kosztowała, ale nie była taką rzadkością jak tutaj, w Wolnych Stanach.

To zaskoczyło Davida.

– Bywałeś na Zachodzie?

– Owszem. To było, och, dwadzieścia lat temu. Mój ojciec odnowił wówczas partnerstwo na Północy z naszymi traperami, a San Francisco oczywiście zdążyło się tymczasem wzbogacić. Ojciec wpadł na pomysł, żebym udał się tam, założył biuro i dokonał kilku transakcji. Tak też uczyniłem. Wspaniałe doświadczenie, muszę przyznać; ja byłem młody, a miasto się rozrastało, cudowna epoka na pobyt w tamtych stronach.

David był pod wrażeniem – nie znał dotąd nikogo, kto mieszkał na Zachodzie.

– Czy te wszystkie opowieści są prawdziwe?

– Wiele tak. Panuje tam… niezdrowy duch, jak sądzę. Z pewnością wyuzdanie. Chwilami bywało niebezpiecznie: tylu ludzi naraz próbujących urządzić się w nowym życiu; tylu ludzi goniących za bogactwem; tylu ludzi skazanych na rozczarowanie; ale było to zarazem wyzwalające. Chociaż wszystko wydawało się niepewne. Wielkie fortuny przychodziły i przepadały szybko, podobnie jak ludzie: człowiek, który był ci winien pieniądze, potrafił zniknąć z dnia na dzień, i szukaj wiatru w polu. Zdołaliśmy utrzymać biuro przez trzy lata, ale potem musieliśmy wyjechać. To było w siedemdziesiątym szóstym, po ustanowieniu praw.

– Mimo wszystko zazdroszczę ci. Wiesz, że ja nigdy nie byłem na Zachodzie?

– Za to podróżowałeś wiele po Europie, jak mi mówiła panna Holson.

– Owszem, odbyłem swoją Wielką Podróż. Ale nie było w tym żadnego wyuzdania. Chyba że za wyuzdane uznasz stosy Canalettów, Tintorettów i Caravaggiów.

Charles się roześmiał, a dalsza rozmowa potoczyła się już gładko. Mówili jeszcze o swoich włóczęgach – Charles okazał się nadzwyczajnym podróżnikiem, gdyż interesy zagnały go nie tylko na Zachód i do Europy, lecz także do Brazylii i Argentyny – i o Nowym

Jorku, gdzie Charles kiedyś mieszkał i wciąż utrzymywał dom, który często odwiedzał. W trakcie rozmowy David wyczekiwał akcentu z Massachusetts, który miało wielu jego szkolnych kolegów – szerokich, spłaszczonych samogłosek i charakterystycznej galopującej kadencji – ale na próżno. Głos Charlesa był przyjemny, lecz pozbawiony cech charakterystycznych, przez co prawie nie zdradzał miejsca pochodzenia mówiącego.

– Mam nadzieję, że nie uznasz mnie za grubianina – powiedział Charles – ale nas wszystkich w Massachusetts intryguje od dawna ta wasza tradycja aranżowanych małżeństw.

– No tak. – David roześmiał się nieurażony. – Wszystkie stany są nią zaintrygowane. Rozumiem dlaczego: to lokalna praktyka ograniczająca się do Nowego Jorku i Connecticut.

Zwyczaj aranżowanych małżeństw datował się od mniej więcej stulecia: dla pierwszych rodzin, które osiedliły się w Wolnych Stanach, był sposobem na zawieranie strategicznych sojuszy i konsolidację majątków.

– Mogę pojąć, dlaczego narodził się tutaj, to były zawsze najbogatsze prowincje, ale dlaczego, twoim zdaniem, przetrwał tak długo? – zapytał Charles.

– Nie umiem dokładnie powiedzieć. Według teorii mojego dziadka powodem jest to, że z tych małżeństw szybko powstały znaczące dynastie, a zatem ich kontynuacja stała się podstawą finansowej integralności Stanów. Mój dziadek mówi o tym jak o uprawie drzew. – Tu Charles się zaśmiał i był to przyjemny odgłos. – To kultywacja sieci korzeni, z których naród wyrasta i kwitnie.

– Dość poetycko jak na bankiera. I patriotycznie.

– Tak, mój dziadek jest i jednym, i drugim.

– Z tego wnoszę, że my, cała reszta obywateli Wolnych Stanów, zawdzięczamy swój stały dobrobyt waszej skłonności do aranżowanych małżeństw.

David poznał, że Charles się z nim droczy, ale dobrotliwie, więc odwzajemnił jego uśmiech.

– Owszem, tak sądzę. Podziękuję Dziadkowi w imieniu twoim i twoich ziomków z Massachusetts. Czy rzeczywiście nie praktykujecie tego zwyczaju wcale w Nowej Anglii? Słyszałem, że tak.

– Tak, ale ze znacznie mniejszą regularnością. Gdy tak się zdarza, powody są podobne: scalanie rodzin o podobnych poglądach, lecz konsekwencje nie bywają tak znaczące jak tutaj. Moja młodsza siostra pośredniczyła ostatnio w małżeństwie swojej pokojówki z jednym z naszych marynarzy, ale to dlatego, że rodzina tej pokojówki ma nieduży warsztat obróbki drewna, a rodzina marynarza ma zakład produkcji lin, więc te dwie familie zapragnęły skonsolidować swoje zasoby, nie wspominając o tym, że młodzi raczej mieli się ku sobie, lecz oboje byli zanadto nieśmiali, by rozpocząć konkury na własną rękę. Ale, powtórzę: nie ma to żadnego wpływu na resztę społeczeństwa. Więc tak, proszę cię, podziękuj swojemu dziadkowi w naszym imieniu. Chociaż zdaje się, że i swojemu rodzeństwu powinieneś podziękować; panna Holson mówiła, że oboje żyją w aranżowanych małżeństwach.

– Tak, skoligacili się z rodzinami od dawna nam bliskimi: Peter, mąż mojego brata Johna, także pochodzi z miasta; Eliza, żona Eden, jest z Connecticut.

– A mają dzieci?

– John z Peterem mają jedno, Eden z Elizą – dwoje. A ty, jak słyszałem, pomagasz wychowywać swoich siostrzeńców?

– Istotnie, i są mi oni bardzo drodzy. Chciałbym jednak mieć kiedyś własne dzieci.

Czuł, że w tym miejscu powinien przytaknąć, powiedzieć, że i on tęskni za dziećmi, ale stwierdził, że nie zdoła tego zrobić. Charles jednak łatwo zapełnił czas, w którym powinna była paść jego odpowiedź, i tak zaczęła się rozmowa o siostrzeńcach, siostrach i bracie, o domu Charlesa na Nantucket, i znów rozmawiało im się swobodnie, aż wreszcie Charles wstał, a David zrobił to samo.

– Muszę iść – powiedział Charles. – Ale uroczo spędziłem czas i cieszę się, że zechciałeś mnie poznać. Za dwa tygodnie będę z powrotem w mieście; mam nadzieję, że zechcesz spotkać się ze mną ponownie.

– Tak, oczywiście – odrzekł David i potrząsnął dzwonkiem.

Znów podali sobie ręce, a później Norris odprowadził Charlesa do wyjścia, David zaś zapukał do drzwi po przeciwnej stronie pokoju, a usłyszawszy zza nich zaproszenie, wkroczył prosto do gabinetu Dziadka.

– Aaa! – powitał go Dziadek, wstając zza biurka i podając księgowej plik papierów. – Jesteś! Sarah…

– Tak, proszę pana, w tej chwili – powiedziała Sarah i wyszła, cicho domykając za sobą drzwi.

Dziadek zasiadł w jednym z odwróconych przodem do biurka foteli, wskazując Davidowi miejsce w drugim.

– No cóż – zagaił – nie będę owijał w bawełnę i ty też tego nie rób: nie mogłem się doczekać, aż przyjdziesz i podzielisz się ze mną wrażeniami, jakie zrobił na tobie ten dżentelmen.

– Był… – zaczął David i zawahał się. – Był sympatyczny – rzekł w końcu. – Sympatyczniejszy, niż to sobie wyobrażałem.

– Miło mi to słyszeć – powiedział jego dziadek. – O czym rozmawialiście?

Streścił Dziadkowi swoją rozmowę z Charlesem, pozostawiając na sam koniec część dotyczącą jego pobytu na Zachodzie, a kiedy wreszcie zaczął ją relacjonować, obserwował unoszące się coraz wyżej srebrzyste brwi Dziadka.

– Doprawdy? – spytał łagodnie Dziadek i David odgadł, co starszy pan sobie pomyślał: że taka informacja powinna była wypłynąć w trakcie rozpoznawania Charlesa Griffitha. Ponieważ Bracia Bingham mieli dostęp do najznamienitszych przedstawicieli wszystkich profesji, lekarzy, prawników, śledczych, więc Dziadek zastanawiał się teraz, jakich jeszcze faktów mogą nie znać, jakie jeszcze tajemnice pozostały do odkrycia. – Spotkasz się z nim jeszcze? – zapytał na zakończenie, gdy David zakończył swoją opowieść.

– Przyjeżdża znów za dwa tygodnie i spytał, czy może mnie znów odwiedzić; powiedziałem, że może.

Myślał, że Dziadek będzie zadowolony z takiej odpowiedzi, ten jednak wstał z zamyśloną miną i podszedł do jednego z dużych okien. Gładząc lekko ciężką jedwabną zasłonę, wyjrzał w dół na ulicę. Stał tak przez chwilę w milczeniu, lecz gdy się odwrócił, na twarzy znów miał ten znajomy i kochany uśmiech, który zawsze dawał Davidowi poczucie, że choćby życie wydawało się najstraszniejsze, on sam jest w bezpiecznym i swojskim miejscu.

– No cóż – powiedział Dziadek – w takim razie jest wielkim szczęściarzem.

IV

Tygodnie przemknęły szybko, jak zawsze późną jesienią, i chociaż zbliżające się Boże Narodzenie oczywiście nigdy nie było niespodzianką, oni najwyraźniej zostali skazani na wieczne nieprzygotowanie, choćby poprzedniego roku najsolenniej obiecywali sobie, że zaplanują wszystko z wyprzedzeniem, tak by do t e g o Święta Dziękczynienia mieć już ustalone menu, prezenty dla dzieci pokupowane i poprzewiązywane wstążkami, koperty z pieniędzmi dla służby zapieczętowane, ozdoby powieszone.

Na początku grudnia w ferworze właśnie tych czynności David spotkał się po raz drugi z Charlesem Griffithem; poszli na koncert wczesnych dzieł Liszta w wykonaniu Nowojorskiej Orkiestry Filharmonicznej. Po koncercie udali się spacerem w kierunku północnym, do kawiarni na południowym krańcu parku, do której David wpadał czasem na ciastko i kawę, robiąc przerwę w swoich przechadzkach. Także tym razem rozmawiało im się swobodnie; mówili o przeczytanych książkach, obejrzanych wystawach i spektaklach i o rodzinie Davida – o jego dziadku, a także, choć pobieżnie, o siostrze i bracie.

Aranżowane małżeństwa nieuchronnie domagały się przyspieszonej intymności, a w rezultacie pominięcia standardowych ceregieli, więc kiedy już trochę pogadali, David ośmielił się zapytać Charlesa o jego poprzedniego męża.

– Ach – odparł Charles. – Cóż, jak zapewne już wiesz, nazywał się William, William Hobbes, i zmarł dziewięć lat temu. – David przytaknął ruchem głowy. – Rak zaatakował gardło i zabrał go w bardzo krótkim czasie.

Był nauczycielem w małej szkole w Falmouth, pochodził z Północy, z rodziny poławiaczy homarów – mówił dalej Charles. – Poznaliśmy się wkrótce po moim powrocie z Kalifornii. Myślę, że to był dla nas obu bardzo dobry czas; ja uczyłem się kierować rodzinnym przedsiębiorstwem do spółki z siostrą i bratem, obydwaj byliśmy młodzi i żądni przygód. Latem, kiedy miał wolne od szkoły, wypływał ze mną na Nantucket, gdzie wszyscy razem: moja młodsza siostra z mężem i synami, mój brat z żoną i córkami, nasi rodzice oraz druga siostra ze swoją rodziną zjeżdżającą gościnnie z Północy mieszkaliśmy w rodzinnym domu. W którymś roku ojciec wysłał mnie nad granicę, żebym poznał kilku naszych traperów, i spędziliśmy prawie cały sezon w Maine i Kanadzie z naszymi partnerami w interesach, przenosząc się z miejsca na miejsce. To przepiękne okolice.

Myślałem, że spędzę z nim całe życie. Postanowiliśmy zostać później rodzicami: chcieliśmy mieć dziewczynkę i chłopczyka. Planowaliśmy podróże do Londynu, do Paryża, do Florencji, on był o wiele mądrzejszy ode mnie, a ja chciałem być tym, kto mu pokaże freski i posągi, o których czytał przez całe swoje życie. Myślałem, że to właśnie ja będę towarzyszył mu w tych muzeach. Marzyłem o tym: zwiedzalibyśmy katedry, jedlibyśmy mule nad rzeką, zobaczyłbym te wszystkie miejsca, które uważałem za piękne, ale nigdy nie doceniałem ich tak, jak on by je docenił, i tym razem oglądałbym je razem z nim, a więc niejako od nowa.

Gdy jesteś marynarzem albo gdy spędziłeś sporo czasu z marynarzami, rozumiesz, że snucie planów to szaleństwo; Bóg uczyni, co zechce, a nasze plany są niczym wobec Jego planów. Wiedziałem o tym, a jednak nie umiałem się powstrzymać. Wiedziałem, że popełniam głupstwo, a jednak nie umiałem się powstrzymać – marzyłem i marzyłem. Zaplanowałem dom, który nam wybuduję, na klifie z widokiem na skały i morze, okolony ze wszystkich stron łubinem.

A potem on umarł, a rok po nim zmarł mąż mojej młodszej siostry, na zarazę osiemdziesiątego piątego, i od tamtego czasu, jak ci wiadomo, mieszkam z siostrą. Przez trzy pierwsze lata po odejściu Williama pochłaniała mnie praca i w niej znajdowałem ukojenie. Ale dziwna rzecz: im bardziej oddalam się od jego śmierci, tym więcej o nim myślę; nie tylko o nim samym, ale o zażyłości, jaka nas łączyła i, przynajmniej tak sobie wyobrażałem, miała łączyć już zawsze. A teraz moi siostrzeńcy prawie już dorośli, siostra się zaręczyła, a ja sam kilka lat temu uświadomiłem sobie, że... – W tym miejscu Charles urwał nagle i dostał rumieńców. – Gadam już za długo i zbyt otwarcie – rzekł po chwili. – Mam nadzieję, że przyjmiesz moje przeprosiny.

– Nie ma za co przepraszać – odparł cicho David, chociaż był zaskoczony, lecz nie zażenowany, szczerością rozmówcy, jego niemal wyznaniem samotności. Potem jednak żaden z nich nie wiedział, jak wrócić do rozmowy, więc szybko zakończyli spotkanie. Charles oficjalnym tonem podziękował Davidowi, nie proponując trzeciego spotkania, i obaj odebrali swoje płaszcze i kapelusze. Gdy wyszli, Charles odjechał na północ swoją dorożką, a David swoją na południe, z powrotem na plac Waszyngtona. W drodze rozmyślał o tym dziwnym spotkaniu, o tym, że mimo swojej dziwności nie było ono niemiłe, a nawet dało mu poczuć, że jest istotny – nie znał na to innego słowa – skoro został dopuszczony do takiej poufałości, skoro pozwolono mu być świadkiem takiej słabości.

A zatem był bardziej nieprzygotowany, niż wypadało, gdy w bawialni, gdzie siedzieli po bożonarodzeniowym obiedzie (pieczona kaczka z chrupiącą, chropawą skórką, w wieńcu karminowych paciorków porzeczek), John oznajmił z nutką triumfu w głosie:

– No, no, Davidzie, doszły mnie słuchy, że zaleca się do ciebie pewien dżentelmen z Massachusetts.

– To nie zaloty – zaoponował pospiesznie Dziadek.

– A więc propozycja? A któż to jest?

David pozwolił Dziadkowi przedstawić ogólnikowy szkic: spedytor i handlowiec, z Cape i Nantucket, wdowiec, bezdzietny. Pierwsza zabrała głos Eliza:

– Brzmi uroczo – orzekła z zapałem.

Kochana, wesoła Eliza w szarych wełnianych spodniach i apaszce w turecki wzór na pulchnej szyi!

Tymczasem reszta rodziny siedziała w milczeniu.

– W takim razie przeniósłbyś się na Nantucket? – spytała Eden.

– Nie wiem – odparł. – Nie rozważałem tego.

– A więc go nie przyjąłeś – powiedział Peter i było to raczej stwierdzenie niż pytanie.

– Nie.

– Ale zamierzasz? – (znowu Peter).

– Nie wiem – przyznał ponownie, czując, że się czerwieni.

– Ale jeśli…

– Dość tego – uciął Dziadek. – Jest Boże Narodzenie, a poza tym wybór należy do Davida, nie do nas.

Wkrótce potem przyjęcie się skończyło, jego rodzeństwo pozgarniało swoje dzieci i nianie z pokoju Johna, który zamieniono w pokój zabaw dla synów i córki Johna i Eden. Przyszła pora na pożegnania i życzenia, a później on i Dziadek byli znów sami.

– Chodź ze mną na górę – powiedział Dziadek, a David usłuchał i zajął to samo co zawsze miejsce w salonie Nathaniela: naprzeciw niego, przesunięty lekko w lewo. – Nie chciałem być wścibski, ale przyznam, że jestem ciekaw. Odbyliście już dwa spotkania. Masz już jakieś przeczucie co do swojej woli przyjęcia tego dżentelmena?

– Wiem, że powinienem, ale nie mam. Eden i John tak szybko się zdecydowali. Chciałbym mieć taką pewność jak oni.

– Nie myśl o tym, co zrobili Eden i John. Nie jesteś żadnym z nich, a takich decyzji nie wolno podejmować pochopnie. Jedyną twoją powinnością jest poważnie rozpatrzyć propozycję tego człowieka, a jeśli twoją odpowiedzią będzie „nie", powiadomić go o tym bezzwłocznie albo zlecić powiadomienie Frances, chociaż właściwie po dwóch spotkaniach to powinieneś być ty. Ale nie spiesz się i nie czuj skrupułów z tego powodu. Gdy twojego ojca wyswatano z twoją matką, przyjęła go dopiero po sześciu miesiącach. – Uśmiechnął się nieznacznie. – Nie żebym dawał ci ją za przykład.

David także się uśmiechnął. Ale zaraz zadał pytanie, o którym wiedział, że musi je zadać:

– Dziadku, ile on o mnie wie? – A ponieważ Dziadek nie odpowiadał, tylko wpatrywał się w swoją szklankę whiskey, pytał dalej: – Czy wie o moich pobytach w zakładzie zamkniętym?

– Nie – odparł gniewnie Dziadek, zadzierając głowę. – Nie wie. I nie potrzebuje wiedzieć. To nie jego sprawa.

– Ale – zawahał się – czy zatajenie tego przed nim nie jest rodzajem oszustwa?

– Oczywiście, że nie. Słowo „oszustwo" sugeruje, że rozmyślnie taimy przed nim coś znaczącego, a to przecież nie jest znaczące. Nie jest to informacja, która powinna wpłynąć na jego decyzję.

– Może i nie powinna, ale czy nie wpłynęłaby?

– Jeżeli tak, to w ogóle nie byłby człowiekiem wartym poślubienia.

Logika Dziadka, zazwyczaj żelazna, zdradzała w tej kwestii tyle luk, że nawet gdyby David miał zwyczaj z nim polemizować, nie uczyniłby tego z obawy, by cała budowla historyjki Dziadka nie legła w gruzach. Jeśli jego pobyty w zakładzie zamkniętym nie są niczym znaczącym, to dlaczego ich nie ujawnić? I czy nie byłby to sposób na ocenę prawdziwego charakteru Charlesa Griffitha: powiedzieć mu, do końca i uczciwie, prawdę o sobie? Co więcej, jeśli jego chorób nie należy się wstydzić, to dlaczego obaj z Dziadkiem tak starannie je ukrywają? To prawda, że i oni nie wiedzieli zawczasu wszystkiego o Charlesie – Dziadek zżymał się po ich pierwszym spotkaniu, że nie był świadomy pobytu Charlesa w San Francisco – lecz to, czego się w końcu dowiedzieli, było proste i nie do odrzucenia. Nie mieli żadnych dowodów na to, że Charles Griffith nie jest szlachetnym człowiekiem.

Zaniepokoił się, że jego dziadek, nawet jeśli sam o tym nie wie i nawet jeśli żachnąłby się na takie pomówienie, uznał w duchu, że słabe strony Davida stanowią rozsądny ciężar, który Charles winien wziąć na siebie w zamian za poślubienie jednego z Binghamów. To prawda, że Charles był zamożny – nie tak zamożny jak Binghamowie, bo nikt taki nie był – lecz jego pieniądze były nowe. To prawda, że był inteligentny, ale nie miał wykształcenia; nie uczęszczał do college'u, nie znał łaciny ani greki, podróżował po świecie nie w pogoni za wiedzą, ale w pogoni za interesami. To prawda, że był światowcem, lecz nie był wyrafinowany. David sam siebie nie uważał za wyznawcę takich poglądów, ale zadał sobie w duchu pytanie, czy jest na tyle ułomny, żeby Dziadek mógł myśleć o nim i o Charlesie jak o dwóch stronach bilansu: jego choroba w zamian za Charlesowy brak wyrafinowania. Jego nieróbstwo w zamian za zaawansowany wiek Charlesa. A w końcu czy obaj wyszliby na to samo – czyli na zero, z pojedynczym atramentowym podkreśleniem wykonanym ręką Dziadka?

– Niebawem nowy rok – odezwał się Dziadek wobec milczenia Davida – a każdy nowy rok objawia więcej niż stary. Podejmiesz decyzję i będzie to tak lub nie, a lata dalej będą się kończyły i zaczynały, kończyły i zaczynały, bez względu na twój wybór.

Wówczas David zrozumiał, że może odejść, więc wstał i nachylił się, by pocałować Dziadka na dobranoc, a później udał się na górę do swojego pokoju.

Potem, za szybko, Nowy Rok był tuż-tuż i Binghamowie zebrali się ponownie, by wznieść toast na jego powitanie. Stało się to ich tradycją, że w ostatni dzień roku zapraszali wszystkich służących na kieliszek szampana z rodziną w jadalni. Całą grupą – wnuki i prawnuki, służące i lokaje, kucharz, kamerdyner i gospodyni, i stangret, i ich rozmaici podwładni – gromadzili się wokół stołu, na którym służące wystawiły wcześniej butelki szampana osadzone w kryształowych kubełkach z lodem, stroiki z pomarańczy naszpikowanych goździkami, salaterki prażonych orzechów włoskich i półmiski babeczek z bakaliami. Pragnęli wysłuchać toastu Dziadka na Nowy Rok.

– Jeszcze sześć lat do dwudziestego wieku! – zaintonował Dziadek, a służący zachichotali nerwowo, bo nie lubili zmian i niepewności, ponadto myśl o końcu jednej epoki i początku drugiej budziła w nich lęk, chociaż wiedzieli, że w domu przy placu Waszyngtona nic się nie zmieni: David będzie zajmował ten sam pokój co zawsze, jego rodzeństwo będzie przychodziło i wychodziło, a Nathaniel Bingham pozostanie ich panem po wsze czasy.

Kilka dni po tej uroczystości David wybrał się dorożką do sierocińca. Była to jedna z pierwszych w mieście instytucji tego rodzaju, a Binghamowie, jej główni patroni, wspierali ją od założenia, które nastąpiło zaledwie kilka lat po założeniu Wolnych Stanów. Wraz z upływem dekad populacja sierocińca kurczyła się i rosła, jako że Kolonie przeżywały okresy albo względnej zamożności, albo skrajnego ubóstwa. Podróż na północ była trudna i mozolna, więc wiele dzieci zostało osieroconych przez rodziców, którzy zmarli w drodze, podjąwszy próbę ucieczki do Wolnych Stanów. Najgorzej było trzy dekady wstecz, podczas wojny z rebeliantami i bezpośrednio po niej, a więc tuż przed narodzinami Davida, kiedy populacja uchodźców w Nowym Jorku sięgnęła szczytu i władze Nowego Jorku oraz Pensylwanii wysłały na jej południową granicę konnych żołnierzy z misją humanitarną polegającą na odnajdywaniu i relokacji uciekinierów z Kolonii. Wszystkie napotkane wówczas dzieci bez opieki – jak również dzieci rodziców, którzy ewidentnie nie potrafili o nie zadbać – odsyłano, w zależności od wieku, bądź to do którejś ze szkół zawodowych w Wolnych Stanach, bądź do któregoś z zakładów dobroczynnych, gdzie były przygotowywane do adopcji.

Podobnie jak w większości zakładów dobroczynnych tego rodzaju, w sierocińcu Hirama Binghama przebywało bardzo mało niemowląt i małych dzieci – panował na nie tak wielki popyt, że szybko trafiały do adopcji; chyba że były chore albo upośledzone umysłowo. Rzadko zdarzało się, żeby niemowlę pozostawało w sierocińcu ponad miesiąc. I siostra, i brat Davida uzyskali swoje dzieci właśnie stąd, a gdyby David kiedykolwiek zapragnął dziedzica, znalazłby go również w tej instytucji. Syn Johna i Petera był sierotą z Kolonii; dzieci Eden i Elizy wyratowano z plugawej nory jakiejś nieszczęsnej pary Irlandczyków, których nie stać było na ich wykarmienie. Na łamach gazet i w salonach toczyły się liczne ożywione dyskusje o tym, co począć ze stale rosnącą rzeszą imigrantów docierających do brzegów Manhattanu – ostatnio z Włoch, Niemiec, Rosji i Prus, nie wspominając o Dalekim Wschodzie – lecz wszyscy, nawet niechętnie, zgadzali się co do jednego: europejscy imigranci zapewniają dzieci parom, które ich pragną, i to nie tylko w ich mieście, ale na całym obszarze Wolnych Stanów.

Rywalizacje o dziecko bywały tak zajadłe, że ostatnio rząd wszczął kampanię zachęcającą obywateli do adopcji starszych dzieci. Odniosła ona niewielki sukces, więc nawet same dzieci rozumiały, że te powyżej szóstego roku życia raczej nigdy nie znajdą domu. To zaś oznaczało, że zakład Binghamów, podobnie jak inne, skupiał się na uczeniu podopiecznych czytania i liczenia, aby ich przygotować do nauki zawodu; gdy dziecko kończyło czternaście lat, oddawano je na czeladnika do krawca, szewca, szwaczki, kucharza lub innych osób, których rzemiosło stanowiło podstawę dalszej prosperity i funkcjonowania Wolnych Stanów. Niektórzy wstępowali do milicji lub marynarki i w ten sposób służyli swojemu krajowi.

Do tego czasu jednak dzieci pozostawały dziećmi i chodziły do szkoły, tak jak nakazywało prawo w Wolnych Stanach. W myśl nowej filozofii edukacji dzieci wyrastają na zdrowszych, lepszych obywateli i ludzi dorosłych, gdy mają styczność nie tylko z tym, co w życiu konieczne (matematyka, czytanie, pisanie), lecz także ze sztuką, muzyką i sportem. Kiedy więc ubiegłego lata Dziadek zapytał go, czy zechce pomóc w poszukiwaniu nauczyciela rysunków dla sierocińca, David zadziwił nawet samego siebie, zgłaszając się na ochotnika do tej funkcji – bo czyż przez wiele lat nie studiował sztuki? Czy nie rozglądał się za czymś, za jakimś użytecznym zadaniem, które nadałoby sens jego dniom?

Prowadził lekcje co środę, pod koniec popołudnia, zaraz przed kolacją dzieci. Początkowo nieraz się zastanawiał, czy dzieciaki wiercą się i gadają z jego powodu czy może z racji niecierpliwie wyglądanego posiłku. Chciał nawet spytać przełożoną szkoły, czy mógłby przenieść lekcje na wcześniejszą porę dnia. Przełożona lękała się dorosłych (chociaż, o dziwo, wychowankowie ją uwielbiali), więc musiałaby przynajmniej zgodzić się na jego postulat. David był jednak zbyt onieśmielony, żeby ją zagadnąć. Zawsze obawiał się dzieci, ich nieruchomych, niezmąconych niczym spojrzeń, sugerujących, że one widzą go tak, jak dorośli już nie potrafią albo im się nie chce. Niemniej z czasem przywykł do nich, a potem je polubił, dzieci zaś z miesiąca na miesiąc uspokajały się w jego cichej obecności, kreśląc mozolnie węglowym rysikiem po papierze, by jak najwierniej odwzorować niebiesko-białą chińską misę wypełnioną pigwami, którą David ustawił na stołku przed ich ławkami.

Dzień wcześniej, jeszcze przed otwarciem drzwi, usłyszał muzykę – coś znanego, popularną piosenkę, której jego zdaniem nie powinny słuchać dzieci – więc przekręcił gwałtownie gałkę i wkroczył do sali, ale zanim zdążył wyrazić zakłopotanie lub złość, znieruchomiał i oniemiał uderzony tym, co zobaczył i usłyszał.

Na środku, przed ławkami, stało obskurne, dawno zapomniane pianino, które wcześniej pokutowało w kącie; drewniany korpus instrumentu był tak zniszczony, że David uznał go za beznadziejnie rozstrojony. Ale teraz pianino zostało odnowione, oczyszczone i wystawione na środek niczym najwspanialszy fortepian. Siedział przy nim młody mężczyzna, może kilka lat młodszy od niego, o ciemnych włosach zaczesanych gładko do tyłu jak na wieczorne przyjęcie i urodziwej, żywej, pięknej twarzy, która współgrała z urodziwym głosem, wyśpiewującym właśnie: *Czemu-ś samotny, czyja to wina / Gdzie twoje dzieci, twoja rodzina…*

Śpiewający mężczyzna odchylał w tył głowę, a jego szyja była długa, lecz giętka i mocna jak wąż; oczy Davida przykuł ruchomy mięsień na tej szyi, podobny do perły wędrującej w górę i w dół:

Światła jarzyły się w wielkiej sali,
Cicho i słodko grała muzyka.
Mój miły podszedł do mnie cichutko:
Przynieś mi wody! – zażądał krótko.
Kiedy wróciłem z wodą dla niego,
Już się całował z moim kolegą…

Była to piosenka, jaką się słyszy w marnych lokalach, w musicalach i w czasie popisów wędrownych śpiewaków, a zatem niestosowna do śpiewania w obecności dzieci, a zwłaszcza takich dzieci, które okoliczności życiowe mogły naturalnie skłaniać ku sentymentalnym rozrywkom. A jednak Davidowi słowa uwięzły w gardle, był tak samo jak dzieci zahipnotyzowany przez tego mężczyznę, przez jego słodki, niski głos. Dotychczas słyszał tę piosenkę tylko w rytmie walczyka, przesłodzonego i łzawego, lecz ten mężczyzna nadał jej wesoły, dziarski rytm, dzięki któremu miałki tekst – o młodej dziewczynie pytającej wuja, starego kawalera, dlaczego nigdy nie znalazł sobie pary i nie założył rodziny – odrodził się w postaci figlarnej i pogodnej. David nie cierpiał tej piosenki, ponieważ czuł, że pewnego dnia będzie mógł ją sobie zanucić z własnego doświadczenia, że zdradza ona jego nieuchronny los, ale w tej wersji śpiew narratora brzmiał zawadiacko i beztrosko, jak gdyby to, że się nigdy nie ożenił, niczego go nie pozbawiło, a przeciwnie – uchroniło go przed ponurą przyszłością.

Gdy bal się kończy, kiedy już świta,
Tancerze wyszli, gwiazdy pobladły,
W niejednym sercu smutek wyczytasz –
Wielkie nadzieje z balem przepadły.

Młody człowiek zakończył występ efektownym pasażem, wstał i skłonił się publiczności złożonej z około dwudzieściorga dzieci, które słuchały go oczarowane, a teraz prześcigały się w wiwatach i oklaskach. Wtedy David jeszcze bardziej wyprostował plecy i odchrząknął.

Na ten odgłos mężczyzna spojrzał na niego i uśmiechnął się tak szeroko i promiennie, że David nagle znów się speszył.

– Dzieci – powiedział – zdaje się, że przeze mnie spóźniacie się na następną lekcję. No, no, nie jęczcie, to bardzo niegrzecznie. – David spąsowiał. – Lepiej wyjmijcie szybko bloki rysunkowe, a zobaczymy się znowu za tydzień.

Z tym samym uśmiechem na ustach zaczął zbliżać się do Davida, który ciągle stał w drzwiach.

– Powiedziałbym, że to bardzo dziwna piosenka do śpiewania przed dziećmi – rzekł David, siląc się na jak najsurowszy ton, ale mężczyzna roześmiał się nieurażony, tak jakby David się z nim droczył.

– Pewnie tak – przyznał jowialnie i zanim David zdążył wtrącić pytanie, dodał: – Jestem bardzo niegrzeczny; nie tylko sprawiłem, że spóźnił się pan na lekcję, to znaczy pana klasa spóźniła się na lekcję z panem, pan przyszedł punktualnie!, ale w dodatku się nie przedstawiłem. Nazywam się Edward Bishop, jestem nowym nauczycielem muzyki w tej wspaniałej instytucji.

– Rozumiem – bąknął David, niezbyt wiedząc, jak to się stało, że rozmowa tak szybko wymknęła mu się spod kontroli. – Cóż, muszę przyznać, że dosyć się zdziwiłem, słysząc…

– A ja wiem, kim p a n jest – przerwał mu młody człowiek, lecz z takim wdziękiem, tak serdecznie, że David znów poczuł się rozbrojony. – Davidem Binghamem z nowojorskich Binghamów. Chyba nie muszę dodawać, że z Nowego Jorku, prawda? Chociaż na pewno gdzieś w Wolnych Stanach są jeszcze jacyś inni Binghamowie, nie sądzi pan? Na przykład Binghamowie z Chatham albo

Binghamowie z Portsmouth. Ciekawe, jak muszą się czuć ci pomniejsi Binghamowie, wiedząc, że ich nazwisko zawsze będzie odnosiło się tylko do jednej rodziny, do której sami nie należą. Wiedząc, że skazani są na wieczne rozczarowywanie swoich rozmówców, gdy na pytanie: „Ach, czy z t y c h Binghamów?", zmuszeni są odpowiadać z żalem: „Niestety, nie; my jesteśmy Binghamami z Utica", i muszą patrzeć, jak na twarzy pytającego maluje się zawód.

Wysłuchawszy tej tyrady, wygłoszonej wesoło i w zawrotnym tempie, David wprost zaniemówił; zdołał jedynie wykrztusić: „Ja nigdy w ten sposób nie myślałem" – na co młody mężczyzna znowu się roześmiał, lecz cicho, jakby nie śmiał się z Davida, ale z jakiejś jego zmyślnej wypowiedzi, która połączyła ich tajnym porozumieniem. Kładąc dłoń na ramieniu Davida, powiedział z tą samą wesołością:

– No, panie Davidzie Bingham, bardzo miło było pana poznać i przepraszam raz jeszcze za naruszenie planu lekcji.

Gdy drzwi się za nim zamknęły, w klasie jakby nagle zabrakło czegoś istotnego; dzieci, jeszcze przed chwilą ożywione i uważne, stały się nagle apatyczne i zniechęcone i nawet David poczuł ubytek sił, jak gdyby jego ciało nie było już zdolne do udziału w farsie entuzjazmu i godności, której domagało się przykładne życie.

Mimo to podjął swoją rolę.

– Dzień dobry, dzieci – powiedział, otrzymując w odpowiedzi niemrawe „dzień dobry, panie Bingham", i przystąpił do aranżowania na stołku martwej natury przeznaczonej na to popołudnie: w glazurowanym kremowym wazonie umieścił kilka gałązek ostrokrzewu. Stanął jak zwykle pod tylną ścianą klasy, aby mieć oko na dzieci, a jednocześnie samemu rysować, gdyby przyszła mu na to ochota. Dzisiaj jednak jedynym przedmiotem, który widział w sali, było pianino ustawione za stołkiem z jego nędzną instalacją: mimo całego swojego zniszczenia wydawało się najpiękniejszym, najwymowniejszym obiektem w pomieszczeniu – światłem przewodnim, czymś połyskliwym i czystym.

Zerknął na uczennicę, która siedziała z jego prawej strony, niechlujną, drobniutką ośmiolatkę, i zobaczył, że szkicuje ona (nieudolnie) nie tylko wazon z ostrokrzewem, ale też pianino.

– Alice, miałaś rysować tylko martwą naturę – upomniał ją.

Podniosła na niego wielkie oczy, poza którymi w tej malutkiej, mizernej twarzyczce widać było jedynie dwa wystające przednie zęby podobne do odłamków kości.

– Przepraszam, panie Bingham – wyszeptała, a on westchnął. Dlaczego nie miałaby rysować pianina, skoro on sam nie umiał przestać się w nie wpatrywać, tak jakby wyłącznie samą nadzieją mógł stworzyć tam postać pianisty, którego duch wydawał się wciąż obecny w klasie?

– Rysuj, co chcesz, Alice – powiedział. – Ale zacznij od nowa na czystym arkuszu.

Reszta dzieci siedziała cicho z nadąsanymi minami; słyszał, jak wiercą się w ławkach. Głupio mu było cierpieć z tego powodu, ale cierpiał – zawsze myślał, że dzieci lubią jego lekcje, że lubią je przynajmniej tak, jak on polubił prowadzenie zajęć z nimi, ale odkąd ujrzał ich wcześniejszy zachwyt, zrozumiał, że nawet jeśli kiedyś wydawało się to prawdą, to już nią nie jest. On sam był kęsem jabłka, ale Edward Bishop był całym jabłkiem upieczonym w szarlotce z grubą kruszonką posypaną cukrem, a po skosztowaniu szarlotki nie ma się ochoty na powrót do surowego jabłka.

Wieczorem przy obiedzie siedział skwaszony, za to Dziadek tryskał humorem – czyżby wszyscy na świecie byli równie szczęśliwi? Na kolację podano ulubione danie Davida, pieczone gołębie z duszonymi karczochami, ale zjadł niewiele, a gdy Dziadek zapytał go, jak miał w zwyczaju robić to w każdą środę, jak się udała lekcja, wymamrotał zaledwie: „Doskonale, Dziadku", chociaż zazwyczaj próbował rozśmieszyć Nathaniela opowiastkami o tym, co dzieci rysowały, o co go pytały i jak dzielił kwiaty lub owoce z martwej natury między autorów najlepszych prac.

Ale Dziadek zdawał się nie dostrzegać jego przygaszenia albo przynajmniej go nie skomentował. A kiedy po obiedzie człapał ciężko na górę do salonu, David ujrzał, ni stąd, ni zowąd, Edwarda Bishopa. Zobaczył, co tamten robi, gdy on sam szykuje się do przesiedzenia kolejnego wieczoru w domu przy kominku, na wprost swojego dziadka. W jego wizji młody mężczyzna bawił w takim klubie, jaki David odwiedził wyłącznie raz w życiu, jego długa szyja była obnażona, usta zaś otwarte w śpiewie. Otaczali go inni przystojni młodzi mężczyźni oraz kobiety, wszyscy ubrani w krzykliwe jedwabie – życie było odświętne, powietrze pachniało liliami i szampanem, a zwieszający się nad nimi kryształowy kandelabr rozsiewał po całej sali chybotliwe cętki światła.

V

Sześć dni dzielących go od następnej lekcji upłynęło wolniej niż zwykle, a gdy wreszcie nadeszła kolejna środa, David zjawił się w szkole tak wcześnie, że dla uspokojenia nerwów i zabicia czasu postanowił pójść na spacer.

Zakład mieścił się w dużym kwadratowym budynku, prostym, lecz starannie utrzymanym, na rogu ulic Dwunastej Zachodniej i Greenwich. Lokalizacja ta w ciągu ostatnich dziesięcioleci straciła na świetności za sprawą pojawienia się miejskich burdeli trzy przecznice na północ i jedną przecznicę na zachód. Co kilka lat rada powiernicza szkoły debatowała nad ewentualnym przeniesieniem placówki, lecz koniec końców zawsze zostawało po staremu, ponieważ w naturze miasta leżało bliskie sąsiedztwo oczywistych przeciwieństw – bogaczy i biedaków, zasiedziałych i nowo przybyłych, niewinnych i przestępców – a powód tego był prosty: szczupłość terytorium, która nie pozwalała na dokonanie naturalnych podziałów. Ruszył na południe, do ulicy Perry'ego, potem na zachód i z powrotem na północ ulicą Waszyngtona, ale po dwóch okrążeniach zrobiło się za zimno nawet dla niego, więc musiał przerwać spacer i chuchając w dłonie, poszedł do dorożki po paczkę, którą z sobą przywiózł.

Od miesięcy obiecywał dzieciom, że da im narysować coś niezwykłego, ale podając ten przedmiot z rana Jane, żeby go zawinęła w papier i obwiązała sznurkiem, nie ukrywał nadziei, że Edward Bishop zobaczy go z czymś tak dziwnym i nieporęcznym w ramionach i zaciekawi się, może nawet zaczeka na ujawnienie zawartości paczki i oniemieje z podziwu. Nie był z tego dumny, oczywiście, że nie, podobnie jak z podniecenia, jakie odczuwał, idąc do klasy, świadomy swojego przyspieszonego oddechu i mocnych uderzeń serca.

Lecz gdy otworzył drzwi sali, nie było tam nic – ani muzyki, ani młodego mężczyzny, ani oczarowania – tylko jego uczniowie, którzy bawili się, tarmosili i pokrzykiwali jeden do drugiego, aż go zauważyli i poszturchując się łokciami, nakazali sobie nawzajem milczenie.

– Dzień dobry, dzieci – powiedział, ochłonąwszy z szoku. – Gdzie wasz nauczyciel muzyki?

– On teraz przychodzi w czwartki, proszę pana – dobiegł go głos któregoś z chłopców.

– Ach tak – rzekł na to, świadomy swojego rozczarowania, ucisku żelaznego łańcucha wokół szyi i wstydu, jaki z tego powodu odczuwał.

– Co jest w tej paczce, proszę pana? – zapytał inny uczeń, a David uprzytomnił sobie, że wciąż stoi oparty o drzwi, zaciskając zdrętwiałe ręce na przedmiocie, który tuli w ramionach. Nagle wydało mu się to głupie, istna farsa, ale niczego innego nie przyniósł do rysowania, a i w klasie nie było niczego, co nadawałoby się do skomponowania tableau, więc przeniósł przedmiot na biurko ustawione przodem do klasy i ostrożnie go rozpakował, odsłaniając rzeźbę, gipsową kopię rzymskiego marmurowego torsu. Jego dziadek, posiadacz oryginału zakupionego podczas młodzieńczej podróży po Europie, kazał wykonać kopię, gdy David rozpoczynał lekcje rysunku. Kopia nie przedstawiała większej wartości pieniężnej, ale David oglądał ją wielokrotnie przez te dwadzieścia parę lat, odkąd ją posiadł, na długo zanim zobaczył nagą pierś innego mężczyzny. Ta rzeźba nauczyła go wszystkiego, co dziś wiedział o anatomii, o tym, jak mięśnie okrywają kości, a skóra mięśnie, o pojedynczym kobiecym załomku, który tworzy się z boku brzucha przy pochyleniu ciała w bok, o tych dwóch skierowanych w dół liniach przypominających strzały, które wskazują na pachwiny.

Przynajmniej dzieci były zaciekawione, nawet zafrapowane, a on, ustawiając tors na stołku, opowiadał im o rzymskiej sztuce rzeźby, podkreślając, że wyrazem najwyższych umiejętności artysty było przedstawienie postaci ludzkiej. Przyglądając się, jak dzieci rysują, jak skupiają wzrok na arkuszu i co chwila popatrują krótko na rzeźbę, myślał o tym, że John uważa uczenie dzieci rysunku za głupotę: „Po co uczyć ich czegoś, czego nie będą robić w dorosłym życiu?" – dziwił się jego brat. Nie tylko John tak uważał, nawet Dziadek, który we wszystkim mu pobłażał, sądził, że dziwactwem, jeśli nie okrucieństwem, jest przedstawianie dzieciom hobby i zainteresowań, na które zapewne nigdy nie będą miały czasu, a tym bardziej pieniędzy. Ale David był przeciwnego zdania: uczył dzieci czegoś, co wymagało jedynie kawałka papieru i odrobiny tuszu lub końcówki ołówka; a zresztą, przekonywał Dziadka, gdybyśmy mieli służących, którzy lepiej rozumieją sztukę, którzy wiedzą, jak jest cenna i ile jest warta, może byliby oni ostrożniejsi i z większym szacunkiem odnosili się do dzieł sztuki w domach, gdzie sprzątają i posługują. Na to jego dziadek – który stracił w życiu kilka cennych przedmiotów, bezpowrotnie zniszczonych przez niezdarne pokojówki i lokajów – musiał się roześmiać i przyznać, że David może mieć rację.

Tego wieczoru, gdy już posiedział z Dziadkiem, wrócił do swojego pokoju i przypomniał sobie, jak wcześniej, siedząc z tyłu klasy i rysując razem z uczniami, wyobraził sobie Edwarda Bishopa, a nie gipsowy tors ustawiony na stołku, i upuścił ołówek, a potem zmusił się do przejścia pomiędzy dziećmi i przyjrzenia się ich pracom, żeby zająć uwagę czymś innym.

Następnym dniem był czwartek i David usiłował właśnie wymyślić jakiś powód do ponownego odwiedzenia szkoły, gdy otrzymał wiadomość, że Frances chce się z nim widzieć w sprawie rozbieżności w księgach rachunkowych dotyczących fundacji Binghamów, która finansowała wszystkie ich rozliczne przedsięwzięcia. Oczywiście nie miał wymówki i wiedział, że Frances świetnie o tym wie, dlatego musiał pojechać do centrum miasta, gdzie we dwójkę badali księgi tak długo, aż znaleźli jedynkę tak rozmazaną, że stała się siódemką i wywołała zamieszanie w rachunkach. Jedynka przerobiona na siódemkę: prosty błąd, a przecież, gdyby go nie wykryli, Almę poddano by przesłuchaniu i być może nawet zwolniono z pracy u Binghamów. Gdy skończyli, było jeszcze dość wcześnie, żeby dotrzeć do szkoły przed końcem lekcji Edwarda, jednak Dziadek zaprosił go na herbatę i David znów nie miał pretekstu do odmowy – jego wolność była tak dobrze znana otoczeniu, że stała się swego rodzaju więzieniem, rozkładem zajęć, których przecież nie miał.

– Wydajesz się bardzo czymś poruszony – zauważył Dziadek, nalewając herbaty do filiżanki Davida. – Czyżbyś się gdzieś spieszył?

– Nie, nigdzie – odparł.

Wyszedł natychmiast, gdy grzeczność na to pozwoliła, wskoczył do dorożki i kazał stangretowi jechać pędem, ale gdy dojechali na Zachodnią Dwunastą, było już dobrze po czwartej, a więc mało prawdopodobne, by mógł zastać Edwarda w pobliżu szkoły, szczególnie na takim zimnie. Mimo to David kazał stangretowi poczekać i stanowczym krokiem udał się do swojej klasy. Zanim przekręcił gałkę w drzwiach, zamknął oczy i zrobił głęboki wdech, po czym z ulgą wypuścił powietrze, nie usłyszawszy nic w panującej w środku ciszy.

Aż tu nagle:

– Pan Bingham – odezwał się jakiś głos. – Co za niespodzianka!

Miał oczywiście nadzieję na taki moment, a niemniej kiedy otworzył oczy i ujrzał przed sobą Edwarda Bishopa, promiennie uśmiechniętego, z rękawiczkami w dłoni, z głową przekrzywioną na bok, jakby właśnie zadał Davidowi jakieś pytanie, nie zdołał nic odpowiedzieć. Jego mina musiała zdradzić zmieszanie, bo Edward podszedł bliżej, przybierając stroskany wyraz twarzy.

– Panie Bingham, czy pan się dobrze czuje? – spytał. – Taki pan blady. Proszę, niech pan spocznie na krześle, przyniosę panu wody.

– Nie, nie – wykrztusił w końcu David. – Czuję się doskonale. Jestem tylko… Myślałem, że zostawiłem tu wczoraj szkicownik… Szukałem go dzisiaj w domu i nie mogłem znaleźć… Ale widzę, że tu też go nie zostawiłem… Przepraszam, że panu przeszkadzam.

– Ależ wcale mi pan nie przeszkadza! Zgubić szkicownik, to okropne, nie mam pojęcia, co bym z sobą zrobił, gdybym zgubił własny notatnik. Pozwoli pan, że trochę się rozejrzę.

– Nie ma potrzeby – zaoponował niemrawo.

Było to wierutne kłamstwo. W klasie znajdowało się tak mało mebli, że niewiele było miejsc, w których mógł znajdować się rzekomy szkicownik – ale Edward już zaczął szukać: wysuwał puste szuflady nauczycielskiego biurka, zaglądał do pustej szafy, która stała za biurkiem, obok tablicy, ukląkł nawet, pomimo protestów Davida, żeby zajrzeć pod pianino (jakby David nie mógł natychmiast zauważyć szkicownika – bezpiecznego w jego domowym gabinecie – gdyby rzekoma zguba rzeczywiście gdzieś tam leżała). Przez cały ten czas w obecności Davida Edward wydawał okrzyki zaniepokojenia i rozczarowania. Miał teatralną, celowo staroświecką, mocno afektowaną dykcję – wszystkie te ochy i achy! – lecz irytowała ona Davida mniej, niż powinna. Była zarazem nienaturalna i autentyczna i mniej było w niej pretensjonalności niż odbicia wrażliwości artystycznej, wyrazu żywotności i dobrego humoru, zupełnie jakby Edward Bishop postanowił sobie nie być zbyt poważnym, tak jakby p o w a g a, ten rodzaj powagi, z którym większość ludzi witała świat, cechowała afektację, a nie entuzjazm.

– Chyba go tutaj nie ma, panie Bingham – oznajmił wreszcie Edward, wstając i patrząc Davidowi prosto w oczy z taką miną i z takim półuśmiechem, jakich David nie potrafił zinterpretować: czy był to flirt, czy nawet uwodzenie, czy potwierdzenie ról ich obu w tej osobliwej pantomimie? A może (co bardziej prawdopodobne) Edward droczył się z nim, a nawet z niego kpił? Ilu mężczyzn mających głupie plany i afekty zniósł dotąd Edward Bishop w swoim krótkim życiu? Jak długa była lista, do której David musi teraz dopisać swoje imię?

Chętnie zakończyłby ten teatr, ale niezbyt wiedział, jak to zrobić. Sam w nim występował, jednak za późno uświadomił sobie, że przed rozpoczęciem przedstawienia nie wymyślił żadnego zakończenia.

– Bardzo to uprzejme z pana strony, że pan szukał – wydukał żałośnie, zerkając w stronę drzwi. – Ale na pewno po prostu zapodziałem go gdzieś w domu. Niepotrzebnie tu przyszedłem, nie będę pana dłużej kłopotał.

„Nigdy – przyobiecał sam sobie. – Nigdy więcej nie będę pana kłopotał. A jednak nie ruszył się do wyjścia".

Zapadło milczenie, a kiedy Edward odezwał się ponownie, jego głos był zmieniony, mniej w nim było afektacji, mniej wszystkiego.

– To nie był dla mnie kłopot, w żadnym razie – powiedział, a po kolejnej pauzie dodał: – Niezmiernie zimno w tej sali, prawda? (Była to prawda. Przełożona utrzymywała w domu chłód w godzinach szkolnych, wierząc, że sprzyja to koncentracji i wyrabia charaktery. Dzieci jakoś do tego przywykły, ale dorośli nie potrafili. Wszyscy nauczyciele i personel chodzili okutani w palta i szale. Kiedyś David odwiedził placówkę wieczorem i zdumiał się, że jest tam ciepło, a nawet przytulnie).

– Jak zwykle – odrzekł, wciąż żałośnie.

– Myślę, że chętnie bym się rozgrzał filiżanką kawy – stwierdził Edward, a gdy David nie odpowiedział, bo znów nie potrafił zinterpretować sobie jego wypowiedzi, dorzucił: – Jest tu kawiarnia, zaraz za rogiem, zechce mi pan towarzyszyć?

Wyraził zgodę, zanim zorientował się, że to robi, zanim pomyślał, zanim ocenił, co ta propozycja może naprawdę znaczyć. Zaraz potem, ku jego zaskoczeniu, Edward już dopinał płaszcz i wychodzili ze szkoły, kierując się na wschód, a później na południe ulicą Hudson. Nie rozmawiali, chociaż Edward nucił coś, idąc, jakąś inną popularną piosenkę. Na moment Davida ogarnęły wątpliwości: czyżby Edward był jedynie powierzchownym efekciarzem? Dotąd zakładał, że pod tymi uśmiechami i gestami, pod białymi, równymi zębami, kryje się poważna osoba, ale jeśli tak nie jest? A jeśli on jest pospolitym lekkoduchem, człowiekiem, który goni wyłącznie za przyjemnością?

Ale zaraz pomyślał: a jeśli nawet tak, to co z tego? To tylko kawa, a nie oświadczyny. Uspokoiwszy się w ten sposób, przypomniał sobie Charlesa Griffitha, który nie odezwał się do niego od ostatniego spotkania, tego sprzed świąt, i mimo przejmującego zimna poczuł gorąco na szyi.

Kawiarnia, kiedy do niej dotarli, okazała się nie tyle kawiarnią, ile podrzędną herbaciarnią, ciasną, z podłogą z surowego drewna i kulawymi stolikami, przy których siedziało się na zwykłych stołkach. Frontową część lokalu stanowił sklep, więc musieli przecisnąć się przez tłum klientów badających zawartość baryłek zawierających już to ziarnistą kawę, już to susz z kwiatów rumianku lub liści mięty, które dwaj chińscy ekspedienci przesypywali szufelkami do papierowych torebek i ważyli na mosiężnej wadze, sumując wyniki na liczydle z drewnianymi paciorkami – jego nieustanny, rytmiczny stukot wypełniał lokal specyficzną muzyką perkusyjną. Pomimo to, a może właśnie dlatego, nastrój był ożywiony i serdeczny. Udało im się znaleźć miejsce przy kominku, z którego strzelały snopy iskier wirujących spiralnie w powietrzu niczym fajerwerki.

– Dwie kawy – rzucił Edward do kelnerki, pulchnej dziewczyny z Orientu, która kiwnęła głową i oddaliła się drobnym kroczkiem.

Przez chwilę siedzieli i patrzyli na siebie przez blat stolika, wreszcie Edward się uśmiechnął, a David odpowiedział mu uśmiechem i jeszcze przez jakiś czas tak się do siebie uśmiechali, aż w końcu obaj naraz parsknęli głośnym śmiechem. A później Edward nachylił się do niego, jakby mu chciał powierzyć jakiś sekret, lecz zanim się odezwał, do sali wpadła duża grupa młodych mężczyzn i kobiet – studentów uniwersytetu, sądząc z ich wyglądu i treści rozmów – którzy zajęli sąsiedni stół, nie przerywając nawet dyskusji na temat modny od dziesięcioleci wśród młodzieży w wieku studenckim i roztrząsany już przed wojną z rebeliantami:

– Ja jedynie mówię, że nasz kraj nie może uważać się za wolny, skoro nie potrafimy uznać Murzynów za pełnoprawnych obywateli – mówiła ładna dziewczyna o ostrych rysach.

– Ależ oni *są* tu mile widziani – zaoponował chłopak siedzący na wprost niej.

– Owszem, ale tylko dopóki przechodzą przez nasz kraj w drodze do Kanady albo na Zachód. Nie życzymy sobie, żeby tu zostali, a kiedy mówimy, że otwieramy nasze granice dla każdego przybysza z Kolonii, to nie mamy na myśli ich, chociaż są jeszcze bardziej prześladowani niż ci, którym udzielamy schronienia! Uważamy się za dużo lepszych od Ameryki i Kolonii, ale wcale tacy nie jesteśmy!

– No bo Murzyni to nie są ludzie tacy jak my.

– Ależ są! Znam, cóż, nie osobiście, ale mój stryjek, który podróżował po Koloniach, poznał Murzynów, którzy są *zupełnie* tacy sami jak my!

Na to część grupy odpowiedziała szyderczym okrzykiem, a jeden z chłopców odezwał się nonszalancko, przeciągając sylaby:

– Anna zaraz spróbuje nam wmówić, że istnieli nawet czerwonoskórzy tacy jak my, więc nie należało ich tępić, lecz uszanować ich dzikie obyczaje.

– No bo byli Indianie tacy jak my, Ethanie! To akurat zostało udokumentowane!

Ta wypowiedź wywołała głośne reakcje wszystkich siedzących przy stole. Wrzawa w połączeniu z donośniejszym niż przedtem stukotem liczydła i z gorącem bijącym z kominka, które czuł na plecach, przyprawiła Davida o zawrót głowy. Musiało się to odmalować na jego twarzy, gdyż Edward ponownie nachylił się do niego przez stół i spytał, krzycząc prawie, czy David chciałby pójść gdzie indziej, na co on odpowiedział twierdząco.

Edward poszedł poszukać kelnerki i powiedzieć jej, że rezygnują z kawy. Przecisnęli się we dwóch obok stołu studentów i ciżby klientów czekających na swoje torebki herbaty i znów znaleźli się na ulicy, która – chociaż ruchliwa i gwarna – wydała im się przestronna i cicha.

– Tam rzeczywiście bywa głośno – powiedział Edward – zwłaszcza pod wieczór; powinienem był o tym pamiętać. Ale na ogół jest miło, naprawdę.

– Nie wątpię – wymamrotał uprzejmie David. – Czy jest tu jakiś inny lokal, do którego możemy pójść?

Chociaż już pół roku uczył w szkole, nie zatrzymywał się nigdy na dłużej w tej okolicy – wpadał tu jedynie na krótko i w określonym celu, a na uczęszczanie do pubów i tanich kawiarni, które tak przyciągały tutaj studentów, czuł się za stary.

– No cóż – odrzekł po chwili milczenia Edward – moglibyśmy pójść do mojego mieszkania, jeżeli pan to zniesie. To niedaleko.

Zaskoczyła go ta propozycja, ale i usatysfakcjonowała – bo czyż nie takie właśnie zachowanie przyciągnęło go już na samym początku do Edwarda? Obietnica wolnoduchostwa, beztroskiego lekceważenia konwencji, porzucenia staroświeckich manier i formalności? Edward był nowoczesny, a David w jego obecności także czuł się nowoczesny, i to do tego stopnia, że z miejsca przystał na propozycję, ośmielony tupetem nowego przyjaciela. Edward skinął głową, jakby spodziewał się takiej odpowiedzi (chociaż w tej samej chwili David zdumiał się własną śmiałością), i poprowadził go najpierw na północ, a potem na zachód, na ulicę Bethune. Kamienice przy ulicy Bethune były ładne, nowo wybudowane, z brązowego piaskowca, a w ich oknach migały płomyki świec – była wprawdzie dopiero piąta po południu, ale już czuło się nadciągającą noc – jednak Edward doprowadził Davida do dużej, zaniedbanej, niegdyś świetnej zapewne budowli bardzo blisko rzeki, podobnej do rezydencji, w której wychował się dziadek Davida, chociaż zmarniałej, z wypaczonymi drewnianymi drzwiami, którymi Edward musiał parę razy mocno szarpnąć, żeby je otworzyć.

– Proszę uważać na drugi stopień, brakuje w nim kamienia – ostrzegł Davida, zanim się do niego odwrócił. – To nie plac Waszyngtona, przyznaję, ale zawsze to dom.

Słowami go przepraszał, ale ten uśmiech – ten promienny uśmiech! – całkowicie zmienił znaczenie słów: może nie całkiem w przechwałkę, ale w wyzwanie.

– Skąd pan wiedział, że mieszkam przy placu Waszyngtona?

– Wszyscy wiedzą – odparł Edward, ale takim tonem, jakby mieszkanie przy placu Waszyngtona było osobistym osiągnięciem Davida, czymś, co zasługuje na gratulacje.

Gdy weszli do środka (ostrożnie omijając kłopotliwy drugi stopień), David zobaczył, że rezydencję zamieniono na pensjonat: po lewej stronie, gdzie normalnie znajdowałaby się bawialnia, był pokój śniadaniowy z półtuzinem stolików w różnych stylach i tuzinem krzeseł, także różnych. David na pierwszy rzut oka poznał, że meble są lichego wyrobu, ale po chwili zauważył w kącie ładny sekretarzyk z przełomu wieków, podobny do tego, który jego dziadek miał w swojej bawialni, więc podszedł, aby przyjrzeć mu się z bliska. Drewno wyglądało na niepolerowane od miesięcy, a fornir był zniszczony przez jakiś kiepski olej; lepił się przy dotknięciu, a kiedy David cofnął rękę, miał palce oblepione kurzem. Ale kiedyś musiał to być piękny mebel, zanim jednak David zdążył o cokolwiek zapytać, stojący za nim Edward powiedział:

– Właścicielka domu była niegdyś zamożna, tak przynajmniej słyszałem. Nie tak jak Binghamowie, oczywiście – znów wzmianka o ich rodzinie i majątku – ale forsiasta.

– I co się stało?

– Miała małżonka, który lubił hazard, a na koniec uciekł z jej siostrą. Tak mi przynajmniej mówiono. Teraz mieszka na najwyższym piętrze i rzadko ją widuję, jest dosyć stara, a domem zajmuje się jej daleka kuzynka.

– Jak ma na nazwisko ta właścicielka? – spytał David. Jeśli istotnie była kiedyś bogata, jego dziadek Nathaniel musiał o niej słyszeć.

– Larsson. Florence Larsson. Chodźmy, proszę, mój pokój jest w tę stronę.

Chodnik okrywający schody był w wielu miejscach przetarty i wystrzępiony, a w miarę jak pokonywali kolejne piętra, Edward objaśniał Davidowi, ilu pensjonat ma lokatorów (dwunastu, z nim włącznie) i jak długo on sam w nim mieszka (rok). Wydawał się zupełnie niespeszony otoczeniem, jego ubóstwem i zapuszczeniem (woda odbarwiła tapetę w bukieciki, narzucając jej nieregularny wzór w wielkie żółtawe plamy) ani też tym, że mieszka w pensjonacie. Oczywiście wielu ludzi mieszkało w pensjonatach, ale David nigdy dotąd kogoś takiego nie poznał, nie mówiąc o wizycie w tego rodzaju budynku, rozglądał się więc z zaciekawieniem podszytym odrobiną lęku. Jak mieszkają ludzie w tym mieście! Zdaniem Elizy, której organizacja dobroczynna zajmowała się przesiedleniami i znajdowaniem domów dla uchodźców z Kolonii oraz imigrantów z Europy, warunki życia większości nowych mieszkańców były opłakane: opowiadała Binghamom o dziesięcioosobowych rodzinach wtłoczonych do jednego pokoju, o oknach nieuszczelnianych nawet w największy mróz, o poparzonych dzieciach, które chciały się ogrzać przy palenisku bez osłony, o dachach, przez które deszcz przeciekał prosto do izb mieszkalnych. Słuchali jej opowieści i kiwali głowami, Dziadek cmokał, a później rozmowa zbaczała na inny temat – studia Eden albo wystawę obrazów, na której ostatnio gościł Peter – i pożałowania godne mieszkania Elizy szły w niepamięć. A jednak teraz on, David Bingham, był tutaj, w domu, do jakiego żadne z jego rodzeństwa nie odważyłoby się wejść. Znienacka zdał sobie sprawę, że przeżywa przygodę, i zawstydził się swojej pychy, bo prawdę mówiąc, rola gościa nie wymagała żadnej odwagi.

Na trzecim półpiętrze Edward skręcił w prawo i David podążył za nim do pokoju na końcu korytarza. Otaczała ich kompletna cisza, a mimo to Edward, otwierając swoje drzwi, przytknął palce do ust i wskazując drzwi obok, szepnął:

– On pewnie śpi.

– Tak wcześnie? – odszepnął David. (A może było w istocie tak późno?)

– Pracuje w nocy. Jest sztauerem, nie wychodzi z domu wcześniej niż po siódmej.

– Aha – rzekł David, ponownie zaskoczony tym, jak niewiele wie o świecie.

Weszli do pokoju i Edward cicho zamknął drzwi. Było tak ciemno, że David nic nie widział, poczuł jednak dym i nikły zapach łoju. Edward oznajmił, że pozapala świece, i z każdym kolejnym sykiem zapałki pokój nabierał kształtów i kolorów.

– Trzymam zaciągnięte zasłony; tak jest cieplej – wyjaśnił Edward, ale zaraz rozsunął je i pomieszczenie objawiło się w końcu w całej okazałości.

Było mniejsze niż gabinet Davida przy placu Waszyngtona. W jednym kącie tkwiło wąskie łóżko, na które ciasno i schludnie naciągnięto zgrzebny wełniany koc. W nogach łóżka stał łuszczący się skórzany kufer, a z jego prawej strony widniała drewniana szafa, wbudowana w ścianę. Po przeciwnej stronie pokoju na mizernej namiastce stołu mieściła się staromodna lampa naftowa, plik papierów i bibularz, a dookoła piętrzyły się stosy książek, samych zniszczonych. Był też stołek, na oko niedrogi, tak jak i reszta mebli. Kąt na wprost łóżka zajmował spory ceglany kominek, a na żelaznym pręcie wisiał ciężki, czarny, staroświecki garnek, podobny do tych, które David pamiętał z dzieciństwa, gdy stojąc na kuchennym dziedzińcu rodzinnego domu w rezydencyjnej części miasta, przyglądał się służącym mieszającym swoje pranie w wielkich kotłach z wrzątkiem. Po obu stronach kominka widniały duże okna, na których nagie gałęzie olch rysowały osnute pajęczyną cienie.

Davidowi mieszkanie to wydało się nadzwyczajne, jak te opisywane w gazetach, i po raz kolejny zdziwił się własnej w nim obecności, nawet bardziej niż temu, że jest w towarzystwie osoby, do której ten pokój należy.

Wreszcie przypomniał sobie o dobrych manierach i spojrzał znów na Edwarda, który stał na środku pokoju ze splecionymi palcami. David już nauczył się uznawać ten jego gest za specyficzną oznakę słabości. I po raz pierwszy od początku ich krótkiej znajomości wyczytał w twarzy Edwarda jakąś niepewność, coś, czego wcześniej nie widział, i ta świadomość obudziła w nim czułość, ale i odwagę, tak że kiedy Edward w końcu zapytał: „Zaparzyć herbaty?", zdołał zrobić krok do przodu – zaledwie jeden krok, ale przestrzeni było tak niewiele, że oto stanął o kilka cali od Edwarda Bishopa, tak blisko niego, że mógł dostrzec każdą jego rzęsę, czarną i wilgotną jak kreska narysowana tuszem.

– Tak, proszę – odrzekł umyślnie przyciszonym głosem, jakby cokolwiek głośniejszego mogło otrzeźwić i spłoszyć Edwarda. – Z wielką chęcią.

Edward poszedł więc nabrać wody. Pod jego nieobecność David miał okazję przyjrzeć się bliżej i uważniej pokojowi oraz jego wyposażeniu i zdać sobie sprawę z tego, że spokój, z jakim przyjął do wiadomości specyfikę domostwa Edwarda, nie był bynajmniej spokojem, lecz szokiem. Zrozumiał, że Edward jest biedny.

Ale czego właściwie się spodziewał? Oczywiście tego, że Edward jest kimś takim jak on: dobrze wychowanym, wykształconym mężczyzną, który uczy w szkole w ramach działalności charytatywnej, a nie – co musiał teraz uznać za prawdopodobne, nawet pewne – dla pieniędzy. Dostrzegł piękno jego twarzy, krój jego ubrań i przyjął za pewnik jakieś pokrewieństwo czy podobieństwo, gdy tymczasem nie było żadnego z nich. Przysiadł na kufrze stojącym w nogach łóżka i przypatrzył się płaszczowi Edwarda, który ten położył tam, zanim wyszedł z pokoju; owszem, wełna i wykonanie były pierwszej klasy, ale klapy (pod które zajrzał, żeby dokładniej je zbadać) były odrobinę zbyt szerokie jak na obowiązującą modę, materiał na ramionach wyświecił się ze starości, plisa była w jednym miejscu zacerowana drobnym ściegiem, a wystrzępiony mankiet zaszyty na zakładkę. Przebiegł go lekki dreszcz, wywołany zarówno pomyłką w ocenie, jak i świadomością własnej wady: Edward nie próbował go oszukać; to on sam, David, po prostu uznał, że Edward jest taki, a nie inny, i zignorował dowody świadczące o czymś przeciwnym. Wypatrywał w nim znaków siebie samego i innych ze swojego świata, a znalazłszy takowe albo wystarczająco zbliżone, po prostu przestał patrzeć, przestał widzieć. „Światowy człowiek" – tak przywitał go Dziadek pewnego dnia, kiedy David wrócił z rocznej podróży po Europie: uwierzył mu, a nawet przyznał rację. Ale czy rzeczywiście był światowym człowiekiem? Czy może tylko człowiekiem świata stworzonego przez Binghamów, bogatego wprawdzie i zróżnicowanego, ale – wiedział o tym – mocno niekompletnego? Oto teraz znajdował się w domu oddalonym o niespełna kwadrans jazdy dorożką od placu Waszyngtona, a jednak dom ten był mu bardziej obcy niż Londyn, niż Paryż, niż Rzym; tak mało rozpoznawał w nim znajomych rzeczy, że równie dobrze mógłby być w Pekinie albo na Księżycu. I odkrył w sobie jeszcze gorszą cechę – poczucie niedowierzania, świadczące o naiwności, która była nie tylko niesmaczna, ale wręcz zgubna. Nawet gdy już wszedł do tego domu, uparcie trwał przy myśli, że Edward mieszka tutaj dla fantazji, dla udawania ubóstwa.

Świadomość ta, do spółki z chłodem panującym w pokoju, chłodem tak przenikliwym i uporczywym, że niemal wilgotnym, sprawiła, że poczuł całą absurdalność swojego bycia tutaj, więc wstał, pozapinał z powrotem płaszcz, którego nawet nie zdjął, i już chciał wychodzić, już szykował się na spotkanie Edwarda Bishopa na schodach, obmyślając wymówki i przeprosiny, gdy gospodarz mieszkania powrócił, taszcząc chlupoczący miedziany garnek.

– Zechce się pan przesunąć, panie Bingham – rzekł z kpiarską oficjalnością, odzyskawszy wcześniejszą wesołość, i przelał wodę do czajnika, po czym ukląkł, by rozniecić ogień, a płomienie natychmiast wystrzeliły w górę jak na zawołanie. Przez ten czas David stał bezradnie w miejscu, a kiedy Edward znowu się do niego odwrócił, zrezygnowany przysiadł na łóżku.

– Och, przepraszam, że ośmieliłem się siąść na pańskim łóżku! – wykrzyknął, zrywając się na nogi.

Ale Edward jedynie się uśmiechnął.

– Innego miejsca do siedzenia nie ma – powiedział po prostu. – Proszę bardzo.

Więc David usiadł ponownie.

Dzięki ogniowi pokój sprawiał wrażenie sympatyczniejsze, mniej ponure, szyby okien zmętniały od pary i zanim Edward ponalewał herbaty – „Nie jest to, niestety, prawdziwa herbata, tylko suszone koszyczki rumianku" – David poczuł się mniej nieswojo, a później zapanowało na chwilę przyjazne milczenie, kiedy tak obaj pili gorący napój.

– Mam herbatniki, jeśli pan sobie życzy.

– Nie, dziękuję.

Obaj upili po łyku.

– Musimy jeszcze wrócić do tej kawiarni, może o wcześniejszej porze dnia.

– Tak, byłbym bardzo rad.

Przez chwilę zdawało się, że żaden z nich nie wie, co powiedzieć.

– Jak p a n uważa, powinniśmy przyjmować Murzynów? – zagadnął wreszcie Edward żartobliwym tonem, a David w odpowiedzi uśmiechnął się i pokręcił głową.

– Współczuję Murzynom, oczywiście – odparł stanowczo, powtarzając jak echo opinię Dziadka – ale najlepiej będzie, jeśli znajdą sobie własne miejsce, może na Zachodzie.

Jego dziadkowi nie chodziło o to, że Murzyni nie nadają się do nauki – w istocie było wprost przeciwnie, i w tym właśnie sęk, bo czy uczony Murzyn nie zechciałby sam skorzystać z możliwości, jakie oferowały Wolne Stany? Pomyślał, że Dziadek, mówiąc o sprawie Murzynów, używa zawsze określenia „kwestia murzyńska" – nigdy „murzyński dylemat" czy „murzyński problem", bo „jak zaczniemy to tak nazywać, to spadnie na nas obowiązek rozwiązania". „Kwestia murzyńska jest grzechem w sercu Ameryki – mawiał często. – Ale my nie jesteśmy Ameryką i nie nasz to grzech".W tej sprawie, tak jak i w wielu innych, Dziadek był mądry – David o tym wiedział i nigdy nie przyszło mu do głowy pomyśleć inaczej.

Znów zapadło milczenie, przerywane jedynie stukaniem porcelanowych filiżanek o ich zęby, i nagle Edward uśmiechnął się do niego.

– To dla pana wstrząs widzieć, jak mieszkam.

– Ależ skąd – zaprzeczył David, chociaż był wstrząśnięty. Osłupiał do tego stopnia, że umiejętność prowadzenia konwersacji i robienia użytku z dobrych manier całkiem go opuściły. Kiedy był nieśmiałym uczniakiem, z trudem nawiązującym przyjaźnie i często ignorowanym przez kolegów, pewnego razu Dziadek powiedział mu, że aby wydać się interesującym, wystarczy zadawać pytania innym ludziom. „Ludzie nade wszystko uwielbiają mówić o sobie – prawił Dziadek. – Więc jeśli kiedykolwiek znajdziesz się w sytuacji, w której będziesz obawiał się o swoją pozycję, chociaż nie powinieneś się obawiać: jesteś Binghamem, pamiętaj o tym, i najlepszym dzieckiem, jakie znam, wtedy musisz tylko zapytać tę drugą osobę o jego lub jej sprawy, a pozostaną na zawsze przekonani, że jesteś najbardziej fascynującym człowiekiem, jakiego zdarzyło im się spotkać". Była to oczywiście przesada, ale Dziadek się nie mylił i jego rada, kiedy David się do niej zastosował, może nie odmieniła jego pozycji wśród rówieśników, ale z pewnością ustrzegła go przed życiem pełnym upokorzeń, dlatego polegał na niej przy niezliczonych okazjach.

Nawet teraz miał świadomość, że z nich dwóch to Edward jest postacią znacznie bardziej tajemniczą i pociągającą. On był Davidem Binghamem i wszystko było o nim wiadome. Jak by to było być kimś anonimowym, kimś o nieznaczącym nazwisku, kto przechodzi przez życie jak cień, kto może wyśpiewywać w szkolnej klasie kuplety z musicalu, a wieść o tym nie rozniesie się natychmiast po wszystkich jego znajomych? Jakby to było mieszkać w lodowatym pokoiku w pensjonacie i mieć sąsiada, który budzi się, kiedy inni rozsiadają się w swoich bawialniach na drinka i rozmowę? Być kimś, kto nikomu niczego nie zawdzięcza? Nie był aż takim romantykiem, żeby sobie tego życzyć; niezbyt chciałby zamieszkać w tej zimnej klitce, tak blisko rzeki, chodzić po wodę za każdym razem, gdy zachce mu się pić, zamiast po prostu szarpnąć linkę dzwonka – nie miał nawet pewności, czy byłby do tego zdolny. A jednak bycie kimś powszechnie znanym oznaczało zamianę przygody na pewność, a zatem wyrok skazujący na życie pozbawione niespodzianek. Nawet w Europie znajomi Dziadka przekazywali go sobie z rąk do rąk: on sam nigdy nie musiał wydeptywać sobie drogi, bo ktoś to już za niego zrobił, pousuwał przeszkody, o których istnieniu on nawet nigdy się nie dowie. Był wolny, ale jednocześnie wolny nie był.

Dlatego z autentyczną tęsknotą zaczął wypytywać Edwarda o jego życie, o to, kim jest i jak doszło do tego, że żyje tak, jak żyje. Edward odpowiadał tak naturalnie i płynnie, jakby od lat czekał, aż w jego życiu pojawi się David i zada mu te wszystkie pytania. Chociaż David słuchał z zaciekawieniem, jednocześnie odkrywał w sobie świadomość nowej i niemiłej dumy – z tego, że jest właśnie tutaj, w tym nieprawdopodobnym miejscu, i że rozmawia z obcym, pięknym i nieprawdopodobnym człowiekiem, i że widzi czerniejące niebo przez zaparowane okno i wie, że jego dziadek zasiada w tym momencie do kolacji i zastanawia się, gdzie podziewa się jego wnuk, a jednak on nie wstaje, nie przeprasza i nie wychodzi. Czuł się jak zaklęty i wiedząc o tym, świadomie wybrał nie walkę z tym uczuciem, lecz uległość, świadomie porzucił znajomy sobie świat na rzecz innego, a to dlatego, że chciał spróbować nie być tą osobą, którą był, tylko tą, którą sobie wymarzył.

VI

Przez następne tygodnie widział się z Edwardem najpierw raz, potem dwa razy, potem trzy razy, potem cztery. Spotykali się po lekcji Edwarda albo jego. Na drugim spotkaniu znów odwiedzili najpierw kawiarnię, ale przy następnych okazjach szli już prosto do pokoju Edwarda i przesiadywali tam tak długo, aż David uznał, że musi wracać do powozu, który czekał na niego przed szkołą, i gnać do domu, zanim Dziadek zejdzie na kolację – Nathaniel nie był zły, lecz zaciekawiony, gdy David wrócił do domu tak późno po pierwszym spotkaniu. Chociaż David wówczas wymigał się od odpowiedzi na jego pytania, to wiedział, że stałyby się one bardziej natarczywe, gdyby spóźnienie się powtórzyło, a nie czuł się gotowy do udzielania wyjaśnień.

W rzeczywistości nie wiedział bowiem, jak mógłby scharakteryzować swoją przyjaźń z Edwardem, gdyby został do tego zmuszony. Wieczorami, po drinku i rozmowie z Dziadkiem w salonie – „Na pewno dobrze się czujesz? – zagadnął go Dziadek po trzecim sekretnym spotkaniu. – Wydajesz się dziwnie... rozkojarzony" – David zamykał się w swoim gabinecie i zapisywał w dzienniku to, czego dowiedział się w danym dniu od Edwarda, a później odczytywał własne notatki, jakby to była jedna z powieści z dreszczykiem, za którymi przepadał Peter, a nie relacja, którą otrzymał z pierwszej ręki.

Edward miał dwadzieścia trzy lata, o pięć mniej niż David, i przez dwa lata uczęszczał do konserwatorium w Worcester w stanie Massachusetts. Ale chociaż otrzymał stypendium, nie wystarczyło mu pieniędzy na zrobienie dyplomu, więc przed czterema laty przeniósł się do Nowego Jorku w poszukiwaniu pracy.

– Czym się zajmowałeś? – spytał David.

– Och, wszystkim po trochu – padła odpowiedź, która nie okazała się nieprawdziwa, w każdym razie nie do końca. Edward bywał, zawsze na krótko, pomocnikiem kucharza („Koszmar. Ledwo umiem zagotować wodę, jak sam widziałeś"), guwernerem („Coś strasznego. Całkowicie zaniedbywałem edukację podopiecznych i pozwalałem im obżerać się słodyczami"), czeladnikiem u węglarza („Naprawdę nie wiem, jak mogłem przypuszczać, że będę nadawał się do tej pracy") i modelem w pracowni artysty („O wiele większa nuda, niż sobie wyobrażasz. Kucasz w nieprawdopodobnej pozie, aż wszystko cię zaczyna boleć i drętwiejesz z zimna, a grupa mizdrzących się bogatych wdów i lubieżnych starców usiłuje cię narysować"). W końcu jednak (nie wyjaśnił, jakim sposobem) zatrudnił się jako pianista w małym nocnym klubie.

(– W nocnym klubie! – wykrzyknął David, nie mogąc się powstrzymać.

– A żebyś wiedział, w nocnym klubie! Gdzie indziej nauczyłbym się tych wszystkich niestosownych piosenek, które tak obrażają Binghamowe uszy? – powiedział to jednak żartem i uśmiechnęli się do siebie).

Właśnie kiedy grywał na pianinie w nocnym klubie, dostał propozycję posady nauczyciela w ich ochronce (to także pozostało niewyjaśnione, więc David puścił na chwilę wodze fantazji i wyobraził sobie przełożoną, która maszeruje przez przyciemnioną salę, chwyta Edwarda za kołnierz i wlecze go po schodach na górę i po ulicy aż do wnętrza budynku szkoły). Ostatnimi czasy Edward próbował podreperować swój budżet, udzielając prywatnych lekcji, lecz zdawał sobie sprawę z trudności, graniczącej z niemożliwością, znalezienia takiej pracy.

(– Przecież masz kwalifikacje! – oburzył się David.

– Ale jest wielu innych z wyższymi kwalifikacjami i lepszymi referencjami niż moje. Sam pomyśl, masz siostrzenice i bratanków, prawda? Czy twój brat albo siostra nająłby kiedykolwiek kogoś takiego jak ja? Czy nie woleliby, bądź szczery, żeby ich kochane maleństwa uczyły się u perceptorów wykształconych w Konserwatorium Państwowym albo zawodowych muzyków? Och nie, nie miej skrupułów, nie przepraszaj; ja wiem, jaka jest prawda, tak to po prostu jest. Na biednego i nikomu nieznanego młodego człowieka bez dyplomu, choćby takiego dyplomu z trzeciorzędnego seminarium, nie ma wielkiego popytu i nigdy nie będzie).

Lubił uczyć. Jego przyjaciele (nie mówił o nich ze szczegółami) nabijali się z tego zajęcia, ponieważ istotnie było ono ze wszech miar skromne, ale on za nim przepadał: przepadał za dziećmi.

– Przypominają mi mnie samego z dawnych czasów – powiedział, choć znowu nie wyjaśnił, w jaki sposób. Wiedział, podobnie jak David, że jego wychowankowie nigdy nie będą mogli zostać muzykami, może nawet nie stać ich będzie na luksus uczestniczenia w spektaklu muzycznym, ale uważał, że może dać im trochę radości w ich smętnym życiu – to coś, co zachowają w sobie, źródło przyjemności, które zawsze będą mogli nazwać własnym.

– Ja czuję tak samo! – wykrzyknął David, zachwycony, że ktoś postrzega edukację dzieci tak jak on. – Może nigdy nie będą same grały, najprawdopodobniej żadne z nich nie zagra na instrumencie, ale nabiorą dzięki temu pewnej szlachetności ducha, nie sądzisz? A czy to nie jest warte zachodu?

Na te słowa przez twarz Edwarda przemknął jakiś cień i David przez moment nie był pewien, czy go nie uraził.

– Masz całkowitą słuszność – odrzekł jednak, a potem rozmowa zeszła na inny temat.

Wszystko to David spisywał, nawet zasłyszane od Edwarda szczegóły o sąsiadach, które go śmieszyły, a zarazem wprawiały w zdumienie: stary kawaler, który nigdy nie wychodził ze swojego pokoju, a jednak Edward widział, jak spuszcza on swoje trzewiki w wiaderku do czekającego na chodniku pucybuta; sztauer, którego chrapanie słyszeli nieraz przez cienką ścianę; chłopak z pokoju piętro wyżej, co do którego Edward się zaklinał, że daje lekcje tańca podstarzałym damom, o czym świadczyć miał stukot obcasów dochodzący od sufitu. Miał świadomość, że Edward uważa go za naiwniaka i że uwielbia go szokować i zaskakiwać. Chętnie się na to godził: *był* naiwny. *Lubił* być zaskakiwany. W obecności Edwarda czuł się zarazem starszy i młodszy, czuł się lekko – nareszcie miał okazję przeżyć na nowo własną młodość, doświadczyć właściwej młodym ludziom beztroski, z tą tylko różnicą, że był już starszy, więc umiał ją docenić. „Moje niewiniątko", tak nazywał go od pewnego czasu Edward, więc mógłby się oburzać na tę protekcjonalność – bo było to protekcjonalne, nieprawdaż? – ale jednak się nie oburzał. Edward nie uważał go przecież za ignoranta, ale za niewiniątko, coś małego i cennego, coś, co należy hołubić i chronić przed rzeczywistością, która jest poza murami pensjonatu.

Ale coś, co Edward powiedział mu na trzecim spotkaniu, zajmowało mu od tamtej pory wiele czasu i znaczną część myśli. Tamtego dnia po raz pierwszy zbliżyli się do siebie, Edward wstał w połowie zdania (opowiadał o jakimś koledze uczącym matematyki pociechę bogatej rzekomo rodziny, o której David nigdy nie słyszał), zaciągnął zasłony, a następnie, jakby nigdy nic, usiadł na łóżku obok niego, i chociaż dla Davida to nie był pierwszy raz – on też, jak każdy mężczyzna w tym mieście, bogaty czy biedny, jeździł niekiedy dorożką na wschodni kraniec ulicy Gansevoort, o kilka przecznic od pensjonatu Edwarda, gdzie tacy jak on kierowali się ku południowemu rzędowi domów, a ci, którzy pragnęli kobiet, ku północnemu, natomiast tacy, którzy mieli jeszcze inne zachcianki, udawali się na zachodni kraniec ulicy, do przybytków, gdzie zaspokajano bardziej wyszukane wymagania; jednym z tych przybytków był niezmiernie schludny dom, przeznaczony wyłącznie dla klienteli płci żeńskiej – poczuł się dziwnie, jakby na nowo uczył się chodzić, jeść lub oddychać: było to fizyczne doznanie, które przez długi czas kojarzył z pewnym uczuciem, a które nagle okazało się czymś zgoła innym.

Potem leżeli razem. Łóżko Edwarda było tak wąskie, że musieli się obaj przekręcić na bok, bo inaczej David spadłby na podłogę. Z tego także się pośmiali.

– Czy wiesz – zagadnął David, wysuwając ramię spod wełnianego koca, który był nieznośnie drapiący, jakby utkany z pokrzyw (muszę mu kupić nowy, pomyślał sobie), i kładąc je na miękkiej skórze Edwarda, pod którą wyczuwał żebra – że powiedziałeś mi o sobie tak dużo, a nie zdradziłeś dotąd ani miejsca, z którego pochodzisz, ani rodziny, z której się wywodzisz.

Ta rezerwa z początku wydawała mu się intrygująca, ale ostatnio zaczęła go lekko niepokoić – obawiał się, że Edward wstydzi się swojego pochodzenia, że nie chce się narazić na jego dezaprobatę. A przecież Edward nie miał się czego bać z jego strony.

– Skąd jesteś? – zapytał milczącego Edwarda. – Bo nie z Nowego Jorku. Z Connecticut? Z Massachusetts?

Edward odezwał się wreszcie.

– Z Kolonii – wyrzekł cicho, a David, słysząc to, oniemiał.

Nie znał dotąd nikogo z Kolonii. Widywał, rzecz jasna, ludzi stamtąd: Eliza i Eden urządzały co roku w domu przyjęcie połączone ze zbiórką pieniędzy na uchodźców i zawsze był tam obecny jakiś uciekinier, zazwyczaj świeżej daty, który z drżeniem opowiadał o swoich doświadczeniach uroczym, słodkim głosem Kolonistów. Coraz częściej przybywali tu nie ze względów religijnych i nie ze strachu przed prześladowaniami, ale dlatego, że przez dziesięciolecia, które minęły od ich klęski (chociaż sami nigdy nie używali tego słowa) w wojnie z rebeliantami, Kolonie systematycznie ubożały – oczywiście nie drastycznie, ponieważ nie popadły w ruinę, lecz nie miały żadnych widoków na odzyskanie dawnej zamożności, nie mówiąc już o takiej, jakiej dorobiły się Wolne Stany przez te sto parę lat od ich założenia. Jednak nie ten rodzaj migrantów gościły jego siostra ze swoją żoną: u nich bywali rebelianci, tacy, którzy zbiegli na północ, bo pozostając w miejscu urodzenia, naraziliby się na niebezpieczeństwo, a chcieli być wolni. Wojna się skończyła, lecz walka trwała; było jeszcze wielu ludzi, dla których Kolonie oznaczały niegodne życie, pełne zatargów i nocnych pogromów.

Więc tak, nie był nieświadomy chaosu panującego w Koloniach. Ale t o była całkiem inna sprawa. To był ktoś, kogo właśnie zaczynał poznawać, ktoś, z kim rozmawiał i śmiał się, a teraz leżał w jego ramionach i obaj byli nadzy.

– Nie słychać po twoim akcencie, że jesteś z Kolonii – wykrztusił wreszcie, na co Edward, ku jego uldze, roześmiał się.

– Cóż, nie – przyznał – ale mieszkam tutaj od wielu lat.

Zrazu powoli, a potem w błyskawicznym tempie wyszła na jaw cała jego historia. Przybył do Wolnych Stanów, do Filadelfii, jako dziecko. Jego rodzina od czterech pokoleń mieszkała w Georgii, niedaleko Savannah, gdzie jego ojciec pracował jako nauczyciel w szkole dla chłopców. Ale gdy Edward miał niecałe siedem lat, ojciec oznajmił, że całą rodziną wyjeżdżają na wycieczkę. Było ich sześcioro: Edward, jego matka, jego ojciec i trzy siostry – dwie starsze od niego, trzecia młodsza.

David słuchał i liczył.

– Więc to musiał być siedemdziesiąty siódmy?

– Tak. Tamtej jesieni.

Dalej następowała typowa opowieść uchodźcy: przed wojną stany południowe nie pochwalały Wolnych Stanów, ale nie zabraniały swoim obywatelom przemieszczać się po kraju. Jednak po wojnie i po secesji Południa od Unii podróż na południe, na obszary przemianowane teraz na Zjednoczone Kolonie, stała się nielegalna dla mieszkańców Wolnych Stanów, a Kolonistom zabroniono podróży na północ. Mimo to wielu Kolonistów próbowało uciekać. Wyprawa na północ była wyczerpująca i długa, na ogół odbywano ją pieszo. Zdrowy rozsądek podpowiadał, że najbezpieczniej jest przemieszczać się w grupie, tyle że liczebność tej grupy nie powinna przekraczać dziesięciu osób, z czego dzieci mogło być najwyżej pięcioro, a to dlatego, że dzieci szybciej się męczyły i trudniej im było nakazać ciszę i spokój, gdy pojawiał się patrol. Dochodziło podobno do dantejskich scen: płaczące dzieci wyrywano z objęć rodziców i, jak głosiły plotki, sprzedawano miejscowym rodzinom do pracy na farmach; żony były oddzielane od mężów i zmuszane do ponownego małżeństwa; ludzi wtrącano do więzień, zabijano. Najgorsze historie dotyczyły ludzi takich jak oni: przybyłych do Wolnych Stanów z nadzieją na życie w zgodzie z prawem. Nie tak dawno temu gośćmi Elizy byli dwaj mężczyźni, nowo przybyli, którzy podróżowali z przyjaciółmi, inną parą, z Wirginii. Znaleźli się już niespełna pół mili od Marylandu, skąd mogliby przedostać się do Pensylwanii. Zatrzymali się na odpoczynek pod dębem. Ledwie jednak, przytuleni, legli na ziemi, usłyszeli tętent końskich kopyt, więc zerwali się na równe nogi i puścili biegiem przed siebie. Za plecami, coraz bliżej, słyszeli tętent drugiego konia i mając go o parę metrów za sobą, dopadli granicy i przebiegli na drugą stronę. Dopiero tam odwrócili się i ujrzeli jeźdźca z patrolu, zakapturzonego tak, że nie było widać jego twarzy. Ściągnął lejce, stanął w miejscu i wycelował w nich lufę strzelby. Patrol nie miał prawa przekroczyć granicy w celu pojmania zbiega, a tym bardziej do niego strzelać, ale wszyscy wiedzieli, że wystarczy jedna kula, aby to prawo obalić. Małżonkowie znów puścili się biegiem, mając w uszach echo końskiego rżenia przez wiele mil, i dopiero nazajutrz, gdy znaleźli się w głębi stanu, pozwolili sobie na opłakanie straconych przyjaciół nie tylko dlatego, że planowali z nimi wspólne życie w Wolnych Stanach, ale głównie dlatego, że wszyscy wiedzieli, jaki los spotyka uciekinierów, gdy zostaną złapani: bicie, przypalanie, tortury – śmierć. Relacjonując tę historię w salonie Elizy i Eden, mężczyźni znowu szlochali, a David, podobnie jak reszta obecnych, słuchał ich z niemą zgrozą. Później w nocy, już z powrotem na placu Waszyngtona, myślał sobie, jakie ma szczęście, że urodził się w Wolnych Stanach, dzięki czemu nigdy nie zazna takiego barbarzyństwa, jakiego doświadczyli tamci ludzie.

Rodzina Edwarda podróżowała sama. Jego ojciec nie wynajął przemytnika, który, jeśli był zaufany (a czasem tak się zdarzało), znacznie zwiększał szanse skutecznej ucieczki; nie wybrali się także w drogę z inną rodziną, co również było korzystne, ponieważ wtedy jedni rodzice mogli spać, a drudzy pilnowali wszystkich dzieci. Przeprawa z Georgii trwała zwykle około dwóch tygodni, ale w ich przypadku pod koniec pierwszego tygodnia najpierw nastąpiło ochłodzenie, a później nastał mróz i zaczęły im się kończyć zapasy jedzenia.

– Rodzice budzili nas bardzo wcześnie, o świcie, i szliśmy z siostrami zbierać żołędzie – opowiadał Edward. – Nie paliliśmy ogniska, bo to było zbyt ryzykowne, ale moja mama miażdżyła żołędzie na pastę, którą smarowaliśmy suchary, i to było nasze jedzenie.

– Okropność – wymamrotał David. Zrobiło mu się głupio, ale nic innego nie umiał wymyślić.

– To prawda. Najgorzej znosiła to moja siostra Belle. Miała zaledwie cztery latka i nie rozumiała, że trzeba być cicho; wiedziała wyłącznie to, że jest głodna, ale nie wiedziała dlaczego. Płakała i płakała, więc matka musiała zakryć jej ręką usta, żeby nas nie zdradziła.

Ich rodzice nie jedli nic, ani na śniadanie, ani na obiad. To, co zostało do jedzenia, oszczędzali na obiad dla dzieci, nocami zaś tulili się do siebie całą rodziną, aby się ogrzać. Edward z ojcem wyszukiwał na nocleg jakiś zagajnik albo przynajmniej żleb, w którym chronili się przed wiatrem, okryci liśćmi i gałęziami, maskując jednocześnie swój zapach przed patrolowymi psami. Co jest gorsze, myślał wtedy Edward – strach czy głód? Oba towarzyszyły mu codziennie.

Kiedy wreszcie dotarli do Marylandu, udali się wprost do jednego z ośrodków, o których mówił ojcu Edwarda jakiś znajomy, i pozostali tam przez kilka miesięcy. Ojciec Edwarda udzielał dzieciom uchodźców lekcji czytania i rachunków; matka Edwarda była zdolną szwaczką, więc cerowała zniszczone ubrania, które ośrodek zbierał dla swoich mieszkańców. Z nastaniem wiosny opuścili ośrodek i znów ruszyli w drogę – ta podróż, choć także trudna, była mniej niebezpieczna, gdyż znajdowali się na terenie Unii – tym razem wybierali się do Wolnych Stanów, a później na północ, do Nowego Jorku. W wielkim mieście pan Bishop znalazł ostatecznie pracę w drukarni (w Wolnych Stanach i w Unii panowało uprzedzenie co do poziomu edukacji ludzi z Kolonii, wskutek czego wielu wykształconych zbiegów musiało zgodzić się na niższy status materialny) i całą szóstką wprowadzili się do małego mieszkanka przy ulicy Orchard.

Mimo to, mówił Edward (i David wyczuł w jego głosie nutę szczerej dumy), większość rodziny poradziła sobie w życiu. Rodzice zmarli wprawdzie na grypę szalejącą w latach dziewięćdziesiątych, ale dwie starsze siostry Edwarda pracowały teraz jako nauczycielki w stanie Vermont, a Belle, pielęgniarka, mieszkała z mężem, który był lekarzem, w stanie New Hampshire, w Manchesterze.

– Właściwie to ja jeden jestem nieudacznikiem – podsumował Edward i westchnął teatralnie, jednak David wyczuł, że przyjaciel w pewnym stopniu wierzy we własne słowa, i to go zmartwiło.

– Nie jesteś nieudacznikiem – zaprzeczył, przyciągając Edwarda do siebie.

Przez chwilę leżeli w milczeniu. David opierał podbródek na ciemnej głowie Edwarda i kreślił palcem esy-floresy na jego plecach.

– Czy twój ojciec – odezwał się wreszcie – był taki jak my?

– Nie, nie był taki jak my, a nawet jeśli miał zastrzeżenia do takich jak my, nigdy ich nie zdradził. Ale nie sądzę, żeby jakieś miał.

– Czy w takim razie należał do wyznawców wielebnego Foxleya? – zapytał David, ponieważ wielu uchodźców było potajemnymi wyznawcami słynnego utopisty i jednego z założycieli Wolnych Stanów, który zalecał wolną miłość. W Koloniach uważano go za heretyka, a posiadanie tekstów jego kazań zostało zakazane.

– Nie, nie, w ogóle nie był zbyt religijny.

– W takim razie, wybacz pytanie, dlaczego chciał się przenieść na Północ?

Poczuł westchnienie Edwarda, jego ciepły oddech na swojej piersi.

– Powiem szczerze, do dziś nie mam pojęcia. Przecież w Georgii żyło nam się całkiem dobrze. Szanowano nas i mieliśmy przyjaciół. Kiedy już byłem starszy, a co się z tym wiąże, dość bezczelny, zapytałem go wprost, dlaczego udaliśmy się w tę podróż. Odpowiedział mi, że chciał nam zapewnić lepsze życie. Lepsze życie! Z szanowanego nauczyciela stał się drukarzem, bez wątpienia to świetne zajęcie, ale pracownik umysłowy zazwyczaj nie uznaje pracy fizycznej za coś lepszego. Tak więc nigdy tego nie zrozumiałem, a przynajmniej nie zrozumiałem wystarczająco, i chyba nigdy już nie zrozumiem.

– A może – wtrącił cicho David – może on to zrobił dla ciebie.

Edward też przycichł. W końcu rzekł:

– Nie wyobrażam sobie, żeby domyślił się, gdy miałem sześć lat.

– A może jednak. Mój ojciec się domyślił; myślę, że znał prawdę o każdym z nas. Może z wyjątkiem Eden, która dopiero wyrastała z niemowlęctwa, gdy oboje, ojciec i matka, umarli. Ale John i ja, chociaż byliśmy jeszcze tacy mali... Tak, jestem pewien, że wiedział.

– I nie martwił się z tego powodu?

– Nie, dlaczego miałby się martwić? Jego rodzony ojciec był taki jak my. Nie byliśmy dla niego czymś niezwykłym ani odpychającym.

Edward prychnął na to śmiechem, przeturlał się na plecy i odsunął się od Davida. Zapadł już wieczór i w pokoju zrobiło się ciemno – David miał wkrótce wyjść, żeby nie przegapić następnej kolacji. Na razie jednak chciał jedynie leżeć na twardym, wąskim łóżku Edwarda, czuć okropne drapanie tandetnego koca, który go okrywał, resztki ciepła od przygasającego w kominku ognia i dotyk skóry leżącego tuż obok Edwarda.

– Wiesz, jak ludzie w Koloniach nazywają Wolne Stany? – zapytał Edward.

David, który nie przejmował się zbytnio tym, co myślą o nich ludzie w Koloniach, nie był nieświadomy okrutnych i wulgarnych przezwisk, jakie nadawali oni jego krajowi, więc zamiast odpowiedzieć Edwardowi, zakrył mu dłonią usta.

– Wiem – odpowiedział. – Pocałuj mnie.

I Edward to zrobił.

David wrócił potem na plac Waszyngtona, niechętnie ubrał się i wyszedł na zimno, ale już później, w swoim gabinecie, zrozumiał, że ta rozmowa i to spotkanie go odmieniły. Miał teraz sekret, jego sekretem był Edward, i nie wyłącznie on sam, jego gładka biała skóra i miękkie ciemne włosy, ale i doświadczenia Edwarda, to, co Edward zobaczył w życiu, i to, co zniósł: Edward był z innego świata, z innej rzeczywistości, a dzieląc życie z Davidem, wzbogacał swoje własne, czyniąc je głębszym, bardziej ekstatycznym i tajemniczym.

Teraz, we własnym gabinecie, David ponownie przejrzał swój dziennik, zatrzymując się nad dobrze znanymi szczegółami tak, jakby się właśnie o nich dowiadywał: drugie imię Edwarda (Martins – było to nazwisko panieńskie jego matki); ulubiony utwór muzyczny Edwarda (pierwsza suita wiolonczelowa Bacha w tonacji G-dur); ulubiona potrawa Edwarda („Tylko się nie śmiej: mamałyga z bekonem. Mówiłem ci, żebyś się nie śmiał! Ja jestem z Georgii, bądź co bądź!"). Odczytywał zapisane przez siebie stronice z taką łapczywością, jakiej nie zaznał od wielu lat, a kiedy w końcu położył się spać, bo nie mógł już przestać ziewać, uczynił to z przyjemnością, gdyż wiedział, że wkrótce nastanie nowy dzień, a to oznaczało kolejne spotkanie z Edwardem. Bliskość z Edwardem, którą odczuwał, była ekscytująca, lecz równie ekscytująca była intensywność tej bliskości i tempo, w jakim się ona rozwinęła. David czuł się, być może po raz pierwszy w życiu, beztroski, dziki – jakby siedział na grzbiecie uciekającego konia, ledwo trzymając się w siodle podczas galopu przez długi pas równiny, zadyszany ze śmiechu i przerażenia.

Przez wiele lat – bardzo wiele lat – zastanawiał się, czy coś z nim jest nie w porządku, a dokładniej, czy czegoś mu nie brakuje.

Zapraszano go przecież na te same przyjęcia co Johna i Eden, ale jakże różnie byli na owych przyjęciach traktowani. To było jeszcze za czasów ich młodości, gdy znani byli po prostu jako rodzeństwo Binghamów i mówiono o nim „najstarszy", a nie „stary kawaler", „ten nieżonaty" albo „ten, co nadal mieszka przy placu Waszyngtona". Wkraczali na przyjęcie po płaskich, szerokich schodach niedawno zbudowanej rezydencji przy alei Parkowej. Eden z Johnem szli przodem, ona trzymała go pod rękę, a David podążał z tyłu. Gdy weszli do rozjarzonej, rozmigotanej sali, rozlegał się okrzyk, który w jego uszach brzmiał jak wiwat, i grono znajomych zaczynało obcałowywać policzki Johna i Eden, wzdychając z radości, że przybyli.

A on? Jego również witano, oczywiście; ich znajomi i rówieśnicy odebrali dobre wychowanie, a on był Binghamem, więc nikt nie śmiałby nie okazać mu przynajmniej serdeczności. Jednak przez resztę przyjęcia David czuł się dziwnie wyobcowany, jakby unosił się ponad salą. Przy kolacji, do której usadzano go nie ze złotą młodzieżą, ale raczej z rodzicami i krewnymi – obok siostry ojca albo obok podstarzałego wuja matki – z całą mocą odczuwał swoją niezaprzeczalną inność i miał wrażenie, że to, co tak pracowicie próbował ukryć, wyszło na jaw i zostało zauważone przez wszystkich należących do ich kręgu. Z drugiego końca stołu dobiegały go od czasu do czasu salwy śmiechu, a wtedy osoba siedząca obok Davida kręciła pobłażliwie głową i zwracała się do niego, by wygłosić uwagę o rozbrajającej frywolności młodzieży, której trzeba wybaczyć taką swobodę. Czasami, powiedziawszy to, taka osoba dostrzegała swój lapsus i pospiesznie dodawała, że i on miewa z pewnością chwile niepohamowanej wesołości, ale częściej tego nie zauważała: w oczach społeczeństwa David zestarzał się przedwcześnie, skazany na banicję z wyspy młodości nie przez swój wiek, lecz przez swój temperament.

A może wcale nie chodziło o temperament, lecz o coś całkiem innego. Nigdy nie był radosny i beztroski, nawet jako dziecko. Podsłuchał kiedyś, jak Dziadek w rozmowie z Frances nazwał go ponurakiem, dodając, że to dlatego, że jest najstarszy, więc najsilniej z rodzeństwa przeżył stratę rodziców. Jednocześnie brakowało mu cech, które zazwyczaj towarzyszą introwertyczności – pilności, wytrwałości, zamiłowania do nauki. Był gotowy na zagrożenia świata, ale nie na jego rozkosze i uciechy; nawet miłość nie była dla niego stanem upojenia, lecz źródłem niepokoju i lęku: Czy ukochany rzeczywiście go kocha? Kiedy postanowi go porzucić? Obserwował najpierw Eden, a potem Johna, kiedy się zakochali, widział ich późne powroty do domu, policzki zaróżowione od wina i tańca, niecierpliwość, z jaką chwytali listy z tacy, którą podsuwał im Adams; widział, jak rozrywają koperty, jeszcze zanim wybiegli z pokoju, i jak ich usta już układają się do uśmiechów. To, że sam nie doświadczał tego rodzaju szczęścia, było dla niego źródłem smutku i zatroskania. Ostatnio zaczynał się nawet obawiać, że nie w tym rzecz, iż nikt go nie może pokochać, ale w tym, że to on jest niezdolny do przyjęcia takiej miłości, co wydawało mu się ze wszech miar gorsze. Zauroczenie Edwardem, przebudzenie, jakie odkrywał teraz w sobie, było zatem uczuciem uskrzydlającym, dodatkowo wzmocnionym przez poczucie ulgi – jednak wszystko z nim było w porządku. Nie był ułomny – po prostu musiał trafić na osobę, która obudzi w nim całą jego zdolność do rozkoszy. I oto spotkał kogoś takiego, i doświadczał nareszcie takiej przemiany, jakiej miłość dokonywała w każdym, kogo znał, choć jego samego dotąd omijała.

Tej nocy miał sen: były to lata dalekiej przyszłości. On i Edward mieszkali razem przy placu Waszyngtona. Siedzieli obok siebie w fotelach, w bawialni, gdzie pod oknem wychodzącym na północny skraj parku stało teraz pianino. U ich stóp rozłożyło się troje ciemnowłosych dzieci, dziewczynka i dwóch chłopców, z książeczkami obrazkowymi; dziewczynka miała czerwoną atłasową kokardę na czubku jedwabiście lśniącej głowy. W kominku płonął ogień, a półkę kominka zdobił stroik z sosnowych gałęzi. Na zewnątrz, wiedział o tym, padał śnieg, a z jadalni niósł się zapach pieczonych kuropatw i słychać było bulgotanie wina rozlewanego do kieliszków i pobrzękiwania rozstawianej na stole porcelany.

W tym śnie dom na placu Waszyngtona nie był więzieniem, nie budził przerażenia – był jego domem, ich domem, a to była ich rodzina. Ten dom, uświadomił sobie David, stał się mimo wszystko jego domem, ponieważ jednocześnie stał się domem Edwarda.

VII

W następną środę David wychodził właśnie na lekcję, gdy do drzwi przybiegł Adams.

– Panie Davidzie, pan Bingham przysłał rano wiadomość z banku: prosi, żeby był pan dziś w domu punktualnie o piątej wieczorem.

– Dziękuję, Matthew, sam zaniosę – rzekł David do lokaja, przejmując od niego skrzynkę owoców, którą chciał dać swoim uczniom do rysowania. Następnie zwrócił się do kamerdynera: – Czy podał powód, Adams?

– Nie, proszę pana. Prosił tylko o pańską obecność.

– Doskonale. Możesz mu odpowiedzieć, że się stawię.

– Tak jest, proszę pana.

David wiedział, że nie była to prośba, lecz rozkaz, jakkolwiek uprzejmie sformułowany. Zaledwie kilka tygodni temu – kilka tygodni!, czy naprawdę minął zaledwie miesiąc, odkąd poznał Edwarda, odkąd jego świat został całkowicie przerysowany? – przestraszyłby się tego, co Dziadek może mieć mu do powiedzenia (bez żadnego powodu, gdyż Dziadek nigdy nie był dla niego niedobry i rzadko go karcił, nawet w dzieciństwie), teraz jednak poczuł wyłącznie irytację, ponieważ to znaczyło, że będzie mógł spędzić mniej czasu z Edwardem. Dlatego po lekcji poszedł prosto do domu Edwarda i – przynajmniej tak mu się zdawało – niemal natychmiast musiał się z powrotem ubierać i wychodzić, obiecując szybki powrót.

W drzwiach pokoju Edwarda zatrzymali się na chwilę, David już w płaszczu i kapeluszu, a Edward owinięty tym okropnym drapiącym kocem.

– A więc jutro? – upewnił się Edward z taką bezwstydną tęsknotą, że David, nienawykły do bycia człowiekiem, od którego twierdzącej odpowiedzi zależy szczęście innego, uśmiechnął się i skinął głową.

– Jutro – potwierdził i dopiero wtedy Edward go wypuścił.

Gdy wspinał się po schodach do swojego domu, uświadomił sobie, że denerwuje się spotkaniem z Dziadkiem, jak jeszcze nigdy dotąd: jakby się mieli spotkać po miesiącach niewidzenia, a nie po dwudziestu czterech godzinach. Ale już w salonie jego dziadek pozwolił się jak zwykle pocałować w policzek i zasiedli we dwóch z kieliszkami sherry, rozmawiając na mało istotne tematy, aż wszedł Adams i poprosił ich do stołu. Dopiero na schodach David szeptem powiedział coś Dziadkowi. Ale ten odparł krótko:

– Po posiłku.

Kolacja także przebiegła w spokoju, a gdy zbliżała się do końca, David złapał się nagle na tym, że czuje silną niechęć do Dziadka. Czy Dziadek nie miał mu nic specjalnego do powiedzenia? Czy była to z jego strony tylko zagrywka, by przypomnieć Davidowi o jego uzależnieniu, o tym, że – co doskonale wiedział – nie jest w istocie panem tego domu, że nie jest nawet dorosłym, lecz kimś, kto jedynie w teorii ma prawo wchodzić i wychodzić, kiedy mu się spodoba? Ku własnemu zdziwieniu zaczął zdawkowo odpowiadać na pytania Dziadka i musiał się hamować, by z milkliwego nie stać się grubiańskim. Co bowiem mógł zrobić, jak argumentować? To nie był jego dom. On sam nie był człowiekiem niezależnym. Nie różnił się niczym od służących, od pracowników banku, od uczniów w zakładowej szkole – był uzależniony od Nathaniela Binghama, i tak miało pozostać na zawsze.

Zatem kłębiły się w nim emocje – irytacja, użalanie się nad sobą i złość. Gdy zasiadł w tym co zawsze fotelu przy kominku na piętrze, Dziadek wręczył mu gruby list, mocno sponiewierany, o krawędziach zesztywniałych od wyschniętej wody.

– Przyszło to dzisiaj do biura – powiedział z neutralną miną, a David, gubiąc się w domysłach, odwrócił list i zobaczył swoje imię i adres Braci Bingham, i znaczek pocztowy Massachusetts. – Przesyłka ekspresowa – dodał jego dziadek. – Weź, przeczytaj i odnieś.

David wstał bez słowa i poszedł do swojego gabinetu, gdzie przesiedział chwilę z kopertą w dłoniach, zanim wreszcie rozciął ją i otworzył list.

Mój Drogi Davidzie, 20 stycznia 1894

nie mogę zacząć tego listu inaczej niż od najpokorniejszych i najszczerszych przeprosin za to, że nie napisałem wcześniej. Dręczy mnie myśl o bólu i zmartwieniu, jakie mogłem Ci sprawić, choć może myśląc tak, pochlebiam sobie – być może nie myślałeś o mnie tak często, jak ja o Tobie przez tych blisko siedem tygodni.

Nie chcąc usprawiedliwiać swoich złych manier, pragnę jednak wytłumaczyć się z braku wiadomości, ponieważ nie chciałbym, aby moje milczenie poczytane zostało za brak przywiązania.

Wkrótce po rozstaniu z Tobą w początkach grudnia musiałem odbyć wyprawę na północ, do naszych traperów. Jak Ci zapewne wspominałem, moja rodzina ma od lat umowę z rodziną traperów z północnego Maine, i jest to ważny aspekt naszych interesów. W wyprawie towarzyszył mi mój najstarszy siostrzeniec, James, który ubiegłej wiosny porzucił college na rzecz pracy w naszym przedsiębiorstwie. Moja siostra, co zrozumiałe, nie była entuzjastką tego pomysłu i ja także nie – siostrzeniec byłby pierwszym z nas, który ukończył college – ale chłopak jest dorosły, więc nie mieliśmy innego wyjścia niż zaakceptować jego wybór. To wspaniały młodzieniec, dziarski i pełen entuzjazmu, ponieważ jednak źle znosi morze i ma skłonność do morskiej choroby, wspólnie z rodzeństwem i rodzicami postanowiliśmy szkolić go na nadzorcę naszego handlu futrami.

Na północy jest w tym roku wyjątkowo zimno, a jak Ci wspominałem, nasi traperzy mieszkają zaraz przy granicy kanadyjskiej. Nasza wizyta miała w przeważającej mierze charakter ceremonialny: miałem przedstawić im Jamesa, oni zaś mieli wziąć go w teren i zademonstrować, jak chwytają, skórują i oprawiają zwierzęta. Na Cape Cod mieliśmy powrócić przed Bożym Narodzeniem. Tak jednak się nie stało.

Początkowo wszystko szło według planu. James z miejsca nawiązał przyjaźń z jednym z członków traperskiej rodziny, niezmiernie sympatycznym i inteligentnym młodzieńcem o imieniu Percival, i właśnie ten Percival przez kilka dni wprowadzał Jamesa w tajniki fachu, podczas gdy ja siedziałem u nich w domu, omawiając możliwości rozwoju naszej współpracy. Możesz się dziwić, dlaczego zajmujemy się futrami, skoro ta gałąź przemysłu od sześćdziesięciu lat traci znaczenie – w każdym razie dziwili się temu nasi partnerzy. A moim zdaniem właśnie dlatego, że Brytyjczycy na dobrą sprawę wycofali się z tamtych terenów, więc nadarza się okazja do rozwinięcia tam naszych działań handlowych, z nastawieniem na bobry, a przede wszystkim na norki i gronostaje, które przewyższają bobra miękkością i delikatnością i na które znajdziemy, jak mniemam, małą, ale znaczącą grupę wiernych klientów. Ta traperska rodzina, Delacroix, to jedna z nielicznych europejskich rodzin pozostałych w tym fachu, co znaczy, że są bardziej godni zaufania i lepiej przystosowani do prowadzenia tego rodzaju interesów.

Popołudnie piątego dnia wizyty przeznaczone było na odpoczynek, po którym miał się odbyć uroczysty obiad na cześć naszej współpracy. Wcześniej, zwiedzając posiadłość Delacroix, minęliśmy uroczą sadzawkę, całkiem zamarzniętą, i James nabrał wielkiej ochoty, by poślizgać się po niej na łyżwach. Dzień był mroźny, ale pogodny i spokojny, a ponieważ sadzawka znajdowała się kilkaset metrów od głównego domu, James zaś dotąd sprawował się nienagannie, pozwoliłem mu na to.

W niespełna godzinę po jego wyjściu pogoda gwałtownie się zmieniła. W ciągu paru minut niebo najpierw pobielało, potem poszarzało jak ołów, a na koniec zrobiło się prawie czarne. I nagle rozpętała się zamieć, śnieg padał zlepionymi grudkami.

Od razu pomyślałem o Jamesie, tak samo zresztą jak Olivier, patriarcha rodziny, który biegł po mnie, gdy ja właśnie biegłem po niego.

– Wyślę Percivala z psami – obiecał starzec. – Chłopak zna tę trasę tak dobrze, że pokona ją po ciemku.

By zapewnić Percivalowi bezpieczeństwo, przywiązał jeden koniec liny do poręczy schodów, a drugi przytroczył do pasa uzbrojonemu w toporek i nóż bratankowi, napominając go, żeby wracał jak najprędzej.

Chłopak wyruszył, nieprzestraszony i spokojny, a my z Olivierem staliśmy na schodach, obserwując, jak lina rozwija się ze szpuli, a później napina. Śnieg padał już tak gęsto, że stojąc w drzwiach, widziałem przed sobą tylko biel. Wtedy podniósł się wiatr, zrazu łagodny, lecz niebawem tak wściekły, tak wyjący, że wepchnął mnie do środka.

Lina nadal była naprężona. Olivier szarpnął nią dwa razy i po paru sekundach otrzymał w odpowiedzi dwa szarpnięcia. Tymczasem dołączyli do nas milczący i niespokojny ojciec Percivala, Marcel, młodszy brat Oliviera, a także drugi brat, Julien, oraz ich żony i starzy rodzice. Wiatr na zewnątrz dął tak straszliwie, że chata, chociaż solidna, cała się trzęsła.

Nagle lina straciła sprężystość. Upłynęło jakieś dwadzieścia minut od wyjścia Percivala, gdy Olivier ponownie ją szarpnął, ale nikt nie odwzajemnił sygnału. Delacroix odznaczają się stoicyzmem, ponieważ nie da się mieszkać w tamtej części świata, z pogodą, jaka tam panuje (nie wspominając o innych niebezpieczeństwach – wilkach, niedźwiedziach, kuguarach i oczywiście Indianach), jeśli nie umie się zachować spokoju w niebezpieczeństwie. Ale wszyscy kochali Percivala, więc w chacie rozległy się natychmiast nerwowe pomruki.

Mamrocząc, naradzali się pospiesznie, co robić. Percival wziął z sobą dwa najlepsze psy myśliwskie, które zapewniały mu jakąś obronę – psy były wyszkolone do akcji: gdy jeden pilnował chłopaka, drugi mógł wrócić do domu po pomoc. To jednak przy założeniu, że Percival nie kazał im znaleźć i pilnować Jamesa. Zamieć i wichura były już tak gwałtowne, że dom zdawał się chwiać w posadach, a szyby w oknach dzwoniły jak szczękające zęby.

Wszyscy mierzyliśmy czas od wyjścia Percivala: Dziesięć minut. Dwadzieścia minut. Pół godziny. U naszych stóp, niczym zdechły wąż, leżała lina.

Wreszcie, po blisko czterdziestominutowej nieobecności Percivala, rozległo się walenie do drzwi, które zrazu wzięliśmy za wicher, ale zaraz zrozumieliśmy, że to tłucze się jakieś stworzenie. Marcel krzyknął, błyskawicznie wyciągnął ciężki drewniany skobel i rozwarł drzwi z pomocą Juliena: w progu stał pies z sierścią tak oblepioną śniegiem, że wyglądał jak utytłany w soli, a jego grzbietu czepiał się James. Wciągnęliśmy go do środka – wciąż miał przypięte łyżwy, które, jak się później domyśliliśmy, zapewne uratowały mu życie, zapewniając podparcie przy wspinaczce pod górę – a żony Juliena i Oliviera okryły go kocami i zaciągnęły do sypialni. Nagrzały wody na powrót chłopców i słyszeliśmy, jak biegają w tę i z powrotem z chlupoczącymi wiadrami i leją wodę do blaszanej wanny. Olivier i ja próbowaliśmy dowiedzieć się czegoś od Jamesa, ale biedak był tak przemarznięty, tak wycieńczony, tak rozhisteryzowany, że ciągle bredził coś bez sensu. „Percival – powtarzał w kółko. – Percival". Przewracał oczami jak obłąkany, aż się zląkłem. Coś musiało się stać, coś, co przeraziło mojego siostrzeńca.

– James, gdzie on jest? – zapytał kategorycznym tonem Olivier.

– Sadzawka – wybełkotał James – sadzawka.

Więcej informacji nie udało się z niego wydobyć.

Pies wpuszczony do chaty, jak nam później opowiadał Julien, drapał w drzwi i skomlał, żeby go wypuścić. Marcel złapał go za obrożę i odciągnął, ale pies tak się wyrywał i ujadał, że na polecenie swojego ojca odryglowali w końcu drzwi z powrotem i wypuścili go w kotłującą się biel.

Znowu zaczęło się czekanie. Przebrawszy Jamesa w czyste flanelowe ubranie i podtrzymawszy go, podczas gdy żona Juliena poiła chłopaka gorącym grogiem i układała w pościeli, powróciłem do zebranych w chacie na moment przed ponownym łupnięciem w drzwi. Tym razem Marcel otworzył je natychmiast i wydał okrzyk ulgi, który zaraz przeszedł w szloch. W drzwiach stały oba psy, zziębnięte, wyczerpane i zdyszane, a pomiędzy nimi leżał Percival: jego włosy zamieniły się w sople lodu, a piękna młoda twarz miała ten szczególny, nieziemski, sinawy odcień, który oznaczać może tylko jedno. Psy wlokły go przez całą drogę od sadzawki.

Następna godzina była straszna. Reszta dzieci, bracia, siostry i kuzyni Percivala, którym rodzice kazali zostać na górze, zbiegła na dół i zobaczyła ukochanego brata zamarzniętego na śmierć, a obok słaniających się rodziców, i wszystkie też zaczęły szlochać. Nie pamiętam, jak udało nam się je uspokoić i zapędzić do łóżek, wiem tylko, że noc wydawała się nieskończona, a na zewnątrz wiatr dalej huczał – teraz zdawało się, że złośliwie – i sypał śnieg. Dopiero następnego popołudnia James ocknął się i odzyskał świadomość na tyle, że mógł nam, drżący, zrelacjonować zdarzenia. Gdy rozpętała się zadymka, spanikował, chciał na własną rękę wrócić do domu. Jednak śnieg go oślepiał, a wicher chłostał i spychał z powrotem na zamarzniętą sadzawkę. Gdy już był pewien, że tam umrze, usłyszał odległe szczekanie i ujrzał czubek czerwonej czapki Percivala – wiedział, że zostanie uratowany.

Percival wyciągnął rękę i James ją pochwycił, lecz w tej samej chwili zerwał się wyjątkowo silny podmuch i Percival ześlizgnął się na lód, do Jamesa, przewracając go na siebie. Podnieśli się jakoś i cal po calu dotarli do brzegu sadzawki, gdzie znów upadli. Tym razem jednak Percival, pchnięty ponownie przez wiatr, upadł pod dziwnym kątem. Trzymał wyciągnięty toporek – James opowiadał, że chciał go wbić w ziemię na brzegu, żeby mogli się na nim podciągnąć – którym, niestety, przebił lód i tafla zatrzeszczała pod nimi.

– Chryste! – krzyknął podobno Percival. – Złaź z lodu, James.

James usłuchał – psy tymczasem podeszły do brzegu, więc mógł podciągnąć się, chwytając je za sierść, i odzyskać równowagę – po czym odwrócił się, aby wyciągnąć Percivala, który ponownie ślizgał się na podeszwach ku brzegowi, ale zanim do niego dotarł, powalił go kolejny podmuch i padł na plecy tuż obok pajęczyny pęknięć. I wtedy, mówił James, lód rozstąpił się z głuchym stęknięciem, a Percivala pochłonęła woda.

James wrzasnął z przerażenia i rozpaczy, lecz w tej samej chwili głowa Percivala wynurzyła się. Mój siostrzeniec pochwycił koniec liny, która odczepiła się od pasa Percivala, i rzucił ją tonącemu. Lecz gdy Percival spróbował się wyciągnąć, dziura w lodzie poszerzyła się i głowa chłopca znów zniknęła pod powierzchnią. James szalał już wtedy ze strachu, ale Percival, jak nam potem opowiadał, zachował spokój.

– James – powiedział – wracaj do domu i powiedz, żeby przysłali pomoc. Rosie – tak nazywał się jeden z psów – zostanie ze mną.

Weź Rufusa i opowiedz im, co się stało. – A gdy James się zawahał, dodał: – No idź! Pospiesz się!

Więc James odszedł, a odchodząc, odwrócił się przez ramię i zobaczył, jak Rosie stąpa ostrożnie po lodzie w stronę Percivala, Percival zaś wyciąga do niej rękę.

Nie uszli z Rufusem więcej niż kilka metrów, gdy rozległo się za nimi głuche tąpnięcie; wiatr wył tak głośno, że tłumił wszelkie inne dźwięki, ale James zawrócił do sadzawki, a pies z nim, chociaż prawie nic nie widzieli przez śnieg. Na miejscu zobaczyli Rosie, która biegała w kółko po lodzie i szczekała jak najęta. Rufus pobiegł do niej i psy stanęły razem, skomląc żałośnie. Przez ścianę śniegu James dostrzegł czerwoną rękawicę Percivala zaciśniętą na krawędzi powierzchni, ale głowy nie widział. W wodzie coś się jednak ruszało, kotłowało. Nagle jednak czerwona rękawica ześlizgnęła się i Percival zniknął bez śladu. James podbiegł do sadzawki, ale lód roztrzaskał się w kry i woda zmoczyła mu stopy, a kiedy z trudem wygramolił się z powrotem na brzeg, szczelina w lodzie rozstąpiła się jeszcze raz. Zawołał psy, jednak Rosie, mimo wołania, nie ruszyła się ze swojej kry. To Rufus doprowadził go z powrotem do domu; idąc, przez wiele minut słyszał jeszcze wycie Rosie, które niosło się z wiatrem.

Płakał przez cały czas swojej opowieści, ale teraz rozszlochał się tak, że nie mógł złapać tchu.

– Przepraszam, wujku Charlesie! – załkał. – Przepraszam bardzo, panie Delacroix!

– Nie zdążył nawet pójść na dno – powiedział dziwnym, słabym, zduszonym głosem Marcel. – Skoro psy zdołały go wyłowić.

– Nie umiał pływać – dodał cicho Olivier. – Próbowaliśmy go nauczyć, ale mu nie szło.

Jak możesz sobie wyobrazić, czekała nas kolejna straszna noc; ja spędziłem ją z Jamesem, tuliłem go do siebie i mruczałem do niego, aż z powrotem zasnął. Śnieżyca i wichura ustały nazajutrz, niebo rozjaśniło się i zbłękitniało, ale zrobiło się jeszcze zimniej. Z kilkoma kuzynami Percivala odśnieżyłem drogę do lodowni, gdzie Marcel i Julien chcieli złożyć ciało Percivala do czasu, aż ziemia odtaje i będzie go można pochować jak należy. Dzień później wyjechaliśmy stamtąd z Jamesem, zbaczając po drodze do Bangoru, żeby zawiadomić o wypadku moją siostrę.

Od tamtego czasu, jak zapewne się domyślasz, wiele się zmieniło. Nie mam nawet na myśli perspektywy biznesowej, o którą nie śmiem dopytywać – wysłałem rodzinie Delacroix nasze najszczersze kondolencje, a mój ojciec kazał przekazać im pieniądze na wędzarnię, którą chcieli wybudować. Jednak nie otrzymaliśmy od nich żadnej odpowiedzi.

James stał się całkiem innym człowiekiem. Całe wakacje spędził w swoim pokoju, prawie nie jadł, mało mówił. Siedzi i patrzy przed siebie, czasem płacze, ale przeważnie milczy i żadne wysiłki matki i braci nie mogą go nam przywrócić. Widać, że obwinia siebie za tragiczną śmierć Percivala, chociaż powtarzam mu po sto razy, że to nie jego wina. Mój brat przejął na razie pieczę nad interesami, abyśmy – moja siostra i ja – mogli cały czas spędzać z Jamesem, nie tracimy bowiem nadziei, że uda nam się przebić tę mgłę żałoby i raz jeszcze usłyszeć jego kochany śmiech. Boję się o niego i o moją kochaną siostrę.

Wiem, że to zabrzmi okropnie i samolubnie, ale wyznam, że gdy tak siedzę przy Jamesie dniami i tygodniami, często wracam myślami do naszej rozmowy, po której czułem się zażenowany – tym, jak dużo mówiłem, na jak silne pozwoliłem sobie emocje, jak bardzo obciążyłem Cię moimi zwierzeniami – i zastanawiam się, co Ty musisz o mnie myśleć. Nie weź tego za wymówkę, ale ciekaw jestem, czy to dlatego postanowiłeś do mnie nie pisać, choć oczywiście mogłeś uznać moje milczenie za brak zainteresowania i poczuć się urażony, co bym zrozumiał.

Śmierć Percivala sprawia, że myślę także częściej o Williamie, o tym, jak szalałem z rozpaczy po jego śmierci, a także o tym, jak przez ten krótki czas spędzony z Tobą zacząłem sobie wyobrażać, że dane mi będzie ponownie żyć z kimś bliskim, kimś, z kim mógłbym dzielić zarówno radości życia, jak i jego smutki.

Mam nadzieję, że wybaczysz mi długie milczenie i że ten bardzo długi list przyczyni się choć trochę do upewnienia Cię o moim ciągłym zainteresowaniu i sympatii. Za dwa tygodnie będę z powrotem w Twoim mieście i mam szczerą nadzieję, że wolno mi będzie ponownie Cię odwiedzić, choćby tylko po to, by osobiście poprosić Cię o wybaczenie.

Życzę Tobie i Twojej rodzinie najlepszego zdrowia i składam spóźnione życzenia świąteczne. Oczekuję Twojej odpowiedzi.

Szczerze Ci oddany
Charles Griffith

VIII

Przez kilka chwil David siedział bez ruchu, porażony historią, którą przekazał mu Charles, historią, która gwałtownie przyćmiła jego pijane szczęście, lecz także i niechęć, jaką mógł jeszcze czuć do swojego dziadka. Ze współczuciem pomyślał o biednym młodym Jamesie, którego życie, jak pisał Charles, radykalnie się odmieniło, skażone wydarzeniem, które go będzie prześladować już zawsze – nie był mu winien, ale nigdy nie zdoła w to całkiem uwierzyć. Przeżyje swoją dorosłość albo bez końca przepraszając za to, co, w swoim mniemaniu, uczynił, albo temu zaprzeczając. To pierwsze uczyni go słabym; to drugie – zgorzkniałym. A biedny Charles po raz drugi otarł się o śmierć, po raz drugi miał coś wspólnego ze stratą kogoś tak młodego!

Ale był także świadomy tego, że się wstydzi, bo dopóki Dziadek nie wręczył mu tego listu, zupełnie nie pamiętał o Charlesie Grifficie.

Cóż, może nie całkiem o nim zapomniał, ale przestał być go ciekaw. Idea małżeństwa straciła intrygujący powab, który kiedyś dla niego miała, nawet jeśli zawsze traktował ją podejrzliwie. Nagle wydało mu się, że zamknięcie w małżeństwie jest deklaracją tchórzostwa, rezygnacją z idei miłości dla stabilizacji, poszanowania czy niezawodności. A dlaczego miałby godzić się na szarobure życie, gdy mógł mieć inne? Wyobraził sobie siebie samego – bezpodstawnie, jak dobrze wiedział, bo przecież nie widział nigdy domu Charlesa Griffitha – w przestronnym, lecz pospolitym domu z białą drewnianą okładziną, uroczo okolonym krzewami hortensji, jak siedzi w bujanym fotelu z książką na kolanach, zapatrzony w morze jak jakaś staruszka, wyczekując ciężkich kroków męża na frontowym ganku. Nagle znów wezbrała w nim wściekła złość na Nathaniela i jego pragnienie skazania go na bezbarwną egzystencję. Czy Dziadek sądził, że David nie umie sobie wyobrazić lepszej przyszłości? Czy, wbrew swoim szumnym deklaracjom, jest przekonany, że najlepsze miejsce dla Davida to instytucja, nawet nie w sensie dosłownym, ale małżeńska?

Targany zamętem tego rodzaju myśli, wkroczył do salonu swojego dziadka, zamykając za sobą drzwi odrobinę za mocno, na co Dziadek podniósł na niego zdziwiony wzrok.

– Przepraszam – wymamrotał, lecz Nathaniel odrzekł tylko:

– Co napisał?

David w milczeniu wręczył mu kartki, a Dziadek wziął je, rozłożył okulary i zaczął czytać. David go obserwował, po pogłębiającej się zmarszczce na czole poznając, jak daleko posunął się w lekturze opowieści Charlesa.

– Mój Boże – westchnął w końcu Dziadek; zdjął okulary i złożył je z powrotem. – Biedni chłopcy. Biedna rodzina. I biedny pan Griffith, wydaje się zdruzgotany.

– Tak, to straszne.

– Co ma na myśli, pisząc, że po ostatniej waszej rozmowie czuł się zażenowany?

David opowiedział mu pokrótce o samotności Charlesa, o jego wielkiej wylewności, a Dziadek tylko kręcił głową, nie z dezaprobatą, a ze współczuciem.

– A zatem – odezwał się po chwili milczenia – planujesz spotkać się z nim ponownie?

– Nie wiem – odparł David, też nie od razu, spuszczając wzrok. Zapadła trzecia chwila ciszy.

– Davidzie – przemówił łagodnie Dziadek. – Czy coś się dzieje?

– Co masz na myśli?

– Od pewnego czasu jesteś taki… oddalony. Dobrze się czujesz?

Wówczas David zrozumiał, że Dziadkowi chodzi o to, czy on nie pogrąża się w którejś ze swoich chorób, i chociaż był to temat mało zabawny, miał ochotę roześmiać się z tego, jak błędnie Dziadek interpretuje sobie jego życie, jak mało w istocie o nim wie, chociaż te myśli jednocześnie go zasmuciły.

– Czuję się doskonale.

– Myślałem, że miło rozmawiało ci się z panem Griffithem.

– To prawda.

– Zdaje się, że on bardzo lubi rozmawiać z tobą. Davidzie. Nie sądzisz?

David wstał, wziął pogrzebacz i dźgając palenisko, patrzył, jak schludnie ułożone kłody obracają się, parskając ogniem.

– Tak przypuszczam. – A gdy Dziadek nic na to nie powiedział, spytał: – Czemu chcesz, żebym wziął ślub?

Usłyszał zdziwienie w głosie Dziadka:

– O co ci chodzi?

– Mówisz, że to moja decyzja, jednak wszystko wskazuje na to, że twoja. Twoja i pana Griffitha. Dlaczego chcesz mnie wydać za mąż? Może myślisz, że sam sobie nie poradzę? Myślisz, że sam nie potrafię o siebie zadbać?

Nie mógł się odwrócić, by spojrzeć w twarz Dziadka, ale poczuł, że jego własna twarz płonie żarem, zarówno od ognia, jak i z powodu okazanej impertynencji.

– Nie wiem ani nie rozumiem, czemu to przypisać – przemówił powoli jego dziadek. – Jak niejednokrotnie powtarzałem nie tylko tobie, ale wam wszystkim, zawsze byłem zdania, że jedynym powodem do małżeństwa dla moich wnuków powinno być pozyskanie towarzysza życia. Ty, Davidzie, sam dałeś mi do zrozumienia, że taka możliwość cię interesuje; wyłącznie dlatego Frances zaczęła wysyłać sygnały, że jesteśmy otwarci na propozycje. Jak sam wiesz, odrzuciłeś już pewną liczbę ofert, odmawiając nawet spotkania z kandydatami, i to, daj sobie powiedzieć, całkiem dobrymi kandydatami, więc gdy pojawiła się oferta pana Griffitha, Frances zasugerowała, a ja na to przystałem, że powinienem namawiać cię, żebyś przynajmniej s p r ó b o w a ł wziąć pod uwagę myśl o przyjęciu tego dżentelmena, zanim znowu wszyscy stracimy niepotrzebnie czas. To dla t w o j e g o przyszłego szczęścia, Davidzie, wszystko bez wyjątku. Nie dla mojej przyjemności, zapewniam cię, ani dla przyjemności Frances. Robimy to dla c i e b i e, i tylko dla ciebie, a jeśli słyszysz w moim głosie pretensję czy złość, to wiedz, że nie one mną powodują, ale zaskoczenie. To ty jesteś odpowiedzialny za podjęte decyzje, cała sprawa ruszyła z twojego podszeptu.

– A więc, ponieważ odrzuciłem tylu poprzednich kandydatów, został mi kto? Człowiek, z którym nikt się nie liczy? Wdowiec? Stary mężczyzna bez wykształcenia?

Na te słowa Dziadek zerwał się na nogi tak szybko, że David zląkł się jego ciosu, złapał wnuka za ramiona i siłą odwrócił do siebie.

– Zdumiewasz mnie, Davidzie. Nie na to wychowałem ciebie i twoje rodzeństwo, żebyście wypowiadali się w ten sposób o innych ludziach. Jesteś młody, owszem, młodszy niż on. Ale jesteś też, jak sądziłem, mądry, a on ma bez wątpienia czułe serce; wiele małżeństw opiera się na znacznie, znacznie wątlejszych przesłankach. Nie wiem, co wywołało twoje wzburzenie i tę podejrzliwość. On wyraźnie czuje do ciebie sympatię – mówił dalej Dziadek. – Może nawet cię kocha. Przypuszczam, że byłby skłonny przedyskutować twoje obiekcje, jakiekolwiek one są, na przykład dotyczące miejsca zamieszkania. Ma dom w mieście; nigdy nie dał do zrozumienia Frances, że musisz mieszkać w Massachusetts, jeśli to ciebie niepokoi. Lecz jeżeli naprawdę nie jesteś nim zainteresowany, to masz obowiązek mu to powiedzieć. Jesteś to winien temu dżentelmenowi. I musisz to zrobić osobiście, z całą uprzejmością i wdzięcznością. Nie wiem, co się z tobą dzieje, Davidzie. Od miesiąca zauważam w tobie zmianę. Już wcześniej chciałem z tobą o tym porozmawiać, ale byłeś niedostępny.

Dziadek umilkł, a David odwrócił się z powrotem do ognia, płonąc ze wstydu.

– Och, Davidzie – westchnął cicho Nathaniel. – Jesteś mi tak drogi. I mylisz się, to prawda, że ja chcę, abyś był z kimś, kto się o ciebie zatroszczy, ale to nie dlatego, że nie myślę, byś umiał zadbać o siebie, ale dlatego, że wierzę, że będąc z kimś, będziesz najszczęśliwszy. Przez te lata, odkąd wróciłeś z Europy, coraz bardziej stroniłeś od świata. Wiem, że twoje choroby są męczące, wiem, jak ogromnie cię wyczerpują i, co więcej, jak bardzo się ich wstydzisz. Ale, dziecko, to jest człowiek, który w swojej przeszłości zniósł wiele smutku i choroby, a przecież nie uciekł przed nimi:

takiego człowieka warto wziąć pod uwagę, ponieważ dla niego twoje szczęście będzie zawsze na pierwszym miejscu. Właśnie *kogoś takiego* chcę dla ciebie.

Stali obydwaj w milczeniu: Nathaniel patrzył na niego, a David patrzył w podłogę.

– Powiedz mi, Davidzie – rzekł powoli jego dziadek – czy w twoim życiu jest ktoś inny? Mnie możesz to powiedzieć, dziecko.

– Nie, Dziadku – odpowiedział w podłogę.

– W takim razie – rzekł Dziadek – musisz zaraz napisać do pana Griffitha i powiadomić go, że przyjmujesz jego propozycję kolejnego spotkania. A na tym spotkaniu musisz albo zerwać ostatecznie tę znajomość, albo zakomunikować mu swoją intencję kontynuowania kontaktów. Jeśli zaś zdecydujesz się dalej z nim rozmawiać, to chociaż nie pytałeś mnie o zdanie, uważam, Davidzie, że musisz zdobyć się na szczerość i szlachetność ducha, do jakich, jak wiem, jesteś zdolny. Jesteś to winien temu człowiekowi. Czy obiecasz mi, że tak zrobisz?

David obiecał.

IX

Przez kilka następnych dni zatrzymywał go w domu niezwykły natłok zajęć – jednego dnia zebranie rodzinne z okazji urodzin Wolfa, następnego wieczoru urodziny Elizy – tak że dopiero w następny czwartek zdołał spotkać się z Edwardem przed szkołą po jego lekcji i pójść z nim do pensjonatu. Po drodze Edward wsunął lewą rękę pod prawe ramię Davida, a David, który nigdy dotąd nie szedł z nikim pod rękę, przycisnął ją do siebie, chociaż obejrzał się przedtem, czy stangret tego nie widzi, ponieważ nie chciał, żeby to dotarło do Adamsa, a w rezultacie – do Dziadka.

Po południu, kiedy leżeli razem – David przyniósł puszysty wełniany koc w kolorze gołębiej szarości, którym Edward się zachwycił i którym byli teraz otuleni – Edward rozgadał się o swoich przyjaciołach. „Banda dziwaków!" – śmiał się niemal z przechwałką, i rzeczywiście na to wyglądało: Teodora, marnotrawna córka bogatej rodziny z Connecticut, miała ambicję zostać piosenkarką w „jednym z nocnych klubów, które tak cię przerażają"; Harry, wyjątkowy przystojniak bez grosza przy duszy, był towarzyszem życia „bardzo bogatego bankiera – twój dziadek pewnie go zna"; Fritz, artysta malarz, był, sądząc z opowieści, niewiele więcej niż pospolitym nicponiem (chociaż tego, oczywiście, David głośno nie powiedział); a Marianne chodziła do szkoły artystycznej i dawała lekcje rysunku za pieniądze. Wszyscy od jednej sztancy: młodzi, biedni (chociaż tylko niektórzy z urodzenia), beztroscy. David wyobrażał ich sobie: Teodora – ładna, smukła, nerwowa, o lśniących czarnych włosach; Harry – blondyn o czarnych oczach i pełnych ustach;

Fritz – pobudliwy, o zapadniętych policzkach, z cynicznym skrzywieniem wąskich ust; Marianne – z niewinnym uśmiechem i burzą brzoskwiniowej barwy loków.

– Bardzo bym chciał ich kiedyś poznać – powiedział, choć bez wewnętrznego przekonania. Wolał udawać, że ci ludzie nie istnieją, że Edward należy wyłącznie do niego, a Edward, chociaż o tym wiedział, lekko się uśmiechnął i odrzekł, że kiedyś może się tak zdarzyć.

Zbyt szybko nadszedł czas pożegnania i David, dopinając płaszcz, powiedział:

– A więc zobaczę cię jutro.

– Och nie, zapomniałem ci powiedzieć, że jutro wyjeżdżam!

– Wyjeżdżasz?

– Tak, jedna z moich sióstr, jedna z tych dwóch w Vermoncie, będzie wkrótce rodzić, więc jadę odwiedzić ją i całą resztę.

– Ach tak – rzekł David. (Czy Edward nie wspomniałby mu o tym, gdyby nie jego pytanie? Czy David zaanonsowałby się jak zwykle w pensjonacie i usiadł w bawialni, czekając, aż zjawi się Edward? Jak długo by czekał – ileś godzin, na pewno, ale ile? – zanim w poczuciu porażki powróciłby na plac Waszyngtona?) – Kiedy wracasz?

– Pod koniec lutego.

– Ależ to strasznie długo!

– Nie tak długo! Luty jest krótki. Zresztą to nie będzie sam koniec lutego, dokładnie dwudziestego. Wcale nie tak długo! I napiszę do ciebie. – Na jego twarz wypełzł powoli dwuznaczny uśmiech i Edward, odrzucając koc, wstał i otoczył Davida ramionami. – A co? Będziesz za mną tęsknił?

David się zaczerwienił.

– Wiesz, że będę.

– Jakie to słodkie! Jestem zaszczycony.

Przez minione tygodnie mowa Edwarda straciła teatralność i dramatyczną ekspresję, lecz teraz te cechy powróciły, więc David, słysząc ponownie afektowane tony, poczuł się nagle nieswojo – to, co mu wcześniej nie przeszkadzało, wydało mu się nagle fałszywe, nieszczere i dziwnie niepokojące, dlatego pożegnał Edwarda z autentycznym smutkiem, któremu towarzyszyło jakieś inne uczucie, niedające się nazwać, ale nieprzyjemne.

Jednak już po tygodniu niepokój znikł i pozostała czysta tęsknota. Jak szybko Edward go odmienił! Jakie okropne było życie bez niego! Popołudnia Davida znów były puste i spędzał je tak jak kiedyś: na lekturze, rysowaniu i wyszywaniu, a głównie na marzeniach i niemrawych przechadzkach po parku. Raz nawet bezwiednie zaszedł do kawiarni, gdzie kiedyś omal nie wypili swojej pierwszej kawy: tym razem usiadł przy stoliku i zamówił kawę, którą sączył powoli, zerkając na drzwi, ilekroć się otworzyły, tak jakby wchodzącą osobą miał być Edward.

Wrócił właśnie z tamtej kawiarni, gdy Adams zawiadomił go o liście. Okazało się, że to list od Charlesa Griffitha, który zapraszał Davida do siebie na kolację w następnym tygodniu, bo wtedy będzie w mieście. Przyjął zaproszenie uprzejmie, ale bez entuzjazmu, z zamiarem uszanowania prośby Dziadka, a także prośby Charlesa, by wolno mu było przeprosić Davida osobiście. Gdy nadszedł wieczór spotkania, wrócił z kawiarni do domu tak późno, że ledwo miał czas się przebrać i ochlapać twarz wodą, a już była pora, by wsiąść do czekającej przed domem dorożki.

Dom Charlesa Griffitha znajdował się w pobliżu domu, w którym David spędził dzieciństwo, chociaż bliżej Piątej Alei. Rodzinny dom Davida był duży, niemniej dom Charlesa okazał się jeszcze większy i znacznie wytworniejszy, z szerokimi, kręconymi marmurowymi schodami wiodącymi na piętro reprezentacyjne, gdzie oczekiwał go gospodarz, który wstał, zaraz gdy David pokazał się w drzwiach. Przywitali się oficjalnie, przez podanie rąk.

– Davidzie, jakże mi miło cię widzieć.

– I mnie – odpowiedział.

I ku jego zdziwieniu miało się to okazać prawdą. Zasiedli we wspaniałej bawialni – David zaraz pomyślał, jak snobistyczny Peter, który był czuły na takie rzeczy, zareagowałby na wszystkie te przebogate materie i kolory, przesadnie miękkie sofy, mnogość migotliwych lamp, obwieszone brokatem ściany, prawie bez obrazów – i znów rozmowa przyszła im całkiem naturalnie. David zapytał o Jamesa i dostrzegł przelotny wyraz smutku na twarzy Charlesa

(„Dziękuję ci, że pytasz, ale w tej sprawie niewiele się zmieniło, niestety"), a potem rozmawiali o przedłużającym się milczeniu rodziny Delacroix i o tym, jak każdy z nich spędził święta.

Gdy już siedzieli przy stole, Charles powiedział:

– Mówiłeś kiedyś, pamiętam, że do twoich ulubionych potraw należy zupa ostrygowa.

– To prawda – potwierdził David, gdy na stół wniesiono parującą wazę, z której rozchodził się rozkoszny zapach, i chochlą nałożono mu gęstej zupy do bulionówki. Skosztował, wywar był treściwy i dobrze przyprawiony, ostrygi tłuste i maślane. – Jest przepyszna.

– Cieszę się, że ci smakuje.

Ujął go ten gest Charlesa – takie skromne, proste danie, tym skromniejsze przez kontrast z przepychem jadalni, z długim, wypolerowanym stołem, przy którym mogłoby zasiąść dwadzieścia osób, a siedziały tylko dwie, z wszechobecnymi wazonami świeżo ściętych kwiatów – dlatego wzruszony jego dobrocią, poczuł przypływ sympatii do Charlesa i zapragnął ofiarować mu coś w zamian.

– Wiesz – odezwał się, przyjmując dokładkę zupy – że ja się urodziłem całkiem niedaleko?

– Myślałem o tym – odrzekł Charles. – Wspominałeś, że twoi rodzice umarli, gdy byłeś jeszcze mały.

– Tak, w siedemdziesiątym pierwszym. Ja miałem pięć lat, John cztery, a Eden dwa.

– Na grypę?

– Tak, zmarli bardzo szybko. Mój dziadek natychmiast zabrał nas do siebie.

Charles pokręcił głową.

– Biedak... stracić syna i synową...

– Tak, i wziąć sobie na głowę troje diabląt, i to wszystko w niespełna miesiąc!

Charles się roześmiał.

– Na pewno nie byliście diablętami.

– Ależ tak! Ja byłem trudny, a John był jeszcze gorszy.

Na to obaj się roześmiali i David bezwiednie – chociaż dawno tego nie robił – zaczął snuć swoje nieliczne wspomnienia o rodzicach: oboje pracowali dla Braci Bingham, ojciec jako bankier, matka jako prawniczka. We wspomnieniach Davida stale wychodzili – rano do pracy, wieczorami na kolacje, na przyjęcia, do opery czy do teatru. Miał w pamięci mglisty obraz matki jako eleganckiej, smukłej kobiety z długim, prostym nosem i burzą ciemnych włosów, ale nie był pewien, czy to naprawdę jego wspomnienie, czy obraz stworzony na podstawie małego rysunkowego portretu, który dostał po jej śmierci. Ojca pamiętał jeszcze mniej. Wiedział, że był blondynem i miał zielone oczy. Dziadek adoptował go jako niemowlę od niemieckiej rodziny swoich pracowników, która miała za dużo dzieci, a za mało pieniędzy, i wychował go samodzielnie – to po nim David i jego rodzeństwo odziedziczyli kolor włosów i oczu. Przypominał sobie, że ojciec był łagodny, a jednocześnie bardziej skory do zabawy niż matka, i że w niedziele, po powrocie z kościoła, ustawiał Davida i Johna przed sobą i wyciągał w ich stronę dwie zaciśnięte pięści. Mieli odgadnąć – w jednym tygodniu David, w następnym John – w której ręce ukrywa się cukierek, a jeśli nie udało im się odgadnąć, ojciec udawał, że odchodzi, przeciwko czemu oni protestowali, więc wracał uśmiechnięty i tak czy owak dawał im po cukierku. Dziadek zawsze powtarzał, że David wdał się z charakteru w ojca, a John i Eden – w matkę.

Skoro już wspomniał o rodzeństwie, rozgadał się: opowiadał, że John i Peter, odkąd się pobrali, upodabniają się do siebie coraz bardziej pod względem wrażliwości i zwyczajów i że obaj – John jako bankier, Peter jako prawnik – pracują dla Braci Bingham tak samo jak kiedyś jego rodzice. Później mówił o Eden i jej studiach w akademii medycznej, i o działaniach dobroczynnych Elizy. Charles znał już ich imiona – wszyscy je znali, pojawiały się wszak w rubrykach towarzyskich, gdy dostrzeżono młodych Binghamów na jakiejś gali lub kiedy urządzali bal kostiumowy. Z podziwem pisano o dobrym guście i dowcipie Eden, a Johna chwalono za umiejętność prowadzenia konwersacji. Charles zapytał Davida, czy ich lubi, David zaś, chociaż nie przejmował się zbytnio jego opinią, odruchowo uciekł się do kłamstwa i odrzekł, że tak.

– A więc ty i Eden jesteście buntownikami, bo nie weszliście w rodzinny interes. Chyba że jednak John jest buntownikiem, bo przecież pozostaje w mniejszości!

– Tak – bąknął, ale już się denerwował. Już wiedział, jaki kierunek przyjmie teraz rozmowa, więc ubiegł pytanie Charlesa deklaracją: – Ja chciałem pracować z moim dziadkiem, naprawdę. Ale… – Ku własnemu skrępowaniu i zgrozie nie zdołał wykrztusić ani słowa więcej.

– Ale za to – odezwał się wówczas Charles – jesteś, jak słyszałem, wspaniałym artystą, a artyści nie powinni marnować swojego czasu w bankach. Twój dziadek na pewno by się ze mną zgodził. Gdyby ktokolwiek z mojej rodziny okazał najskromniejsze zdolności artystyczne, na pewno nie kazalibyśmy mu poświęcać czasu na podliczanie rachunków, wytyczanie na mapie morskich tras, układanie się z handlarzami i negocjowanie umów! Lecz, niestety, szansa na to wygląda mizernie, bo Griffithowie, co stwierdzam z przykrością, to prozaiczni ludzie pracy w skrajnym wydaniu!

Roześmiał się i atmosfera się rozluźniła, a David, odzyskawszy równowagę, po chwili zawtórował mu śmiechem, czując przypływ wdzięczności dla Charlesa.

– Praktyczność jest cnotą – powiedział.

– Być może. Jednak nadmiar praktyczności, jak nadmiar każdej cnoty, to straszna nuda, tak uważam.

Po kolacji i drinkach Charles odprowadził Davida do wyjścia. Bingham poznał po jego ociąganiu, po przedłużonym uścisku ręki w obu dłoniach Charlesa, że ten ma ochotę go pocałować, ale chociaż miło spędził wieczór, chociaż mógł nawet przyznać się sam przed sobą, że lubi tego mężczyznę, a nawet niezmiernie go lubi, to nie mógł przestać spoglądać na twarz Charlesa, zaczerwienioną od wina, i na jego brzuch, którego nie maskowała nawet sprytnie skrojona kamizelka, i porównywać go z Edwardem, z jego drobną, szczupłą postacią i gładką, jasną skórą.

Wiedział, że Charles nie wymagałby od niego uczucia, więc jedynie położył wolną dłoń na dłoni Charlesa gestem, który, miał nadzieję, zamyka sprawę, i podziękował mu za uroczy wieczór.

Jeśli Charles poczuł się rozczarowany, nie zdradził tego.

– Zawsze będziesz tu mile widziany – powiedział. – Spotkanie z tobą dało mi odrobinę szczęścia w tym jakże trudnym roku.

– Przecież rok dopiero się zaczyna.

– To prawda. A jeżeli zechcesz znów się ze mną spotkać, to poprawa gwarantowana.

Wiedział, że powinien powiedzieć „tak", a jeżeli go na to nie stać, to musi wyznać Charlesowi, że jest zmuszony odrzucić jego propozycję małżeństwa, która mu czyni wielki zaszczyt i za którą jest mu ogromnie wdzięczny – bo tak właśnie czuł – i życzyć mu wszelkiego szczęścia i powodzenia.

Już po raz drugi tego wieczoru mowa jednak go zawiodła, a Charles, który chyba wziął milczenie Davida za rodzaj zgody, pochylił się, pocałował go w rękę i otworzył drzwi na zimną noc. W mroku na chodniku, w czarnym płaszczu nakrapianym śniegiem, stał drugi stangret Binghamów, cierpliwie trzymając otwarte drzwi powozu.

X

Przez następny tydzień (tak samo jak przez poprzedni) pisał do Edwarda codziennie. Edward obiecał, że zaraz w pierwszym liście poda mu adres swojej siostry, ale minęły dwa tygodnie od jego wyjazdu, a żadnej korespondencji nie było. David dowiadywał się w pensjonacie, czy nie znają jego adresu, a nawet zniósł spotkanie ze straszną gospodynią, lecz nie uzyskał żadnych informacji. Mimo to pisał dalej, co dzień jeden list, który przekazywał przez jednego ze służących do pensjonatu Edwarda na wypadek, gdyby ten nadesłał tam informację o swoim miejscu pobytu.

Czuł, jak jego apatia przeradza się w desperację, więc co wieczór ustalał sobie plan na następny dzień, który trzymałby go z dala od placu Waszyngtona tak długo, by zaraz po dostarczeniu pierwszej poczty właśnie wysiadał z powozu przed domem lub wyłaniał się pieszo zza rogu, powracając z wycieczki do muzeum, do klubu albo z pogawędki z Elizą – lubił ją najbardziej z całej rodziny, więc składał jej czasem wizytę, kiedy wiedział, że Eden jest na zajęciach. Dziadek z rozmysłem nie wypytywał go o kolację z Charlesem Griffithem, a on sam nic nie mówił na ten temat. Życie wróciło w przed-Edwardowe tryby, tyle że teraz dni były bardziej szare niż dawniej. Ostatnio David zmuszał się do odczekania pół godziny po nadejściu poczty i dopiero wtedy wchodził po schodach, zmuszał się także do niepytania Adamsa ani Matthew, czy jest coś dla niego, tak jakby dzięki temu list miał się zmaterializować, aby nagrodzić go za dyscyplinę i cierpliwość. Ale mijał dzień za dniem, a listonosz przyniósł jedynie dwa listy od Charlesa, oba z pytaniem, czy David zechciałby pójść do teatru. Na pierwszy odpowiedział odmownie, z pośpiechem i kurtuazją wymawiając się obowiązkami rodzinnymi; drugi zignorował, zły, że nie jest to list od Edwarda, a kiedy zwłoka z odpowiedzią zaczęła zakrawać na niegrzeczność, skreślił krótki liścik z przeprosinami, tłumacząc, że się przeziębił i nie wychodzi z domu.

Na początku trzeciego tygodnia nieobecności Edwarda udał się powozem na zachód z najświeższym swoim listem w ręce i postanowieniem, że sam znajdzie odpowiedź na pytanie o miejsce pobytu Edwarda. W pensjonacie zastał jednak tylko mizerną małą pokojówkę, której głównym zajęciem zdawało się dźwiganie wiadra mętnawej wody z piętra na piętro.

– Ja nic nie wiem, psze pana – wymamrotała, patrząc podejrzliwie na buty Davida, i cofnęła się przed podawanym jej listem, jakby mógł ją oparzyć. – On nie mówił, kiedy wróci.

David wyszedł więc z pensjonatu. Zatrzymał się jeszcze na chodniku i popatrzył w okna Edwarda, które były szczelnie zasłonięte, tak jak przez ostatnie szesnaście dni.

Wieczorem jednak przypomniało mu się coś, co mogło mu dopomóc, więc gdy wraz z Dziadkiem zajęli poobiednie pozycje, zagadnął:

– Dziadku, słyszałeś o kobiecie, która nazywa się Florence Larsson?

Dziadek przyjrzał mu się, niewzruszony, ubił tytoń w fajce i wypuścił kłąb dymu.

– Florence Larsson – powtórzył. – Bardzo dawno nie słyszałem tego nazwiska. A dlaczego pytasz?

– Ach, Charles wspomniał w rozmowie, że jego urzędnik mieszka w pensjonacie, którego właścicielką jest ta osoba – odrzekł David, zniesmaczony pośpiechem, z jakim wyrzucił z siebie kłamstwo, a także tym, że wciągnął w nie Charlesa.

– A więc to prawda – mruknął Dziadek, jakby do siebie, i westchnął. – Osobiście, zaznaczam, nigdy jej nie poznałem. Jest jeszcze starsza ode mnie; szczerze mówiąc, dziwię się, że jeszcze żyje, ale kiedy była mniej więcej w twoim wieku, wdała się w okropny skandal.

– Co się stało?

– Cóż. Była jedyną córką dość zamożnego człowieka, lekarza, zdaje się, i sama również studiowała medycynę. Aż pewnego wieczoru na przyjęciu, które wydała jej kuzynka, poznała mężczyznę, nie pamiętam jego nazwiska. Był ponoć oszałamiająco przystojny i wyjątkowo czarujący, choć nie miał grosza przy duszy; jeden z tych ludzi, którzy przychodzą nie wiadomo skąd, nieznani nikomu, a jednak, dzięki swojej urodzie i umiejętności prowadzenia dowcipnej rozmowy, znajdują dojście do najlepszego towarzystwa.

– Ale co się właściwie stało?

– To, co się często dzieje w takich okolicznościach, mówię to z przykrością. On się do niej zalecał, ona się zakochała. Ojciec zagroził, że ją wydziedziczy, jeśli poślubi tego człowieka, ale ona i tak go poślubiła. Miała znaczny majątek po swojej zmarłej matce, lecz wkrótce po ślubie ten człowiek prysnął, zabierając wszystko co do centa. Została bez środków do życia. Ojciec wprawdzie pozwolił jej wrócić do swojego domu, ale okazał się tak mściwy, wszyscy mówili, że to człowiek bez serca, że dotrzymał słowa i wydziedziczył ją całkowicie. Jeżeli jeszcze żyje, to musi mieszkać w domu swojej nieboszczki ciotki, u której, jak mniemam, mieszkała od śmierci ojca. Straciła wszystko. Studiów nie ukończyła. Nigdy też nie wyszła ponownie za mąż, nawet nie brała tego pod uwagę, o ile mi wiadomo.

Davida nagle przeniknął chłód.

– A co się stało z tamtym człowiekiem?

– Kto wie? Latami krążyły o nim plotki. Że widziano go tu albo ówdzie, że wyemigrował do Anglii albo na Kontynent, że ożenił się z tą czy ową dziedziczką fortuny, ale nikt nic nie wiedział na pewno, w każdym razie on sam nigdy więcej nie dał znaku życia. Ale co z tobą, Davidzie? Strasznie zbladłeś!

– To nic – wykrztusił z trudem. – Zdaje się, że odrobinę zaszkodziła mi dzisiejsza ryba.

– Coś podobnego… przecież uwielbiasz solę.

Na górze, w bezpiecznym schronieniu swojego gabinetu, David spróbował się uspokoić. Porównania, które same mu się nasunęły, były wprost śmieszne. Edward, owszem, wiedział o jego pieniądzach, ale nigdy o nie nie prosił – nawet koc przyjął z zawstydzeniem – a przede wszystkim z pewnością nie szykowali się do małżeństwa. A jednak opowieść Dziadka wytrąciła go z równowagi, była jak echo innej, gorszej opowieści, którą David słyszał tylko raz w życiu i za nic nie umiał jej sobie przypomnieć.

Tej nocy nie mógł zasnąć. Po raz pierwszy od dawna następny ranek spędził w łóżku: kilkakrotnie odprawił pokojówkę ze śniadaniem i uparcie wpatrywał się w zaciek nad listwą przypodłogową, tam gdzie dwie ściany stykały się ze sobą, tworząc „V". Ta żółta plama to był jego sekret; kiedy leżał zamknięty, gapił się w nią godzinami, przekonany, że jeśli się odwróci albo mrugnie, po ponownym otwarciu oczu znajdzie się w nieznanym miejscu, przerażająco ciemnym i ciasnym: w celi klasztornej, w ładowni statku, na dnie studni. Plama trzymała go na tym świecie i domagała się od niego skupienia całej uwagi.

W okresach odosobnienia zdarzało się, że David nie mógł nawet utrzymać się na nogach. Teraz wprawdzie nie był chory, lecz bał się czegoś, czego nie umiał nazwać, więc w końcu zmusił się do umycia i ubrania, jednak zanim odważył się zejść na dół, było już późne popołudnie.

– List dla pana, panie Davidzie.

Poczuł przyspieszone bicie serca.

– Dziękuję, Matthew.

Wziął list ze srebrnej tacy, położył go na stole, sam zaś usiadł, splótł ręce na kolanach i podjął próbę uspokojenia serca, wydłużenia i spowolnienia oddechu. Wreszcie ostrożnie wyciągnął ramię i ujął list w palce. „To nie od niego", powiedział sobie.

I rzeczywiście. Była to kolejna wiadomość od Charlesa, który dopytywał o jego zdrowie i proponował mu wspólne wyjście na recytację w piątkowy wieczór: „To będą sonety Szekspira, za którymi, jak wiem, przepadasz".

Siedział, trzymał list w ręku, a jego rozczarowanie mieszało się z czymś, czego znów nie potrafił określić. I nagle, zanim zdążył się zawahać, zadzwonił na Matthew, poprosił o papier i atrament i pospiesznie skreślił odpowiedź, przyjmując zaproszenie, po czym podał kopertę Matthew z poleceniem bezzwłocznego doręczenia.

Kiedy to zrobił, poczuł się całkowicie pozbawiony resztek sił, więc wstał i powlókł się z powrotem na górę do swoich pokoi, skąd zadzwonił na pokojówkę i polecił jej powiedzieć Adamsowi, aby przekazał jego dziadkowi, że David nadal czuje się słabo i będzie musiał zrezygnować z kolacji. Potem stanął na środku gabinetu i rozejrzał się wokoło za czymś – książką, obrazem, teczką rysunków – co mogłoby go zająć i stłumić narastające poczucie niepokoju.

XI

Sonety recytowała trupa samych kobiet, które więcej miały entuzjazmu niż talentu, były jednak tak młode, świeże i miłe dla oka, że pomimo braku umiejętności łatwo było oklaskiwać je na koniec spektaklu.

David nie był głodny, ale Charles tak, zaproponował więc – z nadzieją, jak się Davidowi wydało – aby poszli coś zjeść u niego w domu.

– Coś niewyszukanego – powiedział, a David, który nie miał nic innego do roboty, lecz potrzebował rozrywki, wyraził zgodę.

W domu Charles zaproponował pójście na górę do jego bawialni; choć równie niestosownie ekstrawagancka jak ta na parterze – dywany tak grube, że stąpało się po nich jak po futrze; zasłony z kosztownej materii, które wydawały trzaski jak płonący papier, kiedy ktoś się o nie otarł – była przynajmniej mniejsza i przyjaźniejsza.

– A może byśmy zjedli tutaj? – zasugerował David.

– Chciałbyś? – upewnił się Charles, unosząc brwi. – Kazałem Waldenowi nakryć w stołowym. Ale zdecydowanie wolę zostać tutaj, jeśli ty chcesz.

– Cokolwiek zdecydujesz – odparł, tracąc nagle zainteresowanie zarówno posiłkiem, jak i rozmową o nim.

– Powiem mu – rzekł Charles i zadzwonił na lokaja. – Chleb, ser i masło, i może trochę zimnych mięs – poinstruował go, odwracając się i szukając potwierdzenia u Davida, który kiwnął głową.

Postanowił sobie, że będzie milczący, dziecinny i nadąsany, lecz ujmujący sposób bycia Charlesa szybko zachęcił go do rozmowy.

Charles opowiedział Davidowi o swoich pozostałych siostrzeńcach: Teddy był na ostatnim roku studiów w Amherst („Więc to on przejmie po Jamesie tytuł pierwszego w naszej rodzinie absolwenta college'u, za co zamierzam go nagrodzić"), a Henry szykował się do studiów na Uniwersytecie Pensylwanii („Sam więc widzisz, że przyjdzie mi jeździć na południe – tak, ja uważam to za południe! – o wiele częściej niż teraz"). Mówił o swoich siostrzeńcach z taką miłością i serdecznością, że David poczuł się irracjonalnie zazdrosny. Oczywiście nie miał ku temu powodu – Dziadek nigdy nie powiedział mu złego słowa i zostawiał mu pełną swobodę. Ale może ta jego zazdrość była źle adresowana; może chodziło mu o to, że Charles jest dumny ze swoich siostrzeńców, a on nie dał swojemu dziadkowi powodów do takiej dumy.

Do późnego wieczora rozmawiali o różnych aspektach życia: o swoich rodzinach, o przyjaciołach Charlesa, o wojnach na południu (odprężenie w stosunkach ich kraju z Maine, gdzie zważywszy na uniezależnienie się w pewnym stopniu tego stanu od Unii, obywateli Wolnych Stanów traktowano teraz lepiej, a może nawet całkiem akceptowano), o relacjach z Zachodem (gdzie ostatnio znacznie nasiliło się zagrożenie). Mimo że niektóre poruszane tematy okazały się dość ponure, w swoim towarzystwie czuli się tak swobodnie, że David kilkakrotnie był o krok od zwierzenia się Charlesowi i opowiedzenia mu o historii z Edwardem, i to jak przyjacielowi, a nie jak komuś, kto mu się oświadczył. Miał ochotę opowiedzieć mu o ciemnych, żywych oczach Edwarda, o rumieńcu, który mu występował na szyję, kiedy mówił o muzyce czy sztuce, o przeszkodach, jakie pokonał, by na własną rękę zaistnieć w świecie. Ale zaraz przypomniał sobie, gdzie się znajduje i kim jest Charles, więc ugryzł się w język. Skoro nie mógł mieć Edwarda w ramionach, to chciał mieć jego imię na języku; mówiąc o nim, ożywiłby jego postać. Chciał się nim chwalić, chciał każdemu, kto gotów byłby słuchać, powiedzieć, że *to* jest ten, który go wybrał, że *to* jest ten, z którym on, David, spędza swoje dnie, że *to* jest ten, który przywrócił go do życia. Skoro jednak było to niemożliwe, musiał się zadowolić sekretem związanym z Edwardem, a nosił go w sobie niczym świetliście biały płomień – płonął wysoko i czysto i ogrzewał tylko jego, lecz bał się go badać zbyt dokładnie z obawy, że zniknie. Myśląc o Edwardzie, czuł się tak, jakby wywoływał jego ducha, zjawę widoczną wyłącznie przez niego: ta zjawa stała teraz oparta o sekretarzyk w głębi pokoju za Charlesem i uśmiechała się do Davida, wyłącznie do niego.

Ale przecież – wiedział o tym – Edwarda tam nie było, nie był obecny ani ciałem, ani duchem. Przez te tygodnie, które David spędził na oczekiwaniu wieści od Edwarda, pilnie pisząc do niego listy (w których proporcje zabawnych, miał nadzieję, ciekawostek z jego życia i z życia miasta do wyrazów miłości i tęsknoty przechylały się zdecydowanie na stronę tych drugich), jego niepokój zamienił się w zmieszanie, zmieszanie w niedowierzanie, niedowierzanie w urazę, uraza we frustrację, frustracja w złość, a złość w rozpacz – i całe błędne koło zaczynało się od nowa. Teraz, i to w każdej chwili, David doznawał wszystkich tych uczuć jednocześnie, tak że przestawał odróżniać jedno od drugiego, a wszystkie razem wyostrzała czysta i dogłębna tęsknota. O dziwo, właśnie w obecności Charlesa, tego dobrego człowieka, w którego towarzystwie mógł się odprężyć, uczucia te szczególnie się nasilały i dokuczały Davidowi – wiedział, że gdyby opowiedział Charlesowi o swojej udręce, otrzymałby radę albo przynajmniej współczucie. Jednak największym okrucieństwem jego sytuacji było to, że Charles pozostawał jedyną osobą, której nigdy nie mógł tego powiedzieć.

Snuł te myśli, analizując raz po raz swoje trudne położenie, jakby następnym razem rozwiązanie miało się pojawić w sposób magiczny, gdy nagle uświadomił sobie, że Charles przestał mówić, on sam zaś, pochłonięty własnym dylematem, zupełnie przestał go słuchać.

Przeprosił pospiesznie i wylewnie, ale Charles jedynie pokręcił głową, a potem wstał z fotela, podszedł do sofy, na której siedział David, i usiadł obok niego.

– Czy coś cię gnębi? – zapytał.

– Nie, nie, bardzo cię przepraszam. Myślę, że jestem po prostu zmęczony, a ten ogień jest taki uroczy i ciepły, że stałem się nieco senny. Musisz mi wybaczyć.

Charles skinął głową i wziął go za rękę.

– Jednak wydajesz się czymś głęboko zaabsorbowany – nie ustępował. – A nawet zatroskany. Czy nie możesz mi wyjawić powodu?

David uśmiechnął się, żeby rozwiać niepokój Charlesa.

– Jesteś dla mnie taki dobry – powiedział, a po chwili, z większym uczuciem, dodał: – Bardzo dobry. Ciekawe, jakby to było mieć takiego przyjaciela jak ty.

– Przecież masz we mnie przyjaciela – rzekł Charles, odwzajemniając jego uśmiech, a David zorientował się, że powiedział coś, czego nie powinien, że zrobił dokładnie to, przed czym ostrzegał go Dziadek. Fakt, że uczynił to bezwiednie, nie zmieniał stanu rzeczy.

– Mam nadzieję, że uważasz mnie za swojego przyjaciela – ciągnął Charles, ściszając głos – ale i za kogoś więcej. – Położył dłonie na barkach Davida i pocałował go, a całując, postawił go przed sobą i zaczął rozpinać mu spodnie, a David pozwolił się rozebrać i poczekał, aż Charles sam się rozbierze.

Wracając dorożką do domu, ubolewał nad własną głupotą, nad tym, że w zamęcie emocji pozwolił Charlesowi uwierzyć, że jednak interesuje go rola Charlesowego męża. Wiedział, że z każdym spotkaniem, z każdą rozmową z Charlesem brnie coraz dalej drogą wiodącą nieuchronnie do jednego celu. Jeszcze nie było za późno, żeby się zatrzymać i wycofać, oznajmiając swoje zamiary – nie dał słowa, nie podpisywał żadnych papierów, więc nawet jeśli postąpił niewłaściwie i zwodniczo, to nie złamałby obietnicy – wiedział jednak, że gdyby tak zrobił, zarówno Charles, jak i jego dziadek poczuliby się słusznie dotknięci, o ile nie skrzywdzeni, a cała wina spadłaby na niego. Uległ Charlesowi częściowo przez wdzięczność za jego współczucie (a także, musiał przyznać, w nagrodę za miłość, którą Charles do niego żywił, podczas gdy miłości Edwarda nie był pewien), lecz pozostałe powody były znacznie mniej szlachetne: źle umiejscowione, niezaspokojone pożądanie, pragnienie ukarania Edwarda za jego milczenie i nieosiągalność, potrzeba zagłuszenia własnych problemów. W ten sposób przez swój uczynek stworzył następny problem, teraz to on był bez wątpienia obiektem pożądania, a Charles – ofiarą wiecznej tęsknoty. Zmroziło go, gdy sobie uświadomił, że z powodu własnej urażonej dumy i głodu pochlebstwa był aż tak dumny i samolubny, by zachęcić drugiego człowieka, i to dobrego człowieka, do żywienia fałszywych nadziei i oczekiwań.

Jednak tak potężne było w nim to uczucie, ten głód stłumienia przykrych doznań spowodowanych nieobecnością Edwarda i jego upartym milczeniem, że przez następne trzy tygodnie – trzy tygodnie, podczas których minęła data dwudziestego lutego, trzy tygodnie bez wiadomości od Edwarda – powracał wielokrotnie do domu Charlesa. Widząc Charlesa, jego entuzjazm i nieskrywane podniecenie, David czuł się silny i pełen pogardy. Kiedy patrzył, jak Charles gmera palcami przy guzikach, niezdarny w swoim zniecierpliwieniu, jak pospiesznie zamyka i rygluje drzwi bawialni, ledwie Walden wpuścił gościa do środka, czuł się uwodzicielem i czarodziejem, a Charles budził w nim wyłącznie zażenowanie. Wiedział, że to, co robi, jest złe, nawet podłe – intymność przed aranżowanym małżeństwem dwóch mężczyzn była zalecana, ale zazwyczaj dochodziło do niej najwyżej raz czy dwa w celu sprawdzenia zgodności cielesnej przyszłych małżonków. Niemniej nie umiał przestać, i to pomimo coraz bardziej wątpliwej motywacji, pomimo że nowe dla niego uczucie całkiem nieusprawiedliwionej pogardy dla Charlesa zmieniało się pomału w obrzydzenie. Także pod tym względem targały nim sprzeczne emocje. Nie lubił zażyłości z Charlesem, chociaż przywykł do jego atencji, stałego podniecenia i siły fizycznej. Uważał, że Charles jest zbyt poważny, co czyni go nudnym i nieeleganckim, jednak podtrzymywanie tej zażyłości osobliwie wyostrzało jego wspomnienia o Edwardzie, gdyż stale ich porównywał, a porównania te wypadały na niekorzyść tego pierwszego. Czując, jak Charles ociera się o niego brzuchem, tęsknił za eteryczną smukłością Edwarda i wyobrażał sobie, jak mógłby opowiadać Edwardowi o Charlesie, a Edward zanosiłby się swoim niskim, hipnotyzującym śmiechem. Ale Edwarda nie było, więc David nie mógł z nim dzielić swoich złośliwych sekretnych kpin z osoby, którą m i a ł przed sobą, z osoby stałej, szczerej i czułej pod każdym względem: z Charlesa Griffitha. Charles stał mu się niemiły, p o n i e w a ż był dostępny, a zarazem ta sama szczodra dostępność Charlesa umacniała Davida, czyniła go mniej bezradnym wobec przedłużającego się milczenia Edwarda. Doszło do tego, że hołubił w sobie pączkującą nienawiść do Charlesa za to, że tak go kochał, a przede wszystkim za to, że nie był Edwardem. Przez tę pączkującą nienawiść w bliskości Charlesa czuł, że strasznie się poświęca i że sam sobie wymierza rozkoszną karę, popełniając niemal religijny akt samoponiżenia, które – nawet jeżeli wyłącznie w jego oczach – dowodziło, ile jest gotów znieść po to, by kiedyś znowu połączyć się z Edwardem.

– Chyba się w tobie zakochałem – powiedział Charles pewnego wieczoru w początkach marca, zapinając koszulę i rozglądając się za krawatem. Powiedział to dość wyraźnie, a jednak David udał, że nie słyszał, i już od drzwi rzucił Charlesowi przez ramię zdawkowe „do widzenia". Wiedział, że po tak długim czasie Charles jest zaniepokojony, a nawet dotknięty jego chłodem i oczywistą niechęcią do odwzajemniania deklaracji uczuć. Zdawał sobie także sprawę, że swoim zachowaniem wobec Charlesa popełnia drobne, ale jakże namacalne zło, odpłacając okrucieństwem za zaszczyt.

– Muszę już iść – oznajmił, przerywając ciszę, jaka nastąpiła po deklaracji Charlesa – ale napiszę do ciebie jutro.

– Na pewno? – spytał cicho Charles i David znowu poczuł zniecierpliwienie pomieszane z czułością.

– Tak, obiecuję.

Spotkał się z Charlesem w pewne niedzielne popołudnie, a gdy wychodził, Charles zapytał go – jak to czynił po każdym ich spotkaniu – czy ma ochotę zostać na kolacji lub pójść na koncert albo do teatru. David zawsze odmawiał, świadomy, że z każdym kolejnym spotkaniem pytanie, którego Charles nie ośmielił się zadać, ciąży mu coraz bardziej, aż w końcu zaczął odnosić wrażenie, że materializuje się ono w swoistą mgłę, w której każdy ruch pogrąża ich obu w gęstniejącym, nieprzenikalnym mroku. Także tym razem David przez większość czasu spędzonego z Charlesem myślał o Edwardzie, wyobrażał sobie, że Charles to Edward, więc odnosił się do Charlesa uprzejmie jak zwykle, ale był coraz sztywniejszy, na przekór swojemu zachowaniu w sytuacjach intymnych.

– Zaczekaj – rzekł Charles – nie ubieraj się tak szybko. Daj mi jeszcze trochę na siebie popatrzeć.

David oświadczył jednak, że czeka na niego Dziadek, i wyszedł, zanim Charles zdążył ponowić swoją prośbę.

Czuł się po tych wizytach coraz gorzej: z powodu tego, jak traktuje biednego, przyzwoitego Charlesa; z powodu prowadzenia się niegodnego Binghama i wychowanka swojego dziadka; z powodu tego, do jakich zachowań przywodzi go desperackie pragnienie Edwarda. Nie mógł jednak winić Edwarda za swoje własne wybory życiowe, bez względu na powody, dla których Edward nie pisał, ponieważ o swoim postępowaniu zadecydował on sam, sam jeden, lecz zamiast dzielnie znosić udrękę w samotności, teraz dopuścił do zarażenia nią także Charlesa.

Wprawdzie nadal przychodził do Charlesa, żeby się rozerwać, ale przebywanie z nim rodziło w jego myślach nowe niepożądane pytania, nowe wątpliwości. Ilekroć Charles coś mówił o swoich przyjaciołach, o swoich siostrzeńcach, o swoich partnerach w interesach, David przypominał sobie, że Edward uniemożliwił mu nawet ustalenie miejsca swojego pobytu. Przyjaciele Edwarda mieli wyłącznie imiona, żadnych nazwisk – David uświadomił sobie, że nie zna nawet nazwisk jego zamężnych sióstr. Ilekroć Charles wypytywał go o dzieciństwo i lata szkolne, o Dziadka i rodzeństwo, David myślał sobie, że Edward rzadko zadawał mu tego rodzaju pytania. Wtedy tego nie zauważał, ale teraz mu się przypominało. Czyżby nie interesował Edwarda? Z goryczą pomyślał o tym, jak raz jeden poczuł, że Edward domaga się jego aprobaty i przyjmuje ją z wdzięcznością, bo nagle uzmysłowił sobie, jak dalece się wtedy pomylił – to przecież Edward zawsze kontrolował sytuację.

W następną środę porządkował klasę po lekcji, kiedy usłyszał swoje imię niosące się echem po korytarzu. Tydzień wcześniej pianino, które do tamtego czasu stało w przedniej części sali niczym pomnik ku czci Edwarda i jego zniknięcia, zostało przeniesione z powrotem do kąta, gdzie wskutek zaniedbania miało z czasem odzyskać swój naturalny status starego grata.

David odwrócił się, a do klasy wmaszerowała przełożona, spoglądając na niego jak zwykle z dezaprobatą.

– Dzieci, proszę wrócić do swoich pokoi – nakazała kilku maruderom, klepiąc ich po główkach lub plecach, gdy się z nią witali. Następnie zwróciła się do niego: – Panie Bingham. Jak przebiegają dzisiejsze lekcje?

– Bardzo dobrze, dziękuję.

– Bardzo pan dobry, że przychodzi uczyć moje dzieci. Trzeba panu wiedzieć, że one za panem przepadają.

– A ja za nimi.

– Coś panu przyniosłam. – Przełożona wyciągnęła z kieszeni cienką białą kopertę, którą David wziął do ręki i omal nie padł, widząc charakter pisma.

– Tak, to od pana Bishopa – potwierdziła niechętnie przełożona, z obrzydzeniem wymawiając nazwisko Edwarda. – Nareszcie raczy do nas wrócić, jak się zdaje.

Przez tygodnie, które minęły od zniknięcia Edwarda, przełożona była jedyną, nieoczekiwaną i bezwiedną sojuszniczką Davida, jedyną osobą, którą, tak jak jego samego, interesowało miejsce pobytu Bishopa. Kierowała się jednak zgoła inną motywacją – Edward, zdradziła Davidowi, kiedy wreszcie zmusił się, by ją zapytać, ubłagał ją o zwolnienie z powodu jakiejś nagłej sprawy rodzinnej. Miał powrócić do szkoły dwudziestego drugiego lutego, ten termin jednak minął bez słowa wyjaśnienia ze strony Edwarda; w końcu przełożona uznała, że musi całkiem zrezygnować z jego zajęć.

(– Zdaje się, że jego matka, która mieszka w Nowej Anglii, jest ciężko chora – dodała przełożona takim tonem, jakby nieco peszyło ją istnienie chorej matki.

– O ile wiem, on jest sierotą – sprostował po chwili milczenia David. – Czy nie chodziło raczej o jego siostrę, która urodziła dziecko?

Przełożona zamyśliła się nad tą ewentualnością.

– Jestem prawie pewna, że wspomniał o matce – powiedziała. – Nie udzieliłabym zwolnienia z powodu dziecka. Ale cóż – dodała łagodniejszym tonem [w rozmowach z Davidem zawsze przypominała sobie w końcu, że jest on mecenasem jej szkoły, po czym zmieniała odpowiednio ton i maniery] – mogę się mylić. Bóg świadkiem, że ludzie całymi dniami opowiadają mi o swoim życiu i kłopotach, więc nic dziwnego, że nie pamiętam wszystkich szczegółów. Mówił, że siostrę ma w Vermont, nieprawdaż? Tych sióstr jest w sumie trzy?

– Tak – potwierdził z wyraźną ulgą. – Właśnie trzy). Kiedy pani otrzymała ten list? – zapytał słabym głosem, bo marzył tylko o tym, żeby usiąść i żeby przełożona już sobie poszła, najlepiej zaraz. Chciał czym prędzej rozerwać list.

– Wczoraj – fuknęła przełożona. – Przyszedł tutaj, co za czelność!, domagać się ostatniej wypłaty, więc przy okazji usłyszał moje zdanie: wygarnęłam mu, że zawiódł dzieci, że zachował się samolubnie, nie powracając z wyjazdu zgodnie z obietnicą. A on mi na to…

David jej przerwał:

– Wybaczy pani, ale naprawdę muszę już wyjść; mam spotkanie, na które nie wolno mi się spóźnić.

Przełożona wyprężyła się jak struna, demonstrując urażoną godność.

– Oczywiście, panie Bingham – powiedziała. – W żadnym razie nie chciałabym sprawić p a n u kłopotu. Do zobaczenia najdalej za tydzień.

Zaledwie kilka metrów dzieliło szkolną bramę od jego dorożki, ale nie potrafił czekać tak długo: otworzył list od razu na frontowych schodach i omal go ponownie nie upuścił, bo palce mu drżały z zimna i niecierpliwości.

Mój Najdroższy Davidzie, 5 marca 1894

co Ty musisz sobie o mnie myśleć. Strasznie się wstydzę, jestem zażenowany i najmocniej, najserdeczniej Cię przepraszam. Mogę tylko powiedzieć, że milczałem nie z własnego wyboru i że myślałem o Tobie w każdej minucie każdej godziny każdego dnia. Ledwie się powstrzymałem, by wróciwszy wczoraj, nie rzucić się na schody Twojego domu przy placu Waszyngtona i nie poczekać na Ciebie, by Cię prosić o wybaczenie, nie byłem jednak pewien, jak zostanę przyjęty.

I teraz nie jestem tego pewny. Lecz jeśli zechcesz udzielić mi przywileju podjęcia próby przeproszenia Cię, to błagam, przyjedź do pensjonatu, kiedy zechcesz.

Do tego czasu pozostaję
Twoim kochającym Edwardem

XII

Nie miał wyboru. Odesłał stangreta do domu z wiadomością dla Dziadka, że wieczorem spotyka się z Charlesem Griffithem, i odwróciwszy się, zniesmaczony własnym kłamstwem, odczekał, aż dorożka zniknie za rogiem, i dopiero wtedy puścił się biegiem, nie dbając o widowisko, jakie z siebie robi. Cóż teraz znaczył jego ewentualny wstyd wobec obietnicy ponownego spotkania z Edwardem?

Do pensjonatu wpuściła go ta sama pokojówka z twarzą koloru serwatki. Wbiegając po schodach, zawahał się dopiero na ostatnim półpiętrze, porażony świadomością, że za jego radosnym podnieceniem czają się inne emocje: zwątpienie, zakłopotanie, złość. Nie zdołały go jednak powstrzymać i zanim skończył pukać do drzwi, te się otwarły i Edward rzucił mu się w ramiona, całując gdzie popadło, rozbrykany jak szczeniak, a David poczuł jak opuszczają go wcześniejsze skrupuły, wyparte przez uczucia szczęścia i ulgi.

Ale kiedy udało mu się odsunąć Edwarda na długość ramienia, zobaczył jego twarz: prawe oko podbite, dolna warga rozcięta, naznaczona pionową smugą zaschłej krwi.

– Edwardzie! – wykrzyknął. – Mój kochany Edwardzie! Co to ma być?

– To – odrzekł niemal bezczelnym tonem Edward – jest jeden z powodów, dla których nie mogłem do ciebie pisać.

Kiedy już zdołali się uspokoić, zaczął opowiadać, co przydarzyło mu się podczas pechowej wizyty u sióstr.

Z początku, mówił, wszystko szło dobrze. Podróż przebiegała bez przygód, chociaż w strasznym zimnie, więc po drodze odwiedził Boston, gdzie trzy noce spędził u starych przyjaciół rodziny, po czym udał się dalej, do Burlington. Tam powitały go wszystkie trzy siostry – Laura, która miała wkrótce urodzić dziecko, Margaret i oczywiście Belle, która przybyła w odwiedziny z New Hampshire. Laura i Margaret, zbliżone do siebie wiekiem i podobne we wszystkim, mieszkają razem w dużym drewnianym domu, każda ze swoim mężem zajmuje inne piętro: Belle ulokowana została w części Laury, a Edward u Margaret.

Margaret z rana wychodziła do swojej szkoły, ale Laura, Belle i Edward spędzali całe dni w domu na wesołych pogaduszkach. Podziwiali maleńkie sweterki, kocyki i skarpetki wydziergane przez Laurę i Margaret wraz z mężami, a po południu, po powrocie Margaret, zasiadali wszyscy przy kominku i rozmawiali o rodzicach lub wspominali swoje wspólne dorastanie, podczas gdy małżonkowie Laury i Margaret – mąż Laury był, tak jak ona, nauczycielem, a mąż Margaret księgowym – zajmowali się obowiązkami domowymi, które normalnie należały do sióstr, żeby te mogły spędzić więcej czasu z rodzeństwem.

(– Oczywiście opowiadałem im o tobie – powiedział Edward.

– Ach tak? – spytał, uradowany pochlebstwem. – A co mówiłeś?

– Że poznałem pięknego, błyskotliwego mężczyznę, za którym już tęsknię.

David poczuł, że rumieni się z radości, ale powiedział tylko:

– Mów dalej).

Szóstego dnia tej błogiej wizyty Laura wydała na świat zdrowe dziecko, chłopczyka, któremu dali na imię Francis, po ich ojcu. Było to pierwsze dziecko urodzone przez kogoś z rodzeństwa Bishopów, więc wszyscy cieszyli się nim jak własnym. Zgodnie z wcześniejszym planem Edward i Belle mieli zostać około dwóch tygodni dłużej. Chociaż Laura była wyczerpana porodem, wszyscy się cieszyli: sześcioro dorosłych mogło rozczulać się nad jednym niemowlęciem. Spotykając się razem całą czwórką po tak długim czasie, siłą rzeczy myśleli także o rodzicach i niejedna łza zakręciła im się w oku, gdy wspominali, jak matka i ojciec poświęcali się dla nich, żeby im zapewnić lepsze życie w Wolnych Stanach; wyobrażali też sobie, jak ogromnie, pomimo pewnych rozczarowań, cieszyliby się, widząc swoje dzieci znowu razem.

(– Byliśmy wszyscy tak strasznie zajęci, że na nic innego nie miałem czasu – powiedział Edward, uprzedzając pytanie Davida, dlaczego nie napisał. – Myślałem o tobie stale; rozpoczynałem w głowie setki listów do ciebie. Ale wtedy albo dziecko zapłakało, albo trzeba mu było podgrzać mleko, albo musiałem pomóc szwagrom w pracach domowych, nie miałem pojęcia, ile jest roboty przy jednym niemowlęciu!, i czas, który chciałem przeznaczyć na pisanie, znikał.

– Ale dlaczego nie przysłałeś mi chociaż adresu swoich sióstr? – zapytał David, nienawidząc sam siebie za drżenie w głosie.

– Cóż! To mogę złożyć wyłącznie na karb swojego zidiocenia; byłem pewien, ale to p e w i e n, że podałem ci go przed wyjazdem. Szczerze mówiąc, dziwiło mnie niezmiernie, że t y nic do mnie nie piszesz; codziennie, zaraz gdy któraś z sióstr wchodziła z pocztą, dopytywałem się, czy jest coś od ciebie, ale nigdy nie było. Nie masz pojęcia, jak mnie to zasmucało: bałem się, żeś całkiem o mnie zapomniał.

– Jak widzisz, nie zapomniałem – mruknął David, usiłując powściągnąć nutę pretensji w głosie, i wskazał żenująco opasły pakiet listów obwiązanych sznurkiem przez pokojówkę, które, nieczytane, leżały teraz na kufrze w nogach Edwardowego łóżka.

Ale Edward, ponownie przeczuwając urazę Davida, otoczył go ramionami.

– Odkładałem ich lekturę w nadziei, że zobaczę się z tobą i osobiście wytłumaczę się z nieobecności – powiedział. – A gdy już mi wybaczysz, na co miałem i mam rozpaczliwą nadzieję, myślałem, że przeczytamy je razem, i wówczas będziesz mógł mi opowiedzieć, co czułeś i co sobie myślałeś, pisząc je, i będzie tak, jakbyśmy się wcale nie rozstawali i zawsze byli razem).

Niespełna dwa tygodnie później Edward i Belle zaczęli się szykować do wyjazdu; wybierali się do Manchesteru, gdzie Edward miał zabawić u siostry kilka dni przed powrotem do Nowego Jorku. Lecz gdy dotarli do domu Belle i ta zaraz po wejściu zawołała męża, powitała ich cisza.

Początkowo się nie przejęli.

– Musi być jeszcze w klinice – powiedziała wesoło Belle i posłała Edwarda na górę, do wolnego pokoju, a sama poszła do kuchni przyszykować coś do jedzenia. Gdy Edward zszedł z powrotem na dół, jego siostra stała jak skamieniała pośrodku kuchni, wpatrując się w stół, a kiedy się odwróciła, jej twarz była strasznie blada.

– On odszedł – powiedziała.

– Co znaczy „odszedł"? – spytał Edward.

Rozejrzał się po kuchni. Wyglądała na nieużywaną od co najmniej tygodnia: piec był poczerniały i zimny, a na suchych naczyniach, imbrykach i garnkach zebrała się warstewka kurzu. Wziął do ręki list, który trzymała Belle, i rozpoznał charakter pisma szwagra: przepraszał żonę, pisał, że nie był jej wart i że odchodzi, żeby ułożyć sobie życie z inną kobietą.

– Z Sylvie – wyszeptała Belle. – Naszą służącą. Jej też nie ma w domu.

Zachwiała się, lecz Edward złapał ją, zanim zdążyła upaść na podłogę, i zaprowadził do łóżka.

Jakże przykre były następne dni! Biedna Belle bredziła w przerwach między milczeniem a szlochami, a Edward wysłał do sióstr list z tą przykrą wiadomością. Wściekły, udał się do kliniki swojego szwagra Masona, lecz obie jego pielęgniarki twierdziły, że nic nie wiedzą; złożył nawet doniesienie o nieobecności Masona na policji, ale powiedzieli mu tam, że nie wolno im mieszać się w sprawy domowe.

– Kiedy to nie jest zwyczajna sprawa domowa! – krzyczał Edward. – Ten człowiek porzucił żonę, moją siostrę, porządną kobietę i wierną małżonkę, opuszczając dom chyłkiem, kiedy opiekowała się ona ciężarną siostrą w Vermoncie. Należy go odnaleźć i postawić przed sądem!

Policjanci byli pełni współczucia, ale stwierdzili, że nic nie mogą zrobić. Złość Edwarda wzbierała z każdym dniem, zaprawiona rozpaczą, gdyż widok siostry wpatrującej się niemo w pusty kominek i załamującej ręce, z włosami niechlujnie skręconymi w kok, w tej samej od czterech dni wełnianej sukni uświadamiał mu jeszcze dobitniej jego własną niemoc i umacniał w nim postanowienie, że jeśli nie odzyska męża dla ukochanej młodszej siostry, to przynajmniej pomści jej krzywdę.

Pewnego wieczoru, gdy Edward siedział akurat w pobliskiej tawernie, pijąc i rozmyślając nad nieszczęściem siostry, zobaczył nagle wchodzącego tam Masona.

(– Wyglądał tak samo jak zawsze – odpowiedział Edward na pytanie Davida. – Uprzytomniłem sobie wówczas, że do tamtej pory myślałem, że kiedy ujrzę go następnym razem, będzie jakoś zmieniony, że nędzny charakter i podły postępek objawią się jakoś na jego twarzy. Ale nic z tego. Dzięki Bogu, nie było z nim tej dziewczyny, Sylvie, bo wówczas nie mógłbym zrobić tego, co zrobiłem).

Nie miał jeszcze żadnego planu, gdy podszedł do Masona, ale ledwo zobaczył, że został rozpoznany, z rozmachem rąbnął szwagra pięścią w policzek. Mason, otrząsnąwszy się z szoku, oddał mu cios, lecz bójkę przerwali szybko inni klienci, którzy ich rozdzielili – jednak wcześniej, co Edward podkreślił z niejaką satysfakcją, wysłuchali jego relacji o godnym pogardy zachowaniu byłego szwagra.

– Manchester to mała miejscowość – stwierdził Edward. – Wszyscy się tam znają, a Mason nie jest jedynym lekarzem w mieście. Nigdy nie odzyska reputacji, i dobrze mu tak, sam sobie zmarnował przyszłość swoim podłym zachowaniem.

Belle, mówił dalej, przeraziła się jego postępkiem – i sam Edward również go pożałował: nie z powodu samej napaści na Masona, ale dlatego, że przez tę napaść przysporzył siostrze dodatkowego bólu i wstydu – niemniej zdawało mu się, że Belle w skrytości ducha jest zadowolona. Następnego dnia, kiedy Belle doprowadziła do porządku jego twarz i zszyła mu wargę („Nie chcę się przechwalać, ale jestem pewien, że Mason gorzej oberwał, chociaż muszę przyznać, że walenie pięścią nie było z mojej strony najrozsądniejszym posunięciem, zważywszy na moją profesję"), wdali się w długą rozmowę i zgodnie doszli do wniosku, że Belle nie może pozostać ani w Manchesterze – gdzie mieszkała cała liczna rodzina Masona – ani w małżeństwie. Laura i Margaret przysłały najpierw telegram, a potem list, namawiając Belle do zamieszkania z nimi w Vermoncie – miały w domu mnóstwo miejsca, a Belle – David pamiętał, że jest pielęgniarką – na pewno zdołałaby znaleźć tam dobrą pracę. Jednak Belle się wahała. Nie chciała zakłócać Laurze radosnych i pełnych obowiązków chwil wczesnego macierzyństwa, a zresztą zwierzyła się Edwardowi, że pragnie wyłącznie ciszy, czasu i spokojnego kąta, żeby pomyśleć. Ustalili więc całą czwórką, że Belle będzie towarzyszyła Edwardowi do Bostonu, gdzie miał znów zatrzymać się na parę dni u przyjaciół rodziny przed ostatecznym powrotem do Nowego Jorku. Belle lubiła tych przyjaciół, a że była to sympatia odwzajemniona, u nich będzie mogła spokojniej rozważyć opcje na przyszłość: że rozwiedzie się z Masonem, to pewne, ale czy pozostanie w Manchesterze, czy przeniesie się do sióstr do Vermontu – to jeszcze stało pod znakiem zapytania.

– Sam więc widzisz – podsumował Edward – że mój wyjazd rozminął się z przewidywaniami i wszystkie moje szlachetne zamiary ulotniły się w obliczu kłopotów Belle. Źle zrobiłem, b a r d z o źle zrobiłem, nie kontaktując się z tobą, ale udręka siostry tak mnie pochłonęła, że zaniedbałem wszystko inne. Wiem, że to okropne, ale mam nadzieję, że potrafisz zrozumieć. Proszę cię, Davidzie, powiedz, że mi wybaczasz. Proszę cię, powiedz.

Czy mu wybaczył? I tak, i nie – oczywiście współczuł Belle, a jednak w swoim samolubstwie nie mógł powstrzymać myśli, że Edward mógł znaleźć czas na skreślenie choćby najkrótszej wiadomości, że p o w i n i e n b y ł znaleźć czas. Gdyby wyznał mu, co się dzieje, on, David, mógłby mu pomóc. Jak? – tego jeszcze nie wiedział, ale żałował, że nie miał okazji spróbować.

Niemniej teraz powiedzenie tego Edwardowi wydawało mu się dziecinadą i małostkowością. Odpowiedział więc:

– Oczywiście. Mój ty biedny Edwardzie. Oczywiście, że ci wybaczam.

W nagrodę dostał całusa.

Ale to nie był koniec opowieści Edwarda. Zanim dotarli do bostońskich przyjaciół, państwa Cooke, Belle znacznie się uspokoiła i zaczęła rozumować rozsądniej, a Edward nabrał pewności, że parę dni pobytu w Bostonie zapewni jej jeszcze większy spokój. Cooke'owie, Susannah i Aubrey, byli trochę starsi od Margaret. Susannah, uchodźczyni z Kolonii, mieszkała z rodzicami w domu sąsiadującym z rezydencją Bishopów, a dzieci obu rodzin dorastały razem i blisko się zaprzyjaźniły. Teraz Susannah i jej mąż byli właścicielami małej fabryki włókienniczej w Bostonie i mieszkali w okazałym nowym domu blisko rzeki.

Edward ucieszył się z ponownego spotkania z Cooke'ami, choćby dlatego, że Susannah i Belle ogromnie się lubiły. Susannah zachowywała się wobec Belle jak starsza siostra – zaraz udały się do pokoju przeznaczonego dla Belle i gadały do późna w nocy, a tymczasem Edward z Aubreyem grali w szachy w bawialni. Wieczorem czwartego dnia pobytu Aubrey i Susannah oświadczyli nagle rodzeństwu Bishopów, że pragną rozmówić się z nimi w ważnej sprawie, więc po kolacji wszyscy razem przeszli do bawialni, gdzie Cooke'owie ogłosili im tę swoją ważną wiadomość.

Otóż nieco ponad rok temu skontaktował się z nimi pewien Francuz, z którym od lat prowadzili wymianę handlową, i złożył im propozycję nie do odrzucenia: mieli uczynić Kalifornię wiodącym regionem jedwabnictwa w Nowym Świecie. Ten Francuz, Étienne Louis, zakupił już działkę o powierzchni prawie pięciu tysięcy akrów na północ od Los Angeles, zasadził blisko tysiąc drzew i założył wylęgarnie mogące pomieścić dziesiątki tysięcy larw i jajeczek. W zamierzeniu farma ta miała przerodzić się w samowystarczalną kolonię: Louis już zatrudnił pierwszych z przewidywanej setki specjalistów od jedwabnictwa, poczynając od hodowców drzew, poprzez fachowców od karmienia larw i zbierania kokonów, a kończąc na znawcach przędzalnictwa i tkactwa. Robotnikami mieli być w większości Chińczycy – po zakończeniu budowy kolei transkontynentalnej wielu z nich było bezrobotnych; nie mogli ani wrócić do siebie, ani – w świetle przepisów z 1892 roku – sprowadzić swoich rodzin z Orientu. Ogromna ich liczba popadła w nędzę i uzależnienie od opium – Louis twierdził, że byli gotowi pracować za jałmużnę. Władze San Francisco, gdzie żyła większość z nich, pomagały nawet Louisowi w znajdowaniu kandydatów, którzy mogliby dać się przekonać do przeprowadzki na południe.

Młodzi Bishopowie słuchali z takim samym entuzjazmem, z jakim Cooke'owie relacjonowali im swoją nowinę. Wszyscy czworo zgodzili się, że to genialny plan – populacja Kalifornii wzrastała szybko, a zorganizowany przemysł tekstylny wyglądał tam tak marnie, że byli pewni znacznych zysków. Każdy wiedział, jakie pieniądze potrafi zarobić na Zachodzie osoba sprytna i przedsiębiorcza, a oboje Cooke'owie byli osobami tego rodzaju. Sukces był im pisany. Co za radosna odmiana losu, zwłaszcza po tak trudnym tygodniu.

Ale nie była to jedyna niespodzianka, jaką mieli w zanadrzu Cooke'owie. Zamierzali bowiem poprosić Belle i Edwarda o nadzorowanie swojego przedsięwzięcia.

– Właśnie chcieliśmy was o to prosić – powiedziała Susannah. – Was dwoje i Masona. Jednak w tej sytuacji, wiesz, kochana Belle, że mówię to bez złośliwości, widać, że opatrzność nad tobą czuwa. Dostaniesz nową szansę, nowe życie, okazję do rozpoczęcia wszystkiego od nowa.

– To naprawdę wspaniałomyślne z waszej strony – odparła Belle, otrząsnąwszy się z szoku. – Ale ani Edward, ani ja nie znamy się zupełnie na tekstyliach ani na kierowaniu fabryką!

– To prawda – przyznał Edward. – Kochani, wasza propozycja niezmiernie nam pochlebia, ale na pewno potrzebujecie kogoś z doświadczeniem.

Susannah i Aubrey jednak nalegali. Na miejscu będzie majster, Aubrey zaś jesienią wybierze się na zachód, by spotkać się z Louisem i osobiście nadzorować początki rozwoju przedsiębiorstwa. Niech Belle i Edward dojadą na miejsce, a nauczą się wszystkiego w trakcie pracy. Dla Cooke'ów ważne było mieć tam ludzi zaufanych. Zachód stanowił dla nich w znacznej mierze tajemnicę, dlatego potrzebowali wspólników, na których mogliby polegać, osób, których przeszłość i charaktery były im doskonale znane.

– A kogo znamy lepiej, komu ufamy bardziej niż wam!? – wykrzyknęła Susannah. – Ty i Belle jesteście dla nas jak rodzeństwo!

– A Louis?

– Ufamy mu, oczywiście. Ale nie znamy go tak dobrze jak was.

Belle się roześmiała.

– Drogi Aubreyu – powiedziała – ja jestem pielęgniarką, a Edward jest pianistą. Nie znamy się kompletnie na hodowli jedwabników ani na morwach, ani na tkaninach, ani na biznesie! Zrujnujemy was!

Spierali się tak wszyscy czworo z dobroduszną zawziętością, aż w końcu Aubrey i Susannah wymogli na Bishopach obietnicę, że rozważą złożoną im propozycję, a potem, ponieważ zrobiło się późno, rozeszli się do łóżek, żegnając się uśmiechami i gratulacjami. Chociaż Bishopom pomysł nadal wydawał się niedorzeczny, to sama propozycja im pochlebiła i wdzięczni byli przyjaciołom za ich wspaniałomyślność i zaufanie.

Następnego dnia Edward miał wyjechać. Pożegnał się już z Cooke'ami i udał się z Belle na krótką przechadzkę. Początkowo szli w milczeniu, ramię w ramię, zatrzymując się, by popatrzeć na kilka kaczek, które sfrunęły nad rzekę i umoczywszy w niej nogi, zaraz odleciały, kwacząc głośno i gniewnie, oburzone na zimną wodę.

– Myślałem, że są mądrzejsze – rzekł Edward, patrząc za ptakami. A później zwrócił się do siostry: – Co zamierzasz?

– Jeszcze nie wiem – odparła Belle. Kiedy jednak zbliżali się znów do domu Cooke'ów, gdzie czekał bagaż Edwarda, powiedziała: – Ale myślę, że możemy rozważyć ich propozycję.

– Ależ kochana Belle!

– To mogłoby być dla nas nowe życie, Edwardzie, przygoda. Oboje jesteśmy jeszcze młodzi: ja mam dopiero dwadzieścia jeden lat! No i, nie przerywaj!, nie bylibyśmy tam całkiem sami: mielibyśmy siebie nawzajem.

Teraz spierali się we dwójkę, przez co Edward omal nie spóźnił się na dyliżans, a gdy wreszcie żegnali się czule, obiecał Belle, że rozważy propozycję Cooke'ów, chociaż wcale nie miał takiego zamiaru. Zaledwie jednak zasiadł w dyliżansie, a także później, przez pierwszą część swojej wielogodzinnej podróży, złapał się na tym, że coraz więcej myśli o tej ofercie. Dlaczego właściwie nie miałby wyjechać na zachód? Dlaczego nie miałby spróbować dorobić się fortuny? Dlaczego nie miałby przeżyć przygody? Belle miała rację – byli młodzi, a sukces przedsięwzięcia był pewny. A nawet gdyby nie był, to czy Edward nie tęsknił zawsze za wielkimi emocjami? Czy czuł się w Nowym Jorku jak w domu? Siostry już teraz mieszkały daleko od niego, żył sam w mieście, którego brutalna rzeczywistość – pieniądze, status, klimat – boleśnie dawały mu się we znaki, do tego stopnia, że mając dwadzieścia trzy lata, czuł się znacznie starszy. Męczyło go mieszkanie w domu, gdzie nigdy nie było ciepło, gdzie stale brakowało mu pieniędzy, gdzie częściej, niż przypuszczał, czuł się jak gość, jak dzieciak z Kolonii czekający, aż dotrze do ostatecznego celu podróży. I pomyślał znów o rodzicach, którzy odbyli długą, zmieniającą wszystko podróż z jednej krainy do drugiej – czy nie czas, by on także odbył podobną? Laura i Margaret znalazły sobie dom, i to dom w Wolnych Stanach, a Edward cieszył się ich szczęściem. Niemniej jeśli miał być z sobą szczery, musiałby przyznać, że przez całe życie, odkąd pamiętał, sam również miał nadzieję na takie zadowolenie z życia, takie poczucie bezpieczeństwa, jakie było ich udziałem, a tymczasem nadzieja ta rok w rok go zawodziła.

Po kilku dniach takiego rozmyślania znalazł się na powrót w Nowym Jorku i miał wrażenie, że miasto, wyczuwając jego wahanie, przedstawia mu się z najgorszej strony, jakby chciało mu pomóc dojść do prawidłowego, nieuchronnego wniosku.

Swój pierwszy krok na miejskim gruncie postawił nie na ziemi, lecz w wielkiej kałuży, która zalała koleinę drogi jeziorem lodowatej, brudnej wody sięgającej mu do połowy łydki. Zaraz zaatakowały go zapachy, dźwięki, widoki: przekupnie, zgięci wpół jak muły, ciągnęli swoje drewniane wózki na krzywych kołach, które co chwila staczały się z hukiem z chodnika na błotnistą jezdnię; szare na twarzach dzieci o wygłodniałych oczach wychodziły apatycznie z fabryki, w której godzinami przyszywały guziki do byle jak uszytych ubrań; uliczni handlarze desperacko próbowali spieniężyć swoje marne towary, na które nie reflektował nikt poza ostatnimi nędzarzami, nieszczęśnikami bez grosza przy duszy, których nie stać nawet na wyschniętą cebulę, skurczoną i stwardniałą jak muszla ostrygi, czy na blaszany kubek fasoli pełnej wijących się szarobiałych robaków; żebracy, naciągacze i kieszonkowcy; wszelka biedota, której zziębnięte, umęczone hordy brnęły przez swoje małe życie w tym niemożliwym, dumnym, bezdusznym mieście, gdzie jedynymi świadkami tak wielkiej ludzkiej nędzy były kamienne gargulce, szczerzące się szyderczo ze swoich grzęd na wspaniałych budowlach, wysoko ponad zatłoczonymi ulicami. A potem wszedł do pensjonatu, gdzie pokojówka wręczyła mu list z groźbą eksmisji od nigdy niewidzianej Florence Larsson, którą udobruchał, płacąc czynsz z góry za następny miesiąc, razem z zaległą należnością narosłą podczas jego długiej podróży, i gdzie raz jeszcze wspiął się po schodach, na których nawet latem śmierdziało kapustą i wilgocią, i wszedł do swojego wyziębionego, nędznie umeblowanego pokoju z widokiem na czarne, nagie drzewa. Właśnie wtedy, chuchając w zgrabiałe palce, by odzyskać w nich czucie i pójść po wodę, a później rozpocząć mozolny proces rozgrzewania się, właśnie wtedy podjął decyzję: wyjedzie do Kalifornii. Pomoże Cooke'om zakładać koncern jedwabniczy. Zostanie bogatym człowiekiem, panem samego siebie. A jeśli kiedykolwiek powróci do Nowego Jorku – chociaż nie wyobrażał sobie, po co miałby wracać – to nie będzie już czuł się biedakiem, nie będzie się wstydził. Nowy Jork nigdy nie uczyni go wolnym, a Kalifornia – być może.

Zapadło długie milczenie.

– A więc wyjeżdżasz – rzekł David, chociaż słowa te z trudem przeszły mu przez gardło.

Edward, snując swoją opowieść, patrzył gdzieś w dal ponad jego głową, ale teraz spojrzał Davidowi prosto w oczy.

– Tak – potwierdził. I dodał: – A ty jedziesz ze mną.

– Ja? – wykrztusił po dłuższej chwili. – Ja! Nie, Edwardzie. Nie.

– A czemuż to nie?

– Edwardzie! Nie... ja... nie. Tu jest mój dom. Nie mógłbym go porzucić.

– Ale dlaczego nie? – Edward zsunął się z łóżka i ukląkł u stóp Davida, ujmując go za obie ręce. – Pomyśl tylko, Davidzie, pomyśl tylko. Bylibyśmy razem. Zaczęlibyśmy nowe życie, nowe życie razem, nowe życie w słońcu, w cieple. Davidzie. Czy ty nie chcesz być ze mną? Nie kochasz mnie?

– Wiesz, że cię kocham – odrzekł mu David, zdruzgotany.

– A ja kocham ciebie – zapewnił go żarliwie Edward, ale te słowa, na które David tak czekał, które tak pragnął usłyszeć, wybrzmiały w cieniu nadzwyczajnego kontekstu, w którym zostały wypowiedziane. – Davidzie. Moglibyśmy być razem. Nareszcie moglibyśmy być razem.

– Możemy być razem tutaj!

– David, kochanie, wiesz, że to nieprawda. Wiesz, że twój dziadek nigdy nie pozwoli ci być z kimś takim jak ja.

Na to już David nie miał odpowiedzi, gdyż wiedział, że to prawda, i wiedział, że Edward też o tym wie.

– Ale na Zachodzie nigdy nie moglibyśmy być razem, Edwardzie. Bądźże rozsądny! Dla takich jak my tam jest *niebezpiecznie*, mogliby nas za to zamknąć w więzieniu albo zabić.

– Nic nam się nie stanie! Przecież umiemy być ostrożni. Davidzie, w niebezpieczeństwie są ci, którzy *przesadnie* manifestują swoją tożsamość, którzy *obnoszą się* z tym, kim są, którzy *proszą się*, żeby ich zauważono. My tacy nie jesteśmy i nigdy nie będziemy.

– Ależ *jesteśmy* takimi ludźmi, Edwardzie! Nie ma między nami różnicy! Gdyby zaczęto nas podejrzewać, gdyby nas przyłapano, konsekwencje byłyby straszne. A gdybyśmy nie mogli żyć jako ludzie, którymi jesteśmy, to jak mielibyśmy być wolni?

Na te słowa Edward wstał, odwrócił się plecami, a kiedy zwrócił się z powrotem do niego, twarz miał łagodną, usiadł obok Davida na łóżku i znowu ujął jego ręce.

– Wybacz mi, Davidzie, że o to pytam – rzekł cicho – ale czy teraz jesteś wolny? – A kiedy David nie potrafił udzielić odpowiedzi, mówił dalej: – Davidzie. Moje ty niewiniątko. Czyś kiedykolwiek pomyślał, jak mogłoby wyglądać twoje życie, gdyby nazwisko, które nosisz, nic dla nikogo nie znaczyło? Gdybyś mógł uciec od tego, kim powinieneś być, i stał się tym, kim chcesz być? Gdyby nazwisko Bingham było pospolite jak Bishop, Smith czy Jones, zamiast być słowem wykutym w marmurze na szczycie wielkiego monolitu? Gdybyś tak stał się zwyczajnym panem Binghamem, tak jak ja jestem zwyczajnym panem Bishopem? Mister Bingham z Los Angeles: utalentowany artysta, miły, dobry i mądry człowiek, może w sekrecie, przyznaję, ale nie mniej prawdziwie przez to, że w sekrecie, mąż Edwarda Bishopa? Który mieszka ze swoim ukochanym w małym domku otoczonym ogromnym sadem srebrnolistnych drzew, w krainie, gdzie nie ma lodu, zimy, śniegu? Który zrozumiał, kim chce być? Który po jakimś czasie, po paru latach, a może po wielu, być może przeniesie się z powrotem na wschód ze swoim mężem albo przyjedzie sam odwiedzić ukochanego dziadka? Który co noc i co rano będzie mnie tulił w ramionach i który będzie zawsze kochany przez swojego męża, zwłaszcza że mąż będzie należał wyłącznie do niego? Który w każdej chwili mógł wybrać bycie panem Davidem Binghamem z placu Waszyngtona w Nowym Jorku, w Wolnych Stanach, najstarszym i najukochańszym wnukiem Nathaniela Binghama, ale zapragnął być kimś mniej znaczącym, a zatem kimś więcej; który zapragnął należeć do kogoś, kogo sam sobie wybrał, a jednocześnie pozostać panem samego siebie. Davidzie. Czy to nie mógłbyś być ty? Czy nie takim człowiekiem naprawdę jesteś?

Wstał, wyrywając się z uścisku Edwarda, i jednym krokiem znalazł się przed kominkiem, który był zimny, czarny i pusty, David jednak patrzył w niego tak, jakby w nim płonął ogień.

Za jego plecami Edward wciąż mówił:

– Jesteś przerażony. I ja to rozumiem. Ale zawsze będziesz miał mnie. Mnie, moją miłość, moje przywiązanie i mój podziw dla ciebie, zawsze będziesz to miał, Davidzie. Czy jednak życie w Kalifornii rzeczywiście tak znacznie by się różniło od życia tutaj? Tutaj jesteśmy wolni jako ludzie, ale nie jako para. Tam nie bylibyśmy wolni jako ludzie, ale *bylibyśmy* parą, prawdziwą dla siebie nawzajem, i mieszkalibyśmy razem, i nikt by się na nas nie krzywił, nikt by nas nie powstrzymywał, nikt nie mówiłby nam, że w czterech ścianach naszego domu nie możemy być razem. Pytam cię, Davidzie: jaki jest pożytek z Wolnych Stanów, skoro nie możemy być prawdziwie wolni?

– Czy ty mnie naprawdę kochasz? – zdołał wreszcie zapytać David.

– Och, Davidzie – powiedział Edward. Wstał, podszedł do niego i otoczył go ramionami, a David niechcący przypomniał sobie dotyk masywnego ciała Charlesa i zadrżał. – Chcę spędzić z tobą całe życie.

Odwrócił się do Edwarda i natychmiast zaczęli zdzierać z siebie ubrania, a później, gdy już leżeli wyczerpani, David znów poczuł przykre oszołomienie, więc usiadł i zaczął się ubierać, a Edward mu się przyglądał.

– Muszę iść – oznajmił, sięgając po rękawiczki, które spadły pod łóżko.

– Davidzie – rzekł Edward i podniósł się, owijając ciało kocem: stał teraz tuż przed Davidem, zmuszając go do zadarcia głowy. – Proszę cię, rozważ moją propozycję. Nawet Belle jeszcze o niej nie mówiłem. Ale teraz, po rozmowie z tobą, wyjawię jej swoją decyzję, chociaż wolałbym powiadomić ją w najbliższym liście albo w następnym, że przyjadę do niej jako człowiek zamężny, z moim mężem. Cooke'owie sugerowali, jeśli przyjmiemy ich ofertę, aby jedno z nas wyjechało już w maju, a drugie nie później niż w czerwcu. Belle nie musi się nikim przejmować, więc niech będzie pionierką, bo nie tylko jest tego warta, ale i sprawi jej to przyjemność. Ale ja, Davidzie, wyjadę w lipcu. Zrobię to bez względu na okoliczności. I mam nadzieję, mam wielką nadzieję, nie potrafię powiedzieć ci, jak wielką, że nie odbędę tej podróży samotnie. Proszę, obiecaj mi, że się zastanowisz. Proszę… Davidzie? Proszę.

XIII

Było tradycją rodzinną Binghamów, że dwunastego marca wydawali przyjęcie z okazji rocznicy niepodległości Wolnych Stanów. Stanowiło ono okazję nie tyle do zabawy, ile do refleksji, wtedy bowiem przyjaciele i znajomi Binghamów mogli podziwiać rodzinne zbiory artefaktów i cymeliów dokumentujących powstanie swojego kraju oraz znaczącą rolę, jaką w jego założeniu odegrali Binghamowie.

Jednak w tym roku data przyjęcia nakładała się na termin otwarcia niewielkiego muzeum założonego przez Nathaniela Binghama. Pierwszymi eksponatami miały stać się rodzinne dokumenty i memorabilia, ale żywiono nadzieję, że także inne rody założycielskie podarują muzeum pamiątki, listy, pamiętniki i mapy ze swoich archiwów. Kilka, w tym rodzina Elizy, już to uczyniło i spodziewano się, że po otwarciu muzeum przybędzie ich znacznie więcej.

W wieczór inauguracji David stał w swojej sypialni przed lustrem i oczyszczał szczotką marynarkę. Zrobił to już dwukrotnie Matthew, więc marynarka nie potrzebowała kolejnego czyszczenia. David nie zważał jednak na to, co robi: jednostajny ruch ręki był bez znaczenia, ale go uspokajał.

Miało to być jego pierwsze wieczorne wyjście z domu, odkąd ostatni raz widział Edwarda, czyli prawie od tygodnia. Kiedy wrócił do domu po tamtym nadzwyczajnym wieczorze, poszedł prosto do łóżka i przez sześć dni nigdzie nie wychodził. Dziadek bardzo się niepokoił, pewien, że to nawrót choroby Davida, a on sam, choć doskwierało mu poczucie winy z powodu oszustwa, uznał, że łatwiej będzie tłumaczyć się chorobą niż próbować opisać trawiący go dogłębny niepokój. Nawet gdyby znalazł słowa na jego opisanie, musiałby także jakoś wspomnieć o Edwardzie, kim jest i co dla niego znaczy, a do takiej rozmowy czuł się zupełnie niegotowy. Leżał więc w łóżku, niemy i nieruchomy, pozwalając, aby Armstrong, lekarz rodzinny, przychodził i go badał, by otwierał mu siłą oczy i usta, mierzył puls i mruczał, niezadowolony z wyników; aby służące przynosiły mu na tacach ulubione potrawy i zabierały je, nietknięte, wiele godzin później; aby Adams znosił mu (niewątpliwie na polecenie Dziadka) świeże kwiaty – anemony i peonie – zdobywane codziennie nie wiadomo gdzie, po niewiarygodnych cenach w najbardziej ponurych tygodniach późnej zimy. Przez cały ten czas, przez wszystkie te godziny, wpatrywał się w zaciek na ścianie. Lecz w przeciwieństwie do prawdziwych okresów choroby, kiedy nie myślał o niczym, teraz mógł w y ł ą c z n i e myśleć: o nieuchronnym wyjeździe Edwarda, o jego szokującej propozycji, o tamtej rozmowie, której zrazu do końca nie zrozumiał, a teraz powracał do niej raz po raz – dyskutował z Edwardową definicją wolności, z insynuacją, że on, David, żyje w okowach, przykuty do Dziadka i jego nazwiska, a zatem nie jest w pełni panem swojego życia. Sprzeciwiał się pewności Edwarda, że oni dwaj jakimś cudem unikną kary wymierzanej każdemu, kogo przyłapano na złamaniu obowiązujących w tamtych stronach praw zakazujących sodomii. Prawa te istniały zawsze, ale od ich zatwierdzenia w roku 1876, Zachód, tak niegdyś obiecujący – obiecujący do tego stopnia, że wielu legislatorów Wolnych Stanów opowiadało się za próbą objęcia kontroli nad tym terytorium – stał się pod pewnymi względami jeszcze bardziej niebezpieczny niż Kolonie. Wprawdzie w przeciwieństwie do Kolonii tropienie zakazanych działań nie było tam legalne, ale gdy działanie tego rodzaju zostało wykryte, konsekwencje okazywały się surowe i nieuniknione. Nawet pieniądze nie zapewniały wolności oskarżonemu. Jedyne, czego David nie mógł robić, to spierać się z samym Edwardem, albowiem Edward ani go nie odwiedził, ani nie przysłał żadnej wiadomości, co niewątpliwie zaniepokoiłoby Davida, gdyby nie był aż tak zaaferowany dylematem, przed którym został postawiony.

Wprawdzie Edward się z nim nie skontaktował, ale zrobił to Charles, a przynajmniej próbował zrobić. Od ich ostatniego spotkania upłynął tydzień, więc adresowane do niego liściki Charlesa stawały się z dnia na dzień coraz bardziej naglące, niezdolne ukryć desperacji autora – desperacji, którą David pamiętał ze swoich własnych ostatnich listów do Edwarda. Ale poprzedniego dnia dostarczono do domu olbrzymi kosz niebieskich hiacyntów z bilecikiem – „Mój najdroższy Davidzie! Pani Holson powiadomiła mnie, że czujesz się niedobrze, co bardzo mnie zasmuca. Wiem, że jesteś pod doskonałą opieką, gdybyś jednak czegokolwiek potrzebował albo zapragnął, powiedz tylko słowo, a natychmiast będę do Twoich usług. Tymczasem przesyłam Ci moje dobre życzenia wraz z zapewnieniem o oddaniu". Słowa te wyrażały, jak to sobie zinterpretował David, namacalną ulgę w związku z tym, że powodem jego milczenia nie jest brak zainteresowania osobą Charlesa, ale choroba. Popatrzył na kwiaty i na bilecik Charlesa i uświadomił sobie, że znów zapomniał o własnym istnieniu, że wystarczyło ponowne zjawienie się Edwarda w jego życiu, aby wszystko inne zblakło i straciło jakiekolwiek znaczenie.

Głównie jednak rozmyślał o wyjeździe – a właściwie nie o wyjeździe, lecz o tym, czy wolno mu w ogóle rozważać wyjazd. Lęk przed Zachodem i przed tym, co mogło go, mogło ich razem tam spotkać, był niezaprzeczalny i w jego przekonaniu uzasadniony. A co z lękiem przed opuszczeniem Dziadka, przed opuszczeniem placu Waszyngtona? Czy i to go nie wstrzymywało? Wiedział, że Edward ma słuszność: dopóki David pozostanie w Nowym Jorku, będzie zawsze należał do swojego dziadka, do swojej rodziny, swojego miasta, swojego kraju. To też nie podlegało dyskusji.

Dyskusyjne było natomiast to, czy on sam pragnie innego życia. Zawsze sądził, że tak. Gdy odbywał swoją wielką podróż po Europie, eksperymentował nawet z byciem kimś innym. Pewnego dnia w Galerii Uffizi zatrzymał się w hallu, aby zajrzeć w Korytarz Vasariego, którego symetria poraziła go swoją nieludzką perfekcją, gdy nagle przystanął obok niego szczupły młody brunet.

– Nierzeczywisty, prawda? – zagadnął Davida, gdy postali tak razem dłuższą chwilę, a David odwrócił się i popatrzył na niego.

Nazywał się Morgan, był synem adwokata z Londynu i także odbywał swoją wielką podróż po Europie, z której miał wrócić za kilka miesięcy do, jak powiedział, niczego. W każdym razie niczego ciekawego. „Na posadę w firmie ojca, ojciec się upiera, no a potem, jak przypuszczam, czeka mnie małżeństwo z jakąś panną wybraną przez matkę. Przy tym z kolei o n a się upiera".

Spędzili razem popołudnie, spacerując po ulicach z przystankiem na kawę i ciasto. Do tego momentu swojej podróży David nie rozmawiał prawie z nikim, nie licząc kilku przyjaciół Dziadka, którzy witali go i gościli na każdym postoju, więc rozmowa z rówieśnikiem była dla niego jak ponowne zanurzenie się w wodzie, która jedwabiście obmywa skórę i przypomina, na czym polega swoboda.

– Masz dziewczynę tam u siebie? – spytał Morgan, kiedy przechodzili przez piazza Santa Croce, a David z uśmiechem odpowiedział, że nie ma. – Chwileczkę – powiedział Morgan, spoglądając na niego uważniej. – Mówiłeś, że skąd jesteś w Ameryce?

– Nie mówiłem – odparł David, znowu z uśmiechem, bo wiedział już, co się święci. – I nie jestem z Ameryki. Jestem z Nowego Jorku.

Morgan zrobił na to wielkie oczy.

– A więc jesteś z Wolnych Stanów! – wykrzyknął. – Wiele słyszałem o twoim kraju! Musisz mi wszystko opowiedzieć.

Wówczas rozmowa zeszła na Wolne Stany: ich serdeczne już w zasadzie stosunki z Ameryką, w której zachowują własne prawa dotyczące małżeństw i religii, przyjmując jednak unijne prawo podatkowe i zasadę demokracji; na poparcie, finansowe i militarne, jakiego Wolne Strany udzieliły Unii podczas wojny z rebeliantami; na stan Maine, który przeważnie okazuje Wolnym Stanom sympatię i gwarantuje ich obywatelom względne bezpieczeństwo; na Kolonie i Zachód, gdzie jest dla nich w różnym stopniu niebezpiecznie; na to, że Kolonie przegrały wojnę, ale mimo to wybrały secesję, pogrążając się z roku na rok w ubóstwie i zacofaniu, a jednocześnie ich dług, a także resentyment wobec Wolnych Stanów przybiera na sile i ostrości; na ciągłą walkę Wolnych Stanów o uznanie ich samodzielnym, pełnoprawnym państwem, którego to uznania odmawiają im wszystkie kraju z wyjątkiem królestw Tonga i Hawajów.

Morgan studiował historię najnowszą na uniwersytecie i zadawał dziesiątki pytań, a David, odpowiadając na nie, uświadamiał sobie, jak bardzo kocha swój kraj i jak za nim tęskni. Te uczucia nasiliły się, gdy udali się do obskurnego pokoiku Morgana w podupadłym pensjonacie. Późnym wieczorem, gdy David wracał do domu swojego gospodarza, przypomniało mu się – nie po raz pierwszy, odkąd był w podróży – jakie ma szczęście, że mieszka w kraju, gdzie nigdy nie musi chować się za drzwi i czekać, aż ktoś mu powie, że może bezpiecznie wyjść, bo nikt go nie zobaczy, gdzie może spacerować za rękę z ukochanym (gdyby takowego miał) po miejskim placu, tak jak pary męsko-damskie (ale nie żadne inne) spacerują po placach całego Kontynentu, gdzie kiedyś będzie mógł poślubić mężczyznę, którego kocha. Mieszkał w kraju, w którym każdy mężczyzna i każda kobieta mogli czuć się wolni i żyć z godnością.

Innym pamiętnym zdarzeniem tego dnia stało się to, że David nie był wówczas Davidem Binghamem, lecz Nathanielem Frearem, które to miano wymyślił sobie na poczekaniu, łącząc imię swojego dziadka z nazwiskiem matki, i był synem lekarza, odbywającym roczną podróż po Europie przed powrotem do Nowego Jorku, gdzie ma studiować prawo. Wymyślił sobie pół tuzina braci i sióstr, skromny, lecz wesoły dom w niemodnej, ale za to swojskiej części miasta, życie wygodne, ale bez przesady. Kiedy Morgan opowiedział mu o wielkiej rezydencji swojego byłego kolegi z klasy, która ma mieć gorącą, bieżącą wodę we wszystkich toaletach, David nie przyznał się, że dom przy placu Waszyngtona jest już wyposażony w system hydrauliczny z gorącą wodą i że wystarczy przekręcić kurek kranu, żeby natychmiast chlusnął z niego wartki strumień czystej wody. Przeciwnie, wraz z Morganem nie mógł wyjść z podziwu, jakie to szczęście ma jego kolega z klasy, jakie to wynalazki wprowadza się w nowoczesnym życiu. Swojego kraju się nie wyparł – wydawałoby mu się to formą zdrady – ale wyparł się własnej biografii i czyniąc to, odczuwał przyjemne oszołomienie, wręcz zawrót głowy, do tego stopnia, że kiedy wreszcie dotarł do domu swego gospodarza – a był to okazały pałac, własność kolegi Dziadka ze studiów i jego żony, klocowatej contessy poślubionej zapewne dla swojego tytułu – przyjaciel Dziadka zlustrował go od stóp do głów i skrzywił się.

– Udany dzień, jak widzę? – zagadnął z majestatycznym zaśpiewem na widok rozmarzonej, rozkojarzonej miny Davida, a David, który przez cały tydzień spędzony we Florencji wychodził z domu wcześnie rano, a wracał późno w nocy, żeby uniknąć rąk przyjaciela Dziadka, przy każdej okazji muskających jego ciało niczym drapieżne ptaki szykujące się do ataku na zdobycz, lekko się uśmiechnął i odpowiedział, że owszem, udany.

Nieczęsto wspominał florenckie zdarzenie, ale pomyślał o nim teraz, na próżno usiłując sobie przypomnieć, jak się czuł, kiedy udawał kogoś innego. Dotarło do niego, że powodem ekstazy, której wówczas doświadczył, była, przynajmniej po części, świadomość niewinności oszustwa. W każdej chwili mógł przecież ujawnić swoją prawdziwą tożsamość, a wtedy mogłoby się okazać, że nawet Morgan zna jego nazwisko. Odegrał komedię wiadomą wyłącznie jemu samemu, lecz pod powierzchnią tej komedii kryła się jakaś prawda, coś znaczącego: jego dziadek, jego bogactwo, jego nazwisko. Gdyby przeniósł się na Zachód, jego nazwisko oznaczałoby tylko podłość, jeśli w ogóle znaczyłoby cokolwiek. W Wolnych Stanach i na Północy być Binghamem znaczyło być szanowanym, a nawet czczonym. A na Zachodzie oznaczałoby to ohydę, perwersję, zagrożenie. Nie tyle m ó g ł b y zmienić nazwisko w Kalifornii, ile m u s i a ł b y to zrobić, bo bycie tym, kim był, narażałoby go na niebezpieczeństwo.

Na same te rozmyślania budziły się w nim wyrzuty sumienia, zwłaszcza że często wyrywał go z nich Dziadek, który zaglądał do niego przed wyjściem do banku, a później dwa razy wieczorem, przed kolacją i po niej. Ta trzecia wizyta trwała zawsze najdłużej: Dziadek rozsiadał się w fotelu stojącym koło łóżka Davida i bez żadnych wstępów zaczynał czytać mu najświeższą gazetę albo tomik poezji. Czasami opowiadał mu swój dzień, snując spokojny, nieprzerwany monolog, a David miał wrażenie, że unosi go nurt leniwej rzeki. To siedzenie przy nim i opowiadanie lub czytanie było Dziadkową metodą kurowania Davida z wszystkich poprzednich chorób, i chociaż nic nie świadczyło o tym, że jego łagodna uporczywość pomaga – jak powiedział kiedyś Dziadkowi lekarz, nie wiedząc, że David podsłuchuje – to była ona stabilizująca i przewidywalna, a więc krzepiąca, i utrzymywała go w świecie tak samo jak ten zaciek na ścianie. Ale ponieważ teraz to nie była choroba, lecz jej samozwańcza symulacja, David odczuwał wyłącznie wstyd, słuchając swojego dziadka – wstyd, który go deprymował; wstyd, że w ogóle bierze pod uwagę porzucenie Dziadka, i to nie jedynie jego samego, ale praw i bezpieczeństwa, o które Dziadek i inni przodkowie walczyli, by mu je zapewnić.

Dziadek nie przypominał mu o otwarciu muzeum, ale David sam, chcąc umniejszyć swój wstyd, w dniu otwarcia zadzwonił na służbę i polecił, by przygotowano mu kąpiel i odprasowano garnitur. Przejrzał się w lustrze i stwierdził, że jest blady i wymizerowany, ale nic nie mógł na to poradzić, więc zszedł chwiejnie po schodach i zastukał do drzwi gabinetu Dziadka.

– Wejdź, Adams! – Jego zaskoczenie przyjął jako nagrodę za swoje staranie. – David! Kochany chłopcze! Lepiej się czujesz?

– Tak – skłamał. – I za nic nie przepuściłbym dzisiejszego wieczoru.

– Nie musisz w nim uczestniczyć, Davidzie, jeśli nie czujesz się na siłach – powiedział Dziadek, jego głos zdradził jednak Davidowi, jak bardzo pragnie obecności wnuka, i wydało mu się, że chociaż to jedno powinien zrobić po tylu dniach spędzonych na kontemplowaniu zdrady.

Tylko krótki spacerek dzielił ich od kamienicy znajdującej się zaraz za rogiem Piątej Alei w kierunku zachodnim, przy ulicy Trzynastej. Tę kamienicę zakupił jego dziadek i założył w niej muzeum. Mimo tej niewielkiej odległości Nathaniel postanowił, że skoro jest tak zimno, a David jest jeszcze osłabiony, lepiej wziąć powóz. W gmachu powitali ich John z Peterem i Eden z Elizą, Norris i Frances Holsonowie oraz inni przyjaciele i znajomi rodziny, a także mnóstwo ludzi nieznanych Davidowi, z którymi jego dziadek witał się serdecznie. Podczas gdy dyrektor muzeum, schludny, drobnej postury historyk od dawna zatrudniony przez rodzinę, objaśniał gościom ryciny niegdysiejszej posiadłości Binghamów w pobliżu Charlottesville, farmy i ziemi, które Edmund, syn bogatego właściciela ziemskiego, porzucił, by udać się na północ i tam zakładać Wolne Stany, młodzi Binghamowie podążali za swoim patriarchą. Ten zaś krążył po sali, wykrzykując na widok obiektów, które lepiej lub gorzej pamiętał: oto, w gablocie pod szkłem, kawałek pergaminu, prawie już w strzępach, na którym Edmund, prapradziadek Davida, spisał naszą konstytucję Wolnych Stanów w listopadzie 1790 roku, z podpisami wszystkich czternaściorga założycieli, pierwszych utopistów, wśród których znalazła się praprababka Elizy ze strony matki – dokument obiecujący wolność zawierania małżeństw, zniesienie niewolnictwa i niewoli kontraktowej, który wprawdzie nie przyznawał Murzynom pełnych praw obywatelskich, ale zakazywał stosowania wobec nich przemocy fizycznej i tortur; oto Biblia Edmunda, którą konsultował jako student z wielebnym Samuelem Foxleyem, kiedy obaj studiowali prawo w Virginii, a później we dwóch wymyślali swój przyszły kraj, kraj wolności, gdzie i mężczyźni, i kobiety będą mogli kochać, kogo chcą, w myśl idei sformułowanej przez Foxleya po spotkaniu w Londynie z pewnym idiosynkratycznym pruskim teologiem, do którego uczniów i wyznawców zaliczał się w późniejszym czasie Friedrich Daniel Ernst Schleiermacher, a właśnie ów teolog zachęcił Foxleya do emocjonalno-obywatelskiej interpretacji chrześcijaństwa; oto pierwsze projekty flagi Wolnych Stanów autorstwa siostry Edmunda, Cassandry: szkarłatny prostokąt, pośrodku którego sosna, kobieta i mężczyzna tworzą piramidę, nad nią zaś widnieje łuk z ośmiu gwiazd, po jednej dla każdego ze stanów członkowskich – Pensylwanii, Connecticut, New Jersey, Nowego Jorku, New Hampshire, Massachusetts, Vermont i Rhode Island – a poniżej wyhaftowane jest motto: „Bo wolność jest godnością, a godność wolnością"; oto projekty praw zezwalających kobietom na edukację i przyznających im prawo głosu w roku 1799. Oto listy z lat 1790 i 1791, pisane przez Edmunda do przyjaciela ze studiów i potwierdzające ogromnie ciężkie warunki życia w przyszłych Wolnych Stanach: lasy pełne mściwych Indian, bandyci i złodzieje, walka z rdzennymi mieszkańcami, z którymi szybko się uporano, ale nie dzięki broni palnej i rozlewowi krwi, lecz dzięki zasobom finansowym i rozwojowi infrastruktury: religijnych gorliwców spłacono i wysłano na południe, Indian przegnano całymi hordami na zachód po cichu albo wyrżnięto, okrążając ich tłumnie w tych samych lasach, w których dawniej siali postrach, a urodzeni na tych ziemiach Murzyni, którzy nie pomagali w walce o przejęcie ziemi (jak również Murzyni zbiegli z Kolonii) zostali wywiezieni promami do Kanady lub krytymi wozami na zachód. Oto kopie dokumentów dostarczonych osobiście do Domu Prezydenckiego w Filadelfii dnia 12 marca 1791 roku, w których oznajmia się zamiar secesji stanów od Ameryki z jednoczesnym zapewnieniem współdziałania w przypadku jakiejkolwiek napaści, wewnętrznej lub zewnętrznej, po wsze czasy; oto ostra odpowiedź prezydenta Waszyngtona, który oskarża autorów listu, Foxleya i Binghama, o zdradę stanu, zarzucając im okradanie ojczyzny z pieniędzy i bogactw naturalnych; oto wielostronicowe negocjacje, w wyniku których Waszyngton niechętnie przyznał w końcu Wolnym Stanom prawo do egzystencji, jednak wyłącznie z łaski prezydenta i pod warunkiem złożenia przysięgi, że Wolne Stany nigdy nie będą próbowały pozyskać dla swojej sprawy innych przyszłych stanów i terytoriów Ameryki i nadal będą płaciły podatki amerykańskiej stolicy, jak gdyby były jej wasalem.

Oto rycina pochodząca z roku 1793, która przedstawia ślub Edmunda z mężczyzną, z którym Edmund żył, odkąd żona jego zmarła w połogu trzy lata wcześniej – dowód pierwszego legalnego związku dwóch mężczyzn w nowym kraju – ślub odprawiał wielebny Foxley; a tu druga rycina wykonana pięćdziesiąt lat później: ślub dwóch najdłużej służących i najlojalniejszych lokajów Binghamów. Ten rysunek przedstawia Hirama w chwili zaprzysiężenia na burmistrza Nowego Jorku, rok 1822 (malutki Nathaniel, jeszcze dziecko, stoi u jego boku i patrzy w górę z uwielbieniem); a oto kopia listu Nathaniela do prezydenta Lincolna, w którym ślubuje lojalność Wolnych Stanów wobec Unii u progu Wojny z Rebeliantami, obok niej zaś oryginał odpowiedzi Lincolna, który dziękuje Nathanielowi – list tak słynny, że każde dziecko Wolnych Stanów recytuje go z pamięci: amerykański prezydent składa bezwarunkową obietnicę respektowania praw autonomii, której to obietnicy domagano się od niego wielokrotnie, by uzasadnić istnienie Stanów wobec Waszyngtonu: „...i otrzymacie nie tylko moją dozgonną wdzięczność, ale i nasze potwierdzone przysięgą uznanie waszego Narodu za istniejący w łonie naszego własnego". A to tekst porozumienia, zawartego niedługo po wysłaniu tego listu między kongresami Ameryki i Wolnych Stanów, które zobowiązują się płacić

Ameryce gigantyczne podatki w zamian za niekwestionowaną wolność religii, edukacji i małżeństw. Tu zaś prawna deklaracja zgody na przystąpienie Delaware do Wolnych Stanów krótko po zakończeniu wojny na skutek dobrowolnej decyzji, która jednak ponownie zagroziła egzystencji kraju. A oto projekt ustawy Stowarzyszenia Abolicjonistów Wolnych Stanów, którego współzałożycielem był Nathaniel: ustawa ta zapewniała Murzynom bezpieczny tranzyt przez Wolne Stany i pomoc finansową na osiedlenie się w Ameryce lub na Północy – Wolne Stany musiały bronić się przed napływem zbiegłych Murzynów, gdyż obywatele nie życzyli sobie ich zbyt nadmiernej obecności na swoich ziemiach, chociaż serdecznie im współczuli.

Ameryka nie była dla każdego – nie dla nich – a jednak liczne były przykłady ostrożnych, uporczywych działań podejmowanych w przeszłości i obecnie dla udobruchania Ameryki, aby utrzymać autonomię i niepodległość Wolnych Stanów. Oto wczesne projekty łuku wieńczącego plac upamiętniający generała Jerzego Waszyngtona i nazwany jego imieniem – łuk z gipsu i drewna został zbudowany przed pięciu laty przez sąsiada Binghamów; a tu późniejsze rysunki tego łuku, który miał teraz zostać wzniesiony na nowo z połyskliwego marmuru wydobytego na należących do Binghamów terenach w Westchester, co sfinansował w przeważającej mierze dziadek Davida, oburzony tym, że miałby go przyćmić pomniejszy biznesmen mieszkający po przeciwnej stronie Piątej Alei, w domu mniej okazałym niż dom Binghamów.

David widział to wszystko już wielokrotnie, lecz mimo to, podobnie jak pozostali, wczytywał się w każdy dokument tak starannie, jakby to była dla niego nowość. W sali panowała cisza, przerywana szelestem jedwabnych sukien kobiet lub pokasływaniami i odchrząkiwaniami mężczyzn. Przyglądał się właśnie spiczastej kaligrafii Lincolna, której atrament zblakł do barwy ciemnomusztardowej, gdy poczuł raczej, niż usłyszał, czyjąś obecność za swoimi plecami, a gdy się wyprostował i odwrócił, ujrzał przed sobą Charlesa z miną wyrażającą na przemian zdziwienie, radość, smutek i ból.

– To ty – powiedział cichym, zdławionym głosem Charles.

– Charles – odrzekł David, nie wiedząc, co mówić dalej, i zapadło między nimi milczenie, które przerwał potok słów Charlesa.

– Słyszałem, że jesteś chory – zaczął Charles, a David kiwnął głową. – Bardzo przepraszam, że zaszedłem cię tak ukradkiem... Frances mnie zaprosiła... Myślałem... Chciałem powiedzieć... Nie chciałem cię krępować, nie chcę też, żebyś pomyślał, że próbowałem dopaść cię znienacka.

– Nie, nie... nic takiego nie pomyślałem. Jestem chory... ale mojemu dziadkowi zależało na tym, żebym przyszedł, więc... – bezradnie rozłożył ręce – ...przyszedłem. Dziękuję ci za kwiaty. Były bardzo piękne. I za bilecik.

– Nie ma za co – odparł Charles, ale minę miał tak nieszczęśliwą, tak zdruzgotaną, jakby miał zaraz upaść, więc David już chciał zrobić krok w jego stronę, żeby go podtrzymać, jednak Charles pierwszy zbliżył się do niego.

– Davidzie – przemówił niskim, naglącym tonem. – Wiem, że to nie czas i nie miejsce na takie rozmowy, ale jestem... Chciałem powiedzieć... Czy ty... Dlaczego ty nie... Ja czekałem...

Zamilkł i opanował ruchy, a David zamarł, bo zdawało mu się, że cała sala musiała wyczuć bijącą od Charlesa gorączkę i udrękę, że wszyscy domyślają się, iż to on, David, jest przyczyną tej udręki i źródłem tej rozpaczy. Jednak pomimo podszytego zgrozą lęku o Charlesa i o siebie zauważył, jak bardzo Charles się zmienił – policzki mu obwisły, a cała jego okrągła, poczciwa twarz była upstrzona czerwonymi plamami i wilgotna od potu.

Charles już otwierał usta, by znów przemówić, gdy znalazła się przy nim Frances.

– Charles! – rzekła, poklepując go po ramieniu. – Mój Boże, wyglądasz, jakbyś miał zemdleć! Davidzie, poślij kogoś po wodę dla pana Griffitha!

Tłum rozstępował się, gdy prowadziła Charlesa do ławki, a Norris wymknął się z sali poszukać wody.

Zanim Frances odeskortowała Charlesa, David złowił jej spojrzenie adresowane do niego – karcące, wręcz zniesmaczone – i gwałtownie odwrócił się do wyjścia, zrozumiawszy, że musi usunąć się czym prędzej, zanim Charles dojdzie do siebie i Frances odnajdzie go w tłumie. Ale wychodząc, omal nie zderzył się ze swoim dziadkiem, który patrzył ponad jego ramieniem na odwróconą plecami Frances.

– Co tam się dzieje? – spytał Dziadek i zanim David zdołał cokolwiek odpowiedzieć, wykrzyknął: – Czy to pan Griffith? Źle się poczuł?

Ruszył w stronę Charlesa i Frances, lecz obejrzał się jeszcze przez ramię.

– Davidzie? – rzucił w przestrzeń, którą jeszcze przed chwilą zajmował jego wnuk. – Davidzie? Gdzie ty jesteś?

Ale David zdążył już wyjść.

XIV

Kiedy otworzył oczy, wpadł na moment w panikę – gdzie jest? Zaraz jednak przypomniał sobie: No tak. Był u Eden i Elizy, w jednej z ich sypialni.

Odkąd dwa dni temu uciekł z wieczornego przyjęcia, przebywał w domu siostry w Gramercy Park. Nie miał żadnych wiadomości od Dziadka – chociaż Eden przed wczorajszym wyjściem do szkoły przekazała mu, że Dziadek jest wściekły – ani od Edwarda, któremu posłał krótki liścik, ani od Charlesa. Na razie więc był zwolniony z obowiązku tłumaczenia się.

Umył się, ubrał i zajrzał do dziecinnego pokoju, a później poszedł na dół, gdzie w bawialni zastał Elizę klęczącą w spodniach na dywanie zasłanym mechatymi motkami przędzy, szarymi wełnianymi skarpetkami i stertami bawełnianych koszul nocnych.

– O, David! – powiedziała, podnosząc oczy i racząc go swoim promiennym uśmiechem. – Chodź, chodź, pomożesz mi!

– Co robisz, kochana Lizo? – zapytał, przykucając obok.

– Kompletuję dary dla uchodźców. Widzisz? Każdy tobołek składa się z dwóch par skarpet, dwóch koszul nocnych, dwóch motków przędzy i dwóch drutów do dziergania... Druty są w tym pudełku obok ciebie. Wiąże się, o tak. Tu masz sznurek i nóż. A gotowe paczki składaj w tym pudle tutaj, obok mnie.

Uśmiechnął się – trudno było rozpaczać przy Elizie – i oboje zabrali się do pracy. Po kilku minutach milczenia Eliza powiedziała:

– No, musisz opowiedzieć mi o tym swoim panu Grifficie.

David się skrzywił.

– On nie jest mój.

– Ale wyglądał całkiem miło, przynajmniej na pierwszy rzut oka, zanim się rozchorował.

– J e s t miły, bardzo miły.

I David zaczął opowiadać Elizie o Charlesie Grifficie, o jego dobroci i szczodrości, o tym, jaki jest przedsiębiorczy i z natury praktyczny, a jednak miewa niespodziewane wzloty romantyczne, o jego autorytecie, który nie ma nic wspólnego z pedanterią, o dramatach sercowych, które znosił mężnie i z godnością.

– No tak – powiedziała po krótkiej pauzie Eliza. – Brzmi uroczo. I chyba naprawdę cię kocha. Ale… ty go nie kochasz.

– Sam nie wiem – przyznał David. – Nie wydaje mi się.

– A czemu nie?

– Ponieważ… – zaczął i nagle uświadomił sobie, że jego odpowiedź musi brzmieć: Ponieważ nie jest Edwardem. Ponieważ jego ciało, gdy je trzymam w ramionach, jest inne niż ciało Edwarda, ponieważ nie ma sprężystości Edwarda, nieprzewidywalności Edwarda, uroku Edwarda. W porównaniu z Edwardem stałość Charlesa jest ciężkostrawna, jego solidność zakrawa na nieśmiałość, jego przedsiębiorczość to nuda. Obydwaj, i Edward, i Charles, potrzebują towarzysza życia, ale towarzysz Charlesa musiałby towarzyszyć mu w błogim samozadowoleniu, w regularności, natomiast towarzysz Edwarda byłby jego towarzyszem w przygodzie, kimś śmiałym i odważnym. Pierwszy z nich proponuje wizję tego, kim jest, drugi – tego, kim ma nadzieję zostać. Życie z Charlesem łatwo sobie wyobrazić. Charles wychodziłby rano do pracy, David zostawałby w domu, a po powrocie Charlesa wieczorem zjadaliby w milczeniu wspólną kolację, po czym David musiałby poddać się mięsistym dłoniom Charlesa, jego kłującym wąsom, jego przesadnie entuzjastycznym pocałunkom i komplementom. Od czasu do czasu wychodziłby z Charlesem na kolację do jego partnerów w interesach – oto przystojny, bogaty, młody mąż pana Griffitha! – a gdy wyszedłby do toalety, przyjaciele i koledzy Charlesa gratulowaliby mu zdobyczy – tak młody, tak uroczy, i do tego Bingham! Griffith, ty cicha wodo, co za szczęściarz z ciebie! – a Charles podśmiewałby się, zażenowany, dumny i pijany ze szczęścia, a potem w nocy chciałby raz po raz kochać się z Davidem, człapałby w kapciach do jego sypialni, unosiłby róg kołdry i sięgał po niego swoim łapskiem. David przeglądałby się w lustrze i stwierdzał, że stał się Charlesem – ten sam opasły brzuch, te same przerzedzone włosy – uświadamiałby sobie, że ostatnie lata młodości oddał mężczyźnie, który go przedwcześnie postarzył.

Tymczasem odkąd Edward złożył mu swoją propozycję, David snuł całkiem inne marzenie, o całkiem innym dniu. Wracałby z pracy na farmie jedwabników, cokolwiek by na niej robił – może dokumentowałby drzewa, wykonując ich szkice botaniczne i nadzorując stan zdrowia – do bungalowu, w którym zamieszkaliby z Edwardem. Mieliby tam dwie sypialnie, każda z jednym łóżkiem na wypadek, gdyby ktoś na nich doniósł albo urządził napad na ich dom, lecz ledwie noc spuściłaby na ziemię kurtynę ciemności, spotykaliby się w jednym pokoju, w jednym łóżku, i w tym łóżku spełnialiby wszystkie swoje zachcianki, i byłaby to niekończąca się kontynuacja ich spotkań w pensjonacie. Przeżyć życie w kolorze, życie w miłości – czyż nie jest to marzenie każdego człowieka? Za niespełna dwa lata, gdy skończy lat trzydzieści, obejmie część swojego majątku, tę część, którą mu zostawili rodzice, ale Edward nigdy nawet nie wspomniał o jego pieniądzach – mówił wyłącznie o nim i o życiu razem – więc jak i dlaczego miałby powiedzieć mu „nie"? To prawda, że jego przodkowie walczyli i trudzili się, by stworzyć kraj, w którym on będzie wolny, ale czy jednocześnie nie stworzyli mu warunków, a zatem nie dali zachęty, do innego rodzaju wolności, wolności większej właśnie dlatego, że jest mniejsza? Wolności bycia z osobą, której pragnie; wolności przedkładania własnego szczęścia ponad wszystko inne? Był Davidem Binghamem, mężczyzną, który zawsze zachowywał się poprawnie, który zawsze wybierał z rozmysłem. Teraz zacznie na nowo, tak jak jego prapradziadek Edmund, tyle że jego odwaga będzie odwagą miłości.

Świadomość tego zawróciła mu w głowie, więc wstał i spytał Elizę, czy może pożyczyć jej bryczkę, na co wyraziła zgodę, chociaż gdy już wychodził, złapała go za rękaw i przyciągnęła do siebie.

– Bądź ostrożny, Davidzie – powiedziała łagodnie, lecz on cmoknął ją w policzek i zbiegł po schodach prosto na ulicę, rozumiejąc, że musi wymówić te słowa głośno, żeby je urzeczywistnić, i musi zrobić to, zanim zacznie z powrotem rozmyślać.

Po drodze uprzytomnił sobie, że nawet nie wie, czy w pensjonacie zastanie Edwarda, ale wdrapał się na jego piętro, a gdy ten otworzył drzwi, wpadł mu w objęcia.

– Jadę – powiedział, zanim pomyślał. – Wyjadę z tobą.

Cóż to była za scena! Płakali obaj, tarmosząc się nawzajem za ubrania, za włosy, tak że ktoś postronny nie wiedziałby, czy są w skrajnej żałobie, czy w ekstazie.

– Byłem już pewien, że podjąłeś odmowną decyzję, skoro nie przysłałeś odpowiedzi – wyznał Edward, gdy nieco się uspokoili.

– Odpowiedzi?

– Tak, na list, który ci wysłałem cztery dni temu. Pisałem w nim, że już zdradziłem Belle, że mam nadzieję cię przekonać i poprosić, abyś mi pozwolił spróbować jeszcze raz.

– Nie otrzymałem takiego listu!

– Nie? Przecież go wysłałem. Ciekawe, dokąd trafił!

– No cóż, ja... nie było mnie właściwie w domu. Ale... to ci wyjaśnię później – szepnął, bo znów opanowała go dzika żądza.

Znacznie później, gdy już leżeli w swojej zwykłej pozycji na twardym, wąskim łóżku Edwarda, ten zapytał:

– A co na to wszystko twój dziadek?

– No wiesz... nie powiedziałem mu. Jeszcze.

– Davidzie! Mój najdroższy! Co on powie?

W tym momencie pojawiła się pierwsza maleńka skaza na ich szczęściu.

– Pogodzi się z sytuacją – odrzekł po chwili z tępym uporem David, bardziej po to, żeby samego siebie usłyszeć, niż dlatego, że wierzył własnym słowom. – Jestem w końcu dorosły, nie podlegam już jego prawnej opiece. Za dwa lata dostanę część swoich pieniędzy.

Edward przytulił się mocniej do niego.

– A on nie może ci ich zablokować?

– Na pewno nie, tych pieniędzy nie może zablokować, to spadek po moich rodzicach.

Zamilkli na chwilę, a potem Edward powiedział:

– Do tego czasu nic się nie martw. Będę dostawał pensję i zadbam o nas obu.

A David, któremu jeszcze nigdy nikt nie proponował pomocy finansowej, wzruszył się i pocałował Edwarda w czoło.

– Od dzieciństwa odkładałem kieszonkowe, prawie co do centa – zapewnił go. – Będziemy dysponować tysiącami, i to co najmniej. Nie chcę, żebyś się o mnie martwił.

Wiedział, że w rzeczywistości to on zaopiekuje się finansowo Edwardem. Edward na pewno zechce pracować, bo jest przedsiębiorczy i ambitny, ale David sprawi, że ich wspólne życie będzie nie tylko brawurowe, ale i wygodne. Z pianinem dla Edwarda, z książkami dla niego, ze wszystkim tym, co sam miał na placu Waszyngtona – wschodnimi dywanami w różanym odcieniu, z cieniutką białą porcelaną i z fotelami w jedwabnych obiciach. Kalifornia stanie się ich nowym domem, ich nowym placem Waszyngtona, a David uczyni ją tak swojską i przyjemną, jak się tylko da.

Przeleżeli tak całe popołudnie i wieczór – David po raz pierwszy nie musiał się nigdzie spieszyć. Nie ocknął się gwałtownie z drzemki jak wcześniej, gdy wpadał w panikę na widok ciemniejącego nieba, ubierał się w pośpiechu i wyrywał z wyciągniętych ramion Edwarda, bo musiał gnać do powozu i prosić stangreta – cóż to: Stangret się krzywi? Na niego? Jak śmie! – żeby jechał najszybciej, jak może, zupełnie jakby cofnął się do lat szkolnych i bał spóźnienia na ostatni dzwonek, po którym drzwi jadalni się zamkną i przyjdzie mu położyć się spać bez kolacji. Tego dnia, a potem tej nocy, zasypiali i budzili się, i tak w kółko, a kiedy wreszcie wstali z łóżka, by ugotować kilka jajek nad paleniskiem, Edward nie pozwolił Davidowi sprawdzić godziny na zegarku kieszonkowym.

– Czy to ważne? – spytał. – Mamy tyle czasu, ile chcemy, nieprawdaż?

I zabrał się do krojenia bochenka ciemnego chleba, z którego piekli grzanki nad ogniem.

Nazajutrz zbudzili się późno i godzinami rozmawiali o swoim wspólnym życiu – o kwiatach, które David posadzi w ogrodzie, o pianinie, które zamierzał sobie kupić Edward (– Ale dopiero jak się ustabilizujemy – powiedział poważnie, na co David się roześmiał. – Ja ci kupię pianino – obiecał, zdradzając swoją niespodziankę, ale Edward pokręcił głową. – Nie chcę, żebyś wydawał swoje pieniądze na mnie – są twoje), o tym, jak David polubi Belle, a ona jego. Wreszcie David musiał udać się do szkoły – opuścił poprzedni tydzień i obiecał przełożonej, że poprowadzi specjalną lekcję w czwartek zamiast w środę – więc pokonując wewnętrzny opór, ubrał się i poszedł do swoich uczniów, którym pozwolił rysować, co chcą, i snuł się między nimi, podglądając niektóre szkice przekrzywionych twarzy, psów, dzikookich kotów, niezdarnie odwzorowanych stokrotek i róż z ostro zakończonymi płatkami. I przez cały czas się uśmiechał. A później, kiedy wrócił do domu, zastał tam świeżo rozpalony kominek i stół pełen jadła, na które zostawił Edwardowi pieniądze, a przede wszystkim samego Edwarda, któremu mógł opowiedzieć o swoim popołudniu, tak jak dawniej – czego się obecnie wstydził – opowiadał Dziadkowi: dorosły mężczyzna mający do towarzystwa tylko dziadka! Pomyślał o sobie o Dziadku, o spokojnych wieczorach w Dziadkowym salonie, skąd szedł później do siebie, do gabinetu, by coś tam rysować w notatniku. Było to życie inwalidy, ale teraz powrócił do zdrowia – wreszcie był uleczony.

Już w dniu przybycia do Edwarda odesłał z powrotem powóz Eden i Elizy wraz z krótkim liścikiem, ale trzeciego wieczoru rozległo się pukanie do drzwi, a otworzywszy je, David ujrzał zdzirowatą pokojówkę trzymającą list, który wyjął jej z dłoni, zastępując go miedziakiem.

– Od kogo to? – spytał Edward.

– Od Frances Holson – powiedział David, marszcząc brwi. – To prawniczka naszej rodziny.

– No to przeczytaj, a ja się odwrócę do ściany i będę udawał, że wyszedłem do drugiego pokoju, żeby zapewnić ci chwilę prywatności.

Drogi Davidzie, 16 marca

mam dla Ciebie przykrą wiadomość. Pan Griffith się rozchorował. Dostał gorączki podczas otwarcia muzeum – Twój dziadek dopilnował, by dotarł bezpiecznie do domu.

Nie wiem, co między Wami zaszło, ale mogę Cię zapewnić, że on jest Ci szczerze oddany, więc jeśli jesteś – a wiem, że jesteś – mężczyzną, którego znam od małego dziecka, to uczynisz mu tę uprzejmość i odwiedzisz go, zwłaszcza że jest przekonany o porozumieniu, jakie was łączy. Miał zaraz po przyjęciu wyjechać na Cape Cod, ale zmuszony jest zostać tu dłużej. I nie tylko zmuszony – podejrzewam, że sam chciał zostać w nadziei, że się z Tobą zobaczy. Ja zaś mam nadzieję, że sumienie i dobre serce każą Ci spełnić jego oczekiwania.

Nie widzę powodu, aby informować o tym Twojego dziadka.

Pozdrawiam
F. Holson

Frances musiała dostać jego adres od Eden, która bez wątpienia wypytała o niego stangreta, tego zdrajcę. David jednak był wdzięczny długoletniej prawniczce i powierniczce rodziny za jej dyskrecję – owszem, zbeształa go w liście, ale wiedział, że nie zdradzi go przed Dziadkiem, gdyż zawsze, nawet gdy był jeszcze mały, miała do niego słabość. Zmiął kartkę w dłoni i cisnął ją w ogień, a potem, jakby na złość Frances, wślizgnął się z powrotem do łóżka, lekceważąc skrupuły Edwarda. Później jednak, gdy ponownie leżeli objęci, pomyślał o Charlesie i poczuł smutek pomieszany z wściekłością: smutek z powodu Charlesa, wściekłość na siebie.

– Ależ jesteś poważny – rzekł cicho Edward, głaszcząc go po policzku. – Nie chcesz powiedzieć dlaczego?

W końcu więc powiedział: o propozycji Dziadka, o oświadczynach Charlesa, o samym Charlesie, o spotkaniach z Charlesem, o tym, że Charles się w nim zakochał. Pamiętając swoje wcześniejsze fantazje – że obaj z Edwardem będą śmiać się z niezdarności Charlesa w łóżku – palił się teraz ze wstydu; przecież do niczego podobnego nie doszło. Edward słuchał w milczeniu i ze współczuciem, przez co w Davidzie narastało poczucie winy: potraktował Charlesa haniebnie.

– Biedak – odezwał się w końcu ze wzruszeniem Edward. – Musisz mu powiedzieć, Davidzie. Chyba że… chyba że jednak go kochasz?

– Oczywiście, że nie! – zaprzeczył żarliwie. – Kocham ciebie!

– W takim razie – rzekł Edward, przytulając się do niego – naprawdę musisz mu powiedzieć, Davidzie. Musisz.

– Wiem – mruknął. – Wiem, że masz rację. Mój ty dobry Edwardzie. Pozwól mi zostać z sobą jeszcze tę jedną noc, a jutro do niego pójdę.

A później zgodnie postanowili się przespać, bo chociaż chętnie by jeszcze pogadali, to byli już obaj bardzo zmęczeni. Zdmuchnęli więc świece i David, któremu się zdawało, że nie zaśnie z niepokoju przed czekającym go nazajutrz zadaniem, ledwo przyłożył głowę do pojedynczej cienkiej poduszki Edwarda i zamknął oczy, zapadł w sen, który otulił go jak ciężki koc, sprawiając, że wszystkie jego troski rozproszyły się w pomroce sennych marzeń.

XV

– Mister Bingham – rzekł oschle Walden. – Bardzo przepraszam, że kazałem panu czekać.

David zesztywniał – nigdy nie lubił specjalnie Waldena, bo znał ten typ ludzi: londyńczyk zatrudniony przez Charlesa za niebotyczną pewnie gażę, który miota się między uczuciem poniżenia jako kamerdyner nowobogackiego obywatela bez nazwiska a uczuciem pychy jako osobnik o tak nieskazitelnym autorytecie, że wielki bogacz wyszukał go i ściągnął aż zza morza. Jak każde uwiedzenie, tak samo romantyczna wizja Waldena powoli się rozwiała i teraz tkwił on w pułapce wulgarnego zakątka Nowego Świata, pracując dla człowieka z majątkiem, ale bez gustu. Osoba Davida przypominała Waldenowi, że mógł trafić lepiej, mógł znaleźć posadę przy nowych pieniądzach, które przynajmniej nie były aż tak nowe.

– Nie szkodzi, Walden – odparł chłodno David. – Moja wizyta jest przecież niezapowiedziana.

– W rzeczy samej. Stęskniliśmy się za pańskim widokiem, mister Bingham.

Ten impertynencki komentarz miał wytrącić Davida z równowagi i osiągnął swój cel, ale David nie dał tego po sobie poznać i milczał, aż wreszcie Walden podjął przerwany monolog:

– Pan Griffith, niestety, nadal niedomaga. Pyta, czy nie zechciałby pan odwiedzić go w prywatnych pokojach, ale zrozumie, jeśli pan nie wyrazi zgody.

– Oczywiście, to mi jak najbardziej odpowiada, jeżeli on jest pewien, że tak będzie lepiej.

– O tak. Jest całkiem pewien. Proszę. Zapewne zresztą zna pan drogę.

Walden powiedział to łagodnie, ale David, rozwścieczony, zerwał się na równe nogi i wchodząc za Waldenem po schodach, czerwienił się na wspomnienie wszystkich sytuacji, kiedy Walden widział, jak podniecony Charles prowadzi go do swojej sypialni, sterując dłonią opartą poniżej jego pleców, a gdy mijali kamerdynera, David dostrzegał na jego twarzy cień szyderczego uśmiechu, zarazem lubieżnego i drwiącego.

W drzwiach otarł się o Waldena, zgiętego w formalnym, ironicznym ukłonie – „mister Bingham"… – i znalazł się w przyciemnionym pokoju, gdzie zaciągnięte story zasłaniały przedpołudniowe niebo i paliła się tylko lampa u wezgłowia Charlesa. Siedział w łóżku, podparty o stertę poduszek, wciąż w szlafroku. Wokół niego leżały porozrzucane papiery, a na kolanach trzymał stoliczek z kałamarzem i gęsim piórem, który teraz odstawił.

– David – powiedział cicho. – Podejdź tu, niech ci się przyjrzę.

Sięgnął w poprzek łóżka i zapalił lampę po drugiej stronie. David zbliżył się, przysuwając sobie krzesło.

Zdumiało go, jak mizernie Charles wygląda – cera i usta poszarzałe, wymięte worki pod oczami, rzadkie włosy nieuczesane i rozwiane – i coś z jego zdumienia musiało uwidocznić się na twarzy, bo Charles uśmiechnął się krzywo i powiedział:

– Powinienem był cię ostrzec przed wejściem.

– Ależ nie – zaprzeczył. – Zawsze niezmiernie miło cię widzieć. – Była to prawda i nieprawda zarazem, a Charles, jakby zrozumiał, skrzywił się boleśnie.

Obawiał się – a jednocześnie, jak przyznał później sam przed sobą, miał nadzieję – że Charles jest chory z miłości, z miłości do niego, więc gdy Charles mu wyjaśnił, że zmógł go kaszel, doznał lekkiego, niepożądanego ukłucia rozczarowania połączonego ze znacznie większą ulgą.

– Od lat nie zdarzyło mi się coś podobnego – powiedział Charles. – Ale najgorsze mam już chyba za sobą, chociaż chodzenie po schodach jeszcze mnie męczy. Większość czasu spędzam w pułapce tego pokoju i gabinetu, sprawdzając te – wskazał zalew papierów – rachunki i bilanse oraz nadrabiając korespondencję. – David zaczął mamrotać słowa współczucia, niemniej Charles powstrzymał go gestem, który nie był niegrzeczny, ale kategoryczny. – Nie ma potrzeby – powiedział. – Dziękuję ci, ale wyjdę z tego; już zdrowieję.

Przez dłuższą chwilę panowała cisza. Charles patrzył na Davida, a David w podłogę. W końcu jednocześnie się odezwali.

– Przepraszam – powiedzieli razem, a potem, też w jednej chwili: – Proszę, ty pierwszy.

– Charlesie – rzekł David. – Jesteś wspaniałym człowiekiem. Ogromnie lubię z tobą rozmawiać. Jesteś nie tylko dobry, ale i mądry. Byłem i jestem zaszczycony twoim zainteresowaniem i twoim uczuciem. Ale… nie mogę cię poślubić. Gdybyś był grubianinem albo samolubem, moje zachowanie wobec ciebie byłoby nie do przyjęcia. Ponieważ jednak jesteś tym, kim jesteś, jest ono odrażające. Nie mam dla siebie wytłumaczenia, usprawiedliwienia, nic na swoją obronę. Byłem i jestem w wielkim błędzie, a mój żal z powodu bólu, jaki mogłem ci zadać, będzie mnie prześladował przez resztę życia. Zasługujesz na kogoś znacznie lepszego niż ja, to pewne. Mam nadzieję, że kiedyś mi wybaczysz, chociaż tego nie oczekuję. Ja jednak zawsze będę ci dobrze życzył, to wiem na pewno.

David nie wiedział, co ma mówić, nawet wtedy, gdy wchodził po schodach do pokoju Charlesa. Nagle zrozumiał, że trwa wielki sezon przeprosin: Charles przepraszał go, że nie pisał, Edward przepraszał go za to samo, on przepraszał Charlesa. Zostały jeszcze tylko jedne przeprosiny – dla Dziadka, ale o tych David nie potrafił na razie myśleć, nie w tej chwili.

Charles milczał, więc przez jakiś czas otaczało ich echo słów Davida, a gdy w końcu przemówił, miał zamknięte oczy, a głos łamiący się i chrypliwy.

– Wiedziałem – rzekł. – Wiedziałem, że taka będzie twoja odpowiedź. Wiedziałem to i miałem wiele dni, tygodni, jeśli mam być szczery, aby się na nią przygotować. Ale usłyszeć ją z twoich ust…

Zamilkł.

– Charlesie – szepnął łagodnie David.

– Powiedz mi… nie, nie mów. Ale… Davidzie, wiem, że jestem starszy od ciebie i ani w ćwierci tak przystojny. Ale… bardzo dużo o tym myślałem, przewidując tę rozmowę… i zastanawiałem się, czy nie jest możliwe, abyśmy byli razem w taki sposób… żebyś ty mógł znajdować satysfakcję również z innymi.

Nie od razu pojął, co Charles ma na myśli, ale gdy to do niego dotarło, westchnął głęboko poruszony.

– Och, Charlesie, jesteś bardzo przystojny – skłamał, co Charles skwitował smutnym uśmieszkiem, ale bez słowa. – I bardzo dobry. Ale nie chciałbyś żyć w takim małżeństwie.

– Nie – przyznał Charles. – Nie chciałbym. Jednak gdyby to miał być jedyny sposób bycia z tobą…

– Charles… ja nie mogę.

Charles westchnął i odwrócił głowę na poduszce. Przez chwilę nic nie mówił. A później zapytał:

– Jesteś zakochany w kimś innym?

– Tak – odrzekł David i odpowiedź ta zaskoczyła ich obu. Było tak, jakby wykrzyczał jakieś ohydne słowo, straszliwe przekleństwo, i teraz żaden z nich nie umiał na nie odpowiedzieć.

– Od dawna? – spytał cichym, bezbarwnym głosem Charles. A gdy David nie odpowiedział, pytał dalej: – Zanim doszło do zbliżenia między nami? Kto to jest?

– Od niedawna – wymamrotał David. – Nie. Nikt. Mężczyzna, którego poznałem.

Stwierdzenie, że Edward jest nikim, bezimienną postacią, było zdradą, ale David wiedział, że musi oszczędzić bólu Charlesowi i że o istnieniu Edwarda wystarczy wspomnieć bez zbędnych szczegółów.

Po raz trzeci zapadło milczenie, a potem Charles, który osunął się na poduszki, odwracając twarz od Davida, usiadł prosto z szelestem pościeli.

– Davidzie, jest coś, co muszę ci powiedzieć, żeby potem do końca życia nie żałować – przemówił powoli. – Twoją deklarację miłości do innego traktuję poważnie w takiej samej mierze, w jakiej jest ona dla mnie bolesna, a jest. Jednak już od jakiegoś czasu zastanawiam się, czy ty przypadkiem się nie… wystraszyłeś. Jeśli nie małżeństwa, to tego, że będziesz musiał taić przede mną sekrety, i z tego powodu odczuwasz niechęć i trzymasz mnie na dystans. Wiem o twojej chorobie, Davidzie – mówił dalej Charles. – Nie pytaj mnie, od kogo się dowiedziałem, ale wiem o niej już od pewnego czasu i chcę ci teraz powiedzieć, może powinienem był uczynić to wcześniej, na pewno tak, że wiedza ta nigdy nie osłabiła we mnie chęci uczynienia cię moim mężem, chęci spędzenia życia z tobą.

David był zadowolony, że siedzi, bo poczuł się, jakby miał zemdleć, a nawet gorzej – jakby zdarto z niego ubranie na samym środku placu Unii, na oczach tłumów, które szydzą z jego nagości i obrzucają go oślizłymi liśćmi zgniłej kapusty, wśród rozbrykanych koni dorożkarskich. Charles miał słuszność: dociekanie, kto wydał jego sekret, nie miało sensu. Był pewien, że nikt z rodziny, jakkolwiek chłodne były jego relacje z rodzeństwem; tego rodzaju informacje prawie zawsze rozprzestrzeniała służba. Chociaż służba Binghamów była lojalna, częstokroć pracująca u nich od kilkudziesięciu lat, to zawsze mogło się znaleźć paru amatorów innej, lepszej posady, a nawet ci, którzy jej nie szukali, szeptali między sobą. Wystarczyło, że jedna z pokojówek powiedziała swojej siostrze, zatrudnionej jako pomywaczka w innym domu, ta przekazała informację lokajowi, ten zaś podzielił się nią ze swoim kochasiem, pomocnikiem kucharza, ten z kolei, chcąc sobie zaskarbić łaski pryncypała, poszedł z nią do samego kucharza, który powierzył ją osobie będącej czasami jego przyjacielem, a zawsze prześladowcą, czyli kamerdynerowi. Ów kamerdyner, który nawet bardziej niż zwierzchnik domu determinował rytm, a zatem i małe uciechy jego życia, gdy młody przyjaciel jego pana wrócił już na noc do swojej rezydencji przy placu Waszyngtona, zapukałby do drzwi sypialni swojego pana i wszedłby, usłyszawszy wezwanie, odchrząknął i powiedział: „Proszę wybaczyć, sir... Wahałem się, czy wolno mi coś powiedzieć, ale czuję, że moim moralnym obowiązkiem jest to zrobić". Wtedy jego pan, zirytowany i nawykły do tego rodzaju teatralnych zachowań, w których lubują się służący wprowadzeni w najintymniejsze aspekty życia swoich chlebodawców i odczuwający z tej racji resentyment pomieszany z perwersyjną rozkoszą, spytałby: „No, co tam, Walden? Mów zaraz!", a Walden, kuląc głowę w ramionach w pantomimie pokory, a zarazem ukrywając uśmiech, który mimo woli rozciągnął jego szerokie, cienkie wargi, zacząłby: „To dotyczy pana Binghama, sir".

– Chcesz mnie zastraszyć? – wyszeptał, gdy już doszedł do siebie.

– Zastraszyć! Skądże, Davidzie, na pewno nie! Źle mnie zrozumiałeś. Chciałem cię tylko zapewnić, powiedzieć ci, że nawet jeśli przeszłość nauczyła cię zrozumiałej nieufności, to z mojej strony nie musisz się niczego obawiać, bo ja…

– Bo ty tego nie zrobisz. Zapominasz, że ja wciąż jestem Binghamem. A ty? Jesteś nikim. Jesteś niczym. Możesz sobie mieć pieniądze. Możesz nawet mieć jakąś pozycję u siebie w Massachusetts. Ale tutaj? Nikt nigdy nie zechce cię słuchać. Nikt nigdy ci nie uwierzy.

Te wstrętne słowa zawisły w powietrzu między nimi i przez dłuższą chwilę żaden się nie odezwał. Nagle Charles ruchem tak szybkim i nagłym, że David zerwał się na równe nogi, przekonany, że chce go uderzyć, odrzucił kołdrę i wstał, przytrzymując się łóżka dla zachowania równowagi, a wreszcie przemówił metalicznym głosem, jakiego David nigdy nie słyszał.

– Widzę, że się myliłem. Co do twojego domniemanego lęku. Co do ciebie w ogólności. Jednak powiedziałem ci wszystko, co chciałem, i odtąd już nigdy więcej nie musimy rozmawiać. Życzę ci wszystkiego dobrego, Davidzie, szczerze. Mam nadzieję, że mężczyzna, którego kochasz, odwzajemnia twoją miłość i zawsze będzie ją odwzajemniał, i będziecie żyli razem długo i szczęśliwie, a ty, gdy osiągniesz mój wiek, nie okażesz się, jak ja, głupcem stojącym w bieliźnie przed pięknym młodzieńcem, któremu powierzył swoje serce i uważał go za człowieka przyzwoitego i dobrego, a on nie był ani jednym, ani drugim, lecz zepsutym dzieckiem.

Odwrócił się plecami do Davida.

– Walden odprowadzi cię do wyjścia – powiedział, ale David, ledwie Charles wymówił ostatnie słowa, pojął ich ohydę i stał dalej jak skamieniały. Sekundy mijały, a gdy już stało się jasne, że Charles nie zwróci się twarzą do niego, on też się odwrócił i poszedł do drzwi, mając pewność, że po ich drugiej stronie czeka Walden z uchem przytkniętym do drewna, z uśmieszkiem na ustach, już planujący, jak zrelacjonuje tę nadzwyczajną historię swoim kolegom przy wieczornym posiłku służby domowej.

XVI

Wyszedł z budynku jak w transie, a gdy już znalazł się na zewnątrz, stanął oszołomiony na chodniku. Świat wokół niego tętnił życiem: niebo atakowało błękitem, ptaki darły się przeraźliwie, smród końskiego nawozu nawet na mrozie był nieprzyjemnie ostry, szwy jego luksusowych rękawiczek z koźlej skóry były tak precyzyjne, maleńkie i liczne, że licząc je, doznawał zawrotu głowy.

Czuł w środku szalejącą burzę. Chcąc się jej przeciwstawić, sam ruszył przed siebie jak burza, kierując powóz do kolejnych sklepów, szastając pieniędzmi jak jeszcze nigdy w życiu, kupując całe pudła kruchych bez, śnieżnobiałych jak słonina; kaszmirowy szal, czarny jak oczy Edwarda; buszel pomarańczy, pękatych i pachnących jak kwiaty; puszkę kawioru, którego połyskliwe kuleczki przypominały perły. Kupował rozrzutnie, i to wyłącznie rzeczy ekstrawaganckie – nic, co nabył, nie było artykułem pierwszej potrzeby, a większość z tego skazana była na zepsucie, zanim zostanie skonsumowana. Kupował bez opamiętania, niektóre paczki zabierał z sobą, ale większość wysyłał prosto do domu Edwarda, tak że gdy w końcu dotarł na ulicę Bethune, musiał poczekać na najniższym stopniu schodów, aż dwaj dostawcy wniosą przez drzwi kwitnące drzewko kumkwatu, a dwaj inni wyjdą, taszcząc pustą skrzynię po kompletnym serwisie do herbaty z porcelany Limoges malowanym w zwierzęta afrykańskiej dżungli. Na górze pośrodku pokoju stał Edward, trzymał się za głowę i dyrygował – a właściwie usiłować dyrygować – ustawieniem drzewka.

– O mój Boże – powtarzał w kółko. – Postawcie je tutaj. Albo nie: tu chyba będzie lepiej. Jednak nie, tu też nie…

Widząc Davida, wydał okrzyk wyrażający zdumienie, ulgę i chyba także rozdrażnienie.

– Davidzie! Kochanie! Co to wszystko ma znaczyć? Nie, nie, tutaj poproszę, chyba tu… – To do dostawców. – Davidzie! Mój kochany, dlaczego tak późno? Coś ty robił?

W odpowiedzi David zaczął wyciągać rzeczy z kieszeni i rzucać wszystko na łóżko: kawior, trójkątny blok sera White Stilton, drewniane pudełeczko pełne spiczastych ułomków jego ulubionego kandyzowanego imbiru i cukierków likworowych, każdy opakowany w barwną bibułkę – wszystko słodkie, wszystko przepyszne, mające tylko radować, odczarować żałość, która spowijała go niczym chmura. Działał w takim szale, że nakupił tego w nadmiarze: nie jedną tabliczkę czekolady nadziewanej agrestem, ale dwie; nie jedną tutkę kandyzowanych kasztanów, ale trzy; nie jeden koc z delikatnej wełny, podobny do tego, który już sprezentował Edwardowi, ale jeszcze dwa.

To jednak stwierdzili ze śmiechem dopiero wtedy, gdy najedli się frykasów do syta, tak że zanim otrzeźwieli – porozbierani, a mimo to zlani potem w wilgotnym chłodzie pokoju, leżeli na podłodze, bo całe łóżko było zasłane pakunkami – obaj trzymali się za brzuchy i jęczeli z teatralną przesadą, przejedzeni słodyczami, kremowym tłuszczem, wędzoną kaczką, pâté* i wszystkim, co właśnie pochłonęli.

– Och, Davidzie – powiedział Edward – nie pożałujesz tego?

– Oczywiście, że nie – odparł on i nie żałował: jeszcze nigdy nie zachował się w ten sposób. Czuł, że taka akcja była konieczna, że inaczej nigdy nie poczułby się panem swojego losu.

– Nie pożyjemy sobie tak dobrze w Kalifornii – wymamrotał sennie Edward, a David, zamiast odpowiedzieć, wstał, by poszukać swoich spodni ciśniętych w daleki (o ile można go tak nazwać) kąt pokoju i sięgnąć do ich kieszeni.

– Co to jest? – zaciekawił się Edward, biorąc od niego małe skórzane puzderko, po czym otworzył przymocowaną zawiasem pokrywkę. – Ojej!

---

* Rodzaj pieczonego pasztetu z farszu i ciasta.

Był to mały porcelanowy gołąbek, idealnie odwzorowany, z rozwartym dziobkiem i błyszczącymi czarnymi oczkami.

– To dla ciebie, bo jesteś moją ptaszyną – powiedział David – i mam nadzieję, że pozostaniesz nią na zawsze.

Edward wyjął gołąbka z puzderka i położył w skulonej dłoni.

– Oświadczasz mi się? – spytał cicho.

– Tak – odpowiedział David. – Oświadczam ci się.

A Edward rzucił mu się na szyję.

– Oczywiście przyjmuję – powiedział. – Oczywiście, że tak!

Już nigdy nie mieli być tak szczęśliwi jak tamtej nocy. Wokół nich, wewnątrz nich, wszystko było rozkoszą. Zwłaszcza David czuł się jak nowo narodzony: w jednym dniu odrzucił oświadczyny i oświadczył się sam. Czuł się tej nocy niezniszczalny: każda drobina szczęścia znajdująca się w tym pokoju była jego zasługą. Każda słodycz na ich językach, każda miękka poduszka pod ich głowami, każdy zapach przenikający powietrze – wszystko to dzięki niemu. O wszystko zadbał sam. Lecz za tym poczuciem triumfu, jak ciemna, zatruta rzeka, snuła się pamięć hańby – bezdusznych słów, które wyrzekł do Charlesa, i tego, jak ordynarnie go potraktował, jak go wykorzystał, powodowany własnym niepokojem i lękiem, pragnieniem pochwał i uwagi. A jeszcze głębiej czaiło się widmo jego dziadka, którego zdradził i nigdy nie zdoła go przebłagać. Ilekroć wezbrała w nim świadomość tych obrazów, spychał ją na dno pamięci, sięgając po następny cukierek. Zjadał go sam lub wtykał do ust Edwarda.

Wiedział jednak, że to nigdy nie wystarczy, że się splamił i plama jest nie do wywabienia. Dlatego gdy następnego ranka mała pokojówka zapukała do drzwi i wytrzeszczając oczy na scenę, którą zastała w pokoju, podała mu zwięzły i kategoryczny bilecik od Dziadka, zrozumiał, że został w końcu zdemaskowany i nie ma innego wyjścia niż wrócić na plac Waszyngtona, gdzie odpowie za swoje pohańbienie – i ogłosi swoją wolność.

XVII

Dom! Nie było go tam niespełna tydzień, a dom już wydawał się obcy – obcy, a zarazem znajomy, przesiąknięty wonią wosku do mebli i lilii, herbaty earl grey i kominka. I oczywiście zapachami Dziadka: tytoniem i pomarańczową wodą kolońską.

Wmawiał sobie, że nie będzie się denerwował, wchodząc do domu przy placu Waszyngtona – to był jego dom, to będzie jego dom – a jednak, stanąwszy na najwyższym stopniu schodów, zawahał się. Normalnie wszedłby do środka, ale przez moment poczuł, że powinien zapukać. Gdyby drzwi się nagle nie otwarły (Adams wypuszczał akurat Norrisa), mógłby tak stać całą wieczność. Norris na jego widok zrobił wielkie oczy, ale szybko się opanował i życzył Davidowi miłego wieczoru, dodając, że ma nadzieję zobaczyć go znów wkrótce, na co nawet Adams, który był znacznie lepiej ułożony niż odrażający Walden, mimowolnie uniósł brwi, ale zaraz ściągnął je w gniewny grymas, jakby za karę za nieposłuszeństwo.

– Panie Davidzie, doskonale pan wygląda. Witamy w domu. Pański dziadek jest w swoim salonie.

Podziękował Adamsowi, oddał mu swój kapelusz, pozwolił zdjąć sobie płaszcz i udał się na górę. W niedziele kolację podawano wcześniej, więc przyszedł wcześnie, zaraz po obiedzie Dziadka. Oddalenie od placu Waszyngtona uświadomiło mu, że przywykł mierzyć czas domowym metronomem: południe to nie było po prostu południe, lecz pora, kiedy on i Dziadek kończyli południowy posiłek; piąta trzydzieści po południu nie była zwykłą piątą trzydzieści po południu, ale porą siadania do kolacji. Siódma rano była godziną wyjścia Dziadka do banku; piąta po południu – godziną jego powrotu. O zegarze Davida, o jego dniach decydował Dziadek, a David przez lata bezmyślnie poddawał się tej dyktaturze. Nawet podczas przymusowego odosobnienia odczuwał uciążliwość niedzielnych kolacji i widział, jak na obrazku, swoje rodzeństwo i Dziadka zebranych wokół wypolerowanego na lustro stołu w jadalni, czuł zawiesisty zapach tłustych, pieczonych przepiórek.

Przed drzwiami do salonu Dziadka znów na chwilę się zatrzymał, oddychając głęboko, zanim wreszcie zapukał. Słysząc głos Dziadka, wszedł do środka. Nathaniel wstał na jego wejście, czego nigdy dotąd nie robił, i przez chwilę patrzyli na siebie w milczeniu, jak dwaj ludzie, którzy widzieli się tylko raz w życiu i zdążyli o sobie zapomnieć.

– Davidzie – przerwał ciszę Nathaniel beznamiętnym tonem.

– Dziadku – odpowiedział.

Nathaniel podszedł do niego.

– Niech ci się przyjrzę – rzekł i biorąc go za policzki, odwrócił lekko jego głowę w jedną i w drugą stronę, jakby zagadki obecnego życia Davida wypisane były na twarzy, a potem opuścił ręce z miną niezdradzającą niczego. – Siadaj – polecił i David zajął fotel, w którym zazwyczaj siadał.

Przez jakiś czas milczeli. Wreszcie Dziadek przemówił:

– Nie zacznę od tego, od czego mógłbym zacząć: od nagany i wypytywania, chociaż nie obiecuję, że powstrzymam się od nich całkowicie. Na razie mam jednak dwie rzeczy, które chcę ci pokazać. – David obserwował ruchy Dziadka, gdy ten sięgnął do pudełka stojącego na stole i wyjął z niego gruby pakiet listów, dziesiątki listów obwiązanych sznurkiem, a kiedy mu je podał, David poznał, że są to listy od Edwarda, i spojrzał na Dziadka ze zgrozą. – Nie – powstrzymał go Dziadek, zanim zdążył się odezwać. – Ani się waż.

Wtedy David, wściekły, pospiesznie rozsupłał sznurek i rozerwał pierwszą kopertę, wszystko w milczeniu. Wewnątrz znajdował się pierwszy z jego listów pisanych do Edwarda po jego wyjeździe do siostry, a na osobnej kartce widniała odpowiedź Edwarda. Druga koperta, rozcięta i zaklejona powtórnie, zawierała inny list Davida i inną odpowiedź Edwarda. Podobnie trzecia i czwarta, i piąta – wszystkie listy, na które Edward nigdy nie odpisał, doczekały się wreszcie odpowiedzi. David czytał i nie umiał powstrzymać uśmiechu ani drżenia rąk – bo wzruszył się romantycznością gestu Edwarda; bo uświadomił sobie, jak bardzo pragnął tych odpowiedzi i jakim okrucieństwem było ukrycie ich przed nim; bo z ulgą stwierdził, że listy nie były otwierane, że zostawiono je do przeczytania dla niego, wyłącznie dla niego. W tej korespondencji znajdował się także list, o którym Edward wspominał, ten dostarczony na dwa dni przed otwarciem muzeum, gdy David leżał w łóżku, obojętny na wszystko i udręczony; był ten i wiele innych. O t o był dowód miłości Edwarda, jego oddania, widoczny w każdym słowie, na każdej stronicy pelurowego papieru – o t o dlaczego przez cały czas niemocy nie miał wieści od Edwarda: bo Edward pisał do niego te listy. Oczami wyobraźni ujrzał nagle siebie w łóżku, wgapionego w zaciek na ścianie, i Edwarda, który w domu na zachód od placu Waszyngtona pisze listy przy świecy, aż ręka mu drętwieje – obydwaj nieświadomi nawzajem swojej męki, ale obydwaj myślący tylko o sobie nawzajem.

Nagle ogarnęła go złość, ale znów zanim zdążył coś powiedzieć, ubiegł go Dziadek:

– Nie osądzaj mnie zbyt surowo, dziecko. Bardzo przepraszam, że przytrzymałem te listy u siebie. Byłeś tak chory, tak rozbity, że nie mogłem mieć pewności, czy nie pogorszą one twojego stanu. Była ich taka masa, że pomyślałem, że to listy od… od…

Urwał.

– No cóż, myliłeś się – warknął David.

– Teraz to wiem – odparł jego dziadek i spochmurniał. – A to prowadzi mnie do drugiej rzeczy, którą chciałbym, abyś przeczytał.

I znów sięgnął do pudełka, ale tym razem wręczył Davidowi dużą brązową kopertę, która zawierała plik zszytych kartek – na górnej, dużymi literami, napisane było: „Poufne – dla Pana Nathaniela Binghama, na prośbę”. Nagle Davida przeszył dreszcz lęku: trzymał te kartki na kolanach i starał się nie patrzeć na nie.

– Przeczytaj to – nakazał mu jednak beznamiętnym tonem Dziadek. A gdy David ani drgnął, powtórzył: – P r z e c z y t a j.

Szanowny Panie Bingham, 17 marca 1894

sporządziłem raport w sprawie wiadomego dżentelmena, Edwarda Bishopa, a szczegóły jego życiorysu przedstawiam na poniższych stronicach.

Wspomniany człowiek urodził się jako Edward Martins Knowlton 2 sierpnia 1870 w Savannah, w stanie Georgia, z rodziców Francisa Knowltona, nauczyciela, i Sarabeth Knowlton (z domu Martins). Knowltonowie mieli jeszcze jedno dziecko, córkę Isabelle (zwaną Belle) Harriet Knowlton, urodzoną 27 stycznia 1873. Pan Knowlton był uwielbianym nauczycielem, a jednocześnie znanym i niepoprawnym hazardzistą, więc rodzina często popadała w długi. Knowlton zapożyczał się na wielkie sumy u licznych członków swojej rodziny i rodziny żony, ale dopiero gdy przyłapano go na okradaniu szkolnych kas pancernych, został wyrzucony z pracy i zagroziła mu kara więzienia. Równocześnie wyszło na jaw, że nawet jego najbliższa rodzina nie wiedziała, jak ogromnie jest zadłużony – wyłudzał od wierzycieli setki dolarów, nie mając żadnej możliwości spłaty.

W noc poprzedzającą postawienie go w stan oskarżenia zbiegł wraz z żoną i dwojgiem dzieci. Jego sąsiedzi zastali dom w stanie nienaruszonym, jednak ze śladami pospiesznej ewakuacji: spiżarka była ogołocona z artykułów suchych, a szuflady powysuwane. Na schodach leżała zapomniana dziecięca skarpetka. Władze bezzwłocznie wszczęły pościg, ale przypuszcza się, że Knowlton znalazł azyl w jednym z domów podziemnych, zapewne pod pretekstem prześladowań religijnych.

Tu ślad Knowltona i jego żony się urywa. Dwójka ich dzieci, Edward i Belle, została zarejestrowana w schronisku w Frederick, Maryland, 4 października 1877, ale figurują w rejestrze jako sieroty. W dokumentach schroniska zapisano, że żadne z dzieci nie mogło, albo nie chciało, mówić o tym, co stało się z ich rodzicami, mimo to chłopiec zeznał w pewnym momencie, że „pan na koniu ich znalazł, a myśmy się schowali”, z czego dyrektor placówki wysnuł wniosek, że Knowltonów ujął patrol z Kolonii tuż przed granicą stanu Maryland, natomiast dzieci znalazł i doprowadził do schroniska jakiś miłosierny człowiek.

Dzieci pozostały w schronisku jeszcze przez dwa miesiące, a 12 grudnia 1877, wraz z innymi znalezionymi w okolicy dziećmi pozbawionymi rodziców, zostały przeniesione do domu dla sierot z Kolonii w Filadelfii. Tam niemal natychmiast zostały adoptowane przez małżeństwo z Burlington w stanie Vermont, Luke'a i Victorię Bishopów, którzy mieli już dwie córki, Laurę (lat osiem) i Margaret (lat dziewięć), również sieroty z Kolonii, obydwie adoptowane w niemowlęctwie. Bishopowie byli zamożnymi, szacownymi obywatelami: pan Bishop był właścicielem koncernu tartacznego, którym zarządzał wraz z żoną.

Jednak dobre początkowo relacje Bishopów z nowo przysposobionym synem szybko zaczęły się psuć. W przeciwieństwie do Belle, która łatwo przystosowała się do nowego życia, Edward stawiał opór. Chłopiec miał ujmującą powierzchowność, odznaczał się inteligencją i wdziękiem, ale jak wyraziła się Victoria Bishop, „brakowało mu zamiłowania do pracy i samokontroli". Gdy siostry pilnie odrabiały lekcje i wywiązywały się z obowiązków domowych, Edward zawsze znalazł sposób na uchylenie się od odpowiedzialności; uciekał się nawet do drobnych szantaży, aby zrzucić swoje zadania na Belle. Chociaż był bystry, nie przykładał się do nauki i został nawet zawieszony w prawach ucznia, kiedy zaszło podejrzenie, że ściągał na egzaminie z matematyki. Uwielbiał słodycze i kilka razy ukradł cukierki ze sklepu. A mimo to, jak podkreśla jego przybrana matka, siostrzyczki za nim przepadały, szczególnie Belle, chociaż sprytnie nią manipulował. Matka twierdzi także, że miał nadzwyczajną cierpliwość do zwierząt, nawet do kulawego psa, którego trzymali w domu; do tego ładnie śpiewał, świetnie pisał i czytał i był niezmiernie uczuciowy. Bliskich przyjaciół miał niewielu, ponieważ wolał przebywać z Belle, był jednak lubiany, miał duże grono znajomych i nigdy nie wydawał się samotny.

Gdy chłopiec miał dziesięć lat, rodzice kupili pianino – pan Bishop w młodości uczył się grać na tym instrumencie – i chociaż wszystkie dzieci pobierały lekcje, to właśnie Edward zdradzał największy talent i naturalną smykałkę do gry. „Muzyka jakby coś w nim uciszała" – stwierdziła pani Bishop, dodając, że ona i mąż „odetchnęli z ulgą", widząc, że syn nareszcie znalazł coś, co mu odpowiada. Zatrudniali dla niego dodatkowych nauczycieli i z radością obserwowali, jak Edward w końcu pilnie się do czegoś przykłada.

Ale Edward dorastał i Bishopowie mieli z nim coraz więcej kłopotów. Stał się dla nich, jak zauważa matka, swego rodzaju zagadką: był zdolny, ale szkoła go nudziła i zaczął uciekać z lekcji, a do tego przyłapano go ponownie na drobnych kradzieżach – podkradał kolegom ołówki, drobne sumy itp. – ku zgrozie rodziców, którzy nigdy mu niczego nie odmawiali. Gdy w ciągu trzech lat wyrzucono go z trzeciej kolejnej szkoły podstawowej, rodzice wynajęli mu prywatnego nauczyciela, żeby jakoś dokończył edukację; zdał maturę, chociaż ledwo, i poszedł do mało prestiżowego konserwatorium w zachodnim Massachusetts, gdzie ukończył tylko pierwszy rok studiów, po czym zgarnął niewielki spadek po jakimś wuju i wyjechał do Nowego Jorku, gdzie wprowadził się do domu ciotecznej babki Bethesdy na Harlemie. Rodzice zgodnie przyklasnęli tej sytuacji: Bethesda, odkąd dziewięć lat wcześniej została wdową, była coraz mniej sprawna umysłowo i chociaż miała wielu opiekunów – była dość zamożna – rodzice uznali, że obecność Edwarda podziała na nią kojąco: zawsze za nim przepadała, a jako osoba bezdzietna uważała go za własnego syna.

Pierwszej jesieni po porzuceniu studiów Edward odwiedził rodziców w Święto Dziękczynienia i całą rodziną spędzili weekend. Gdy wyjechał z powrotem do Nowego Jorku, a jego siostry także opuściły dom – Laura i Margaret, która niedawno wyszła za mąż, mieszkały w Burlington, blisko rodziców, a Belle przygotowywała się do studiów pielęgniarskich w New Hampshire – pani Bishop postanowiła zrobić porządki w domu. Sprzątając swoją sypialnię, odkryła brak ulubionego naszyjnika – perły na złotym łańcuszku, którą mąż podarował jej na rocznicę ślubu. Szukała wszędzie przez wiele godzin, ale bez rezultatu. Aż wreszcie zrozumiała, gdzie naszyjnik mógł zniknąć, a właściwie kto mógł stać za jego zniknięciem, lecz próbowała odegnać tę myśl, sortując i składając na nowo wszystkie mężowskie chustki do nosa, zupełnie niepotrzebnie, ale tak dyktował jej wewnętrzny przymus.

Bała się zapytać Edwarda, czy wziął jej naszyjnik, i nie miała odwagi wspomnieć o zgubie mężowi, który wobec syna okazywał znacznie mniejszą wyrozumiałość i mógł powiedzieć mu coś, czego by później żałował. Obiecała sobie, że nie będzie podejrzewała Edwarda, lecz gdy przyszło i minęło Boże Narodzenie, dzieci znów pożegnały dom, a wraz z nimi – jak to później odkryła – zniknęła srebrna filigranowa bransoletka, musiała ponownie zmierzyć się ze swoimi podejrzeniami. Nie rozumiała, dlaczego Edward nie powiedział jej po prostu, że potrzebuje pieniędzy, które przecież by mu dała, nawet jeśli mąż byłby temu przeciwny. Jednak przed kolejnymi odwiedzinami syna schowała wszystkie łatwe do znalezienia precjoza w szkatułce i ukryła na dnie zamykanego kuferka, który trzymała w szafie – ukryła swoje kosztowności przed własnym dzieckiem.

O obecnym życiu Edwarda wiedziała niewiele. Słyszała od znajomych, że śpiewa w nocnym klubie, co ją martwiło – nie ze względu na reputację rodziny, ale dlatego, że syn, chociaż inteligentny, był jeszcze młody i łatwo ulegał wpływom. Pisała do niego listy, na które rzadko odpowiadał, a gdy nie miała wiadomości, starała się nie zastanawiać, czy w ogóle go zna. Pocieszała się tym, że przynajmniej mieszka z jej ciotką, bo chociaż Bethesda coraz bardziej słabowała na umyśle, od czasu do czasu przysyłała jej całkiem przytomny list, w którym serdecznie i z uznaniem pisała o przyszywanym wnuku i jego obecności.

Aż nagle, nieco ponad dwa lata temu, jej związki z Edwardem uległy gwałtownemu zerwaniu. Pewnego dnia otrzymała alarmujący telegram od adwokata ciotki. Prawnik informował, że bank ciotki Bethesdy powiadomił go o wycofaniu znacznych sum z jej konta. Pani Bishop udała się bezzwłocznie do Nowego Jorku, gdzie runda przykrych spotkań uświadomiła jej, że w ciągu ostatnich dwunastu miesięcy Edward podejmował coraz większe sumy z funduszu powierniczego ciotecznej babki. W wyniku przeprowadzonego przez bank dochodzenia ustalono ponadto, że Edward uwiódł asystenta funduszu powierniczego Bethesdy Carroll, brzydkiego i łatwowiernego młodzieńca, który zeznał, że świadomie pogwałcił regulamin firmy, by pomóc Edwardowi w zdobyciu pieniędzy – tysięcy dolarów; ilu dokładnie, pani Bishop nie podała – których ten sobie życzył. W domu Bethesdy Carroll pani Bishop zastała ciotkę zadbaną, lecz całkowicie nieświadomą otaczającej ją rzeczywistości – nie poznawała nawet Edwarda; stwierdziła też, że brakuje drobnych przedmiotów ze srebra i porcelany, a także diamentowego naszyjnika ciotki. Zapytałem ją, skąd miała pewność, że złodziejem jest jej syn, a nie któryś z licznych opiekunów lub służących ciotki, na co odpowiedziała z płaczem, że ludzie ci pracowali u ciotki od lat i nic nigdy nie zginęło – jedyną i ostatnią zmianą w życiu ciotki był jej syn.

Ale gdzie był jej syn? Ulotnił się jak kamfora. Pani Bishop poszukiwała go, wynajęła nawet detektywa, ale poszukiwania nie przyniosły skutku do dnia, w którym była zmuszona wracać do Burlington.

Do tej pory skutecznie ukrywała przed mężem ekscesy Edwarda. Ale teraz, gdy działania Edwarda przekroczyły granicę przestępczości, musiała wszystko mu wyznać. Tak jak się obawiała, jej mąż zareagował gwałtownie: wydziedziczył Edwarda, wezwał córki, opowiedział im o niegodziwości brata i zabronił z nim rozmawiać. Wszystkie trzy płakały, gdyż bardzo kochały Edwarda, a najbardziej zdruzgotana była Belle.

Ale pan Bishop pozostawał niewzruszony: miały nie odzywać się więcej do brata, a gdyby ten próbował skontaktować się z nimi – ignorować go. „Popełniliśmy błąd" – powiedział, jak relacjonuje jego żona, i chociaż pospiesznie dodał: „Ciebie to nie dotyczy, Belle" – to, jak mówi pani Bishop: „Zobaczyłam jej minę i wiedziałam, że jest za późno".

Nawet jednak gdyby wolno im było kontaktować się z Edwardem, i tak nie mogłyby tego uczynić, gdyż chłopak przepadł bez śladu. Wynajęty przez jego matkę detektyw poszukiwał go dalej, ale w końcu stwierdził, że Edward Bishop musiał wyjechać z miasta, a nawet prawdopodobnie ze stanu, o ile nie poza granice Wolnych Stanów. Przez blisko rok panowała cisza. Aż tu nagle, około pół roku temu, detektyw napisał ponownie do pani Bishop: Edward został namierzony. Przebywał w Nowym Jorku i grał na pianinie w nocnym klubie w okolicy Wall Street, lokalu uczęszczanym przez zamożnych młodych ludzi z towarzystwa, a mieszkał w pojedynczym pokoju, w pensjonacie przy ulicy Bethune. Pani Bishop była wstrząśnięta. W pensjonacie! Co się w takim razie stało z pieniędzmi ciotki? Czy Edward został hazardzistą, tak jak jego nieboszczyk ojciec? Nic o tym nie świadczyło, ale biorąc pod uwagę, jak mało wiedziała o swoim synu, nie wydawało się to niemożliwe. Poleciła detektywowi śledzić Edwarda przez tydzień, licząc na to, że zdobędzie więcej informacji o jego codziennym życiu, ale się zawiodła: Edward ani razu nie odwiedził banku, nie bywał też w jaskiniach hazardu. Poruszał się wyłącznie między swoim pokojem a okazałą rezydencją w pobliżu parku Gramercy. Z dalszego dochodzenia wynikło, że jest to rezydencja niejakiego pana Christophera D. (nie podaję nazwiska ze względu na ochronę prywatności tego człowieka i jego rodziny), dobrze urodzonego dwudziestodziewięciolatka, który mieszka z leciwymi rodzicami, państwem D., zamożnymi właścicielami koncernu handlowego. Młody pan D. scharakteryzowany został przez detektywa jako „samotnik" i „domator". Wydaje się, że Edward Bishop z łatwością go uwiódł, i to do tego stopnia skutecznie, że pan D. zaproponował mu małżeństwo – i został przyjęty – po trzech miesiącach znajomości. Okazuje się jednak, że rodzice pana D., dowiedziawszy się o oświadczynach syna, których bynajmniej nie pochwalali, wezwali Edwarda na rozmowę, podczas której obiecali załatwić mu pracę nauczyciela w znanej im fundacji dobroczynnej oraz pewną sumę pieniędzy w gotówce w zamian za obietnicę zerwania znajomości z ich synem i dziedzicem. Edward się zgodził, zainkasował pieniądze i zerwał kontakty z panem D., który podobno po dziś dzień „chodzi jak struty" i, jak mi zdradził detektyw Bishopów, czyni regularne i coraz częstsze próby skontaktowania się z byłym narzeczonym. (Rzeczona fundacja dobroczynna, o czym informuję z przykrością, to Szkoła i Zakład Dobroczynny im. Hirama Binghama, w której Edward Bishop zatrudniony był do lutego jako nauczyciel muzyki).

Tu dochodzimy do bieżącej sytuacji życiowej pana Bishopa. Zdaniem przełożonej szkoły pan Bishop – o którym wyraża się pogardliwie „ten miglanc", „ten lekkoduch", chociaż przyznaje, że uczniowie za nim przepadali: „Najbardziej lubiany nauczyciel, jakiego kiedykolwiek mieliśmy, co stwierdzam z przykrością" – poprosił w końcu stycznia o urlop w związku z chorobą matki zamieszkałej w Burlington. (Oczywiste kłamstwo, gdyż pani Bishop cieszy się doskonałym zdrowiem). Edward istotnie udał się na północ, ale i tu jego własna relacja odbiega od prawdy. Początkowo zatrzymał się u przyjaciół w Bostonie, niejakich Cooke'ów, którzy są rodzeństwem, ale ze względów, które wyłuszczę w dalszym ciągu tego raportu, udają małżeństwo. Potem zrobił sobie przystanek w Manchesterze, gdzie jego siostra Belle mieszka w porządnym pensjonacie i kończy szkolenie na pielęgniarkę. Okazuje się, że Belle, pomimo zakazu ojca, utrzymywała stały kontakt z Edwardem od czasu wykluczenia go z rodziny, a nawet wysyłała mu część swoich miesięcznych funduszy od rodziców. Nie jest jasne, co zaszło między rodzeństwem, lecz wiadomo, że w końcu lutego, co najmniej tydzień przed obiecanym powrotem Edwarda do szkoły, oboje wyjechali do Burlington, gdzie Belle, jak się zdaje, miała nadzieję pogodzić brata z ojcem. Laura, młodsza z dwóch starszych sióstr, właśnie wydała na świat dziecko i Belle widocznie zakładała, że rodzice będą w łaskawych nastrojach.

Jak się należało spodziewać, wizyta w domu nie przebiegła zgodnie z nadziejami rodzeństwa. Pan Bishop na widok syna marnotrawnego wybuchnął gniewem i doszło do ostrej wymiany zdań, jako że wiedział już o kradzieży biżuterii i przedmiotów osobistych żony, którą to informacją zaatakował Edwarda. Wtedy Edward rzucił się na matkę, która do tej pory jest przekonana, że była to reakcja na gorączkę chwili i Edward nie miał zamiaru zrobić jej krzywdy, ale zaalarmowany pan Bishop bez wahania wymierzył cios, którym powalił syna na podłogę. Zaczęli się szamotać; kobiety próbowały ich rozdzielić i w całym tym zamieszaniu pani Bishop została uderzona w twarz.

Nie wiadomo, czy przez Edwarda, ale to już nie miało znaczenia: pan Bishop wyrzucił go z domu, a Belle dał wybór: albo zostaje w rodzinie, albo odchodzi z bratem. Ku największemu zdumieniu Bishopów Belle wyszła za Edwardem, nie rzucając nawet słowa rodzicom, którzy ją wychowali. (Tak wielką władzę ma Edward nad tymi, których uwiódł swoim urokiem, mówiła mi z płaczem pani Bishop).

Edward i Belle – która była teraz całkowicie zależna od brata – powrócili do Manchesteru po kosztowności Belle (i oczywiście po jej pieniądze), po czym ruszyli dalej, do Bostonu, do Cooke'ów. Ci, tak jak Bishopowie, byli kolonijnymi sierotami, i także zostali adoptowani przez zamożną rodzinę. Podobno Aubrey Cooke poznał Edwarda w Nowym Jorku, gdy ten mieszkał u ciotki Bethesdy, i nawiązał z nim romans – według wszystkich doniesień namiętny i prawdziwy – który trwa do dziś. Aubrey był i jest uderzająco przystojnym, dwudziestosiedmioletnim obecnie młodzieńcem, wykształconym i umiejącym się znaleźć w dobrym towarzystwie, więc wraz z siostrą wiódł beztroskie życie. Niestety, gdy miał dwadzieścia lat, a jego siostra Susannah dziewiętnaście, rodzice ich zginęli w wypadku drogowym, a po uporządkowaniu ich spraw okazało się, że pieniądze, które dzieci w swoim mniemaniu miały odziedziczyć, po prostu nie istnieją: pochłonęły je lata niefortunnych inwestycji i gigantyczne długi.

Inni ludzie zabraliby się w tej sytuacji do uczciwej pracy, ale Aubrey z Susannah wpadli na inny pomysł. Udając nowożeńców, zaczęli, każde na własną rękę, żerować na nieszczęśliwych w małżeństwie mężczyznach i kobietach – płeć nie sprawiała im różnicy – z wielkimi majątkami, proponując im przyjaźń i towarzystwo. A rozkochawszy ich w sobie, żądali pieniędzy pod groźbą wyjawienia prawdy ich małżonkom. Ofiary, co do jednej, płaciły ze strachu przed konsekwencjami i z upokorzenia własną naiwnością, więc Cooke'owie zgromadzili pokaźną sumę, którą – prawdopodobnie wraz z tymi pieniędzmi, które Edward ukradł ciotecznej babce, i tymi, które dostał od nieszczęsnych rodziców pana D. – zamierzali zainwestować w uruchomienie koncernu jedwabniczego na Zachodzie. Moje źródła podają, że Edward wraz z Cooke'ami zabiega o to co najmniej od roku; ich plan zakłada, że z uwagi na prawa z roku 1876 Edward będzie udawał męża Susannah Cooke, a Belle – żonę Aubreya.

Już w listopadzie zeszłego roku plan ten był bliski wcielenia w życie, ale zaraza zniszczyła większość morw. Spanikowani Aubrey i Edward uzgodnili, że poszukają jeszcze jednego źródła pieniędzy. Wiedzą bowiem, że prędzej czy później któraś z ofiar

Cooke'ów zacznie mówić i znajdą się w poważnych kłopotach prawnych. Potrzebowali już tylko ostatniego zastrzyku pieniędzy, które wystarczyłyby na uruchomienie farmy i kilka pierwszych lat działalności.

A potem, w styczniu tego roku, Edward Bishop poznał pańskiego wnuka.

XVIII

Tekstu było więcej, ale David nie mógł dalej czytać. Już teraz tak się trząsł – a w pokoju było bardzo cicho – że słyszał szelest papieru w swoich drżących rękach i własny przyspieszony, spazmatyczny oddech. Jakby został uderzony w głowę czymś zwartym, ale miękkim, może poduszką, bo czuł, że traci dech i myśli mu się mącą. Miał świadomość, że jego palce wypuszczają kartkę, że chwiejnie dźwiga się na nogi i pada do przodu, lecz ktoś – Dziadek, o którego obecności prawie zapomniał – łapie go i układa na sofie, wymawiając raz po raz jego imię. Jak z daleka usłyszał, że Dziadek przywołuje Adamsa, a gdy odzyskał przytomność, siedział znów prosto i Dziadek przystawiał mu filiżankę do ust.

– To napój imbirowy z miodem – mówił Dziadek. – Pij powoli. Zuch chłopak. Tak, bardzo dobrze. A tu masz ciasteczko z melasą. Utrzymasz? Bardzo dobrze.

Przymknął oczy i odchylił głowę na oparcie. Znowu był Davidem Binghamem, znowu był słaby, a Dziadek znowu troszczył się o niego i było tak, jakby wcale nie czytał raportu detektywa, jakby nie dowiedział się, co jest w nim napisane, jakby nigdy nie poznał Edwarda. Był strasznie uwikłany. To niebezpieczne. Usiłował oddzielić jeden wątek myśli od drugiego, ale nic mu z tego nie wychodziło. Czuł się tak, jakby *przeżył* tę opowieść, a nie jedynie ją przeczytał, a jednocześnie miał wrażenie, że ona go zupełnie nie dotyczy i nie dotyczy Edwarda, którego znał – jedynego przecież Edwarda, który się liczył. Przeczytał jakąś historię, która teraz, jak spuszczona kotwica, zapada szybko w głąb morza, coraz głębiej i głębiej, aż zagrzebie się w piasku dna. A ponad powierzchnią widnieje twarz Edwarda, oczy Edwarda, Edward, który odwraca się do niego i pyta z uśmiechem: „Kochasz mnie?"; ciało Edwarda muska jak ptak powierzchnię wody, a głos Edwarda zamienia się w szept na wietrze. „Ufasz mi, Davidzie? – pyta ten głos. – Wierzysz mi?" Myślał o dotyku skóry Edwarda na swojej skórze, o radości malującej się na twarzy Edwarda, gdy on, David, stawał w drzwiach, myślał o tym, jak Edward głaskał go po czubku nosa i mówił, że za rok ten nos będzie cały piegowaty, cały w karmelowe cętki – dar kalifornijskiego słońca.

Otworzył oczy i spojrzał w surową, piękną twarz Dziadka, w jego stalowoszare oczy i zrozumiał, że musi coś powiedzieć, chociaż gdy się odezwał, jego słowa zaskoczyły ich obu: Davida – ponieważ wiedział, że naprawdę tak czuje; Dziadka – ponieważ, mimo prób oszukiwania się, że jest inaczej, wiedział to samo.

– Nie wierzę w to – powiedział.

Obserwował, jak troska na twarzy Dziadka zmienia się w niedowierzanie.

– Nie wierzysz? Nie w i e r z y s z? Davidzie, nie wiem wprost, co powiedzieć. Wiesz, że napisał to Gunnar Wesley, najlepszy prywatny detektyw w tym mieście, a może nawet w całych Wolnych Stanach?

– A jednak zdarzały mu się błędy. Przegapił pobyt pana Griffitha na Zachodzie, pamiętasz?

Powiedział to, chociaż nie powinien był teraz wspominać nazwiska Charlesa.

– Ach, dajże spokój, Davidzie. To drobnostka. Zresztą pan Griffith wcale nie starał się ukryć tego faktu. To było zwykłe przeoczenie ze strony Wesleya, które nikomu nie wyrządziło szkody. Za to wszystkie z e b r a n e przez niego informacje były prawdziwe. Davidzie. Davidzie – mówił dalej – nie jestem zły na ciebie. Zapewniam cię, że nie. B y ł e m zły, kiedy to otrzymałem. Jednak nie na ciebie, tylko na tego... tego o s z u s t a, który cię wykorzystał. A przynajmniej próbował wykorzystać. Davidzie. Dziecko moje. Wiem, że ciężko ci było to czytać. Ale czy nie lepiej dowiedzieć się teraz, zanim dojdzie do poważnego nieszczęścia, zanim to zniszczy twoją relację z panem Griffithem? Gdyby on odkrył, że zadajesz się z takim osobnikiem…

– Pana Griffitha to nie obchodzi – usłyszał swój głos, którego nie rozpoznał, taki był oziębły i niemiły.

– Nie obchodzi! Davidzie, on jest dla ciebie bardzo wyrozumiały, nader, powiedziałbym, wyrozumiały. Ale nawet człowiek tak oddany jak pan Griffith nie mógłby przymknąć oka na coś takiego. O c z y w i ś c i e, że to go obchodzi!

– A jednak nie, i nie ma po temu powodu, bo odrzuciłem jego oświadczyny – powiedział David i poczuł gdzieś głęboko ziarno triumfu na widok oniemiałej miny swojego dziadka, który cofnął się jak oparzony.

– Odtrąciłeś go! Kiedy, Davidzie? I dlaczego?

– Niedawno. Zanim spytasz, odpowiadam: nie, o zmianie postanowienia nie ma mowy ani z mojej strony, ani z jego, bo cała historia źle się zakończyła. A powód jest prosty: ja go nie kocham.

– Nie kochasz! – Dziadek wstał i przeszedł w przeciwległy kąt pokoju, zanim znów zwrócił się twarzą do Davida. – Z całym szacunkiem, Davidzie, ale nie tobie o tym przesądzać.

David usłyszał własny śmiech, głośny, brzydki, szczekliwy.

– A komu? Tobie? Frances? Panu Griffithowi? Jestem d o r o s ł y. W czerwcu skończę dwadzieścia dziewięć lat. Jestem j e d y n ą osobą, która może wyrażać sądy na ten temat. Kocham Edwarda Bishopa i będę z nim bez względu na to, co powiesz ty czy Wesley, czy ktokolwiek inny.

Myślał, że Dziadek wybuchnie, lecz Nathaniel zastygł w bezruchu i zanim znów przemówił, uchwycił się obiema rękami oparcia krzesła.

– Davidzie, obiecałem sobie nigdy więcej o tym nie mówić. Przysiągłem sobie. Ale muszę, i to po raz drugi dzisiejszego wieczoru, ponieważ dotyczy to twojej obecnej sytuacji. Wybacz mi, dziecko, ale już nieraz zdawało ci się, że jesteś zakochany. I okazywało się, że jesteś w błędzie, okazywało się w ohydny sposób. Może myślisz, że kłamię. Myślisz, że się pomyliłem. Zapewniam cię, że tak nie jest. Zapewniam cię jednocześnie, że oddałbym cały swój majątek za przekonanie, że mylę się co do pana Bishopa.

I cały twój za to, żebyś przez niego nie cierpiał. Ale on cię nie kocha, moje dziecko. On już jest zakochany w kimś innym. Tym, co kocha, są twoje pieniądze i możliwość ich zdobycia. Jako ten, który naprawdę cię kocha, mówię to z bólem. Ale muszę, bo nie chcę oglądać cię znowu ze złamanym sercem, które możesz jeszcze zachować w całości. Pytałeś mnie kiedyś – mówił dalej Nathaniel – dlaczego polecam ci pana Griffitha, a ja szczerze ci odpowiedziałem: dlatego że z doniesień Frances wywnioskowałem, że to jest ktoś, kto cię nie zrani, kto nie będzie chciał od ciebie niczego poza towarzystwem, kto nigdy cię nie porzuci. Jesteś inteligentny, Davidzie; jesteś bystrym obserwatorem. Ale w tej kwestii okazujesz się niemądry, i to od dawna, od lat chłopięcych. Nie roszczę sobie pretensji do twoich zalet, ale potrafię chronić cię przed twoimi wadami. Już nie mogę wysłać cię w daleką podróż, chociaż gdybyś chciał, gdybyś wyraził taką wolę, chętnie bym to zrobił. A na razie mogę cię tylko przestrzec i zaklinać na wszystkie świętości, abyś nie powtarzał dawnego błędu.

Pomimo aluzji Dziadka David nie sądził, że ten przywoła wydarzenia sprzed siedmiu lat, wydarzenia, które, jak czasem myślał, zmieniły go na zawsze. (A przecież wiedział, że się myli: to, co się wtedy stało, było jakby przesądzone). Miał dwadzieścia jeden lat, ledwo ukończył college i studiował na rocznym kursie szkoły artystycznej przed podjęciem obowiązków w fimie Braci Bingham. Pewnego dnia, na samym początku semestru, wychodząc z sali, upuścił swoje przybory, a kiedy ukląkł, żeby je pozbierać, poczuł obok czyjąś obecność – był to kolega z grupy, Andrew, tak promienny i tak niewymuszenie pełen wdzięku, że David, który go zauważył już na pierwszych zajęciach, postanowił więcej nie zwracać na niego uwagi. Uznał, że jest ostatnią osobą, którą Andrew chciałby bliżej poznać. Wolał rozmawiać i zaprzyjaźniać się z podobnymi sobie: spokojnymi, trzeźwo myślącymi, szarymi jak myszy – tymi, których w ostatnich tygodniach udało mu się namówić na wspólną herbatę czy obiad i porozmawiać o przeczytanych książkach albo o dziełach sztuki, które mieli nadzieję kopiować, gdy udoskonalą swój warsztat. Widział swoje miejsce wśród ludzi tego pokroju – zazwyczaj młodszych braci bardziej dynamicznego rodzeństwa: studentów dobrych, ale nie wybitnych; o miłej, ale nie olśniewającej, powierzchowności; ciekawych, ale nie porywających rozmówców. Wszyscy oni byli dziedzicami majątków, od solidnych po gigantyczne; wszyscy podczas studiów w college'ach mieszkali w akademikach, ale później wrócili do rodziców, u których mieli pozostać aż do małżeństwa z narajoną im odpowiednią kobietą lub mężczyzną – czasami pobierali się między sobą. Stanowili grupę wrażliwych chłopców o artystycznych skłonnościach, którym rodzice podarowali ten rok przed dalszymi studiami albo przed pracą w rodzinnych firmach w charakterze bankierów, spedytorów, kupców lub prawników. David to wiedział i akceptował. Był jednym z nich. John już wtedy należał do prymusów na swoim roku w college'u, studiował prawo i bankowość i chociaż miał dopiero dwadzieścia lat, jego małżeństwo z Peterem, kolegą z roku, zostało już zaplanowane, a Eden była najlepszą uczennicą w swojej szkole. Doroczne przyjęcia wydawane przez Dziadka w dniu przesilenia letniego gromadziły tłumy ich przyjaciół, rozwrzeszczanych i roześmianych pod rozwieszoną przez służbę w ogrodzie siecią ze świecami.

Ale David nigdy taki nie był i wiedział, że nie będzie. Większość życia spędził samotnie. Nazwisko chroniło go przed szyderstwem i atakami, ale na ogół nie zwracano na niego uwagi, nie szukano jego towarzystwa, nie odczuwano jego braku. Dlatego kiedy Andrew tamtego popołudnia zagadał do niego, a później, przez najbliższe dni i tygodnie, zagadywał coraz częściej, David poczuł, że zmienia się nie do poznania. Śmiał się głośno na ulicy, tak jak Eden; wykłócał się o głupstwa, tak jak John z Peterem, i było to uważane na urocze. Zawsze lubił kontakty cielesne, chociaż długo wstydził się do nich dążyć – wolał pójść do burdelu, gdzie bywał regularnie od szesnastego roku życia, bo wiedział, że tam nie zostanie odrzucony – ale z Andrew prosił śmiało o to, na co miał ochotę, i dostawał to; zrobił się śmielszy, upojony nowo nabytym zrozumieniem tego, co znaczy być mężczyzną, obywatelem świata, młodym, bogatym. Ach, przypominał sobie teraz własne odkrycia, więc t a k to jest! To samo odczuwali John i Peter, i Eden, i wszyscy jego koledzy z grupy o wesołych głosach i rozbrzmiewającym echem śmiechu czuli to samo!

Jakby opanowało go szaleństwo. Przedstawił Andrew – syna lekarzy z Connecticut – Dziadkowi, a kiedy potem Dziadek – niemal całkowicie milczący w czasie tamtej kolacji, gdy Andrew czarował dowcipem, a David uśmiechał się na każde jego słowo, dziwiąc się milkliwości Dziadka – powiedział mu, że Andrew wydał mu się „nazbyt wystudiowany i rzutki"; rozprawił się z nim bezlitośnie. A gdy pół roku później Andrew zaczął się nudzić w jego obecności, następnie przestał go odwiedzać, aż wreszcie począł otwarcie unikać, mimo że David posyłał mu bukiety kwiatów i pudła czekoladek – przesadne, żenujące dowody miłości – nie otrzymując w zamian ani słowa, jedynie zwrot bombonierek z nierozciętą wstążką, zalakowanych listów, nietkniętych paczek rzadkich książek – nadal boczył się na Dziadka, nie odpowiadał na jego uprzejme pytania, ignorował propozycje wyjścia do teatru lub na koncert symfoniczny, wypadu za granicę. Aż wreszcie pewnego dnia, spacerując bez celu po obrzeżach placu Waszyngtona, spostrzegł Andrew pod rękę z innym młodzieńcem z ich grupy, na której zajęcia sam przestał uczęszczać. Znał twarz tamtego, lecz nie znał jego nazwiska – wiedział jednak, że jest to ktoś ze środowiska, do którego Andrew należał i które porzucił na jakiś czas, być może z ciekawości, dla Davida. Ci dwaj przebojowi młodzi ludzie, którzy szli razem roześmiani, paplając z ożywieniem, byli do siebie podobni. David odruchowo ruszył w ich stronę, a po chwili zaczął biec i rzucił się na Andrew, wykrzykując mu całą swoją miłość, tęsknotę i udrękę. Andrew, zrazu zdumiony, a potem zaniepokojony, starał się go uciszyć, gdy zaś to nie pomogło – odepchnąć, podczas gdy jego przyjaciel okładał głowę Davida rękawiczkami na oczach zbiegowiska przechodniów, którzy zaśmiewali się, wytykając ich palcami, co dodatkowo pogłębiało koszmar całej sceny. Wreszcie Andrew wymierzył potężny cios i David padł na wznak, a tamci dwaj uciekli, za to David, wciąż zdesperowany, znalazł się w objęciach Adamsa, który rozpędził gapiów i półniosąc, półwlokąc Davida, doprowadził go do domu.

Nie wychodził potem całymi dniami, ani z pokoju, ani z łóżka. Dręczył się myślami o Andrew i o swoim upokorzeniu – jeśli nie rozmyślał o pierwszym, to rozmyślał o drugim. Zdawało mu się, że gdy przestanie się zadawać ze światem, wtedy świat także przestanie się zadawać z nim, więc dni zamieniały się w tygodnie, a on leżał w łóżku i starał się nie myśleć o niczym, a już na pewno nie o sobie w kontekście oszałamiającego ogromu świata, aż w końcu, po wielu tygodniach, świat rzeczywiście skurczył się do czegoś dającego się ogarnąć – łóżka, pokoju, niezobowiązujących porannych i wieczornych wizyt Dziadka. W końcu, po blisko trzech miesiącach, coś się przełamało, jak gdyby tkwił w skorupie, w którą ktoś – nie on – postukał i skorupa pękła, a David wyłonił się z niej słaby, blady i uodporniony – tak mu się przynajmniej zdawało – na Andrew i na własny wstyd. Poprzysiągł sobie wtedy, że nigdy więcej nie pozwoli sobie na takie namiętne uczucie, na takie uwielbienie, na takie szczęście, i ślubowanie to dotyczyło nie tylko ludzi, ale i sztuki. Tak więc gdy Dziadek wysłał go na rok do Europy pod pretekstem Wielkiej Podróży Formacyjnej (chociaż w rzeczywistości obaj wiedzieli, że chodzi o oddalenie się od Andrew, który wciąż mieszkał w tym samym mieście, wciąż ze swoim kochasiem, a obecnie już narzeczonym), przechodził lekkim krokiem między freskami i obrazami pyszniącymi się na każdym suficie, na każdej ścianie. Podnosił na nie wzrok i nie czuł nic.

Gdy po czternastu miesiącach wrócił do domu przy placu Waszyngtona, był bardziej chłodny, bardziej zdystansowany, ale również bardziej samotny. Jego przyjaciele, tamci spokojni chłopcy, których zaniedbał, a później porzucił dla Andrew, poukładali sobie życie – rzadko ich widywał. John i Eden radzili sobie lepiej niż przedtem: John miał się wkrótce żenić, a Eden studiowała w college'u. David coś zyskał – poczucie oddalenia, większą siłę – ale i coś stracił: szybko się męczył, szukał samotności, a pierwszy miesiąc pracy w banku Braci Bingham – gdzie zaczynał jako urzędnik, tak jak niegdyś jego ojciec i dziadek – wyczerpał go do tego stopnia, że czuł się ogłupiały, zwłaszcza gdy porównywał się z Johnem, który szkolił się równocześnie z nim i od samego początku wyróżniał się sprawnością rachunkową i ambicją. To Dziadek pierwszy zasugerował, że David mógł się czymś zarazić na kontynencie, jakąś nieznaną, wyniszczającą chorobą, więc dobrze zrobiłoby mu kilka tygodni odpoczynku – obaj wiedzieli jednak, że to nieprawda, że Dziadek daje Davidowi wymówkę pozwalającą odejść z pracy bez przyznawania się do porażki. Znękany David przyjął to rozwiązanie, a później tygodnie zmieniły się w miesiące, miesiące w lata – nigdy już nie wrócił do banku.

Na wszelkie sposoby starał się wyrzucić z pamięci dzikie uczucie namiętności, jakie żywił do Andrew, ale niekiedy atakowało go niespodziewane wspomnienie tamtych czasów i związane z nim upokorzenie. Wówczas znów uciekał do swojego pokoju i kładł się do łóżka. Te epizody, które on sam i Dziadek nazywali okresami odosobnienia – i które Dziadek delikatnie tłumaczył Adamsowi i rodzeństwu Davida jako „kłopoty nerwowe" – zazwyczaj były poprzedzone okresami manii, gorączkowymi dniami szalonych zakupów, malowania, spacerów, wizyt w burdelu: wszystko, co David robił w normalnym życiu, nasilało się wówczas do przesadnych proporcji. Wiedział, że są to metody ucieczki przed sobą, że był na ich łasce – to one kazały mu poruszać się albo za szybko, albo wcale. Dwa lata po powrocie z Europy otrzymał kartkę od Andrew z zawiadomieniem, że on i jego małżonek adoptowali swoje pierwsze dziecko, dziewczynkę; odpisał z gratulacjami. Lecz potem, w nocy, zaczął się zastanawiać: Jaki był cel wiadomości od Andrew? Czy została wysłana z rozmysłem, czy przez przeoczenie? Czy był to gest przyjaźni, czy zamierzone szyderstwo? Napisał dłuższy list do Andrew, wypytując o jego sprawy i wyznając, jak bardzo za nim tęskni.

I wtedy – jakby pękła w nim jakaś tama – zaczął pisać jeden list za drugim, dziesiątki listów, na zmianę oskarżycielskich i przepraszających, potępiających i błagalnych. Po kolacji, siedząc z Dziadkiem w salonie, usiłował powstrzymać niecierpliwe drżenie rąk, a patrząc w szachownicę, widział w wyobraźni własne biurko z kartką papieru i bibularzem, później zaś żegnał Dziadka najwcześniej, jak wypadało, aby wbiec na najwyższe piętro po schodach i znów pisać do Andrew, a następnie dzwonić na Matthew w środku nocy i posyłać go do skrzynki pocztowej z najnowszym listem miłosnym. Jego kompromitacja, do której w końcu doszło – tak jak się zresztą spodziewał – była straszna: adwokat reprezentujący rodzinę małżonka Andrew poprosił o spotkanie z Frances Holson i z grobową miną wyciągnął z teczki stertę listów Davida do Andrew, dziesiątki listów, z których ostatnich dwudziestu nawet nie otwierano. Prawnik oznajmił Frances, że David musi zaprzestać nękania jego klienta. Frances odbyła rozmowę z dziadkiem Davida, a Dziadek rozmówił się z nim. Chociaż zrobił to jak najdelikatniej, David był tak zdruzgotany, że wówczas Dziadek posłał go do łóżka, nakazując jednej ze służących pilnować go dzień i noc, gdyż martwił się, że może sobie coś zrobić. Wtedy to właśnie – z czego zdawał sobie sprawę – rodzeństwo Davida straciło resztki szacunku dla niego; wtedy stał się inwalidą; człowiekiem, którego normalnym stanem jest ciągła huśtawka między zdrowiem a chorobą, człowiekiem, którego dobre samopoczucie jest chwilą oddechu przed powrotem do naturalnego obłąkania. Wiedział, że sprawia kłopot Dziadkowi, chociaż ten nigdy o tym nie wspomniał. Bał się, że z tego kłopotu może wkrótce stać się ciężarem. Nie wychodził z domu, z nikim się nie widywał; wszystko wskazywało na to, że trzeba będzie znaleźć mu męża, bo sam najzwyczajniej w świecie nie potrafił o to zadbać. Odrzucał jednak wszystkich kandydatów, których raiła mu Frances, bo nie mógł znieść ciężaru energii i krętactwa, jakich wymagałoby od niego skuszenie kogokolwiek do małżeństwa. Kandydatów zresztą ubywało, a potem nie było już ani jednego, aż tu po jakimś czasie – Frances z Dziadkiem musieli dojść do zgody w sprawie kandydata innego kalibru, o którym Frances powiedziała zapewne: „Inny kaliber, może ktoś odrobinę dojrzalszy, co sądzisz, Nathanielu?" – objawił się Charles Griffith, z którym skontaktowała się pośredniczka małżeńska, przedstawiając opis Davida jako potencjalnego kandydata.

To był dla niego koniec. W tym roku skończy dwadzieścia dziewięć lat. Skoro Charles wie o jego odosobnieniach, to muszą wiedzieć i inni – w tej kwestii nie ma co się łudzić. Z każdym rokiem jego pieniądze znaczyły mniej, ponieważ świat się bogacił. Jeszcze nie teraz, ale za parędziesiąt lat pojawi się rodzina bogatsza od Binghamów, a on, odrzuciwszy wszystkie okazje matrymonialne, będzie wciąż mieszkał przy placu Waszyngtona, posiwiały i pomarszczony, i będzie trwonił swoje pieniądze na przyjemności – książki, papier rysunkowy, farby i mężczyzn – tak jak dziecko na cukierki i zabawki. Nie tylko *chciał* wierzyć Edwardowi, ale *musiał* mu wierzyć: gdyby wyjechał do Kalifornii, porzuciłby swój dom i swojego dziadka, ale czy nie zostawiłby za sobą także swojej choroby, swojej przeszłości, swoich upokorzeń? Swojej historii, tak splątanej z Nowym Jorkiem, że każda ulica, po której przechodził, pamiętała jakąś jego kompromitację? Czy nie da się tego wszystkiego owinąć arkuszem papieru i powiesić w głębi szafy jak zimowe palto? Cóż warte byłoby życie, gdyby nie miał skorzystać ze swojej szansy, niechby i niepewnej, szansy na prawdziwe własne uczucie, które wyłącznie on może zbudować lub zniszczyć, ugnieść jak glinę albo roztrzaskać jak porcelanę?

Uświadomił sobie, że Dziadek czeka na jego odpowiedź.

– On mnie kocha – wyszeptał. – Wiem o tym.

– Moje dziecko...

– I oświadczyłem mu się – dodał żałosnym tonem – a on się zgodził. I wyjeżdżamy razem do Kalifornii.

Słysząc to, Dziadek zapadł się w fotel i przekręcił na bok, żeby spojrzeć w ogień, a gdy ponownie odwrócił się do Davida, oczy mu się szkliły.

– Davidzie – zaczął cicho – jeśli poślubisz tego człowieka, będę cię musiał odciąć od funduszy; wiesz o tym, prawda? Uczynię to, ponieważ wiem, że muszę, ponieważ to mój jedyny sposób, aby cię uratować.

David o tym wiedział, a jednak gdy usłyszał te słowa z ust Dziadka, poczuł, że ziemia usuwa mu się spod nóg.

– Pozostanie mi jeszcze spadek po rodzicach – powiedział wreszcie.

– Tak, to prawda. Tego nie mogę ci odmówić, chociaż bardzo bym chciał. Ale *moje* regularne wypłaty, Davidzie, *moja* darowizna, to się skończy. Plac Waszyngtona już nie będzie twój, chyba że mi obiecasz nie iść za tym człowiekiem.

– Tego nie mogę ci obiecać – odparł, czując, że sam jest na granicy łez. – Dziadku... proszę. Nie chcesz, żebym był szczęśliwy?

Dziadek zrobił głęboki wdech, potem wydech.

– Chcę, żebyś był bezpieczny, Davidzie. – Westchnął raz jeszcze. – Davidzie, dziecko moje, po co ten pośpiech? Dlaczego nie możesz jeszcze poczekać? Jeżeli on cię naprawdę kocha, poczeka na ciebie. I co z tym Aubreyem? Co, jeśli Wesley jednak się nie pomylił i ty wyjedziesz z tym swoim Edwardem aż do Kalifornii będącej dla ciebie, daj sobie przypomnieć, niebezpiecznym miejscem, może śmiertelnie niebezpiecznym, a tam odkryjesz, że zostałeś wywiedziony w pole, że oni są parą, a ty ich pośmiewiskiem.

– To nieprawda. To nie może być prawda. Dziadku, gdybyś zobaczył, jaki on jest ze mną, jak bardzo mnie kocha, jaki jest dla mnie dobry…

– Oczywiście, że jest dla ciebie dobry, Davidzie! Bo cię *potrzebuje*! *Oni* cię potrzebują, Edward i jego ukochany. Nie rozumiesz tego?

Wówczas David się rozzłościł. Złość wzbierała w nim od dłuższej chwili, lecz nie śmiał wyrazić jej głośno, żeby nie stała się rzeczywista.

– Nie zdawałem sobie sprawy z tego, że tak nisko mnie cenisz, Dziadku. Czy to takie trudne, czy to naprawdę niemożliwe? Uwierzyć, że ktoś mógłby mnie pokochać dla mnie samego? Ktoś młody, piękny i samodzielny? Rozumiem teraz, że nigdy nie uważałeś mnie za godnego kogoś takiego jak Edward. Wstydziłeś się mnie, ale to także potrafię zrozumieć, rozumiem dlaczego. Ale czy nie jest to możliwe, że jestem kimś innym, kimś, kogo ty nie widzisz, kimś, kto dwa razy był kochany, i to przez dwóch różnych mężczyzn, w ciągu jednego roku? Czy nie jest to możliwe, że jakkolwiek dobrze mnie znasz, to znasz zaledwie jeden aspekt mojej osoby, że bliska zażyłość ze mną zaślepiła cię na to, kim mógłbym być? Czy nie jest to możliwe, że przy całej swojej opiekuńczości nie doceniałeś mnie, że straciłeś zdolność postrzegania mnie w innym świetle? Muszę już iść, Dziadku, naprawdę muszę – powiedział. – Twierdzisz, że wyjeżdżając, rzucam się w przepaść, ale ja uważam, że zostając, pogrzebałbym się bezpowrotnie. Czy nie możesz przyznać mi prawa do własnego życia? Czy nie możesz mi wybaczyć tego, co zamierzam zrobić?

Błagał Dziadka, ale ten znowu wstał: nie z gniewem, nie deklaratywnie, lecz z wielkim znużeniem, jakby odczuwał straszny ból. I nagle, niezmiernie gwałtownym ruchem, odwrócił głowę w prawo i prawą dłonią osłonił twarz – a wtedy David zrozumiał, że jego dziadek płacze. Był to niezwykły widok, a jednak przez chwilę nie pojmował uczucia zdruzgotania, które na niego spadło.

Zaraz jednak je pojął. Nie chodziło jedynie o łzy Dziadka; chodziło o to, że tymi łzami Dziadek oznajmiał, iż wie, że David ostatecznie go nie usłucha. A jednocześnie David uzmysłowił sobie, że Dziadek się nie ugnie, że kiedy on opuści dziś plac Waszyngtona, opuści go na zawsze. Siedział bez ruchu, przekonany, że po raz ostatni siedzi w tym salonie, przed tym kominkiem – że po raz ostatni to jest jego dom. Zrozumiał, że od tej chwili jego życie nie dzieje się tutaj. Teraz jego życie działo się z Edwardem.

XIX

Późny kwiecień był jedyną porą, kiedy Nowy Jork dawał się opisać jako przyjemne miasto: na parę bezcennych tygodni drzewa zamieniały się w obłoki biało-różowego kwiecia, powietrze oczyszczało się z kurzu, wiał łagodny wietrzyk.

Edward wyszedł na cały dzień, David także szykował się do wyjścia. Na razie jednak napawał się ciszą – chociaż w pensjonacie nigdy nie było zupełnie cicho – ponieważ pragnął ochłonąć przed spotkaniem ze światem.

Od przeszło czterech tygodni mieszkał z Edwardem w tym ciasnym pokoiku. Tamtego wieczoru, kiedy porzucił Dziadka i plac Waszyngtona, udał się prosto do pensjonatu, ale Edwarda nie było. Mała pokojówka wpuściła jednak Davida do ciemnego, wyziębionego pokoju, gdzie zrazu siedział bez ruchu przez parę minut, a później wstał i zaczął myszkować po całym pomieszczeniu, z początku metodycznie, potem coraz bardziej gorączkowo: wyciągał i odkładał na miejsce ubrania z kufra Edwarda, kartkował wszystkie jego książki, grzebał w papierach, tupał po deskach podłogi, sprawdzając, czy któraś nie jest obluzowana i nie kryje pod spodem sekretów. Znalazł kilka odpowiedzi, ale nie miał pewności, czy są to te, których szukał: mała rycina ładnej ciemnowłosej dziewczyny wetknięta w egzemplarz *Eneidy* – czy była to Belle? Dagerotyp z podobizną przystojnego mężczyzny, który uśmiecha się porozumiewawczo spod zawadiacko przekrzywionego kapelusza – czy to Aubrey? Rulon banknotów obwiązany sznurkiem – czy to pieniądze ukradzione ciotce Bethesdzie, czy może zarobki ze szkoły w sierocińcu? Arkusik trzeszczącego peluru, sprasowany pomiędzy kartkami Biblii, z fantazyjną inskrypcją „Zawsze będę Cię kochać" – czy napisała to jedna z jego matek, pierwsza, druga? Belle? Bethesda? Aubrey? Ktoś całkiem inny? W drugim kuferku, kupionym przez niego Edwardowi, z mosiężnymi zatrzaskami i skórzanymi paskami, leżał porcelanowy ptaszek i kilka pustych zeszytów nutowych, ale serwisu do herbaty, który David włożył tam przed wizytą u Dziadka – tym symbolicznym gestem wyznaczając początek pakowania, początek tworzenia nowego, ich wspólnego domu – nie było, tak samo jak zakupionego przezeń srebrnego zestawu sztućców.

Zastanawiał się właśnie, co to może znaczyć, kiedy wszedł Edward. David odwrócił się i zobaczył straszliwy bałagan, którego narobił. Wszystkie rzeczy Edwarda były porozrzucane, a sam Edward stał przed nim z nieodgadnioną miną. Absurdalne pytanie – „Gdzie jest serwis, który ci kupiłem?" – wyrwało mu się samo, ale dalej nie wiedział, co mówić, więc się rozpłakał i osunął na podłogę. Edward przemeandrował pomiędzy stertami ubrań i książek, kucnął obok niego i wziął go w objęcia, a David szlochał, wtulony w jego płaszcz. Nawet gdy już wróciła mu mowa, wyrzucał z siebie pytania urywanym głosem, bez ładu i składu, wszystkie równie pilne: Czy Edward jest zakochany w innym? Kim naprawdę jest dla niego Aubrey? Czy go okłamał co do siebie, co do swojej rodziny? Czy naprawdę wyjeżdżał do Vermontu? Czy go kocha? Czy go kocha? Czy n a p r a w d ę go kocha?

Edward usiłował odpowiadać po kolei, ale David przerywał wszystkie jego wyjaśnienia; nie potrafił zrozumieć nic z tego, co Edward do niego mówił. Jedynymi rzeczami, które przyniósł ze sobą z placu Waszyngtona, były pakiet listów Edwarda napisanych w odpowiedzi na jego listy i raport Wesleya, który wreszcie, szlochając, wyciągnął z kieszeni i podał Edwardowi, ten zaś zaraz zaczął czytać, najpierw z ciekawością, potem ze złością i, o dziwo, ta jego złość, punktowana okrzykami: „Szlag!" i „A to drań!", uśmierzyła niepokój Davida. Po zakończeniu lektury Edward cisnął wszystkie kartki przez pokój, w ziejący czernią kominek, a potem zwrócił się do Davida.

– Mój biedny David – powiedział. – Moje biedne niewiniątko. Co musisz sobie o mnie myśleć? – Nagle twarz mu stężała. – Nigdy nie przypuszczałem, że ona może mi to zrobić – wymamrotał. – Ale zrobiła i naraziła na szwank najcenniejszą dla mnie relację.

Obiecał, że wszystko wyjaśni, i tak uczynił. Jego rodzice rzeczywiście umarli, starsze siostry naprawdę mieszkały w Vermoncie, młodsza w New Hampshire. Rzeczywiście, przyznał, nastąpił rozdźwięk między nim a siostrą jego matki, Lucy, która była opiekunką ciotecznej babki Bethesdy. W rzeczy samej po ukończeniu konserwatorium zamieszkał na jakiś czas u Bethesdy – „Nie mówiłem ci tego, bo chciałem, abyś miał mnie za człowieka niezależnego; chciałem, byś mnie podziwiał. Byłoby okrucieństwem, gdyby to przemilczenie, wynikłe wyłącznie z moich obaw, kazało ci zwątpić w moją prawdomówność" – jednak po paru miesiącach wyprowadził się od niej, by poszukać własnego lokum: „Przepadam za cioteczną babką, zawsze ogromnie ją kochałem. Wraz z moją ciotką przybyła do Wolnych Stanów wkrótce po nas i zastępowała mi rodzoną babcię. Jednak informacja, że jest bogata, zwłaszcza że ja ją okradłem, jest śmiechu warta".

– W takim razie dlaczego Lucy tak powiedziała?

– Kto ją tam wie? To złośliwa, małostkowa kobieta, nigdy nie wyszła za mąż, nie miała dzieci ani przyjaciół, za to całe życie dopisywała jej bujna wyobraźnia, jak sam widzisz. Matka zawsze nam powtarzała, że musimy być dla niej grzeczni, bo jej zgorzknienie jest reakcją na ciągłą samotność, więc byliśmy grzeczni, tak grzeczni, jak się dało. Ale tego już za wiele! Tak czy owak, ciotka Bethesda zmarła dwa lata temu; ciotki Lucy, która jedynie formalnie jest moją ciotką, od tamtej pory nie widziałem; ale mam oto dowód, chociaż dowód najgorszego rodzaju, że jeszcze żyje i wciąż jest po dawnemu mściwa, wciąż wszystko psuje.

– Zmarła? Przecież gdy dawniej opowiadałeś mi o Bethesdzie, mówiłeś, że za nią przepadasz, tak jakby ciągle żyła.

– Nie żyje. Czyż jednak nie mogę wciąż za nią przepadać? Moje uczucie nie zakończyło się z jej śmiercią.

– A więc nie adoptowało cię małżeństwo z Wolnych Stanów?

– Nie, oczywiście, że nie! Lucy łże, zmyśla z nudów i przez zawiść, bo jestem młody, jej gadanina o moim rzekomym złodziejstwie jest oburzająca, ale to, że wypiera się mojej, a zarazem swojej rodziny, woła o pomstę do nieba. Twierdzić coś podobnego o moich rodzicach! Ta baba ma nie po kolei w głowie. Szkoda, że Belle tutaj nie ma, ona mogłaby ci powiedzieć, co to za bzdury i jaki charakterek ma nasza ciotka.

– No właśnie… a nie może?

– Oczywiście, że tak, to wyśmienity pomysł; napiszę do niej wieczorem i poproszę, by odpowiedziała na wszystkie twoje pytania.

– Mam ich więcej… dużo więcej.

– A jakże mógłbyś nie mieć po tym raporcie? (Żywię najgłębszy szacunek dla twojego dziadka, ale muszę przyznać, że jestem nieco wstrząśnięty jego zaufaniem do kogoś, kto wierzy we wszystko, co mu mówi osamotniona, ewidentnie pomylona kobieta). Och, mój biedny Davidzie! Nie zdołam wyrazić niesmaku, jaki budzi we mnie ta baba… ta s z k o d n i c a, przez którą tak się zdenerwowałeś. Musisz pozwolić mi wszystko wyjaśnić.

David pozwolił. Edward miał odpowiedź na każdą jego wątpliwość. Nie, słowo honoru, że nie kocha się w Aubreyu, który przecież jest żonaty z Susannah (Jego siostra! Mój Boże, j a s n e, że nie! Co za zboczeniec pisał ten raport!), a zresztą nie należy do ich sfery. Ci dwoje to jego bliscy przyjaciele, ale nic więcej – David sam się przekona w Kalifornii, a nawet: „Nie zdziwiłbym się, gdybyś zaprzyjaźnił się z nim bardziej niż ja, bo obaj jesteście tacy praktyczni. I wtedy ja zacznę być podejrzliwy!". Owszem, był kiedyś w związku z Christopherem D. i rzeczywiście źle się to skończyło („On był mną opętany – nie mówię tego, żeby się chwalić, ale podaję fakt – i kiedy się oświadczył, a ja odmówiłem, dostał fiksacji na moim punkcie, tak że, wstyd mówić, zacząłem go unikać, ponieważ w żaden sposób nie dawał się przekonać, że go nie kocham. Był natarczywy, ale tchórzostwo to moja wina, której ogromnie się wstydzę"), lecz nie, z całą pewnością nie zadawał się z nim dla pieniędzy, a rodzice Christophera D. nigdy nie interweniowali w sprawie syna. Chętnie przedstawi Davidowi Christophera D., żeby sam mógł go spytać. Tak, koniecznie! Absolutnie koniecznie! On, Edward, nie ma nic do ukrycia. Nie, nigdy nikomu niczego nie ukradł, a już na pewno nie rodzicom, którzy zresztą nie posiadali niczego, co mógłby ukraść, gdyby nawet okazał się tego rodzaju człowiekiem: „Ze wszystkich krzywdzących stwierdzeń w tym raporcie najbardziej krzywdzące jest zakłamanie mojego pochodzenia, mojego dzieciństwa, poświęceń rodziców dla mnie i moich sióstr, prawdy o moim ojcu: Hazardzista? Zbieg? Oszust? To był najuczciwszy człowiek, jakiego kiedykolwiek znałem. Zrobienie z niego takiego... złoczyńcy to podłość, o jaką nie posądzałbym nawet Lucy.

Rozmowa się przeciągała, a gdy trwała już ponad godzinę, Edward pochwycił dłonie Davida.

– Davidzie, niewiniątko ty moje. Potrafię unieważnić każde zdanie zapisane na tych kartkach i uczynię to. Lecz przede wszystkim chcę cię zapewnić o jednym: to nie dla twoich pieniędzy cię kocham i nie dla pieniądzy chcę spędzić z tobą życie. Twoje pieniądze są twoje, ja ich nie potrzebuję. Nigdy z nich nie korzystałem, nie wiedziałbym nawet, co z nimi robić. Zresztą wkrótce będę miał własne pieniądze i, nie myśl sobie, że jestem niewdzięczny, wolę taki układ. Pytałeś – mówił dalej – co zrobiłem z serwisem do herbaty. Sprzedałem go, Davidzie, i dopiero po fakcie dotarło do mnie, że popełniłem straszny błąd, że ty mi go podarowałeś z miłości, a ja, aby ci dowieść, że umiem o ciebie zadbać, umiem zadbać o n a s, zamieniłem go na gotówkę. Czy jednak nie widzisz, że kierowałem się swoim własnym pojęciem miłości? Nie chcę cię nigdy o nic prosić, nie chcę, żeby ci kiedykolwiek czegoś brakowało. Zatroszczę się o nas obu, Davidzie. Kochany Davidzie. Czy nie chcesz być z kimś, kto nie oczekuje od ciebie, że będziesz Davidem Binghamem, ale chce mieć w tobie ukochanego towarzysza życia i wiernego męża? Proszę – Edward sięgnął do kieszeni spodni i wyciągnął portmonetkę, którą wcisnął w dłoń Davida – oto pieniądze za serwis. Jutro pójdę go wykupić, jeśli sobie życzysz. I srebrne sztućce też. Ale tak czy owak, te pieniądze są twoje, zatrzymaj je. Wydamy je na nasz pierwszy posiłek w Kalifornii, na pierwszą skrzynkę nowych farb. Najważniejsze, żebyśmy wydali je razem, budując nasze wspólne życie.

Davida rozbolała głowa. Był oszołomiony. Łzy obeschły mu na skórze policzków, która zesztywniała i swędziała. Kończyny miał jakby bezkostne i ogarnęło go tak wielkie zmęczenie, że kiedy Edward zaczął go rozbierać i ułożył w łóżku, zupełnie nie czuł właściwego mu w takich chwilach podniecenia, a jedynie tępą obojętność. Chociaż reagował na polecenia Edwarda, robił to jak przez sen, jakby jego ręce i nogi poruszały się same z siebie, jakby już nie był ich panem. Ciągle przypominały mu się słowa Dziadka – „Oni cię potrzebują: Edward i jego ukochany" – a kiedy wstał wcześnie rano, wysunął się spod ramienia Edwarda, ubrał po cichu i wyszedł z pensjonatu.

Było tak wcześnie, że paliły się jeszcze latarnie uliczne, a dzień miał różne odcienie szarości. Stąpał po kocich łbach, budząc echo, aż doszedł nad rzekę, gdzie zapatrzył się w wodę chlupiącą o drewniane molo. Zapowiadał się dżdżysty dzień, dżdżysty i zimny. David otulił się ramionami i skierował wzrok na przeciwległy brzeg. Nieraz szli z Andrew wzdłuż tej rzeki, rozmawiając, chociaż zdawało mu się, że to było bardzo dawno, dekady temu.

Co miał robić? Tu, po tej stronie rzeki, był Edward znany jemu, a tam, po tamtej stronie – Edward rzekomo znany jego dziadkowi, pomiędzy nimi zaś rozciągało się cielsko wody, nie szerokie, lecz głębokie, nie do przejścia. Jeśli wyjedzie z Edwardem, na zawsze utraci Dziadka. Jeśli zostanie, utraci Edwarda. Czy wierzył Edwardowi? Wierzył i nie wierzył. Bez końca przypominał sobie, jaki wzburzony był Edward minionej nocy – wzburzony, ale nie speszony; w jego zapewnieniach nie było żadnych sprzeczności albo najwyżej nieliczne, a te nie budziły niepokoju – czyż to nie dowodzi prawdomówności Edwarda? Przypominał sobie czułość, z jaką Edward do niego przemawiał, dotykał go, przytulał. Przecież to nie mogła być jego fantazja. Przecież to nie mogło być udawane. Ich wzajemna namiętność, gorączka ich spotkań – przecież to nie mógł być teatr, prawda? Tutaj był Nowy Jork i wszystko, co David znał. Tam, z Edwardem, miał znaleźć się gdzie indziej, gdzie jeszcze nigdy nie był, ale przeczuwał, że właśnie tego miejsca szukał przez całe swoje życie. Kiedyś myślał, że znajdzie je z Andrew, ale to okazało się mrzonką. Z Charlesem zaś na pewno nigdy by go nie znalazł. Czy nie po to zresztą jego przodkowie urządzali ten kraj? Żeby on mógł czuć to, co właśnie czuje, żeby mógł rościć sobie prawo do szczęścia?

Sam nie znał odpowiedzi na te pytania, więc odwrócił się i poszedł z powrotem do pensjonatu, gdzie czekał na niego Edward. Kilka następnych dni wyglądało tak samo: David budził się pierwszy, szedł nad rzekę, a później wracał i kontynuował swoje przesłuchanie, które Edward znosił cierpliwie, wręcz pobłażliwie. Tak, dziewczyną z portretu była Belle; nie, mężczyzna z dagerotypu to nie Aubrey, ale dawny kochanek, jeszcze z konserwatorium, jeśli jednak ta podobizna niepokoi Davida, to proszę... Widzisz? Zobacz, co robię! Edward ją spali, bo ten mężczyzna nic dla niego nie znaczy, już nie; tak, bilecik z wyznaniem był od jego matki. Nigdy nie brakowało mu wyjaśnień. David pochłaniał te wyjaśnienia jedno po drugim, aż pod wieczór znów czuł się skołowany i padał ze zmęczenia, a wtedy Edward rozbierał go i prowadził do łóżka – i cały cykl zaczynał się na nowo.

Nie mógł się uspokoić.

– Najdroższy Davidzie, jeśli dalej masz wątpliwości, to może nie powinniśmy się pobierać – powiedział pewnego popołudnia Edward. – Zostanę z tobą i tak, a twój majątek będzie bezpieczny.

– Więc n i e c h c e s z mnie poślubić?

– Ależ chcę! Oczywiście, że chcę! Ale jeżeli tylko w taki sposób mógłbym przekonać cię, że nie mam zamiaru ani chęci zagarnąć twoich pieniędzy...

– Tak czy owak, w Kalifornii nie uznano by naszego ślubu, więc nie byłoby to dla ciebie zbyt wielkie poświęcenie, prawda?

– Poświęcałbym się bardziej, gdybym dybał na twoje pieniądze, bo w takim przypadku poślubiłbym cię już teraz, ogołocił z majątku i zostawił. Ale nie mam takiego zamiaru, i właśnie stąd moja propozycja!

Przez następne miesiące i lata David często wspominał ten okres i sam nie wiedział, czy pamięć go nie zwodzi. Czy naprawdę była taka chwila, godzina, dzień, kiedy stanowczo i definitywnie nie mówiłby sobie, że kocha Edwarda i jego miłość pokona wszystkie niepewności, które krążyły mu po głowie pomimo Edwardowych zapewnień? A jednak nie, nie przypominał sobie ani jednego takiego epizodu, ani jednego olśnienia, które mógłby opatrzyć datą i uwiecznić na papierze. Po prostu z każdym kolejnym dniem nieobecności w domu przy placu Waszyngtona, z każdym kolejnym zignorowanym listem – najpierw od Dziadka, a później również od Elizy, od Johna, od Eden, od Frances, nawet od Norrisa – który wrzucił do ognia albo odłożył nieotwarty na stos przyniesionych z placu Waszyngtona listów Edwarda, z każdym ubraniem, każdą książką, każdym notatnikiem, który kazał sobie dostarczyć z domu Dziadka, z każdym kolejnym niewysłanym biletem do Christophera D., którego chciał poprosić o spotkanie i rozmowę, z każdym tygodniem, w którym znów nie zapytał Edwarda, czy rzeczywiście napisał do Belle z prośbą o potwierdzenie swojej relacji, i z każdym tygodniem, który mijał bez odpowiedzi Belle, deklarował swój zamiar rozpoczęcia innego życia, nowego życia, życia od zera.

W ten sposób minął prawie miesiąc i chociaż Edward nie zapytał go wprost, czy jednak wyjedzie z nim do Kalifornii, David nie zaprotestował, gdy Edward kupił dwa bilety na ekspres transkontynentalny, i nie zgłosił sprzeciwu, gdy jego rzeczy zniknęły w jednym z kufrów, wciśnięte między rzeczy Edwarda. Tymczasem Edward szalał – pakował, planował, paplał bezustannie – a im więcej okazywał entuzjazmu, tym David okazywał go mniej. Co rano przypominał sobie, że jeszcze może powstrzymać to, co zdawało się przesądzone, że nadal jest to w jego mocy, chociaż narazi go na wielkie i wieczne upokorzenie. Kiedy jednak nastawał wieczór, dawał się porwać odrobinę dalej żywiołowi Edwardowej ekscytacji, i tak z każdym dniem coraz dalej oddalał się od lądu. Nie chciał jednak stawiać oporu – bo i dlaczego? Jak cudownie, jak podniecająco było czuć się aż tak pożądanym przez Edwarda, który go pieścił i całował, i szeptał mu do ucha, jak bardzo go kocha, i nigdy nie prosił ani nie pytał o pieniądze, być rozbieranym z taką zachłanną niecierpliwością i czuć na sobie ten bezwstydnie chutliwy wzrok. Czy przeżył już kiedyś coś takiego? Nie, nigdy, a mimo to wiedział: t o jest szczęście, t o jest życie.

W chwilach względnego otrzeźwienia – tuż przed świtem – dostrzegał jednak, że miniony miesiąc nie upłynął bez zgrzytów. Tak mało wiedział, nigdy nie wykonywał prac domowych, zdarzało się, że jego ignorancja doprowadzała do napięć: nie umiał ugotować jajka, zacerować skarpetki, wbić gwoździa. W budynku pensjonatu nie było łazienki, a tylko umywalnia na zewnątrz; za pierwszym razem zmarznięty David zużył w niej całą wodę, która miała wystarczyć dla wszystkich mieszkańców, i Edward potraktował go obcesowo.

– To co ty umiesz? – warknął na Davida, gdy ten przyznał się, że nigdy nie rozpalał ognia, a przy innej okazji wytknął mu: – Nie wyżyjemy z twojego dziergania na drutach, rysunków i haftów – na co David wybiegł z domu i ze łzami w oczach wałęsał się po ulicach, a kiedy wrócił do pokoju, bo było zimno i nie miał dokąd pójść, Edward (przy trzaskającym ogniu) przywitał go z czułością i przeprosinami i zaprowadził prosto do łóżka, obiecując, że go rozgrzeje. Potem David spytał Edwarda, czy nie mogliby się przenieść gdzieś, gdzie byłoby więcej wygód i nowoczesnych urządzeń, ale Edward ucałował go w czoło pomiędzy oczami i powiedział, że muszą żyć skromnie, a on, David, tak czy owak, musi nauczyć się pewnych rzeczy, ponieważ przydadzą mu się one w Kalifornii, gdzie przecież zamieszkają na farmie. Więc David zaczął się starać. Ale nie odniósł większych sukcesów.

A potem nagle zostało pięć dni, cztery dni, trzy dni, dwa dni do wyjazdu, który przyspieszyli tak, że mieli dotrzeć do Kalifornii zaledwie parę dni po Belle. Zagracony dotychczas pokoik raptem opustoszał, gdyż cały ich dobytek spakowany został w trzy spore kufry (trzeci David kazał przysłać z placu Waszyngtona). Wieczorem przedostatniego dnia, który spędzali w mieście, Edward zasugerował, że dobrze byłoby zabezpieczyć przed wyjazdem wszystkie pieniądze, na jakie David może liczyć. Zaproponował, że nazajutrz wyjdzie rano i zrobi ostatnie zakupy na drogę, natomiast David – o czym żaden z nich nie wspomniał głośno – miał w tym czasie odwiedzić swojego dziadka.

Propozycja nie była nierozsądna, więcej – była nieunikniona. Gdy jednak David wyszedł rankiem z pensjonatu, aby zrobić to, co wydawało mu się ostatnią rzeczą w jego życiu tutaj, i zstąpił po wyszczerbionych schodkach na ulicę, poraziło go surowe, brudne piękno tego miasta: korony drzew ponad nim puszyły się maleńkimi jasnozielonymi listkami; końskie kopyta przyjemnie i dźwięcznie stukały o bruk; wszędzie wokół uwijali się ludzie: sprzątaczki szorowały mopami frontowe schody, węglarczyk z mozołem ciągnął za sobą pełny wózek, kominiarz z wiadrem pogwizdywał wesołą melodię. Na pozór nie miał z tymi ludźmi nic wspólnego, a jednak miał: to byli obywatele Wolnych Stanów, tworzyli ten kraj, to miasto razem z nim – oni swoją pracą, on swoimi pieniędzmi.

Wcześniej myślał o wzięciu dorożki, ale zamiast tego szedł wolno przed siebie, kierując się najpierw na południe, potem na wschód; jak we śnie przemierzał kolejne ulice, a jego stopy jakby same wiedziały, kiedy należy ominąć łajno, okrawek rzepy, przyczajonego dzikiego kota. Oczy dostrzegały to z opóźnieniem; czuł się jak wędrujący płomień, wypalający sobie drogę przez ukochane zaśmiecone ulice, po których chodził całe życie; podeszwy jego butów nie odciskały śladów, nie wydawały odgłosów, ludzie rozstępowali się, zanim zdążył oznajmić swoją obecność porozumiewawczym chrząknięciem. Kiedy więc wreszcie dotarł do siedziby Braci Bingham, był w stanie znacznego oddalenia od siebie, wręcz bujał w powietrzu, unosząc się wiele metrów ponad miastem – zniżył więc lot, wolniutko okrążył kamienny gmach i łagodnie wylądował na stopniach przed wejściem. Wkroczył do środka, tak samo jak to robił przez blisko dwadzieścia dziewięć lat – a przecież zgoła nie tak samo.

Przeszedł przez hall do drzwi, za którymi znajdowały się biura banku, wszedł, skręcił w lewo, tam spotkał się z bankierem odpowiedzialnym za konta ich rodziny i podjął całe swoje oszczędności; waluta Wolnych Stanów była honorowana na Zachodzie, lecz niechętnie, dlatego David z góry wydał dyspozycję, by wypłacono mu równowartość w złocie. Na jego oczach każdą sztabkę ważono, owijano w płótno i składano w czarnej skórzanej walizeczce zabezpieczonej paskami.

Wręczając mu walizeczkę, bankier – jakiś nowy, nieznany mu – ukłonił się z szacunkiem.

– Proszę przyjąć moje najlepsze życzenia szczęścia, panie Bingham – rzekł grobowym głosem, a Davidowi, któremu ciężar metalu wyrywał rękę, nagle zabrakło tchu i zdobył się zaledwie na skinienie głową.

Najwyraźniej znów wszyscy znali jego sekret, bo gdy pożegnał bankiera i po raz ostatni szedł długim, wyłożonym chodnikiem korytarzem do gabinetu Dziadka, miał wrażenie, że słyszy zbiorowy pomruk, prawie buczenie, chociaż nikogo po drodze nie spotkał. Dopiero przed zamkniętymi drzwiami gabinetu zobaczył Norrisa, który dziarskim krokiem wyszedł z poczekalni.

– Panie Davidzie – powiedział – pański dziadek oczekuje pana.

– Dziękuję, Norris – wyjąkał David. Ledwo dobywał głos; dławił się słowami.

Odwrócił się i już miał zapukać, gdy nagle Norris dotknął jego ramienia. David aż podskoczył. Norris nigdy nie dotykał ani jego, ani jego rodzeństwa, ale gdy przyjrzał się uważniej, spostrzegł łzy w oczach mężczyzny. Ten widok nim wstrząsnął.

– Życzę panu wszelkiego szczęścia, panie Davidzie – powiedział Norris i oddalił się.

David nacisnął mosiężną klamkę i wszedł do gabinetu. Zobaczył Dziadka, który wstawał zza biurka, ale nie kiwał na niego jak zwykle, lecz czekał, aż David zbliży się po miękkim dywanie, tak puszystym, że można było – jak to kiedyś w dzieciństwie zrobił David – upuścić na niego kryształową czarkę, a ona by się nie stłukła, ale odbiłaby się łagodnie od powierzchni. Natychmiast spostrzegł, że Dziadek zerka dyskretnie na jego walizeczkę, i nie miał wątpliwości, że wie, co jest w środku, że zna wartość zamkniętego tam złota co do centa. Siadając – Dziadek jak dotąd nie powiedział ani słowa – poczuł dymno-ziemisty zapach, więc przyjrzał się uważniej nalewaniu herbaty lapsang souchong do filiżanki i oczy znów go zapiekły od łez. Ale zaraz uświadomił sobie, że jest tylko jedna filiżanka i należy ona do Dziadka.

– Przyszedłem się pożegnać – przerwał nieznośnie gęstą ciszę, chociaż usłyszał drżenie własnego głosu, kiedy się odezwał. A po chwili, gdy Dziadek nie odpowiedział, spytał: – Nic mi nie powiesz?

Zamierzał ponownie przedstawić swoją sprawę – zaprzeczenia Edwarda, miłość Edwarda, uspokajające słowa Edwarda – lecz teraz zrozumiał, że nie musi tego robić. Miał u stóp walizkę złota, niczym skarb z bajki, i skarb ten należał do niego, a w odległości niespełna mili znajdował się mężczyzna, który go kochał i z którym David wybierał się w wielomilową podróż z nadzieją, że wzajemna miłość będzie im towarzyszyć – ponieważ w nią wierzył; ponieważ musiał wierzyć.

– Dziadku – odezwał się z wahaniem, a otrzymawszy w odpowiedzi odgłos siorbania herbaty, powtórzył wezwanie, później i jeszcze raz, aż w końcu krzyknął: – D z i a d k u! – A starzec milczał niewzruszony z filiżanką podniesioną do ust.

– Nie jest za późno, Davidzie – przemówił wreszcie, a brzmienie jego głosu: ton cierpliwości, ton autorytetu, w który nigdy nie miał potrzeby, powodu ani chęci zwątpić, napełniło Davida takim bólem, że omal nie zgiął się wpół i nie złapał za brzuch. – Możesz wybrać. Zdołam zapewnić ci bezpieczeństwo. Jeszcze zdołam zapewnić ci bezpieczeństwo.

Zrozumiał wówczas to, co wiedział od początku: że nigdy nie zdoła się wytłumaczyć – nigdy nie wystarczy mu argumentów, nigdy nie wystarczy mu słów, nigdy nie będzie nikim więcej niż wnukiem Nathaniela Binghama. Kimże był Edward Bishop wobec Nathaniela Binghama? Czym była miłość stająca naprzeciw wszystkiego, co symbolizował i czym był Dziadek? Jak on sam mógł się z tym mierzyć? Był nikim, był niczym; był mężczyzną zakochanym w Edwardzie Bishopie i, być może po raz pierwszy w życiu, robił coś, czego pragnął, coś, co go przerażało, ale co było jego własne. Wybierał głupio, być może, ale wybierał. Opuścił rękę, wsunął palce w uchwyt walizki, zacisnął dłoń i wstał.

– Żegnaj – wyszeptał. – Kocham cię, Dziadku.

Był w połowie drogi do drzwi, gdy Dziadek zawołał za nim strasznym, nieznanym mu dotychczas głosem:

– Jesteś głupcem, Davidzie!

Lecz on się nie zatrzymał, a gdy domykał za sobą drzwi, usłyszał jeszcze nie tyle wykrzyczane, ile wystękane swoje imię, dwie zdławione sylaby:

– David!

Nikt go nie zatrzymywał. Przeszedł raz jeszcze po wyłożonym chodnikiem korytarzu, przekroczył próg monumentalnych drzwi, przeciął ukosem marmurowy hall. A potem stał już na zewnątrz, tyłem do Braci Bingham, przodem do miasta.

Kiedyś, gdy on i jego rodzeństwo byli jeszcze całkiem mali, prawdopodobnie wkrótce po przeprowadzce na plac Waszyngtona, odbyli rozmowę z Dziadkiem o Niebie, a kiedy Dziadek wytłumaczył im, co to takiego, John natychmiast oświadczył: „Ja chciałbym, żeby moje było całe z lodów waniliowych", a David, który nie lubił wtedy niczego zimnego, wyraził sprzeciw. Jego Niebo miało być zrobione z ciastek. Wyobraził je sobie – faliste oceany z maślanego kremu; góry z biszkoptu; drzewa obwieszone kandyzowanymi wiśniami. Nie chciał pójść do Nieba Johna; wolał własne. Tamtego wieczoru, kiedy Dziadek przyszedł powiedzieć mu „dobranoc", David zapytał go z przejęciem: skąd Bóg może wiedzieć, czego chce każdy człowiek? Skąd może On mieć pewność, że każdy trafił do wymarzonego miejsca? Dziadek się śmiał. „Już On to wie, Davidzie. Wie, i stworzy tyle Nieb, ile będzie potrzeba".

A jeżeli to było Niebo? Czy poznałby się na nim? Może nie. Wiedział jednak, że Niebo nie było tam, skąd przyszedł: to było cudze Niebo, nie jego. Jego Niebo znajdowało się gdzie indziej, ale nie zamierzało samo mu się objawić – miał je znaleźć. Czy nie tego właśnie uczono go przez całe życie, czy nie na to kazano mieć nadzieję? Więc przyszedł czas szukania. Czas dzielności. Czas samotnej drogi. Postoi tu jeszcze chwilę z ołowianym ciężarem walizki w dłoni, a później weźmie głęboki wdech i postawi swój pierwszy krok: swój pierwszy krok w nowe życie; swój pierwszy krok – do raju.

Księga II

Lipo-Wao-Nahele

Część I

List dostarczono do biura w dniu przyjęcia. Rzadko dostawał pocztę, a jeśli już, to nie osobistą – na ogół były to oferty prenumeraty czasopism i dzienników prawniczych adresowane do „Asystenta Prawnego", których plik urzędnik z działu pocztowego rzucał na jedno z biurek – dlatego dopiero przy popołudniowej filiżance herbaty zadał sobie trud ściągnięcia gumowej opaski z pakietu kopert i przerzucenia korespondencji. Nagle ujrzał swoje nazwisko. Gdy odczytał adres zwrotny, zaparło mu dech tak intensywnie, że przez chwilę nie słyszał żadnych dźwięków poza gorącym świstem suchego wiatru.

Wetknął kopertę do kieszeni spodni i pospieszył do archiwum, najzaciszniejszego miejsca na tym piętrze, a znalazłszy się tam, przycisnął ją na moment do piersi, zanim wyciągnął list, w pośpiechu częściowo go rozrywając. Zreflektował się jednak w połowie i wsunął kartkę na powrót do koperty, złożył ją na pół i wcisnął do kieszonki koszuli. A potem musiał przysiąść na stercie starych ksiąg prawniczych i pochuchać w skulone dłonie, co zawsze czynił, gdy był zdenerwowany. Dopiero wtedy poczuł, że może wyjść z archiwum.

Gdy powrócił do biurka, była za kwadrans czwarta. Już wcześniej poprosił o pozwolenie wyjścia z pracy o czwartej, a teraz udał się do kierowniczki z pytaniem, czy mógłby wyjść kilka minut przed czasem. Naturalnie, odpowiedziała – to był spokojny dzień – do zobaczenia w poniedziałek. Podziękował i przełożył list do teczki.

– Dobrego weekendu – pożegnała go kierowniczka.

– Nawzajem – odrzekł.

Po drodze do windy musiał minąć gabinet Charlesa, ale nie zajrzał do niego, żeby się pożegnać, ponieważ ustalili, że bezpieczniej będzie udawać, że już nic ich nie łączy – nie wypadało, żeby starszy wspólnik firmy zadawał się z młodszym asystentem prawnym. Kiedy zaczęli się spotykać, zdarzało mu się przechodzić obok drzwi gabinetu Charlesa kilkanaście razy dziennie w nadziei, że podejrzy go przy jakimś prozaicznym zajęciu, im bardziej prozaicznym, tym lepiej: niechby to było przygładzanie włosów, czytanie memorandum, nagrywanie wiadomości na dyktafon, kartkowanie podręcznika prawa, gadanie przez telefon przy oknie z widokiem na rzekę Hudson, tyłem do drzwi. Charles nigdy nie okazał, że go zauważył, ale David był pewien, że wie o tych wycieczkach.

To, że Charles nie dawał nic po sobie poznać, stało się zresztą powodem jednej z ich pierwszych sprzeczek.

– No, powiedz sam, Davidzie, co ja mogę zrobić? – spytał go Charles bez cienia złośliwości którejś nocy w łóżku. – Przecież nie mogę zatrzymywać się w dziale asystentów, ilekroć przyjdzie mi na to ochota. Ani nawet dzwonić do ciebie. Laura widzi na swoim telefonie, do kogo dzwonię, i prędzej czy później wyciągnie prosty wniosek.

On nic na to nie odpowiedział i wcisnął twarz w poduszkę. Charles westchnął.

– Przecież nie chodzi o to, że n i e c h c ę się z tobą widzieć – tłumaczył łagodnie. – To po prostu skomplikowane. Wiesz, jak jest.

W końcu wypracowali sobie kod porozumienia: ilekroć on będzie mijał gabinet Charlesa, a Charles nie będzie akurat zajęty, odchrząknie i zakręci ołówkiem w palcach: to będzie sygnał, że widział Davida. Głupia metoda – David nigdy nie przyznałby się przed swoimi przyjaciółmi, że tak właśnie komunikuje się z Charlesem w biurze, zresztą oni i tak już odnosili się do Charlesa nieufnie – ale działała.

– Kancelaria Larsson & Wesley ma mnie przez cały dzień, ale ty masz mnie w nocy – powtarzał Charles i to także podziałało.

– Ale dziennych godzin jest więcej niż moich – powiedział mu kiedyś.

– Nieprawda – odparł Charles. – Ty masz weekendy i święta oprócz nocy.

Następnie sięgnął po kalkulator – Charles był jedyną osobą, z którą sypiał albo umawiał się na randki, trzymającą kalkulator na nocnym stoliku i regularnie korzystającą z niego podczas kłótni i dyskusji z kochankiem. Zaczął wciskać przyciski.

– Dwadzieścia cztery godziny na dobę, siedem dni w tygodniu – wyliczał. – Larsson & Wesley dostaje… ile? Dwanaście godzin na dobę przez pięć dni plus, niech ci będzie, siedem dodatkowych w weekendy. To w sumie sześćdziesiąt siedem. Tydzień ma sto sześćdziesiąt osiem godzin, minus sześćdziesiąt siedem; to znaczy, że co najmniej przez sto jeden godzin na tydzień jestem całkowicie i wyłącznie do twojej dyspozycji. I nie wliczam w to godzin, które spędzam w Larsson & Wesley albo na myśleniu o tobie, albo na usilnych próbach niemyślenia o tobie.

– Ile to godzin? – spytał on.

Obaj już się uśmiechali.

– Mnóstwo – odrzekł Charles. – Bez liku. Dziesiątki tysięcy dolarów w płatnych godzinach. To więcej, niż posiada którykolwiek inny z moich klientów.

Teraz przechodził przed drzwiami gabinetu Charlesa, a Charles odchrząknął i zakręcił ołówkiem między palcami. David uśmiechnął się: został zauważony. Teraz mógł odejść.

W domu wszystko było pod kontrolą. Tak mu powiedział Adams, gdy tylko wszedł:

– Wszystko jest pod kontrolą, panie Davidzie.

Adams jak zwykle wydawał się lekko zdziwiony – samym faktem istnienia Davida, jego obecnością w domu, obowiązkiem obsługiwania Davida, a teraz jeszcze jego przekonaniem, że może cokolwiek dodać do uroczystej kolacji, którą szykował od lat, więc dłużej, niż David był na świecie.

Kiedy przed rokiem wprowadzał się do domu, wielokrotnie prosił Adamsa, żeby go nazywał Davidem, a nie panem Davidem, ale

Adams nie chciał, a w każdym razie nigdy tego nie zrobił. Adams nigdy do niego nie przywyknie, a on nigdy nie przywyknie do Adamsa. Po jednej z pierwszych nocy spędzonych z Charlesem, kiedy leżeli w łóżku i godzili się po sprzeczce, o krok od seksu, usłyszał nagle wypowiedziane ponurym głosem imię Charlesa, więc zerwał się z okrzykiem i w drzwiach sypialni zobaczył Adamsa.

– Mogę podać zaraz śniadanie, panie Charlesie, chyba że woli pan poczekać.

– Poczekam, Adams, dziękuję.

Po wyjściu Adamsa Charles przyciągnął go z powrotem do siebie, ale David go odepchnął. Charles się roześmiał.

– Co to za odgłos wydałeś przed chwilą? – droczył się z Davidem, poszczekując piskliwie raz po raz. – Całkiem jak morświn – ocenił. – Uroczo.

– Czy on tak z a w s z e? – spytał David.

– Adams? Oczywiście. Wie, że lubię stały porządek dnia.

– To trochę niesamowite, Charles.

– Och, Adams jest nieszkodliwy – zapewnił go Charles. – Po prostu odrobinę staroświecki. Ale to świetny kamerdyner.

David miesiącami próbował porozmawiać z Charlesem na temat Adamsa, ale jakoś nic z tego nie wychodziło, po części dlatego, że nie umiał jednoznacznie wyrazić swoich obiekcji. Adams nigdy nie traktował go inaczej niż z ponurym, zdystansowanym szacunkiem. David jednak wiedział, że kamerdyner go nie aprobuje. Gdy powiedział o Adamsie swojej najlepszej przyjaciółce i byłej współlokatorce, Eden, ta przewróciła oczami.

– K a m e r d y n e r? – powtórzyła. – Nie zgrywaj się, Davidzie. Ten człowiek prawdopodobnie nienawidzi wszystkich absztyfikantów Chucka.

(Tak właśnie Eden nazywała Charlesa: Chuck. Teraz już wszyscy ich przyjaciele nazywali go Chuck).

– Ja nie jestem absztyfikantem – poprawił ją David.

– Och, racja, przepraszam. Ty jesteś jego c h ł o p a k i e m. – Wydęła usta i zatrzepotała rzęsami: nie była zwolenniczką ani monogamii, ani mężczyzn. – Wszystkich poza tobą, Davidzie – poprawiła się. – A ty się prawie nie liczysz.

– Wielkie dzięki – burknął David, a Eden się roześmiała.

Wiedział jednak, że to nieprawda, iż Adams nie aprobuje wszystkich chłopaków Charlesa, ponieważ podsłuchał kiedyś rozmowę Adamsa z Charlesem o jego byłym chłopaku, Olivierze, z którym Charles chodził, zanim poznał Davida.

– I dzwonił pan Olivier – mówił Adams, po czym przekazywał Charlesowi wiadomość od Oliviera, a stojący tuż przy otwartych drzwiach David słyszał zupełnie inny ton w głosie Adamsa.

– W jakim był nastroju? – spytał Charles, który nadal traktował Oliviera po przyjacielsku, ale widywali się nie częściej niż raz, dwa razy do roku.

– Doskonałym – powiedział Adams. – Proszę go ode mnie pozdrowić.

– Nie omieszkam – zapewnił go Charles.

Zresztą próby uskarżania się na Adamsa nie miały sensu, gdyż Charles nigdy by go nie odprawił. Adams został lokajem rodziców Charlesa, gdy ten miał kilkanaście lat, a po śmierci obojga jedynak Charles odziedziczył nie tylko dom, ale również Adamsa. David nigdy nie mógłby zdradzić tego swoim przyjaciołom: uznaliby zatrudnianie siedemdziesięciopięciolatka w zawodzie wiążącym się z wysiłkiem fizycznym za formę geriatrycznego wyzysku, mimo że Adams – o czym David wiedział – lubił swoje zajęcie, a Charlesa cieszyło, że może zapewnić mu pracę. Jego przyjaciele nie rozumieli, że niektórym ludziom jedynie praca daje poczucie rzeczywistej obecności w świecie.

– Wiem, że to wygląda anachronicznie, mieć kamerdynera – powiedział kiedyś Charles (tylko nieliczni jego znajomi mieli jeszcze lokajów, osobliwie ci, którzy byli od niego bogatsi lub pochodzili ze starszych majętnych rodzin) – ale gdy człowiek wychował się z kamerdynerem, trudno się wyzbyć tego nawyku. – Westchnął. – Nie oczekuję, że to zrozumiesz, że ktokolwiek to zrozumie – dodał.

David wtedy się nie odezwał.

– Ten dom jest w równym stopniu domem Adamsa, co moim – mawiał często Charles, a David wiedział, że w pewnym sensie mówi poważnie, nawet jeśli nie była to prawda. Zamieszkiwanie nie równa się posiadaniu, przypomniał Charlesowi, cytując wykładowcę z pierwszego roku studiów prawniczych, na co Charles chwycił go za gardło (wtedy również leżeli w łóżku). – Ty chcesz mi objaśniać reguły prawne? – zapytał żartem. – Ty? Mnie? Jesteś doprawdy uroczy.

„Nie zrozumiałbyś" – tym hasłem ucinał Charles ten i inne tematy, a kiedy tak robił, Davidowi migała nagle przed oczami twarz babki. Czy jego babka powiedziałaby kiedykolwiek, że ich dom jest w równym stopniu domem Matthew i Jane? Zapewne nie. Dom Binghamów należał wyłącznie do Binghamów, a jedynym sposobem na to, by zostać Binghamem, było się nim urodzić albo poślubić Binghama.

Zresztą ani Matthew, ani Jane na pewno nie przyszłoby nigdy do głowy traktować dom Binghamów jak swój. Adams, zdaniem Davida, musiał czuć tak samo: to był i zawsze będzie dom Charlesa. Adams może być jego częścią, ale najwyżej tak jak fotel czy etażerka – jako stały element, nieobdarzony jednak własnymi pragnieniami, motywacjami i poczuciem autonomii. Adams mógł się zachowywać, jakby był we własnym domu – wystarczyło spojrzeć na niego teraz, jak ignoruje koordynatorkę przyjęcia i sam wysyła dostawców potraw do kuchni, a meblarzy do jadalni – ale chociaż władzę miał niejako we krwi, to zawdzięczał ją w znacznej mierze powiązaniu z Charlesem, którego imię przywoływał wyłącznie w razie konieczności, a nawet wtedy nieczęsto.

– Przecież wiesz, że pan Griffith ich nie lubi – beształ teraz florystkę, która stała przed nim i próbowała coś tłumaczyć, przyciskając do piersi zielone plastikowe wiadro pełne częściowo rozwiniętych lilii wielkanocnych. – Już o tym mówiliśmy. Pan uważa, że ich zapach jest cmentarny.

– A ja tyle tego zamówiłam! – (Florystka już prawie płacze).

– W takim razie radzę ci skontaktować się z panem Griffithem, może potrafisz go przekonać – odparł wyniośle Adams, wiedząc doskonale, że florystka za nic tego nie zrobi, i rzeczywiście: odwróciła się na pięcie i poszła, wołając po drodze do swoich pomocnic: – Wszystkie lilie do wyrzucenia! – A cicho dodała: – Dupek.

David odprowadził ją wzrokiem w poczuciu osobistego triumfu. To on miał odpowiadać za kwiaty. Po ostatnim wielkim przyjęciu – wydanym wkrótce po jego wprowadzeniu się do Charlesa – wyraził opinię, że kwiaty były trochę bez wyrazu i zdecydowanie zbyt pachnące: za mocny zapach kwiatów odwraca uwagę od jedzenia.

– Masz słuszność – przyznał Charles. – Następnym razem ty będziesz odpowiadał za kwiaty.

– Poważnie?

– Oczywiście. Czy ja się znam na kwiatach? Ty jesteś ekspertem – powiedział Charles i pocałował go.

Wówczas wydało mu się to przywilejem, nagrodą, ale od tamtego czasu nauczył się, że kiedy Charles deklaruje ignorancję w jakiejś sprawie, to jedynie dlatego, że uważa temat za nieistotny. Umiał podkreślić swoją niewiedzę – w kwestii kwiatów, baseballu, futbolu, architektury modernistycznej, współczesnej literatury i sztuki, kuchni południowoamerykańskiej – w taki sposób, że brzmiała jak przechwałka: nie zna się na tym, bo nie warto się znać. A jeżeli ty się znasz, to niepotrzebnie tracisz czas – on ma ważniejsze sprawy, którymi zajmuje swój umysł i pamięć. Tak czy inaczej, nie doszło do tego: Charles pamiętał wprawdzie, że ma powiedzieć koordynatorce przyjęcia, żeby nie zatrudniała tej samej florystyki, ale zapomniał dodać, że kwiatami zajmie się David. A David przez cały ubiegły miesiąc planował swoje kwietne dekoracje, wydzwaniał do różnych kwiaciarni w Dzielnicy Kwiatowej z pytaniem, czy mogą sprowadzić na specjalne zamówienie stefanotis i proteę, i dopiero dwa tygodnie temu, kiedy popijali razem w salonie i Charles zagadnął Adamsa o najnowsze posunięcia koordynatorki przyjęcia – „Tak, wynajęła inną florystykę" – David zorientował się, że wcale nie odpowiada za kwiaty.

Odczekał z pytaniem, aż Adams wyjdzie z pokoju, ponieważ po pierwsze, starali się nie kłócić w obecności Adamsa, a po drugie, chciał przećwiczyć wypowiedź w myśli, żeby nie wyjść na mazgaja. Ale i tak wyszedł.

– Myślałem, że to ja nadzoruję kwiaty – powiedział, ledwo Adams zniknął za drzwiami.

– Słucham?

– Pamiętasz? Mówiłeś, że mogę.

– O Boże. Naprawdę?

– Tak.

– Nie pamiętam. Ale skoro mówisz, że tak było, to widocznie tak było. Och, Davidzie, najmocniej cię przepraszam. – A kiedy David nie odpowiadał, spytał: – Nie gniewasz się, prawda? To tylko głupie kwiaty. Davidzie. Zasmuciłem cię?

– Nie – skłamał.

– Przecież widzę, że jesteś smutny. Przepraszam, Davidzie. Zajmiesz się kwiatami przy następnej okazji, obiecuję.

David kiwnął głową i zaraz zjawił się z powrotem Adams, który oznajmił, że podano do stołu, więc przeszli obaj do jadalni. Przy jedzeniu David silił się na wesołość, żeby sprawić Charlesowi przyjemność, ale później, w łóżku, Charles odwrócił się do niego po ciemku i zapytał:

– Gniewasz się jeszcze, prawda?

Trudno mu było wytłumaczyć dlaczego – wiedział, że zabrzmi to małostkowo.

– Ja tylko chciałem ci pomóc… – zaczął. – Chciałem tylko poczuć, że coś tutaj r o b i ę.

– Ależ pomagasz mi – zapewnił go Charles. – Co noc jesteś tutaj ze mną, pomagasz mi.

– No… dzięki. Ale… chciałbym poczuć, że robimy coś razem, że p r z y c z y n i a m się do twojego życia. Czuję się tak, jakbym… jakbym tylko zajmował miejsce w tym domu, a właściwie nic tu nie robię, rozumiesz mnie?

Charles milczał.

– Rozumiem – rzekł wreszcie. – Następnym razem, Davidzie, obiecuję. I tak sobie myślę, może zaprosilibyśmy na kolację twoich przyjaciół? Wyłącznie twoich. Ty wszystkich moich już poznałeś, a ja twoich prawie wcale.

– Mówisz poważnie?

– Tak. To także twój dom; chcę, żeby twoi przyjaciele czuli się tu mile widziani.

Wtedy w nocy doznał ulgi, ale od tamtego czasu Charles nie ponowił swojej propozycji, a David mu o niej nie przypominał. Stało się tak trochę dlatego, że nie był pewien, czy Charles złożył ją całkiem serio, a trochę dlatego, że sam nie był pewien, czy chce, żeby jego przyjaciele poznali Charlesa. To, że jak dotąd nie zostali mu przedstawieni, chociaż związek Davida z Charlesem trwał już tak długo, było niezwykłe i zaczynało się robić podejrzane. Co ten David ukrywa? Czego nie chce im pokazać? Wiedzieli już, ile Charles ma lat i ile ma pieniędzy, i jak obaj się poznali, więc czego jeszcze się wstydził? Dlatego, owszem, chętnie przyszliby w odwiedziny, ale przyszliby po to, aby zebrać dowody i po kolacji w jakiejś kawiarni roztrząsać pytanie, dlaczego właściwie David związał się z Charlesem i co on może widzieć w mężczyźnie trzydzieści lat starszym od siebie.

– Ja wiem jedno. – David wyobrażał sobie odzywkę Eden.

Sam jednak często zastanawiał się, czy jedynie przez różnicę wieku czuje się przy Charlesie takim dzieckiem, jakim nigdy nie czuł się przy rodzonym ojcu, który był pięć lat młodszy od jego partnera. Jak choćby teraz: chował się na schodach łączących bawialnię z drugim piętrem, przykucnięty na stopniu, z którego miał doskonały widok na cały dół, sam pozostając niewidzialny; widział florystkę, która wciąż utyskując, rozcinała sznurki wiążące gałęzie jałowca, a tuż za nią dwaj meblarze w białych rękawiczkach dźwigali osiemnastowieczny kredens z jadalni i wolniuteńko, niczym trumnę, przenosili go do kuchni, gdzie miał pozostać na cały wieczór. W dzieciństwie David także chował się na schodach, podsłuchując kłótnie ojca z babką, a lata później kłótnie Edwarda z jego babką, w każdej chwili gotów się zerwać i uciec pod kołdrę do swojego pokoju.

Jego rola dziś wieczorem sprowadzała się do nadzorowania przygotowań.

– Jesteś inspektorem kontroli jakości – oznajmił mu Charles. – Masz za zadanie sprawdzić, czy wszystko wygląda jak należy.

On jednak wiedział, że jest to gest uprzejmości ze strony Charlesa – w rzeczywistości powierzona mu funkcja była niezauważalna i pozbawiona autorytetu. Jego pomysły, jego opinie nie miały większego znaczenia. Tu, w domu Charlesa, jego sugestie były tak samo nieznaczące jak w pracy.

– Litowanie się nad sobą to brzydka cecha w przypadku mężczyzny – usłyszał w wyobraźni głos babki.

A w przypadku kobiety?

– Też brzydka, ale zrozumiała – odrzekłaby babka. – Kobieta ma znacznie więcej powodów do litowania się nad sobą.

Wiedział, że jego prawdziwym zadaniem tego wieczoru (jak każdego wieczoru) jest dobrze wyglądać i robić wrażenie, a to przynajmniej potrafił, więc wstał i wszedł po schodach do sypialni, którą dzielił z Charlesem. Jeszcze pięć lat temu, zanim Charles kupił nieduże mieszkanko w bloku oddalonym o jedną przecznicę na północ, Adams sypiał bezpośrednio nad tym pokojem, na czwartym piętrze, w obecnym apartamencie dla gości. David wyobrażał sobie Adamsa, nadal w czarnym garniturze, jak klęczy z uchem wciśniętym w dywan i nasłuchuje, co dzieje się u Charlesa i Oliviera. Nie lubił tej myśli, bo Adams miał w niej zawsze odwróconą głowę i nie sposób było odgadnąć jego miny – a jednak ona stale do niego wracała.

Dzisiejsze przyjęcie wydawano na cześć kolejnego ekschłopaka Charlesa, jednak tak dawnego – jeszcze ze szkoły z internatem – że David nie czuł zagrożenia ani zazdrości. Peter był pierwszą osobą, z którą Charles się przespał, kiedy sam miał czternaście lat, a Peter szesnaście, i od tamtego czasu się przyjaźnili. Ich relacja bywała okresowo erotyczna, może przez kilka miesięcy albo nawet lat, lecz nie w ostatniej dekadzie.

Teraz jednak Peter przygotowywał się na śmierć. Dlatego przyjęcie wydawano w piątek, a nie, jak Charles najbardziej lubił, w sobotę – ponieważ na sobotę Peter miał bilet do Zurychu, gdzie zamierzał spotkać się z dawnym szwajcarskim kolegą z college'u, a obecnie lekarzem, który zgodził się zrobić mu zastrzyk z barbituranów zatrzymujący pracę serca.

Davidowi ciężko było sobie wyobrazić, jak Charles czuje się w związku z tą sprawą. Martwił się, to oczywiste – „Martwię się", powiedział – ale co właściwie znaczyło „martwić się"? Charles nigdy nie płakał, nigdy się nie złościł, nie popadał w stupor. Całkiem inaczej niż David siedem lat temu po śmierci swojego pierwszego przyjaciela, a później po śmierci następnych. O decyzji Petera Charles powiedział Davidowi całkiem zwyczajnie, wręcz jakby mimochodem, a gdy ten przyjął wiadomość z przerażeniem i prawie płaczem (chociaż nie znał Petera za dobrze i niezbyt go lubił), Charles musiał go pocieszać. Charles chciał jechać z Peterem do Szwajcarii, ale Peter odmówił – stwierdził, że byłoby to dla niego za trudne. Spędzi z Charlesem swój ostatni wieczór, ale nazajutrz rano wsiądzie do samolotu tylko z pielęgniarzem wynajętym do towarzystwa.

– Przynajmniej nie zabije go choroba – powiedział Charles. Często to powtarzał, czasem zwracając się do Davida, a czasem do nikogo, jakby wydawał obwieszczenie, chociaż i tak tylko David go słyszał. – Przynajmniej to nie choroba, przynajmniej nie na nią umrze. – Peter umierał na szpiczaka mnogiego, z którym przeżył dziewięć lat.

– A teraz mój czas się skończył – mówił z rozmyślną, ironiczną wesołością do ich, swojego i Charlesa, dawno niewidzianego znajomego przy tej kolacji. – Nie ma już odroczenia dla starego biedaczyny.

– Czy to…

– Och nie, daj spokój. Niestety, nudny stary rak.

– Nigdy nie nadążałeś za modą, Peter.

– Osobiście wolę myśleć, że to zamiłowanie do tradycji. Tradycje są ważne. Ktoś je musi podtrzymywać.

David włożył garnitur – wszystkie dobre garnitury kupił mu Charles, ale przestał nosić je do pracy po uwadze jednego z asystentów – i dobrał krawat, jednak postanowił z niego zrezygnować. Sam garnitur wystarczy. Był jedynym znanym sobie dwudziestopięciolatkiem, który nosił garnitury poza miejscem pracy, wyłączając Eden, ale ona nosiła je prowokacyjnie. Podchodząc do swojej strony szafy, by odwiesić krawat, minął swoją torbę i wciśnięty w jej boczną kieszeń list.

Usiadł na łóżku i patrzył na kopertę. Niczego dobrego się po niej nie spodziewał. Na pewno chodzi o ojca, zła wiadomość, trzeba będzie jechać do domu, do prawdziwego domu, i zobaczyć się z tym, który pod pewnymi względami przestał być dla niego realny: był zjawą, kimś, kto nawiedza sny Davida, kto dawno temu oddalił się od sfery świadomości i przebywał w swoim świecie, a dla niego przepadł. Przez dziesięć lat, odkąd widział go ostatni raz, David robił, co mógł, żeby o nim nie myśleć, bo myślenie o nim przypominało wejście w nurt tak potężny, że można się było z niego więcej nie wyłonić. Nurt ten porwałby go daleko od lądu, skąd nie ma już powrotu. Codziennie budził się i ćwiczył niemyślenie o ojcu, tak jak sportowiec ćwiczy sprinty, a muzyk gamy. A teraz jego pilność miała zostać zaprzepaszczona. To, co było w kopercie, miało otworzyć serię rozmów z Charlesem, a przynajmniej jedną niezmiernie długą i ciężką rozmowę, którą przyjdzie mu zacząć od oznajmienia Charlesowi, że musi wyjechać. „Dlaczego?" – spyta Charles. A później: „Dokąd? Do kogo? Przecież mówiłeś, że nie żyje. Zaczekaj, powoli – o kim mówisz?".

Nie, nie odbędzie tej rozmowy dziś wieczorem, tak postanowił. Dzisiaj było przyjęcie Petera. Opłakał już swojego ojca, opłakiwał go latami, więc dziś, cokolwiek jest w tej kopercie, może poczekać. Zagrzebał list głęboko w torbie, tak jakby odczytanie go było aktem ucieleśnienia jego treści, i list zawisł gdzieś pomiędzy Nowym Jorkiem a Hawajami; był czymś, co prawie się wydarzyło, ale co on, nie dopuszczając tego do siebie, jeszcze powstrzymywał.

Przyjęcie rozpoczynało się o siódmej. Charles obiecał, że zjawi się w domu przed szóstą, jednak o szóstej piętnaście wciąż nie było go widać. David stał przy oknie, wyglądał na ulicę i na cienistą scenę placu Waszyngtona i czekał, aż pojawi się Charles.

Gdy studiował w college'u, uczelniany klub teatralny wystawił sztukę o dziewiętnastowiecznej dziedziczce pragnącej poślubić mężczyznę, który – zdaniem jej ojca – zalecał się do niej tylko dla pieniędzy. Dziedziczka była brzydka, a jej amant był przystojny, dlatego nikt – ani jej ojciec, ani zrzędliwa ciotka stara panna, ani jej przyjaciele, ani publiczność, ani może nawet autor sztuki – nie wierzyli, że mogła naprawdę oczarować swojego wybranka; wyłącznie jedna dziedziczka myślała inaczej. Upór jej wiary miał dowodzić głupoty, ale David widział w nim hart ducha zrodzony z wielkiej pewności siebie, ten sam, który podziwiał u Charlesa. W scenie otwierającej drugi akt pannica stała w oknie swojego domu, ubrana w suknię z szeleszczącego jedwabiu brzoskwiniowej barwy. Jej włosy, rozdzielone przedziałkiem pośrodku, ściągnięte były w kok na karku, lecz dwa grajcarki zwieszały się po obu stronach okrągłej, sympatycznej twarzy. Minę miała spokojną i beztroską, a dłonie, jedną na drugiej, trzymała na wysokości talii. Wyglądała swojego ukochanego; była pewna, że po nią przyjdzie.

Teraz on stał w podobnej pozie i czekał na swojego ukochanego. Miał mniej powodów do niepokoju niż dziedziczka, mimo to się denerwował. Ale dlaczego? Charles go kocha, zawsze będzie się o niego troszczył, zapewnił mu życie, na jakie jego samego nigdy nie byłoby stać, więc cóż z tego, że czuł się czasami jak statysta wypchnięty na scenę w połowie sztuki, której tekstu nie pamięta, więc szuka podpowiedzi w kwestiach innych aktorów z nadzieją, że przypomni mu się własna rola.

Gdy półtora roku temu poznał Charlesa, mieszkał z Eden w kawalerce na rogu Ósmej Ulicy i alei B. Eden twierdziła, że ich ulica – z jęczącymi pijaczkami, którzy wrzeszczeli za człowiekiem bez powodu, a najwyżej po to, aby go wystraszyć, i długowłosymi chłopakami, których od czasu do czasu znajdowali rankiem nieprzytomnych na swoim progu – jest „ekscytująca", ale on się z nią nie zgadzał. Nauczył się wychodzić do biura punktualnie o siódmej rano: wcześniej można było natknąć się na wczorajszych imprezowiczów i sfrustrowanych dilerów, a później mijało się pierwszych porannych żebraków mamroczących prośby o datki na swojej trasie z parku na placu Tompkinsa do St. Marks Place.

– Masz ćwierć dolara? Masz ćwiartkę? Masz ćwiartkę? – napraszali się.

– Nie mam, przepraszam – wymamrotał któregoś ranka z głową spuszczoną jakby ze wstydu, usiłując wyminąć żebraka.

Na ogół to wystarczało, ale tym razem mężczyzna – biały, z potarganą jasną brodą skołtunioną z brudu i obwiązaną kawałkiem drutu w plastikowej osłonce – poszedł za nim, trzymając się tak blisko, że David czuł, jak tamten wręcz następuje mu na pięty.

– Łżesz – wysyczał żebrak, zionąc smrodem papryki i wieprzowiny. – Po co łżesz? Słyszę, jak ci brzęczy w kieszeni: masz tam pełno drobnych. Po co łżesz? Bo jesteś jednym z nich, hiszpaniec pierdolony, hiszpaniec pierdolony, nie?

Wystraszył się – było dopiero wpół do ósmej, na ulicy prawie pusto, ale parę osób przystanęło i gapiło się na nich, jakby odgrywali komedię ku uciesze miejskiej gawiedzi. (Właśnie za to znienawidził Nowy Jork: że jego mieszkańcy szczycą się ignorowaniem wielkich sław, ale z nieskrywaną lubością śledzą małe dramaty zwykłych ludzi rozgrywające się na ulicy). Doszedł już prawie do Trzeciej Alei i oto miasto, co rzadko się zdarza, przyszło mu na pomoc: do jego przystanku dojeżdżał właśnie autobus – dziesięć kroków i będzie bezpieczny. Dziesięć, dziewięć, osiem, siedem. Już wsiadał, ale odwrócił się w drzwiach i głosem, jeszcze cienkim ze strachu, wrzasnął do brodacza:

– Nie jestem hiszpańcem!

– Aha! – odwarknął tamten, nie zdradzając zamiaru wejścia do autobusu. W jego głosie zabrzmiała nuta rozweselenia z powodu uzyskanej odpowiedzi. – Jebany żółtek! Jebany chiniec! Jebany pedał! Jebany makaroniarz! Pierdol się, gnoju!

Po zamknięciu drzwi brodacz pochylił się, a kiedy autobus ruszył, coś rąbnęło głośno w bok pojazdu, więc David odwrócił się i wyjrzał przez tylne okno: żebrak kuśtykał w jednym bucie w stronę środka jezdni, gdzie leżał jego drugi but.

Zanim dotarł do biura, przespacerował się Pięćdziesiątą Szóstą Ulicą do Broadwayu i zdołał ochłonąć, ale wtedy dostrzegł kątem oka swoje odbicie w szybie i uprzytomnił sobie, że wieczne pióro mu przecieka i całą prawą stronę koszuli ma przesiąkniętą granatowym atramentem. Na górze poszedł zaraz do łazienki, którą z niewiadomego powodu zastał zamkniętą, więc spanikowany, prawie bez tchu, udał się do łazienki dyrektorskiej, na szczęście pustej. Zaczął gorączkowo wywabiać atrament papierowym ręcznikiem i plama odrobinę zjaśniała, ale wciąż niewystarczająco. Ponadto teraz miał niebieskie palce i policzek. Co robić? Dzień był ciepły, więc David nie włożył marynarki. Powinien teraz wyjść do sklepu i kupić nową koszulę, ale nie miał pieniędzy – ani na koszulę, ani na to, żeby zrezygnować z zapłaty za godzinę, którą zajęłoby mu jej kupowanie.

Czyścił więc dalej, przeklinając pod nosem, gdy nagle drzwi się otworzyły. Podniósł oczy i ujrzał Charlesa. Słyszał o nim: był to jeden ze starszych wspólników, podobno przystojny. Dotychczas niespecjalnie o nim myślał – wystarczało mu wiedzieć, że Charles ma władzę i jest stary. Zastanawianie się nad jego urodą było w związku z tym bezproduktywne i potencjalnie niebezpieczne. David wiedział, że sekretarki także uważają Charlesa za przystojniaka. Wiedział również, że Charles nie jest żonaty – był to temat spekulacji sekretarek. Kiedyś podsłuchał, jak jedna pyta szeptem drugą:

– Myślisz, że on jest homoseksualistą?

– Pan Griffith? – oburzyła się ta druga. – Skąd! On nie jest taki jak tamci.

Zaczął przepraszać – że jest w łazience dyrektorskiej, że jest upaprany atramentem, że żyje.

Charles zignorował jego przeprosiny.

– Pan wie, że ta koszula jest do wyrzucenia, prawda? – zapytał, a David spojrzał znad swojej plamy i zobaczył, że Charles się uśmiecha. – Domyślam się, że nie ma pan innej.

– Nie – przyznał. – Nie, sir.

– Charles – poprawił go z uśmiechem. – Charles Griffith. Rękę podam panu później.

– Tak, oczywiście. Jestem David Bingham.

Poskromił odruch ponownego przeproszenia za to, że wtargnął do łazienki dyrektorskiej. „Żadna ziemia nie jest czyjąś własnością" – powtarzał mu w dawnych czasach Edward, kiedy jeszcze nosił imię Edward. „Masz prawo być wszędzie, gdzie chcesz". Ciekawe, czy Edward zastosowałby tę samą zasadę do łazienki dyrektorskiej w kancelarii prawniczej na Manhattanie. Zapewne tak, chociaż samo pojęcie kancelarii prawniczej, kancelarii prawniczej w Nowym Jorku, Davida pracującego w kancelarii prawniczej w Nowym Jorku zniesmaczyłoby go, jeszcze zanim dostrzegłby absurdalność tworzenia osobnych łazienek dla różnej rangi pracowników kancelarii prawniczej. „Wstydź się, Kawika. Wstydź się. Nie tego cię uczyłem".

– Proszę tutaj poczekać – powiedział Charles i wyszedł, a David spojrzał w lustro i na widok rozmiarów swojego niechlujstwa (nad prawym okiem miał atramentową plamę, która wsiąkła w skórę i wyglądała jak siniak) wziął kłąb papierowych ręczników i wszedł do jednej z kabin, na wypadek gdyby do łazienki wszedł jakiś inny dyrektor. Lecz kiedy drzwi otwarły się ponownie, ukazał się w nich sam Charles z płaskim pudełkiem pod pachą.

Rozejrzał się i spytał:

– Gdzie pan jest?

David wyjrzał zza uchylonych drzwi kabiny.

– Tutaj – powiedział.

– Co pan tam robi, chowa się? – spytał z rozbawioną miną Charles.

– Nie powinno mnie tutaj być – powiedział. – Jestem asystentem prawnym – dodał tytułem wyjaśnienia.

Charles uśmiechnął się szerzej.

– No, asystencie – powiedział, unosząc pokrywkę pudła, w którym leżała biała koszula, czysta i poskładana – nic lepszego nie mam. Pewnie będzie na pana trochę za duża, ale lepsze to niż pokazać się ludziom jako zjawisko nie z tej ziemi, mam rację?

– Albo topless – wyrwało się Davidowi, a Charles spojrzał na niego przenikliwie i z uznaniem.

– Właśnie – rzekł po chwili milczenia. – Albo topless. Nie możemy na to pozwolić.

– Dziękuję panu – powiedział David, odbierając pudło od Charlesa. Po dotyku bawełny poznał, że to droga koszula, mimo to usmarowanymi atramentem palcami powyciągał zabezpieczające ją klipsy i kartonik spod kołnierzyka, po czym porozpinał guziki. Już miał powiesić czystą koszulę na drzwiach kabiny i zacząć rozpinać tę, którą miał na sobie, gdy Charles wyciągnął rękę i powiedział:

– Pan pozwoli. – Po czym udrapował sobie nową koszulę na zgiętym przedramieniu, przybierając karykaturalną pozę staroświeckiego kelnera, a David zaczął się rozbierać. Wydało mu się, że grubiaństwem byłoby zamknąć teraz drzwi kabiny i domagać się prywatności, zwłaszcza że Charles ani drgnął. Stał w milczeniu i przyglądał się, jak David rozpina koszulę, zdejmuje ją, zamienia na tę, którą on trzymał, a potem ją z kolei zapina. David był doskonale świadomy świstu ich oddechów oraz tego, że nie miał na sobie podkoszulka, i tego, że dostaje gęsiej skórki, chociaż w łazience nie było specjalnie chłodno. Gdy dopiął ostatni guzik i upchnął koszulę w spodnie – odwracając się plecami do Charlesa, żeby rozpiąć pasek: cóż to za niezgrabny i pozbawiony wdzięku proces, to rozbieranie się i ubieranie – podziękował Charlesowi ponownie.

– Dziękuję za potrzymanie mi koszuli – powiedział. – I w ogóle za wszystko. Wezmę tę brudną.

Ale Charles uśmiechnął się szeroko.

– Chyba lepiej będzie, jak ją pan po prostu wyrzuci – poradził. – Nie sądzę, żeby była do uratowania.

– No tak – zgodził się David, ale nie dodał, że musi podjąć próbę prania: miał zaledwie sześć koszul, więc nie stać go było na to, by jedną stracić.

Koszula Charlesa otaczała go balonem świeżej, suchej bawełny, a gdy wyszedł z kabiny, Charles zaśmiał się cicho i powiedział:

– Zapomniałem o tym drobiazgu.

David spojrzał w dół na lewą stronę, gdzie, tuż powyżej poziomu nerki, widniały wyhaftowane na czarno inicjały Charlesa: CGG.

– Cóż – rzekł Charles. – Na pana miejscu jakoś bym to zasłonił. Nie możemy dopuścić, żeby ludzie wzięli pana za złodzieja mojej koszuli. – Puścił oko do Davida i wyszedł, a David stał dalej, ogłupiały. Chwilę później drzwi otworzyły się ponownie i ukazała się w nich twarz Charlesa.

– Nadchodzi Delacroix – oznajmił. Delacroix był dyrektorem zarządzającym firmy. To rzekłszy, Charles jeszcze raz puścił oko i znikł.

– Witam – powiedział Delacroix, taksując Davida wzrokiem: najwyraźniej go nie poznawał, ale zastanawiał się, czy aby nie powinien. Nieznajomy nie wyglądał wprawdzie jak ktoś upoważniony do korzystania z łazienki dyrektorów, lecz ostatnio każdy poniżej pięćdziesiątki wyglądał dla Delacroix jak dziecko, więc kto wie? Może ten gość także jest wspólnikiem firmy.

– Witam – odrzekł z wymuszoną pewnością siebie David i szybko wyszedł.

Przez resztę dnia trzymał zgiętą rękę na brzuchu, zasłaniając monogram. (Później, w nocy, przyszło mu do głowy, że mógł go po prostu zakleić skrawkiem papieru). Ale, choć nikt tego nie zauważył, czuł się naznaczony i napiętnowany. Kiedy wychodząc z archiwum, zobaczył Charlesa, który szedł w jego stronę z innym wspólnikiem, zaczerwienił się i omal nie upuścił książek; dojrzał jeszcze plecy Charlesa, zanim ten zniknął za rogiem. Pod koniec dnia był wyczerpany, a w nocy jego ręka sama układała się na torsie, już przyuczona do uległości.

Następnym dniem była sobota. Pomimo energicznego szorowania okazało się, że Charles miał rację: koszula nadawała się do wyrzucenia. David bił się z myślą, czy uprać i wyprasować koszulę Charlesa samemu. Oznaczałoby to dorzucenie jej do worka z własnymi brudami, z którym udałby się do pralni automatycznej. Niemniej myśl o włożeniu tej koszuli do siatki zawierającej jego własne majtki i podkoszulki jakoś go żenowała. Należało więc zanieść koszulę do pralni chemicznej i wydać na to pieniądze, których nie miał.

W poniedziałek postarał się zjawić w firmie wyjątkowo wcześnie. Szedł już w stronę drzwi Charlesa, gdy uświadomił sobie, że nie może tak po prostu zostawić pudła pod jego gabinetem. Zatrzymał się, niepewny, co ma zrobić, gdy nagle obok niego wyrósł Charles – w garniturze, pod krawatem, z teczką, z tą samą rozbawioną miną, z którą patrzył na niego przed weekendem.

– Witam asystenta Davida.

– Dzień dobry. Ekhem… chciałem oddać panu koszulę. – (Poniewczasie pomyślał, że powinien był przynieść coś dla Charlesa w podziękowaniu, chociaż nic konkretnego nie przychodziło mu do głowy). – Dziękuję… dziękuję bardzo. Uratował mnie pan. Jest czysta – dodał głupkowato.

– Spodziewam się – odrzekł Charles, nadal z uśmiechem. Otworzył drzwi do gabinetu, wziął od Davida pudełko i położył je na biurku. A David czekał w drzwiach. – Wie pan co? – odezwał się po chwili milczenia Charles, odwracając się z powrotem do Davida. – Myślę sobie, że po czymś takim jest mi pan winien przysługę.

– Czyżby? – wykrztusił z trudem David.

– Tak mi się zdaje – odparł Charles i podszedł bliżej. – Uratowałem pana, nieprawdaż? – Znowu się uśmiechnął. – Więc może zje pan kiedyś ze mną kolację?

– Och – wyrwało mu się. – Och. Okej. Tak.

– To dobrze – powiedział Charles. – Zadzwonię do pana.

– Och – powtórzył bez sensu. – Oczywiście. Tak. Okej.

W gabinecie nie było poza nimi nikogo, a jednak obaj mówili ściszonymi głosami, prawie szeptem, a kiedy David wrócił do działu asystentów, twarz mu pałała.

Umówili się na obiad w najbliższy czwartek. Tego dnia David, posłuszny instrukcjom Charlesa, wyszedł z pracy pierwszy, o siódmej trzydzieści, i sam udał się do restauracji, w której było ciemno i cicho. Posadzono go w jednym z boksów i wręczono mu wielkie menu w skórzanym futerale. Parę minut po ósmej zjawił się Charles. David patrzył z daleka, jak szef lokalu go wita i szepcze mu coś do ucha, na co Charles uśmiecha się i przewraca oczami. Gdy usiadł przy stoliku, zaraz podano mu martini, bez zamawiania.

– On też się napije – powiedział do kelnera Charles, ruchem głowy wskazując Davida, a gdy przyniesiono drugie martini, z ironiczną miną wzniósł swój kieliszek i dotknął nim kieliszka Davida. – Za niewybuchające pióra – powiedział.

– Za niewybuchające pióra – powtórzył jak echo David.

Wspominając później tamten wieczór, zrozumiał, że była to pierwsza w jego życiu prawdziwa randka. Charles zamówił dania dla nich obu (krwisty rostbef wołowy ze szpinakiem i pieczonymi ziemniakami z rozmarynem) i to on prowadził rozmowę. Niebawem stało się jasne, że miał pewne wyobrażenia o Davidzie, a ten ich nie poprawiał. Swoją drogą domysły Charlesa były w większości słuszne: David *był* biedny. *Nie miał* znakomitego wykształcenia. *Był* naiwny. Nigdzie nie podróżował. A jednak za tymi faktami kryły się inne, które Charles w sądzie określiłby jako okoliczności łagodzące: David nie zawsze był biedny. Otarł się o znakomite wykształcenie. Nie był kompletnie naiwny. I mieszkał kiedyś gdzieś, gdzie ani Charles, ani nikt inny z jego znajomych nigdy nie dotrze.

Byli już w połowie rostbefu, kiedy David uprzytomnił sobie, że jak dotąd nie zadał Charlesowi ani jednego osobistego pytania.

– Och nie, o czym tu mówić? Obawiam się, że jestem strasznie nudny – bronił się Charles z nonszalancją, na jaką mogą sobie pozwolić ludzie, którzy wiedzą, że wcale nie są nudni. – Dojdziemy i do mnie. Teraz proszę mi opowiedzieć o swoim mieszkaniu.

Więc David, odurzony zarówno ginem, jak i tym, że pierwszy raz w życiu traktowano go jak źródło ogromnej fascynacji i mądrości, opowiedział: o myszach i zaświnionych niszach okiennych, o smętnej drag queen, która upodobała sobie próg ich domu na miejsce odpoczynku i o drugiej nad ranem wyśpiewywała basem swoją ulubioną balladę, *Waltzing Matilda*, i o swojej współlokatorce, Eden, która była przede wszystkim malarką, ale pracowała jako korektorka w domu wydawniczym. (Nie wspomniał, że Eden dzwoni do niego do biura codziennie o trzeciej po południu i gadają przez godzinę, a wtedy on mówi szeptem i udaje ataki kaszlu, żeby zamaskować wybuchy śmiechu).

– Skąd jesteś? – spytał Charles, gdy już naśmiechał się i naśmiał ze wszystkich anegdot Davida.

– Z Hawajów – odrzekł i zanim Charles zdążył zadać następne pytanie, dodał: – Z O'ahu. Honolulu.

Charles tam był, oczywiście, każdy tam był, więc przez chwilę David wymijająco opowiadał o swoim życiu. Tak, ma tam jeszcze rodzinę. Nie, nie są zżyci. Nie, jego ojciec nie żyje. Nie, matki nigdy nie poznał. Nie, żadnego rodzeństwa; jego ojciec też był jedynakiem. Tak, ma babkę ze strony ojca.

Charles słuchał z przekrzywioną głową i przyglądał mu się przez chwilę.

– Mam nadzieję, że to nie zabrzmi niegrzecznie – powiedział w końcu – ale kim jesteś? Czy jesteś... – Urwał, speszony.

– Hawajczykiem – odrzekł z uporem David, chociaż nie była to cała prawda.

– Ale twoje nazwisko...

– Nadali mi je misjonarze. Od początku dziewiętnastego wieku amerykańscy misjonarze zaczęli masowo przybywać na wyspy; wielu z nich pożeniło się z Hawajkami.

– Bingham... Bingham... – powtarzał z namysłem Charles i David wiedział już, co zaraz usłyszy. – Jeden z akademików w Yale nazywa się Bingham Hall. Mieszkałem w nim na drugim roku studiów. Masz z nim coś wspólnego?

Już się uśmiechał z uniesionymi brwiami. Już zakładał, że odpowiedź będzie negatywna.

– Tak, ten Bingham to mój przodek.

– Doprawdy – powiedział Charles i odchylił się na oparcie. Uśmiech zszedł mu z twarzy. Milczał, a David zrozumiał, że po raz pierwszy zaskoczył Charlesa, zaskoczył i zbił z pantałyku, i że Charles teraz zastanawia się, czy jego wstępna ocena Davida w ogóle była słuszna. Jak dotąd spędził z Charlesem mniej niż godzinę, ale już wiedział, że Charles nie lubi być zaskakiwany, nie lubi być zmuszany do zmiany zdania, na które już się zdecydował. Później, gdy wprowadził się do Charlesa, wspominał czasem tamten moment z refleksją, że mógł wtedy z łatwością odmienić losy ich związku – wystarczyłoby zamiast odpowiedzi, której wówczas udzielił Charlesowi, powiedzieć coś w rodzaju: „Och, tak, pochodzę z najstarszego rodu na Hawajach. Jestem potomkiem królów. Tam wszyscy wiedzą, kim jesteśmy. Gdyby sprawy potoczyły się inaczej, zostałbym królem". I byłaby to prawda.

Ale jaki sens miała ta prawda? Gdy studiował w swoim trzeciorzędnym college'u, zdradził ją kiedyś swojemu ówczesnemu chłopakowi – który grał w lacrosse i poza sypialnią albo Davida lekceważył, albo udawał, że w ogóle go nie ma – relacjonując mu skróconą historię swojej rodziny, a wtedy tamten go ofuknął:

– Bardzo śmieszne, stary. A ja pochodzę w prostej linii od angielskiej królowej. Jesteśmy kwita.

David upierał się przy swoim, aż w końcu chłopak przekręcił się na drugi bok, plecami do niego, znudzony jego bajeczkami. To nauczyło Davida nic o sobie nie mówić, bo łatwiej i lepiej było kłamać niż budzić niedowierzanie. Jego rodzina była zamkniętą przeszłością, lecz mimo to nie chciał wysłuchiwać kpin na jej temat; nie chciał, żeby mu przypominano, że przedmiot dumy jego babki jest dla większości ludzi pośmiewiskiem. Nie chciał myśleć o swoim biednym, straconym ojcu.

Powiedział więc:

– Jesteśmy ze zubożałej gałęzi rodu.

Charles roześmiał się z wyraźną ulgą i rzekł:

– Zdarza się nawet w najlepszej rodzinie.

W milczeniu jechali taksówką do centrum. Charles, patrząc prosto przed siebie, położył rękę na jego kolanie. David wziął ją i przesunął w okolice krocza, zerkając w mroku na profil Charlesa, który zmienił się pod wpływem uśmiechu. Tamtego wieczoru rozstali się w czystości – Charles wysadził go z taksówki przy Drugiej Alei, ponieważ David wstydził się pokazać mu dom, w którym wtedy mieszkał; dom Charlesa znajdował się o milę dalej na zachód, ale równie dobrze mógł być w całkiem innym kraju – jednak przez następne tygodnie spotykali się coraz częściej, a po pół roku od ich pierwszej randki David wprowadził się do Charlesa na plac Waszyngtona.

Miał poczucie, że przez kilka miesięcy pożycia z Charlesem postarzał się, a jednocześnie odmłodniał. Odizolowany od własnych przyjaciół, spędzał sporo czasu z przyjaciółmi Charlesa, przesiadując z nimi przy kolacjach, podczas których ci uprzejmiejsi próbowali go włączać w rozmowę, a ci mniej uprzejmi uznawali go za temat rozmowy. W końcu jednak obie grupy zapominały o jego obecności i zaczynały roztrząsać subtelności prawne albo notowania giełdowe, a David opuszczał towarzystwo i szedł do łóżka, by czekać na Charlesa. Czasami wychodzili na kolację do przyjaciół Charlesa, gdzie David w milczeniu przysłuchiwał się dyskusjom – o ludziach, których nie znał, książkach, których nie czytał, gwiazdach filmowych, które go nie interesowały, zdarzeniach, w których nie brał udziału – aż przychodziła pora powrotu do domu (na szczęście wcześnie).

Równocześnie miał świadomość, że czuje się jak dziecko. Charles wybierał mu ubrania, decydował, gdzie wyjadą na wakacje i co zjedzą – robił więc to wszystko, co on robił dla swojego ojca, marząc, żeby ojciec robił to dla niego. Wiedział, że powinien się czuć infantylizowany przez oczywistą nierówność, jaka panowała w ich wspólnym życiu, a jednak się tak nie czuł – podobało mu się to, było relaksujące. Odczuwał ulgę, zadając się z kimś tak zdecydowanym; ulgą było nie myśleć. Charlesowa pewność siebie, która obejmowała wszystkie aspekty ich życia, była krzepiąca. Charles wydawał polecenia Adamsowi lub kucharzowi z tym samym dziarskim, serdecznym autorytetem, z którym instruował Davida w łóżku. Niekiedy David czuł, jakby przeżywał powtórne dzieciństwo, tym razem z Charlesem w roli ojca, i trochę go to niepokoiło, bo przecież

Charles nie był jego ojcem, ale jego kochankiem. A jednak wrażenie się utrzymywało – oto miał kogoś, kto pozwalał mu być przedmiotem troski i niczym się nie przejmować. Oto miał kogoś, kto zachowywał się w sposób zrozumiały i budzący zaufanie, kogoś, czyje zwyczaje wystarczyło raz poznać, by mieć pewność, że nigdy ich nie zmieni. David od zawsze wiedział, że w jego życiu czegoś brakuje, ale dopiero gdy poznał Charlesa, zrozumiał, że tym czymś była logika – fantazja w życiu Charlesa ograniczała się do łóżka, a i tam była po swojemu rozsądna.

David nigdy nie zastanawiał się specjalnie nad typem mężczyzny, z którym się kiedyś zwiąże, ale tak łatwo wszedł w rolę chłopaka Charlesa, że jedynie w rzadkich chwilach uświadamiał sobie ze skurczem żołądka, jak ogromnie zaczął przypominać własnego ojca, czego nigdy nie przewidywał ani sobie nie wyobrażał – kogoś, kto chce być tylko kochany, pielęgnowany i instruowany. W takich chwilach – chwilach wystawania po ciemku przy oknie od frontu, z dłonią na okiennicy, gdy wyglądał Charlesa w mrocznej czeluści placu, wyczekując go jak kot swojego pana – docierało do niego, kogo naprawdę przypomina: nie brzydką dziedziczkę w nazbyt pięknej różowej sukni, ale własnego ojca. Jego ojciec wystawał tak w oknie ich domu o zachodzie słońca, udręczony niepokojem i nadzieją całodziennego oczekiwania: spoglądał na ulicę, czy nie nadjeżdża nią Edward swoim zardzewiałym starym samochodem, czekał, aż będzie mógł zbiec po schodkach ganku i powitać przyjaciela, który zabierze go od matki i syna, od wszystkich rozczarowań jego małego i nieuniknionego życia.

Pierwszy dzwonek do drzwi zabrzmiał, gdy Charles jeszcze się ubierał.

– Szlag by to – zaklął. – Kto przychodzi tak punktualnie?

– Amerykanie – odpowiedział David, który wyczytał to w jakiejś książce, a Charles się roześmiał.

– To prawda – rzekł i pocałował Davida. – Mógłbyś zejść i pogadać z tym kimś, ktokolwiek to jest? Będę na dole za dziesięć minut.

– D z i e s i ę ć? – powtórzył z udanym zgorszeniem David. – Potrzebujesz aż dziesięciu minut, żeby się przygotować?

Charles trzepnął go ręcznikiem.

– Nie każdy wygląda tak świetnie jak ty zaraz po wyjściu spod prysznica – powiedział. – Niektórzy muszą się postarać.

David zszedł więc na dół, uśmiechając się do siebie. Często się tak przekomarzali, prawiąc sobie nawzajem komplementy i umniejszając zalety własnej aparycji – robili to jednak wyłącznie wtedy, gdy byli sami, ponieważ obaj wiedzieli, że są przystojni, ale również obaj zdawali sobie sprawę z tego, że głośne mówienie o tym jest nieeleganckie, a co więcej, w dzisiejszych czasach może okazać się zagrożeniem. Obydwaj byli próżni, a przecież próżność była miłą słabostką, oznaką życia, dowodem dobrego zdrowia, dziękczynieniem. Czasem, gdy wychodzili gdzieś razem lub nawet byli w czyimś mieszkaniu z grupą innych mężczyzn, wymieniali szybkie spojrzenia i odwracali się od siebie, wiedząc, że jest coś nieprzystojnego w ich pulchnych nadal policzkach i muskularnych ramionach. Ich obecność w pewnych kręgach była drażliwa.

Na dole nie było żadnych lilii, ani w zasięgu wzroku, ani powonienia, jedynie Adams wracał do kuchni z pustą srebrną tacą po drinkach. W jadalni, którą David sprawdził już wcześniej, grupa cateringowa rozstawiała półmiski z jedzeniem wokół wazonów ostrokrzewu i frezji. Charles proponował Peterowi sushi, lecz ten się nie zgodził.

– Nie zamierzam na łożu śmierci zacząć jeść r y b, których przez całe życie tak starannie unikałem – zaprotestował. – Załatw mi jakieś normalne jedzenie, Charles. Coś normalnego i smacznego.

Więc Charles polecił koordynatorce przyjęcia wynająć kogoś, kto specjalizuje się w kuchni śródziemnomorskiej, i oto stół zapełniał się półmiskami z kamionki, na których leżały plastry mięsa i cukinii z rusztu, oraz miskami makaronu capellini z oliwkami i suszonymi pomidorami. Zespół kelnerski w czarnych spodniach i koszulach tworzyły same kobiety – Davidowi nie udało się wprawdzie zdecydować o kwiatach, ale znalazł sposób na załatwienie żeńskiej obsady z ulubionej firmy cateringowej Charlesa. Wiedział, że Charles się zirytuje, kiedy zobaczy, że jego zwykła ekipa kelnerów – młodych blondasów, którzy podczas ostatniego przyjęcia w obecności Davida robili słodkie oczy do Charlesa, a Charles pławił się w ich podziwie – została podmieniona, ale miał pewność, że Charles mu to wybaczy, zanim pójdą do łóżka. Charles lubił, kiedy David był zazdrosny, i lubił wiedzieć, że wciąż jeszcze ma wybór.

Jadalnia, w której on i Charles co wieczór spożywali kolację, o ile gdzieś nie wychodzili, była staromodna i zalatywała stęchlizną; prawie niczego w niej nie zmieniono od czasów rodziców Charlesa. We wszystkich pozostałych pomieszczeniach przeprowadzono remont dziesięć lat temu, kiedy wprowadzał się Charles, ale w jadalni wciąż królował podłużny, wypolerowany mahoniowy stół, z którym harmonizował kredens w stylu federalnym*, ściany pokrywała wciąż ta sama ciemnozielona tapeta w bluszczowy deseń, a okna okalały ciemnozielone draperie z jedwabiu dupioni. Z wiszących rzędem portretów spoglądali przodkowie Charlesa, pierwsi Griffithowie przybyli do Ameryki ze Szkocji, rozdzieleni parapetem kominka, na którym pysznił się przedmiot dumy Charlesa: stary zegar z kremową tarczą z kości wieloryba. Charles nie potrafił wyjaśnić, dlaczego nie odnawia tego pokoju. David czuł się w nim zawsze jak w pokoju stołowym swojej babki, który był zupełnie inny w szczegółach, ale podobny przez to, że niezmienny – a bardziej niż o samym pokoju myślał wtedy o rodzinnych obiadach: jak ojciec się denerwował i wrzucał chochlę do wazy, ochlapując obrus zupą; jak babka się wściekała. „Na litość boską, synu – mówiła. – Nie możesz bardziej uważać? Widzisz, co narobiłeś?"

– Przepraszam, mamo – mamrotał jego ojciec.

– Ładny przykład dajesz małemu – zrzędziła babka, jakby ojciec w ogóle się nie odezwał. A później do Davida: – Ty będziesz bardziej uważny niż twój ojciec, prawda, Kawika?

Tak, obiecywał, chociaż z poczuciem winy, jakby zdradzał ojca, a gdy wieczorem ojciec wchodził do jego pokoju, żeby go otulić, mówił mu, że chce być dokładnie taki jak on. Ojcu wtedy łzy

* Styl architektoniczny rozpowszechniony w Stanach Zjednoczonych w latach 1780–1830.

stawały w oczach, bo wiedział, że David kłamie, a jednocześnie był mu za to wdzięczny.

– Nie bądź taki jak ja, Kawika – mówił, całując go w policzek. – Nie będziesz taki. Wiem, że będziesz lepszy ode mnie.

Nigdy nie wiedział, co na to odpowiedzieć, więc zwykle nic nie mówił, a ojciec całował koniuszki swoich palców i przykładał je do jego czoła.

– Teraz śpij – mówił. – Mój Kawika. Mój synek.

Ni stąd, ni zowąd zakręciło mu się w głowie. Co ojciec pomyślałby o nim teraz? Co by powiedział? Jak poczułby się, gdyby wiedział, że jego syn dostał list z wiadomością, zapewne złą wiadomością, o nim, o ojcu, i rozmyślnie go nie przeczytał? „Mój Kawika. Mój synek". W nagłym odruchu chciał pobiec na górę, wyrwać list z koperty i przeczytać zachłannie, bez względu na treść.

Ale nie, nie mógł: gdyby to zrobił, wieczór byłby zmarnowany. Więc zmusił się do wejścia do salonu, gdzie siedzieli trzej przyjaciele Petera i Charlesa: John, Timothy i Percival. Byli to najsympatyczniejsi z ich przyjaciół – co prawda otaksowali Davida pospiesznym spojrzeniem, kiedy wchodził, ale przez resztę wieczoru patrzyli już tylko na jego twarz. „Trzy siostry" – tak ich nazywał Peter, ponieważ wszycy byli singlami, zdaniem Petera nie dość zajmującymi: „Stare panny". Timothy i Percival chorowali, co po Timothym było widać, po Percivalu zaś nie. Przed siedmioma miesiącami zwierzył się wyłącznie Charlesowi, a ten powiedział Davidowi. „Wyglądam dobrze, prawda?" – pytał Percival, ilekroć się spotkali. „Wyglądam normalnie, prawda?" Był naczelnym redaktorem małego, prestiżowego wydawnictwa i bał się zwolnienia, gdyby właściciele firmy dowiedzieli się o jego chorobie.

– Nie zwolnią cię – odpowiadał mu zawsze Charles. – A gdyby próbowali, powiem ci, do kogo powinieneś zadzwonić, pozwiesz ich i będą mieli za swoje. Ja ci pomogę.

Percival puszczał to mimo uszu.

– Ale wyglądam normalnie, prawda?

– Tak, Percy, wyglądasz normalnie. Wyglądasz super.

David spojrzał teraz na Percivala. Pozostali mieli kieliszki z winem, ale Percival trzymał filiżankę, w której, jak David wiedział, moczył torebkę leczniczych ziół przepisanych mu przez akupunkturzystę z Chinatown – zaklinał się, że ziółka wzmacniają jego system odpornościowy. David przyglądał się bacznie zajętemu herbatą Percivalowi: Czy r z e c z y w i ś c i e wyglądał normalnie? Nie widzieli się pięć miesięcy – czy Percival schudł? Czy cera mu poszarzała? Trudno było ocenić: wszyscy przyjaciele Charlesa wyglądali dla Davida trochę niezdrowo, bez względu na to, czy byli chorzy, czy nie. Czegoś im brakowało, nawet tym najbardziej zadbanym i czerstwym – ich skóra jakby pochłaniała światło, dlatego nawet gdy tak siedzieli w łagodnym blasku świec, którymi Charles najchętniej oświetlał te spotkania, wydawali się istotami nie z krwi i kości, lecz z czegoś mulistego i zimnego. Nie z marmuru, ale z kredy. Raz spróbował opisać to Eden, która przez wszystkie weekendy malowała akty, ale ona przewróciła oczami. „To dlatego, że są starzy" – powiedziała.

David przeniósł wzrok na Timothy'ego, który był niewątpliwie chory: powieki miał fioletowe, jak pomalowane, zęby za długie, włosy jak pierze. Timothy chodził z Peterem i Charlesem do szkoły z internatem, lecz wtedy, opowiadał Charles, „nie uwierzyłbyś, jaki był piękny. Najpiękniejszy chłopak w szkole". Charles powiedział to po pierwszym spotkaniu Davida z Timothym, więc za drugim razem David przyjrzał się Timothy'emu uważnie, wypatrując w nim śladów chłopca, w którym Charles się zakochał. Timothy był aktorem, nieudanym, i swego czasu mężem pięknej kobiety; później przez kilkadziesiąt lat pozostawał kochankiem wielkiego bogacza, jednak gdy ten zmarł, jego dorosłe dzieci wyrzuciły Timothy'ego z domu ojca, wprowadził się więc do Johna. Nikt nie wiedział, jakim sposobem potężny i jowialny John dorobił się swoich pieniędzy – pochodził ze skromnej rodziny osiadłej na środkowym zachodzie, nigdy nigdzie nie przepracował więcej niż paru miesięcy i nie był dość przystojny na to, by zostać czyimś utrzymankiem – a jednak zajmował całą kamienicę w West Village i jadał ekstrawagancko (chociaż, co mu wytykał Charles, najchętniej na cudzy koszt). „Kiedy tacy ludzie jak John utracą zdolność utrzymywania się z tajemniczych środków w tym mieście, to będzie znak, że w ogóle nie warto tu już mieszkać" – mawiał z sympatią Charles.

(Jak na wyznawcę poglądu, że każdy powinien sam na siebie zarabiać, Charles miał nadzwyczajnie wielu przyjaciół, którzy zdawali się nic nie robić – i to się w nim Davidowi podobało).

Trzej goście przywitali się z Davidem jak zwykle, zagadnęli go, co robi i jak się miewa, on jednak nie miał wiele do powiedzenia, więc po chwili wrócili do przerwanej rozmowy o wspólnych przeżyciach z młodszych lat.

– ...to jeszcze nic; gorzej było, kiedy John romansował z tym bezdomnym!

– Po pierwsze, nie romansowaliśmy, a po drugie...

– Opowiedz to jeszcze raz!

– No dobra. Było to, och, jakieś piętnaście lat temu, kiedy ja pracowałem u tego ramiarza na Dwudziestej, między Piątą a Szóstą...

– Skąd zostałeś wylany za kradzież...

– O, przepraszam! Nie zostałem wylany za kradzież. Wylali mnie za chroniczne lenistwo i niekompetencję, i za nieodpowiedni stosunek do klientów. Za kradzież byłem wylany z księgarni.

– A rzeczywiście, najmocniej cię przepraszam.

– Czy mogę mówić dalej? No więc wysiadałem zawsze z linii metra F na Dwudziestej Trzeciej i za każdym razem natykałem się na tego faceta, ewidentną ciotę, typ złachanego artysty: koszula w kratę, mała bródka, wystawał z torbą na zakupy na Szóstej, koło tej pustej działki na południowo-wschodnim rogu. No to mrugam do tej cioty, a ona do mnie, i tak to szło przez parę dni. Wrcszcie, w czwarty dzień, podchodzę i gadamy. Ona pyta: „Mieszkasz tu w okolicy?", a ja na to: „Nie, pracuję kawałek dalej". Wtedy ona: „Wiesz, możemy wejść w ten zaułek"; nie był to żaden zaułek, ale jakby ciasny kanał pomiędzy tylnym murem parkingu a ścianą tego drugiego domu, który rozbierali; no i, wyobraźcie sobie, weszliśmy.

– Oszczędź nam szczegółów.

– Zazdrosny?

– Gdzie tam.

– W każdym razie na drugi dzień idę tamtędy, a ona znowu jest, no to znowu dawaj, w zaułek. Na trzeci dzień to samo i wtedy pomyślałem sobie: „Uch. Coś tu się psuje". Zaraz jednak zauważyłem, że ona jest w tych samych ciuchach, co przy poprzednich dwóch okazjach! Z bielizną włącznie. I że trochę od niej zalatuje. A właściwie: Mocno zalatuje. Biedna stara ciota. Nie miała dokąd pójść.

– I zostawiłeś ją tam?

– Oczywiście, że nie! Byliśmy w trakcie, no nie?

Wszyscy się roześmiali. Timothy zaczął śpiewać: „La da di la di da, la da di la di da" i zaraz przyłączył się do niego Percy: „Jest taka sama jak ty i ja, tylko bezdomna, bezdomna". David wyszedł z pokoju uśmiechnięty – lubił przyglądać się im trzem razem; podobało mu się, że nie interesują się nikim poza sobą. Jakże inaczej wyglądałoby życie jego ojca, gdyby Edward był bardziej podobny do Timothy'ego, Percivala lub Johna, gdyby ojciec miał przyjaciela, który ze wspomnień robiłby ucieszną anegdotę, a nie narzędzie kontroli! Spróbował wyobrazić sobie ojca w domu Charlesa, właśnie podczas tego przyjęcia. Co by sobie pomyślał? Co by zrobił? Wyobraził sobie ojca z tym jego wstydliwym, niemrawym uśmieszkiem, jak stoi za balustradą schodów i podpatruje innych mężczyzn, ale boi się do nich podejść, przekonany, że go zignorują, tak jak był ignorowany przez całe prawie życie. Jak wyglądałoby życie jego ojca, gdyby porzucił wyspę, gdyby nauczył się ignorować swoją matkę, gdyby trafił na kogoś życzliwego! Mogła się z tego narodzić przyszłość, w której David by nie zaistniał. Stał dalej, wymyślając dla ojca alternatywne życie: oto idzie on z książką pod pachą wzdłuż arkad po północnej stronie placu, przechodzi pod późnojesiennymi drzewami o liściach czerwonych jak jabłka, twarz ma uniesioną do nieba. Jest niedziela, więc zmierza na spotkanie z przyjacielem, z którym ma iść do kina, a później na kolację. Tu jednak jego myśli się mąciły: Kim jest ten przyjaciel? Mężczyzną czy kobietą? Czy łączy ich romans? Gdzie mieszka jego ojciec? Czy utrzymuje się samodzielnie? Dokąd uda się jutro? Pojutrze? Czy jest zdrowy, a jeżeli nie, to kto się nim opiekuje? David poczuł, że powoli ogarnia go rozpacz, bo ojciec wymykał mu się nawet w fantazji, bo nie umiał wymyślić mu szczęśliwego życia. Nie zdołał uratować swojego ojca; nie miał nawet odwagi poznać jego losu. Opuścił ojca w życiu, a teraz opuszcza go ponownie, w fantazji. Czy nie powinien móc przynajmniej wymarzyć mu lepszej, łaskawszej egzystencji? Jak to o nim świadczy jako o synu, skoro nie jest zdolny nawet do tego?

Może jednak, pomyślał, może jednak to nie przez brak empatii nie potrafi dokonać przeniesienia ojca w inne życie – może winne jest zdziecinnienie ojca, to, że ojciec nigdy nie zachowywał się jak inni rodzice, jak inni dorośli, których David znał dawniej i teraz. Choćby te ich spacery, które zaczęły się, gdy David miał sześć czy siedem lat. Ojciec budził go w środku nocy, brał za rękę i razem spacerowali w milczeniu po okolicznych ulicach, pokazując sobie nawzajem, jak zmieniają się po ciemku znajome rzeczy. Zwisające kwiaty krzewu przypominały odwrócone rogi, akacja u sąsiada wyglądała jak zaklęta w złowrogą istotę przybyłą z jakiejś odległej krainy, a w tej krainie oni dwaj, brodząc w śniegu skrzypiącym pod butami, zdążają ku chacie z pojedynczym okienkiem zasnutym żółtym światłem pojedynczej świecy – mieszka w niej czarownica przebrana za poczciwą wdowę i częstuje ich zupą gęstą jak owsianka, z kostkami słonego boczku i słodkich pieczonych ziemniaków.

Podczas tych spacerów zawsze przychodził moment, gdy David zauważał, że noc, która z początku wydawała mu się jednolitą zasłoną czerni, pozbawioną odcieni i absolutnie cichą, jest jaśniejsza, niż sądził. Zawsze obiecywał sobie, że przyłapie ten moment, w którym jego oczy przywykają do innego, przefiltrowanego światła, ale nigdy mu się to nie udało: to się działo tak stopniowo i tak dalece bez jego udziału, jakby umysł istniał nie po to, by kontrolować ciało, ale zdumiewać się jego plastycznością i zdolnością do adaptacji.

Gdy tak wędrowali, ojciec opowiadał mu historie ze swojego dzieciństwa, pokazywał miejsca, w których jako chłopczyk bawił się albo chował, i w owe noce historie te nie brzmiały smutno, tak jak kiedy opowiadała je babka, lecz były po prostu historiami: o chłopcach z sąsiedztwa, którzy rzucali w jego ojca owocami awokado, kiedy wracał do domu ze szkoły; o tym, jak kazali ojcu wleźć na mangowiec, który rósł na jego podwórku, a potem nie pozwalali mu zejść, strasząc, że go zbiją, więc siedział na drzewie aż do zmroku, gdy wreszcie jeden z chłopców musiał zejść z posterunku i wrócić do domu na kolację, i dopiero wtedy ojciec, który tkwił przycupnięty u zbiegu konara i pnia drzewa, mógł wreszcie zleźć na dół i na miękkich nogach, drżących z głodu i wyczerpania, wejść do domu, gdzie musiał tłumaczyć się ze spóźnienia przed swoją matką, która w milczeniu, wściekła, czekała na niego przy stole w jadalni.

– Dlaczego jej po prostu nie powiedziałeś, co cię spotkało? – zapytał ojca David.

– Och – westchnął jego ojciec i zamilkł na chwilę. – Ona nie chciała tego słuchać. Nie chciała wiedzieć, że ci chłopcy tak naprawdę nie są moimi kolegami. To było dla niej żenujące. – David nic już nie mówił, tylko słuchał. – Ale tobie coś podobnego się nie przydarzy, Kawika – powiedział ojciec. – Ty masz przyjaciół. Jestem z ciebie dumny.

David szedł dalej w milczeniu, czując, jak przenika go opowieść ojca i jej smutek, najpierw zapada w serce, a później schodzi w dół, do brzucha, jak ołowiane kowadło. Przypominając to sobie teraz, poczuł ten sam smutek, który tym razem rozchodził się po całym ciele, jakby mu został wstrzyknięty do krwiobiegu. Odwrócił się z zamiarem pójścia do kuchni pod byle pretekstem – sprawdzenia dekoracji półmisków lub oznajmienia Adamsowi, że Percival będzie niebawem potrzebował więcej wrzątku – gdy ujrzał schodzącego ze schodów Charlesa.

– Co ci jest? – Charles zaniepokoił się na jego widok i uśmiech znikł mu z twarzy. – Coś się stało?

Nie, nie, nic się nie stało, zapewnił go David, ale Charles i tak rozłożył ramiona i David wtulił się między nie, w ciepłą masywność Charlesa, w jego krzepiące ciało.

– Wszystko już dobrze, Davidzie, cokolwiek to było – powiedział po chwili Charles, a on pokiwał głową wciśniętą w jego ramię. Będzie dobrze, wiedział to: Charles tak powiedział, a David kochał go i znajdował się teraz daleko od miejsca, w którym kiedyś był, i nie przydarzy mu się nic, czego Charles nie zdoła rozwiązać.

Do ósmej przybyła cała dwunastka gości, Peter ostatni – tymczasem zaczął sypać śnieg, więc Charles z Davidem i Johnem wnieśli go na ciężkim wózku inwalidzkim po frontowych schodach: David i John podtrzymywali wózek po obu stronach, a Charles z tyłu.

David widział Petera niedawno, w Święto Dziękczynienia, i zaskoczyło go, jak drastycznie jego stan pogorszył się przez te trzy tygodnie. Najoczywistszym tego dowodem był wózek inwalidzki – z wysokim oparciem i zagłówkiem – ale także ewidentna utrata wagi i to, że jego skóra, szczególnie na twarzy, jakby się skurczyła, tak że nie domykał ust i widać było zęby. A właściwie nie tyle się skurczyła, ile ściągnęła w tył, jakby ktoś trzymał ją garścią na potylicy Petera i napinał boleśnie, doprowadzając do wytrzeszczu oczu. Gdy Peter znalazł się w środku, przyjaciele natychmiast otoczyli go kołem, ale David zauważył, że oni także są wstrząśnięci jego wyglądem: żaden nie wiedział, co powiedzieć.

– No co, nigdy nie widzieliście umrzyka? – spytał spokojnie Peter i wszyscy odwrócili wzrok.

Pytanie było retoryczne i okrutne, ale Charles odpowiedział całkiem zwyczajnie:

– Oczywiście, że widzieliśmy, Peter. – Poszedł do gabinetu po wełniany koc, którym otulił ramiona i klatkę piersiową Petera. – A teraz coś zjemy. Wszyscy! Kolacja czeka w jadalni; częstujcie się.

Pierwotnie Charles planował obiad przy stole, na siedząco, ale Peter odwiódł go od tego pomysłu. Nie był pewien, czy wytrzyma cały wieczór w pozycji siedzącej, a zresztą, jak powiedział, celem spotkania było pożegnanie się ze wszystkimi. Musiał mieć możliwość krążenia po pokoju, rozmawiania z ludźmi, a potem oddalenia się w razie potrzeby. Towarzystwo powoli, z ociąganiem, zmierzało w stronę jadalni. Charles zatrzymał Davida.

– Przyniesiesz talerz dla Petera? Ulokuję go na kanapie.

– Jasne – powiedział David.

W jadalni panowała atmosfera przesadnej wesołości; goście nakładali sobie na talerze więcej, niż mogli zjeść, głośno deklarując zawieszenie diety. Przyszli tu dla Petera, ale nikt nie wymieniał jego imienia. Widzieli go dzisiaj po raz ostatni i mieli pożegnać na zawsze. Nagle całe to przyjęcie wydało im się czymś upiornym, groteskowym. David pospiesznie przechodził od półmiska do półmiska, wciskając się w kolejkę, i ładował na talerz Petera mięsa, makarony, duszone warzywa, a potem wziął drugi talerz i zapełnił go ulubionymi potrawami Charlesa – chciał jak najprędzej stąd wyjść.

Gdy wrócił do salonu, Peter siedział na jednym końcu kanapy, z nogami na siedzisku, pochylony nad nim Charles obejmował go przez plecy prawym ramieniem, a twarz Petera była wciśnięta w szyję Charlesa. Kiedy David się zbliżył, Charles odwrócił się i uśmiechnął, chociaż widać było, że przed chwilą płakał – a Charles nigdy nie płakał.

– Dziękuję ci – powiedział do Davida i podstawił talerz Peterowi: – Widzisz? Żadnych ryb. Zgodnie z twoim życzeniem.

– Doskonale – powiedział Peter, odwracając trupią twarz do Davida. – Dziękuję, młody człowieku. – Peter zawsze zwracał się do niego per „młody człowieku". David tego nie lubił, ale co miał robić? Po tym weekendzie już nigdy nie będzie musiał znosić Peterowego „młody człowieku". Natychmiast zawstydził się tej myśli, prawie tak, jakby wypowiedział ją głośno.

Mimo wszystkich swoich teorii na temat jedzenia Peter nie miał apetytu – mówił, że od samego zapachu robi mu się niedobrze. Niemniej przez resztę wieczoru talerz przyniesiony przez Davida stał na stoliku przy jego prawej ręce, a płócienna serwetka, owinięta wcześniej wokół sztućców, tkwiła pod jego brodą – jakby miał lada chwila zmienić zdanie, sięgnąć po widelec i zmieść wszystko z talerza. To nie choroba pozbawiła go apetytu, lecz nowa seria chemioterapii, którą rozpoczął nieco ponad miesiąc wcześniej. Niestety, leczenie znów okazało się nieskuteczne: rak przetrwał w przeciwieństwie do fizycznej siły Petera.

David oniemiał, kiedy Charles mu o tym powiedział. Po co Peter zaczął brać nową chemię, skoro wiedział już, że się zabije? Charles westchnął i zamilkł na chwilę.

– Trudno wyzbyć się nadziei – rzekł w końcu. – Do samego końca.

Dopiero kiedy do salonu zaczęli schodzić się inni goście i z pełnymi talerzami zajmować nieśmiało miejsca w fotelach, na podnóżkach i na drugiej kanapie, niczym dworzanie gromadzący się wokół tronu króla, David uznał, że może sam pójść po coś do jedzenia. W jadalni było pusto. Kiedy napełniał swój talerz, czym się dało, z kuchni wyszedł kelner.

– Och – speszył się – najmocniej przepraszam. Zaraz podamy nowe dania. – Zauważył, że David sięga po ostatni stek. – Przyniosę świeże.

Wyszedł, a David odprowadził go wzrokiem. Kelner był młody i przystojny (chociaż David kategorycznie zakazał obecności kelnerów mężczyzn, zwłaszcza młodych i przystojnych), a kiedy wrócił, David w milczeniu usunął się na bok i przyglądał się wymianie pustego półmiska na nowy, pełny.

– Szybko wszystko zniknęło – powiedział.

– Cóż, nic dziwnego. Było naprawdę smaczne. Przed podaniem przeprowadziliśmy degustację.

Kelner podniósł wzrok i się uśmiechnął, a David odpowiedział uśmiechem. Zapadło milczenie.

– Jestem David – powiedział.

– James.

– Bardzo mi miło – wyrecytowali jednocześnie i wybuchnęli śmiechem.

– To przyjęcie urodzinowe? – zapytał James.

– Nie, nie. To na cześć Petera, tego na wózku. On jest… on jest chory.

James skinął głową i znów zapadła cisza.

– Ładny dom – powiedział James i teraz David skinął głową.

– Owszem, ładny – przyznał.

– Do kogo należy?

Do Charlesa, tego postawnego blondyna? Do tego w zielonym swetrze? D o m o j e g o f a c e t a – powinien był powiedzieć, ale nie powiedział.

– No, mniejsza z tym. – James, który wciąż trzymał platerowy półmisek, obrócił go w rękach, a potem znów podniósł wzrok na Davida i uśmiechnął się. – A ty?

– Co ja? – odpowiedział, podejmując flirt.

– Jak się tutaj wkręciłeś?

– Nie wkręciłem się.

James wskazał podbródkiem salon.

– Któryś z nich to twój facet?

Nie odpowiedział. Półtora roku po ich pierwszej randce wciąż dziwił się niekiedy, że on i Charles są parą. Chodziło nie tylko o różnicę wieku; po prostu Charles nie należał do mężczyzn, którzy pociągali Davida – za jasny blondyn, za bogaty, za biały. David wiedział, jak wyglądają razem, co mówią ludzie. „No i co z tego, że biorą cię za żigolaka? – spytała Eden, kiedy jej się zwierzył. – Żigolak też człowiek". Wiem, wiem, odparł. Ale to co innego. „Masz problem – powiedziała Eden – bo nie umiesz pogodzić się z tym, że ludzie uważają cię za jakieś ciemnoskóre zero". Tak, to prawda, bolało go, że ludzie z góry zakładają, że jest biedny i niewykształcony, że wykorzystuje Charlesa dla pieniędzy. (Eden: „J e s t e ś biedny i niewykształcony. Ale co cię obchodzi, co o tobie myślą jakieś stare pierdoły?")

A gdyby tak, dajmy na to, on i ten James zostali parą, obaj młodzi, biedni i niebiali? Gdyby był z kimś, na kogo może spojrzeć i zobaczyć, choćby powierzchownie, samego siebie? Czy to bogactwo Charlesa, czy jego wiek, czy rasa sprawia, że David tak często czuje się przy nim bezradny i gorszy? Czy stałby się bardziej zmotywowany, mniej bierny, gdyby układ między nim a jego facetem był bardziej równy? Czy czułby się w mniejszym stopniu jak zdrajca?

Teraz jednak był zdrajcą, nie przyznając się do Charlesa – zdrajcą przez swoje poczucie winy.

– Tak – powiedział Jamesowi. – Charles. On jest moim facetem.

– Aha – powiedział James i David dostrzegł na jego twarzy przelotny grymas: litości? wzgardy? – To kiepsko – dodał, pchnął podwójne drzwi do kuchni i zniknął ze swoim półmiskiem, pozostawiając Davida znów samego.

David chwycił swój talerz i wyszedł, pełen głębokiego zażenowania i trudniejszej do wytłumaczenie złości na Charlesa, że nie jest osobą, z jaką on, David, powinien być, że przez niego się wstydzi. Wiedział, że to niesprawiedliwe, bo przecież chciał pozostawać pod opieką Charlesa, a jednocześnie chciał być wolny. Czasami, gdy siedzieli z Charlesem w gabinecie w sobotni wieczór, który postanowili spędzić w mieście, i oglądali na wideo któryś z czarno-białych filmów, do których Charles miał sentyment, bo były filmami z jego młodości, dobiegały do nich z ulicy odgłosy ludzi zmierzających do klubu, baru albo na imprezę. David poznawał ich po śmiechu, po podniesionych głosach – nie konkretne osoby, ale typ ludzi tworzących tę grupę: młode plemię bez kasy i bez przyszłości, do którego sam należał jeszcze półtora roku temu. Czuł się niekiedy jak któryś ze swoich przodków, zwabiony na statek i wysłany na drugi koniec świata, gdzie każą mu stać na podium w kolegium medycznym Bostonu, Londynu czy Paryża, a lekarze i studenci badają jego misternie wytatuowaną skórę, jego naszyjnik z poskręcanych sznurków albo splecionych ludzkich włosów. Charles był jego przewodnikiem, jego przyzwoitką, ale był także jego strażnikiem, bo on, raz oderwany od swoich ludzi, już nigdy nie będzie mógł do nich powrócić. To uczucie było najbardziej dojmujące w letnie noce, kiedy zostawiali okna otwarte i o trzeciej nad ranem budziły go grupki przechodniów, którzy wyśpiewywali pijackie piosenki, okrążając plac, cichnąc stopniowo, gdy zanurzali się między drzewa. Patrzył wówczas na leżącego przy nim w łóżku Charlesa i czuł do niego mieszankę litości, miłości, obrzydzenia i irytacji – czuł konsternację, że jest z kimś tak od siebie różnym, i wdzięczność, że tym kimś jest Charles. „Wiek to tylko liczba" – powiedział mu kiedyś jeden z nudniejszych znajomych, który chciał być miły, ale mylił się: wiek to inny kontynent, a on, dopóki jest z Charlesem, będzie uwięziony na tym obcym kontynencie.

Nie żeby miał jakieś inne miejsce do życia. Jego przyszłość była mglista, ulotna. Nie on jeden tkwił w takiej sytuacji, mnóstwo jego przyjaciół i kolegów z klasy spotkał podobny los: dryfowali z domu do pracy, a potem wracali do domu, żeby wieczorem podryfować do baru, do klubu albo na prywatkę. Pieniędzy nie mieli i Bóg raczył wiedzieć, jak długo zachowają życie. Szykowanie się na trzydzieste, a co dopiero czterdzieste czy pięćdziesiąte urodziny było jak kupowanie mebli do domku z piasku – kto wie, kiedy zmyje go fala albo sam się rozeschnie i rozsypie? O wiele lepiej było wykorzystać posiadane pieniądze na udowadnianie sobie, że się jeszcze żyje. Miał jednego przyjaciela, który po śmierci kochanka zaczął się niesamowicie obżerać. Wszystko, co zarobił, wydawał na żarcie; David raz poszedł z tym Ezrą na kolację i ze zgrozą obserwował, jak tamten pochłania michę zupy wonton, potem talerz smażonego w woku groszku śnieżnego, potem duszony ozór wołowy, a na koniec całą kaczkę po pekińsku. Konsumował z miarową, ponurą determinacją, wywabiając palcem z talerza ostatnie smugi sosu, składając opróżnione naczynia jedno na drugim, jak kartki wykonanej pracy biurowej. Dla Davida było to obrzydliwe, ale i zrozumiałe: żarcie jest czymś realnym, jedzenie to dowód życia, posiadania ciała, które potrafi i chce odpowiadać na to, co się w nie wkłada, ciała, które można zmusić do pracy. Być głodnym znaczy być żywym, a być żywym znaczy pożądać pokarmu. Ezra z miesiąca na miesiąc przybierał na wadze, z początku powoli, potem coraz szybciej, a teraz był tłuściochem. Ale dopóki był tłuściochem, nie był chory i nikt nie mógł tak sobie o nim pomyśleć. Miał gorące, różowe policzki, zatłuszczone usta i końce palców – na każdym kroku zostawiał dowody swojej egzystencji. Nawet jego nowo nabyta tusza była swoistym krzykiem, wyzwaniem: stanowił ciało zajmujące więcej przestrzeni, niż należy, niż wypada. Dorobił się obecności nie do zlekceważenia. Uczynił się niezaprzeczalnym.

Słabiej rozumiał David swoje własne dystansowanie się do życia. Chory nie był. Biedny nie był, a dopóki pozostawał z Charlesem, to mu nie groziło. A jednak nie umiał odpowiedzieć sobie na pytanie, po co właściwie żyje. Ukończył jeden rok prawa, zanim sytuacja finansowa zmusiła go do porzucenia studiów i podjęcia pracy na stanowisku asystenta prawnego w kancelarii Larsson & Wesley. To było trzy lata temu, a teraz Charles ciągle powtarzał mu, że powinien wrócić na studia: „Gdzie tylko chcesz, na najlepszej uczelni, jaka cię przyjmie" – zachęcał. (Przedtem David studiował w college'u państwowym; wiedział, że Charles ma wobec niego większe ambicje). „Ja za wszystko zapłacę". Gdy David się wzdragał, Charles tego nie rozumiał: „Dlaczego? Ukończyłeś rok, chciałeś przecież studiować dalej. I masz dryg do tego. Więc dlaczego nie chcesz kontynuować?". Nie mógł powiedzieć Charlesowi, że właściwie nie przepadał za prawem, że sam nie rozumiał, po co poszedł do szkoły prawniczej – owszem, zdawało mu się, że tego właśnie chciałby dla niego ojciec, że ojciec byłby z niego dumny. Pójście na studia prawnicze podpadało pod szeroką kategorię samodzielności, a samodzielność była cnotą, którą ojciec zawsze mu wpajał, gdyż sam jej nie posiadał.

– Czy musimy o tym rozmawiać? – pytał Charlesa.

– Nie, nie musimy – odpowiadał Charles. – Ale nie lubię patrzeć, jak ktoś z twoją inteligencją marnuje się na posadzie asystenta prawnego.

– Mnie się podoba posada asystenta. Nie jestem aż tak ambitny, jak byś tego chciał.

Charles wzdychał.

– Przede wszystkim chcę, żebyś był szczęśliwy, Davidzie – zapewniał. – Chcę, żebyś ty sam wiedział, czego chcesz w życiu. Kiedy ja byłem w twoim wieku, chciałem wszystkiego. Chciałem mieć wpływy, chciałem argumentować przed Sądem Najwyższym, chciałem być szanowany. A ty, c z e g o chcesz?

– Chcę być tutaj, z tobą – odpowiadał niezmiennie, na co Charles znowu wzdychał, ale z uśmiechem, sfrustrowany i zadowolony jednocześnie.

– Oj, Davidzie, Davidzie... – mruczał i na tym kłótnia, jeśli można to nazwać kłótnią, się kończyła.

A jednak czasami w te letnie noce David myślał, że wie dokładnie, czego chce. Chciał być gdzieś pomiędzy tym łóżkiem zasłanym kosztowną bawełnianą pościelą, z człowiekiem, którego nauczył się kochać, a tą ulicą biegnącą wzdłuż krawędzi parku, z kolegami, których czepia się z piskiem, gdy szczur wyskoczy z cienia i smyrgnie mu pod nogami, pić, szaleć, nie mieć nadziei i trwonić młode życie, i żeby nikt za niego nie marzył, nawet on sam.

W salonie dwie kelnerki krążyły między gośćmi, dolewając wody do szklanek i zbierając puste talerze. Adams podawał drinki. W ekipie cateringowej była barmanka, ale David wiedział, że trzymają ją w kuchni jako zakładniczkę, ponieważ Adams utrącał wszelkie jej próby pomocy w przyrządzaniu drinków, przyzwyczajony działać własnymi metodami. Dlatego przed każdym przyjęciem Charles przypominał koordynatorce o konieczności poinformowania szefowej cateringu, że barman nie będzie potrzebny, ta jednak zawsze przywoziła kogoś „na wszelki wypadek" i za każdym razem nieszczęsny barman lądował w kuchni bez możliwości wykonywania swojej pracy.

Ze stanowiska obserwacyjnego pod schodami śledził David wejście Jamesa do pokoju: widział, jak inni goście na niego patrzą, na jego tyłek, jego oczy, jego uśmiech. Ponieważ Davida nie było akurat w salonie, James był tam jedyną osobą niebiałą. James nachylił się nad Trzema Siostrami i powiedział coś, czego David nie dosłyszał, ale wszyscy się roześmiali, a później wyprostował się i wyszedł ze stertą talerzy. Po paru minutach powrócił z czystymi talerzami i półmiskiem makaronu, którym częstował wszystkich po kolei, balansując półmiskiem na prawej dłoni, a lewą, zwiniętą w pięść, trzymając za plecami.

A gdyby tak zawołał Jamesa po imieniu, gdy ten wyjdzie z pokoju? James rozejrzałby się, zdziwiony, później by go dostrzegł i zbliżyłby się z uśmiechem, a David wziąłby go za rękę i zaprowadził do składziku ze skośnym stropem pod schodami, gdzie Adams trzymał domowe zapasy kulek na mole, świec i jutowych woreczków z cedrowymi ścinkami, które wkładał pomiędzy swetry Charlesa, kiedy pakował je na lato, a potem Charles wrzucał te ścinki do kominka, żeby dym piękniej pachniał. Rozmiary składziku pozwalały na to, żeby jedna osoba tam stanęła, a druga uklękła. David już czuł pod palcami dotyk skóry Jamesa, już słyszał wydawane przez nich obu odgłosy. Później James powróciłby do swoich obowiązków, a David odliczyłby do dwustu i również opuściłby składzik, żeby pognać na górę do łazienki, którą dzielił z Charlesem, i przepłukać usta przed powrotem do salonu, gdzie James już podawałby gościom dokładkę steków lub kurczaka, i usiadłby obok Charlesa. Przez resztę wieczoru staraliby się nie patrzeć na siebie zbyt często, ale z każdym okrążeniem pokoju James zerkałby ukradkiem na Davida, David na niego, a gdy ekipa cateringowa sprzątałaby już po gościach, powiedziałby Charlesowi, że chyba zostawił książkę na dole, i zanim Charles zdążyłby odpowiedzieć, zbiegłby na dół, gdzie zastałby Jamesa już w drzwiach, wkładającego płaszcz, i wcisnąłby mu w dłoń karteczkę z numerem swojego telefonu do pracy, mówiąc, żeby zadzwonił. Spotykaliby się potem przez kilka tygodni, może miesięcy, zawsze u Jamesa, aż wreszcie, pewnego dnia, James umówiłby się z kimś innym, odsunąłby się od niego albo po prostu by się znudził i więcej by się nie pokazał. David widział to wszystko, czuł i smakował, jakby już się zdarzyło i odżywało tylko we wspomnieniu, a jednak, gdy James w końcu ukazał się, zmierzając z powrotem do kuchni, ukrył się wbrew chęci i odwrócił twarz do ściany, żeby nie ulec pokusie przemówienia.

To ciągłe pożądanie! Czy jego powodem było niebezpieczeństwo uprawiania seksu po dawnemu, czy monogamiczne pożycie z Charlesem, czy po prostu jego wewnętrzny niepokój?

– Młody jesteś – roześmiał się Charles, nieurażony, kiedy David mu się z tego zwierzył. – To normalne. Poczekaj jakieś sześćdziesiąt lat, to z tego wyrośniesz.

On jednak nie był pewien, czy o to chodzi, czy wyłącznie o to. Po prostu pożądał więcej życia. Nie wiedział, co by zrobił z tym życiem, ale go pragnął – nie tylko własnego życia, ale i cudzego. Więcej i więcej, i więcej – aż do przesytu.

Naszła go nieuchronna myśl o ojcu. Czego pragnął jego ojciec? Miłości, jak przypuszczał, uczucia. I niczego innego. Nie interesowało go jedzenie ani seks, ani podróże, ani samochody, ani ubrania, ani domy. Kiedyś przed Bożym Narodzeniem – na rok przed ich wyjazdem do Lipo-wao-nahele, gdy miał dziewięć lat – dostali w szkole zadanie domowe: dowiedzieć się, co rodzice chcieliby dostać pod choinkę. Później mieli wykonać to coś na lekcji plastyki. Oczywiście nie chodziło o jakieś wyszukane przedmioty, co większość rodziców najwyraźniej zrozumiała, bo udzieliła stosownych odpowiedzi: „Zawsze marzyłam o ładnym rysunku przedstawiającym ciebie" – odpowiedziała czyjaś matka. Albo: „Przydałaby mi się nowa ramka na zdjęcia". A ojciec Davida wziął go za rękę i powiedział: „Mam ciebie. Niczego więcej mi nie potrzeba". Przecież musisz mieć jakieś życzenie – nalegał zmartwiony David, ale ojciec jedynie pokręcił głową. „Nie – powtórzył. – Ty jesteś moim największym skarbem. Dopóki cię mam, nie potrzebuję niczego więcej". W końcu David zmuszony był pójść ze swoim problemem do babki, która wstała i pomaszerowała na werandę, gdzie jego ojciec wylegiwał się z gazetą, czekając na Edwarda, i obsztorcowała go: „Wika! Twój syn nie odrobi pracy domowej, jeżeli mu nie podpowiesz, co może dla ciebie zrobić!".

Ostatecznie David wykonał dla ojca ozdobę z gliny, którą wypalono w szkolnym piecu ceramicznym. Była to pokraczna, zaledwie w połowie glazurowana gwiazda z imieniem ojca – ich imieniem – wydrapanym na powierzchni, ale ojciec był zachwycony i powiesił ją sobie nad łóżkiem (bo w tamtym roku nie kupili choinki), własnoręcznie wbijając gwóźdź. David pamiętał, że ojciec rozczulił się wtedy do łez, a on wstydził się za ojca, za jego szaloną radość z czegoś tak głupiego, brzydkiego i nieudanego, czegoś, co wykonał w pośpiechu, w parę minut, bo chciał jak najprędzej wyjść na zewnątrz i bawić się z kolegami.

A może jego nieustannej tęsknocie za seksem winien był Charles? Nie zauroczył go w czasie pierwszego spotkania – David flirtował z nim automatycznie, bez autentycznych emocji – a zaproszenie na kolację przyjął z ciekawości, nie z pożądania. Jednak już w połowie kolacji coś się w nim obudziło i drugie ich spotkanie, które nastąpiło dzień później w domu Charlesa, przebiegło gorączkowo i prawie bez słów.

Pomimo wzajemnego pociągu tygodniami odkładali seks, ponieważ obaj unikali nieuchronnej rozmowy wstępnej wypisanej na twarzach wielu ich wspólnych znajomych.

W końcu to on zaczął tę rozmowę.

– Słuchaj – oświadczył – ja go nie mam. – I patrzył na niemrawą minę Charlesa.

– Dzięki Bogu.

David czekał, aż Charles powie, że on tak samo, ale się nie doczekał.

– Nikt nie wie – rzekł w końcu Charles. – Ale ty powinieneś. Poza Olivierem, moim eks, nikt więcej. Tylko mój lekarz, Olivier, ja i teraz ty. No i oczywiście Adams. Ale w pracy nikt nie wie. Nie mogą się dowiedzieć.

Davidowi na chwilę odebrało mowę, ale Charles mówił dalej:

– Jestem bardzo zdrowy. Mam leki, dobrze je toleruję. – Urwał na moment. – Nikt się nie może dowiedzieć.

David się zdziwił, a potem zdziwił się swojemu własnemu zdziwieniu. Miewał już do czynienia, a nawet randkował z mężczyznami cierpiącymi na tę chorobę, ale Charles wydawał się jej zaprzeczeniem – osobą, w której nie ośmieli się ona zagnieździć. Wiedział, że to niemądre, ale tak właśnie czuł. Gdy już zostali parą, znajomi Charlesa podpytywali go czasem, pół żartem, pół serio, co widzi w ich starym, s t a r y m przyjacielu („Pieprzcie się" – karcił ich z uśmiechem Charles), a David odpowiadał, że pewność siebie („Zauważ, że nie wspomniał nic o twojej aparycji, Charlie" – naigrawał się Peter). To była prawda, ale to nie jedynie pewność siebie przyciągała go do Charlesa; także jego zdolność do emanowania swoistą niezniszczalnością, jego radykalne przekonanie, że wszystko da się rozwiązać, że wszystko da się naprawić, jeżeli ma się odpowiednie pieniądze i koneksje. Nawet śmierć musiałaby ulec Charlesowi – tak się przynajmniej zdawało. Tę cechę zachował do końca życia i za nią właśnie David najbardziej tęsknił, kiedy go zabrakło.

Ta sama cecha pozwalała Davidowi zapomnieć – nie zawsze, ale w pewnych okresach – że Charles w ogóle jest zarażony. Widział, jak Charles zażywa leki, wiedział, że w każdy pierwszy poniedziałek miesiąca idzie do doktora, ale całymi godzinami, dniami i tygodniami potrafił udawać, że życie Charlesa i jego życie z Charlesem będzie trwało i trwało, niczym zwój pergaminu rozwijający się na trawiastej ścieżce. Potrafił droczyć się z Charlesem, że ciągle wystaje przed lustrem, że przed spaniem wklepuje sobie kremy w skórę twarzy, układając usta w różne grymasy, że przygląda się swojemu odbiciu po wyjściu spod prysznica, przytrzymując jedną dłonią ręcznik w pasie i wyginając szyję, by zobaczyć plecy, że odsłania zęby i paznokciem opukuje dziąsła. Charlesowa autoobserwacja była wynikiem próżności i niepewności wieku średniego, które wyostrzała obecność Davida, jego młodość, ale była również, co David wiedział – wiedział, lecz usiłował ignorować – wyrazem lęku Charlesa: czy aby nie chudnie? Czy paznokcie mu nie bieleją? Czy nie zapadają mu się policzki? Czy nic mu nie wyrosło? Kiedy choroba zapisze się na jego ciele? Kiedy to samo zrobią leki, które dotychczas powstrzymywały chorobę? Kiedy zostanie obywatelem krainy chorych? Udawanie było głupotą, a jednak obaj udawali, poza sytuacjami, w których było to niebezpieczne. Charles udawał, a David mu na to pozwalał. A może to David udawał, a Charles mu pozwalał? Tak czy inaczej, rezultat był jeden: bardzo rzadko rozmawiali o chorobie; nie wymawiali nawet jej nazwy.

Chociaż Charles wypierał się choroby wobec samego siebie, to nigdy nie zaprzeczał jej w odniesieniu do swoich przyjaciół. Percival, Timothy, Teddy, Norris: Charles dawał im pieniądze, umawiał ze swoim lekarzem, wynajmował kucharki, gosposie i pielęgniarki, które odważały się albo raczyły im pomóc. Teddy'ego, który umarł na krótko przed nastaniem Davida w życiu Charlesa, umieścił nawet w gabinecie przylegającym do swojej sypialni, ponieważ właśnie w niej, w otoczeniu Charlesowej kolekcji rycin botanicznych, Teddy spędził ostatnie miesiące życia. Po śmierci Teddy'ego to Charles, wraz z innymi przyjaciółmi zmarłego, znalazł życzliwego księdza, urządził stypę i podzielił między zebranych prochy Teddy'ego. A na drugi dzień poszedł do pracy. Praca była jedną sferą, a wszystko, co nie wiązało się z pracą – drugą. Charles wydawał się pogodzony z tym, że te dwie sfery nie mają ze sobą styczności, że śmierć jego przyjaciela nigdy nie stanie się wystarczającą wymówką dla spóźnienia czy dla nieobecności w pracy. Nie oczekiwał, aby ktokolwiek w kancelarii Larsson & Wesley rozumiał albo podzielał jego żałobę, tak jak zresztą jego miłość. Był tym zmęczony – co David zrozumiał z opóźnieniem – lecz nigdy się nie skarżył, ponieważ zmęczenie było przywilejem żywych.

Niemniej tego także David się wstydził, wstydził się, bo się bał, bo czuł obrzydzenie. Nie chciał patrzeć na skurczoną twarz Timothy'ego, nie chciał dotykać nadgarstków Petera, z których została sama skóra i kości, tak że Peter zamienił swój metalowy zegarek na dziecinny, plastikowy, a i ten majtał mu się na przedramieniu jak bransoletka. Sam też miał przyjaciół, którzy zachorowali, ale odsunął się od nich: posyłał im całusy na do widzenia, zamiast całować w policzek, przechodził na drugą stronę ulicy, żeby uniknąć rozmowy, pętał się pod domami, do których kiedyś wpadał z entuzjazmem, wystawał na rogu, gdy Eden szła przytulić chorego, wymykał się z pokoi, w których ktoś bardzo czekał na wizytę. Czy to nie dość, że miał dwadzieścia pięć lat i musiał tak żyć? Czy to nie dostateczna odwaga? Jak można oczekiwać od niego czegoś więcej, jeszcze więcej?

Jego zachowanie i jego tchórzostwo sprawiły, że po raz pierwszy poważnie pokłócił się z Eden. „Ty dupku" – syknęła Eden, znalazłszy go siedzącego na progu domu któregoś z ich przyjaciół, gdzie czekał na nią na zimnie przez pół godziny. Nie dał rady wejść – nie zniósłby zapachów w pokoju chorego, jego bliskości, lęku i bezradności. „Jak byś się poczuł?" – wyrzucała mu, a kiedy przyznał, że się bał, zaczęła szydzić: „B o i s z się. Ty się boisz? Boże, David! Mam nadzieję, że zanim ja umrę, wyrosną ci jaja!". Spełniło się: kiedy dwadzieścia dwa lata później Eden umierała, siedział przy jej łóżku, noc po nocy, miesiącami; to on odbierał ją po wlewach chemii; to on ją tulił w tym ostatnim dniu, głaszcząc po plecach, aż skóra stała się zimna i gładka. Tak jak niektórzy ludzie postanawiają zadbać o zdrowie, on postanowił stać się lepszy, dzielniejszy, więc kiedy Eden w końcu umarła, rozpłakał się z powodu jej odejścia, ale także dlatego, że nikt nie był z niego tak dumny jak ona, nikt inny nie widział, jak ciężko David pracował nad opanowaniem odruchu ucieczki. Eden była ostatnim świadkiem jego dawnej osoby, ale Eden odeszła, a wraz z nią odeszła pamięć o jego przemianie.

Kilkadziesiąt lat później, gdy Charles już od dawna nie żył, a David był starym człowiekiem, jego mąż, znacznie od niego młodszy – historia się powtarza, ale w odwróceniu – zdradzał osobliwą nostalgię za tamtą epoką, osobliwą fascynację wiadomą chorobą, którą uparcie nazywał „zarazą". „Nie miałeś poczucia, że wszystko wokół ciebie się wali?" – wypytywał Davida, gotów oburzać się w imieniu jego i jego przyjaciół, gotów im współczuć i pocieszać, ale David, który wówczas żył z chorobą prawie tak długo, jak jego mąż był na świecie, odpowiadał przecząco. Może Charles miał, odpowiadał, ale ja nie miałem. W tym samym roku, w którym zacząłem uprawiać seks, tej chorobie nadano nazwę – nie znałem seksu ani dorosłości bez niej. „Ale jak mogłeś w ogóle funkcjonować, gdy tylu umierało? Nie wydawało ci się, że to bez sensu?" – dziwił się jego mąż. David silił się na wyjaśnienie, które Aubrey zdołałby zrozumieć. Owszem, cedził powoli, czasami tak. Ale wszyscy jakoś funkcjonowaliśmy. Musieliśmy. Chodziliśmy na pogrzeby i do szpitali, ale i plotkowaliśmy o znajomych, śmialiśmy się z nich, kłóciliśmy się, bywaliśmy wrednymi przyjaciółmi i kochankami. Robiliśmy jedno i drugie, wszystko, co trzeba. Nie przyznał się, że sam dopiero po latach zrozumiał, jaki niesamowity był to czas, jak obfitował w rozmaite lęki i jakie to dziwne, że najlepiej utrwaliły mu się w pamięci przyziemności, luźne szczegóły, drobiazgi nieistotne dla nikogo prócz niego: nie szpitalne sale, nie twarze, ale wieczór, gdy z Eden postanowili nie kłaść się spać aż do świtu, więc pili kawę za kawą i tak ich to odurzyło, że nie mogli mówić; albo szaro-białego kota, lokatora tej małej kwiaciarni u zbiegu Horatio i Ósmej Alei, gdzie lubił zaglądać; albo ulubione bajgle Nathaniela, kochanka, z którym zamieszkał po Charlesie: z makiem i pastą łososiowo-szczypiorkową. (Synowi, którego miał z Aubreyem, nadał imię po Nathanielu i był to pierwszy pierworodny Bingham, który nie nazywał się David). Dopiero po latach uświadomił sobie, jak dalece uznawał za oczywistość coś, co było absolutnie nie do przyjęcia – to, że przez całą trzecią dekadę życia uczęszczał na nabożeństwa żałobne, zamiast planować własną przyszłość; że jego fantazje nigdy nie wykraczały poza perspektywę roku. Dopiero teraz dostrzegał, że przedryfował przez tamtą dekadę z zimnym dystansem lunatyka – przebudzenie równałoby się załamaniu pod presją tego wszystkiego, co widział i zniósł. Inni byli do tego zdolni, ale on nie: robił wszystko, żeby się chronić, szukał bezpiecznego miejsca, do którego świat zewnętrzny nie miał pełnego dostępu. Całe jego pokolenie żyło w zawieszeniu – jedni znajdowali ujście w złości, inni w milczeniu. Jego przyjaciele maszerowali, krzyczeli głośno w protestach przeciwko rządowi i koncernom farmaceutycznym; zgłaszali się na ochotnika, nurzali się w horrorze, który ich otaczał. A on nie robił nic, tak jakby nicnierobienie gwarantowało, że nic mu się nie stanie; czasy były głośne, ale on wybrał ciszę. Chociaż wstydził się swojej bierności i swojego lęku, to nawet wstyd nie motywował go do większego zaangażowania w otaczający świat. Chciał, żeby ktoś go obronił. Chciał, żeby ktoś go stamtąd zabrał. Wiedział, że szuka tego, czego jego ojciec też poszukiwał w Lipo-wao-nahele. I tak samo jak ojciec, dokonał niesłusznego wyboru – zamiast układać się ze swoją złością, próbował się przed nią ukryć. Ale ukrycie się nie powstrzymało biegu zdarzeń. W końcu i tak został znaleziony.

Była dziewiąta wieczór i miejsce półmisków na stole w jadalni zajęły desery. Goście po raz kolejny ruszyli się z miejsc, by ukroić sobie porcję tarty z orzeszkami piniowymi, polenty obłożonej lśniącymi plastrami kandyzowanej pomarańczy albo tortu czekoladowego według przepisu kucharza babki Charlesa, który podawano na każdym przyjęciu. David znów poszedł do jadalni za innymi, po talerze dla Petera i Charlesa.

Gdy wrócił do salonu, James ustawiał właśnie półmisek suszonych moreli i fig, solonych migdałów i kawałków gorzkiej czekolady na stoliku kawowym przy sofie, na której wciąż siedzieli Charles z Peterem. David obserwował ich twarze, gdy patrzyli na Jamesa – były czujne, ale nieprzeniknione.

– Dzięki ci, młody człowieku – powiedział Peter, gdy James wyprostował się po wykonaniu zadania.

David starał się nie spojrzeć na Jamesa, gdy mijali się w drzwiach i lewe ramię Jamesa musnęło jego prawą rękę. Postawił talerz koło Petera, a gdy drugi podawał Charlesowi, ten złapał go za rękę. Peter przyglądał się temu z miną wciąż nie do rozszyfrowania.

David poznał wszystkich innych bliskich przyjaciół Charlesa wcześniej niż Petera. Dlatego to, że Charles najwyraźniej zwlekał z przedstawieniem ich sobie, w połączeniu z częstym powoływaniem się na Petera i jego opinie – „Peter widział ten nowy spektakl w Signature i mówi, że to badziewie"; „Chcę się zatrzymać przy Three Lives i kupić tę biografię, którą polecał Peter"; „Peter mówi, że musimy koniecznie pójść na wystawę Adrian Piper w galerii Pauli Cooper, gdy tylko ją otworzą" – działało mu na nerwy. Zanim się poznali, po trzech miesiącach związku Davida z Charlesem, jego nerwowość przerodziła się w niepokój podsycany niepokojem Charlesa. „Mam nadzieję, że jedzenie jest okej" – denerwował się

Charles, gdy Peter szukał drugiej skarpetki, która, jak się okazało, przez cały czas leżała na łóżku, gdzie sam położył ją pięć minut wcześniej. „Peter jest bardzo wybredny. I ma nadzwyczajny smak, więc jeśli coś będzie nie tak, na pewno to skomentuje". („Ten Peter wygląda mi na dupka" – stwierdziła Eden, gdy powiedział jej o Peterze znanym sobie z drugiej ręki, i od tamtej pory David musiał gryźć się w język, żeby tego głośno nie powtórzyć).

Charles w nowej wersji – roztrzęsiony i zbity z pantałyku – zarazem fascynował go i niepokoił. Z ulgą odkrył, że nawet Charles potrafi czuć się niepewnie; z drugiej jednak strony nie mogli o b a j denerwować się tego wieczoru – David liczył na Charlesa w roli swego obrońcy.

– Dlaczego się tak denerwujesz? – spytał. – Przecież to twój najstarszy przyjaciel.

– Właśnie d l a t e g o się denerwuję – odparł Charles, skrobiąc podbródek brzytwą. – Ty nie masz przyjaciela, z którego zdaniem liczysz się bardziej niż z czyimkolwiek innym?

– Nie – odpowiedział, chociaż pomyślał o Eden.

– Więc będziesz kiedyś miał – warknął Charles. – Szlag! – Zaciął się. Zerwał kawałek papieru toaletowego i przytknął do skóry. – Jeśli szczęście ci dopisze. Zawsze warto mieć bliskiego przyjaciela, którego trochę się boisz.

– Dlaczego?

– Bo to znaczy, że w twoim życiu jest ktoś, kto stawia ci prawdziwe wyzwania, kto zmusza cię niejako do tego, żebyś stawał się lepszy w tym, czego najbardziej się boisz. Aprobata przyjaciół tego rodzaju każe ci być człowiekiem odpowiedzialnym.

Czy rzeczywiście była to prawda? David pomyślał o swoim ojcu, który z pewnością bał się Edwarda. Zabiegał o aprobatę Edwarda, to fakt, a Edward stawiał mu wyzwania, to także fakt. Ale Edward nie chciał, żeby jego ojciec stał się l e p s z y – ani mądrzejszy, ani lepiej wykształcony, ani bardziej niezależny w sądach. On po prostu chciał, żeby ojciec Davida... co właściwie? Żeby się z nim zgadzał, żeby go słuchał, żeby dotrzymywał mu towarzystwa. Udawał, że takie posłuszeństwo ma jakieś wyższe cele, ale tak nie było – chodziło wyłącznie o to, żeby mieć kogoś, kto będzie patrzył na niego z uwielbieniem – w końcu chyba wszystkim zawsze o to chodzi. A taki przyjaciel, jakiego opisywał Charles, to ktoś, kto chce, żebyś był bardziej sobą. Edward w stosunku do ojca Davida chciał czegoś wprost przeciwnego. Chciał zredukować go do istoty, która w ogóle nie myśli.

– No dobrze – powiedział – ale czy przyjaciel nie powinien być dla ciebie miły?

– Od tego mam ciebie – odrzekł Charles, uśmiechając się do niego w lustrze.

Gdy w końcu David poznał Petera, był zaskoczony jego hipnotyzującą brzydotą. I nie była to kwestia jakiejś jednej odpychającej cechy urody – Peter miał duże, świetliste, trochę psie oczy, wydatny, solidny nos i długie ciemne brwi, które jakby wyrosły smugami, a nie pojedynczymi włoskami – ale połączenie wszystkich tych cech było dysharmonijne, i to uderzająco. Miało się wrażenie, że każdy rys jego twarzy chce być solistą, a nie członkiem zespołu.

– Peter – powiedział Charles i go przytulił.

– Charlie – odpowiedział Peter.

Przez pierwszą część kolacji mówił tylko Peter. Sprawiał wrażenie kogoś, kto ma zdecydowaną i ugruntowaną opinię na każdy właściwie temat, a jego monolog, podsycany wtrętami i pytaniami Charlesa, dotyczył kolejno: uszczelniania fasady budynku, w którym mieszkał; odtworzenia niemal wymarłych już odmian dyni; wad najnowszej powieści, którą wszyscy się zachwycali; uroków właśnie wznowionego niszowego zbiorku krótkich esejów japońskiego mnicha z XIV wieku; związków pomiędzy antymodernistami i antysemitami; powodów, dla których Peter definitywnie rezygnuje z wakacji na Hydrze i wybiera Rodos. David był ignorantem we wszystkich tych kwestiach, niemniej chociaż czuł się coraz bardziej nieswojo, musiał przyznać, że Peter go intryguje. Nie tyle tym, co mówił – większości z tego David nie pojmował – ile sposobem mówienia. Miał piękny, głęboki głos i wyraźnie smakował słowa na języku, jakby wypowiadał je dla samej przyjemności artykułowania.

– No, Davidzie – zwrócił się do niego, czego zresztą David się spodziewał – Charles już mi mówił, jak się poznaliście. Ale opowiedz mi o sobie.

– Niewiele właściwie mam do opowiadania – zaczął David, zerkając na Charlesa, który dodawał mu otuchy uśmiechem. Wyrecytował znane już Charlesowi fakty, a Peter wpatrywał się w niego swoimi jasnymi, psimi oczami. David obawiał się, że Peter będzie dociekliwy, że zasypie go pytaniami, które wszyscy mu zadawali: Więc twój ojciec nigdy nie pracował, naprawdę? N i g d y? Nie znałeś swojej matki? Nawet krótko? Ale on jedynie kiwał głową i nic nie mówił.

– Nudzę cię – podsumował z żalem David, a Peter wolno i z namysłem pokiwał głową, jakby usłyszał coś niezmiernie głębokiego.

– Tak – rzekł. – To prawda. Ale jesteś młody. Masz prawo być nudny.

David niezbyt wiedział, jak ma to rozumieć, ale Charles tylko się uśmiechnął.

– Czy to znaczy, że i t y, Peter, byłeś nudny, kiedy miałeś dwadzieścia pięć lat? – spytał prowokacyjnie, a Peter znów pokiwał głową.

– Oczywiście, że byłem, i ty też, Charles.

– Kiedy zaczęliśmy być interesujący?

– Czy nie zanadto sobie pochlebiasz? Ale niech ci będzie; powiedziałbym, że w ciągu ostatnich dziesięciu lat.

– Dopiero?

– Mówię tylko o sobie – zastrzegł się Peter, a Charles wybuchnął śmiechem.

– Drań – powiedział czule.

– Myślę, że dobrze poszło – rzekł Charles tamtej nocy w łóżku, a David się z nim zgodził, chociaż właściwie w myślach się nie zgadzał. Potem zmuszony był spotkać się z Peterem zaledwie przy kilku okazjach i za każdym razem w rozmowie następowała pauza, podczas której Peter obracał swoją wielką głowę do Davida i pytał: „No, młody człowieku, co cię spotkało, odkąd widziałem cię po raz ostatni?" – tak jakby życie nie było doświadczeniem Davida, ale czymś darowanym. A później Peter zaczął chorować i David widywał go jeszcze rzadziej, a po dzisiejszym wieczorze miał go już więcej nie zobaczyć. Charles powiedział, że Peter umiera rozczarowany: był sławnym poetą, ale przez trzydzieści ostatnich lat pisał powieść, która nie znalazła wydawcy. „Łudził się, że to będzie jego spuścizna" – powiedział Charles.

Zainteresowanie Charlesa i jego przyjaciół spuścizną było czymś, czego David kompletnie nie rozumiał. Na przyjęciach nieraz dyskutowali o tym, jak zostaną zapamiętani po śmierci, co po sobie zostawią. Czasem mówili o tym z zawadiacką pewnością siebie, ale częściej popadali w żałosne tony; niektórym wydawało się, że zostawiają po sobie za mało, a co gorsza, że to, co zostawiają, jest zbyt zawiłe albo zbyt ugodowe. Kto będzie o nich pamiętał i za co zostaną zapamiętani? Czy ich dzieci zapamiętają, że organizowali dla nich przyjęcia, czytali im książeczki i uczyli je łapać piłkę? Czy może raczej zapamiętają, że porzucili ich matki, że z willi w Connecticut wyprowadzili się do mieszkań w wielkim mieście, gdzie mimo wszelkich ojcowskich starań dzieci nigdy nie czuły się swobodnie? Czy kochankowie zapamiętają ich z czasów kwitnącego zdrowia, gdy wszyscy mężczyźni odwracali się za nimi na ulicy, czy może zostanie im w pamięci obraz starych mężczyzn, choć przecież jeszcze nie starców, o odrażających twarzach i ciałach? Z trudem wywalczyli sobie reputację za życia, ale nie zdołają zapanować nad tym, kim zostaną po śmierci.

A kogo to obchodzi? Umarli nic nie wiedzą, nic nie czują, są niczym. Gdy David opowiedział Eden o zmartwieniach Charlesa i jego przyjaciół, orzekła, że troska o spuściznę jest typową fiksacją białych mężczyzn. Co to znaczy? – spytał. „Że tylko ludzie, którzy mają wiarygodną nadzieję na unieśmiertelnienie w historii, żyją obsesją formy tego unieśmiertelnienia – odpowiedziała. – Nas, całą resztę, zanadto pochłania jakie takie przeżycie każdego dnia". Roześmiał się wtedy i zarzucił jej melodramatyzm i reakcyjną mizoandrię, ale później w nocy, leżąc w łóżku, zastanowił się nad jej słowami i nad tym, czy aby nie miała racji. „Gdybym miał dziecko – powtarzał nieraz Charles – czułbym, że coś po sobie zostawiam, jakiś ślad w tym świecie". David rozumiał, o co mu chodzi, ale dziwił się pewnikom zawartym w tym oświadczeniu. Jak posiadanie dziecka może cokolwiek gwarantować? A jeśli twoje dziecko cię nie lubi? A jeśli twojemu dziecku na tobie nie zależy? A jeśli twoje dziecko wyrośnie na dorosłego potwora, za którego będziesz się wstydził? Co wtedy? Człowiek to najgorsze dziedzictwo, jakie można po sobie zostawić, ponieważ człowiek jest z definicji nieprzewidywalny.

Jego babka to wiedziała. Gdy był jeszcze małym dzieckiem, zapytał babkę, dlaczego nazywają go Kawika, chociaż tak naprawdę ma na imię David. Wszyscy pierworodni w ich rodzinie nosili imię David, ale na wszystkich mówiono Kawika, co było hawajskim odpowiednikiem Davida. „Jeżeli na nas wszystkich mówią Kawika, to po co nam imię David?" – zdziwił się głośno, a wtedy jego ojciec (siedzieli przy stole) wydał cienki pisk, którym zazwyczaj wyrażał lęk albo zmartwienie.

A przecież nie było czego się bać, bo nie dość, że babka się nie zezłościła, to jeszcze lekko się uśmiechnęła. „Bo – powiedziała – król miał na imię David". Król, ich przodek. Tyle wiedział.

Tamtego wieczoru ojciec przyszedł do niego przed snem. „Nigdy nie zadawaj babci takich pytań", powiedział. „Dlaczego? – spytał David. – Przecież się nie pogniewała". „Na ciebie nie – odrzekł ojciec. – Ale potem była zła na mnie; pytała, dlaczego nie nauczyłem cię lepiej". Ojciec miał taką smutną minę, że David obiecał i przeprosił, a ojciec odetchnął z ulgą, pochylił się nad nim i ucałował go w czoło. „Dziękuję ci – powiedział. – Dobranoc, Kawika".

Nie znajdował na to słów, był za mały, ale już wtedy wiedział, że babka wstydzi się za ojca. W maju, gdy udali się na doroczny bankiet jej towarzystwa, to David wkroczył do pałacu z babką, Davida babka przedstawiła swoim przyjaciołom i promieniała z dumy, gdy całowali go w policzek i chwalili jego urodę. David wiedział, że gdzieś w tyle za nimi stoi jego ojciec i uśmiecha się, patrząc w ziemię, bo nie spodziewał się, że ktoś go rozpozna. I słusznie. Kiedy goście wyszli do pałacowych ogrodów, gdzie podano kolację, David wślizgnął się z powrotem do budynku i znalazł ojca jeszcze w sali tronowej, na wpół ukrytego za jedwabną kotarą w jednej z nisz okiennych i spoglądającego na rozświetlony pochodniami trawnik.

– Tato – powiedział – chodź na przyjęcie.

– Nie, Kawika – odpowiedział ojciec. – Ty idź, baw się. Mnie tam nie chcą.

Ale on się uparł i w końcu ojciec powiedział: „Pójdę, ale pod warunkiem, że ty pójdziesz ze mną". Oczywiście, odpowiedział i wyciągnął rękę, którą ojciec wziął w swoją, i zeszli razem na trwające w najlepsze przyjęcie.

Jego ojciec był pierwszym rozczarowującym dziedzictwem babki. David wiedział, że on sam jest drugim. Gdy opuszczał Hawaje, wiedząc, że wyjeżdża na zawsze, poszedł powiedzieć o tym babce – nie dlatego, że pragnął jej aprobaty (powtarzał sobie wtedy, że wszystko mu jedno), i nie dlatego, że spodziewał się awantury, ale dlatego, by ją poprosić, żeby opiekowała się jego ojcem, żeby go chroniła. Wiedział, że wyjeżdżając, wyrzeka się należnego mu spadku – ziemi, pieniędzy, trustu. Ale wydawało mu się to małym poświęceniem, małym i czysto teoretycznym, bo przecież żadna z tych rzeczy nigdy do niego nie należała. Należały one nie do niego jako osoby, ale do przypadkowego posiadacza jego imienia, z którego także zamierzał zrezygnować.

Mieszkał już wtedy od dwóch lat na Big Island. Wrócił do domu w alei O‘ahu, gdzie zastał babkę w pokoju słonecznym, usadowioną w fotelu z plecionym oparciem i wczepioną długimi, mocnymi palcami w podłokietniki. Powiedział, co miał do powiedzenia, a ona milczała, na koniec zaś popatrzyła na niego przeciągle, jeden raz, i odwróciła się.

– Rozczarowałeś mnie – powiedziała. – Ty i twój ojciec, wy obaj. Po tym wszystkim, co dla ciebie zrobiłam, Kawika. Po wszystkim, co zrobiłam.

– Ja już nie nazywam się Kawika – odparł. – Nazywam się David.

A potem odwrócił się i uciekł, zanim babka zdążyła jeszcze powiedzieć: „Nie zasługujesz na to, żeby się nazywać Kawika. Nie zasługujesz na to imię".

Wiele miesięcy później wspominał tę rozmowę i płakał, ponieważ jednak były takie czasy, takie lata, kiedy był dumą swojej babki, kiedy sadzała go obok siebie na otomanie, przytulonego do jej boku.

– Nie boję się śmierci – mówiła – a wiesz dlaczego, Kawika?

– Nie wiem – odpowiadał.

– Bo wiem, że będę żyć dalej w tobie. Moje zamiary i moje życie będą żyć dalej w tobie, moja ty dumo i radości. Moja historia i nasza historia żyją w tobie.

Ale tak się nie stało, a przynajmniej nie w sposób zaplanowany przez babkę. Zawiódł ją na wszystkich frontach. Opuścił ją, porzucił swój dom, swoją wiarę, swoje imię. Mieszkał w Nowym Jorku z mężczyzną, z białym mężczyzną. Nigdy nie mówił o swojej rodzinie, o swoich przodkach. Nigdy nie podśpiewywał piosenek, których uczono go śpiewać, nigdy nie odtwarzał w tańcu opowieści, których uczono go tańczyć, nigdy nie recytował historii, którą uczono go czcić. Babka była pewna, że on ją w sobie przechowa – ją, ale także swojego dziadka i dziadka swojego dziadka. Zawsze wmawiał sobie, że zdradził ją z wyboru, ponieważ nie dość kochała jego ojca, ale ostatnio zaczął się zastanawiać, czy jego zdrada rzeczywiście była rozmyślna, czy może wynikła z jakiegoś defektu emocjonalnego, z jakiejś fundamentalnej oziębłości. Wiedział, jaki szczęśliwy byłby Charles, gdyby po którejś z ich rozmów David obiecał mu, że to on przejmie dziedzictwo Charlesa, że Charles będzie żył dalej w nim. Wiedział, jak wzruszyłby Charlesa takim wyznaniem. A jednak się na to nie zdobył. Nie dlatego, że nie była to prawda – przecież kochałby Charlesa dalej, wszystkim przyszłym kochankom, przyszłemu mężowi, przyszłemu synowi, przyszłym kolegom i przyjaciołom opowiadałby o Charlesie przez kilkadziesiąt lat po jego śmierci, opowiadałby im o naukach zaczerpniętych od Charlesa, o miejscach, które razem zwiedzili, o jego zapachu, o jego dzielności i hojności, o tym, jak Charles nauczył go jeść kabaczki, ślimaki i karczochy, opowiadałby o tym, jaki był seksowny i jak się poznali, i jak się rozstali – ale dlatego, że miał dość odgrywania roli cudzego dziedzictwa. Znał lęk przed poczuciem, że nie jest dość dobry, znał ciężar bycia powodem rozczarowania. Dlatego postanowił: nie. Chciał być wolny. Dopiero w znacznie starszym wieku przekonał się, że nikt nigdy nie jest wolny, że znać i kochać kogoś znaczy przyjąć na siebie zadanie pamiętania o tej osobie, nawet jeżeli on lub ona wciąż żyje. Nikt nie może uciec przed tym obowiązkiem, a w miarę jak się starzejemy, rośnie w nas pragnienie spełnienia go, choćbyśmy wcześniej się przed nim uchylali. Rośnie świadomość, że nasze życie jest nierozłączne z życiem innego człowieka, że ktoś choć po części zaznaczył swoje istnienie przez swój związek z nami.

Stojąc teraz u boku Charlesa, wziął głęboki wdech. Prędzej czy później będzie musiał porozmawiać z Peterem. Będzie musiał się z nim pożegnać. Od tygodni zastanawiał się, co mu powie, wiedząc, że to, co jemu samemu wydaje się ważne, Peter uzna za trywialne, a na grzeczności i komunały szkoda czasu. Miał coś, czego Peter nie miał – życie, obietnicę i perspektywę kolejnych lat – a mimo to ten mężczyzna go onieśmielał. „Zrób to teraz – powtarzał sobie w duchu. – Porozmawiaj z nim teraz, dopóki w pokoju jest pusto i nikt was nie podsłuchuje".

Kiedy jednak usiadł wreszcie po lewej stronie, Charles i Peter nie przerwali swojej cichej, niewyraźnej rozmowy, więc oparł się bokiem o Charlesa, który wziął go za rękę i ścisnął ją, zanim odwrócił się do niego z uśmiechem.

– Mam wrażenie, że nie widziałem cię przez cały wieczór – powiedział.

– Wieczór jeszcze młody i ja też – odrzekł David, cytując ich stary żart, a Charles zagarnął dłonią jego głowę i przybliżył jego twarz do swojej twarzy.

– Pomożesz mi? – zapytał.

Charles uprzedził go, że będzie musiał mu asystować przy Peterze, więc wstał i pomógł Peterowi przenieść się na wózek inwalidzki, a następnie wytoczył go z pokoju i korytarzem w lewo, mijając skośnie sklepiony składzik, dowiózł do małej łazienki pod schodami. To legendarna łazienka, mówił mu Charles: na dawnych imprezach, w dawnych latach, gdy Charles był młodszy i bardziej narwany, to tam wymykali się jego goście, parami lub trójkami, w trakcie kolacji i późnonocnych posiadów, a cała reszta zostawała w jadalni lub w salonie i stroiła sobie żarty z tych, co zniknęli, witając ich powrót gromkim pohukiwaniem i śmiechem. „Ty też się z kimś wymknąłeś?" – spytał David, a Charles uśmiechnął się szeroko i odpowiedział: „Oczywiście, że tak. A co myślałeś? Jestem czerwonokrwistym amerykańskim samcem". Adams nazywał tę łazienkę gotowalnią, co w jego mniemaniu brzmiało wytwornie, ale przyjaciół Charlesa rozśmieszało do rozpuku.

Teraz jednak gotowalnia była tym, czym w rzeczywistości zawsze była – łazienką. Jeżeli zaś znajdowały się w niej dwie osoby naraz, to jedynie dlatego, że jedna drugiej pomagała skorzystać z toalety. David pomógł Charlesowi dźwignąć Petera na nogi (bo przeraźliwie chudy Peter był, o dziwo, cięższy, niż się na oko zdawało, a nogi odmawiały mu posłuszeństwa), a gdy już Charles trzymał Petera mocno pod pachami, pożegnał ich skinieniem głowy i zamknął drzwi, ale został na zewnątrz, starając się nie słuchać odgłosów, jakie wydawał Peter. Zawsze peszyło go i zaskakiwało, ile odchodów może wyprodukować ciało do samego końca, nawet gdy już dostaje niewiele do strawienia. Człowiek traci jedną po drugiej życiowe przyjemności – jedzenie, pieprzenie, picie, taniec, chodzenie – aż w końcu pozostają mu same pozbawione godności funkcje i ruchy, sama esencja cielesności: sranie, sikanie, krwawienie i płacz; ciało pozbywa się cieczy niczym rzeka, która postanowiła wyschnąć do dna.

Usłyszał szum wody lecącej z kranu i odgłosy mycia rąk, a potem Charles zawołał go po imieniu. Otworzył drzwi, wmanewrował wózek i pomógł usadzić na nim Petera, poprawiając mu poduszkę za plecami. Unikał wzroku Petera, przekonany, że ten ma mu za złe obecność, lecz gdy się wyprostował, Peter zadarł głowę i popatrzyli sobie w oczy. Trwało to chwilę tak krótką, że Charles, który otulał Petera swetrem, nawet nie zauważył, ale kiedy odwieźli Petera do salonu – wypełnionego gośćmi oraz zapachem cukru, czekolady i kawy rozlewanej przez Adamsa do filiżanek – David znów przycisnął się bokiem do Charlesa, bo poczuł się jak dziecko, które potrzebuje obrony przed złością, furią i straszliwym pragnieniem, które wyczytał z twarzy Petera. Wiedział, że te uczucia nie godzą bezpośrednio w niego samego, ale w to, co sobą reprezentuje: był żywy, i kiedy impreza się skończy, wejdzie dwa piętra wyżej i może będzie się kochał z Charlesem, a może nie, ale nazajutrz rano obudzi się i wybierze sobie, co zje na śniadanie i co ma ochotę robić tego dnia – uda się do księgarni, a może do kina albo na lunch, albo do muzeum, albo po prostu na spacer. I w ciągu tego dnia dokona setek wyborów, tak wiele, że straci rachubę, tak wiele, że nawet nie zauważy, kiedy będzie wybierał, a z każdym wyborem potwierdzi swoją obecność, swoje miejsce w świecie. A z każdym dokonanym przez niego wyborem Peter wycofa się o kawałek z życia, z jego pamięci, i z każdą minutą, z każdą godziną będzie się stawał coraz odleglejszą przeszłością, aż pewnego dnia zostanie całkiem zapomniany: dziedzictwo nicości, pamięć niczyja.

Przez większą część wieczoru goście raczej krążyli wokół Petera, niż z nim rozmawiali. Czasem ktoś, rozmawiając z kimś innym, odwracał się do niego i rzucał pytanie: „Pamiętasz tamten wieczór, Peter?"; „Ten facet, Peter, jak on się nazywał? Wiesz, ten, którego poznaliśmy w Palm Springs"; „Peter, słyszałeś? Rozmawiamy o tej wycieczce, na której byliśmy w siedemdziesiątym ósmym" – ale przeważnie rozmawiali między sobą, zadowoleni, że Peter siedzi na dalszym końcu kanapy i ma przy sobie Charlesa. Wszyscy bali się Petera, co David już dawno zauważył, a teraz bali się podwójnie, bo widzieli go po raz ostatni, lecz presja konieczności pożegnania była tak ogromna, że woleli go ignorować. Ale Peter wydawał się zadowolony ze swojej sytuacji. Było coś majestatycznego w spokoju, z jakim wodził wzrokiem po przyjaciołach, którzy zebrali się tu na jego cześć; od czasu do czasu kiwał głową na jakąś uwagę Charlesa – przypominał wielkiego starego psa, który siedzi u boku swego pana i obserwuje pokój, wiedząc, że tego wieczoru jego panu nikt nie zagrozi.

Nagle jednak, jak na wezwanie, które tylko oni słyszeli, ludzie zaczęli pojedynczo podchodzić do Petera, nachylać się i szeptać mu do ucha. Jednym z pierwszych był John. Charles, szturchnięty przez Davida, chciał wstać i usunąć się, by dać Peterowi chwilę prywatności, Peter jednak położył dłoń na jego nodze i Charles siadł z powrotem. David także został i obaj z Charlesem śledzili wzrokiem powrót Johna na miejsce pod przeciwległą ścianą pokoju, a potem patrzyli, jak jego miejsce zajmuje Percival, po nim zaś Timothy, Norris, Julien i Christopher: każdy ściskał oburącz dłonie Petera i pochylony, na klęczkach albo siedząc obok, po cichutku odbywał z nim ostatnią rozmowę. David nie słyszał większości słów, a może nawet żadnego, ale – tak samo jak Charles – trwał nieruchomo, jak gdyby Peter był cesarzem przyjmującym ministrów dostarczających mu wieści z całego kraju, oni dwaj zaś – sługami, którzy niczego nie powinni słyszeć, a mimo to nie zmykają do kuchni, gdzie jest ich miejsce.

Oczywiście to, co przyjaciele mieli Peterowi do powiedzenia, nie było w żadnym razie poufne – były to banały szeptane z intymnością wielkiego sekretu. Mówili do Petera jak do prastarej istoty, która dawno straciła pamięć. „Przecież ja to pamiętam" – odpowiedziałby im w normalnych okolicznościach, jak zawsze, kiedy ktoś zaczynał opowieść od „A pamiętasz, jak...?" – „Jeszcze nie jest ze mną aż t a k źle". Teraz jednak zdawało się, że spłynęła na niego nowa łaska przejawiająca się w postaci cierpliwości, bo pozwalał każdemu po kolei przytulać się i mówić do siebie bez czekania na odpowiedź. David nigdy nie sądził, że Petera może interesować bycie dobrym w umieraniu ani że w ogóle może być do tego zdolny – a przecież siedział teraz przed nim w aureoli dobroci i dostojeństwa, wsłuchiwał się w słowa przyjaciół, uśmiechał w stosownych chwilach, kiwał głową i pozwalał ściskać sobie ręce.

– Pamiętasz, Peter, jak dziesięć lat temu, latem, wynajęliśmy tę ruderę w Pines i jak któregoś dnia rano zszedłeś na dół, a tam pośrodku salonu stał jeleń i zażerał nektarynki, które Christopher zostawił na kredensie?

– Zawsze miałem wyrzuty sumienia z powodu naszej bójki, zresztą wiesz, o czym mówię. Zawsze żałowałem, że do niej doszło i że nie można tego cofnąć. Przepraszam cię, Peter, bardzo przepraszam. Powiedz, że mi wybaczasz.

– Nie wiem, Peter, jak sobie z tym wszystkim poradzę bez ciebie. Nie zawsze dobrze się między nami układało, ale będzie mi ciebie brakować. Bardzo dużo mnie nauczyłeś, chcę ci tylko podziękować.

David zrozumiał, że kiedy człowiek umiera, wtedy inni chcą od niego najwięcej – domagają się pamięci, pokrzepienia, wybaczenia. Domagają się uznania i odkupienia; chcą, żeby umierający poprawił im samopoczucie w związku z tym, że on umiera, a oni zostają; że nienawidzą go za to, że ich zostawia; że strasznie się tego boją; że swoją śmiercią przypomina im o nieuchronności ich własnej; że czują się nieswojo i brak im słów. Umieranie to powtarzanie w kółko tego samego, tak jak Peter to robił w tej chwili: „Owszem, pamiętam. Nie, dam radę. Nie, dasz radę. Tak, oczywiście, że ci wybaczam. Nie, wiem, co próbujesz powiedzieć. Tak, ja ciebie też kocham, ja ciebie też, ja ciebie też".

David słuchał tego wszystkiego wciąż przytulony do boku Charlesa, objęty jego lewym ramieniem, ponieważ ten prawą ręką otaczał plecy Petera. Wcisnął twarz w żebra Charlesa jak dzieciak, żeby usłyszeć jego powolny, miarowy oddech i poczuć ciepło jego ciała na policzku. Lewa dłoń Charlesa wcisnęła się pod jego lewą pachę, więc uniósł rękę i splótł palce z palcami Charlesa. Nie byli tu potrzebni w tej części wieczoru, ale gdyby obserwować ich z boku, wydaliby się wszyscy trzej pojedynczym organizmem o dwunastu kończynach i trzech głowach, z których jedna kiwała i słuchała, a pozostałe dwie milczały w bezruchu. Całą tę trójcę utrzymywało przy życiu jedno olbrzymie serce, które miarowo i bez użalania się biło w piersi Charlesa, pompując jasną, czystą krew do tętnic łączących wszystkie trzy połączone postacie, napełniając je życiem.

Było jeszcze wcześnie, ale goście szykowali się do wyjścia. „On jest zmęczony" – przekonywali się nawzajem, mając na myśli Petera, a do niego samego zwracali się z pytaniem: „Jesteś zmęczony?", na co Peter za każdym razem odpowiadał: „Tak, trochę", aż w jego głosie zaczęło pobrzmiewać znużenie, które mogło być skutkiem wyczerpywania się cierpliwości albo autentycznego zmęczenia. Jakieś pół roku temu, gdy zdecydował się na „plan szwajcarski", zwierzył się Charlesowi, że ostatnio przesypia prawie całe dni, a wieczorami drzemie do północy i dopiero wtedy „zajmuje się sprawami".

– Jakimi sprawami? – spytał wówczas Charles.

– Porządkuję papiery. Palę listy, które nie powinny się dostać w niepowołane ręce. Finalizuję listę darów dołączoną do testamentu; ustalam, co komu przypadnie. Robię spis osób, z którymi chciałbym się pożegnać. Robię spis osób, których nie życzę sobie na moim pogrzebie. Nie miałem pojęcia, że umieranie to ciągłe układanie list: układasz listy ludzi, których lubisz, i tych, których nie znosisz. Układasz listy ludzi, którym chcesz podziękować, i tych, których chcesz prosić o wybaczenie. Układasz listy ludzi, z którymi chcesz się spotkać, i tych, z którymi nie chcesz. Układasz listy utworów, które mają zabrzmieć na twoim nabożeństwie żałobnym, i wierszy do odczytania przy tej okazji, i zaproszonych gości. Wszystko to oczywiście pod warunkiem – mówił dalej Peter – że miałeś szczęście i nie straciłeś rozumu. Chociaż ostatnio zastanawiam się, czy to takie szczęście być aż tak świadomym, że od tej chwili nie poczynisz dalszych postępów. Nigdy nie staniesz się lepiej wykształcony, mądrzejszy ani ciekawszy, niż jesteś; cokolwiek robisz, czegokolwiek doświadczasz od chwili, w której zaczynasz aktywnie umierać, jest bezużyteczną, jałową próbą zmiany końca twojej historii. Ale i tak próbujesz tego dokonać; przeczytać, czego nie czytałeś, zobaczyć, czego nie widziałeś. Tyle że to już nie jest p o c o ś. Robisz to po prostu z nawyku, bo tak postępują ludzie.

– Ale czy wszystko musi być p o c o ś? – spytał wtedy z wahaniem David, bo zawsze się denerwował, zwracając się bezpośrednio do Petera, a jednak nie mógł się powstrzymać; pomyślał o swoim ojcu.

– Nie, oczywiście, że nie. Nauczono nas jednak, że musi, że doświadczenie, że nauka jest drogą do zbawienia. Że taki jest cel życia. Ale to nieprawda. Ignorant umiera dokładnie tak samo jak człowiek wykształcony. Ostatecznie nie ma żadnej różnicy.

– No a co z przyjemnością? – wtrącił się Charles. – Ona jest wystarczającym powodem.

– Jasne, przyjemność. Tyle że przyjemność tak naprawdę niczego nie zmienia. Nie chcę przez to powiedzieć, że należy działać lub nie działać jedynie dlatego, że koniec końców nie ma to żadnego znaczenia.

– Boisz się? – spytał.

Peter zamilkł, a David zląkł się, że palnął głupstwo. Ale po chwili Peter się odezwał:

– Nie boję się, że będzie mnie bolało – rzekł powoli, a kiedy podniósł wzrok, jego duże świetliste oczy wyglądały na jeszcze większe i bardziej świetliste. – Boję się, bo wiem, że moje ostatnie myśli będą o czasie, który zmarnowałem. Boję się, bo umrę, nie czując dumy z tego, jak przeżyłem swoje życie.

Wówczas zapadła cisza, a wznowiona później rozmowa przebiegała już inaczej. David nadal był ciekaw, czy Peter wciąż czuje tak samo; ciekaw był, czy Peter nadal uważa, że zmarnował życie. Ciekaw był, czy właśnie dlatego Peter ostatecznie zdecydował się spróbować chemioterapii – czy postanowił jeszcze raz się postarać, czy miał nadzieję, że zmieni zdanie, że poczuje się inaczej. David miał nadzieję, że Peter poczuł się inaczej; miał nadzieję, że nie czuje się tak jak wtedy. Niemożliwością było zadać wprost pytanie – „Czy wciąż czujesz, że zmarnowałeś życie?" – więc nie zapytał, chociaż później wyrzucał sobie, że nie znalazł na to odpowiedniego sposobu. Pomyślał, tak jak zawsze, o swoim ojcu, który wyzbył się życia wysiłkiem woli – a może wysiłkiem woli wymigał się z życia? To był jego jedyny akt nieposłuszeństwa, i David go za to nienawidził.

W salonie Trzy Siostry wkładały płaszcze, okręcały szyje szalikami, całowały na pożegnanie Petera, a potem Charlesa. David usłyszał, jak Charles pyta Percivala: „Dasz sobie radę? Zobaczymy się w przyszłym tygodniu, prawda?". A Percival odpowiada: „Tak, radzę sobie. Dzięki, Charlie – za wszystko". Davida zawsze wzruszała ta cecha Charlesa: jego matczyność, jego troskliwość. Nagle stanął mu przed oczami obraz matki z książeczek z obrazkami, które czytywał razem z ojcem: w chustce na głowie i kuchennym fartuchu, przyjemnie tłuściutka stoi w progu kamiennej chatki w nienazwanej wiosce nienazwanego europejskiego kraju i wrzuca dzieciom do kieszonek ogrzane w piecu kamyki, żeby paluszki im nie zmarzły po drodze do szkoły.

Wiedział, że Charles przez Adamsa polecił ekipie cateringowej popakować resztki jedzenia, żeby goście mogli je sobie wziąć do domu, i że zrobił to z myślą głównie o Timothym i Johnie. W kuchni zastał kilka kelnerek układających ostatnie ciastka i kawałki tortu w kartonowych pojemnikach, które lądowały następnie w papierowych torbach, podczas gdy reszta ekipy taszczyła wielkie skrzynie brudnych naczyń do furgonetki zaparkowanej za domem, na podwórku, które swego czasu oddzielało budynek mieszkalny od wozowni zamienionej obecnie w garaż. Jamesa, co David stwierdził z rozczarowaniem i ulgą, nigdzie nie było widać, więc skupił na chwilę zachwycony wzrok na młodej kobiecie, która z czułością umieszczała ćwiartkę tortu w plastikowej wytłoczce, zupełnie jakby układała niemowlę w kołysce.

Jedyną rzeczą nie do wyniesienia był nieforemny blok gorzkiej czekolady, pobrużdżony i miejscami przykurzony, przez co przypominał nadwymiarowy akumulator. Był to, tak samo jak dwuwarstwowy tort czekoladowy, znak firmowy przyjęć u Charlesa. Kiedy po raz pierwszy David zobaczył, jak jeden z kelnerów za pomocą dłutka i młoteczka odbija z tego bloku czekoladowe ścinki, które drugi kelner łapie w powietrzu na tacę, był oczarowany. Wydało mu się zarazem nieprawdopodobne i śmieszne, że ktoś zamawia blok czekolady tak ogromny, że trzeba ciąć go dłutem i młotkiem, aż jego boki wyglądają na wygryzione przez myszy, a za jeszcze dziwniejsze uznał to, że on, David, spotyka się z człowiekiem, który wcale nie uważa tego za niezwykłe. Później opowiedział o tym Eden, która fuknęła i wygłosiła kilka mało pomocnych komentarzy w rodzaju: „Właśnie dlatego lada dzień wybuchnie rewolucja" czy „Ty akurat, lepiej niż ktokolwiek inny, powinieneś wiedzieć, że jedzenie cukru jest aktem agresywnego kolonializmu" – David jednak widział, że i ona była pod wrażeniem tego spełnienia dziecięcych marzeń, bo czy po czymś takim nie można było się spodziewać chatki z piernika, chmur z cukrowej waty i miętówkowej kory drzew na placu? Zamienili czekoladową górę w żartobliwy szyfr. David mówił: „Podała pyszny omlet, ale nie czekoladowogórsko pyszny". Albo Eden mówiła o dziewczynie, z którą poprzedniej nocy uprawiała seks: „Była w porządku, ale żadna z niej czekoladowa góra". „Na następnej imprezie musisz zrobić zdjęcie, żeby ukazać mi całą głębię kapitalistycznej deprawacji Charlesa" – zapowiedziała Davidowi. A potem ciągle dopytywała się, kiedy będzie następna impreza i kiedy wreszcie zobaczy dowód rzeczowy.

Dlatego David miał wielką ochotę zaprosić Eden na następne przyjęcie u Charlesa, jego doroczną imprezę przedbożonarodzeniową. Było to w zeszłym roku, niedługo po jego wprowadzeniu się do Charlesa, więc denerwował się, zanim zapytał, ale Charles zareagował na jego propozycję z entuzjazmem.

– Oczywiście, przyprowadź ją – powiedział. – Nie mogę się doczekać, aż poznam ten twój wulkan.

– Przyjdź – powiedział David do Eden. – Przyjdź głodna.

Przewróciła oczami.

– Przyjdę tam tylko dla czekoladowej góry – oświadczyła, ale chociaż siliła się na zblazowany ton, David widział, że też się emocjonuje.

Kiedy jednak nadszedł wieczór przyjęcia, David czekał i czekał, a Eden się nie pojawiła. Było to przyjęcie na siedząco, więc jej miejsce świeciło pustką, którą podkreślała złożona serwetka na talerzu. David zawstydził się i zmartwił, ale Charles zachował się uprzejmie.

– Coś jej musiało wypaść – szepnął do Davida, gdy ten wślizgiwał się na swoje miejsce po trzecim telefonie do Eden. – Nie martw się, Davidzie. Na pewno nic jej się nie stało. Na pewno miała jakiś ważny powód.

Pili już kawę w salonie, gdy Adams podszedł do Davida z kwaśną miną.

– Panie Davidzie – rzekł cicho – pewna osoba… jakaś p a n n a Eden… pyta o pana.

Davidowi ulżyło, ale zaraz się rozzłościł: na Adamsa za pogardliwy ton i na Eden za spóźnienie, za to, że kazała mu czekać i zamartwiać się.

– Proszę, niech Adams ją wprowadzi – powiedział.

– Ona nie chce wejść. Prosi, żeby pan do niej wyszedł. Czeka na dziedzińcu.

David wstał, złapał po drodze płaszcz z szafy, przecisnął się przez ciżbę kelnerów i tylnymi drzwiami wypadł na zewnątrz, gdzie na kocich łbach dziedzińca stała Eden. Cofnął się jednak do progu i popatrzył na nią: spoglądała w ciepły blask lekko zaparowanych okien, na przystojnych kelnerów w białych koszulach i czarnych krawatach, wydychając rytmicznie kłębki pary. I nagle ją zrozumiał, zupełnie jakby powiedziała mu to głośno: była onieśmielona. Wyobraził ją sobie maszerującą na zachód północną stroną placu Waszyngtona: zatrzymuje się przed domem, sprawdza raz, potem jeszcze raz sprawdza numer, a później powoli wstępuje po schodach. Zagląda do środka i widzi pokój pełen mężczyzn w średnim wieku, w większości niewątpliwie bogatych, chociaż w swetrach i dżinsach, i opuszcza ją pewność siebie. Wyobraził ją sobie, jak waha się przed naciśnięciem dzwonka, jak wmawia sobie, że w niczym nie jest od nich gorsza, że tak czy owak, ma gdzieś ich opinie, że to po prostu banda starych, bogatych białych mężczyzn, że ona nie ma za co przepraszać ani czego się wstydzić.

A potem – wyobrażał sobie – spostrzega Adamsa, który wchodzi do salonu, aby oznajmić, że podano obiad. Chociaż wiedziała, że Charles ma lokaja, to nie spodziewała się go zobaczyć. Kiedy pokój pustoszeje, Eden mruży oczy i rozpoznaje, że obraz na przeciwległej ścianie, ten nad kanapą, to Jasper Johns, autentyczny Jasper Johns – nie reprodukcja, jaką ona ma przypiętą pinezkami u siebie w sypialni – którego Charles kupił sobie na trzydzieste urodziny, o czym David nigdy jej nie wspomniał. Wtedy odwraca się, zbiega ze schodów i okrąża plac, powtarzając sobie, że może tam wejść, że tam jest dla niej miejsce, że jej najlepszy przyjaciel mieszka w tym domu, więc i ona ma pełne prawo tam być.

Ale nie daje rady. Stoi naprzeciwko, po drugiej stronie ulicy, oparta plecami o zimne, żelazne ogrodzenie placu, patrzy, jak kelnerzy wnoszą zupę, a potem mięso, a potem sałatę, jak rozlewają wino, jak – chociaż tego nie słyszy – goście opowiadają dowcipy i śmieją się. I dopiero gdy wszyscy goście wstali od stołu, ona, tak przemarznięta, że ledwo się rusza i nie czuje nóg w starych glanach, które posklejała taśmą izolacyjną, widzi, jak jeden z kelnerów wymyka się na papierosa na Piątą Aleję, a później znika na tyłach domu, i uświadamia sobie, że tam musi być wejście dla służby, więc idzie tam, całym ciałem opiera się o dzwonek, podaje nazwisko Davida i odmawia wejścia do tego złotego domu.

Patrzył na nią i wiedział, że w pewnym sensie ona mu nigdy nie wybaczy, nie wybaczy mu tego, że przez niego – nawet jeżeli nie miał złych zamiarów – poczuła się tak nieswojo, przez niego poczuła się takim zerem. Stał po drugiej stronie drzwi w swetrze i spodniach kupionych mu przez Charlesa (nigdy nie miał na sobie bardziej miękkich spodni) i patrzył na nią stojącą w tym, jak go nazywała, paradnym stroju – wystrzępionym wełnianym męskim palcie w jodełkę, tak długim, że wlókł się po ziemi; wyświeconym ze starości brązowym garniturze z lumpeksu; starym jedwabnym krawacie w ukośne pomarańczowo-czarne pasy; kapeluszu fedora zepchniętym z czoła nad jej okrągłą, pospolitą twarzą; z cienkim wąsikiem, który na specjalne okazje malowała kredką do powiek nad górną wargą – i zrozumiał, że zapraszając ją tutaj, do swojego nowego życia, pozbawił ją radości noszenia tych ciuchów, radości bycia tym, kim była. Była mu droga, była jego najbliższą przyjaciółką, jej jednej opowiedział prawdziwą historię swojego ojca. „Zadźgam każdego, kto spróbuje cię tknąć!" – obiecywała mu, gdy szli razem przez niebezpieczny kwartał Alphabet City albo przez Lower East Side, a on starał się nie uśmiechnąć, bo była o dobre trzydzieści centymetrów niższa od niego, a do tego tak pulchna i łaskotliwa, że na samą myśl o niej rzucającej się z nożem na napastnika omal nie parskał śmiechem, a jednocześnie wiedział, że ona mówi to serio: broniłaby go zawsze, przed każdym. Natomiast on, zapraszając ją tutaj, nie zapewnił jej obrony. W ich świecie, wśród ich przyjaciół, ona była Eden, błyskotliwą, dowcipną i niepowtarzalną. Ale w świecie Charlesa byłaby tym, co każdy widzi: zmaskulinizowaną, grubą, niską Chinko-Amerykanką, niekobiecą i nieatrakcyjną, bez wdzięku i pyskatą, w tandetnych używanych ciuchach, z malowanym wąsem – byłaby kimś, kogo ludzie ignorują albo wyśmiewają, co przyjaciele Charlesa na pewno by zrobili, choćby starali się powstrzymać. A teraz świat Charlesa stał się także jego światem i po raz pierwszy w jego przyjaźni z Eden otwarła się między nimi przepaść, przez którą ani ona nie mogła dotrzeć do niego, ani on wrócić do niej.

Otworzył drzwi i podszedł do niej. Podniosła na niego oczy i popatrzyli na siebie w milczeniu.

– Eden – powiedział – wejdź do środka. Zamarzniesz.

Ona jednak pokręciła głową.

– Mowy nie ma – odparła.

– Proszę cię. Jest herbata, wino, kawa, cydr, co tylko…

– Nie mogę zostać – powiedziała.

„No to po co przychodziłaś?" – chciał spytać, ale tego nie zrobił.

– Spieszę się gdzieś – ciągnęła. – Przyszłam tylko dać ci to. – Pokazała mu nieforemną paczuszkę zawiniętą w gazetę. – Otwórz później – poleciła i wsunęła mu pakunek do kieszeni płaszcza. – To ja już pójdę.

– Zaczekaj – powiedział i popędził do domu, gdzie personel pakował jeszcze ostatnie resztki i owijał czekoladową górę cynfolią. Pochwycił ją, Adams uniósł brwi, ale nic nie powiedział, pochwycił i zataczając się, zbiegł z powrotem ze schodów, ściskając zdobycz w ramionach.

– Proszę – wysapał, wręczając pakunek Eden. – To jest czekoladowa góra.

Zdumiała się, to było widać, i poprawiła ciężar w ramionach, uginając się pod nim z lekka.

– Odjebało ci, David? Co ja z tym zrobię?

Wzruszył ramionami.

– Nie wiem. Ale jest twoja.

– Jak ją dotaszczę do domu?

– Taksówką?

– Nie mam kasy na taksówkę. I nie chcę – zastrzegła się, widząc, że David sięga do kieszeni. – Nie chcę twoich p i e n i ę d z y, Davidzie.

– Nie wiem, Eden, co chcesz ode mnie usłyszeć – powiedział, a gdy się nie odezwała, dodał: – Ja go kocham. Przepraszam cię, ale taka jest prawda. Kocham go.

Przez chwilę stali i milczeli w zimnie nocy. Z wnętrza huknęło dum-dum-dum elektronicznej muzyki.

– No to wal się, David – powiedziała cicho Eden i odwróciła się. Odeszła, dźwigając czekoladową górę i zamiatając ziemię za sobą trenem płaszcza, który na moment uczynił z niej olbrzymkę. David patrzył za nią, aż znikła za rogiem. Potem wrócił do domu, na swoje miejsce u boku Charlesa.

– Wszystko w porządku? – spytał Charles, a David kiwnął głową.

Starali się potem, jak mogli. Następnego dnia David zadzwonił do Eden i nagrał się na automatyczną sekretarkę, która wciąż nadawała komunikat jego głosem, ale Eden nie odebrała ani nie oddzwoniła później. Nie rozmawiali z sobą przez cały miesiąc, chociaż David każdego popołudnia wpatrywał się w swój telefon w kancelarii Larsson & Wesley, próbując siłą woli wydusić z niego sygnał dźwiękowy i oschły, chropawy głos Eden. Aż wreszcie zadzwoniła, pewnego popołudnia pod koniec stycznia.

– Nie przepraszam – zastrzegła się.

– Nie oczekuję tego – odpowiedział.

– Nie uwierzyłbyś, co mi się przydarzyło w sylwestra. Pamiętasz tamtą laskę, z którą się pieprzyłam? Theodorę?

Ty również nie uwierzyłabyś, co mi się przydarzyło – mógł powiedzieć, bo niedawno odbył swoją pierwszą podróż zagraniczną:

Charles zabrał go na niespodziewaną wycieczkę do Gstaad, gdzie nauczył się jeździć na nartach i jadł pizzę z truflami oraz zupę krem z białych szparagów i śmietanki, i gdzie odbył swój pierwszy seks w trójkącie – z Charlesem i jednym z instruktorów narciarskich – i na kilka dni kompletnie zapomniał, kim jest. Ale nie powiedział tego wszystkiego Eden. Chciał, żeby myślała, że u niego nic się nie zmieniło, a ona pozwoliła mu się łudzić, że tak właśnie myśli.

Nie powiedział też, że jej dziękuje. Tamtej nocy, kiedy odeszła z czekoladową górą i kiedy goście też się rozeszli, poszedł z Charlesem na górę do sypialni.

– Jak tam twoja przyjaciółka? W porządku? – spytał Charles, gdy już kładli się do łóżka.

– Tak – skłamał. – Pomyliła datę. Bardzo żałuje i przeprasza.

Wiedział już, że Eden i Charles nigdy się nie spotkają, ale Charles był wyczulony na punkcie dobrych manier, a Davidowi zależało na tym, żeby polubił Eden, a przynajmniej jej wyobrażenie.

Charles zasnął, ale David leżał i myślał o Eden. Nagle przypomniał sobie, że Eden coś mu dała, wstał więc z łóżka i zszedł na dół, gdzie w szafie wymacał swój płaszcz, a w kieszeni płaszcza – twardą paczuszkę. Zawinięta była w stronicę ogłoszeń towarzyskich z „The Village Voice" – był to ich standardowy papier pakowy – i obwiązana sznurkiem, który David musiał poprzecinać nożem.

W środku znajdowała się mała gliniana rzeźba dwóch postaci, dwóch mężczyzn, przytulonych do siebie i trzymających się za ręce. Eden zaczęła rzeźbić w glinie zaledwie kilka miesięcy przed wyprowadzką Davida, więc postacie były jeszcze niedoskonałe, a jednak David dostrzegł, że Eden poczyniła postępy – krzywizny były bardziej płynne, formy bardziej zdecydowane, proporcje bardziej wyważone. Ale była to nadal sztuka prymitywna, raczej żywiołowa niż imitująca życie, i to również było w niej zamierzone: Eden usiłowała zaludnić na nowo świat figurami, jakie przez stulecia niszczyli zachodni łupieżcy. Przyjrzał się dziełku uważniej i doszedł do wniosku, że ci dwaj mężczyźni to on i Charles – Eden odwzorowała wąsy Charlesa ciągiem krótkich pionowych kreseczek i nie zapomniała o przedziałku z boku głowy. Na postumencie wyryła ich inicjały oraz datę, a poniżej – swoje inicjały.

Nie lubiła Charlesa – dla zasady i dlatego, że odebrał jej najlepszego przyjaciela. A jednak w tej rzeźbie zjednoczyła ich troje: wrzeźbiła siebie w życie Davida i Charlesa.

Wrócił po schodach do sypialni, którą dzielił z Charlesem; podszedł do szafy, którą dzielił z Charlesem, wcisnął figurkę w sportową skarpetę i ukrył w głębi szuflady, w której trzymali z Charlesem bieliznę. Nigdy jej nie pokazał Charlesowi, a Eden nigdy go o nią nie spytała. Znalazł ją dopiero po latach, gdy wyprowadzał się od Charlesa – w nowym mieszkaniu postawił ją na półce nad kominkiem i od czasu do czasu brał do ręki. Tak znaczną część dzieciństwa spędził w osamotnieniu, że kiedy zaczął się spotykać z Charlesem, nabrał przekonania, że już nigdy nie będzie samotny.

Mylił się. Przy Charlesie także bywał samotny, a po Charlesie – jeszcze bardziej. Uczucie to nigdy go nie opuszczało. Ale rzeźba przypominała o czymś innym. Nie był samotny, bo zanim poznał Charlesa – należał do Eden. Tylko po prostu o tym nie wiedział.

A ona wiedziała.

Goście wyszli, ekipa cateringowa odjechała i dom popadł w stan opuszczenia, w jakim zawsze znajdował się po przyjęciu: przez kilka godzin genialnie grał rolę, a teraz wrócił do swojej normalnej, nudnej egzystencji. Trzy Siostry, które zabawiły najdłużej, wyszły wreszcie z kilkunastoma papierowymi torbami wypchanymi pojemnikami z jedzeniem; John aż mruczał z zadowolenia, że tyle dostał. Nawet Adams otrzymał wolne – przed wyjściem skłonił się oficjalnie Peterowi, a ten odpowiedział mu skinieniem głowy.

– Z Bogiem, panie Peterze – rzekł z powagą Adams. – Życzę bezpiecznej podróży.

– Dziękuję, Adams – odrzekł Peter, który za plecami Adamsa nazywał go „Panną Adams". – Za wszystko. Byłeś dla mnie, dla nas wszystkich, bardzo dobry przez te długie lata.

Wymienili uścisk dłoni.

– Dobranoc, Adams – powiedział Charles, który stał za plecami Petera. – Dziękuję za dziś wieczór, wszystko było idealne, jak zwykle.

Adams ponownie skinął głową i wyszedł z salonu, kierując się do kuchni. Kiedy rodzice Charlesa jeszcze żyli i oprócz Adamsa zatrudniali na pełny etat kucharza, gospodynię, służącą i szofera, cała służba korzystała z tylnego wejścia do domu. Charles już dawno cofnął to zalecenie, a mimo to Adams nadal wchodził i wychodził kuchennymi drzwiami – z początku, jak przypuszczał Charles, żeby nie burzyć wieloletniej tradycji, a z czasem dlatego, że się zestarzał, a tylne schody były niższe i miały szersze stopnie.

Patrząc za wychodzącym Adamsem, David czasem – i teraz także – zastanawiał się, jak wygląda życie lokaja poza domem. W czym Adams chodzi, z kim i jak rozmawia, gdy nie przebywa w domu Charlesa, nie nosi garnituru, nie podaje do stołu? Co robi w swoim mieszkaniu? Jakie ma hobby? Miał wolne wszystkie niedziele i każdy trzeci poniedziałek miesiąca plus pięć tygodni wakacji, z których dwa wykorzystywał na początku stycznia, gdy Charles wyjeżdżał na narty. Na jego pytanie Charles odpowiedział, że Adams wynajmuje chyba domek na Key West i jeździ tam na ryby – pewności jednak nie miał. Niewiele wiedział o życiu Adamsa. Czy Adams był żonaty? Czy miał chłopaka albo dziewczynę? Czy kiedykolwiek kogoś miał? Czy ma rodzeństwo, siostrzenice, bratanków? Czy ma przyjaciół? Na początku ich związku, gdy David przyzwyczajał się do stałej obecności Adamsa, zadawał Charlesowi wszystkie te pytania, ale Charles tylko się śmiał, zażenowany.

– To straszne – odpowiadał – ale na żadne z twoich pytań nie znam odpowiedzi.

– No wiesz! – wyrwało się Davidowi, zanim zdążył pomyśleć, ale Charles się nie obraził.

– Trudno to wytłumaczyć – powiedział – lecz przez nasze życie przewijają się ludzie, o których łatwiej jest za dużo nie wiedzieć.

Zadał sobie wtedy pytanie, czy i on nie jest taką osobą w życiu Charlesa – kimś, kto nie tylko straciłby cały urok, gdyby ujawnił zawiłości swojej historii, ale kto został wybrany właśnie dlatego, że sprawiał wrażenie człowieka bez historii. Wiedział, że Charles nie boi się trudnych biografii, ale być może do Davida przyciągnęło go to, że wydawał się on kimś idealnie prostym, nienaznaczonym wiekiem i doświadczeniem. Nieżyjąca matka, nieżyjący ojciec, rok na wydziale prawa, dzieciństwo spędzone gdzieś daleko w rodzinie klasy średniej, przystojny, ale nie tak, żeby onieśmielał, inteligentny, ale nie tak, żeby dał się zapamiętać, przywiązany do własnych upodobań i zachcianek, ale nie tak mocno, żeby nie brać pod uwagę zachcianek Charlesa. Zrozumiał, że dla Charlesa liczy się przez swoje braki – brak sekretów, brak kłopotliwych eksnarzeczonych, brak chorób, brak przeszłości.

Ponadto był jeszcze Peter: ktoś, kogo Charles znał intymnie i kto wiedział o Charlesie więcej, niż on, David, kiedykolwiek się dowie. Choćby nie wiadomo, jak długo został z Charlesem, choćby nie wiadomo, ile się o nim dowiedział, to Peter zawsze będzie miał Charlesa więcej – więcej o całe lata, a nawet epoki. Znał Charlesa jako dziecko i jako młodzieńca, i jako mężczyznę w średnim wieku. Był tym, który dał Charlesowi pierwszy pocałunek, pierwszy seks oralny, pierwszego papierosa, pierwsze piwo, pierwsze rozstanie. Razem uczyli się świata i poznawali to, co lubią: jedzenie, książki, teatr, sztukę, poglądy, ludzi. Peter znał Charlesa, zanim jeszcze Charles stał się Charlesem: kiedy był tylko silnym, wysportowanym chłopcem, który spodobał się Peterowi. David zbyt późno, dopiero po miesiącach uporczywego poszukiwania sposobu na rozmowę z Peterem, zrozumiał, że powinien był go po prostu zagadnąć o osobę, która należała do nich obu: jaka ta osoba była kiedyś, jak wyglądało jej życie, zanim wkroczył w nie David. Może Charles nie był ciekaw Davida, ale David zawinił takim samym brakiem ciekawości: każdy z nich chciał, żeby ten drugi istniał wyłącznie w granicach bieżącego doświadczenia – tak jakby obu nie wystarczało wyobraźni na wzajemne wyobrażanie siebie w innym kontekście.

A gdyby tak zostali do tego zmuszeni? Gdyby tak ziemia przemieściła się w przestrzeni o głupi cal lub dwa, ale wystarczająco, by doszło do całkowitego przetasowania ich świata, ich kraju, ich miasta, ich samych? Gdyby Manhattan stał się podtopioną wyspą rzek i kanałów, której ludność porusza się drewnianymi czółnami i łowi ostrygi z mętnych wód pod własnym domem wzniesionym na palach? Albo gdyby przyszło im żyć w roziskrzonej, bezdrzewnej metropolii zbudowanej w całości z lodu, w budynkach z lodowych bloków, i ujeżdżać niedźwiedzie polarne, i trzymać w domu oswojone foki, by nocą grzać się przy ich galaretowatych cielskach? Czy i wtedy by się rozpoznali, mijając się w swoich czółnach albo brnąc przez śniegi, by jak najszybciej dotrzeć do domu, do paleniska?

Albo gdyby Nowy Jork wyglądał tak, jak wygląda, ale nikt ze znajomych nie umierał, nikt nie byłby już martwy, a dzisiejsze przyjęcie było zwyczajnym spotkaniem przyjaciół, na którym nie ma obowiązku mówić nic mądrego, nic ostatecznego, ponieważ będą jeszcze setki takich kolacji, tysiące takich wieczorów, dziesiątki takich lat na znalezienie słów, które chcą sobie nawzajem powiedzieć? Czy i w takim świecie byliby nadal parą, w świecie, w którym nie trzeba trzymać się razem ze strachu, w którym ich wiedza o zapaleniu płuc, o nowotworach, o infekcjach grzybiczych, o ślepocie byłaby egzotyczna, zbyteczna, śmieszna?

Albo gdyby w tym planetarnym przemieszczeniu rozrzuciło ich w dwie przeciwne strony, na zachód i na południe, gdyby ocknęli się całkiem gdzie indziej, na Hawajach, i gdyby na Hawajach, tych innych Hawajach, nie byłoby racji istnienia dla Lipo-wao-nahele, tego miejsca, w które tak dawno temu przeniósł go ojciec, ponieważ to, co Lipo-wao-nahele udawało, byłoby trzeźwym faktem? Gdyby na tych Hawajach wyspy wciąż były królestwem, a nie częścią Ameryki, i jego ojciec byłby królem, a on, David, księciem koronnym? Czy i wtedy by się poznali? Czy i wtedy zakochaliby się w sobie? Czy David potrzebowałby Charlesa, skoro byłby od niego potężniejszy i nie potrzebowałby cudzej wielkości, cudzej obrony, cudzego wykształcenia? Kim byłby tam dla niego Charles? Czy David dostrzegłby w nim coś godnego miłości? A jego ojciec – co z nim? Czy byłby bardziej samodzielny, pewny siebie, mniej wystraszony, mniej zagubiony? Czy nadal potrzebowałby Edwarda? Czy może Edward byłby tam prochem marnym, sługą, bezimiennym popychadłem, które ojciec mijałby obojętnie, idąc do gabinetu, by podpisywać dokumenty i traktaty, a jego twarz jaśniałaby, gdyby tak kroczył boso po lśniących parkietach, polerowanych co rano olejem makadamia?

Nigdy nie miał się tego dowiedzieć. Bo w świecie, w którym żyli i on, i jego ojciec, byli wyłącznie tym, kim byli: dwoma mężczyznami, z których każdy szukał oparcia w innym mężczyźnie w nadziei, że ten ocali go przed małością jego własnego życia. Jego ojciec wybrał marnie. David nie. Tak czy inaczej, obydwaj byli utrzymankami rozczarowanymi własną przeszłością i przerażonymi własną teraźniejszością.

Odwrócił się. Charles owijał szyję Petera szalikiem. Milczeli, a David doznał uczucia, które go nachodziło często, gdy ich obserwował, a zwłaszcza dotkliwe było tego wieczoru: że jest intruzem, że nie ma prawa podglądać ich intymności. Ani drgnął, chociaż nie musiał się pilnować – tamci dwaj zapomnieli o jego obecności. Peter pierwotnie myślał o spędzeniu tej nocy u Charlesa, ale w przeddzień przyjęcia zmienił zdanie. Zadzwoniono więc po jego pielęgniarza, który już jechał z asystentem, żeby go zabrać i odwieźć do domu.

Przyszedł czas się pożegnać.

– Dajcie mi sekundę – powiedział do nich zdławionym głosem Charles, po czym wyszedł z pokoju i usłyszeli, jak wbiega po schodach.

David został sam na sam z Peterem. Peter siedział na wózku inwalidzkim, okutany w płaszcz, w wełnianej czapce; górę i dół jego twarzy zasłaniały warstwy wełny, jakby nie umierał, lecz mutował, jakby wełna zarastała go stopniowo niczym nowa skóra, zamieniając człowieka w coś przytulnego i miękkiego – w leżankę, poduchę, kłąb przędzy. Wcześniej Charles siedział na kanapie, rozmawiając z nim, więc wózek Petera wciąż stał ukośnie, zwrócony ku pustemu teraz siedzeniu w pustym pokoju.

David podszedł do kanapy i zajął miejsce po Charlesie – poduszki były jeszcze ciepłe. Charles trzymał Petera za ręce, ale David tego nie powtórzył. A mimo to – m i m o t o: chociaż Peter się w niego wpatrywał, David nie znajdował nic do powiedzenia, nic, co nie byłoby nie do przyjęcia. Wyglądało na to, że Peter będzie musiał odezwać się pierwszy, co w końcu uczynił. David nachylił się ku niemu, żeby dosłyszeć, co mówi.

– Davidzie.

– Tak.

– Zaopiekuj się moim Charlesem. Zrobisz to dla mnie?

– Tak – obiecał z ulgą, że nie został poproszony o nic więcej i że Peter nie skorzystał z okazji do jakiegoś porażającego wyznania, do zdradzenia mu jakiejś prawdy o sobie, której David nie zdołałby nigdy zapomnieć. – Oczywiście, że tak.

Peter fuknął z cicha.

– Oczywiście – wymamrotał.

– Zaopiekuję się – zapewnił go żarliwie David. – Na pewno.

Ogromnie chciał, żeby Peter mu uwierzył. Ale w momencie składania tej obietnicy Peter już oglądał się na drzwi, bo usłyszał, że Charles wraca, i wyciągał ręce do przyjaciela gestem tak dziecinnym, tak pełnym miłości, że David już nigdy potem nie umiał sobie wyobrazić Petera w inny sposób jak z rozwartymi, pustymi ramionami, okutanego jak dwulatek, którego zaraz zabiorą na spacer, żeby pobawił się w śniegu. A od drzwi zbliżał się Charles, aby wypełnić te ramiona swoją obecnością: wyglądał, jakby zaraz miał się rozpłakać, i patrzył tylko na Petera, jakby nikt inny nie istniał na świecie.

Leżeli z Charlesem w łóżku tej nocy, nie dotykali się, nie rozmawiali, każdy zajęty swoimi myślami tak dalece, że postronny obserwator mógłby ich wziąć za obce sobie osoby.

Peter odjechał. Został zniesiony na dół przez pielęgniarza i jego pomocnika w asyście Davida i Charlesa i wsadzony do zamówionego przez Charlesa samochodu, który odwiózł go do ciepłego, zagraconego mieszkanka na drugim piętrze starego domu z kruszejącymi schodami i malowaną ceglaną fasadą przy ulicy Bethune, blisko rzeki. A David z Charlesem zostali na chodniku, na zimnie. David od początku wiedział, że koniec tego wieczoru oznaczać będzie koniec Petera w ich życiu – w życiu Charlesa – a teraz, gdy stało się to faktem, wydawało się zbyt nagłe, zbyt skrótowe, jak scena z bajki: wybija północ i świat zasnuwa się szarością, a możliwość wspólnego życia rozpływa się w nicość.

Stali tak razem jeszcze długo po zniknięciu samochodu z pola widzenia. Nie było wcale późno, ale mróz wszystkich prawie zatrzymał pod dachem. Nieliczni przechodnie, otuleni w czerń, przemykali ulicą. Po drugiej stronie jezdni park mienił się śniegiem. Wreszcie David ujął Charlesa pod ramię.

– Zimno jest – powiedział. – Wracajmy do środka.

– Tak – zgodził się słabym głosem Charles.

Wrócili. Pogasili światła w salonie, Charles sprawdził zamki tylnych drzwi, tak jak zawsze, a potem wdrapali się po schodach do sypialni, porozbierali, poubierali, wyszorowali zęby – wszystko w milczeniu.

Dookoła nich gęstniała i rozgaszczała się noc. Wreszcie, po upływie może godziny, David usłyszał zmianę w oddechu Charlesa, który stał się powolny i głęboki, a wtedy wstał z łóżka, podszedł cicho do szafy, wyciągnął list z torby i na palcach zszedł na dół.

Przez chwilę siedział na kanapie w ciemniejącym salonie, trzymając kopertę w dłoniach. Nastał ostatni moment niewiedzy, udawania, którego nie chciał zakończyć. W końcu jednak zaświecił lampę, wyciągnął arkusz z koperty i przeczytał.

Obudził go dźwięk jego imienia i dotyk dłoni Charlesa na policzku, a gdy otworzył oczy, poznał po jasności wypełniającej pokój, że znowu pada śnieg. Przed nim, na otomanie, siedział Charles, w szlafroku i piżamie, którą nazywali dziadowską, flanelowej, w niebieskie pasy, z wyszytymi na czarno inicjałami na górnej kieszonce. Charles nigdy nie schodził na dół, dopóki się nie przyczesał, ale teraz włosy sterczały mu kępkami na sztorc, tak że David widział białą skórę tam, gdzie się przerzedziły, na ciemieniu.

– Odszedł – powiedział Charles.

– Och, Charlesie. Kiedy?

– Jakąś godzinę temu. Jego pielęgniarz do mnie zadzwonił. Obudziłem się, obejrzałem, a ciebie nie było… – David zaczął przepraszać, ale Charles powstrzymał go, kładąc mu rękę na ramieniu – …i zgłupiałem. Przez chwilę nie wiedziałem, gdzie jestem. Ale zaraz mi się przypomniało: jestem w domu, wczoraj odbyło się przyjęcie i czekałem na ten telefon, domyślałem się, jaka będzie wiadomość. Myślałem tylko, że nadejdzie jutro, a nie dzisiaj. Ale stało się, nie dojechał nawet na lotnisko.

Charles mówił dalej:

– Więc nie odebrałem tego telefonu. Nie słyszałeś, jak dzwonił? Po prostu leżałem i słuchałem, jak telefon dzwoni i dzwoni: sześć, dziesięć, dwadzieścia razy; przed spaniem wyłączyłem automatyczną sekretarkę. To był natarczywy, c h a m s k i dźwięk: wcześniej tego nie zauważałem. W końcu przestał dzwonić, a ja usiadłem, spuściłem nogi z łóżka i nasłuchiwałem.

Pomyślałem wtedy o moim bracie. No tak, ty nic o nim nie wiesz. Kiedy miałem pięć lat, moja matka urodziła drugiego syna. Mojego brata Morgana. Później dowiedziałem się, że rodzice latami starali się o dziecko. Zaczęła rodzić dziesięć tygodni przed terminem.

W tamtych czasach, to musiał być tysiąc dziewięćset czterdziesty trzeci rok, dla takiego wcześniaka nic nie można było zrobić. Neonatologia nie istniała, a inkubatory były prymitywne w porównaniu z dzisiejszymi. Nadzwyczajne było to, że w ogóle przeżył poród. Lekarz powiedział moim rodzicom, że dziecko umrze w ciągu czterdziestu ośmiu godzin.

Mnie oczywiście nikt tego nie powiedział. Zawsze mnie szokuje ilość informacji, jakich dzisiejsi rodzice udzielają dzieciom, informacji, których te dzieci nie mają jak zrozumieć. Kiedy ja byłem dzieckiem, nie wiedziałem n i c, a osoby, które się mną opiekowały, miały za zadanie utrzymywać mnie w ignorancji. Dowiedziałem się tego i owego z szeptów i podsłuchów. Ale nie pamiętam, żebym się przejął: nigdy nie uważałem życia rodziców za część własnego. Moim światem było czwarte piętro, gdzie miałem swoje zabawki i książki. Rodzice byli tam gośćmi; jedynymi dorosłymi, którzy należeli do tego świata, byli moja niania i mój nauczyciel.

Jednak nawet ja wiedziałem, że coś jest nie w porządku, poznałem to po szeptach dorosłych w korytarzu, po ich nagłym milczeniu, gdy mnie spostrzegali; po tym, że nawet niania, która mnie kochała, stała się roztargniona, a gdy służąca przynosiła mi lunch, spoglądała na nią, unosząc pytająco brwi i zaciskała usta, gdy służąca kręciła odmownie głową. Na dole panowała cisza. Służba, to było na długo przed Adamsem, porozumiewała się ściszonymi głosami. Przez trzy dni kładziono mnie spać bez zabrania na dół, do rodziców.

Czwartego dnia postanowiłem zakraść się na dół i zbadać, co się dzieje. Udałem więc, że śpię, gdy niania przyszła sprawdzić, a potem czekałem i czekałem, aż usłyszałem, że ostatnia służąca idzie do swojego pokoju. Wtedy wstałem z łóżka i na paluszkach zszedłem do pokoi rodziców. Po drodze zauważyłem słabe światło, blask świecy palącej się w pokoju przylegającym do ich sypialni, a równocześnie usłyszałem słaby, dziwny odgłos, który z niczym mi się nie kojarzył. Podkradłem się bliżej pod te drzwi. Zachowywałem się niezmiernie uważnie, ogromnie cichutko. Wreszcie znalazłem się pod drzwiami, które były uchylone, i zajrzałem do środka.

Moja matka siedziała na krześle. Na stoliku obok niej paliła się świeca. Matka trzymała na ręku mojego braciszka. Potem, pamiętam, myślałem, jak pięknie wyglądała. Miała długie rudawe włosy, które zawsze nosiła upięte, ale teraz miała je rozpuszczone jak welon. Nosiła liliowy jedwabny szlafrok na białej koszuli nocnej; była boso. Nigdy wcześniej nie widziałem jej takiej, nigdy nie oglądałem rodziców inaczej niż w postaci, w jakiej chcieli mi się pokazać: wystrojonych, panujących nad sytuacją, kompetentnych.

Na lewym ramieniu huśtała niemowlę. Ale w prawej ręce trzymała dziwne urządzenie: przezroczystą szklaną kopułkę, którą obejmowała usta i nosek dziecka, a potem ściskała gumową gruszkę przyłączoną do kopułki. To był ten dziwny dźwięk, który słyszałem: rzężący świst gumowej gruszki, gdy wypełniała się powietrzem i opróżniała, tym powietrzem, które mama dawała Morganowi. Utrzymywała stały, niespieszny rytm: nie za szybko, nie za dużo. Mniej więcej co dziesięć uciśnięć robiła sekundową przerwę, a wówczas słyszałem, ledwo, ledwo, oddech niemowlęcia, cichuteńki.

Nie wiem, jak długo tam stałem, obserwując matkę. Ani razu nie podniosła wzroku. Wyraz jej twarzy był nie do opisania. Nie rozpacz, nie smutek, nie desperacja. Po prostu nic. Ale nie była to twarz bez wyrazu. Nazwałbym ją uważną. Tak jakby nic innego w życiu nie miała: ani przeszłości, ani teraźniejszości, ani męża, ani syna, ani domu, jakby istniała tylko po to, żeby pompować powietrze w płuca swojego maleństwa.

Nie udało się, oczywiście. Morgan umarł następnego dnia. Niania w końcu powiedziała mi o tym: że miałem braciszka, ale jego płuca były chore i umarł, i że mam się nie smucić, bo on jest teraz u Bozi. Później, gdy umierała moja matka, dowiedziałem się, że rodzice się wtedy pokłócili: ojciec nie zgadzał się na jej zabiegi przy dziecku, zabronił jej używać tamtego urządzenia. Nie wiem, skąd je miała. Nie wiem, czy kiedykolwiek ojcu wybaczyła ten brak wiary, to zniechęcanie jej do prób reanimacji. Ojciec, jak się później dowiedziałem, nie chciał nawet przywieźć dziecka do domu ze szpitala, a gdy matka walczyła o to jak lwica, szpital by im nie odmówił, bo hojnie go wspierali, też miał do niej o to pretensje.

Moja matka nie była kobietą sentymentalną. Nigdy nie wspominała o Morganie po jego śmierci, w końcu doszła do siebie. Przez kilkadziesiąt następnych lat prowadziła instytucje dobroczynne, wydawała proszone kolacje, jeździła konno i malowała, czytała i kolekcjonowała rzadkie książki, działała jako wolontariuszka w domu dla niezamężnych młodych matek, organizowała życie w tym domu dla mnie i mojego ojca.

Nigdy nie sądziłem, że jestem do niej specjalnie podobny, ona też była tego zdania. „Jesteś zupełnie taki sam jak twój ojciec", mówiła mi czasem i w jej słowach pobrzmiewał lekki żal. Miała rację, nigdy nie należałem do gejów, którzy mają dobre relacje z matką. U nas w domu nie pytało się, kogo bardziej kochasz, ale to fakt, że miałem komitywę z ojcem. Długo udawało nam się nie rozmawiać o tym, kim jestem albo kim częściowo jestem, ponieważ mieliśmy tyle innych tematów do rozmowy. Na przykład prawo. Albo biznes. Albo biografie, w których obaj się zaczytywaliśmy. Zanim przestałem udawać, ojciec umarł.

Ostatnio jednak coraz częściej myślę o tamtej nocy. Zastanawiam się, czy nie jestem jednak bardziej podobny do matki, niż przypuszczałem. Ciekawe, kto przytrzyma mi pompkę powietrza, gdy przyjdzie na mnie kolej. Nie dlatego, że będzie wierzył, że mnie tym ożywi, uratuje. Ale dlatego, że będzie chciał próbować.

Siedziałem tak i myślałem o tym wszystkim, kiedy telefon zadzwonił ponownie. Tym razem wstałem i odebrałem. Dzwonił nocny pielęgniarz Petera, sympatyczny gość. Widziałem się z nim kilka razy. Powiedział, że Peter zmarł, że odbyło się to spokojnie i że serdecznie mi współczuje. Odłożyłem słuchawkę i wyszedłem poszukać ciebie.

Umilkł, a David uświadomił sobie, że to koniec opowieści. Dopóki Charles mówił, patrzył w okno, które zamieniło się w biały ekran, ale teraz zwrócił się znów do Davida. David wcisnął się plecami w poduszki kanapy i gestem zaprosił Charlesa, który położył się obok niego.

Długo milczeli. David myślał o wielu rzeczach, ale szczególnie o tym, jak dobrze jest leżeć obok Charlesa w ciepłym pokoju, kiedy na dworze pada śnieg. Pomyślał, że powinien powiedzieć Charlesowi, że przytrzyma mu pompkę, ale się na to nie zdobył. Bardzo chciał dać coś Charlesowi, jakąś część pocieszenia, które sam swego czasu od niego otrzymał, ale nie umiał. Znacznie później pluł sobie w brodę, że nic nie powiedział, a przecież mógł powiedzieć cokolwiek, choćby i nieskładnie. W tamtych latach lęk – że wyjdzie na głupka, że nie dorasta do roli – powstrzymywał go przed okazywaniem serdeczności i dopiero gdy nagromadził wiele wyrzutów sumienia, zrozumiał, że pocieszenie może przybrać dowolną formę, że ważne jest to, aby je w ogóle wyrazić.

– Zszedłem tutaj – podjął wreszcie Charles – zszedłem tutaj i cię znalazłem. A ty... – zaczerpnął tchu – a ty spałeś z listem na piersi, który przykrywałeś ręką. A ja... wyjąłem ci ten list i przeczytałem. Nie wiem dlaczego. Przepraszam, Davidzie. – Znowu zamilkł. – I przykro mi z powodu treści tego listu. Jak to możliwe, że nigdy mi nie powiedziałeś?

– Nie wiem – odrzekł w końcu. Ale nie był zły na Charlesa za przeczytanie listu. Sprawiło mu to ulgę, że teraz Charles już wie, że zdecydowane działanie Charlesa znów ułatwiło trudną sprawę.

– A więc twój ojciec jednak żyje.

– Ledwo – odburknął David. – Na razie.

– No tak. I twoja babka chce, żebyś przyjechał się z nim zobaczyć.

– Tak.

– A jego miejsce zamieszkania...

– To nie jest tak, jak ty myślisz – przerwał mu David. – To znaczy jest. Ale nie jest.

Jak miał to powiedzieć Charlesowi? Jak miał mu wytłumaczyć? Jak miał przedstawić Lipo-wao-nahele jako coś innego, coś lepszego, coś zdrowszego psychicznie, niż było w rzeczywistości? Nie szaleństwo, nie mrzonkę, nie niedorzeczność, ale coś, w co jego ojciec – a nawet on sam – uwierzyli kiedyś z całą nadzieją: miejsce, gdzie historia nie ma znaczenia, miejsce, które w końcu stanie się domem, miejsce, do którego jego ojciec podążył pełen radosnych oczekiwań, ale i lęku. Nie potrafił. Jego babka nigdy tego nie zrozumiała. Charles z całą pewnością także nie zrozumie.

– Nie umiem tego wytłumaczyć – powiedział w końcu. – Nie zrozumiałbyś.

– Wypróbuj mnie – rzekł Charles.

– Może to zrobię – odrzekł, wiedząc już, że zrobi to na pewno. Charles każdemu umiał pomóc, może okaże się, że może pomóc również Davidowi? Po co kochać człowieka z wzajemnością, jeśli nie po to, żeby go wypróbowywać?

Ale najpierw musiał coś zjeść. Był głodny. Wywinął się z pościeli na kanapie, podał rękę Charlesowi, by pomóc mu wstać, a kiedy przechodzili do kuchni, pomyślał znów o ojcu. Nie o ojcu z domu opieki, gdzie obecnie przebywał. Nie o takim, jak w ostatnich dniach pobytu w Lipo-wao-nahele: z oczami ziejącymi pustką, z umorusaną twarzą, lecz o ojcu z czasów, kiedy mieszkali razem w swoim domu, kiedy on sam miał cztery, pięć, sześć, siedem, osiem, dziewięć lat, kiedy byli ojcem i synem, i ten syn nigdy nie rozważał innej możliwości niż ta, że jego ojciec będzie się nim zawsze opiekował, a przynajmniej zawsze będzie się starał, ponieważ mu to obiecał i ponieważ go kochał, i ponieważ tak to już jest na świecie. Strata, strata – tak wiele stracił. Jak mógłby kiedykolwiek znów poczuć się cały? Jak mógłby zadośćuczynić za te wszystkie lata? Jak mógłby wybaczyć? Jak mógłby liczyć na wybaczenie?

– Zobaczmy, co tu mamy – powiedział Charles, gdy rozglądali się razem po kuchni. Na blacie, zawinięty w brązowy papier, leżał bochenek chleba na zakwasie, który Adams dla nich odłożył. Charles ukroił po kromce i swoją uniósł uroczyście, mówiąc:

– Za twojego ojca.

– Za Petera – odpowiedział David.

– Przedwczesny toast noworoczny – podsumował Charles. – Jeszcze tylko sześć lat do dwudziestego pierwszego wieku.

Z powagą dotknęli się kromkami i każdy zjadł swoją. Za ich plecami szyby w oknach drżały na wietrze, ale oni nie odczuwali chłodu – dom był zbyt solidny.

– Zobaczmy, co Adams dla nas zachomikował – powiedział Charles, przełknął ostatni kęs chleba i otworzył lodówkę, z której wyjął kolejno: słoik majonezu, pojemnik z zimnym stekiem, słoik musztardy, trójkątny blok sera. – Jarlsberg – oznajmił i mruknął pod nosem: – Ulubiony ser Petera.

David objął go od tyłu, Charles oparł się o niego i przez chwilę stali w milczeniu. Wtedy właśnie David wyobraził sobie ich dwóch po wielu latach, w jakiejś niedatowanej przyszłości. Świat zewnętrzny uległ zmianie: ulice zarosły chwastem, a brukowany kocimi łbami dziedziniec pokrył się kosmatą sierścią trawy pampasowej. Niebo było jadowicie zielone; obok nich przefrunęło stworzenie o gumowatych, rozcapierzonych skrzydłach. Piątą Aleją sunął na południe jakiś samochód: unosił się kilka cali nad ziemią, a z jego rury wydechowej uchodziło z sykiem powietrze. Garaż popadł w ruinę: na wpół przegniłe cegły stały się miękkie jak ciasto, a z samego środka, przebijając sypiący się dach, wyrastał gęsto obwieszony owocami mangowiec, bliźniaczo podobny do tego, który rósł na frontowym podwórzu domu, w którym David mieszkał kiedyś z ojcem. Jeżeli nie był to jeszcze koniec wszystkiego, to koniec ten był bliski – zatrute owoce nie nadawały się do jedzenia, samochód nie miał szyb, powietrze migotało oleistym dymem; stworzenie o gumowatych skrzydłach usadowiło się na szczycie budynku po przeciwnej stronie ulicy, zacisnęło szpony na gzymsie i czarnymi ślepiami rozglądało się za ofiarą, na którą mogłoby nagle spaść i ją pożreć.

Ale on i Charles, zamknięci w domu, pozostali jakimś cudem niezmienieni: nadal zdrowi, nadal obecni, nadal byli sobą. Byli parą zakochanych i robili sobie coś do jedzenia, a żywności mieli mnóstwo, i dopóki pozostawali razem pod dachem, nic im nie groziło. Po ich prawej stronie, w przeciwległym końcu kuchni, znajdowały się drzwi – gdyby je otworzyli i przeszli na drugą stronę, znaleźliby się w kopii tego domu, z tą różnicą, że rezydowałby tam Peter, żywy, sarkastyczny i onieśmielający, a w domu po prawej stronie domu Petera mieszkaliby John, Timothy i Percy, a na prawo od ich domu – Eden z Teddym, i tak dalej, i dalej, nieprzerwany łańcuch domów, a w nich ukochane osoby, zmartwychwstałe i przywrócone do zdrowia, cała wieczność posiłków i rozmów, i sporów, i wybaczeń. Razem przechodziliby przez te domy, otwieraliby drzwi, pozdrawiali przyjaciół i zamykali drzwi za sobą, aż w końcu doszliby do drzwi, o których jakoś wiedzieliby, że są ostatnie. Zawahaliby się przez moment, uścisnęliby sobie ręce, a potem obróciliby gałkę w tych drzwiach i weszli do kuchni, dokładnie takiej samej jak ich własna, o ścianach w odcieniu takiej samej jadeitowej zieleni, z takim samym serwisem o złoconych brzegach w kuchennych szafkach, z takimi samymi rycinami w ramkach na ścianach, z takimi samymi ściereczkami z miękkiego płótna na takich samych kołkach z jesionowego drewna, tyle że pośrodku tej kuchni rósłby mangowiec, czubkiem korony sięgający sufitu.

I tam, na krześle, w cierpliwym oczekiwaniu siedziałby jego ojciec, który na widok Davida zerwałby się na równe nogi i rozpromieniony wykrzyknąłby z radości:

– Mój Kawika! Przyszedłeś po mnie! Nareszcie po mnie przyszedłeś!

On chwilę by się zawahał, ale zaraz podbiegłby do ojca, a za jego plecami Charles stałby w miejscu uśmiechnięty i obserwował to ostateczne zjednoczenie ojca z synem, którzy nareszcie się odnaleźli.

Część II

Mój synu, mój Kawika, co robisz dzisiaj? Wiem, gdzie jesteś, bo mama mi powiedziała: w Nowym Jorku. Ale gdzie w Nowym Jorku, ciekaw jestem? I co tam porabiasz? Mama mówiła, że pracujesz w kancelarii prawniczej, chociaż nie jesteś prawnikiem, ale nie myśl sobie, że z tego powodu jestem mniej z ciebie dumny. Byłem kiedyś w Nowym Jorku, wiedziałeś o tym? Tak, to prawda – twój tata też ma swoje sekrety.

Myślę o tobie często. Na jawie, ale także we śnie. Tak czy inaczej, wszystkie moje sny są o tobie. Czasem śnią mi się czasy przed naszym przybyciem do Lipo-wao-nahele, kiedy mieszkaliśmy razem w domu twojej babki i odbywaliśmy nasze spacery o północy. Pamiętasz je? Budziłem cię i wymykaliśmy się na dwór. Wędrowaliśmy aleją O'ahu do East Manoa Road, a potem szliśmy przez Mohala Way, bo przed jednym z domów na tej ulicy rósł krzew złotej trąbki, który cię fascynował, pamiętasz? Miał bladożółte kwiaty, barwy kości słoniowej, które wyrastały jakby korzeniami do góry i przypominały rurę kornetu. Tak przynajmniej mówili ludzie. Ale ty się z nimi nie zgadzałeś. Nazwałeś tę roślinę „drzewem poodwracanych tulipanów", a i ja potem już zawsze tak ją widziałem. Potem szliśmy Lipioma Way aż do Beckwith i zawracaliśmy Manoa Road, żeby dojść do domu. Zabawne, w życiu bałem się tylu rzeczy a nigdy nie bałem się ciemności. W ciemnościach każdy jest bezradny, więc wiedząc o tym, czułem się taki sam jak inni, a nawet dzielniejszy.

Uwielbiałem te nasze spacery. Zdaje mi się, że ty także. Musieliśmy ich poniechać, gdy powiedziałeś o nich swojej nauczycielce –

zasypiałeś na lekcjach, a gdy nauczycielka spytała o powód, powiedziałeś jej, że to przez nasze nocne spacery, wtedy wezwała mnie na rozmowę i miałem kłopoty. „On rośnie, panie Bingham – powiedziała. – Musi się wysypiać. Nie może go pan budzić w środku nocy i wyciągać na spacery". Głupio się poczułem, ale ona była uprzejma. Mogła donieść twojej babce, a nie zrobiła tego. „Ja chciałem tylko spędzać z nim więcej czasu" – tłumaczyłem nauczycielce. Wtedy spojrzała na mnie tak, jak ludzie często na mnie patrzyli. Uświadomiłem sobie, że palnąłem jakieś głupstwo i powiedziałem coś dziwnego; jednak na koniec pokiwała głową. „Pan kocha syna, panie Bingham – powiedziała. – To bardzo pięknie. Ale jeśli kocha go pan naprawdę, niech mu pan pozwoli spać". Poczułem się zażenowany, bo oczywiście miała rację: byłeś jeszcze dzieckiem. Nie miałem prawa budzić cię i wyciągać z łóżka. Za pierwszym razem byłeś zaskoczony, ale później przywykłeś: wprawdzie tarłeś oczy i ziewałeś, lecz nigdy się nie skarżyłeś – wkładałeś kapcie, brałeś mnie za rękę i wychodziliśmy. Nawet nie musiałem ci mówić, żebyś nie mówił babce: sam już wiedziałeś, że nie należy. Po jakimś czasie przyznałem się Edwardowi, że miałem zajście z nauczycielką i dlaczego. „Ty dupo wołowa – powiedział, ale tak, że poznałem, że nie jest zły, lecz sfrustrowany. – Mogli wezwać Obrońców Praw Dziecka i odebrać ci Kawikę za coś takiego". „Naprawdę?" – zdziwiłem się. To była najgorsza rzecz, jaką umiałem sobie wyobrazić. „Jasne, że tak – powiedział Edward. – Ale nie przejmuj się. Jak wyjedziemy do Lipo-wao-nahele, będziesz mógł wychowywać Kawikę, jak zechcesz i nikt ci złego słowa nie powie".

Co jeszcze pamiętasz? Ja już nic innego nie robię, wyłącznie wspominam. Trochę jeszcze widzę, ale jedynie światło i ciemność. Pamiętasz, jak chodziliśmy na chiński cmentarz i siadaliśmy pod samanem na szczycie wzgórza? Kładliśmy się na trawie i wystawialiśmy twarze do słońca. „Zamknij oczy" – mówiłem ci, ale nawet przez zamknięte oczy widzieliśmy pomarańczową światłość, przez którą przemykały czarne cętki, jak muchy. Gdy ci objaśniłem, jak działa wzrok, zapytałeś, czy widzisz tył swojej gałki ocznej, a ja odpowiedziałem, że być może. Teraz tak mam: widzę kolor i te cętki, ale niewiele więcej. Mimo to, kiedy wyprowadzają mnie na zewnątrz, najpierw zakładają mi ciemne okulary. Dzieje się tak, ponieważ – zdaniem jednego z tutejszych lekarzy – ja nadal powinienem normalnie widzieć – moim oczom nic nie dolega i dlatego trzeba je chronić. Do niedawna twoja babka przynosiła mi twoje zdjęcia: podstawiała mi je pod sam nos, aż papier mnie łaskotał. „Przypatrz mu się, Wika – mówiła. – Popatrz na niego. Przestań się wygłupiać. Nie chcesz oglądać zdjęć swojego syna?" Oczywiście, że chciałem, próbowałem, ogromnie się starałem. Ale nigdy nie zobaczyłem nic poza prostokątem papieru, może czasem czerń twoich włosów. A może ona wcale nie pokazywała mi twoich zdjęć. Może na zdjęciu był kot albo grzyb. Ja nie widziałem różnicy. Rzecz w tym, że nie zdołam zobaczyć nic nowego; widzę tylko to, co już widziałem.

Więc nie widzę, ale za to słyszę. Większość dźwięków nie ma dla mnie większego sensu nie dlatego, że ich nie rozumiem, lecz dlatego, że stale jestem senny i trudno mi rozróżnić, co rzeczywiście słyszę, a co sobie wyobrażam. Czasami, gdy staram się to rozróżnić, zasypiam na nowo, a gdy się potem budzę, doskwiera mi jeszcze większe pomieszanie – bo pamiętam, co próbowałem rozróżnić przed zaśnięciem, ale już nie wiem, czy naprawdę słyszałem to, co zdawało mi się, że słyszę, czy może była to halucynacja. Na przykład informacja, że ty jesteś w Nowym Jorku: obudziłem się z przekonaniem, że tam jesteś. Ale czy naprawdę jesteś? Czy ktoś mi to powiedział, czy sam sobie zmyśliłem? Myślałem i myślałem, i to tak intensywnie, że zacząłem bezwiednie pojękiwać z frustracji i pomieszania, a wtedy ktoś wszedł do mojego pokoju i po chwili zapanowała nicość. Kiedy się znowu obudziłem, pamiętałem wyłącznie tyle, że się zdenerwowałem, i dopiero jakiś czas później przypomniałem sobie czym. Nie miałem jak zapytać, czy jesteś w Nowym Jorku, czy nie, więc musiałem czekać, aż znowu ktoś – twoja babka – mnie odwiedzi, i mieć nadzieję, że sama o tobie napomknie. W końcu rzeczywiście przyszła i powiedziała, że dostała od ciebie list i że pogoda w Nowym Jorku jest upalna, upalna i deszczowa i że życzysz mi powrotu do zdrowia. Teraz się pewnie zastanawiasz, skąd wiesz, że to rzeczywiście miało miejsce, że mi się nie przyśniło, więc mogę ci odpowiedzieć, że tamtego dnia poczułem zapach kwiatów, które miała na sobie twoja babka. Pamiętasz, jak w sezonie kwitnienia bluszczu pakalana babka wysyłała cię za dom, żebyś zerwał parę kiści kwiatów, a później wkładała je w tę swoją małą srebrną broszkę w kształcie wazonika, która faktycznie mogła pomieścić parę kwiatków? Stąd moja pewność, że to się działo naprawdę, i to latem, bo pakalana kwitnie tylko w lecie. Dlatego też, ilekroć myślę o tobie i o Nowym Jorku, czuję zapach pakalany.

Nie wiem, jak długo już cię nie ma. Przypuszczam, że bardzo długo. Lata całe. Może nawet dziesięć lat. A jeśli tak, to znaczy, że ja od lat może nawet dziesięciu jestem tutaj, w tym miejscu. Kiedy to sobie uświadamiam, słyszę, że zaczynam jęczeć, coraz głośniej i głośniej, i wierzgać rękami i nogami, i sikać pod siebie, a wtedy dociera do mnie odgłos biegnących do mnie ludzi i czasami słyszę, jak mnie nawołują: „Wika. Wika, uspokój się. Musisz się uspokoić, Wika". Wika. Mówią tu na mnie tylko Wika. Nikt nie nazywa mnie tutaj panem Binghamem, chyba że akurat jest u mnie twoja babka. Ale to nie szkodzi. Nigdy nie czułem się w porządku, gdy tytułowano mnie panem Binghamem.

Ale nie mogę się uspokoić, bo teraz myślę o tym, że nigdy się stąd nie wydostanę, że moje życie – całe moje życie – przebiegło w miejscach, z których nie mogłem uciec: dom twojej babki. Lipo-wao-nahele. A teraz to. Ta wyspa. Znikąd nie mogłem uciec tak naprawdę. Ale tobie się udało. Ty uciekłeś.

Wydaję więc takie dźwięki, jakie mogę, odtrącam ich ręce, wyję, gdy próbują mnie uspokoić, i nie ustaję, dopóki nie poczuję, że lek wpływa w moje żyły, rozgrzewa mi ciało, uspokaja serce, przenosi mnie z powrotem w stan niepamięci.

Chcę mówić do ciebie, mój synu, mój Kawika, chociaż wiem, że nigdy mnie nie usłyszysz, ponieważ nigdy więcej nie przemówię do ciebie ludzkim głosem, już nigdy. Ale chcę mówić do ciebie o wszystkim, co się zdarzyło, i próbować wytłumaczyć ci, dlaczego zrobiłem to, co zrobiłem.

Nigdy mnie nie odwiedziłeś. Ja to wiem, a zarazem nie wiem. Czasami potrafię udawać, że u mnie *byłeś*, ale po prostu miesza mi się w głowie. Niemniej wiem, że nie byłeś. Już nie pamiętam, jak brzmi twój głos; nie pamiętam, jak pachniesz. Mam obraz ciebie piętnastoletniego, gdy żegnasz się ze mną po jednym z naszych wspólnych weekendów. Nie wiedziałem wtedy – może i ty nie wiedziałeś, może kochałeś mnie wtedy jeszcze trochę, kochałeś mimo wszystko – że nigdy więcej cię nie zobaczę. Oczywiście, że się tym smucę. Nie tylko ze względu na siebie – także na ciebie. Bo masz ojca, który jest żywy i nieżywy, a przecież jesteś jeszcze młody – młody mężczyzna potrzebuje ojca.

Nie mogę powiedzieć ci, gdzie konkretnie jestem, ponieważ sam nie wiem. Czasem wyobrażam sobie, że muszę być na Tantalusie, wysoko w puszczy, gdyż jest tu chłodno, deszczowo i bardzo cicho, ale równie dobrze mógłbym być na klifie Nu‘uanu albo nawet w Manoa. Wiem, że nie jestem w naszym domu, bo to miejsce nie pachnie jak nasz dom. Długo myślałem, że znajduję się w szpitalu, ale szpitalem także tutaj nie pachnie. Za to są lekarze, pielęgniarze i salowi. Wszyscy oni się mną opiekują.

Przez długi czas nie wychodziłem wcale z łóżka, ale w końcu zaczęli mnie do tego zmuszać. „Wstajemy, Wika – odzywał się męski głos. – Wstajemy, bracie". I czułem na plecach czyjąś dłoń, która pomagała mi usiąść, a potem cztery ręce, dwie w pasie, unosiły mnie i opuszczały z powrotem. Później ktoś mnie popychał i w pewnym momencie czułem, że wyszliśmy z budynku, bo słońce padało mi na kark. Jedna z tych rąk unosiła mi podbródek, a wtedy zamykałem oczy. „Przyjemnie, co, Wika?" – pytał ten sam głos. Po chwili ktoś puszczał mój podbródek i głowa opadała mi z powrotem na piersi. Ostatnio kiedy mnie wożą wokół budynku albo po ogrodzie, zakładają mi pas przez czoło, żeby głowa trzymała się w miejscu. Czasami przychodzi kobieta, która porusza moimi rękami i nogami i mówi do mnie. Zgina i prostuje każdą kończynę po kolei, potem naciera mnie, przewraca na brzuch i ugniata mi plecy. Dawniej czułbym się zażenowany, że leżę bez ubrania i dotyka mnie obca kobieta, ale teraz mi to nie przeszkadza. Ona ma na imię Rosemary. W trakcie masażu relacjonuje mi swój dzień albo opowiada o rodzinie: jej mąż jest księgowym, a syn i córka uczą się jeszcze w szkole podstawowej. Nieraz zdarza jej się powiedzieć coś, co pozwala mi uświadomić sobie, ile czasu minęło, ale później znów wszystko mi się miesza, bo nie wiem, czy rzeczywiście to od niej usłyszałem, czy sobie zmyśliłem. Czy mur berliński został zburzony czy nie? Czy powstały już kolonie na Marsie czy nie? Czy Edward w końcu zatriumfował, czy przywrócono monarchię i mianowano mnie królem wysp hawajskich, a moją matkę królową regentką, czy nie? Kiedyś napomknęła o tobie, o moim synu, a ja zareagowałem tak nerwowo, że musiała dzwonić po pomoc – od tamtego czasu nie wspomina o tobie.

Dzisiaj myślałem o tym, jak karmiłeś mnie obiadem. Jadam same papki, bo czasami zbyt intensywnie myślę o połknięciu, przez co wpadam w panikę i się dławię, ale kiedy nie muszę żuć, to jest w porządku. Na obiad był kleik ryżowy ze stuletnim jajkiem i szczypiorkiem, taki sam, jaki zawsze kazałem Jane przyrządzać dla ciebie, gdy byłeś chory – to jedna z potraw, które Jane gotowała mi w dzieciństwie. Mój ojciec również za nią przepadał, chociaż zamiast jajka wolał gotowanego kurczaka.

Zdaje mi się, że Jane umarła. Matthew też. Nikt mi tego nie mówił, ale się domyśliłem, bo dawniej regularnie mnie odwiedzali, a teraz nie przychodzą. Nie pytaj mnie, kiedy to się stało ani co było powodem ich śmierci, bo nie umiem udzielić ci odpowiedzi. Oboje byli starzy – starsi niż twoja babka. Podsłuchałem kiedyś, jak babka ci opowiadała, że ich oboje, Jane i Matthew, dostała w prezencie ślubnym od swojego ojca: dwoje służących z ojcowskiego gospodarstwa, którzy mieli jej pomóc w prowadzeniu własnego domu. Ale to nie jest prawda. Jane i Matthew byli w domu na długo przed nastaniem twojej babki. A zresztą jej ojca nie było wtedy stać nawet na jednego służącego, a co dopiero na dwoje, nie mówiąc już o dwojgu do oddania. A nawet gdyby ich miał, to mocno wątpliwe, czy podarowałby ich twojej babce, która w świetle prawa nie była nawet jego krewną.

Nigdy nie wiedziałem, co zrobić, gdy twoja babka opowiadała ci rzeczy niezgodne z prawdą. Nie chciałem się jej sprzeciwiać. Nie byłem aż tak głupi. Zresztą chciałem, żebyś jej ufał, żebyś ją kochał – chciałem, żebyś miał w życiu łatwiej, niż ja miałem, a warunkiem tego były dobre stosunki z babką. Ciężko nad tym pracowałem i chyba mi się udało, co znaczy, że tak całkiem cię nie zawiodłem: zadbałem o to, żeby twoja babka cię kochała. Ale jesteś już dorosły, żyjesz bezpiecznie w Nowym Jorku, więc czuję, że mogę powiedzieć ci prawdę.

Jedno trzeba przyznać twojej babce: umiała dbać o swoje. Cokolwiek miała, zdobyła sobie walką i ciężką pracą, więc całe życie poświęciła pilnowaniu, żeby to jej się nie wymknęło. Mnie wychowała na swoje przeciwieństwo i chyba nieraz tego żałowała, chociaż zrobiła to rozmyślnie. Do mojego ojca za to samo nie miała pretensji, ale do mnie miała, ponieważ byłem w jakimś stopniu jej własnością, a zatem powinienem zdawać sobie sprawę z niepewności własnej pozycji, bo wtedy nie była samotna ze swoim niepokojem. Często miewamy pretensje do swoich dzieci za to, że osiągnęły to, czegośmy im życzyli – nie chcę przez to powiedzieć, że mam pretensje do ciebie, chociaż moim jedynym życzeniem było, żebyś mnie zostawił, kiedy dorośniesz.

O moim ojcu niewiele mam do powiedzenia ponad to, co już wiesz. Miałem już osiem lat, prawie dziewięć, gdy zmarł, a jednak zachowałem o nim niewiele wspomnień – jest dla mnie zamazaną, jowialną postacią, wysportowaną i krzepką. Podnosił mnie pod sufit, gdy wracał z pracy do domu, huśtał mnie tak wysoko, że piszczałem, wciąż na nowo i bezskutecznie próbował nauczyć mnie trafiać w piłkę. Nie byłem do niego podobny, ale nie miał o to do mnie żalu, w przeciwieństwie do matki, której dezaprobatę czułem niemal od momentu, gdy w ogóle uświadomiłem sobie, jakie były jej przekonania. Lubiłem czytać, więc ojciec nazywał mnie „Profesorem", nigdy złośliwie, chociaż czytywałem głównie komiksy. „To jest Wika, nasz rodzinny czytelnik" – przedstawiał mnie znajomym, a ja się wstydziłem, bo wiedziałem, że nie czytam niczego ważnego, więc tak naprawdę nie mam prawa nazywać się czytelnikiem. Ale dla ojca to nie miało znaczenia – gdybym jeździł konno, byłbym dla niego Jeźdźcem, a gdybym grał w tenisa, byłbym Sportowcem – i było mu wszystko jedno, czy wybijam się w jakiejś dziedzinie czy nie.

Większość pieniędzy rozeszła się, zanim mój ojciec przystąpił do rodzinnej firmy, ale nie wydawał się zainteresowany pomnażaniem majątku. Weekendy spędzaliśmy w klubie, gdzie całą rodziną jedliśmy lunch – różni ludzie zatrzymywali się przy naszym stoliku, żeby uścisnąć rękę ojcu i uśmiechnąć się do matki, a przede mną stała porcja tortu kokosowego, słodkiego jak ulepek i kosmatego jak dywan, który ojciec zawsze zamawiał dla mnie wbrew protestom matki. Potem ojciec szedł grać w golfa, a matka, zaopatrzona w stertę czasopism, rozsiadała się pod parasolem nad basenem, skąd mogła mieć na mnie oko. Później, na początku mojej przyjaźni z Edwardem, w milczeniu wysłuchiwałem jego opowieści o weekendowych wyprawach z matką na plażę: zabierali jedzenie w pojemnikach i spędzali tam cały dzień, matka Edwarda siedziała na kocu z koleżankami, a Edward wbiegał do wody i wybiegał, i tak w kółko, aż niebo zaczynało ciemnieć: wtedy pakowali się i wracali do domu. Klub znajdował się blisko oceanu – z pola golfowego można było dostrzec poprzez drzewa pasy migotliwego błękitu – ale nam nigdy nie przyszłoby do głowy pójść na plażę: była zbyt piaszczysta, zbyt dzika, zbyt uboga. Nigdy nie powiedziałem tego Edwardowi; zapewniałem go, że sam też uwielbiam chodzić na plażę, chociaż gdy zaczęliśmy spacerować tam razem, nie umiałem uwolnić się od pytania, kiedy będzie już można wracać, kiedy wezmę prysznic i znów poczuję się czysty.

Dopiero po śmierci ojca uzmysłowiłem sobie, że należymy do zamożnych ludzi, mimo że wtedy byliśmy już znacznie mniej bogaci niż kiedyś. Jednak bogactwo, które posiadał mój ojciec, nie było ostentacyjne – mieliśmy duży dom, ale podobny do domów innych ludzi, z szeroką werandą i dużym, zagraconym pokojem słonecznym oraz z małą kuchnią. Miałem wszystkie zabawki, jakie chciałem, ale mój pierwszy rower był używany, odziedziczyłem go po chłopcu z sąsiedniej ulicy. Mieliśmy Jane i Matthew, ale jadaliśmy proste posiłki – na obiad ryż i jakieś mięso, na śniadanie ryż z rybą i jajkiem, a na lunch do szkoły dostawałem *bento box* – blaszane pudełko z podziałkami wypełnionymi ryżem, makaronem, mięsem i rybą. Dopiero gdy rodzice wydawali przyjęcie i zapalano wszystkie świece, a kandelabr czyszczono, dom wyglądał naprawdę wspaniale, a ja dostrzegałem jakieś dostojeństwo w jego prostocie: w ciemnym, lśniącym stole jadalnianym; w gładkim, białym drewnie ścian i sufitu; wazach z kwiatami, które wymieniano co drugi dzień. Był koniec lat czterdziestych; nasi sąsiedzi kładli linoleum na parkietach i wymieniali naczynia na plastikowe, ale nasz dom, jak mawiała matka, nie był domem publicznym. W naszym domu podłogi były drewniane, sztućce srebrne, a talerze i miski porcelanowe. Nie z jakiejś drogiej porcelany, ale i nie z plastiku. Lata powojenne przyciągnęły na wyspy nowe bogactwo, nowe przedmioty z kontynentu, jednak i pod tym względem nasz dom nie hołdował, jak mawiała matka, nowomodnym trendom. Po co kupować drogie pomarańcze z Florydy, jeśli nasze z własnego podwórka są nawet smaczniejsze? Po co kupować rodzynki z Kalifornii, skoro mamy słodsze od nich liczi z własnych drzew? „Zwariowani na punkcie kontynentu" – mówiła matka o naszych sąsiadach; pogardzała ich naiwnym gustem, w którym dostrzegała coś w rodzaju nienawiści do siebie samych i swojego miejsca zamieszkania. Edward nigdy nie dostrzegł tej cechy mojej matki, jej zaciekłego nacjonalizmu, miłości do własnego domu – dostrzegał tylko swoistą niekonsekwencję w wyrażaniu dumy z tego, co własne: matka krytykowała innych ludzi za upodobanie do najnowszej muzyki i potraw z kontynentu, a jednocześnie nosiła perły kupione w Nowym Jorku i długie bawełniane spódnice szyte na zamówienie w San Francisco, dokąd co roku wyjeżdżała z ojcem, a po jego śmierci sama kontynuowała ten zwyczaj.

Dwa razy do roku jeździliśmy we trójkę do Lāʻie na Północnym Wybrzeżu. Stał tam kościółek ze skały koralowej, który mój pradziadek wspierał finansowo od młodych lat, a w tym kościółku mój ojciec rozdawał koperty z pieniędzmi, dwadzieścia dolarów dla każdego dorosłego mieszkańca, z okazji urodzin pradziadka i w dniu rocznicy jego śmierci – prezent dla ludności miasteczka, które ukochał jego dziadek. Gdy zbliżaliśmy się do kościółka, skręcając z szosy na drogę nieutwardzoną, widzieliśmy mieszkańców tłoczących się u drzwi, a kiedy ojciec wysiadł z auta i kroczył w stronę świątyni, wszyscy mu się kłaniali. „Wasza Wysokość – mamrotali ci rośli, ciemni ludzie o nienaturalnie cichym głosie. – Witaj z powrotem, królu". Mój ojciec pozdrawiał ich skinieniem głowy, podawał im ręce do uściśnięcia, a później, już w kościółku, wręczał pieniądze. Potem zaś zasiadał, by wysłuchać pieśni najlepszego śpiewaka wśród nich, i następnego, który skandował hymn, po czym wsiadaliśmy do samochodu i odjeżdżaliśmy z powrotem do miasteczka.

Zawsze czułem się nieswojo podczas tych wizyt. Już jako mały chłopiec czułem się oszustem – co takiego zrobiłem, że nazywano mnie tam „Księciem"? Że stara kobieta, mówiąca wyłącznie po hawajsku, kłaniała mi się nisko, ściskając gałkę laski, żeby nie upaść? Gdy jechaliśmy z powrotem do domu, ojciec był wesoły, pogwizdywał pieśń, którą dla niego odśpiewano, a matka siedziała u jego boku, wyprostowana, milcząca i królewska. Po śmierci ojca jeździłem tam właśnie z matką – mieszkańcy okazywali nam szacunek, ale uznawali wyłącznie mnie, nie ją, bo chociaż była wobec nich uprzejma, to brakowało jej humoru ojca, jego umiejętności stawiania się na równi z ludźmi znacznie biedniejszymi, dlatego ceremonie przebiegały w nieco napiętej atmosferze. Zanim skończyłem osiemnaście lat i mogłem mieć nadzieję na samodzielne pełnienie tego obowiązku, całe przedsięwzięcie nabrało pozorów anachronizmu zabarwionego pogardą i od tego czasu moja matka posyłała po prostu coroczną darowiznę do rady miejscowej społeczności, która rozdzielała ją w zależności od potrzeb swoich członków. I tak zresztą nie umiałbym być moim ojcem. Tak jej to właśnie powiedziałem – nie jestem jego substytutem. „Nic nie rozumiesz, Wika – odrzekła ze znużeniem. – Nie jesteś jego substytutem. Jesteś jego dziedzicem". W każdym razie mi nie zaprzeczyła: oboje wiedzieliśmy, że z ojcem nie mogę się równać.

Wszystko zmieniło się po jego śmierci. Dla matki te zmiany miały głębszy i groźniejszy charakter. Po spłaceniu długów ojca – lubił hazard i samochody – zostało mniej pieniędzy, niż przypuszczała. Wraz ze stratą męża utraciła także poczucie pewności siebie – to on uwiarygodniał jej rzekomą godność; bez niego musiała już wiecznie bronić swojego prawa do zachowywania szlacheckiej wyższości.

A druga zmiana polegała na tym, że teraz matka i ja mieliśmy tylko siebie nawzajem. Dopiero odejście ojca uświadomiło nam, że to on nadawał nam nasze tożsamości: ona była żoną Kawiki Binghama, a ja byłem synem Kawiki Binghama. Nawet teraz, gdy już go nie było, określaliśmy się w dalszym ciągu w relacji do niego. Za to nasze wzajemne relacje stały się bez niego bardziej kapryśne. Ona była teraz wdową po Kawice Binghamie; ja byłem dziedzicem Kawiki Binghama. Tyle że Kawika Bingham już nie istniał, a my bez niego nie wiedzieliśmy, jak mamy się do siebie odnosić.

Po śmierci ojca matka angażowała się coraz bardziej w swoje stowarzyszenie zwane Kaikamahine kū Hawaiʻi. Grupa ta, której członkinie tytułowały się Córami, była otwarta dla wszystkich kobiet zdolnych dowieść swojego szlacheckiego pochodzenia.

Pretensje mojej matki do krwi szlacheckiej stanowiły skomplikowane zagadnienie. Jej przybrany ojciec, daleki kuzyn mojego ojca, był szlachcicem, i podobnie jak mój ojciec pochodził z rodu sięgającego wstecz do czasów przed Wielkim Królem. Ale z genezą mojej matki nie było tak prosto. W miarę jak dorastałem, docierały do mnie rozmaite historie o jej pochodzeniu. Najczęściej mówiono, że jest nieślubnym dzieckiem swojego przybranego ojca, owocem jego przelotnego romansu z kelnerką od koktajli, która wkrótce po porodzie wróciła do rodzinnej Ameryki. Lecz krążyły także inne teorie, wśród nich ta, że moja matka nie dość, że nie jest szlachcianką, to nawet nie ma w sobie hawajskiej krwi: że jej matka była sekretarką jej przybranego ojca, a jej ojcem – lokaj jej przybranego ojca – ojca, który słynął z tego, że najchętniej zatrudniał haole, bo lubił pokazać, że jest kimś, i stać go na to, żeby pracowali u niego biali ludzie. Matka rzadko wspominała o swoim przybranym ojcu, a i wtedy mówiła najwyżej tyle, że zawsze był dla niej dobry, chociaż od kogoś – już nie pamiętam od kogo – usłyszałem wersję, z której wywnioskowałem, że nawet jeśli był dla niej dobry, to specyficznie; swoje własne dzieci, córkę i syna, trzymał krótko, bo więcej się po nich – a także dla nich – spodziewał. Te dzieci potrafiły go rozczarować, ale umiały go także ucieszyć. Były jego wcieleniami – a moja matka nie.

Małżeństwo z moim ojcem uciszyło większość tych plotek – j e g o pochodzenie było niekwestionowane, nie do podważenia – jednak mam wrażenie, że po jego śmierci matka znów znalazła się w defensywie: stała się ostrożna i stale czuła się na cenzurowanym.

To dlatego tak ochoczo współpracowała z Córami – organizowała ich doroczne festyny fundraisingowe, przewodziła komitetom, prezesowała inicjatywom dobroczynnym; dlatego starała się, na wszystkie możliwe sposoby zgodne z jej wyobraźnią i duchem epoki, być ideałem hawajskiej kobiety.

Problem z byciem ideałem polega jednak na tym, że prędzej czy później definicja ideału ulega zmianie i człowiek uświadamia sobie, że dążył do celu, który nie jest pojedynczą prawdą, lecz zbiorem oczekiwań determinowanych przez otoczenie. Wychodzi się poza dane otoczenie i związane z nim oczekiwania i wówczas z powrotem jest się nikim.

Gdy Edward poznał moją matkę, była dystyngowana i uprzejma. Dopiero znacznie później, gdy zbliżyliśmy się do siebie ponownie w dorosłości, zaczął coś podejrzewać. Wytknął mi, że matka nie mówi po hawajsku (ja także nie znałem tego języka: jeśli nie liczyć kilku powszechnie znanych zwrotów i słów, kilkunastu piosenek i wyliczanek, mówiłem wyłącznie po angielsku i trochę po francusku). Że nie popierała walki. Że nie popierała idei powrotu królestwa Hawajów. Ale nigdy nie wspomniał o tym, o czym mówili inni ludzie: jaką jasną ma skórę. Sam Edward był jeszcze jaśniejszy, lecz nikt, kto nie wychował się na wyspach, w jego oczach i w kolorze włosów nie dostrzegłby utajonej hawajskości. W tamtym okresie zazdrościł mi wyglądu, skóry, włosów i oczu. Przyłapywałem go czasem na wgapianiu się we mnie. „Powinieneś zapuścić włosy – powiedział mi kiedyś. – Wyglądałbyś bardziej autentycznie". Drażniło go, że nawet wtedy, gdy wszyscy nosili długie włosy, strzygłem się tak, jak mój ojciec – schludnie i bardzo krótko – ponieważ czuprynę miałem kędzierzawą i gęstą, więc kiedy odrastała, moja głowa wyglądała jak napompowana.

– Nie chcę mieć włosów afro – odparłem, a on aż się wyprostował, chociaż normalnie siedział przygarbiony.

– Co jest nie tak z afro? – zaperzył się, patrząc na mnie bez mrugania, jak to czasami robił, pociemniałymi, prawie granatowymi oczami.

– No nic – wyjąkałem, bo w zdenerwowaniu zawsze zaczynałem się jąkać. – Nic nie jest nie tak z afro.

Odchylił się i patrzył na mnie jeszcze długą chwilę, aż się musiałem odwrócić.

– Prawdziwy Hawajczyk nosi włosy na całego – powiedział. Jego włosy były kręcone, ale cienkie, jak u dziecka, i nosił je ściągnięte w kucyk gumką. – Na całego i dumnie.

Od tego czasu nazywał mnie Księgowym, bo mówił, że z takim wyglądem powinienem pracować gdzieś w banku i liczyć cudze pieniądze. „Siema, Księgowy – mówił na powitanie, gdy po mnie przychodził. – Interes kwitnie?" Wiedziałem, że to przezwisko, ale czasami brzmiało niemal czule, jak nasze sekretne słodkie słówko.

Nigdy nie wiedziałem, co powiedzieć, gdy krytykował moją matkę. Rozumiałem już wtedy, że nigdy jej nie zadowolę, ale chciałem ją przynajmniej chronić, chociaż o to nie prosiła, a ja nie miałem zadatków na ochroniarza. Z perspektywy czasu chciałbym myśleć, że czułem się nieswojo po części przez to, że stale dawał mi do zrozumienia, że Hawajczykiem można być wyłącznie w jeden określony sposób. Wtedy jednak nie rozumowałem aż tak subtelnie – idea rasy, która k a ż e mi być takim czy owakim, była mi tak samo obca jak pogląd, że istnieje inny, bardziej poprawny sposób oddychania czy przełykania. Teraz wiem, że otaczali mnie wówczas rówieśnicy, którzy prowadzili rozmowy w rodzaju: jak być czarnym, Azjatą, Amerykaninem albo kobietą. Ale ja nigdy tych rozmów nie słyszałem, a kiedy zacząłem je słyszeć, to już w towarzystwie Edwarda.

Mówiłem więc: „Jest Hawajką", chociaż sam słyszałem, że brzmi to jak pytanie: „Jest Hawajką?".

Pewnie dlatego Edward odpowiadał:

– Nie, nie jest.

Ale pozwól, że wrócę do naszego pierwszego spotkania. Miałem dziesięć lat i niedawno umarł mi ojciec. Edward był nowy, przyszedł do szkoły w tym roku. Szkoła przyjmowała nowych uczniów do przedszkola, piątej klasy, siódmej i dziewiątej. Później Edward wściekał się, że chodziliśmy do tej szkoły zamiast do tamtej, która przyjmowała tylko uczniów krwi hawajskiej. Nasza szkoła miała statut królewski, ale założyli ją misjonarze. „Oczywiście, nie dowiedzieliśmy się, kim jesteśmy i skąd przychodzimy – zżymał się Edward. – Oczywiście, że nie. Całą misją tej cholernej szkoły było skolonizowanie nas w uległości". A jednak do niej chodził. Oto jeden z przykładów wielu rzeczy z naszego, Edwarda i mojego, wspólnego życia, które Edward w końcu znienawidził albo których się wstydził. Fakt, że ja nie chciałem lub nie umiałem wstydzić się ich w tym samym stopniu – chociaż wstydziłem się mnóstwa innych rzeczy – irytował go jeszcze bardziej.

Chodziłem do tej szkoły tak jak wcześniej inni członkowie mojej rodziny. Po licealnej stronie kampusu stał nawet gmach zwany Bingham Hall – jedna z pierwszych budowli misjonarzy nazwana tak na cześć jednego z wielebnych, który później poślubił księżniczkę korony. Każdy Kawika Bingham, który uczęszczał do tej szkoły – mój ojciec, dziadek, pradziadek i prapradziadek – pozował do fotografii lub portretu przed tym gmachem, ustawiony pod wykutą w kamieniu nazwą.

Z rodziny Edwarda nikt wcześniej nie chodził do tej szkoły, a on mógł zostać jej uczniem wyłącznie dzięki uzyskanemu stypendium. Mówił mi takie rzeczy jakby nigdy nic, bez użalania się nad sobą czy zażenowania, co uważałem za nadzwyczajne.

Powoli się zaprzyjaźnialiśmy. Żaden z nas nie miał innych przyjaciół. Gdy byłem młodszy, matki niektórych chłopców chciały, żeby ich synowie się ze mną zaprzyjaźnili ze względu na to, kim był mój ojciec, kim była moja matka. Do tej chwili przechodzą mnie ciarki na wspomnienie jednego z nich, który wlecze się do mnie przez boisko, przedstawia się i pyta, czy chcę się z nim pobawić. Takim jak on zawsze odpowiadałem twierdząco i następowała nudna gra w łapanie piłki. Kilka dni później zapraszano mnie do domu takiego chłopca; jeśli nie mieszkał w dolinie, dowoził mnie tam Matthew. Na miejscu poznawałem jego matkę, która się uśmiechała i przynosiła nam podwieczorek: winerki z ryżem albo chleb z dżemem granatowym, albo keks z masłem. Znowu w milczeniu przerzucaliśmy się piłką, a później Matthew odwoził mnie do domu. W zależności od tego, jak ambitna była matka chłopca, zaproszeń tego rodzaju mogło być jeszcze dwa lub trzy, ale w końcu ustawały, a w szkole mój niedoszły przyjaciel leciał na przerwach do swoich prawdziwych kolegów, nie zaszczycając mnie nawet spojrzeniem. Chłopcy nigdy nie byli dla mnie okrutni, nie nękali mnie, ale to jedynie dlatego, że nie byłem wart nękania. W dzielnicy, jak ci już mówiłem, *byli* tacy, którzy się na mnie wyżywali, ale do tego też przywykłem – zawsze była to jakaś forma zainteresowania.

Nie miałem przyjaciół, bo byłem nudny. Edward nie miał przyjaciół, bo był dziwny. Nie wyglądał dziwnie – może jego ubrania nie były tak nowe jak nasze, ale były to takie same ubrania: hawajskie koszule i bawełniane spodnie – a jednak już wtedy był swoiście samowystarczalny: jakimś sposobem umiał okazać, bez mówienia o tym, że nikogo innego nie potrzebuje, że wie coś, czego żaden z nas nie wie, i dopóki się tego nie dowiemy, nie opłaca mu się z nami rozmawiać.

Rok szkolny ledwie się rozpoczął, gdy Edward podszedł do mnie na którejś przerwie. Siedziałem, jak zawsze, pod wielkim samanem i czytałem komiks. Drzewo rosło na szczycie pola, które łagodnym zboczem opadało na południowy kraniec kampusu – czytając, mogłem stamtąd obserwować kolegów z klasy: chłopców grających w nogę, dziewczynki skaczące przez gumę. Nagle podniosłem wzrok i zobaczyłem zbliżającego się Edwarda, miał jednak taką minę, że pomyślałem, że co prawda idzie w moim kierunku, ale wcale nie do mnie.

A jednak zatrzymał się przede mną.

– Ty jesteś Kawika Bingham – powiedział.

– Wika – poprawiłem.

– Co?

– Wika. Wszyscy mówią na mnie Wika.

– Okej – powiedział. – Wika.

I poszedł sobie. Przez chwilę czułem się niepewnie – czy *jestem* Kawika Bingham? – ale zaraz uświadomiłem sobie, że tak, bo on to potwierdził.

Następnego dnia wrócił.

– Moja matka chce, żebyś przyszedł jutro po szkole – powiedział.

Kiedy Edward do kogoś mówił, nie patrzył na tego kogoś, ale jakby na coś tuż za nim, więc kiedy wreszcie spojrzał mi prosto w oczy, oczekując mojej odpowiedzi – wydawało się to szczególnie intensywne, niemal śledcze.

– Okej – rzuciłem. Nie wymyśliłem nic innego.

Następnego ranka zapowiedziałem Matthew i Jane, że po lekcjach idę do kolegi. Powiedziałem im to szybko, cicho, jedząc śniadanie, ponieważ wiedziałem, że matka nie zaakceptuje Edwarda. Może myślałem tak niesłusznie – moja matka nie gardziła ludźmi, którzy mieli mniej pieniędzy niż ona, przynajmniej nie w sposób wówczas dla mnie ostentacyjny – ale wiedziałem, że nie mogę jej powiedzieć.

Matthew i Jane wymienili spojrzenia. Wszystkie inne moje wizyty u kolegów ustalały matki tych chłopców z moją matką; nigdy nie zapowiadałem ich sam. Zauważyłem, że Matthew i Jane są ze mnie zadowoleni i starają się mnie nie speszyć.

– Chcesz, żebym potem przyjechał po ciebie, Wika? – zagadnął Matthew, jednak pokręciłem głową; wiedziałem już, że Edward mieszka blisko szkoły, co znaczyło, że będę mógł wrócić do domu pieszo, jak zwykle.

Jane podniosła się z krzesła.

– Powinieneś zanieść coś jego matce – powiedziała i poszła do spiżarki po jeden ze słoików dżemu mangowego swojej roboty. – Powiedz tej pani, że może potem oddać słoik przez ciebie, a ja napełnię go z powrotem w nowym sezonie, dobrze, Wika?

Zabrzmiało to optymistycznie – sezon mangowy dopiero co się skończył, więc żeby dostać nowy słoik dżemu, pani Bishop będzie musiała liczyć na to, że ja i jej syn pozostaniemy przyjaciółmi przez co najmniej rok. Ale jedynie podziękowałem i wsadziłem słoik do plecaka.

Edward i ja uczyliśmy się w dwóch sąsiednich klasach. Poczekał na mnie przy wyjściu z budynku. W milczeniu przeszliśmy przez kampus gimnazjum, a następnie przeskoczyliśmy przez murek otaczający szkołę. Edward mieszkał o jedną przecznicę na południe od tego murku, w połowie ciasnej uliczki, którą często przejeżdżałem z Matthew.

Jako pierwsza przyszła mi do głowy myśl, że jego dom jest zaczarowany. Po obu stronach uliczki ciągnął się szpaler małych, parterowych sklepików i biur – pasmanteria, sklep żelazny, spożywczak – aż tu nagle, jak za dotknięciem czarodziejskiej różdżki, wznosił się maleńki drewniany domek. Reszta ulicy była ogołocona z zieleni, ale nad domkiem górował wielki mangowiec, tak władczy i liściasty, że zdawał się osłaniać go przed oczami postronnych. Nic więcej na trawniku nie rosło, nawet trawa, a betonowa ścieżka wiodąca do frontowej werandy powybrzuszała się za sprawą korzeni drzewa, które rozsadziły beton na pół. Domek był miniaturą budynków, jakie widziało się w mojej okolicy – nazywałem je domami plantatorów – z szerokimi *lanai* i dużymi oknami ocienionymi metalową markizą.

Następną niespodzianką były same drzwi, zresztą zamknięte. We wszystkich znanych mi domach trzymano drzwi otwarte aż do późnego wieczora; dom chroniły jedynie rozsuwane szklane drzwi, w które bębniło się, wchodząc i wychodząc. Obserwowałem Edwarda: sięgnął pod koszulę i wyciągnął klucz, który miał zawieszony na sznurku wokół szyi. Otworzył drzwi. Zrzucił z nóg sandały i wszedł do środka, a ja głupio czekałem na zaproszenie, zanim się zorientowałem, że mam zrobić samo.

Wnętrze domu było ciasne i ciemne. Zamknąwszy drzwi od środka, Edward obszedł wkoło salon, odsłaniając żaluzje, żeby wpuścić świeże powietrze, ponieważ światło całkowicie zasłaniał mangowiec. Ale jego cień utrzymywał jednocześnie chłód w domu i potęgował nastrój czarów.

– Chcesz coś przegryźć? – spytał Edward, przechodząc do kuchni.

– Tak, proszę – odpowiedziałem.

Parę chwil później wrócił do salonu z dwoma talerzami, z których jeden podał mnie. Ułożone były na nim cztery krakersy sodowe, każdy z kroplą majonezu. Usiadł na jednej z rattanowych kanap, a ja na drugiej. Jedliśmy tę przekąskę w milczeniu. Nigdy przedtem nie jadłem krakersów z majonezem i nie byłem pewien, czy mi to smakuje, a nawet czy powinno mi smakować.

Edward zjadł swoje krakersy pospiesznie, jakby to był obowiązek, który czym prędzej chciał mieć z głowy, i znowu wstał.

– Chcesz zobaczyć mój pokój? – zapytał, patrząc swoim zwyczajem gdzieś w bok, jak gdyby kierował pytanie do innej osoby w pokoju, chociaż nie było tam nikogo oprócz mnie.

– Tak – powiedziałem.

Na lewo od salonu było troje zamkniętych drzwi. Otworzył skrajne prawe i weszliśmy do sypialni. Była mała, ale przytulna, jak nora nieszkodliwego zwierzęcia. Stało w niej wąskie łóżko zarzucone pasiastym kocem, a pod sufitem, od rogu do rogu, ciągnęły się po przekątnych łańcuchy z kolorowego papieru. „Zrobiliśmy je z mamą", powiedział Edward i chociaż później przypomniałem sobie niezwykły ton jego głosu – oznajmujący, prawie dumny, mimo że zbliżaliśmy się do wieku, w którym przyznanie się do wykonywania prac ręcznych, w dodatku z matką, jest źle widziane – to w tamtym momencie myśl o robieniu c z e g o k o l w i e k z własną matką, a zwłaszcza dekoracji sufitowej, która zaśmieca i udziwnia pokój, wydała mi się egzotyczna.

Edward odwrócił się i wyjął coś z szufladki nocnego stolika przy swoim łóżku. „Zobacz" – rzekł z powagą, podając mi czarne aksamitne puzderko wielkości talii kart. Otworzył zamocowaną na zawiasach pokrywkę – w środku leżał medal z metalu podobnego do miedzi. Była to pieczęć naszej szkoły, a pod nią plakietka z napisem „Stypendium: 1953–1954". Odwrócił ją, żeby pokazać mi, że jest tam wyryte jego nazwisko: Edward Paiea Bishop.

– Do czego to? – spytałem. Edward wydał cichy odgłos zniecierpliwienia.

– To nie jest d o c z e g o ś – powiedział. – Dali mi to, jak otrzymałem stypendium.

– Aha – mruknąłem. Czułem, że powinienem coś powiedzieć, ale nie wiedziałem co. Nie znałem nikogo innego, kto korzystał ze stypendium. Kiedy poznałem Edwarda, nie wiedziałem nawet, co to jest stypendium, musiałem prosić Jane, żeby mi wytłumaczyła. – Ładne – dodałem, a on znów wydał tamten odgłos.

– Głupie – powiedział, ale gdy chował puzderko do szufladki, czule pogłaskał jego kosmatą powierzchnię.

Potem sięgnął do innej szuflady, tej wsuniętej pod łóżko – z czasem zdałem sobie sprawę z tego, że jego malutki pokój jest urządzony tak świetnie i funkcjonalnie jak marynarska kajuta, a ten, kto go urządzał, wziął pod uwagę wszystkie zainteresowania Edwarda i wszystkie jego potrzeby – i wydobył z niej kartonowe pudełko.

– Warcaby – powiedział. – Chcesz zagrać?

Gdy rozgrywaliśmy jedna po drugiej partie warcabów, przeważnie w milczeniu, miałem czas zastanowić się, co jest najniezwyklejsze w domu Edwarda. Nie były to jego rozmiary ani mroczność (chociaż, o dziwo, panujący w nim półmrok nie był ponury, lecz przytulny, tak że nawet późnym popołudniem nie trzeba było zapalać lampy), ale to, że byliśmy w nim sami. Ja w swoim domu nigdy nie byłem sam. Jeśli matka wyszła na któreś ze swoich zebrań, w domu zostawała Jane, a czasem także Matthew. Ale Jane była zawsze. Gotowała w kuchni, ścierała kurze w salonie albo zamiatała korytarz na górze. Nigdy nie zapuszczała się dalej niż za boczną ścianę domu, żeby rozwiesić pranie na sznurze, albo na podjazd, gdzie Matthew mył samochód, żeby zanieść mu lunch. Nawet noce Jane i Matthew spędzali zaledwie kilkaset metrów od domu, w swoim mieszkanku nad garażem. Jeszcze nigdy nie byłem u kolegi, w którego domu nie ma matki. Ojców się nie spodziewałem – te stworzenia materializowały się wyłącznie w porze kolacji, nigdy po południu – ale matki zawsze były na miejscu, były tak oczywiste jak kanapa czy stół. Siedząc na łóżku Edwarda i grając z nim warcaby, wyobraziłem sobie nagle, że Edward mieszka sam. Że sam sobie gotuje obiad w kuchni (mnie nie wolno było tknąć pieca w naszym domu), zjada go samotnie przy kuchennym stole, zmywa naczynia, kąpie się i kładzie do łóżka. Wielokrotnie zżymałem się na brak autentycznej, znaczącej prywatności w swoim domu, ale alternatywa – żadnych ludzi, jedynie czas i cisza – wydała mi się nagle przerażająca. Naszła mnie myśl, że powinienem zostać z Edwardem jak najdłużej, bo kiedy sobie pójdę, on nie będzie miał nikogo.

Ale gdy tak myślałem, rozległ się odgłos otwieranych drzwi, a potem kobiecy głos, dźwięczny i wesoły, wywołał imię Edwarda.

– Moja matka – powiedział Edward i po raz pierwszy uśmiechnął się, przelotnie i promiennie, zszedł z łóżka i pobiegł do salonu.

Poszedłem za nim i zobaczyłem, jak matka całuje Edwarda, a potem, zanim on zdążył cokolwiek powiedzieć, podeszła do mnie z otwartymi ramionami.

– Ty musisz być Wika – rzekła z uśmiechem. – Edward dużo mi o tobie opowiadał.

Przytuliła mnie.

– Miło mi panią poznać, pani Bishop – powiedziałem, w ostatniej chwili przypomniawszy sobie o dobrych manierach

Rozpromieniła się i jeszcze raz mnie przytuliła.

– Victoria – poprawiła mnie, ale na widok mojej miny dodała: – Albo ciocia! Byle nie pani Bishop. – Nie wypuszczając mnie z objęć, odwróciła się do Edwarda. – Jesteście głodni, chłopcy?

– Nie, zjedliśmy podwieczorek – odparł, za co matka nagrodziła go uśmiechem. – Zuch chłopak – powiedziała, a ja wziąłem tę pochwałę częściowo do siebie.

Patrzyłem za nią, kiedy szła do kuchni. Była najpiękniejszą matką, jaką w życiu widziałem, tak piękną, że gdybym ją poznał w innym kontekście, nigdy nie skojarzyłaby mi się z macierzyństwem. Miała ciemnoblond włosy zwinięte w kok na karku, jej cera miała odcień ciemnozłoty – bardziej świetlisty niż moja, ale ciemniejszy niż skóra jej syna – i była ubrana w ówczesną wersję głęboko wyciętej sukienki z różowej bawełny z białymi lamówkami przy rękawach i dekolcie, z gęsto marszczoną spódnicą, która kręciła się wokół jej nóg przy każdym ruchu. Pachniała rozkosznie – smażonym mięsem i gardenią, której kwiat miała zatknięty za ucho, i nie stąpała, a wirowała po małym domku, jakby to był ogromny, rozjarzony pałac.

Dopiero gdy wyraziła nadzieję, że zostanę na kolacji, spojrzałem na okrągły zegar nad zlewem i zobaczyłem, że jest prawie wpół do szóstej. Obiecałem Matthew i Jane, że wrócę do domu godzinę wcześniej – nie przypuszczałem, że zechcę zostać u kolegi tak długo. Poczułem, że popadam w stan przygnębienia, co często mi się zdarzało, gdy wiedziałem, że zrobiłem coś złego, ale pani Bishop powiedziała, żebym zadzwonił do domu, zamiast się martwić. Gdy Jane odebrała, usłyszałem w jej głosie ulgę.

– Matthew zaraz po ciebie przyjedzie – oznajmiła, zanim zdążyłem zapytać, czy mogę zostać na kolacji (zresztą nie byłem pewien, czy miałem na to ochotę). – Będzie za dziesięć minut.

– Muszę wracać do domu – powiedziałem pani Bishop, odłożywszy słuchawkę. – Bardzo mi przykro.

Ona znów się do mnie uśmiechnęła.

– Zostaniesz następnym razem – zapewniła. Mówiła z lekkim zaśpiewem. – Będzie nam ogromnie miło, prawda, Edwardzie?

Edward kiwnął głową, chociaż już krzątał się po kuchni razem z matką, wyciągał produkty z lodówki i zdawał się o mnie nie pamiętać.

Zanim wyszedłem, wręczyłem jego matce słoik dżemu mangowego wyjęty z plecaka.

– To dla pani. Powiedziała – wiedziałem, że lepiej nie zdradzać, że chodzi o gosposię, a nie moją matkę – że po opróżnieniu może mi pani oddać słoik, a ona napełni go z powrotem w następnym sezonie.

Mówiąc to, przypomniałem sobie drzewo przed domem i poczułem się jak głupek. Już chciałem przeprosić, kiedy pani Bishop znów mnie przytuliła.

– Mój ulubiony smak – oświadczyła. – Podziękuj mamie ode mnie. – Roześmiała się. – Może będę musiała poprosić ją o przepis. Co roku obiecuję sobie, że zrobię dżem, i co roku nie dotrzymuję słowa. Straszna ze mnie gapa w kuchni, wiesz? – Puściła do mnie oko, jakby zdradzała mi sekret, do którego nikt inny nie ma dostępu, nawet jej syn.

Usłyszałem, że przed dom zajeżdża Matthew, więc pożegnałem się z obojgiem. Jednak na *lanai* odwróciłem się i przez szklane drzwi zajrzałem do środka: matka z synem szykowali w kuchni kolację. Edward powiedział coś do matki, ona zadarła głowę i roześmiała się, a później pieszczotliwie zmierzwiła mu włosy. Zapalili światło w kuchni i doznałem dziwnego wrażenia, że oglądam dioramę ze sceną szczęścia, której mogę być świadkiem, ale nigdy uczestnikiem.

– Bishop – powiedziała jeszcze tego samego wieczoru moja matka. – Bishop.

Wiedziałem, już wtedy wiedziałem, co sobie myśli: Bishop to było sławne nazwisko, stare nazwisko, prawie tak sławne i stare jak nasze. Matka myślała, że Edward jest kimś takim jak my, ale ja byłem pewien, że tak nie jest, przynajmniej nie w tym sensie, w jakim to sobie wyobrażała moja matka.

– Czym się zajmuje jego ojciec? – zapytała.

Odpowiedziałem, że nie wiem, i uświadomiłem sobie, że w ogóle nie myślałem o jego ojcu. Po części dlatego, że, jak już wspomniałem, ojcowie byli mało obecni w naszym życiu. Widywało się ich w weekendy i wieczorami. Jeżeli miało się szczęście, byli dobrotliwymi, odległymi istotami, które przynoszą cukierki, a jeśli miało się pecha, byli oziębli i wyniośli, zawsze chętni do spuszczenia lania. Moje rozumienie świata było mocno ograniczone, a jednak nawet ja umiałem jakoś pojąć, że Edward nie ma ojca – czy może raczej, że pani Bishop nie ma męża. Tych dwoje, matka i syn, stanowiło tak zgraną całość, gdy gotowali w swojej malutkiej kuchni – ona trącała go żartobliwie biodrem, on się uchylał, ona się z niego śmiała – że nie było tam miejsca na ojca i męża. Byli dobraną parą: jedna żeńskość i jedna męskość. Jeszcze jeden mężczyzna zakłóciłby tę idealną symetrię.

– W takim razie – powiedziała moja matka – powinniśmy ich zaprosić na herbatę.

Przyszli do nas w najbliższą niedzielę. W sobotę nie mogli – podsłuchałem, jak Jane mówiła to matce – bo pani Bishop musiała odpracować swoją zmianę. („Swoją z m i a n ę" – powtórzyła matka dziwnie znaczącym tonem, którego nie umiałem zinterpretować. „Cóż, dobrze, Jane, powiedz jej, że może być w niedzielę"). Przyszli piechotą, ale nie byli zgrzani ani zasapani, więc widocznie podjechali autobusem i szli tylko od najbliższego przystanku. Edward miał na sobie szkolny strój. Jego matka była ubrana w inną sukienkę z marszczoną spódnicą, tym razem barwy herbacianej róży, i uczesana w kok, a usta miała pomalowane na wiśniowo – wyglądała jeszcze piękniej niż wcześniej.

Uśmiechnęła się na widok mojej matki.

– Pani Bishop, jakże mi miło panią poznać – rzekła matka, na co pani Bishop odpowiedziała jej tak samo jak mnie:

– Proszę mówić do mnie Victorio.

– Victorio – powtórzyła moja matka, jakby uczyła się poprawnie wymawiać imię w obcym języku, nie odwzajemniła jednak propozycji pani Bishop, która zresztą najwyraźniej tego nie oczekiwała.

– Bardzo dziękujemy za zaproszenie – powiedziała. – Edward – skierowała swój promienny uśmiech na syna, który przyglądał się mojej matce z niewzruszoną, poważną miną, może nie podejrzliwie, ale czujnie – przyszedł do szkoły dopiero w tym roku, a Wika okazał mu wiele dobroci.

Następnie odwróciła się do mnie i puściła oko, jakbym uczynił jej synowi zaszczyt, rozmawiając z nim, jakbym w tym celu odstąpił od napiętego programu własnych zajęć.

Nawet moją matkę z lekka to zaskoczyło.

– Ogromnie miło mi słyszeć, że Wika ma nowego przyjaciela – powiedziała. – Może państwo wejdą?

Weszliśmy po kolei do pokoju słonecznego, gdzie Jane podała kruche ciasteczka, nalała paniom kawy („Och! Dzięki – Jane? Dzięki, Jane, wygląda to przepysznie!"), a mnie i Edwardowi soku z gujawy. Widywałem już, jak inne znajome mojej matki milkną z podziwu w tym pokoju, który dla mnie był po prostu pokojem, nasłonecznionym i nudnym, ale dla nich stanowił muzeum przodków mojego ojca: porysowana drewniana deska surfingowa, na której mój pradziadek, zwany Krzepkim Księciem, jeździł w Waikīkī; dagerotypy przedstawiające siostrę prapradziadka, królową, w czarnej taftowej sukni, i praprakuzyna, podróżnika i badacza, którego imieniem nazwano gmach słynnego uniwersytetu. Ale pani Bishop wyglądała na niespeszoną i rozglądała się z autentycznym zachwytem.

– Cóż to za śliczny pokój, pani Bingham – powiedziała z uśmiechem do mojej matki. – Cała moja rodzina od pokoleń wielce podziwia rodzinę pani męża i jego zasługi dla naszej wyspy.

Były to jak najbardziej właściwe słowa, wygłoszone z ujmującą prostotą, co, jak zauważyłem, zaskoczyło moją matkę.

– Dziękuję – odparła nieco sztywno. – Mąż kochał swój dom.

Potem porozmawiała chwilę z Edwardem, wypytując go, czy podoba mu się nowa szkoła (tak), czy tęskni za dawnymi kolegami (nie za bardzo) i jakie ma hobby (pływanie, piesze wędrówki, biwakowanie, plaża). Gdy sam zostałem ojcem małego chłopca, doceniłem zrównoważenie Edwarda, jego rzucającą się w oczy niewzruszoność. Jako dziecko gorliwie, zbyt gorliwie, usiłowałem zadowolić dorosłych: desperacko uśmiechałem się od ucha do ucha do znajomych rodziców z nadzieją, że nie przyniosę im wstydu. A Edward ani się nie wdzięczył, ani nie peszył – na pytania mojej matki odpowiadał wprost, bez podlizywania się i bez zażenowania. Już wtedy odznaczał się nadzwyczajną godnością osobistą, dzięki której wydawał się niezwyciężony. Miało się wrażenie, że na nikim mu nie zależy, chociaż to określenie mogłoby sugerować wyniosłość i pychę, które Edwardowi były całkiem obce.

Wreszcie matka znalazła sposobność do zadania pani Bishop kluczowego pytania: pewne osoby z rodziny Bishopów były dalekimi kuzynami mojego ojca na zasadzie kuzynostwa wszystkich dawnych rodów misjonarskich, które wżeniły się w hawajską rodzinę królewską – czy to możliwe, że łączą nas jakieś więzy?

Pani Bishop się roześmiała. W jej śmiechu nie było goryczy ani fałszu, lecz czyste rozbawienie.

– Och, obawiam się, że nie – powiedziała. – Tylko ja jestem Hawajką, mąż nie był stąd.

Moja matka zesztywniała, a pani Bishop znów się uśmiechnęła.

– Dla Luke'a, prostego haole z małego miasteczka w Teksasie, którego ojciec pracował na budowie, to był prawdziwy szok, kiedy się dowiedział, że jego nazwisko czyni go tutaj kimś wyjątkowym.

– Rozumiem – rzekła cicho moja matka. – A więc mąż pani też pracuje w budownictwie?

– Być może. – Znów ten uśmiech. – Ale pewności co do tego nie mamy, prawda, Edwardzie? – Następnie zwróciła się do mojej matki: – Odszedł dawno temu, gdy Edward był niemowlęciem. Od tamtego czasu go nie widziałam.

Nie twierdzę oczywiście, że mężczyźni nie porzucali rodzin, i to nagminnie, w początkach lat pięćdziesiątych. Mogę jednak stwierdzić – i prawda tego twierdzenia utrzymała się jeszcze przez następne dekady – że zostać porzuconą przez męża i ojca było czymś wstydliwym, tak jakby winna temu była strona porzucona, żona i dzieci. Mówiło się o tym szeptem. Inaczej niż u Bishopów. Pan Bishop porzucił rodzinę, ale o n i nic na tym nie stracili – o n stracił.

Była to jedna z rzadkich chwil, w których matkę i mnie jednoczyło poczucie skrępowania. Zanim Bishopowie wyszli, dowiedzieliśmy się jeszcze, że niedziela jest dla pani Bishop jedynym dniem wolnym: w pozostałe sześć dni pracowała jako kelnerka w popularnej jadłodajni o nazwie Mizumoto's, mieszczącej się kilka przecznic od ich domu – moja matka nigdy o takim lokalu nie słyszała, ale Jane i Matthew go znali – oraz że pani Bishop pochodzi z Honoka'a, maleńkiego miasteczka, a właściwie wioski, na Big Island.

– Co za nadzwyczajna kobieta – powiedziała moja matka, patrząc za matką i synem, którzy na końcu naszego podjazdu skręcili w prawo i zniknęli nam z oczu, zmierzając w stronę przystanku autobusowego. Zorientowałem się, że w jej ustach to nie jest komplement.

Zgodziłem się z matką: pani Bishop b y ł a nadzwyczajna. Jej syn również. Nigdy jeszcze nie spotkałem dwojga ludzi, którzy mniej wstydziliby się okoliczności swojego życia. Z tym że w przypadku pani Bishop ten brak zażenowania objawiał się rozbrajającą żywotnością i rodzajem wesołości cechującym nieliczne osoby, które nigdy nie wstydziły się tego, kim są, natomiast w przypadku Edwarda przybrał formę postawy wyzywającej, która w późniejszych latach jego życia zmieniła się w złość.

Oczywiście tak widzę to teraz. Ale upłynęło dużo czasu, zanim to zobaczyłem. Wcześniej zdążyłem zrezygnować z własnego życia, a zatem i z twojego, dla Edwarda. Nie dlatego, że podzielałem jego złość – ale dlatego, że pożądałem jego pewności, owego przedziwnego, cudownego przekonania, że w istocie na wszystko jest jedna odpowiedź i że wiara w to zwolni mnie z wiary we wszystko, co tyle lat zatruwało mi życie.

A teraz, Kawika, przeskoczę kilka lat w przyszłość. Najpierw jednak chcę opowiedzieć ci o czymś, co przydarzyło mi się wczoraj.

Jak zwykle leżałem w łóżku. Było popołudnie, panował upał. Wcześniej pootwierali okna i włączyli wentylator, ale wiatr od morza ustał, a nikt nie przychodził, żeby włączyć klimatyzację. Tak się nieraz zdarzało. W końcu ktoś wchodził do pokoju, dziwił się, jak tu jest gorąco, i miał pretensje do mnie, tak jakbym mógł zawołać i nie zrobił tego z czystego oślego uporu. Pewnego razu całkowicie zapomnieli o włączeniu klimatyzacji, kiedy akurat przyszła z niespodziewaną wizytą moja matka. Doszły mnie jej głos i kroki, a po chwili usłyszałem, jak wymaszerowuje z powrotem i po paru sekundach wraca z salowym, który przepraszał raz po raz, wysłuchując wymówek mojej matki: „Czy pan wie, ile ja płacę za opiekę nad moim synem? Proszę mi tu sprowadzić kierownika dyżuru. To niedopuszczalne". Było to dla mnie upokarzające, że jestem tak stary, a wciąż pozostaję pod opieką matki, ale widocznie i uspokajające, bo zasnąłem przy dźwiękach jej awantury.

Normalnie upał zanadto mi nie dokucza, ale wczoraj był nie do zniesienia. Czułem, że mam wilgotną twarz i włosy, że pot ciurkiem ścieka w moją pieluchę. „Dlaczego nikt nie przychodzi mi pomóc?" – myślałem. Usiłowałem wydać jakiś odgłos, ale bez skutku.

Nagle stało się coś niesamowitego. Wstałem. Nie umiem wytłumaczyć, jak do tego doszło – nie wstawałem od lat, odkąd wyratowali mnie z Lipo-wao-nahele. Teraz jednak nie dość, że stałem, to jeszcze próbowałem chodzić. Chciałem przysunąć się do tego miejsca, gdzie, jak wiedziałem, był klimatyzator. Gdy sobie to uświadomiłem, natychmiast upadłem, a po kilku minutach ktoś wszedł do sali i zaczął robić zamieszanie: dopytywał się, dlaczego leżę na podłodze i czy sturlałem się z łóżka. Przez chwilę bałem się, że przypną mnie pasami, jak to bywało wcześniej, ale ta osoba tego nie zrobiła. Zadzwoniła po pomoc, na co przyszła druga osoba i we dwie wtaszczyły mnie z powrotem na łóżko, a potem, dzięki Bogu, włączyły klimatyzator.

Ale najważniejsze, że wstałem; stałem na nogach. Było to obce mi uczucie i zarazem znajome: znaleźć się w pozycji pionowej – nawet jeżeli potem długo się trząsłem, bo miałem osłabione nogi. Wczoraj wieczorem, gdy już mnie nakarmili, umyli i zgasili światło, zacząłem rozmyślać. Całe szczęście, że nikt mnie nie widział, kiedy stałem, bo zaczęłyby się pytania. Zadzwoniliby po moją matkę i przeprowadzili testy, identyczne z tymi zaraz po przyjęciu mnie tutaj: Dlaczego nie chcę chodzić? Dlaczego nie chcę mówić? Dlaczego nie chcę widzieć? „Zadaje pan niewłaściwe pytania – warknęła wtedy moja matka na doktora. – Powinien go pan pytać, dlaczego *nie może* robić tych rzeczy". „Nie, pani Bingham – odparł doktor i usłyszałem w jego głosie lekkie poirytowanie. – Zadaję prawidłowe pytania. Rzecz nie w tym, że pani syn *nie może* robić tych rzeczy – on tego *nie chce*". Wówczas matka zamilkła.

Teraz jednak uświadomiłem sobie: A gdybym *mógł* z powrotem nauczyć się chodzić? Gdybym codziennie ćwiczył wstawanie? Co by się stało? Ta myśl mnie przeraziła, ale była ekscytująca. Może jednak mi się polepsza?

Ale wróćmy do mojej opowieści. Przez resztę piątej klasy widywaliśmy się z Edwardem bardzo często. Od czasu do czasu Edward przychodził do mnie do domu, ale częściej ja bywałem u niego, gdzie graliśmy w warcaby albo w karty. Kiedy Edward przychodził do mnie, chciał się bawić na dworze, bo jego podwórko było za małe, żeby grać w piłkę. Szybko jednak przekonał się, że słaby ze mnie sportowiec. Dziwne było, że nie zrodziła się między nami prawdziwa bliskość. Chłopcy w naszym wieku rzadko zwierzają się sobie z sekretów, ale zbliżają się do siebie w sensie fizycznym: pamiętam ciebie, gdy miałeś tyle lat, jak tarzałeś się z kolegami po trawie, pamiętam, ile uciechy sprawiało wam wspólne tarzanie się w błocie – byliście jak małe zwierzaki. Ale my z Edwardem tacy nie byliśmy – ja byłem zbyt porządny, a on zbyt zrównoważony. Wcześnie wyczułem, że przy Edwardzie nigdy się nie zrelaksuję, ale to mi nie przeszkadzało.

Potem przyszło lato. Edward wyjechał do swoich dziadków na Big Island, a ja z matką pojechałem do Hâna, gdzie mieliśmy wtedy dom, który należał do rodziny ojca od czasów przed aneksją. Zanim jednak znów zaczęła się szkoła, zaszła jakaś zmiana. Przyjaźnie zawierane w tym wieku są niezmiernie kruche, ponieważ młody człowiek zmienia się drastycznie z miesiąca na miesiąc – tak w sensie rozmiarów fizycznych, jak również w sferze emocjonalnej. Edward wstąpił do drużyny baseballowej i drużyny pływackiej, gdzie zdobył nowych przyjaciół. Ja powróciłem do mojej samotności. Teraz przypuszczam, że musiałem się tym smucić, ale, o dziwo, nie pamiętam ani smutku, ani złości – raczej uczucie, że poprzedni rok był jakąś pomyłką: jakbym od początku wiedział, że wszystko prędzej czy później wróci do normalności. Zresztą obyło się bez animozji – wprawdzie oddaliliśmy się od siebie, ale nie zerwaliśmy znajomości. Widząc się z daleka na boisku czy korytarzu, machaliśmy do siebie jak przez bezmiar morza, przez które nie dociera żaden głos. Gdy zbliżyliśmy się ponownie przeszło dekadę później, wydawało się to nieuchronne, jakbyśmy obaj dryfowali tak długo, że w końcu musieliśmy się znaleźć.

Z lat tego mojego osamotnienia pamiętam dwa spotkania, które były dla mnie niezwykłe. Pierwsze nastąpiło, gdy miałem około trzynastu lat. Podsłuchałem rozmowę dwóch dziewczyn z mojej klasy. Jedna z nich, o czym wszyscy wiedzieli, podkochiwała się w Edwardzie. Ale jej przyjaciółka tego nie pochwalała. „Nie możesz, Belle" – syknęła. „Dlaczego nie?" – spytała Belle. „Bo jego matka – odparła tamta, ściszając głos – jest tancerką".

Odkąd przyjęto go do naszej szkoły, Edward bywał obiektem nie plotek, bo wszystko to była prawda, ale opowieści. W końcu dowiedzieliśmy się, kim są uczniowie stypendyści. Czasem szeptaliśmy między sobą o profesjach ich rodziców, naśladując głosy naszych rodziców rozmawiających o nowo przybyłych. Edward nie miał ojca, a jego matka była kelnerką, ale nie nabijano się z niego otwarcie. Był dobry w sportach, a przede wszystkim nie zwracał uwagi na ludzkie gadanie, co po części przyczyniało się do powstawania opowieści – myślę, że inne dzieciaki miały nadzieję sprowokować jego reakcję, do czego jednak nigdy nie doszło.

Przynajmniej nie był Azjatą. W tamtych latach obowiązywały limity przyjęć i tylko dziesięć procent ogółu uczniów pochodziło z Dalekiego Wschodu, chociaż udział Azjatów w populacji naszego rejonu sięgał trzydziestu procent. Większość tych, którzy chodzili do naszej szkoły, przedtem nosiła jedynie gumowe klapki zamiast butów. Wszyscy byli stypendystami uznanymi przez nauczycieli z podstawówek za wybitnie zdolnych i obiecujących, ale zanim zostali przyjęci, musieli zdać liczne testy. Ich rodzice pracowali na plantacji trzciny cukrowej, ostatniej na wyspie, albo w fabryce konserw. Nie mieli wolnego w weekendy ani latem, bo wtedy ścinali trzcinę albo zbierali fistaszki na polach i ładowali je na ciężarówki. Był pewien chłopak, Harry, który przyszedł do naszej szkoły w siódmej klasie: jego ojciec wywoził szamba, czyścił wygódki na plantacji i transportował ludzkie odchody – nie wiedzieliśmy dokąd. Podobno ten chłopak śmierdział gównem i chociaż na przerwie śniadaniowej siadał zawsze osobno, żeby zjeść swoje ryżowe kanapki, nigdy nie pomyślałem, żeby mu się przedstawić: również patrzyłem na niego z góry.

Słysząc o pani Bishop, zatęskniłem za nią. Właściwie to jej właśnie brakowało mi najbardziej z całej przyjaźni z Edwardem: tego, jak brała mnie za ramiona, zanim ze śmiechem przytuliła do siebie; tego, jak całowała mnie w czoło, kiedy wieczorem wychodziłem z ich domu; jej zapewnień, że ma nadzieję wkrótce znów mnie zobaczyć.

Nigdy wcześniej nie słuchałem gadania o Edwardzie, ale teraz zacząłem słuchać. Po paru tygodniach dowiedziałem się, że pani Bishop wprawdzie nadal jest kelnerką w Mizumoto's, ale w trzy wieczory w tygodniu tańczy w restauracji o nazwie Forsycja. Był to uczęszczany lokal nieopodal Mizumoto's, miejsce spotkań związkowców zawodowych wszystkich grup etnicznych. Matthew miał brata, z którego był niezmiernie dumny, i ten brat pełnił funkcję przedstawiciela związku zawodowego pracowników filipińskiej fabryki konserw. Wiedziałem, że bywa czasem w Forsycji, bo zdarzało się, że gdy wracałem ze szkoły, Jane kiwała na mnie, żebym zaszedł do kuchni, gdzie z dumą prezentowała mi żółte pudełko z Forsycji, a w nim ciasto szyfonowe z gujawą pokryte lśniącą różową galaretką.

– To od brata Matthew – mówiła, ponieważ także była z niego dumna, a duma skłaniała ją do szczodrości. – Weź sobie duży kawał, Wika. Większy.

Nie rozumiałem, dlaczego tak bardzo chcę zobaczyć panią Bishop. Ale któregoś piątkowego popołudnia powiedziałem Matthew i Jane, że muszę dłużej zostać po lekcjach, bo maluję dekoracje do dorocznego szkolnego przedstawienia, i pojechałem tam na rowerze. Forsycja (znacznie później zaciekawiło mnie, kto ją tak nazwał, skoro nie była to roślina rosnąca na Hawajach i nikt wie wiedział, jak wygląda) mieściła się na końcu ciągu małych, przeważnie japońskich sklepików, podobnych do tych, wśród których stał dom Bishopów. Chociaż jej sztukateryjne wnętrze było pomalowane na jaskrawoczerwony kolor, to elewacja przypominała japońską herbaciarnię: miała spiczasty dach i małe okna umieszczone wysoko w ścianach. Ale na zapleczu, przy jednym z węgłów, było jedno wysokie, wąskie okno, i właśnie ku niemu cicho podprowadziłem rower.

Usiadłem i czekałem. Kuchenne wejście znajdowało się o jakieś półtora metra ode mnie, ale oddzielał mnie od niego pojemnik na śmieci, za którym się schowałem. W piątki i weekendy w lokalu występował hawajski zespół muzyczny grający wszystkie bigbandowe standardy, za którymi przepadał mój ojciec – *Nani Waimea*, *Moonlight in Hawai'i*, *Ē Lili'u ē*. Po jednym z utworów usłyszałem zapowiedź gitarzysty:

– A teraz, panowie oraz nieliczne panie, wszyscy razem powitajmy prześliczną pannę Victorię Nāmāhānaikaleleokalani Bishop!

Gruchnął zbiorowy okrzyk, zajrzałem przez okno i zobaczyłem wchodzącą na małą scenę panią Bishop w obcisłym żółtym holokū w białe kwiaty hibiskusa; na głowie miała lei z pomarańczowych puakenikeni, włosy ściągnięte w węzeł, a usta szkarłatne. Pomachała do klaszczącej publiczności i na moich oczach odtańczyła *My Yellow Ginger Lei* oraz *Pālolo*. Tańczyła pięknie. Chociaż znałem nie więcej niż kilka hawajskich słów, zrozumiałem teksty piosenek z jej ruchów.

Obserwując jej taniec i rozświetloną szczęściem twarz, uświadomiłem sobie, że chociaż zawsze ją lubiłem, to jakąś częścią siebie chciałem zobaczyć ją poniżoną. Słowo „tancerka" w ustach moich koleżanek brzmiało nieprzyzwoicie, jak przymusowe zajęcie zdesperowanej kobiety, i coś we mnie pragnęło takiego obrazu. Widząc ją teraz, królewską i elegancką, doznałem zarazem ulgi i, wstyd się przyznać, rozczarowania – uświadomiłem sobie, że jednak czuję niechęć do jej syna, że chcę, żeby miał się czego wstydzić i żeby przyczyna tego wstydu tkwiła właśnie w jego matce, która zawsze była dla mnie dobra, i to w sposób, w jaki syn nigdy nie umiałby być. Ona nie tańczyła, ponieważ zmusiły ją do tego okoliczności – tańczyła, bo kochała tańczyć, i chociaż na aplauz widzów odpowiadała wdzięcznymi skinieniami głowy, to oczywiste było, że jej radość nie ma nic wspólnego z ich podziwem.

Odszedłem przed końcem jej występu. Ale nocą leżałem bezsennie w łóżku i myślałem o tamtym wieczorze, kiedy po raz pierwszy wyszedłem z domu Bishopów i zawróciłem, żeby podejrzeć ich razem w kuchni, jak śmieją się i gadają w ciepłym żółtym świetle tego domu. Poprawiłem tamto wspomnienie: w nowej wersji nastawili gramofon i pani Bishop tańczyła w stroju kelnerki z Mizumoto's, a Edward brzdąkał na ukulele, wtórując płycie. Na zewnątrz, na małym podwóreczku tłoczyli się wszyscy szkolni koledzy Edwarda i moi, a także wszyscy bywalcy Forsycji: patrzyliśmy i klaskaliśmy, chociaż matka i syn nie zdawali sobie sprawy z naszej obecności – istnieli tylko dla siebie nawzajem, a my jakbyśmy w ogóle nie istnieli.

To było pierwsze zdarzenie, o którym chciałem ci opowiedzieć. Drugie miało miejsce trzy lata później, w 1959 roku.

Był dwudziesty pierwszy sierpnia i właśnie rozpoczęła się szkoła. Byłem w dziesiątej klasie, miałem prawie szesnaście lat. Teraz, gdy chodziliśmy do liceum, widywałem Edwarda częściej niż w poprzednich latach, gdy byliśmy zapisani do dwóch różnych klas. Obecnie zmieniali się nauczyciele i czasami trafialiśmy do tej samej klasy. Wcześniejsza popularność Edwarda z czasów, gdy stał się sportowym odkryciem, zmalała i widywałem go przeważnie z tymi samymi trzema albo czterema chłopakami. Tak jak dawniej pozdrawialiśmy się z daleka ruchem głowy, a czasem nawet zamienialiśmy parę słów, gdy zdarzyło nam się znaleźć blisko siebie – „Czuję, że skopałem ten test z chemii", „Uch, ja tak samo" – ale nikt postronny nie nazwałby nas przyjaciółmi.

Byłem na lekcji angielskiego, gdy klasowy głośnik zatrzeszczał i odezwał się głosem dyrektora, który szybko i z przejęciem oznajmił: „Prezydent Eisenhower podpisał ustawę przyznającą Hawajom status państwowy. Jesteśmy teraz oficjalnie pięćdziesiątym stanem Ameryki". Wielu uczniów, a także nauczyciel, zaczęło klaskać.

Na resztę dnia dali nam wolne z tej odświętnej okazji. Dla większości z nas to była formalność, ale wiedziałem, że Matthew i Jane będą podekscytowani: mieszkali tu od trzydziestu lat – chcieli mieć prawo głosowania, nad czym ja się w ogóle nie zastanawiałem.

Szedłem w stronę zachodniej bramy kampusu, gdy ujrzałem Edwarda zmierzającego na południe. Pierwszą rzeczą, która rzuciła mi się w oczy, był jego powolny chód. Inni uczniowie mijali go, paplając o tym, co zrobią z niespodziewanie wolnym dniem, a on posuwał się naprzód jak lunatyk.

Byłem już blisko niego, gdy nagle podniósł oczy i zauważył mnie.

– Cześć – rzuciłem, a gdy nie odpowiedział, spytałem: – Co masz zamiar zrobić z dniem wolnym?

Przez chwilę nic nie odpowiadał, więc pomyślałem, że może nie usłyszał. Ale nagle się odezwał:

– To koszmarna wiadomość.

Mówił tak cicho, że zrazu pomyślałem sobie, że się przesłyszałem.

– Ach tak – powiedziałem głupio.

Ale wyszło to tak, jakbym się z nim spierał.

– To koszmarna wiadomość – powtórzył martwym głosem. – Koszmarna.

A potem odwrócił się ode mnie i poszedł dalej. Pomyślałem, pamiętam, że wygląda samotnie, chociaż już nieraz widziałem go samego i nie kojarzyłem jego samotności z osamotnieniem, którego synonimem była dla mnie moja własna samotność. Tym razem jednak coś było inaczej. Wydawał się – chociaż wówczas nie umiałbym tak tego nazwać – zdruzgotany. Chociaż nie widziałem zbyt wyraźnie jego twarzy, to same plecy i obwisła linia ramion sugerowały osobę, o której – gdybym nie wiedział, że jest inaczej – pomyślałbym, że doznała właśnie bolesnej straty.

Rozumiem, że to zdarzenie komuś, kto wie o Edwardzie tak wiele jak ty, mogłoby nie wydać się szczególnie znamienne. Było jednak nietypowe dla Edwarda, którego znałem – przyznaję, że słabo – wtedy. Mimo wszystko wiedziałbym – bezpośrednio od niego albo z plotek – gdyby wyrażał jakiekolwiek zdecydowane opinie na temat praw rdzennych Hawajczyków, nawet jeżeli samej i d e i praw rdzennych Hawajczyków jeszcze nie wymyślono. (Już słyszę, jak Edward oponuje: „Oczywiście, że ją wymyślono", więc zgoda: nie została jeszcze nazwana. Nazwana czy spopularyzowana, nawet w wąskiej skali). W naszej klasie znajdowało się paru chłopaków zainteresowanych polityką – jeden, którego ojciec był gubernatorem terytorialnym, ubzdurał sobie nawet, że zostanie kiedyś prezydentem Stanów Zjednoczonych. Ale Edward się do nich nie zaliczał, więc tym dziwniejsze było to, co stało się później.

Powinienem jednak dodać, że Edward nie był w tym dniu jedyną przygnębioną osobą. W domu zastałem matkę w słonecznym pokoju: pikowała kołdrę. Było to niezwykłe, bo piątkowe popołudnia spędzała zawsze z Córami jako wolontariuszka w garkuchni obsługującej hawajskie rodziny. Gdy wszedłem do pokoju, matka spojrzała znad kołdry i w milczeniu popatrzyliśmy sobie w oczy.

– Puścili nas wcześniej – wyjaśniłem – z powodu obwieszczenia.

Skinęła głową.

– Zostałam dzisiaj w domu – powiedziała. – Nie zniosłabym tego. – Spojrzała w dół na kołdrę (wzór w owoce chlebowca, zielone na białym), a później znowu na mnie. – To niczego nie zmienia, pamiętaj, Kawika – dodała. – Twój ojciec nadal powinien być królem. I ty pewnego dnia też powinieneś być królem. Pamiętaj o tym.

Dziwnie pomieszała obietnice i żale, zapewnienia i pocieszenia.

– Dobrze – odpowiedziałem, a ona kiwnęła głową.

– To niczego nie zmienia – powtórzyła. – Ta ziemia jest nasza.

Popatrzyła z powrotem na kółko do pikowania, dając mi w ten sposób znak, że mogę odejść, więc udałem się na górę do swojego pokoju.

Nie miałem wyrobionej opinii o państwowości. Kojarzyła mi się z wejściem pod szeroki dach „rządu", a rządy mnie nie interesowały. Kto rządzi, jakie decyzje są podejmowane – to mnie nie obchodziło w żadnym stopniu. Czyjś podpis na kawałku papieru miał się nijak do faktów z mojego życia. Nasz dom, ludzie w tym domu, moja szkoła: to się nie zmieni. Moim brzemieniem nie było obywatelstwo – było nim dziedzictwo: byłem Davidem Binghamem, synem mojego ojca, ze wszystkimi tego konsekwencjami. Przypuszczam, patrząc wstecz, że mogło mi nawet ulżyć – skoro los wysp został przesądzony, być może nie ponoszę już odpowiedzialności i nie czuję się w obowiązku podjąć próby poprawienia historii, na której zmianę nie mam żadnej nadziei.

Musiała upłynąć jeszcze niemal dekada, zanim powróciłem do życia Edwarda, lecz w owym dziesięcioleciu wiele się wydarzyło.

Przede wszystkim skończyłem szkołę – wszyscy skończyliśmy szkołę. Większość moich kolegów z klasy wyjechała na studia na kontynent. Do tego nas przecież przygotowywano – wyłącznie taki cel miała nasza szkoła. Mieliśmy wyjechać, zdobyć stopnie naukowe, może trochę popodróżować, a po ukończeniu college'u, uczelni prawniczej czy akademii medycznej wrócić, by zająć stanowiska w najbardziej prestiżowych lokalnych bankach, kancelariach prawniczych i szpitalach, których właścicielami lub fundatorami byli nasi krewni i przodkowie. Niejeden z nas miał wejść w skład rządu jako minister transportu, edukacji czy rolnictwa.

Początkowo należałem do wyjeżdżających. Dziekan skierował mnie do mało znanej szkoły sztuk wyzwolonych w Hudson Valley w stanie Nowy Jork i wyjechałem tam we wrześniu 1962 roku.

Szybko się jednak okazało, że nie nadaję się do tego college'u. Był wprawdzie mały, drogi i nieznany, ale wszyscy pozostali studenci, z których większość pochodziła z bogatych i jakoś tam powiązanych z bohemą rodzin z New York City, odznaczali się większym wyrafinowaniem i lepszym wykształceniem niż ja. Nie żebym nie podróżował, ale kierunkiem moich podróży był raczej Wschód, a nikogo z moich nowych kolegów nie interesowały miejsca, w których byłem. Oni wszyscy podróżowali do Europy, niektórzy nawet każdego lata, więc szybko uświadomiłem sobie własny prowincjonalizm. Jedynie nieliczni z nich wiedzieli, że Hawaje były kiedyś królestwem; kilka osób spytało mnie nawet, czy mieszkam w „prawdziwym" domu, to znaczy kamiennym z gontowym dachem. Za pierwszym razem nie wiedziałem, co odpowiedzieć – pytanie było tak śmieszne, że stałem i mrugałem z niedowierzania, aż pytający sobie poszedł. Ich aluzje, cytaty z książek, wakacje, ulubione potrawy i wina, osoby, które wszyscy zdawali się znać – wszystko to były dla mnie puste dźwięki.

Co jednak dziwne: nie byłem na nich zły – za to byłem zły na miejsce swojego pochodzenia. Przeklinałem szkołę, do której uczęszczały pokolenia Binghamów, za to, że nie przygotowała mnie lepiej. Czego użytecznego się w niej nauczyłem? Miałem niby te same przedmioty co moi nowi koledzy, ale lwią część mojej edukacji zajmowała nauka historii Hawajów i języka hawajskiego, którym i tak nie potrafiłem mówić. Czemu miała służyć ta wiedza, skoro reszta świata po prostu miała ją w nosie? Nie śmiałem wspomnieć o swojej rodzinie – wyczuwałem, że połowa kolegów mi nie uwierzy, a druga połowa będzie się ze mnie nabijać.

W tych przeczuciach upewnił mnie uczelniany kabaret. Co roku w grudniu nasz college wystawiał serię krótkich studenckich skeczy będących satyrą na poszczególnych wykładowców i pracowników administracji. Jeden ze skeczy traktował o naszym rektorze, którego ulubionym tematem była rekrutacja studentów z nowych krajów i egzotycznych miejsc: rektor namawia na studia chłopca z plemienia żyjącego w epoce kamiennej, Księcia Woogawooga z Ooga-ooga. Student grający plemiennego księcia przyciemnił sobie skórę brązową pastą do butów i ubrał się w wielką pieluchę, a po obu stronach nosa przytwierdził sobie pół kartonowej kości, co wyglądało, jakby miał nią przebitą przegrodę nosową. Na głowie przywiązał ufarbowany na czarno mop.

– Witaj, młodzieńcze – wyrecytował grający rektora student. – Wyglądasz mi na inteligentną młodą osobę.

– Uga buga, uga buga – zabuczał student grający plemiennego księcia, drapiąc się pod pachami jak małpa i przeskakując z nogi na nogę.

– Uczymy wszystkiego, co powinien umieć młody człowiek, który pragnie mienić się inteligentnym – ciągnął stoicko rektor, ignorując wybryki księcia. – Geometrii, historii, literatury, łaciny i oczywiście sportów: lacrosse, tenisa, piłki nożnej, badmintona.

To mówiąc, pokazał księciu lotkę do badmintona, którą ten momentalnie wpakował sobie do ust.

– Nie, nie! – wrzasnął rektor, tracąc wreszcie opanowanie. – Tego się nie je, dobry człowieku! Wypluj to natychmiast!

Książę wypluł, podrapał się, poskakał, a potem, po przerwie, w której przyglądał się widowni, wybałuszając oczy i rozdziawiając usta obwiedzione czerwoną szminką, wyprężył się i skoczył na rektora z zamiarem wygryzienia mu kawałka policzka.

– Ratunku! – krzyknął rektor. – Pomocy!

Zaczęli ganiać się wokół sceny: książę plemienny głośno kłapał zębami i pohukiwał, nie mogąc dopaść rektora, aż w końcu zagnał go za kulisy.

Obaj aktorzy powrócili na scenę przy odgłosach gromkich braw. Publiczność przez cały czas trwania tej scenki śmiała się w sposób przesadny i obsceniczny, tak jakby nigdy wcześniej w ogóle się nie śmiała i właśnie pobierała pierwszą lekcję. Wyłącznie my dwaj byliśmy cicho: ja i student z Ghany, którego nie znałem, bo był na wyższym roku. Obserwowałem go, gdy patrzył na scenę – twarz miał kamienną i zaciętą – i zrozumiałem, że on traktuje ten skecz jak historyjkę o sobie i swojej ojczyźnie, chociaż ja dobrze wiedziałem, że to o mnie i moim kraju – te kartonowe palmy, te pęki paproci poprzywiązywane niechlujnie wokół kostek i nadgarstków dzikusa, to lei uplecione z pociętych plastikowych słomek i gazetowych kwiatów. Tandetny, ordynarny kostium, tandetnie i ordynarnie wykonany, poniżający samą swoją śmiesznością. Tak mnie widzą, pomyślałem sobie, a później, gdy Edward pierwszy raz napomknął o Lipo-wao-nahele, przypomniał mi się właśnie tamten wieczór i uczucie, z jakim patrzyłem oniemiały, jak wszystko, czym jestem, i wszystko, czym jest moja rodzina, zostało brutalnie rozczłonkowane, obnażone i wypchnięte na scenę ku uciesze gawiedzi.

Jak mogłem tam pozostać po czymś takim? Spakowałem manatki i wsiadłem do autobusu jadącego na południe, na Manhattan, gdzie zameldowałem się w hotelu Plaza, jedynym, którego nazwę znałem. Zatelegrafowałem do stryja Williama, który zarządzał majątkiem mojego ojca, z prośbą, by przesłał mi pieniądze i nic nie mówił matce. Stryj odpowiedział telegramem z wiadomością, że zastosuje się do mojej prośby, ale nie zdoła na zawsze ukryć tajemnicy przed matką, więc ma nadzieję, że postępuję roztropnie.

Włóczyłem się całymi dniami. Co rano szedłem na śniadanie do jadłodajni w pobliżu Carnegie Hall, gdzie za jajecznicę z ziemniakami i bekonem, a także z kawą płaciłem znacznie mniej, niż zapłaciłbym w hotelu. Później wędrowałem na północ, południe, wschód albo na zachód. Miałem tweedowy płaszcz, drogi i elegancki, ale nie dość ciepły, więc idąc, chuchałem w dłonie, a kiedy już nie mogłem znieść zimna, wpadałem do jakiegoś baru czy kawiarenki, żeby wypić gorącą czekoladę na rozgrzewkę.

Moja tożsamość zmieniała się w zależności od okolicy, w której się znalazłem. W centrum mogli mnie brać za czarnego, ale w Harlemie wiedzieli, że nie jestem czarny. Zagadywano do mnie po hiszpańsku, po portugalsku i po włosku, a nawet w hindi, a gdy odpowiadałem: „Jestem Hawajczykiem", zaraz słyszałem, że mój rozmówca, ewentualnie jego brat lub kuzyn, był tam po wojnie. Wówczas zawsze padało pytanie, co ja tu robię, tak daleko od domu, skoro mógłbym wylegiwać się na plaży z piękną tancerką hula. Nie umiałem udzielić odpowiedzi na to pytanie, zresztą nikt jej ode mnie nie oczekiwał – poprzestawano na samym pytaniu, nikt nie był ciekaw, co mam do powiedzenia.

Ósmego dnia rano od stryja Williama otrzymałem telegram z informacją, że biuro stypendialne powiadomiło moją matkę o opuszczeniu przeze mnie uczelni, więc uzgodniłem z nim, że przyśle mi bilet do domu, który miał na mnie czekać wieczorem. Wracałem do hotelu z parku na placu Waszyngtona, gdzie udałem się, aby zobaczyć pamiątkowy łuk*. Popołudnie było dotkliwie zimne, z porywistym wiatrem, a miasto zdawało się odzwierciedlać mój nastrój – szary i ponury.

Szedłem ulicą Broadway w kierunku północnym, a skręcając na wschód w Central Park South, wpadłem nieomal na żebraka. Widywałem go już wcześniej: przykurczony, ciemnoskóry i sterany wystawał zawsze na tym samym rogu w o wiele za długim dla niego czarnym płaszczu – w wyciągniętych rękach trzymał staroświecki filcowy melonik, modny jakieś trzydzieści lat temu, i potrząsał nim, próbując zwrócić uwagę mijających go przechodniów. „Dasz dziesiątaka, sir? – wykrzykiwał. – Dasz piątaka?"

Mijałem go i miałem właśnie mruknąć, że przykro mi, ale nie mam drobnych. Kiedy jednak mnie spostrzegł, wyprężył się po żołniersku jak struna i ukłonił mi się w pas. Usłyszałem, że sapie. „Wasza Wysokość" – przemówił do chodnika.

Moją pierwszą reakcją był wstyd. Rozejrzałem się, ale nikt na nas nie patrzył. Nikt nie zauważył tego zdarzenia.

Żebrak podniósł na mnie załzawione oczy. Teraz dopiero zobaczyłem, że to mój człowiek, jeden z nas. Poznawałem tę twarz po kształcie i kolorze skóry, nawet jeśli nie po konkretnych rysach.

* Chodzi o marmurowy łuk w Washington Square Park zaprojektowany przez architekta Stanforda White'a w 1891 roku na upamiętnienie stulecia inauguracji George'a Washingtona na prezydenta Stanów Zjednoczonych w 1789 roku.

„Książę Kawika – wybełkotał pod wpływem emocji i alkoholu, który od niego czułem. – Znałem pańskiego ojca. Znałem pańskiego ojca". A potem potrząsnął przede mną kapeluszem. „Proszę, Wasza Wysokość, proszę coś dać jednemu ze swoich poddanych, tak daleko od domu".

W jego głosie nie było ani cienia podstępu, wyłącznie błaganie. Dopiero później, już w pokoju hotelowym, zaciekawiło mnie, d l a c z e g o ten człowiek znalazł się tak daleko od domu, co sprawiło, że żebrze na rogu ulicy w Nowym Jorku i czy naprawdę znał mojego ojca – było to w końcu możliwe. Dla prawdziwych rojalistów, do których ten człowiek zdawał się należeć, statut stanowy był obelgą, oznaczał koniec nadziei. „Proszę Waszą Wysokość – powiedział jeszcze – jestem bardzo głodny". Jego kapelusz był ciemny i widziałem na jego dnie zaledwie parę drobnych monet ślizgających się po wyświeconym filcu.

Wyciągnąłem portfel i pospiesznie wcisnąłem mu wszystko, co miałem – około czterdziestu dolarów – a potem pospieszyłem przed siebie, byle dalej od jego dziękczynnych okrzyków. Byłem Księciem Woogawooga z plemienia Oogaooga, tyle że zamiast kogoś gonić, uciekałem przed żebrakiem, jakbym obawiał się, że ten człowiek, który mienił się moim poddanym, rzuci się za mną w pogoń. Był głodny, więc na pewno otworzyłby usta, a kiedy zwarłby szczęki, ja tkwiłbym pomiędzy nimi, z przeżuwaną systematycznie głową, czekając, żeby to wszystko wreszcie się skończyło.

Wróciłem do domu. Zapisałem się na Uniwersytet Hawajski, na którym absolwenci mojej szkoły studiowali wyłącznie z powodu biedy albo słabych ocen. Po uzyskaniu dyplomu dostałem pracę w dawnej firmie mojego ojca, tyle że nie była to właściwie firma: niczego nie produkowała, niczego nie sprzedawała, niczego nie kupowała – składała się z resztek rodzinnych nieruchomości oraz inwestycji. Oprócz stryja Williama, który był prawnikiem i księgowym, zatrudniała jednego urzędnika i sekretarkę.

Początkowo przychodziłem do pracy codziennie na ósmą rano. Jednak po kilku miesiącach stało się jasne, że moja obecność tam jest zbędna. Tytularnie byłem „zarządcą nieruchomości", ale nie miałem czym zarządzać. Trust był konserwatywny: kilka razy do roku kupowano lub sprzedawano trochę akcji, a dywidendy ponownie inwestowano. Wynajęty przez firmę Chińczyk o wyglądzie królika pobierał czynsz z posiadłości mieszkalnych, a gdy najemcy odmawiali lub nie mogli uiścić należności, posyłano do nich olbrzymiego i przerażającego Samoańczyka. Cele trustu były rozmyślnie nieambitne, ponieważ ambicja wiąże się z ryzykiem, a po spłaceniu długów ojca firma skupiła się na przetrwaniu, czyli na zapewnieniu środków do życia mojej matce i mnie, a także – o ile te plany miały jakikolwiek sens – moim prawnukom i praprawnukom.

Z chwilą gdy okazało się, że firma jakoś działa, bez względu na to, czy w niej bywam czy nie, zacząłem robić sobie dłuższe przerwy. Biura mieściły się w centrum miasta, w pięknym budynku w starohiszpańskim stylu, więc wychodziłem z pracy o jedenastej, przed lunchowymi tłumami, i szedłem spacerkiem do oddalonego o parę przecznic Chinatown. Pobierałem pensję, ale żyłem skromnie – wstępowałem do restauracji, która za ćwierć dolara serwowała miskę zupy wonton min z wieprzowiną i krewetkami, jadłem, płaciłem, a później włóczyłem się po uliczkach, mijając ulicznych sprzedawców układających piramidy z owoców karamboli i rambutanu albo stoiska aptekarzy z puszkami suszonych korzonków i ziaren, rzędami szklanych słojów wypełnionych mętną cieczą, ziołami i niezidentyfikowanymi zwierzęcymi łapkami ze zgolonym futrem. Na Hawajach nic nigdy się nie zmieniało: codziennie czułem się, jakbym wkraczał w dekoracje, które z samego rana, na długo przed moim wstaniem z łóżka, są rozstawiane, omiatane i szykowane na moje ponowne przejście.

Oczywiście, że byłem samotny. Kilku chłopaków, co do których w liceum mogłem się łudzić, że są moimi przyjaciółmi, także wróciło do miasta, ale zajęci byli studiami magisterskimi albo nową pracą. Dlatego wiele czasu spędzałem tak jak w dzieciństwie: w swoim pokoju w domu matki albo w pokoju słonecznym przed małym czarno-białym telewizorem, który kupiłem za część pensji. W weekendy jeździłem do Waimānalo albo do Kaimany oglądać rybaków. Chodziłem do kina. Skończyłem dwadzieścia dwa lata, potem dwadzieścia trzy.

Pewnego razu, gdy miałem dwadzieścia cztery lata, jechałem z powrotem do miasta. Był późny wieczór. Przestałem już całkiem chodzić do pracy, wycofując się stopniowo z życia biurowego, aż któregoś dnia po prostu nie przyszedłem. Nikt się tym nie zmartwił ani nawet nie zdziwił – pieniądze, które zresztą i tak były moje, napływały do mnie co dwa tygodnie w postaci czeków.

Jechałem przez Kailua – wówczas malutkie miasteczko bez sklepów i restauracji, które rozmnożyły się tam dekadę później – mijając po drodze przystanek autobusowy. Dwa razy na miesiąc objeżdżałem całą wyspę, raz na wschód, raź na zachód. Robiłem tak dla zabicia czasu. Zasiadałem na ławce pod kamiennym kościółkiem w Lā‘ie, tam gdzie kiedyś mój ojciec rozdawał pieniądze, i patrzyłem na morze. Przystanek autobusowy znajdował się pod latarnią, jedną z nielicznych na tej drodze. Na ławce przystanku siedziała młoda kobieta. Jechałem bardzo wolno, więc zdołałem zauważyć, że ma ciemne włosy zaczesane do tyłu i wzorzystą pomarańczową spódnicę – w świetle latarni zdawało się, że błyszczy. Siedziała prosto, nogi miała złożone razem, ręce splecione na kolanach, jeden nadgarstek omotany paskiem torebki.

Nie wiem, dlaczego nie pojechałem dalej. Zawróciłem na opustoszałej drodze i podjechałem do niej.

– Cześć – powiedziałem przez opuszczoną szybę.

Podniosła na mnie oczy.

– Cześć – powiedziała.

– Dokąd jedziesz?

– Czekam na autobus do miasta.

– O tej porze autobus już nie jeździ – zauważyłem, a wtedy zrobiła zmartwioną minę.

– O nie – powiedziała. – Muszę wrócić do akademika, bo zamykają go na noc.

– Mogę cię podrzucić – zaproponowałem. Zawahała się, spojrzała w prawo i w lewo na ciemną, pustą szosę. – Możesz usiąść z tyłu – dodałem.

Kiwnęła głową i się uśmiechnęła.

– Dziękuję – powiedziała. – Będę ci bardzo wdzięczna.

Usiadła w ten sam sposób co na przystanku: prosto i sztywno, patrząc przed siebie. Przypatrywałem się jej w lusterku wstecznym.

– Studiuję na uniwersytecie – powiedziała wreszcie, jakby chciała się zrewanżować.

– Na którym roku?

– Na trzecim. Ale jestem tu tylko na rok.

Była, jak powiedziała, z programu wymiany; w następnym roku miała wrócić do Minneapolis i tam robić licencjat. Miała na imię Alice.

Zaczęliśmy się spotykać. Mieszkała w jednym z akademików żeńskich, Frear Hall, i zawsze czekałem tam na nią w korytarzu. Każdej środy pobierała lekcje tkactwa u pewnej starej Hawajki w Kailua i na te okazje zawsze ubierała się skromnie, w spódnicę do kolan, i spinała do tyłu włosy. Normalnie chodziła w dżinsach i z rozpuszczonymi włosami. Po fakturze jej włosów i kształcie nosa poznałem, że nie jest czystej krwi haole, nie umiałem jednak odgadnąć miejsca jej pochodzenia. „Jestem Hiszpanką" – powiedziała, ale z pobytu na kontynencie pamiętałem, że „Hiszpanka" może oznaczać i Meksykankę, i Portorykankę, a może kogoś jeszcze całkiem innego. Opowiadała o studiach i o tym, że chciała tutaj przyjechać, aby chociaż raz w życiu znaleźć się gdzieś, gdzie jest ciepło, i zakochała się w tym miejscu. Mówiła także, że po powrocie do domu zamierza zostać nauczycielką i że tęskni za matką (jej ojciec nie żył) i młodszym bratem. Mówiła, że chciałaby wieść życie pełne przygód, że pobyt na Hawajach jest trochę jak życie za granicą, ale kiedyś zamieszka w Chinach i w Indiach, a kiedy wojna się skończy, także w Tajlandii. Rozmawialiśmy o tym, co się działo w Wietnamie, i o wyborach, i o muzyce. Na każdy temat Alice miała do powiedzenia więcej niż ja. Czasem podpytywała mnie o moje życie, ale nie miałem wiele do opowiadania. Mimo to sprawiała wrażenie, jakbym jej się podobał; była dla mnie niezmiernie wyrozumiała, a gdy za długo gmerałem przy jej ubraniu, kładła sobie moje ręce na ramionach i sama rozpinała sukienkę.

Kiedyś jej współlokatorki nie było i kochaliśmy się w ich pokoju. Musiała podpowiadać mi, co mam robić i jak, co z początku było dla mnie żenujące, ale potem przestało. Gdy było już po wszystkim, rozmyślałem o tym, czego doświadczyłem. Nie było to ani przyjemne, ani nieprzyjemne, ale cieszyłem się, że to zrobiłem i że mam to już za sobą. Czułem, że przekroczyłem jakiś ważny próg, za którym stałem się dorosły, chociaż moje życie codzienne temu zaprzeczało. Przeżycie było wprawdzie mniej przyjemne, niż się spodziewałem, ale za to łatwiejsze, więc spotkaliśmy się jeszcze kilka razy, co dało mi poczucie, że moje życie posuwa się naprzód.

Teraz będzie o tym, co już wiesz, Kawika, dlatego jest to dla mnie jeszcze trudniejsze.

Oczywiście Alice wiedziała, z jakiej rodziny pochodzę, ale jakby nie zdawała sobie z tego w pełni sprawy, dopóki nie wróciła do domu. Zanim jej list doszedł do firmy, miałem pierwszy z tych moich ataków. Początkowo sądziłem, że to bóle głowy. Świat nagle wyciszał się i spłaszczał, a przed oczami latały mi plamy takich kolorów, jakie widzieliśmy razem, gdy patrzyliśmy w słońce, a później zamknęliśmy oczy. Gdy po minucie albo po godzinie odzyskiwałem przytomność, kręciło mi się w głowie i byłem zdezorientowany. Po diagnozie straciłem prawo jazdy: od tego czasu musiał mnie wozić Matthew, a jeśli Matthew nie mógł, to matka.

Dlatego nie pamiętam dokładnie następstwa zdarzeń, które ściągnęły cię do mnie do domu. Wiem, że babka mówiła ci, że twoja matka cię w zasadzie porzuciła: napisała do stryja Williama, żeby ktoś po ciebie przyjechał, bo ona znów wyjeżdża z Minneapolis, tym razem na studia do Japonii, a jej matka nie zdoła zająć się niemowlęciem. Później stryj William powiedział mi, że wprawdzie Alice kontaktowała się z firmą, ale to twoja babka, uzyskawszy dowody, że faktycznie jesteś Binghamem, zaproponowała jej pieniądze. Alice, twoja mama, przedstawiła inną sumę, tak wysoką, że stryj William uprzedził twoją babkę, iż dla jej pozyskania trzeba będzie sprzedać dom w Hāna. „Zrób to" – powiedziała babka i nie musiała tłumaczyć dlaczego: ty miałeś zostać dziedzicem rodziny, bo nie było żadnej gwarancji, że ja kiedykolwiek spłodzę innego. Musiała korzystać z tej okazji, którą miała. Miesiąc później stryj

William poleciał do Minnesoty i podpisał ugodę. Wrócił już z tobą. Dokonała się powtórka z rzekomej biografii mojej matki, chociaż żadne z nas nigdy tego nie przyznało.

Nie umiem powiedzieć, która wersja była prawdziwa. Mam pewność, że ona mi się nigdy nie przyznała – ani do tego, że jest w ciąży, ani do tego, że urodziła dziecko. Znikła z mojego życia po roku 1967. Mam pewność, że nie żyje – na początku lat siedemdziesiątych wyszła za mąż za mężczyznę, którego poznała, studiując w Kobe. Oboje zginęli w wypadku żeglarskim w siedemdziesiątym czwartym. Ale dlaczego ani ona, ani jej rodzina nie szukali kontaktu z tobą – nie wiem; mogę jedynie przypuszczać, że zabraniała jej tego ugoda, którą zawarła z twoją babką.

Nie miej o to żalu, Kawika – ani do babki, ani do Alice. Tej pierwszej strasznie na tobie zależało, ta druga nigdy nie planowała macierzyństwa.

Mogę także powiedzieć, że jesteś i zawsze byłeś radością mojego życia, że mając ciebie, czułem się mimo wszystko przydatny. Byłeś jeszcze niemowlęciem, kiedy cię dostałem. W tamtych latach, kiedy uczyłeś się przewracać z brzuszka na plecy, siadać, chodzić i mówić, moja matka i ja żyliśmy w harmonii – dzięki tobie. Siadaliśmy czasem na podłodze w pokoju słonecznym, żeby cię obserwować, jak wierzgasz i gaworzysz, i śmiejąc się lub klaszcząc w dłonie z podziwu dla twoich osiągnięć, patrzyliśmy sobie nieraz przelotnie w oczy, nie jak matka i syn, ale jak mąż i żona, których dzieckiem byłeś.

Ona zawsze była z ciebie dumna, Kawika, tak jak i ja: byłem i jestem z ciebie dumny. Moja matka także nadal jest, wiem o tym – po prostu czuje się rozczarowana, bo za tobą tęskni, tak jak i ja za tobą tęsknię.

W tym miejscu muszę powtórzyć, że nigdy nie miałem do ciebie pretensji za to, że mnie zostawiłeś. Nie ty byłeś za mnie odpowiedzialny, ale ja za ciebie. Musiałeś znaleźć sobie własne wyjście z sytuacji, w której w ogóle nie powinieneś był się znaleźć.

Lata mijały, a ja czekałem na ten dzień, kiedy zapytasz o swoją matkę, ale nigdy nie zapytałeś. Przyznaję, że sprawiło mi to ulgę, chociaż później uświadomiłem sobie, że mogłeś nie pytać dlatego, że chciałeś mnie chronić, bo ty zawsze próbowałeś mnie chronić, podczas gdy to ja powinienem był chronić ciebie. Twój widoczny brak zainteresowania osobą matki sprawił, że pokłóciłem się z twoją babką. Była to jedna z nielicznych sytuacji, w których się jej postawiłem. „To dziwne – powiedziała, gdy wróciliśmy z wywiadówki, na której twoja nauczycielka napomknęła, że nie wie nic o twojej matce – dziwne, że on się tak mało interesuje". Była to oczywista aluzja do opóźnienia w rozwoju czy może apatii, więc naskoczyłem na nią: „Wolałabyś, żeby zaczął się dopytywać?", na co wzruszyła lekko ramionami, nie odrywając oczu od kółka do pikowania. „Oczywiście, że nie – odparła. – Dziwi mnie tylko, że nie pyta". Wściekłem się na nią. „Jest jeszcze mały – powiedziałem – i wierzy we wszystko, co mu powiesz. W głowie mi się nie mieści, że skarżysz się na to, że on ci ufa, i widzisz w tym jakąś wadę". Wstałem i wyszedłem z pokoju, a wieczorem babka poleciła Jane przygotować dla ciebie pudding ryżowy, twój ulubiony, co z jej strony było formą przeprosin, chociaż ty nigdy się nie domyśliłeś, że to przeprosiny.

W końcu nauczyliśmy się z łatwością udawać, że nigdy nie miałeś matki. Była taka japońska bajka o chłopcu, który urodził się z brzoskwini i został znaleziony przez parę bezdzietnych staruszków. „Przeczytaj mi jeszcze raz o Momotaro – prosiłeś, a gdy skończyłem, domagałeś się: – Jeszcze raz". Po jakimś czasie zacząłem opowiadać ci wersję o chłopczyku Mangotaro znalezionym w owocu mango z drzewa na naszym podwórku: chłopczyk rósł i miał mnóstwo przygód i mnóstwo przyjaciół. Bajka kończyła się tym, że chłopiec opuszcza swojego ojca i babcię, a także ciocię i wujka, i wyjeżdża w daleki świat, gdzie czekają go nowe przygody i nowi przyjaciele. Już wtedy wiedziałem, że moją rolą jest zostać, a twoją – odejść, wyjechać gdzieś, gdzie moja noga nigdy nie postanie, i zacząć własne życie.

– I co dalej? – pytałeś, gdy bajka się skończyła i całowałem cię na dobranoc.

– Będziesz musiał kiedyś wrócić i opowiedzieć mi – odpowiadałem.

Tak, Kawika, to wydarzyło się znowu. Śniło mi się, że wstałem, i nie tylko stałem, ale chodziłem. Ręce miałem wyciągnięte przed siebie jak zombie i szurałem stopami. Nagle uświadomiłem sobie, że wcale nie śnię, ale naprawdę idę, i zacząłem się skupiać, dotykając ścian obiema dłońmi, posuwałem się dookoła pokoju.

Moje łóżko stoi pośrodku sali. Wiem o tym, bo słyszałem, jak moja matka się na to skarżyła – „Dlaczego ono stoi na środku, zamiast przy którejś ze ścian?". Ale ja byłem z tego zadowolony, bo łatwiej mi było orientować się w przestrzeni. Tu ściana z oknami z widokiem na ogród; tu drzwi do łazienki, do której przenoszą mnie na kąpiel i pod prysznic; tu drzwi – zamknięte – prawdopodobnie na korytarz. A tu komoda, na jej blacie stoi kilka butelek, jedne ciężkie, drugie lekkie, jedne szklane, drugie plastikowe. Otworzyłem górną szufladę i wymacałem swoje spodenki i podkoszulki. Podłoga była zimna, kafelkowa albo kamienna, ale zbliżając się do łóżka, wyczułem pod stopami inną powierzchnię i rozpoznałem w niej plecioną matę lauhala, której jedwabisty dotyk przypomina ten w moim pokoju w domu. Jane mawiała, że maty lauhala utrzymują chłód w całym pomieszczeniu. Wprawdzie strzępiły się i dziurawiły, ale łatwo było je wymieniać co parę miesięcy.

Gdy już trafiłem z powrotem do łóżka, długo leżałem bezsennie, ponieważ dotarła do mnie myśl: a gdybym stąd wyszedł? Skoro umiałem chodzić, to czy jest możliwe, że odzyskam także inne zmysły? Na przykład wzrok? Albo mowę? Gdybym tak wymknął się stąd którejś nocy? Gdybym odnalazł ciebie? To by dopiero była niespodzianka, prawda? Znowu cię zobaczyć, znowu uściskać. Obiecałem sobie, że na razie nikomu nic nie powiem, muszę jeszcze poćwiczyć, bo po moim spacerze, chociaż był tak krótki, dostałem zadyszki. Tylko ty jeden wiesz. Odnajdę cię – przyjdę do ciebie na własnych nogach.

Szedłem także tamtego dnia, kiedy znów spotkałem Edwarda. To był rok 1969, miałem cię u siebie zaledwie od czterech miesięcy – nie skończyłeś jeszcze roczku. Kilka razy w tygodniu Matthew zawoził nas do parku Kapi'olani, gdzie spacerowałem z tobą w wózku wśród samanów i strączyńców. Czasem zatrzymywaliśmy się, by popatrzeć na mecz klubu krykietowego. Albo wiozłem cię na plażę Kaimana, gdzie kiedyś przesiadywałem sam, obserwując rybaków.

W tamtych czasach – a może tak jest do dzisiaj – widok młodego mężczyzny z wózkiem był czymś niezwykłym, więc czasem ludzie się ze mnie śmiali. Nie reagowałem na to, nic nie mówiłem, po prostu szedłem dalej. Dlatego gdy pewnego ranka poczułem raczej, niż zobaczyłem, że ktoś przystanął i gapi się na mnie, wcale się nie przejąłem. Zatrzymałem się dopiero wtedy, kiedy ten ktoś wymówił moje imię. Wyłącznie dlatego, że rozpoznałem głos.

– Jak żyjesz? – spytał tak, jakby minął tydzień, a nie bez mała dziesięć lat, odkąd się widzieliśmy.

– Całkiem nieźle – odparłem, podając mu rękę.

Słyszałem, że przeprowadził się do Los Angeles, gdzie studiował w college'u, i powiedziałem mu to, ale wzruszył ramionami.

– Właśnie wróciłem – powiedział. Zajrzał do wózka i zapytał: – Czyje to dziecko?

– Moje – odpowiedziałem.

Zamrugał. Ktoś inny ryknąłby ze zdumienia albo uznałby, że żartuję, ale on jedynie pokiwał głową. Przypomniałem sobie wtedy, że on nigdy nie żartował ani nie podejrzewał o żart nikogo innego.

– Twój syn – powiedział, jakby smakował te słowa. – Mały Kawika – dodał, wypróbowując to imię. – Czy może wołacie go „David"?

– Nie, Kawika – odpowiedziałem, a wtedy nieznacznie się uśmiechnął.

– To dobrze.

Jakoś tak samo wyszło, że pojedziemy coś zjeść, więc załadowaliśmy wszystko do jego zdezelowanego auta i udaliśmy się do Chinatown, do mojej restauracji z wonton min za dwadzieścia pięć centów. Po drodze zagadnąłem go o matkę. Z jego milczenia, z nagłego skrzywienia przed odpowiedzią wywnioskowałem, że ona nie żyje – rak piersi, powiedział. Dlatego wrócił do domu.

– Żałuję, że nie wiedziałem – powiedziałem. Czułem się jak uderzony pięścią w brzuch. Ale on wzruszył ramionami.

– Szło powoli, a potem błyskawicznie – powiedział. – Nie cierpiała za bardzo. Pochowałem ją w Honoka'a.

Po tamtym lunchu zaczęliśmy się znowu widywać. Nie ustalaliśmy niczego z góry. Po prostu powiedział, że przyjedzie po mnie w niedzielę w południe i możemy wyskoczyć na plażę, a ja się zgodziłem. Potem z każdym tygodniem i miesiącem spotykaliśmy się coraz częściej, aż w końcu widywałem go co najmniej co drugi dzień. Dziwna rzecz: rzadko rozmawialiśmy o tym, gdzie on był albo gdzie ja byłem i co robiliśmy przez te wszystkie lata od ostatniego spotkania, a zwłaszcza o tym, dlaczego nasze drogi się wtedy rozeszły. Ale mimo że przeszłość była nie tyle zapomniana, ile wzięta w nawias, obaj dokładaliśmy starań – znów bez umawiania się – żeby moja matka nie odkryła naszego odnowionego porozumienia. Gdy po mnie przyjeżdżał, czekałem (czasami z tobą, czasami sam) na ganku, jeśli matki nie było w domu, albo – gdy była – u stóp naszego wzgórza, gdzie Edward potem mnie odwoził.

Z trudem przypominam sobie, o czym rozmawialiśmy w tamtych dniach. Możesz się zdziwić, ale dopiero po wielu miesiącach dotarło do mnie, że Edward gruntownie się zmienił. Nie mam na myśli przemiany, której wszyscy doświadczamy, przechodząc od dzieciństwa do dorosłości, lecz chodzi mi o to, że w swoich poglądach i przekonaniach jawił się teraz jako ktoś, kogo już nie poznawałem. W znacznej mierze dlatego, że – wstyd powiedzieć – nie zmienił się właściwie z *wyglądu*, więc przyjąłem z góry, że *jest* taki sam, jaki był wcześniej. Wiedziałem z reportaży telewizyjnych, że na kontynencie jest pełno długowłosych hippisów – byli tacy również w Honolulu, ale nie otaczała ich atmosfera gniewu czy rewolucji. Na Hawaje wszystko docierało z opóźnieniem – nawet nasze gazety przynosiły wczorajsze wiadomości – i dlatego sam wygląd Edwarda nie budził skojarzenia z politycznym radykałem. Jego włosy były dłuższe i bardziej puszyste od moich, ale zawsze czyste – budziły nie tyle podziw, ile onieśmielenie.

Żaden z nas nie pracował. Edward, w przeciwieństwie do mnie, nie ukończył studiów – odpadł, jak mi się w końcu przyznał, na początku ostatniego roku i resztę jesieni przewędrował po Zachodzie. Kiedy kończyły mu się pieniądze, wracał do Kalifornii na winobranie albo na zbiory czosnku, truskawek czy włoskich orzechów – mówił, że już nigdy w życiu nie weźmie do ust truskawki. Teraz, od czasu powrotu do Honolulu, znajdował sobie dorywcze zajęcia. Pomagał kumplowi malować elewacje albo najmował się na kilka dni do przeprowadzek. Domek, w którym dawniej mieszkał z matką, został przeznaczony na wynajem – właściciel, stary Chińczyk, miał słabość do pani Bishop – i Edward wiedział, że w końcu będzie musiał się wyprowadzić, ale zdawał się tym w ogóle nie przejmować, tak jak całą swoją przyszłością. Mało czym się przejmował, co przypominało mi jego dziecięcą pewność siebie i kompletny brak poczucia zagrożenia.

Ale już pod koniec tamtego roku zrozumiałem, że to jest całkiem inny człowiek. „Idziemy na imprezę – powiedział, zabierając mnie spod wzgórza pewnego wieczoru. – Poznasz paru moich przyjaciół". Nie udzielił mi żadnych dalszych informacji, a ja swoim zwyczajem nie dopytywałem. Widziałem jednak, że jest podekscytowany, nawet podenerwowany – prowadząc, wybijał jednym palcem szybki rytm na kierownicy.

Wjechaliśmy głęboko w dolinę Nu‘uanu wąską prywatną drogą, tak gęsto obsadzoną drzewami i tak źle oświetloną, że nawet przy włączonych reflektorach samochodu musiałem oświetlać ją trzymaną wysoko latarką. Minęliśmy kilka bram – przy czwartej Edward zatrzymał samochód i wysiadł. Na długim drucie przytwierdzonym do słupka bramy wisiał klucz, którym otworzył bramę, i przejechaliśmy na drugą stronę, gdzie zatrzymaliśmy się ponownie, by zamknąć bramę za sobą. Przed nami ciągnął się długi żwirowany podjazd, dosyć wyboisty, obsadzony szpalerem białego imbiru – jego kwiaty wyglądały w półmroku jak duchy.

Na końcu podjazdu stał duży biały drewniany dom, niegdyś wspaniały, niegdyś dobrze utrzymany, podobny do mojego. Przed domem parkowało co najmniej dwadzieścia aut i nawet z zewnątrz słyszeliśmy odgłosy rozmów rozlegające się echem w ciszy doliny.

– No chodź – powiedział Edward.

W środku było około pięćdziesięciu osób. Otrząsnąwszy się z pierwszego szoku, przyjrzałem im się bliżej. Większość była w naszym wieku, sami miejscowi, część ewidentnie hippisowska. Sporo osób otaczało bardzo wysokiego czarnego mężczyznę, który stał plecami do mnie, tak że widziałem tylko jego afro – ogromne, gęste i lśniące. Ilekroć się poruszył, czubek jego czupryny ocierał się o wiszącą lampę sufitową, wprawiając ją w ruch wahadłowy – i wtedy światło omiatało cały pokój.

– No chodź – powtórzył Edward. Usłyszałem w jego głosie podniecenie.

Tłum zaczął się poruszać jak jeden organizm i nagle przenieśliśmy się z hallu w wielką otwartą przestrzeń. Tutaj także, tak jak w pierwszym pomieszczeniu, nie zauważyłem żadnych mebli, a niektóre deski podłogi były pęknięte i rozszczepione od wilgoci. W tym pokoju przez ludzki gwar przebijał ryk, jakby tuż nad dachem przelatywał samolot, ale gdy wyjrzałem przez okno, zrozumiałem, że to odgłos wodospadu znajdującego się w dolnej części posiadłości.

Gdy rozsiedliśmy się na podłodze, zapanowała nerwowa cisza, która zdawała się wydłużać i pogłębiać. „Co jest, kurwa?" – spytał jakiś facet, ale szybko został uciszony. Ktoś inny zachichotał. Cisza trwała i trwała, dopóki nie umilkły ostatnie szepty i szuranie. Przez co najmniej minutę siedzieliśmy wszyscy razem nieruchomo i w kompletnym milczeniu.

Nagle ten czarny dryblas podniósł się ze swojego miejsca pośrodku tłumu i jednym susem znalazł się przed wszystkimi. Kontrast jego wzrostu z naszą pozycją na podłodze sprawiał, że wydał nam się olbrzymi – nie człowiek, a budowla. Nie był tak bardzo czarny – ja byłem od niego ciemniejszy – i właściwie trudno go było nazwać przystojnym. Miał błyszczącą skórę, nierówną brodę i mnóstwo pryszczy na lewym policzku, które sprawiały, że wyglądał bardziej dziecinnie, niż zapewne chciał. Ale było w nim coś niepodważalnego; miał przerwę między przednimi zębami i szeroki uśmiech, któremu umiał nadać wyraz głupkowaty albo wściekły, i długie, giętkie kończyny. Nieustannie nimi wywijał, tak że było się zmuszonym nie tylko słuchać go, ale i oglądać. Prawdziwie porywający okazał się jednak jego głos: zarówno treść wypowiedzi, jak i jej ton, łagodny, niski, aksamitny; chciałoby się słuchać tego głosu w wyznaniach miłosnych.

Uśmiechnął się i zaczął mówić:

– Bracia i siostry – powiedział. – Aloha. – Tłum odpowiedział oklaskami, a jego uśmiech, senny i uwodzicielski, stał się jeszcze szerszy. – Aloha i mahalo za sprowadzenie mnie do tej waszej pięknej ziemi.

Nasza obecność w tym domu dziś wieczorem wydaje mi się szczególnie ważna, a wiecie dlaczego? Ponieważ powiedziano mi, jak ten dom się nazywa. Tak jest, ma on nazwę, jak wszystkie wykwintne domy na całym chyba świecie – nazwa ta brzmi Hale Kealoha, Dom Aloha: Dom Miłości, Dom Ukochanego.

A dla mnie to szczególnie interesujące, ponieważ sam nazywam się od domu: Bethesda. Kto z was pamięta Biblię, kto pamięta Nowy Testament? O, widzę podniesioną rękę tam z tyłu; jest i druga. Ty, siostro siedząca z tyłu, powiedz mi, co to znaczy. Tak jest, Sadzawka Bethesdy, Bethesda oznacza dom miłosierdzia, bo tam Chrystus uzdrowił paralityka. I oto jestem: Dom Miłosierdzia w Domu Miłości.

Zaprosił mnie tutaj, nie tylko dziś wieczorem do tego domu, ale na wasze wyspy, do waszej ojczyzny, mój dobry przyjaciel, brat siedzący tam na prawo, Brat Louis. Dzięki ci, Bracie Louisie.

Wstydzę się przyznać, ale gdy zostałem tu zaproszony, zdawało mi się, że wiem o tym kraju wszystko. Pomyślałem sobie: ananasy. Pomyślałem: tęcza. Pomyślałem: dziewczęta hula kręcące biodrami, sama przyjemność. Ja wiem, ja wiem! Ale tak sobie pomyślałem. Jednak po paru dniach, jeszcze przed wyjazdem z Kalifornii, zrozumiałem, że się mylę.

Wstydzę się przyznać także do tego, że z początku nie chciałem tu jechać. To, co tu macie, myślałem sobie, nie jest rzeczywistością. Nie jest częścią świata. Mieszkam w pobliżu Oakland – to jest część świata. Tam widać, co się dzieje, widać, z czym się zmagamy, przeciwko czemu walczymy: ucisk wobec czarnego mężczyzny i wobec czarnej kobiety, ucisk, który trwa od założenia Ameryki i będzie trwał, dopóki nie wypali się do samej ziemi i nie zaczniemy czegoś nowego. Bo nie da się ustalić, czym jest Ameryka, nie wystarczy podziałać na marginesach, żeby uznać, że sprawiedliwość została przywrócona. Nie, bracia i siostry, sprawiedliwość tak nie działa. Moja matka była asystentką pielęgniarską w tak zwanym

Murzyńskim Szpitalu w Houston i opowiadała mi o mężczyznach i kobietach przyjmowanych z zawałem serca, jak nie mogli złapać tchu, jak siniały im paznokcie z braku tlenu. Starsze pielęgniarki kazały mojej matce masować dłonie pacjentów, żeby pobudzić krążenie obwodowe, więc masowała i patrzyła, jak ich paznokcie na nowo różowieją, i czuła, jak dłonie rozgrzewają się od jej dotyku. Ale pewnego dnia uświadomiła sobie, że to niczego nie rozwiązuje – że dzięki niej te ręce stają się ładniejsze, może nawet sprawniejsze, ale serca wciąż są chore. Nic tak naprawdę się nie zmienia.

– I na tej samej zasadzie nic naprawdę nie zmienia się tutaj. Ameryka to kraj z grzechem w sercu. Wiecie, o czym mówię. Jedna grupa ludzi wygnana z własnej ziemi; inna grupa ludzi okradziona z własnej ziemi. My zastąpiliśmy was, a przecież nie chcieliśmy was zastępować, chcieliśmy zostać u siebie. Żaden z naszych przodków, naszych prapradziadów, nie obudził się pewnego dnia z myślą: „Popłyńmy na drugą stronę świata, dołączmy do grabieżców ziemi, zmierzmy się z jakimś innym tubylczym ludem". Nigdy, przenigdy. Tak nie rozumują normalni, przyzwoici ludzie – tak rozumuje diabeł. Ale ten grzech, to piętno nigdy się nie zetrze, bo chociaż nie byliśmy jego sprawcami, to wszyscy jesteśmy nim zarażeni.

Pozwólcie, że powiem wam dlaczego. Raz jeszcze wyobraźcie sobie serce, lecz tym razem pomazane olejem. Nie olejem do smażenia, ale olejem silnikowym, gęstym, kleistym i czarnym, który przylepia się do rąk i ubrania jak smoła. To tylko smużka oleju, myślicie sobie, kiedyś w końcu się zmyje. I staracie się o niej zapomnieć. Ale oczyszczenie nie następuje. Przeciwnie: z każdym uderzeniem serca ten olej, ten mały ślad, rozrasta się coraz bardziej. Odpływa tętnicami, ale powraca żyłami. I z każdą podróżą przez wasze ciała pozostawia swój osad, tak że w końcu, nie natychmiast, lecz z czasem, każdy organ, każde naczynie krwionośne, każda komórka zostanie splamiona tym olejem. Czasami nawet go nie widzicie, ale wiecie, że jest. Bo ten olej, bracia i siostry, dotarł już wszędzie: osiadł po wewnętrznej stronie żył, w jelicie grubym i w wątrobie, na śledzionie i na nerkach. Na waszym mózgu. Ta mała smużka oleju, ta plamka, którą zamierzaliście zignorować, jest teraz wszędzie. I już nie ma jak jej zetrzeć; jedynym sposobem na odzyskanie czystości jest całkowite zatrzymanie serca, jedynym sposobem na odzyskanie czystości jest wypalenie ciała. Jedynym sposobem na czystość jest koniec. Jeśli chcesz wyeliminować plamę, musisz wyeliminować jej nosiciela.

Chwileczkę. Chwileczkę. Co to ma wspólnego z nami, którzy jesteśmy tutaj, na Hawajach? – spytacie. Kraj, moglibyście powiedzieć, to nie ciało. Twoja metafora się nie sprawdza. Ale czy na pewno? Oto siedzimy tutaj, bracia i siostry, w tym pięknym miejscu z dala od Oakland. A przecież wcale niedaleko. Bo o co chodzi, bracia i siostry: wy rzeczywiście macie tu ananasy. Rzeczywiście macie tęcze. Rzeczywiście macie tancerki hula. Tyle że żadna z tych rzeczy nie jest w a s z a. Te pola ananasów, na które zawiózł mnie Brat Louis: kto jest ich właścicielem? Nie wy. Tęcze? Niby je macie, ale czy możecie je podziwiać zza wciąż budujących się wieżowców, hoteli i osiedli w Waikīkī? A kto jest właścicielem tych budowli? Może wy? Tancerki hula, przecież to wasze siostry, wasze brązowoskóre siostry, a wy im pozwalacie tańczyć… dla kogo?

Na tym polega problem życia tutaj. Na tym polega kłamstwo, którym was karmią. Patrzę na was wszystkich, na wasze brązowe twarze, wasze kręcone włosy, i sprawdzam, kto rządzi tym miejscem. Sprawdzam, kogo sobie wybraliście do rządzenia. Sprawdzam, kto kieruje waszymi bankami, waszymi firmami, waszymi szkołami. Ci ludzie nie są do was podobni. Więc pytam: jesteście biedni? Nie macie pieniędzy? Chcecie pójść do szkoły? Chcecie kupić dom? Ale nie możecie? A to dlaczego? Jak wam się zdaje – dlaczego? Czy dlatego, że wszyscy jesteście idiotami? Że nie zasługujecie na naukę w szkole i kawałek własnego kąta? Czy to dlatego, że jesteście źli? Czy też może dlatego, że pozwoliliście sobie zaspać, pozwoliliście sobie zapomnieć? Żyjecie w ziemi nie mlekiem i miodem płynącej, ale w ziemi cukru i słońca, a jednak upiliście się. Rozleniwiliście się. Popadliście w samozadowolenie. A co się stało w czasie, gdy wyście surfowali, śpiewali i kołysali biodrami? Wasza ziemia, wasza dusza zostały wam wydarte, kawałek po kawałku, zabierano je wam sprzed tych waszych brązowych nosów, a wyście na to patrzyli i nie zrobiliście nic, n i c, żeby to powstrzymać.

Postronny obserwator pomyślałby, żeście sami się o to *prosili*. „Bierzcie moją ziemię! Bierzcie ją całą! Mnie nie zależy. Nie stanę wam na drodze".

Nabrał powietrza, zahuśtał się na piętach, musnął ręką czerwoną bandanę na czole. Tłum milczał dotąd jak zaklęty, ale w tej chwili w powietrzu zaskwierczał zbiorowy syk, jakby chmara owadów, a kiedy czarny dryblas podjął przemowę, głos jego był łaskawszy, cichszy, niemal pojednawczy.

– Bracia i siostry. Mamy coś jeszcze wspólnego. I wy, i ja pochodzimy z ziemi królów. Byliśmy królami i królowymi, książętami i księżniczkami. Posiadaliśmy bogactwa przekazywane z ojców na synów i wnuki, i prawnuki. Ale wy macie więcej szczęścia. Bo pamiętacie swoich królów i królowe. Znacie ich imiona. Wiecie, gdzie są pochowani. Mamy rok tysiąc dziewięćset sześćdziesiąty dziewiąty, przyjaciele. Tysiąc dziewięćset sześćdziesiąty dziewiąty. To znaczy, że upłynęło zaledwie siedemdziesiąt jeden lat, odkąd Amerykanie ukradli wam ziemię, a siedemdziesiąt sześć, odkąd amerykańskie diabły zdradziły waszą królową. A wy, nie wszyscy, zaznaczam, ale spora część was, bracia i siostry, spora część was nazywa się Amerykanami. *Amerykanie*? Wy wierzycie w ten głupi slogan „Ameryka dla każdego"? Ameryka *nie* jest dla każdego, nie jest dla nas. Wiecie coś o tym, prawda? W głębi serca, w głębi duszy? Wiecie, że Ameryka wami pogardza, prawda? Chcą waszej ziemi, waszych pól, waszych gór, ale Ameryka nie chce *was*.

Ta ziemia nigdy nie była ziemią Ameryki. W świetle prawa tytuł Amerykanów do tej ziemi jest wątpliwy. Ta ziemia została zagrabiona. To nie wasza wina. Ale zezwolenie na to, żeby *pozostała* zagrabiona? Właśnie, to już *jest* wasza wina.

Daliście się kupić, bracia i siostry. Uwierzyliście ich obietnicom, że oddadzą wam część waszych ziem. Rozejrzyjcie się wokół siebie. Wiecie, że więcej was siedzi w więzieniach niż innych tutejszych nacji? Wiecie, że więcej was żyje w ubóstwie? Wiecie, że więcej was głoduje? Wiecie, że umieracie młodziej niż inni, że wasze dzieci umierają wcześniej, że częściej umieracie przy porodzie? Jesteście *Hawajczykami*. Ten kraj jest wasz. Przyszedł czas go odebrać. Dlaczego mieszkacie na własnej ziemi jak lokatorzy?

Dlaczego boicie się żądać tego, co jest wasze? Gdy spaceruję po Waikīkī, tak jak robiłem to wczoraj, dlaczego się uśmiechacie i dziękujecie tym białym diabłom, tym złodziejom, że panoszą się w waszym kraju? „Och, dzięki za przybycie! Aloha za przybycie! Serdecznie witamy na naszych wyspach – mamy nadzieję, że będą się państwo dobrze bawić"! D z i ę k i? Za co te dzięki? Za to, że uczynili was żebrakami we własnym kraju? Za to, że waszych królów i królowe zamienili w błaznów i klaunów?

Znów rozległ się ten syk i słuchacze jak jeden mąż zaczęli się przed nim cofać, odsuwać. Tę część przemówienia wygłaszał coraz to cichszym głosem, ale gdy się odezwał po przerwie, której pozwolił trwać kilka nieznośnych sekund, jego głos był z powrotem mocarny.

– To jest w a s z kraj, bracia i siostry. Do was należy jego odzyskanie. M o ż e c i e tego dokonać. M u s i c i e tego dokonać. Jeżeli sami nie zrobicie tego dla siebie, nikt tego za was nie zrobi. Kto będzie was szanował, jeśli nie domagacie się szacunku?

Zanim tu przyjechałem, zanim stanąłem na waszej ziemi, w a s z e j ziemi, poczyniłem pewne badania. Udałem się do biblioteki publicznej i zacząłem czytać. I chociaż w książkach, które czytałem, była masa kłamstw, bo we w s z y s t k i c h niemal książkach są kłamstwa, bracia i siostry, to nie miało większego znaczenia, ponieważ człowiek uczy się czytać między kłamstwami; uczy się wyczytywać prawdy czające się za fałszem. Podczas lektury natknąłem się na tę pieśń. Wiem, że wielu z was zna ją na pamięć, ale chcę ją wam wyrecytować bez muzyki, po angielsku, żebyście naprawdę usłyszeli jej słowa:

Famous are the children of Hawai'i
Ever loyal to the land
When the evil-hearted messenger comes
With his greedy document of extortion…[*]

---

[*] Sławne są dzieci Hawajów / Zawsze wierne swojej ziemi / Gdy posłaniec o złym sercu nadchodzi / Z chciwym dokumentem wymuszenia…

Ledwie zacytował pierwszy wers, a już wszyscy zaczęli śpiewać i chociaż mówił, że chce, abyśmy posłuchali tekstu, klaskał, gdy popłynęła melodia, a potem znów oklaskami nagrodził pierwszego tancerza – swojego przyjaciela, Brata Louisa. Wszyscy znaliśmy tę pieśń, powstałą wkrótce po obaleniu królowej. Zawsze sądziłem, że jest bardzo stara, chociaż, jak podkreślił Bethesda, wcale taka stara nie była – żyli jeszcze ludzie, którzy słuchali jej w wykonaniu Królewskiej Orkiestry Hawajskiej tuż po napisaniu. W tym pokoju siedzieli ludzie, których dziadkowie pamiętaliby pewnie królową w czarnej bombazynie pozdrawiającą poddanych gestem ręki z pałacowych schodów.

Stał i przyglądał się nam teraz, znów z szerokim uśmiechem, jak gdyby wszystko to działo się z jego woli, jakby przywrócił nas do życia po długiej hibernacji i obserwował, jak przypominamy sobie, kim jesteśmy. Nie podobała mi się duma malująca się na jego twarzy, jakbyśmy byli jego zdolnymi dziećmi, a on naszym niezmordowanym nauczycielem. Każda zwrotka została odśpiewana najpierw po hawajsku, a potem po angielsku. Nie podobało mi się, że on recytuje tłumaczenie z kartki wyjętej z kieszeni spodni.

Ale najbardziej nie podobał mi się wyraz twarzy Edwarda, na którego zerkałem z ukosa. Nie widziałem go jeszcze w takim uniesieniu – z pięścią w górze, jak Bethesda, wywrzaskiwał tekst tej słynnej pieśni, jakby miał przed sobą wielotysięczną publiczność, która przybyła posłuchać jego rewelacji.

ʻAʻole aʻe kau i ka pūlima — *Nie składaj podpisu*
Maluna o ka pepa o ka ʻenemi — *Na papierze wroga*
Hoʻohui ʻāina kūʻai hewa — *Z grzechem aneksji*
I ka pono sivila aʻo ke kanaka — *I sprzedaży praw obywatelskich tego ludu*

ʻAʻole mākou aʻe minamina — *My nie cenimy*
I ka puʻu kālā a ke aupuni — *Rządowych gór pieniędzy*
Ua lawa mākou i ka pōhaku — *Zadowalają nas kamienie*
I ka ʻai kamaha ʻo o ka ʻāina — *Cudowny pokarm tej ziemi*

———

Gdybyś zapytał moją matkę, co było potem – bo ja nie mogę, a nikomu innemu nie zależy – odpowiedziałaby, że to stało się nagle i było kompletnym zaskoczeniem. Ale to nieprawda. Chociaż rozumiem, dlaczego jej może się tak zdawać. Bywały lata pozornej bezczynności, a później – w jej mniemaniu zapewne bez ostrzeżenia – następował nagły zryw. Jednej nocy ty i ja byliśmy razem w domu przy alei O‘ahu, leżeliśmy w swoich łóżkach, a następnej nocy nas tam nie było. Wiem, że później nazywała nasz wyjazd zniknięciem, czymś nagłym i niespodziewanym. Czasami mówiła o nim jak o zgubie, jakbyśmy byli guzikami albo agrafkami. Ale ja wiedziałem, że to coś więcej niż nagła zguba, to tak jak kostka mydła, która wygładza się i maleje pod opuszkami jej palców, aż w końcu całkiem znika.

Była jednak druga osoba, która zgodziłaby się z jej charakterystyką tamtych wypadków, i tą osobą, jak na ironię, był Edward. Mówił później, że tamta noc w Hale Kealoha go „przeistoczyła", że było to swoiste zmartwychwstanie. Wierzę, że tak czuł. Jadąc z powrotem do miasta tamtej nocy, przeważnie milczeliśmy – ja, ponieważ nie byłem pewien własnych myśli na temat Bethesdy i jego przemowy; Edward, ponieważ był jak porażony gromem. Prowadząc samochód, od czasu do czasu walił w kierownicę podstawą dłoni i wykrzykiwał „szlag!", „człowieku!", „Chryste!". Gdybym nie był tak wytrącony z równowagi, wydawałoby mi się to nawet śmieszne. Śmieszne albo niepokojące – Edward, który niczym się nigdy specjalnie nie ekscytował, stał się nagle zdolny wyłącznie do wydawania okrzyków.

Wykład Bethesdy został nagrany i Edward zdobył kopię. Przez następne tygodnie kładliśmy się na materacu w sypialni, którą wynajmował u pewnej rodziny w dolinie Nu‘uanu, i słuchaliśmy tego nagrania w kółko na jego szpulowym magnetofonie, aż obaj nauczyliśmy się go na pamięć – samej przemowy, a także gniewnych posapywań publiczności, skrzypienia podłogi, gdy Bethesda przenosił ciężar ciała z nogi na nogę, zbiorowych śpiewów, cienkich i niemrawych, na tle których sporadyczne klaśnięcia Bethesdy brzmiały jak eksplozje.

A przecież, i to nawet po tamtej nocy, dojście do wniosku, że Edward zmienił się nieodwracalnie, zajęło mi kilka miesięcy. Nigdy nie znałem go (o ile w ogóle go znałem) jako nowinkarza przerzucającego się z jednej mody na drugą, więc rosnącego zainteresowania hawajską niepodległością nie mogłem uznać za jego kolejne hobby – posądzam go raczej o to, że ukrywał przede mną część swojej przemiany. I to nie dlatego, że był dwulicowy, lecz jak mniemam, dlatego że była ona dla niego zbyt cenna, osobista i w jakimś sensie niezgłębiona, więc chciał przeżywać ją w intymności, z dala od ludzkich oczu i komentarzy.

Gdybym miał umiejscowić w czasie początek jego nowego ja, podałbym grudzień 1970, jakiś rok po wysłuchaniu Bethesdy w tamtym domu w dolinie Nu‘uanu. Moja matka nawet wtedy jeszcze nie wiedziała, że Edward wkroczył ponownie w moje życie – nadal podwoził mnie wyłącznie do stóp wzgórza, nadal nie przekraczał progu naszego domu. Za każdym razem, gdy wysiadałem z samochodu, pytałem go, czy chce wejść, a on za każdym razem odpowiadał odmownie, co sprawiało mi ulgę. Aż pewnego wieczoru zadałem mu to samo pytanie, a on powiedział: „Jasne, czemu nie?", jakby przyjęcie zaproszenia było czymś normalnym, zależnym tylko od jego humoru.

– Aha – odpowiedziałem. Nie mogłem udawać, że się zgrywa, bo, jak mówiłem, nigdy się nie zgrywał. Wysiadłem więc z samochodu, a Edward niemal natychmiast zrobił to samo.

Kiedy szliśmy pod górę, denerwowałem się coraz bardziej. Gdy stanęliśmy pod drzwiami, wymamrotałem, że muszę sprawdzić, co z tobą – jeśli zabierałem cię ze sobą, siadałem zawsze z tyłu, z tobą na ręku – i pognałem na górę, żeby spojrzeć na ciebie śpiącego w łóżeczku. Niedawno przenieśliśmy cię do własnego łóżeczka, niskiego i obłożonego poduszkami, ponieważ byłeś ruchliwy i rzucałeś się we śnie, spadając nieraz z futonu na podłogę. „Kawika – szepnąłem, pamiętam, do ciebie – co ja mam robić?" Lecz ty nie odpowiedziałeś – spałeś i miałeś zaledwie dwa latka.

Zanim wróciłem na dół, moja matka i Edward już się spotkali i oczekiwali mnie przy stole.

– Edward powiedział mi, że odnowiliście znajomość – powiedziała matka, gdy już nałożyliśmy sobie na talerze, a ja kiwnąłem głową. – Nie kiwaj głową, tylko mów – pouczyła mnie, więc odchrząknąłem i zmusiłem się do wydania głosu.

– Tak – powiedziałem.

Odwróciła się do Edwarda.

– Co robisz w tym roku w Boże Narodzenie? – zapytała, jakby widywała się z Edwardem co miesiąc i doskonale wiedziała, jak zazwyczaj spędza on Boże Narodzenie, a teraz chciała się jedynie upewnić, czy w tym roku świętuje jak zwykle, czy nie.

– Nic – odparł, zrobił pauzę i dodał: – Widzę, że macie choinkę.

Powiedział to obojętnym tonem, ale moja matka, już podejrzliwa, wyprostowała się na krześle.

– Tak – potwierdziła, także obojętnym tonem.

– To niezbyt hawajski zwyczaj, prawda? – spytał Edward.

Wszyscy spojrzeliśmy na drzewko w kącie słonecznego pokoju. Mieliśmy choinkę jak w każde święta. Co roku importowano ich limitowaną liczbę z kontynentu i wystawiano na sprzedaż po wygórowanych cenach. Nic w niej nie było szczególnego poza słodkawym, zalatującym moczem zapachem, który przez wiele lat kojarzyłem z całym kontynentem. Kontynent to asfalt, śnieg, autostrady i zapach sosen, kraina tkwiąca w pułapce wiecznej zimy. Niespecjalnie przykładaliśmy się do ubierania choinki – właściwie zajmowała się tym głównie Jane – ale tamtego roku okazała się ona dla nas ciekawsza, ponieważ byłeś ty, już dostatecznie duży, by szarpać gałęzie i śmiać się, kiedy cię za to besztaliśmy.

– Hawajski, nie hawajski – powiedziała matka – ale to tradycja.

– Owszem, ale czyja tradycja? – spytał Edward.

– Jak to czyja? Powszechna – odrzekła matka.

– Nie moja – powiedział Edward.

– Chyba jednak także twoja – zaoponowała matka, po czym zwróciła się do mnie: – Podaj mi, proszę, ryż, Wika.

– A jednak nie moja – powtórzył Edward.

Matka nie odpowiedziała. Dopiero po wielu latach zdołałem docenić opanowanie, jakie okazała tamtego wieczoru. W tonie Edwarda nie było oczywistej zaczepki, ale matka wiedziała swoje, wiedziała na długo przede mną – ja nie wychowałem się przy kimś, kto kwestionował moją tożsamość i należne mi prawa, ale ona tak. Jej prawo do nazwiska i urodzenia było notorycznie podważane. Wiedziała, kiedy ktoś chce ją sprowokować.

– To tradycja chrześcijańska – rzekł wreszcie Edward wobec jej milczenia. – Nie nasza.

Pozwoliła sobie na mały uśmiech i szybkie spojrzenie znad talerza.

– A więc nie ma hawajskich chrześcijan? – spytała.

Edward wzruszył ramionami.

– Nie dla prawdziwego Hawajczyka.

Jej uśmiech rozszerzył się i stężał.

– Rozumiem – powiedziała. – Mój dziadek zdziwiłby się, gdyby to słyszał, bo był chrześcijaninem, a służył na królewskim dworze.

Edward znów wzruszył ramionami.

– Nie twierdzę, że hawajscy chrześcijanie n i e i s t n i e j ą – powiedział. – Twierdzę tylko, że te dwa pojęcia są sprzeczne. – (Jakiś czas później powtórzył to samo w rozmowie ze mną, poszerzając swój argument o coś, czego nie mógł wiedzieć z pierwszej ręki: „To tak samo jak gadanie o doświadczeniu czarnych chrześcijan. Ale czy czarni nie wiedzą, że czczą narzędzie swojego tyrana? Namawiano ich do chrześcijaństwa, żeby myśleli, że coś lepszego czeka ich w życiu pozagrobowym, po latach ucisku. Chrześcijaństwo było i jest formą kontroli umysłów. Całe to moralizowanie, gadka o grzechu – oni to łykali, a teraz są więźniami tego systemu"). Ponieważ matka nadal nic nie mówiła, kontynuował monolog: – To chrześcijanie zabrali nam nasz taniec, nasz język, naszą religię, naszą ziemię; nawet naszą królową. O czym pani powinna coś wiedzieć. – Matka spojrzała na niego, zaskoczona tak samo jak ja, nikt jeszcze tak się mojej matce nie postawił, ale on wytrzymał jej spojrzenie. – Więc po prostu wydaje mi się to osobliwe, że jakikolwiek prawdziwy Hawajczyk może wierzyć w ideologię, której wyznawcy obrabowali go ze wszystkiego.

(„Prawdziwy Hawajczyk" – wtedy usłyszałem ten zwrot z jego ust po raz pierwszy, a już wkrótce miałem go dość, bo po pierwsze, czułem, że mnie oskarża, a po drugie, nie rozumiałem jego znaczenia. Wiedziałem tylko, że prawdziwy Hawajczyk to nie ja: prawdziwy Hawajczyk był bardziej gniewny, biedniejszy, bardziej pyskaty. Mówił po hawajsku, i to płynnie, tańczył do upadłego, porywająco śpiewał. Nie tylko nie był Amerykaninem, ale złościł się, gdy został nim nazwany. Z prawdziwym Hawajczykiem łączyły mnie jedynie kolor skóry i krew, chociaż później nawet moje pochodzenie stało się niewystarczające i świadczyło na moją niekorzyść jako dowód skłonności przystosowawczych. Nawet moje imię uznano za zbyt mało hawajskie, choć było ono imieniem hawajskiego króla – mówiono, że to zhawaizowane imię chrześcijańskie, a zatem wcale nie hawajskie).

Moglibyśmy tak siedzieć jak skamieniali w nieskończoność, gdyby nie moja matka, która spojrzała na mnie – niewątpliwie zła – i fuknęła.

– Wika! – usłyszałem jej głos, a gdy znów otworzyłem oczy, leżałem w łóżku w wyciemnionym pokoju.

Siedziała przy mnie.

– Ostrożnie – powiedziała, gdy spróbowałem usiąść – miałeś atak i uderzyłeś się w głowę. Doktor mówi, że powinieneś jeszcze dzień poleżeć w łóżku. Z Kawiką wszystko dobrze – uprzedziła moje pytanie.

Przez chwilę milczeliśmy oboje. Wreszcie znów się odezwała:

– Nie chcę, żebyś widywał się z Edwardem, rozumiesz mnie, Wika?

Mogłem się zaśmiać, mogłem ją ofuknąć, mogłem powiedzieć jej, że jestem dorosły, więc nie może mi już nakazywać, z kim mam rozmawiać, a z kim nie. Mogłem też powiedzieć, że dla mnie Edward również jest niepokojący, ale jednocześnie frapujący, i że zamierzam nadal się z nim spotykać.

Ale nic z tego nie zrobiłem. Skinąłem głową i zamknąłem oczy, a zanim z powrotem zasnąłem, usłyszałem jej głos: „grzeczny chłopiec" i poczułem jej dłoń na czole, więc tracąc świadomość, miałem wrażenie, że znów jestem dzieckiem, że mam szansę przeżyć swoje życie jeszcze raz od początku i tym razem zrobię wszystko prawidłowo.

Dotrzymałem obietnicy. Nie widywałem się z Edwardem. Dzwonił, ale nie podchodziłem do telefonu. Zatrzymywał się pod domem, ale kazałem Jane mówić, że mnie nie ma. Siedziałem w domu i obserwowałem, jak rośniesz. Gdy wychodziłem, byłem spięty: Honolulu było (i jest) małym miastem na małej wyspie, więc ciągle się bałem, że go spotkam, ale jakoś nigdy do tego nie doszło.

Nic się u mnie nie zmieniło przez te trzy lata, które spędziłem w ukryciu. Ale ty się zmieniałeś: nauczyłeś się mówić, najpierw zdaniami, potem akapitami; nauczyłeś się biegać, czytać i pływać. Matthew nauczył cię wspinać się na najniższy konar mangowca, a Jane nauczyła cię odróżniać soczyste mango od łykowatego. Poznałeś kilka słów po hawajsku – to za sprawą mojej matki, i kilka w języku tagalog – to za sprawą Jane, ale w tajemnicy. Twoja babka nie lubiła brzmienia tego języka i wiedziałeś, że lepiej się przed nią nie popisywać twoim hawajskim. Poznałeś swoje ulubione potrawy – tak samo jak ja zawsze wolałeś sól od cukru – i nawiązałeś pierwsze przyjaźnie, bez wysiłku, do czego ja nigdy nie byłem zdolny. Nauczyłeś się wołać o pomoc, gdy dostawałem ataku, a kiedy atak mijał, wiedziałeś, że trzeba klepać mnie po policzku, aż złapię cię za rączkę. W tamtych latach kochałeś mnie najmocniej. Nigdy nie mógłbyś kochać mnie bardziej ani nawet tak samo, jak ja kochałem i kocham ciebie, ale w tamtym okresie byliśmy najbliżsi tej miłości.

Zmieniałeś się, tak samo jak reszta świata. Każdego wieczoru telewizja pokazywała co najmniej jeden reportaż z bieżących protestów: najpierw ludzie protestowali przeciwko wojnie w Wietnamie, później w obronie czarnoskórych, jeszcze później kobiet, wreszcie homoseksualistów. Oglądałem to wszystko na czarno-białym ekranie naszego małego odbiornika, te rozhuśtane, przelewające się masy ludzkie w San Francisco, w Waszyngtonie i Nowym Jorku, w Oakland i Chicago – za każdym razem zastanawiałem się, czy jest wśród nich Bethesda, który opuścił naszą wyspę zaraz po swoim przemówieniu. Protestowali prawie sami młodzi – ja także byłem młody, w 1973 roku nie miałem jeszcze trzydziestu lat, a jednak czułem się o wiele starszy; nie rozpoznawałem siebie w żadnym z młodych buntowników, nie odczuwałem wspólnoty z nimi, z ich walką, z ich emocjami. Nie tylko dlatego, że nie wyglądałem jak oni: po prostu nie odczuwałem ich zapału. Oni się urodzili z dostępem do skrajności i rozumieli je – ja wręcz przeciwnie. Chciałem, żeby czas prześlizgiwał się bokiem, żeby jeden rok nie różnił się od drugiego, żebyś ty był jedynym moim kalendarzem. A oni chcieli zatrzymać czas – zatrzymać go, a potem przyspieszyć, żeby biegł coraz to szybciej, aż cały świat stanie w płomieniach i będzie musiał zacząć od nowa.

Tutaj także zachodziły zmiany. Czasami w telewizji pokazywali Keiki kū Ali'i. Była to grupa rdzennych Hawajczyków, którzy, w zależności od tego, kogo pytano i kiedy, domagali się albo secesji Hawajów od Stanów Zjednoczonych, albo przywrócenia monarchii, albo autonomicznego statusu dla rdzennych Hawajczyków, albo stworzenia państwa hawajskiego. Żądali wprowadzenia w szkołach obowiązkowych lekcji języka hawajskiego, żądali króla lub królowej, żądali, żeby wszyscy haole się wynieśli. Nie chcieli już nawet nazywać się Hawajczykami, ale kanaka maoli.

Oglądanie owych reportaży odczuwałem jako coś nielegalnego, a strach, że mogą nadać materiał tego rodzaju, gdy będę siedział w pokoju z matką, sprawił, że w ogóle przestałem oglądać wczesnowieczorne wiadomości. Robiłem to wyłącznie wtedy, kiedy matki nie było w domu, a i wówczas przyciszałem fonię, żebym na wypadek jej wcześniejszego powrotu usłyszał ją i zdążył wyłączyć telewizor. Siadałem zaraz przy odbiorniku, gotów w każdej chwili wyłączyć go błyskawicznie lepką od potu dłonią.

Kierował mną osobliwy instynkt opiekuńczy. Nie wobec matki, ale wobec protestujących, wobec młodych mężczyzn i kobiet o rozwianych włosach, moich rówieśników, wznoszących okrzyki i zaciśnięte pieści na podobieństwo ruchu Black Power. Wiedziałem już, co o nich myśli moja matka. „Co za idioci" – wymamrotała pod nosem rok temu, niemal współczująco, po pierwszym odcinku cyklu, który obejrzeliśmy razem jak zahipnotyzowani, w milczeniu. „Sami nie wiedzą, czego chcą. A jak niby zamierzają to uzyskać? Nie można domagać się przywrócenia monarchii i nowego państwa równocześnie" – mówiła matka, a ja z jakiegoś powodu nie chciałem wysłuchiwać jej dalszych obelg. Wiedziałem, że to irracjonalne, choćby dlatego, że nie mogłem jej zaprzeczyć. Oni rzeczywiście wyglądali śmiesznie, gdy w swoich T-shirtach i długich włosach wybuchali nieskładnymi okrzykami i pieśnią, ilekroć kamera zwracała się w ich stronę. Ich rzecznicy ledwo dukali po angielsku, kaleczyli również hawajski. Czułem się nimi zażenowany. Byli zbyt hałaśliwi.

Równocześnie jednak im zazdrościłem. Oprócz ciebie nic nie budziło we mnie tak żarliwych emocji. Patrzyłem na młodych mężczyzn i młode kobiety i wiedziałem, czego pragną – ich pragnienie przerastało logikę i organizację. Zawsze mi mówiono, że powinienem starać się żyć szczęśliwie, ale czy szczęście daje człowiekowi większy napęd i energię niż gniew? Oni mieli w sobie żądzę przewyższającą wszelkie pragnienie – kto ją posiadł, ten już więcej nie pragnął. Nocami eksperymentowałem i udawałem, że jestem jednym z nich: czy kiedykolwiek umiałbym się aż tak rozgniewać? Czy umiałbym aż tak czegoś pożądać? Czy umiałbym poczuć się aż tak skrzywdzony?

Nie umiałem. Ale zacząłem próbować. Jak już wspomniałem, nigdy nie zastanawiałem się zbytnio nad tym, co znaczy być Hawajczykiem. Równie dobrze mógłbym się zastanawiać nad byciem mężczyzną albo istotą ludzką, ale to nie miało większego sensu – po prostu byłem tym i tym i sam ten fakt zawsze mi wystarczał. Zaczęło mnie jednak ciekawić, czy można żyć w jakiś inny sposób, czy przypadkiem nie żyłem dotąd w błędzie, czy to moja ułomność, że nie umiem dostrzec tego, co tamci ludzie zdawali się widzieć tak wyraźnie.

Chodziłem do biblioteki, gdzie czytałem znane już sobie książki o obaleniu monarchii; chodziłem do muzeum, gdzie w szklanej gablocie wystawiano płaszcz z piór należący do mojego pradziadka, dar – zarówno płaszcz, jak i gablota – mojego ojca. Usiłowałem coś poczuć – ale czułem jedynie lekkie, podszyte rozbawieniem niedowierzanie, że to nie haole wypowiadają się w moim imieniu, lecz ci demonstranci. Keiki kū Ali‘i: dzieci królewskiego rodu. Ale w rzeczywistości to ja byłem dzieckiem królewskiego rodu. Gdy mówili o królu, który kiedyś zostanie przywrócony, to mieli na myśli mnie, prawnego dziedzica, a przecież nie wiedzieli, kim jestem. Krzyczeli o powrocie króla, a nie przyszło im do głowy zapytać samego króla, czy zechce powrócić. Wiedziałem jednak także, że to, c z y m jestem, będzie zawsze ważniejsze od tego, k i m jestem – tak naprawdę wyłącznie to, czym byłem, nadawało jakiekolwiek znaczenie temu, kim byłem. Dlaczego w ogóle kiedykolwiek mieliby mnie o to pytać?

Protestującym ludziom nie przyszłoby to do głowy, ale Edwardowi tak. Przyznaję, że chociaż tchórzyłem przed rozmową z nim, to nieustannie go poszukiwałem. Wgapiałem się w ekran telewizora, śledząc wzrokiem bandę demonstrantów próbujących wedrzeć się do biura gubernatora, biura burmistrza, gabinetu rektora uniwersytetu. Ale chociaż raz czy dwa wypatrzyłem Louisa – Brata Louisa – Edwarda nigdy nie widziałem. Mimo to twardo wierzyłem, że on gdzieś tam jest, poza zasięgiem kamery, stoi oparty o ścianę i lustruje tłum. W moich fantazjach wyrósł nawet na przywódcę, nieuchwytnego i niedostępnego, który raczy swoich zwolenników skąpymi uśmiechami niczym błogosławieństwem udzielanym wtedy, gdy zrobią coś, co go zadowoli. Śniłem o nim po nocach – że przemawia w domu pełnym cieni, ogromnie podobnym do Hale Kealoha, i budziłem się przepełniony podziwem dla niego, dla jego elokwencji i elegancji. W końcu docierało do mnie, że słowa, które tak mnie porwały, nie były słowami Edwarda, ale Bethesdy – recytowałem je tak często, że stały się hymnem mojej podświadomości, całkiem jak hymn państwowy albo piosenka, którą Jane śpiewała mi w dzieciństwie, a teraz ja śpiewałem tobie: *Żółty ptaszek na gałęzi bananowca siadł / Żółty ptaszku, czemu siedzisz całkiem sam jak ja…*

Więc kiedy w końcu go spotkałem, zdziwiłem się, że nastąpiło to tak późno. Była środa, co pamiętam, ponieważ w każdą środę, odprowadziwszy cię do szkoły, szedłem na długi spacer, aż do Waikīkī, gdzie siadałem pod pewnym drzewem w parku Kapiʻolani – tym samym drzewem, pod którym siadaliśmy razem, gdy byłeś malutki – i jadłem krakersy. Krakersów w paczce było zawsze osiem, ale ja zjadałem jedynie siedem; ostatniego kruszyłem drobniutko i karmiłem nim majny*, a później ruszałem w dalszą drogę.

– Wika – usłyszałem czyjś głos, więc podniosłem wzrok. To był Edward: szedł w moją stronę. – No, no – powiedział z uśmiechem – dawnośmy się nie widzieli, bracie.

---

* Ptaki z rodziny szpakowatych.

Ten uśmiech był czymś nowym. Tak jak to „bracie". Włosy miał jeszcze dłuższe, częściowo rozjaśnione od słońca i skręcone w koczek, chociaż luźne pasma fruwały mu wokół głowy. Miał mocniejszą opaleniznę, przez co jego oczy nabrały świetlistości, ale okolone były zmarszczkami; stracił także na wadze. Nosił spłowiałą do jasnego błękitu hawajską koszulę i obcięte dżinsy – wyglądał zarazem młodziej i starzej, niż go pamiętałem.

Tym, co się nie zmieniło, był brak zdziwienia naszym spotkaniem. „Głodny jesteś? – zapytał, a gdy odpowiedziałem twierdząco, zaproponował spacer do Chinatown na makaron. – Nie mam już auta – powiedział, a na mój odgłos troski czy współczucia wzruszył ramionami: – Nie szkodzi. Odzyskam je. Po prostu chwilowo jestem bez samochodu". Jego lewy siekacz miał kolor herbaty.

Największą nowością była dla mnie jego elokwencja. (Przez pierwsze pół roku poprzedniej odsłony naszej znajomości stale porównywałem to, co było w nim nowe, do tego, co znajome. Zawsze dochodziłem do tego samego deprymującego wniosku: nie wiedziałem, kim on jest. Znałem ileś tam faktów, zrobiłem ileś tam obserwacji, ale resztę zmyślałem, tworząc postać odpowiadającą moim potrzebom). Przy lunchu u Chińczyka, a później przez następne miesiące gadał i gadał coraz więcej, aż dochodziło do tego, że godzinami prowadził samochód (który zniknął w tajemniczych okolicznościach i równie tajemniczo pojawił się na nowo) i mówił, mówił, mówił bez przerwy, tak że chwilami przestawałem słuchać. Kładłem głowę na oparciu siedzenia i pozwalałem, żeby jego słowa spływały po mnie jak nudne wiadomości z radia.

O czym mówił? Cóż, ważniejsze było to, j a k mówił: przyswoił sobie pidżynową fleksję, ale ponieważ pidżyn nie był dialektem jego dzieciństwa – otrzymał przecież stypendium; nie dostałby się do naszej szkoły, gdyby matka nie pilnowała, żeby mówił standardową angielszczyzną – brzmiał więc w jego ustach sztucznie i dziwnie oficjalnie. Nawet ja potrafiłem docenić bogactwo i rozmach naturalnego pidżynu krajowców. To nie był język służący wymianie myśli, ale wymianie żartów, obelg i plotek. Edward jednak zrobił z niego, lub próbował zrobić, język wykładowy.

Nie musiał mnie pytać, czy wiem, jak się sprawy mają – wiedział, że nie mam pojęcia. Nie rozumiałem, dlaczego los nasz, Hawajczyków, łączy się z losem czarnych na kontynencie („Na Hawajach nie ma czarnych" – przypominałem mu, powtarzając opinię matki wygłoszoną podczas oglądania w telewizji reportażu z demonstracji czarnych na kontynencie. „Nie ma Murzynów na Hawajach" – oznajmiła matka, co w podtekście miało niewypowiedziane „dzięki Bogu", zawieszone w powietrzu między nami). Nie rozumiałem jego słów o używaniu nas jako pionków ani o tym, że Azjaci nas wykorzystują. Znałem i widywałem wielu Azjatów, którzy byli zdecydowanie biedni, a z pewnością dalecy od bogactwa, a jednak dla Edwarda ponosili oni taką samą winę jak misjonarze haole za znikanie naszej ziemi. „Na naszych oczach wykupują domy, otwierają biznesy – wywodził Edward. – Jeśli nawet są biedni, to na zawsze biedni nie pozostaną". Nie mieściło mi się w głowie, jak można odseparować od nas Azjatów i haole – każdy znany mi Hawajczyk był po części Azjatą albo po części haole, czasem jedno i drugie, a w niektórych przypadkach, na przykład Edwarda (chociaż mu tego nie wytknąłem), głównie haole.

Jedną z najtrudniejszych dla mnie rzeczy do zrozumienia okazał się pogląd, że ja i moja matka należymy do jakiejkolwiek zbiorowości. Owszem, widywałem grubych, brązowych mężczyzn o zwalistych, powolnych cielskach, którzy piją i drzemią w parku. Może i byli Hawajczykami, ale nie czułem z nimi żadnego powinowactwa. „To również są królowie, bracie" – strofował mnie Edward, a ja nic na to nie odpowiadałem. Przypominały mi się słowa zasłyszane w młodości od matki: „Tylko nieliczni są królami, Wika". Może w sumie byłem podobny do matki, chociaż bez złych uczuć: ona uznawała owych ludzi za obcych, ponieważ czuła wobec nich wyższość, podczas gdy ja uznawałem ich za obcych, bo się ich bałem. Nie zaprzeczyłbym, że należymy do tej samej rasy, ale byliśmy różnymi rodzajami ludzi, i właśnie to nas dzieliło.

Od początku zakładałem, że Edward należy do Keiki kū Ali'i. W moich snach, jak już wspomniałem, był nawet ich przywódcą. Ale okazało się, że to nieprawda. Owszem, powiedział mi, n a l e ż a ł do nich, ale dość szybko się wycofał. „Banda ignorantów – fuknął. – Nie potrafili się zorganizować". Próbował nauczyć ich zasad organizacji, które poznał na kontynencie; namawiał do większego rozmachu w działaniu, większego radykalizmu. Ale im, sarkał, zależało wyłącznie na drobiazgach: większym przydziale ziemi dla biednych Hawajczyków albo na zwiększeniu liczby programów socjalnych. „Na tym polega problem tego miejsca, jest zbyt prowincjonalne" – powtarzał często. Bo chociaż oburzyłby się, gdyby mu to wytknięto, Edward również potrafił być snobem – on też uważał się za lepszego.

Ja także bezwiednie odegrałem pewną rolę, która sprawiła, że rozczarował się tą grupą ludzi – tak mi powiedział. To Edward forsował sprawę przywrócenia monarchii, to on wprowadził język secesji i przewrotu. „Powiedziałem im, że ja już znam króla" – wyznał i chociaż było to raczej stwierdzenie faktu niż komplement – m i a ł e m przecież być królem; byłbym królem – to i tak zabrzmiało jak pochwała, więc poczułem, że się rumienię. Ale hasła secesji i przewrotu okazały się dla większości grupy zbyt śmiałe – ludzie obawiali się, że straciliby przez nie szansę na uzyskanie innych ustępstw ze strony rządu. Ostatecznie pokłócili się i Edward przegrał. „Szkoda – powiedział, pozwalając palcom trzepotać za oknem samochodu. – Mają tak ciasne horyzonty". Jechaliśmy do Waimānalo na wschodnim wybrzeżu, szosa schodziła zakosami, a ja wpatrywałem się w ocean, pomarszczony arkusz błękitu.

Planowaliśmy zatrzymać się w ulubionej knajpce Edwarda. Serwowano w niej typowy hawajski lunch, znajdowała się przed Sherwood Forest, ale minęliśmy ją i pojechaliśmy dalej. W pewnym momencie dopadł mnie atak: poczułem, że głowa opada mi na oparcie, słyszałem głos Edwarda, ale nie rozróżniałem słów, słońce tętniło za powiekami. Gdy się ocknąłem, parkowaliśmy pod wielką akacją. W aucie śmierdziało smażonym mięsem. Spojrzałem na Edwarda, który gapił się na mnie, zajadając hamburgera. „Pobudka, lolo – powiedział dobrotliwie. – Kupiłem ci burgera". Pokręciłem jednak głową, co dodatkowo mnie oszołomiło – po ataku zawsze miałem mdłości i nie mogłem jeść. Wzruszył ramionami. „Jak sobie chcesz" – rzekł i zaczął pożerać drugiego burgera, a ja tymczasem poczułem się trochę lepiej.

Chciał mi coś pokazać, tak powiedział, więc wysiedliśmy z auta i ruszyliśmy przed siebie. Znajdowaliśmy się na najdalszej północy wyspy – poznałem to po okolicznej pustce. Staliśmy na rozległej, spalonej słońcem równinie porosłej niekoszoną trawą, a dookoła nas nie było nic: żadnych domów, żadnych budowli, żadnych samochodów. Za plecami mieliśmy góry, a przed sobą – ocean.

– Chodźmy nad wodę – powiedział Edward i ruszył, a ja za nim. Szliśmy wyboistą, mulistą ścieżką; jak okiem sięgnąć, nigdzie nie było bitej drogi. Z każdym krokiem trawy się przerzedzały, aż w końcu ustąpiły miejsca piaskowi i znaleźliśmy się na plaży, naprzeciw fal, które biły o brzeg i raz po raz cofały się nieustannie.

Nie umiem powiedzieć, co wywołało we mnie poczucie tak ogromnej obcości. Może sprawił to brak ludzi, chociaż w tamtych czasach na wyspie wciąż istniały całkowicie opustoszałe miejsca. Jednak ta okolica wydała mi się jakoś szczególnie odizolowana i opuszczona. Chociaż nie potrafiłem – i nadal nie potrafię – powiedzieć dlaczego. Znajdował się tam przecież piasek, trawa i góry, a więc te same trzy elementy krajobrazu, których było pełno wszędzie na wyspie. Drzewa – palmy, samany, pandany i akacje – były takie same jak u nas w dolinie; takie same były też helikonie. Tam jednak było inaczej, i to w sposób trudny do wytłumaczenia. Później wmawiałem sobie, że od chwili, gdy ujrzałem to miejsce, wiedziałem, że kiedyś do niego powrócę, ale to była fikcja. Znacznie prawdopodobniejsze jest coś przeciwnego: otóż z uwagi na to, co się tam zdarzyło, zacząłem pamiętać je inaczej, jako miejsce obdarzone wyjątkowym znaczeniem, chociaż wówczas wcale nie wydało mi się szczególne – po prostu kawałek niezajętej ziemi.

– Co o tym sądzisz? – zagadnął wreszcie Edward, a ja spojrzałem w niebo i odpowiedziałem:

– Ładnie tu.

Edward powoli skinął głową, jakbym powiedział coś głębokiego i mądrego.

– To twoje – rzekł.

Mawiał tak nieraz, wskazując przez okno samochodu plaże, po których ganiały dzieciaki z latawcami, albo na parkingach, albo gdy włóczyliśmy się po Chinatown: „Ta ziemia jest twoja" – powiadał. Czasami tak mówił, mając na myśli moich przodków, a czasami mając na myśli także siebie, w znaczeniu: to nasz kraj, bo jesteśmy Hawajczykami.

Ale gdy się do niego odwróciłem, patrzył mi prosto w oczy.

– To twoje – powtórzył. – Twoje i Kawiki. Proszę. – Zanim zdążyłem cokolwiek powiedzieć, wyciągnął z kieszeni jakiś papier i szybko go rozłożył. – Poszedłem do biura rejestru nieruchomości w gmachu stanowym – mówił z przejęciem – i sprawdziłem wpisy dotyczące twojej rodziny. Jesteś właścicielem tej ziemi, Wika. Należała do twojego ojca, a teraz należy do ciebie.

Spojrzałem na dokument. „Działka 45090, Hau'ula, 30,3 akra" – odczytałem, ale nie zdołałem przeczytać nic więcej i oddałem mu papier.

Ogarnęło mnie nagle straszne zmęczenie. Chciało mi się pić. Słońce prażyło zbyt mocno.

– Muszę się znowu położyć – powiedziałem do niego i poczułem, że ziemia pod moimi nogami wybrzusza się, a potem zapada i moja głowa, jak w zwolnionym filmie, opadła w dłonie Edwarda.

– Ty wielkie lolo – usłyszałem jego ostatnie słowa, ale jakby z bardzo daleka; głos był życzliwy. – Ty kukło – dodał. – Ty kukło, ty kukło, ty kukło – powtarzał te słowa jak pieszczotę, a słońce zatrzymało się nade mną, obracając wszystko wokół w jaskrawą, bezlitosną biel.

Kawika: potrafię już obejść cały pokój dookoła bez zmęczenia. Trzymam się prawej ściany i używam ręki jako przewodnika. Ściany są ze stiuku, chłodne i bulwiaste, tak że czasami mówię sobie, że dotykam czegoś żywego, na przykład skóry gada. Jutro w nocy spróbuję dotrzeć na korytarz. Wczorajszej nocy po raz pierwszy nacisnąłem klamkę, zakładając, że drzwi są zamknięte na klucz, ale ugięła się łatwo pod naciskiem mojej ręki, tak łatwo, że byłem niemal rozczarowany. Zaraz jednak przypomniałem sobie, że mam przed sobą nową próbę i że z każdą kolejną nocą udaje mi się zajść kawałek dalej, czyli zbliżam się do ciebie.

Odwiedziła mnie dzisiaj twoja babka. Opowiadała o cenie wieprzowiny, o swoich nowych sąsiadach, których wyraźnie nie akceptuje: on jest Japończykiem wychowanym w Kaka‘ako, a ona to haole z Vermontu. Oboje są naukowcami i wzbogacili się na produkcji jakiegoś leku antywirusowego. Opowiadała także o zarazie, która dotknęła drzewo ‘ōhai ali‘i. Miałem nadzieję, że przyniosła jakieś wiadomości od ciebie, ale tak się nie stało. Dawno już o tobie nie wspominała, więc czasami martwię się, że coś ci się stało. Ale to jedynie za dnia – w nocy jakoś wiem, że jesteś bezpieczny. Możesz być z dala ode mnie, nawet za daleko, ale ja wiem na pewno, że żyjesz, żyjesz i jesteś zdrowy. Ostatnio śnisz mi się z kobietą: ulicą Pięćdziesiątą Siódmą, którą i ja kiedyś chodziłem, idziecie razem pod rękę. Ty się do niej odwracasz, ona się uśmiecha. Nie widzę jej twarzy, zaledwie to, że ma ciemne włosy, jak twoja matka, ale wiem, że jest piękna, a ty jesteś szczęśliwy. Może tak właśnie dzieje się teraz? Lubię tak myśleć.

Ale ty nie chcesz słuchać o takich rzeczach. Chcesz wiedzieć, co było dalej.

Nazajutrz po wycieczce do Hau‘ula udałem się z wizytą do stryja Williama, który zdziwił się na mój widok – minęło ponad pięć lat, odkąd ostatnio zajrzałem do biura – i poprosiłem go o szczegółowe objaśnienie zasobów nieruchomościowych naszej rodziny. To absurd, a nawet wstyd, że nie prosiłem go o to wcześniej, ale nie miałem powodu się tym interesować. Ilekroć potrzebowałem pieniędzy, pieniądze były; nie musiałem się zastanawiać nad ich pochodzeniem.

Biedny stryj William nie posiadał się z radości, że okazuję zainteresowanie majątkiem, i zaraz zaczął wyszczególniać nasze ziemie, podając ich lokalizacje. Było tego znacznie więcej, niż się spodziewałem, chociaż wszystko w dość skromnych rozmiarach: siedem akrów na obrzeżach Dallas, dwa parkingi podziemne w Karolinie Północnej, dziesięć akrów ziemi uprawnej pod Ojai.

– Twój dziadek przez całe życie nabywał tanie działki na kontynencie – oznajmił stryj William z taką dumą, jakby sam je kupował.

Musiałem mu przerwać.

– A na Hawajach? – zapytałem, lecz widząc, że wyciąga mapę Maui, powstrzymałem go ponownie: – Chodzi konkretnie o O'ahu.

Raz jeszcze przeżyłem zdziwienie. Okazało się, że oprócz naszego domu w Manoa byliśmy właścicielami dwóch podupadłych kamienic w Waikīkī, ciągu trzech sklepów w Chinatown, małego domu w Kailua, a nawet kościółka w Lā'ie. Czekałem dalej, a stryj William przesuwał palcem po mapie w kierunku odwrotnym do ruchu wskazówek zegara, zaczynając od strony południowego Honolulu. Z powodu tej pieszczoty w głosie i tej dumy z nie swoich ziem było mi go żal jak jeszcze nigdy w życiu.

To prawda, litowałem się nad Williamem, ale zarazem czułem wstręt do siebie. Co ja zrobiłem, żeby na to wszystko zasłużyć? Nic. Pieniądze, moje pieniądze, naprawdę rosły na drzewach: na drzewach, na polach, pomiędzy betonowymi płytami. Ktoś zbierał je, oczyszczał, liczył i przechowywał, żebym, kiedy zapragnę, a nawet zanim zapragnę, mógł mieć całe krocie pieniędzy, więcej nawet, niż zdołałbym sobie życzyć.

Siedziałem w milczeniu, słuchając stryja Williama. W końcu rzekł:

– Jest także posiadłość w Hau'ula. – Na te słowa wyprostowałem się i pochyliłem nad mapą wyspy, po której stryj z czułością wodził palcem. – Nieco ponad trzydzieści akrów, ale to nieużytki – mówił. – Za suche i za małe na poważną działalność rolniczą. Za daleko położone, żeby tam osiąść. Plaża też do niczego, nierówna i usiana koralem. Droga nieutwardzona i rząd nie planuje przedłużenia nawierzchni asfaltowej w tak odległe rejony. Żadnych sąsiadów, żadnych restauracji, żadnych sklepów, żadnych szkół.

Długo jeszcze wyliczał wady tej posesji, aż w końcu zapytałem:

– To po co w ogóle ją mamy?

– Ach. – Uśmiechnął się. – To był kaprys twojego dziadka, a twój ojciec okazał się zbyt sentymentalny, żeby ją sprzedać. Tak, tak – rzekł, biorąc moją minę za wyraz zdziwienia – ten twój ojciec potrafił być sentymentalny. – Jeszcze raz się uśmiechnął i pokręcił głową. – Lipo-wao-nahele – dodał po chwili.

– Co takiego? – spytałem.

– Tak twój dziadek nazwał tę ziemię. Dosłownie: Ciemny Las, on jednak tłumaczył to jako Rajski Las. – Spojrzał na mnie. – Myślisz pewnie, że nazwa powinna brzmieć Nahelekūlani, prawda? – zapytał, a ja wzruszyłem ramionami. Stryj William znał hawajski znacznie lepiej niż ja; dziadek wysłał go na płatną naukę tego języka, gdy William studiował w college'u i zaczynał praktyki w rodzinnej firmie. – W sensie dosłownym miałbyś rację, ale Kawika, twój dziadek twierdził, że to niedbała hawajszczyzna, która się przyjęła, a w rzeczywistości nazwa brzmi Kawikakūlani.

Kawikakūlani: David Niebiański. Zaczął śpiewać:

He ho 'oheno kē 'ike aku'
Ke kai moana nui lā
Nui ke aloha e hi 'ipoi nei
Me ke 'ala o ka līpoa

– Oczywiście znasz tę piosenkę. – (Znałem, była popularna). – *Ka Uluwehi O Ke Kai*: „Hojność morza". *Lipoa*, brzmienie jest identyczne, prawda? Ale tu pada słowo *līpoa*, a ono odnosi się do wodorostów. Jednak twój dziadek używał *lipoa*, jak w zwrocie *ua lipoa wale i ka u aka nahele*, „las ciemny od deszczu"; to piękne, nie sądzisz? I stąd *Lipo wao nahele*: Ciemny Las. Ale twój dziadek zachował *mana* tej nazwy: „Niebiański Las".

Oparł plecy i zobaczyłem jego łagodny uśmiech, przepełniony radością zrozumienia języka, którym ja ani nie mówiłem, ani właściwie go nie rozumiałem. Nagle poczułem, że go nienawidzę – posiadał coś, co mnie było niedostępne, i nie były to pieniądze, ale te słowa, które obracał w ustach niczym gładkie, lśniące kamyki, białe i czyste jak księżyc.

– Czy tam jest las? – spytałem wreszcie, choć sam już miałem oświadczyć: „Tam nie ma lasu".

– Już nie – odparł. – Ale dawniej był, tak przynajmniej mówił twój dziadek. Planował, że kiedyś posadzi go z powrotem i będzie to jego raj. Twój ojciec nie podzielał miłości swojego ojca do tej ziemi. Uważał, że jest nic niewarta. Ale mimo wszystko jej nie sprzedał. Mówił, że nie sprzedaje, bo i tak nikt by jej nie kupił ze względu na tak odludne położenie i marną jakość. Ja jednak podejrzewałem, że to jeszcze jedna oznaka jego sentymentalizmu. Wiesz, że twój ojciec i dziadek nie mieli szczególnie bliskich relacji, tak przynajmniej obydwaj utrzymywali, chociaż moim zdaniem to nieprawda. Zanadto byli do siebie podobni, tyle że obaj przywykli do tak oficjalnej nazwy więzi pomiędzy nimi, uznając ją chyba za łatwiejszą i dostojniejszą niż skracanie dystansu. Ale ja nie dałem się nabrać. Pewnego razu, pamiętam…

I tu posypały się opowieści, które już znałem: o tym, że ojciec rozbił samochód dziadka i nawet nie przeprosił; o tym, że ojciec słabo się uczył w liceum i zdał maturę jedynie dzięki dodatkowej donacji dla szkoły wpłaconej przez dziadka; o tym, że dziadek chciał zrobić z ojca naukowca, chociaż ojciec marzył o karierze sportowej. Typowe problemy w relacji syn–ojciec, ale mnie wydawały się one tak odległe i nieciekawe, jakbym czytał o nich w książce.

W tle tego wszystkiego dźwięczały słowa *Lipo wao nahele*, które należałoby skandować i nosić pod językiem. Więc chociaż patrzyłem na gadającego stryja Williama, uśmiechałem się i kiwałem głową, to jednak myślałem o tamtej ziemi, która, jak się okazało, była moja, na której leżałem pod akacją i patrzyłem, jak parę metrów dalej Edward zrzuca szorty i koszulę i biegnie do mieniącej się wody, wznosząc bojowe okrzyki, a później nurkuje pod falę tak wielką, że przez kilka sekund wyglądał jak ofiara alchemika, który kości ludzkie zamienia w morską pianę.

Nareszcie miałem jakąś informację dla Edwarda. Wprawdzie to on odkrył należącą do mnie ziemię, ale ja mogłem mu powiedzieć, co ta ziemia znaczyła dla mojego dziadka, ostatniego członka naszej rodziny, którego tytułowano Księciem Kawiką. Dziś wstyd mi, że tak się podniecałem tym, że w końcu mam coś do ofiarowania Edwardowi, i to coś, co zostanie przyjęte z entuzjazmem – był to typowy egocentryzm ofiarodawcy.

Stało się to naszym hasłem. Nie do końca żartem. Ale i nie czymś, co we własnym mniemaniu brałem poważnie. Miałem słabą wyobraźnię, a on jeszcze słabszą, ale zaczęliśmy rozmawiać o tym miejscu jako czymś realnym, tak jakby z każdym przywołaniem jego nazwy wyrastało tam nowe drzewo, jakbyśmy słowami powoływali las do istnienia. Nieraz zabieraliśmy ciebie na nasze weekendowe wycieczki i popołudniami, gdy już napływałeś się z Edwardem, przychodziłeś poleżeć koło mnie, a ja opowiadałem ci bajki zapamiętane z dzieciństwa, zastępując w nich każdy czarodziejski las, każdą zaklętą polanę, przez Lipo-wao-nahele. Domek Baby Jagi z *Jasia i Małgosi*, który tak mnie deprymował w dzieciństwie (co to są pierniki? co to są galaretki? co to są okapy?), stał się w mojej wersji chatą z palmowych liści w Lipo-wao-nahele, której dach pokrywały sierpowate plastry suszonego mango, wejście zasłaniała kurtyna ze sznurków z nanizanymi połówkami suszonych owoców, a w kuchni czarownicy unosił się słono-słodki zapach. Opowiadałem ci o tym miejscu, a właściwie pozwalałem ci wierzyć, że spełniają się tam wszystkie twoje marzenia. „A czy są tam króliczki?" – pytałeś (miałeś w tamtych latach króliczkową manię). „Tak" – odpowiadałem. „A czy są tam lody?" „Tak". „A czy w Lipo-wao-nahele jest kolejka elektryczna?" „A czy jest tam małpi gaj, cały dla mnie?" „A czy jest tam huśtawka z opony?" Tak, tak, tak. Czegokolwiek zapragnąłeś, wszystko to znajdowało się w Lipo-wao-nahele – miejscu magicznym również dzięki temu, czego tam nie było: pory chodzenia spać, pory kąpieli, odrabiania lekcji, cebuli. W Lipo-wao-nahele nie było miejsca na nic, czego ty nie lubiłeś. Było to niebo również przez swoje wykluczenia.

Co ja wyprawiałem? Miałeś wtedy pięć, sześć, siedem, osiem lat – byłeś jeszcze dość mały, aby wierzyć, że ponieważ opowiadam ci cuda, to sam jestem cudowny. Wydawało mi się to wówczas nie tylko nieszkodliwe, ale wręcz pomocne. Po raz pierwszy w życiu czułem, że jednak mógłbym zostać królem. Oto była ziemia, którą mój dziadek uznał za raj, więc czemu nie miałbym przyznać mu racji? Kim byłem, by podważać słuszność mojego dziadka?

Ciekawi cię może, co o tym wszystkim myślała twoja babka. Kiedy odkryła, że znów zadaję się z Edwardem – a musiała to odkryć, to było nieuniknione – nie rozmawiała ze mną przez tydzień. Magia Lipo-wao-nahele okazała się jednak tak intensywna, że nawet mnie to nie wzruszyło. Miałem już inny, większy sekret, a tym sekretem było miejsce, gdzie poczuję się niezwyciężony, gdzie po raz pierwszy w życiu będę u siebie, gdzie nie będę się wstydził ani przepraszał za to, kim jestem. Jako dziecko nigdy się nie buntowałem, a mimo to sprawiałem babce rozczarowanie, ponieważ nie umiałem być synem, jakiego pragnęła – a przecież nie robiłem tego specjalnie. Szczerze mówiąc, ekscytowało mnie sprzeciwianie się jej, bycie sprawcą jej zgorszenia, zapraszanie Edwarda po dawnemu do naszego domu, mojego domu, i goszczenie go przy stole z moją matką w roli zakładniczki.

Zaczęliśmy z Edwardem jeździć tam co weekend. Za pierwszym razem byłem sceptyczny, ponieważ pamiętałem pogardliwe uwagi stryja Williama („to nieużytki"), jednak entuzjazm Edwarda szybko mi się udzielił. „Tu będą moje biura – zapowiadał, wydeptując kwadrat wokół akacji. – To drzewo zachowamy i zbudujemy dziedziniec wokół niego. A tam postawimy szkołę, w której będziemy uczyć dzieci tylko po hawajsku. W tamtym miejscu, pod samanem, stanie twój pałac. Widzisz? Zbudujemy go frontem do wody, żebyś budząc się, widział słońce wschodzące nad oceanem". Tydzień później zostaliśmy tam na noc: biwakowaliśmy na plaży i po zachodzie słońca Edward zebrał tuzin malutkich kałamarnic świetlikowych, ponabijał je na gałęzie ʻōhiʻa i upiekł dla nas na kolację. Nazajutrz rano zbudziłem się wcześnie, przed Edwardem, i spojrzałem w stronę gór. O świcie ta ziemia, która zazwyczaj wyglądała jak spierzchnięta, wydawała się żyzna, miękka i uległa.

Teraz jednak widzę, że dla każdego z nas Lipo-wao-nahele oznaczało coś innego – coś innego, a zarazem to samo. Traktowaliśmy ją obaj jak fantazję o użyteczności, naszej własnej użyteczności. Edward odziedziczył po matce małą sumkę, wystarczającą na wynajęcie jednoizbowej chaty na terenie posiadłości w Lower Valley oddalonej ode mnie o pięć minut spacerem, a należącej do rodziny Koreańczyków. Znalazł dorywczą pracę malarza pokojowego w ekipie budowlanej. Ja nie miałem nawet tego – gdy rano odprowadziłem cię do szkoły, pozostawało mi wyłącznie siedzenie w domu i czekanie na twój powrót. Czasami pomagałem matce w prostych zajęciach, na przykład we wkładaniu do kopert zaproszeń na doroczny festyn dobroczynny organizowany przez Córy, ale przeważnie po prostu czekałem. Czytałem czasopisma albo książki, odbywałem dalekie spacery, spałem. Życzyłem sobie, żeby dopadł mnie atak, bo byłby on dowodem na to, że mój brak aktywności nie wynika z lenistwa czy apatii, lecz z konieczności. „Nie przemęczasz się? – pytał podczas wizyt mój doktor, który leczył mnie od dzieciństwa, a ja zawsze odpowiadałem, że nie. – To dobrze – mówił z powagą. – Nie powinieneś się przemęczać, Wika", a ja obiecywałem, że nie będę.

Byliśmy pod każdym względem zbyteczni. Ja – tobie i mojej matce; my obydwaj – Hawajom. Jak na ironię – potrzebowaliśmy idei Hawajów bardziej niż ona nas. Nikt nie czekał, aż przejmiemy pałeczkę, nikt nie chciał naszej pomocy. Odstawialiśmy teatr, a ponieważ nasze udawanie nikomu nie szkodziło – do czasu, oczywiście, do czasu – mogliśmy używać sobie do woli. O czym myśmy siebie nie przekonywali! Że ja będę królem, a on moim pierwszym doradcą, że w Lipo-wao-nahele stworzymy raj, o którym rzekomo marzył mój dziadek, choć on z pewnością nie marzył dla siebie o takim rzeczniku jak ja. Tymczasem w rzeczywistości nie robiliśmy nic – nie spróbowaliśmy nawet zasadzić upragnionego lasu dziadka.

Różniło nas jednak to, że Edward wierzył. Wiara była jego mocną stroną – właściwie wszystkim, co miał. Dla Edwarda Lipo-wao-nahele było, tak samo jak dla mnie, sposobem ucieczki i zabijania czasu, ale było jeszcze czymś więcej. Patrząc wstecz, mogę zrozumieć, dlaczego Edward musiał być Hawajczykiem, a przynajmniej musiał realizować stworzoną przez siebie samego ideę hawajskości. Potrzebował poczucia, że jest częścią jakiejś wielkiej, wzniosłej tradycji. Jego matka umarła, ojca nigdy nie poznał, przyjaciół miał niewielu, rodziny nie miał wcale. Być Hawajczykiem stanowiło dla Edwarda zasadę nie tyle polityczną, ile osobistą. Niestety, i w tej kwestii okazał się nieprzekonujący dla innych ludzi – wykopali go z Keiki kū Ali'i, był niemile widziany (tak przynajmniej twierdził) na kursie języka hawajskiego, wyrzucili z hālau, bo przez prace malarskie opuszczał zbyt wiele lekcji. Hālau należało mu się choćby po matce, a jednak i tam go nie chcieli.

Za to z Lipo-wao-nahele nikt go nie wyrzucał, nikt nie pouczał go, że jego sposób bycia Hawajczykiem jest niewłaściwy. Tam byłem tylko ja i czasem ty, a obaj wierzyliśmy we wszystko, co nam mówił. Ja byłem królem, ale on był wodzem i wraz z upływem lat te trzydzieści akrów z metafory stało się czymś więcej w jego umyśle. W końcu stały się one jego królestwem, a my jego poddanymi, i już nikt nigdy nie mógł mu zaprzeczyć.

Pierwszym naszym posunięciem była zmiana imion.

Doszło do niej w roku 1978, na rok przed naszym wyjazdem. On zmienił swoje już rok wcześniej. Najpierw nazwał się Ekewaka, co było zhawaizowaną wersją Edwarda, ale brzmiało obco i pokracznie. Ulżyło mi, gdy powiedział, że zmienia raz jeszcze – na Paiea – swoje drugie imię. „Prawdziwe hawajskie imię" – oświadczył z dumą, jakby je sam wymyślił, a nie zaledwie przypomniał sobie, że zawsze je nosił. Paiea, czyli krab, a zarazem imię Kamehamehy Wielkiego. A teraz także imię Edwarda.

Powinienem był przewidzieć, że również nam zechce pozmieniać imiona. Niemniej – tak samo jak w wielu innych sytuacjach – nie przyszło mi do głowy, że może posunąć się aż tak daleko. „Zhawaizowane imię chrześcijańskie pozostaje imieniem chrześcijańskim, tyle że zmulatowanym" – powiedział. Nie ulegało wątpliwości, że termin „zmulatowany" poznał niedawno, bo niepewność lekko stłumiła jego głos, gdy wymawiał to słowo.

– Przecież to było imię króla – zaprotestowałem w rzadkim odruchu oporu, chociaż nie tyle w duchu sprzeciwu, ile oszołomienia. Czyżby król także nie był w odpowiednim stopniu hawajski?

– To prawda – przyznał, na moment tracąc pewność siebie. Zaraz jednak jego twarz się wypogodziła. – Ale my tutaj, w Lipo-wao-nahele, zaczynamy wszystko od nowa. Twoja krew daje ci prawo do tronu, ale rozpoczniemy od niej nową dynastię.

Od jakiegoś czasu układał listę imion, które uważał za „prawdziwie" hawajskie, imion, które poprzedzały kontakt z Zachodem.

Ubolewał nad tym, że są nieliczne i prawie poszły w zapomnienie z braku zainteresowania. Mnie, o ironio, nigdy nie przyszło do głowy, że imię – podobnie jak roślina czy stworzenie – może zaniknąć z powodu braku popularności, niezbyt widziałem także sens misji Edwarda: nie sposób przecież zmusić imię do ponownego zaistnienia. Imię to nie to co roślina albo zwierzę – rodzi się z upodobania, nie z konieczności, a zatem podlega ludzkim kaprysom. Czy stare imiona poznikały z powodu, jak twierdził Edward, zakazu misjonarzy, czy może po prostu dlatego, że nie oparły się nowości imion zachodnich? Edward powiedziałby, że oba te powody wypływają z jednego źródła: dawne imiona zostały wyrugowane przez obce wpływy. Ale czy imię, które było znaczące, nie powinno utrzymać się siłą swojego znaczenia nawet w obliczu buntu?

Nie zadałem tego pytania. I nawet zbytnio nie protestowałem, gdy nadał, najpierw mnie, potem tobie, nowe imiona. Ale ty wiesz – mam przynajmniej nadzieję, że wiesz – że nie pozwoliłem odebrać nam naszego imienia. Zauważyłeś, mam nadzieję, że imieniem nadanym przez niego nazywałem cię tylko w jego obecności, a w każdej innej sytuacji byłeś nadal moim Kawiką. I zawsze będziesz. Stawiałem jeszcze jeden drobny opór – chociaż koniec końców nauczyłem się mówić na niego Paiea, to w myślach cały czas nazywałem go Edwardem.

Dopiero teraz, opowiadając ci to wszystko, widzę, jak dalece nasze marzenia opierały się na udawaniu. Nie znaliśmy się prawie na niczym: ani na historii, ani na pracy. Nasza wiedza o Hawajach, o odpowiedzialności równała się zeru. A o tym, co wiedzieliśmy, usiłowaliśmy zapomnieć. Siostra mojego pradziadka, ta siostra, która wstąpiła na tron zaraz po jego przedwczesnej śmierci, a później została obalona, ta, wraz z którą umarło królestwo – czy nie była chrześcijanką? Czy nie obdarowała władzą i bogactwem tych samych białych ludzi, chrześcijan, misjonarzy, którzy ją później strącili z tronu? Czy nie patrzyła, jak jej lud jest uczony angielskiego i zachęcany do chodzenia do kościoła? Czy nie nosiła jedwabnych sukien i diamentowych ozdób we włosach i na szyi niczym angielska królowa, czy nie natłuszczała i nie przycinała swoich włosów? Ale to były fakty, które komplikowały nasze wyobrażenia, więc woleliśmy je ignorować. Byliśmy dorosłymi mężczyznami, dawno wyrosłymi z wieku udawania, a jednak udawaliśmy, jakby od tego zależało nasze życie. Na co myśmy liczyli? Na co ja liczyłem? Co miało wyniknąć z naszego udawania? Odpowiedź jest żałosna: nie zastanawiałem się nad tym. Udawałem, ponieważ kiedy udawałem, miałem coś do roboty.

Nie chcieliśmy, żeby coś z tego wynikło – chcieliśmy czegoś przeciwnego. Ty byłeś coraz większy, a ja coraz mniej rozumiałem świat. Wieczorami oglądałem wiadomości, doniesienia o strajkach i protestach, o marszach i okazjonalnych uroczystościach. Oglądałem koniec wojny i fajerwerki wybuchające nad Statuą Wolności, pod którą woda mieniła się jak polana olejem. Oglądałem zaprzysiężenie nowego prezydenta i zdjęcia mężczyzny z San Francisco, który zginął w zamachu. Jak miałem tłumaczyć ci świat, skoro sam nic z niego nie rozumiałem? Jak mogłem wypuścić cię w świat, gdy wszędzie wokół trwały gwałty i horrory, koszmary, z których nigdy nie zdołałbym cię obudzić?

A w Lipo-wao-nahele nic się nigdy nie zmieniało. Była to nie tyle fantazja, ile zawieszenie – jeśli tam byłem, to czas stał w miejscu. Jeśli ty nigdy nie dorośniesz, to nigdy nie nadejdzie dzień, w którym twoja wiedza przewyższy moją, w którym nauczysz się patrzeć na mnie z pogardą. Jeśli ty nigdy nie dorośniesz, to ja nigdy cię nie zawiodę. Nieraz modliłem się, żeby czas zaczął płynąć wstecz – nie, jak chciał Edward, żeby cofnął się o dwa stulecia po to, bym mógł oglądać wyspy w dawnym stanie, ale o osiem lat, kiedy byłeś jeszcze moim maleństwem i uczyłeś się chodzić, kiedy wszystko, co robiłem, było dla ciebie cudem, kiedy wystarczyło mi wymówić twoje imię, aby buzia rozpromieniła ci się w uśmiechu. „Nie opuszczaj mnie nigdy" – szeptałem wtedy do ciebie, wiedząc doskonale, że moim zadaniem jest wychować cię do opuszczenia mnie, że twoim celem jako mojego dziecka jest mnie opuścić – celem, którego ja sam nie zrealizowałem. Byłem samolubny. Chciałem, żebyś zawsze mnie kochał. Nie zrobiłem tego, co dla ciebie najlepsze – zrobiłem to, co wydawało mi się najlepsze dla mnie.

Ale i w tym, jak się okazało, także się pomyliłem.

———

Kawika, tej nocy stało się coś niezmiernie ważnego: wyszedłem na zewnątrz.

Miesiącami stać mnie było najwyżej na okrążanie pokoju, zanim dostałem zadyszki, nie mówiąc o utracie odwagi. Aż tu nagle, dziś w nocy, bez żadnego szczególnego powodu nacisnąłem klamkę w drzwiach mojego pokoju i wyszedłem na korytarz. W jednej sekundzie znajdowałem się w swoim pokoju, a w następnej byłem na zewnątrz. Nic się przez tę sekundę nie zmieniło. Oprócz tego, że podjąłem próbę. Tak to nieraz bywa: czekasz, czekasz i czekasz – bo się boisz, bo zawsze czekałeś – i nagle, pewnego dnia, czekanie się kończy. Wówczas zapominasz, jak to było czekać. Stan, w którym żyłeś niekiedy latami, znika, a jednocześnie znika pamięć o nim. Na koniec pozostaje tylko strata.

W drzwiach skręciłem w prawo i ruszyłem korytarzem przed siebie, po omacku sunąc ręką po ścianie. Z początku tak strasznie się denerwowałem, że byłem bliski torsji, a na każdy najmniejszy hałas ściskało mi się serce.

Potem jednak – nie umiem powiedzieć, jak daleko zaszedłem, mierząc dystans czy to w metrach, czy w minutach – wydarzyło się coś dziwnego. Ogarnęło mnie nagłe uniesienie, jakaś ekstaza, i znienacka, tak samo jak nacisnąłem klamkę, oderwałem rękę od ściany, wyszedłem na środek korytarza i zacząłem kroczyć przed siebie w takim tempie i z taką pewnością, jakich nigdy jeszcze nie doświadczyłem. Szedłem coraz szybciej i pewniej, jakbym z każdym krokiem stwarzał nowy kamień pod stopami, jakby budynek wokół mnie rósł, a korytarz, dopóki nie skręcę, miał ciągnąć się w nieskończoność.

W pewnym momencie skręciłem w prawo i wyciągnąłem przed siebie rękę. Znów, jakby za sprawą własnej woli, wymacałem klamkę. Z jakiegoś niewiadomego powodu zrozumiałem, że te drzwi prowadzą do ogrodu. Nacisnąłem klamkę i zanim jeszcze drzwi ustąpiły, poczułem zapach pīkake, który rozpoznałem, ponieważ mama mówiła mi, że wzdłuż ścian posadzono krzewy jaśminu.

Wyszedłem do ogrodu. Nie sądziłem, że kiedy obwożono mnie po nim na wózku inwalidzkim, zwracałem uwagę na jego wielkość i ścieżki, ale po blisko dziewięciu latach – gdy uświadomiłem sobie upływ czasu, uniesienie natychmiast mnie opuściło – musiałem podświadomie przyswoić sobie jego plan. Orientowałem się tak dobrze, że przez jeden zawrotny moment zdawało mi się, że odzyskałem wzrok i że to ten fakt zmienił moje samopoczucie. Dostrzegałem wprawdzie ten sam ciemnoszary ekran, który widziałem codziennie, ale wcale mnie to nie martwiło. Maszerowałem po ścieżkach w tę i z powrotem i ani razu nie musiałem się zatrzymywać, żeby wymacać teren. Nie czułem także potrzeby odpoczynku – chociaż gdybym ją poczuł, instynktownie wiedziałem, gdzie stoją ławki.

Na końcu ogrodu była furtka. Wiedziałem, że gdy obrócę jej gałkę, znajdę się na zewnątrz – nie na zewnątrz ośrodka, w nieruchomym, ciepłym powietrzu ogrodu, ale w wielkim świecie. Przez chwilę stałem z ręką przytkniętą do furtki, myśląc o tym, co miałem zrobić, jak miałem wyjść.

Nagle jednak uświadomiłem sobie: dokąd pójdę? Nie mogłem wrócić do domu matki. Tak samo nie mogłem powrócić do Lipo-wao-nahele. To pierwsze było niemożliwe, bo wiedziałem, co tam zastanę. A Lipo-wao-nahele zniknęło. Nie w sensie fizycznym, ale jako idea – zniknęło razem z Edwardem.

Ale, Kawika, byłbyś ze mnie dumny. Kiedyś zdarzenie tego rodzaju by mnie przygnębiło. Wpadłbym w panikę, położyłbym się na ziemi i zawył o pomoc, nakryłbym głowę rękami, błagając głośno góry, by mnie przywaliły, błagając wszystko, żeby przestało się p o r u s z a ć tak bardzo i tak szybko. Widziałeś mnie w tym stanie wielokrotnie. Za pierwszym razem zdarzyło się to zimą po naszym wyjeździe do Lipo-wao-nahele. Wtedy przeraziło mnie to, co zrobiłem – wyrwałem cię z domu, rozwścieczyłem matkę, a w sumie nic się nie zmieniło: nadal byłem chodzącym rozczarowaniem i lękiem. Zamiast wyrosnąć z tych cech, wrosłem w nie na dobre, tak że nie tylko blokowały mi drogę do zostania kimś innym, ale same stały się mną. Był to akurat weekend twoich odwiedzin. Przeraziłeś się, złapałeś mnie za rękę, jak zawsze, kiedy miałem atak, lecz zorientowawszy się, że to nie jest atak, ale jakiś inny stan, puściłeś moją dłoń i pobiegłeś przez równinę, wołając Edwarda, który wrócił wraz z tobą i potrząsnął mną z całych sił, wrzeszcząc, żebym przestał się zachowywać jak kukła, jak dzieciuch. „Nie mów kukła na mojego tatę" – powiedziałeś, bo już wtedy byłeś bardzo odważny, a Edward wysyczał ci w odpowiedzi: „Będę go nazywał kukłą, kiedy zachowuje się jak kukła", na co splunąłeś w jego stronę, a on podniósł rękę. Z mojej pozycji na ziemi wyglądało to tak, jakby chciał zasłonić słońce. A ty tak dzielnie stałeś dalej, z rękami skrzyżowanymi na piersiach, chociaż miałeś dopiero jedenaście lat i musiałeś być wystraszony. „Tym razem ci daruję – powiedział Edward – ponieważ szanuję mojego księcia". Gdybym mógł się zaśmiać, zrobiłbym to, bo był nieznośnie pompatyczny i pretensjonalny. Ale o tym pomyślałem z dużym opóźnieniem, bo w tamtym momencie bałem się tak samo jak ty, z tą różnicą, że powinienem był cię bronić, a nie leżeć na ziemi i obserwować sytuację.

W każdym razie – nie padłem na ziemię w ogrodzie. Nie rozpłakałem się i nie zawyłem. Usiadłem, oparłem się plecami o drzewo (poczułem, że to cienki, młody figowiec) i pomyślałem o tobie. Pojąłem wówczas, że moim zadaniem jest ćwiczyć dalej. Dziś w nocy udało mi się obejść ogród. Jutro, a może za tydzień, spróbuję wyjść poza granice tej posesji. Co noc będę wychodził trochę dalej. Co noc będę nabierał sił. Aż nadejdzie taki dzień, i to niedługo, kiedy znów cię zobaczę i opowiem ci to wszystko osobiście.

Pamiętasz dzień naszego wyjazdu. Poprzedniego dnia ukończyłeś czwartą klasę. Miałeś dziesięć lat. W lipcu miałeś skończyć jedenaście.

Spakowałem twoje rzeczy do torby i schowałem ją do bagażnika samochodu Edwarda. Przez dwa wcześniejsze miesiące stale czegoś ubywało z twojego pokoju – bielizna, koszulki i szorty, twoja ulubiona talia kart, jedna z twoich deskorolek, twój ulubiony pluszak – rekin, z którym, chociaż wstydziłeś się przyznać, jeszcze od czasu do czasu sypiałeś (trzymałeś go pod łóżkiem). Nie spostrzegłeś braku ubrań, ale zauważyłeś zniknięcie deskorolki: „Tato, widziałeś moją deskorolkę? Nie tę, tamtą fioletową. Nie, sprawdziłem, tam jej nie ma. Pójdę jeszcze raz spytać Jane".

Spakowałem także żywność, puszki mielonki, kukurydzy i czerwonej fasoli. Rondel i czajnik. Zapałki i płyn do rozpałki. Paczki krakersów i makaronu błyskawicznego. Dzbanki z wodą. Co weekend wywoziliśmy jakąś partię zapasów. W kwietniu rozpięliśmy plandekę i ukryliśmy namioty pod stertą bloków rafy koralowej, które przytaszczyliśmy z morza. „Później wybudujemy prawdziwy pałac" – powiedział Edward, a ja – jak zwykle, gdy mówił takie rzeczy, takie niedorzeczności – siedziałem cicho. Jeżeli mówił je serio, to się za niego wstydziłem. A jeśli nie, to wstydziłem się za siebie.

W tym miejscu moja opowieść splata się z twoją, a przecież tak niewiele wiem o tym, co wtedy czułeś i widziałeś. Co sobie pomyślałeś tamtego popołudnia, gdy przybyliśmy do Lipo-wao-nahele i ujrzeliśmy namioty – jeden dla mnie i dla ciebie, drugi dla Edwarda – rozbite pod akacją i plandekę rozpiętą między czterema prętami skradzionymi z opuszczonej cementowni po zachodniej stronie wyspy, a pod nią kartony pełne zapasów żywności i ciuchów? Pamiętam, że się uśmiechałeś, odrobinę niepewnie, patrząc to na mnie, to na plandekę, to na Edwarda, który wyładowywał z auta grill turystyczny. „Tato? Spojrzałeś na mnie pytająco, niezbyt wiedząc, co mówić dalej. – Co to jest?" – zapytałeś w końcu, a ja udałem, że tego nie słyszałem, chociaż słyszałem; po prostu nie wiedziałem, co ci powiedzieć.

Przez cały weekend wzorowo grałeś swoją rolę. Gdy w piątek Edward obudził nas na poranną recytację, posłusznie recytowałeś, a kiedy powiedział, że począwszy od tego dnia, wszyscy trzej będziemy pobierać lekcje hawajskiego i że w tym miejscu będzie się mówić tylko po hawajsku, spojrzałeś na mnie i widząc, że kiwam głową, wzruszyłeś przyzwalająco ramionami.

– Okej – powiedziałeś.

– *Ae* – poprawił cię surowo Edward, a ty znów wzruszyłeś ramionami.

– *Ae* – powtórzyłeś.

Przez większość czasu byłeś nieprzenikniony, ale widziałem na twojej buzi przelotne oznaki niedowierzania i rozbawienia. Czy Edward n a p r a w d ę każe ci żywić się własnoręcznie złowionymi rybami? Czy n a p r a w d ę masz nauczyć się opiekać je na ognisku? Czy n a p r a w d ę mamy chodzić spać o ósmej, żeby budzić się o świcie? Tak, na to wyglądało. Już wtedy byłeś bystry, nie sprzeciwiałeś się Edwardowi. Równocześnie wiedziałeś, że on się nie bawi, że nie ma poczucia humoru. „Edward" – zagadnąłeś go kiedyś, ale nawet na ciebie nie spojrzał. Udawał, że nie słyszy, a wtedy zobaczyłem, jak w tobie rodzi się swoiste zrozumienie: „Paiea" – powiedziałeś, a wtedy natychmiast się odwrócił: „*Ae?*".

Przypuszczam, że ponieważ nigdy nie mogłeś ufać mi jako ojcu, dość wcześnie nauczyłeś się, że ludzie nie zachowują się tak, jak powinni, i nic nie jest tym, na co wygląda. Teraz na przykład twój ojciec i jego przyjaciel, którego znałeś od niemowlęctwa, biwakują sobie wesoło na plaży. Tak to przynajmniej wyglądało, ale czy tak było? Nikt nie powiedział słowa o zabawie, a dla ciebie pobyt w Lipo-wao-nahele był męczący. Owszem, robiłeś tam wszystko to, co lubiłeś – łowiłeś ryby, pływałeś, wspinałeś się po grani pobliskiej góry, zbierałeś zieleninę, ale czegoś tam jednak brakowało – coś było nie tak. Nie umiałeś tego określić, ale czułeś to.

– Tato – szepnąłeś do mnie drugiej nocy, gdy zdmuchnąłem świecę w stojącej między nami lampie sztormowej – co my tutaj robimy?

Nie odpowiadałem tak długo, że łagodnie szturchnąłeś mnie w ramię.

– Tato? Słyszałeś?

– Biwakujemy, Kawika – odparłem, a po chwili, ponieważ milczałeś, spytałem: – Nie jest ci tu przyjemnie?

– Chyba jest – odpowiedziałeś z ociąganiem po dłuższej chwili. Nie było przyjemnie, ale nie umiałbyś wyjaśnić dlaczego. Byłeś dzieckiem. Problem nie polega na tym, że dzieci nie mają pełnego wachlarza emocji, którym dysponują dorośli, lecz na tym, że brakuje im słownictwa do wyrażenia tych emocji. Ja b y ł e m dorosły, ja z n a ł e m to słownictwo, a mimo to również nie umiałbym wytłumaczyć, co jest nie tak w naszej sytuacji, nie umiałbym wyrazić własnych uczuć.

Poniedziałek wyglądał tak samo: lekcje hawajskiego, długie godziny nudy, wędkowanie, ognisko. Zauważyłem, że co jakiś czas zerkasz na samochód jak na psa, którego można przywołać, a on podbiegnie do ciebie z wywieszonym językiem.

Od czwartku miałeś uczestniczyć w półkoloniach, na których mieliście się uczyć budowy robotów. Strasznie się cieszyłeś na te półkolonie. Mówiłeś o nich od miesięcy, czytałeś w kółko broszurę informacyjną, opowiadałeś mi, jakiego robota skonstruujesz – miał się nazywać Spider i wspinać na najwyższe półki po rzeczy, których Jane nie może dosięgnąć. Na tych samych półkoloniach mieli być trzej twoi przyjaciele.

W przeddzień spytałeś mnie:

– O której wyjeżdżamy? – Ponieważ nie odpowiedziałem, dodałeś: – Tato. Zajęcia zaczynają się jutro o ósmej.

– Pogadaj z Paieą – wykrztusiłem wreszcie obcym głosem.

Popatrzyłeś na mnie z niedowierzaniem, a potem zerwałeś się i pobiegłeś do Paiei.

– Paiea – usłyszałem. – Kiedy wyjeżdżamy? Ja od jutra mam półkolonie.

– Nie jedziesz na półkolonie – odparł spokojnie Edward.

– Jak to? – zdziwiłeś się i zanim zdążył coś powiedzieć, wykrzyknąłeś: – Edward... Chciałem powiedzieć, Paiea... jak to?

Och, jak strasznie chcieliśmy obaj, żeby Edward się droczył, żeby umiał się droczyć. Ja wiedziałem, że nie umie, ale nigdy tak naprawdę w to nie wierzyłem, dopóki nie było za późno – Edward zawsze robił to, co deklarował.

– Nie jedziesz – powtórzył. – Zostajesz tutaj.

– T u t a j? – powtórzyłeś. – To znaczy gdzie?

– Tutaj. W Lipo-wao-nahele.

– Ale przecież to jest na niby! – wykrzyknąłeś i zaraz odwróciłeś się do mnie: – Tato! Tato!

Ale ja się nie odezwałem, nie zdołałem, a ty nie nalegałeś – wiedziałeś, że jestem do niczego, nie pomogę. Zwróciłeś się z powrotem do Edwarda.

– Chcę wracać do domu – powiedziałeś, a kiedy nie odpowiedział, w twoim głosie zabrzmiała nuta histerii: – Chcę do domu. Chcę do domu!

Pobiegłeś do samochodu, usiadłeś na miejscu kierowcy i zacząłeś naciskać klakson, który beczał krótko, przenikliwie.

– Odwieźcie mnie do domu! – wrzeszczałeś z płaczem. – Tata! Tata! Edward! Odwieźcie mnie do domu! – Biip, biip, biip. – Tutu! – darłeś się, jakby z któregoś namiotu mogła wyleźć twoja babka. – Jane! Matthew! Ratunku! Ratunku! Ja chcę do domu! Ktoś inny wyśmiałby cię, ale nie Edward – zaletą jego braku poczucia humoru było to, że nie upokarzał; potraktował cię poważnie, po swojemu. Pozwolił ci się wykrzyczeć przez kilka minut, aż wyczerpany i zapłakany wygramoliłeś się z auta. Wtedy podniósł się spod akacji i siadł obok ciebie, a ty mimowolnie oparłeś się o niego.

– Już dobrze – usłyszałem jego słowa skierowane do ciebie. Objął cię ramieniem i zaczął głaskać po głowie. – Już dobrze. Jesteś w domu, mały książę. Jesteś w domu.

Co ty myślałeś o Edwardzie? Nigdy cię o to nie pytałem, bo nie chciałem poznać odpowiedzi, a zresztą rodzice nie powinni zadawać dzieciom tak dziwnych i krępujących pytań. Ale teraz obaj jesteśmy dorośli, więc mogę spytać: co o nim myślałeś?

Nadal boję się odpowiedzi. Zorientowałeś się na długo przede mną, że należy się go bać, nie ufać mu. Już jako malutkie dziecko, ilekroć Edward zostawał na kolacji, oglądałeś się kolejno na babkę, na mnie i na niego i chociaż nie zdołałeś wyrazić panującego między nami napięcia, to świetnie je wyczuwałeś. Widziałeś, że ja staję się przy nim milczący, że czekam na pozwolenie, zanim odezwę się w jego obecności. Pewnego razu, gdy miałeś jakieś dziesięć lat, spędzaliśmy dzień na plaży w Lipo-wao-nahele. Zrobiło się późno, zbliżał się czas odjazdu. Zapytałem Edwarda, czy mogę jeszcze oddalić się za potrzebą. „Tak" – odpowiedział, więc załatwiłem się. Dla mnie nie było to nic niezwykłego – ustawicznie pytałem go o pozwolenie: czy mogę zjeść? Czy mogę mieć jeszcze chwilę dla siebie? Czy mogę iść do domu? Ale nigdy nie pytałem go o sprawy związane z tobą. Gdy tamtej nocy układałem cię do snu, spytałeś mnie, dlaczego po prostu nie poszedłem się załatwić, dlaczego potrzebowałem zezwolenia. To nie tak, usiłowałem ci wytłumaczyć, że się mylisz, ale nie umiałem tego uzasadnić, sam nie wiedziałem, dlaczego po prostu nie wstałem i nie odszedłem, kiedy poczułem taką chęć, a nawet konieczność. Straszną rzeczą dla dziecka jest uświadomienie sobie, że rodzic jest za słaby, żeby je obronić. Niektóre dzieci reagują na to szyderstwem, a inne – wśród nich ty – współczuciem. To w tamtej chwili zrozumiałeś, że nie jesteś już dzieckiem, że musisz mnie bronić, że potrzebuję twojej pomocy. Dotarło do ciebie, że będziesz musiał zrozumieć świat samodzielnie.

Czasami Edward wygłaszał dla ciebie wykłady, nieudolne kopie przemówień Bethesdy. Silił się na poetycki styl Bethesdy, na rytm jego dykcji, ale – poza kilkoma zapożyczonymi hasłami, które powtarzał do znudzenia („Ameryka to kraj z grzechem w sercu") – wcale mu to nie wychodziło: jego wysiłki były niezborne, powtarzalne i nudne. Gdy tak myślałem, czułem się winny zdrady, chociaż nigdy nie wypowiedziałem tych myśli głośno, nie zdradziłem ich tobie. „Żadna ziemia nie jest czyjąś własnością" – nauczał cię Edward, zapominając, a może celowo nie wspominając, o Lipo-wao-nahele, którego posiadanie było osią jego fantazji. „Masz prawo być, kim chcesz" – perorował, chociaż wcale nie miał tego na myśli: ty miałeś być Hawajczykiem, młodym księciem, jak cię nazywał, chociaż niezbyt wiedział, co to znaczy, i ty też nie. Gdybyś wówczas oświadczył, do czego miałeś pełne prawo, że gdy dorośniesz, chcesz poślubić jak najjaśniejszą blondynkę, zamieszkać w Ohio i prowadzić bank, byłby zgorszony, nie wiadomo, czy bardziej twoim wyborem, czy ambicjami. Byłbyś ogromnie dzielny, gdybyś wyjechał aż do Ohio, porzucając wszystkie przywileje związane z twoim imieniem, gdybyś wyjechał tam, gdzie stałbyś się Księciem Woogawooga, obcym i śmiesznym, bo twój status ulotniłby się z chwilą, w której wsiadłbyś w małe canoe z drzewa kokosowego i odbił od piaszczystego brzegu Ooga-ooga!

Jego idea Hawajów i nas jako Hawajczyków była tak płytka, że spośród wielu rzeczy w moim życiu to właśnie jej wstydzę się najbardziej. Nie samej idei, lecz mojego nią zaślepienia – tego, że pozwoliłem Edwardowi odgrywać komedię i dla tej komedii poświęciłem nasze życie. Przez wszystkie te lata usiłował nauczyć cię hawajskiego, posługując się starym podręcznikiem wykradzionym z biblioteki uniwersyteckiej – nie nauczyłeś się, bo niczego się nie uczyłeś. Jego lekcje historii Hawajów także opierały się na wymysłach, na projekcjach myślenia życzeniowego, a nie na faktach. „Jesteśmy krajem królów i królowych, książąt i księżniczek" – wmawiał ci, chociaż w istocie książąt było w naszym kraju zaledwie dwóch: ty i ja. Zresztą kraj samych koronowanych głów byłby niedorzecznością, ponieważ ród królewski potrzebuje ludu, który by go czcił – inaczej przestaje być rodem królewskim.

Podsłuchiwałem, kiedy wykładał, i nie umiałem go powstrzymać. Z każdym dniem czułem się mniej zdolny do odkręcenia tego, czemu pozwoliłem zaistnieć. Zostałem dostarczony do Lipo-wao-nahele – nie trafiłem tam z wyboru; jakby jakiś wiatr poniósł mnie tam przez całą wyspę i porzucił pod drzewem akacji. Moje życie i miejsce tego życia stały mi się obce.

Była niedziela po owym dniu, gdy nie odwiozłem cię na półkolonie. Usłyszeliśmy samochód. Usłyszeliśmy go, a potem ujrzeliśmy: toczył się kamienistą drogą. Ty ostatnie trzy dni spędziłeś w osłupieniu po tym, co cię spotkało: w czwartek, dzień, w którym miałeś zacząć budować robota na półkoloniach, obudziłeś się nadal w Lipo-wao-nahele – przypuszczam, że miałeś nadzieję, że to sen, że zbudzisz się w domu babki – i rzuciłeś się z płaczem na ziemię, wierzgając rękami i nogami; wyglądało to jak parodia awantury małego dziecka.

– Kawika – powiedziałem, podczołgując się do ciebie (Edward spacerował akurat po plaży) – Kawika, wszystko będzie dobrze.

Wtedy gwałtownie usiadłeś z twarzą mokrą od łez.

– Jak to: dobrze? – wykrzyczałeś. – No jak? Jak?

Ukucnąłem.

– Nie wiem – musiałem przyznać.

– O c z y w i ś c i e, że nie wiesz – warknąłeś szyderczo. – Ty nigdy nic nie wiesz.

I rozpłakałeś się z powrotem, a ja się odczołgałem. Nie miałem do ciebie żalu. Jak mógłbym? Miałeś rację.

W piątek i sobotę milczałeś. Nie wychodziłeś z namiotu, nawet na posiłki. Martwiłem się o ciebie, ale Edward się nie przejmował. „Zostaw go – mówił. – W końcu wyjdzie".

Ale nie wyszedłeś. Dlatego gdy nadjechał tamten samochód, z ociąganiem wyłoniłeś się z namiotu, mrugając w słońcu i wpatrując się w niego jak w halucynację. Dopiero gdy zza kierownicy wysiadł stryj William, wydałeś słaby, zwierzęcy pisk, jakiego nigdy u ciebie nie słyszałem, i puściłeś się biegiem ku niemu, chwiejąc się na nogach z odwodnienia i głodu.

Nie przyjechał sam. Na miejscu obok kierowcy siedziała twoja babka, a Jane i Matthew z wystraszonymi minami siedzieli z tyłu. To babka cię zabrała: wepchnęła za siebie, stając między tobą a Edwardem, jakby broniła cię przed jego ciosem.

– Nie wiem, w co wy się tu bawicie, nie wiem, co robicie – powiedziała. – Ale zabieram mojego wnuka i odjeżdżam razem z nim.

Edward wzruszył ramionami.

– Sądzę, że to nie od pani zależy, paniusiu – rzekł, a ja cofnąłem się mimo woli. P a n i u s i u, jeszcze nigdy nie słyszałem, żeby ktoś tak lekceważąco zwrócił się do mojej matki. – To sprawa pani syna.

– I tu się pan myli, panie Bishop – odparła, a do ciebie zwróciła się łagodnie: – Wsiądź do samochodu, Kawika.

Ty jednak ani drgnąłeś. Wyjrzałeś zza niej i zwróciłeś się do mnie:

– Tato?

– Kawika – powtórzyła – wsiądź do samochodu. Natychmiast.

– Nie – odpowiedziałeś. – Nie bez niego.

To „niego" oznaczało mnie.

– Na litość boską, Kawika – zniecierpliwiła się. – On nie chce jechać.

– Właśnie że chce – uparłeś się. – On nie chce tutaj być, prawda, tato? Jedź z nami do domu.

– To jego ziemia – powiedział Edward. – Czysta ziemia. Hawajska ziemia. On zostaje.

Edward i twoja babka zaczęli się kłócić, a ja podniosłem twarz do nieba, które było białe od upału, zbyt wielkiego jak na maj. Zdawali się nie pamiętać o moim istnieniu, o tym, że stoję w lekkim oddaleniu od nich, jako trzeci punkt trójkąta. Już nie słuchałem ani bredni Edwarda, ani rozkazów twojej babki; patrzyłem za to na stryja Williama, Jane i Matthew, którzy przyglądali się okolicy.

Widziałem, że zauważyli namioty, niebieską plastikową plandekę, kartony. Dwie noce wcześniej padało i jeden bok namiotu, który dzieliłem z tobą, zapadł się pod naporem wiatru, tak że gdy pod nim spałem, okrywał mnie jak nylonowy całun. Kartony były jeszcze wilgotne, a ich zawartość – nasze ubrania i twoje książki – leżały porozkładane po całym terenie do wyschnięcia. Wyglądało to jak miejsce po wybuchu bomby. Plandeka była cała ubłocona, a na gałęziach akacji wisiało kilkanaście plastikowych toreb z zapasami jedzenia – w ten sposób chroniliśmy żywność przed mrówkami i mangustami. Widziałem to samo co oni: pospolity kawałek marnej ziemi, zaśmiecony wszelkim paskudztwem – plastikowe butelki, połamane plastikowe widelce i plandekę łopoczącą na wietrze. Lipo-wao-nahele bez drzew, których nie zasadziliśmy, a tych, które zastaliśmy na miejscu, używaliśmy jako mebli. To miejsce było teraz gorzej niż niekochane: było pohańbione, i to ja z Edwardem je pohańbiliśmy.

Zabrali cię tamtego dnia. Próbowali uzyskać orzeczenie o mojej niekompetencji. Próbowali odebrać mi prawa rodzicielskie. Próbowali pozbawić mnie majątku. Mówię „oni", ponieważ to stryj William został wysłany na (dyskretne) rozmowy z Komitetem Ochrony Praw Dziecka, a potem na konsultacje z dawnym szkolnym kolegą, obecnie sędzią Sądu Rodzinnego – ale tak naprawdę nie mam na myśli „ich", lecz „ją": twoją babkę.

Dziś nie mam do niej pretensji i wtedy także nie miałem. Wiedziałem, że to, co robię, jest złe. Wiedziałem, że powinieneś przebywać w normalnym świecie, że nie ma dla ciebie życia w Lipo-wao-nahele. Więc dlaczego do tego dopuściłem? Jak mogłem do tego dopuścić? Mógłbym ci odpowiedzieć, że chciałem dzielić z tobą coś, co – słusznie czy niesłusznie – sam dla nas stworzyłem, królestwo, w którym podejmowałbym dla ciebie decyzje w jakimś sensie pomocne, w jakimś sensie wzbogacające. Ale byłaby to nieprawda. Mógłbym ci także powiedzieć, że początkowo wiązałem nadzieje z Lipo-wao-nahele, z życiem, które mielibyśmy tam wieść, i że zaskoczyło mnie fiasko moich nadziei. Ale to również byłoby nieprawdą.

Ani jedno, ani drugie nie jest prawdą. Prawda jest znacznie bardziej żałosna. Prawdą jest to, że po prostu za kimś poszedłem, że podporządkowałem komuś swoje życie, a podporządkowując własne, podporządkowałem także i twoje. I że uczyniwszy to, nie umiałem naprawić tego, co zrobiłem, nie wiedziałem, jak to wyprostować. Prawdą jest to, że byłem słaby. Prawdą jest to, że byłem nieudolny. Prawdą jest to, że się poddałem. Prawdą jest to, że poddałem również ciebie.

Jesienią doszliśmy do porozumienia. Miałem spędzać z tobą w Lipo-wao-nahele dwa weekendy w miesiącu pod warunkiem, że powstaną tam dla ciebie przyzwoite warunki zakwaterowania. Na stałe miałeś mieszkać z babką. Gdybym się temu sprzeciwiał, poniósłbym odpowiedzialność karną. Edward się wściekł, ale nic nie dało się zrobić: moja matka nadal mogła pociągać za sznurki, więc wiedzieliśmy oboje, że gdyby doszło do sporu między nami, ja bym go przegrał, tracąc i ciebie, i wolność. Chociaż wtedy, jak przypuszczam, nie miałem już ani jednego, ani drugiego.

Matka przyjechała do mnie na rozmowę jeszcze jeden ostatni raz, krótko po podpisaniu ugody. Było to w listopadzie, na jakiś tydzień przed Świętem Dziękczynienia – wtedy jeszcze starałem się być na bieżąco z kalendarzem. Nie spodziewałem się jej wizyty. Przez cały miniony tydzień ekipa ciesielska budowała mały domek na północnym krańcu posesji, w cieniu gór. Miał tam być pokoik dla mnie, pokoik dla Edwarda i pokoik dla ciebie, tyle że wyłącznie twój pokój miał być umeblowany. Nie przez skąpstwo – Edward osobiście odrzucił propozycję stryja Williama, oznajmiając mu, że woli nocować na zewnątrz, na matach lauhala.

– Obojętne mi, na czym pan sypia, byleby sypiał pan w domu podczas wizyt chłopca – oświadczył stryj William.

To test dla naszego eksperymentu, stwierdził Edward; nie wolno nam się poddać. Będziemy żyli tak, jak nasi przodkowie, kiedy ciebie u nas nie będzie. Podczas twoich odwiedzin będziemy korzystać z dostaw żywności, ale po twoim wyjeździe powrócimy do myślistwa i zbieractwa, a gotować będziemy tylko na ognisku. Wyhodujemy własne taro i bataty – ja miałem wybrać szambo z rowu, który wykopałem na nasze odchody, i użyć jego zawartości do nawożenia naszych upraw. Telefon, który zainstalowano wielkim nakładem kosztów – w okolicy nie było linii telefonicznych – będzie wyłączany zaraz po twoim wyjeździe; elektryczności, o którą jakimś cudem wystarał się u władz stanowych stryj William, używać nie będziemy.

– Nie widzisz, że oni chcą nas złamać? – zapytał mnie Edward. – Nie widzisz, że to jest test, za pomocą którego chcą stwierdzić, jak bardzo nam zależy?

Rano w tym dniu, kiedy odwiedziła mnie twoja babka, padał deszcz. Leżąc na plandece pod akacją, przyglądałem się jej przeprawie przez porośnięte trawą błoto, gdy ku mnie zmierzała. Plandeka, która kiedyś była sufitem, teraz tworzyła podłogę, na której spędzałem większość czasu, śpiąc i czekając, aż dzień minie i zacznie się następny. Edward czasem próbował mnie rozruszać, zdarzało się to jednak coraz rzadziej, ponieważ znikał na całe godziny, a może nawet dni – starałem się liczyć czas, ale coraz gorzej mi to wychodziło – więc zostawałem sam i pogrążałem się w drzemce, z której potrafił mnie wyrwać wyłącznie głód. Czasami śniła mi się tamta noc w obcym domu, gdzie słuchaliśmy Bethesdy, i zastanawiałem się, czy był on postacią prawdziwą, czy może wezwaliśmy go z jakiejś innej rzeczywistości.

Stała nade mną kilka sekund, zanim przemówiła.

– Obudź się, Wika – rzekła, a gdy się nie ruszyłem, przyklękła i potrząsnęła mnie za ramię. – Wika, pobudka – powtarzała raz po raz, aż wreszcie się ocknąłem.

Przypatrywała mi się chwilę, a potem wstała.

– Rusz się – rozkazała. – Idziemy.

Podniosłem się i poszedłem za nią. Dźwigała płócienną torbę i matę tatami, które przekazała mnie. Chociaż już nie padało, niebo było szare, bez słońca. Szliśmy ku górom, ale pod samanem dała mi znak, żebym rozłożył matę.

– Przywiozłam dla nas jedzenie – powiedziała, a zanim zdążyłem się rozejrzeć, dodała: – Jego tu nie ma.

Chciałem jej powiedzieć, że nie jestem głodny, ale już wypakowywała produkty: pudełka bento z ryżem, smażonym kurczakiem w mochi i nishime, ogórkowym namasu i cząstkami melona na deser – potrawami, za którymi niegdyś przepadałem.

– To wszystko dla ciebie – powiedziała, kiedy zacząłem jej nakładać. – Ja już jadłam.

Pałaszowałem tak szybko i dużo, że się zadławiłem, ale matka mnie nie skarciła. Siedziała w milczeniu, nawet gdy już skończyłem posiłek. Zdjęła buty, które ustawiła porządnie przy krawędzi maty, i wyciągnęła nogi przed siebie; przypomniało mi się, że zawsze nosiła pończochy o ton ciemniejsze od jej skóry. Miała na sobie limonkowozieloną spódnicę w białe róże, mocno już spłowiałą, którą pamiętałem z dzieciństwa, a gdy zadarła głowę i zmrużonymi oczami popatrzyła w niebo przez gałęzie, pomyślałem sobie, że może i ona – tak jak ja nieraz, chociaż coraz rzadziej – docenia trudne, harde piękno tej ziemi, która nikomu się nie poddaje. Kilka metrów od nas cieśle zakończyli przerwę na lunch i wzięli się z powrotem do używania młotków i pił. Przypadkiem podsłuchałem ich rozmowę – jeden powiedział, że teren jest za wilgotny na drewniany dom, a drugi się z nim nie zgodził, twierdząc, że to nie wilgoć jest tu problemem, ale upał. Musieli opóźnić prace nad fundamentami, a później przenieść budowę w inne miejsce, gdyż okazało się, że pierwotna lokalizacja graniczyła z bagnem, które po osuszeniu ponownie napełniło się wodą. Przez chwilę słuchaliśmy odgłosów budowy. Czekałem, co matka ma do powiedzenia.

– Kiedy miałeś niecałe trzy latka, zawiozłam cię do specjalisty na kontynencie – zaczęła wreszcie opowiadać. – Ponieważ nie mówiłeś. Na pewno nie byłeś głuchy. Wprawdzie z początku tak myśleliśmy, ale na dźwięk swojego imienia odwracałeś się do ojca i do mnie, a gdy byliśmy na dworze i przypadkiem zaszczekał gdzieś pies, podskakiwałeś, śmiałeś się i klaskałeś w rączki. Lubiłeś także muzykę: gdy graliśmy ci ulubione piosenki, wydawałeś nawet takie odgłosy, jakbyś próbował nucić. Mimo to nadal nie mówiłeś. Doktor orzekł, że prawdopodobnie my za mało do ciebie mówimy, więc zaczęliśmy mówić bez ustanku. Twój ojciec wieczorami sadzał cię obok siebie i czytał ci na głos cały dział sportowy. Ale to ja spędzałam z tobą najwięcej czasu i najwięcej do ciebie mówiłam. Właściwie bez przerwy. Zabierałam cię z sobą wszędzie. Czytałam ci książeczki i przepisy kuchenne, a gdy jechaliśmy samochodem, opowiadałam o tym, co mijamy. „Zobacz – mówiłam – to jest szkoła, do której kiedyś pójdziesz, jak będziesz trochę starszy; w tamtym domu mieszkaliśmy z twoim tatą zaraz po ślubie, zanim przeprowadziliśmy się w dolinę; a na tym wzgórzu mieszka kolega licealny twojego taty, ma także takiego małego synka, akurat w twoim wieku".

Przeważnie jednak – mówiła dalej – opowiadałam ci o swoim życiu. Opowiadałam o ojcu, o rodzeństwie, o tym, że jako dziewczynka chciałam się przeprowadzić do Los Angeles i zostać tancerką, na co oczywiście nigdy by mi nie pozwolono. Zresztą nie tańczyłam zbyt dobrze. Opowiedziałam ci nawet o tym, że wielokrotnie chcieliśmy z ojcem dać ci siostrzyczkę, ale za każdym razem nam się wymykała, aż w końcu lekarz poinformował nas, że będziesz jedynakiem.

Ileż ja do ciebie gadałam! – wspominała. – Byłam samotna w tamtych dniach, nie należałam jeszcze do Cór, większość moich szkolnych koleżanek miała duże rodziny i zajmowała się prowadzeniem domu, a z rodzeństwem już wtedy rozeszły mi się drogi. Miałam więc tylko ciebie. Nieraz wieczorem leżałam w łóżku, przypominając sobie to wszystko, co ci naopowiadałam, i strach mnie ogarniał, że może robię ci krzywdę, mówiąc o rzeczach, o jakich nie należy mówić dziecku. Kiedyś tak mnie to gryzło, że zwierzyłam się twojemu ojcu, na co on się roześmiał, wziął mnie w ramiona i powiedział: „Nie bądź niemądra, kotku – nazywał mnie «kotkiem» – przecież on nawet nie rozumie, co do niego mówisz. Mogłabyś go przeklinać od rana do nocy z takim samym skutkiem!". Trzepnęłam go w ramię i złajałam, ale on znów się roześmiał, a mnie zrobiło się trochę lżej na duszy.

Ale gdy lecieliśmy samolotem do San Francisco, znowu uświadomiłam sobie, ile ci naopowiadałam, i wiesz, czego nagle zapragnęłam? Zapragnęłam, żebyś nigdy nie zaczął mówić. Przestraszyłam się, że jeśli zaczniesz mówić, powiesz komuś, co ode mnie usłyszałeś, zdradzisz wszystkie moje sekrety. „Nie mów nikomu – szeptałam ci do uszka, kiedy spałeś na moich kolanach. – Nigdy nie mów, co ci mówiłam". I nagle ogarnęło mnie straszliwe poczucie winy: że życzę własnemu dziecku, żeby nie mówiło, że jestem do tego stopnia samolubna. Co ze mnie za matka?

Tak czy owak, niepotrzebnie się martwiłam. Trzy tygodnie po powrocie do domu – ten lekarz z San Francisco nie był mądrzejszy niż nasz miejscowy – zacząłeś mówić, i to nie pojedynczymi słowami, a całymi zdaniami. Co za ulga: rozpłakałam się z radości. Twój ojciec, który nie martwił się tak bardzo jak ja, trochę się ze mnie podśmiewał, ale życzliwie, tak po swojemu. „No widzisz, kotku? Wiedziałem, że wszystko będzie dobrze! – triumfował. – Niedaleko pada jabłko od jabłoni; a nie mówiłem? Niedługo zaczniesz się modlić, żeby p r z e s t a ł gadać!"

Wszyscy mi to powtarzali: że pewnego dnia zacznę się modlić, żebyś przestał gadać. Ale nigdy do tego nie doszło, bo byłeś niezmiernie małomówny. Gdy już podrosłeś, niekiedy zastanawiałam się: czy to kara, na którą zasłużyłam? Prosiłam cię, żebyś nic nie mówił, i nie powiedziałeś. Z czasem mówiłeś coraz mniej i mniej, i mniej, a teraz… – Urwała i odchrząknęła. – A teraz jesteśmy tutaj – dokończyła.

Przez długą chwilę oboje milczeliśmy.

– Na litość boską, Wika! – nie wytrzymała. – Powiedzże coś!

– Nie mam nic do powiedzenia – odparłem.

– To nie jest życie, to tutaj, rozumiesz chyba – wypaliła. – Masz trzydzieści sześć lat; masz jedenastoletniego syna. To miejsce… jak wy na nie mówicie? Lipo-wao-nahele? Ty tu nie możesz zostać, Wika. Ani ty nic nie umiesz, ani ten twój przyjaciel. Nie umiecie sobie ugotować, nie umiecie o siebie zadbać ani, ani… w ogóle nic. Ty nic nie wiesz, Wika. Ty… – Znów urwała w pół zdania.

Pokręciła szybko głową, jakby na nowo musiała się skupić. Później powkładała puste już pojemniki po jedzeniu jeden do drugiego i schowała do torby. Bujając się na piętach, dźwignęła ciało do pozycji stojącej. Wsunęła stopy w buty i podniosła torbę.

Patrzyłem na nią z dołu, a ona na mnie z góry. Zaraz powie coś strasznego, pomyślałem, coś tak obraźliwego, że nigdy nie zdołam jej wybaczyć, że ona sama nigdy sobie nie wybaczy.

Ale nic takiego nie powiedziała.

– Zresztą po co ja się martwię? – rzekła chłodno, lustrując mnie wzrokiem: mój nieprany podkoszulek, rozdarte szorty i kępki zarostu, od którego swędziały mnie policzki. – Nie dasz rady tu przetrwać. Będziesz w domu, zanim się obejrzę.

Odwróciła się i odeszła, a ja odprowadziłem ją spojrzeniem. Wsiadła do samochodu, torbę z pustymi pojemnikami położyła na siedzeniu obok, przejrzała się w lusterku wstecznym i przeciągnęła dłonią po policzku, jakby się chciała upewnić, że wciąż jest na miejscu. Uruchomiła silnik i odjechała.

– Do widzenia – powiedziałem do niej, gdy samochód znikał mi z oczu. – Do widzenia.

Chmury nad moją głową szarzały – usłyszałem, jak brygadzista popędza ekipę, żeby skończyła prace przed deszczem.

Położyłem się z powrotem. Zamknąłem oczy. W końcu zasnąłem, a sen, który mnie ogarnął, wydawał się prawdziwszy niż życie na jawie. Gdy zbudziłem się wcześnie następnego dnia, wciąż nie widziałem ani śladu Edwarda – byłem bliski przekonania samego siebie, że mogę jeszcze zacząć wszystko od nowa.

A jednak moja matka się myliła: nie wróciłem do domu. Ani zanim się obejrzała, ani już nigdy. Z czasem Lipo-wao-nahele stało się moim miejscem i mną samym, mimo że nigdy nie przestało być prowizorką, miejscem przeznaczonym najwyżej na oczekiwanie, nawet jeśli ja czekałem jedynie na początek każdego następnego dnia.

Otaczały nas znaki świadczące o tym, że ta ziemia, nigdy niezamieszkana, obróci wniwecz wszelkie starania zmierzające do jej zasiedlenia, a każda ludzka siedziba na niej okaże się tymczasowa. Zbudowany z betonu i drewna dom był brzydki, pudełkowaty i tandetny; jedynie twój pokój wymalowano i wyposażono w łóżko, matę na podłodze oraz lampę sufitową – pozostałe pomieszczenia miały surowe ściany z płyt kartonowo-gipsowych i, na wyraźne polecenie Edwarda, gołe betonowe podłogi.

Nawet ty podczas swoich wizyt spędzałeś większość czasu na zewnątrz. Nie dlatego, że lubiłeś przebywać na powietrzu, ale dlatego, że dom był ponury i w oczywisty sposób wrogi ludzkim wygodom. Wyczekiwałem każdej twojej wizyty. Chciałem cię widywać. Ale wiedziałem także, że kiedy nas odwiedzisz, a także przez kilka następnych dni, jedzenie będzie lepsze, bardziej różnorodne i obfitsze. W czwartki przed twoimi odwiedzinami stryj William zajeżdżał do nas z workami produktów spożywczych; potem trzymałem w tych workach nasze zapasy. William włączał do kontaktu lodówkę – Edward nie chciał z niej korzystać – i wyładowywał butelki mleka, kartony soku, pomarańcze, główki sałaty i plastry wołowiny: wszystkie cudowne dobra z supermarketu, które miałem kiedyś na zawołanie. Jeśli Edwarda nie było w pobliżu, stryj William wciskał mi ukradkiem kilka tabliczek czekolady. W pierwszym odruchu odmówiłem, ale w końcu przyjąłem zakazany dar, i uczyniłem to ze łzami w oczach, a widząc to, stryj odwrócił się ode mnie. Ukryłem czekolady w dziurze, którą wykopałem pod domem: miały tam chłód i były dobrze ukryte przed wzrokiem Edwarda.

Przyjeżdżał zawsze stryj William, nigdy urzędnik albo inny pracownik biura, co mnie trochę dziwiło. W końcu zrozumiałem, że to dlatego, że moja matka nie chce, żeby ktokolwiek inny zobaczył, w jakich warunkach żyje jej syn. Stryjowi Williamowi mogła ufać, ale nikomu więcej. Przypuszczałem, że to stryj William opłacał elektryczność i telefon, on także płacił za naszą świeżą wodę. Kupował nam papier toaletowy, a wyjeżdżając, zabierał z sobą nasze śmieci, ponieważ w naszej okolicy nie było służb wywożących odpady. Gdy plandeka tak nam się przetarła, że upodobniła się do pajęczyny, stryj William przywiózł nam nową – Edward zrazu nie chciał z niej korzystać, lecz w końcu nawet on musiał przyznać, że to konieczność.

Przed każdym odjazdem do domu stryj William pytał mnie, czy chcę z nim pojechać, a ja za każdym razem kręciłem głową. Raz zdarzyło się, że nie spytał. Po jego odjeździe byłem zdruzgotany, jakby i te drzwi w końcu się zatrzasnęły, zostawiając mnie naprawdę całkiem samego, uwięzionego tam przez własną słabość i własny upór: dwie sprzeczne cechy, z których jedna unieważnia drugą, pozostawiając zastój.

W trzecim roku Edward przepadał gdzieś coraz częściej. Na dwunaste urodziny stryj William kupił ci kajak i dostarczył go do Lipo-wao-nahele; kajak był dwuosobowy, żebyśmy mogli nim pływać razem, ty i ja. Ale ty nie byłeś nim zainteresowany, a ja stale czułem się zmęczony, więc kajak został zawłaszczony przez Edwarda, który prawie codziennie wypływał poza zatokę i wystającą skałę, za którą znikał nam z oczu. Czasami wracał już po zmierzchu, więc jeśli nie zostawił mi jedzenia, musiałem jeść to, co sam znalazłem. Na wschodnim krańcu posiadłości rósł bananowiec manzano i zdarzało się, że zapadała noc, a ja miałem tylko te krótkie zielone banany, mączyste i niedojrzałe, od których dostawałem skrętu kiszek, ale musiałem coś jeść. Edward traktował mnie jak psa: przeważnie zapominał mnie nakarmić, a ja mogłem wyłącznie na niego czekać.

Mieszkaliśmy w kilku miejscach – wszystkie były usiane śmieciami. W każdym walały się puste plastikowe torebki, porozrywane i bezużyteczne, a ślady naszych niedoszłych projektów (piramidy z korali, piramidy z rozpałki) piętrzyły się koło akacji. Podczas jednej z wizyt zostawiłeś na zewnątrz jeden ze swoich hawajskich elementarzy – czy celowo, tego nie wiem – którego stronice nasiąkły wodą, a potem zeschły się w słońcu, tak że teraz trzeszczały, gdy przewracał je wiatr. Spacerowałeś, znudzony i zdegustowany, w tę i z powrotem pomiędzy domem a akacją, jakbyś chciał sobie wychodzić nowych przyjaciół, nowego ojca. Pewnego razu stryj William przywiózł latawiec, żebym ci go podarował, gdy przyjedziesz, ale chociaż naprawdę starałeś się wysłać go w powietrze, latawiec nigdy nie poleciał: nawet wiatr nas opuścił.

Gdy odjeżdżałeś w niedzielę, było to dla mnie tak bolesne, że nie mogłem się nawet podnieść spod drzewa, żeby cię odprowadzić do samochodu babki. Kiedy zdarzyło się to pierwszy raz, zawołałeś na mnie trzykrotnie, a potem podbiegłeś i zacząłeś potrząsać mnie za ramię.

– Tutu! – krzyknąłeś do babki. – Jemu coś jest!

– Nie, nic mu nie jest, Kawika – odparła znużonym głosem. – Po prostu nie może wstać. Pożegnaj się i jedziemy. Musimy wracać do domu. Jane szykuje ci spaghetti z klopsikami.

Poczułem, że kucnąłeś przy mnie.

– Pa, tato – powiedziałeś cicho. – Kocham cię.

Nachyliłeś się i mnie pocałowałeś, a twoje dotknięcie było lekkie jak muśnięcie skrzydła. I odjechałeś. Wcześniej tamtego dnia zaszedłeś mnie znienacka, gdy trzymając się za policzek, kołysałem się na siedząco, co od pewnego czasu robiłem często, ponieważ straszliwie bolał mnie ząb.

– Pokaż, tato, zobaczę – powiedziałeś ze stroskaną miną, a gdy wreszcie z oporami rozwarłem usta, żachnąłeś się. – Tato, twój ząb wygląda... wygląda naprawdę fatalnie. Nie chcesz pojechać do miasta i go wyleczyć? – A gdy pokręciłem głową, stękając z bólu wywołanego tak nieznacznym ruchem, usiadłeś przy mnie i poklepałeś mnie po plecach. – Tato – powiedziałeś – wróć ze mną do domu.

Ale ja nie mogłem. Miałeś trzynaście lat. Każda twoja wizyta przypominała mi, jak szybko czas pobiegł do przodu. Po każdym twoim wyjeździe czas jakby z powrotem zwalniał, nie miałem przeszłości ani przyszłości, nie popełniłem żadnych błędów, bo nie podjąłem żadnych decyzji, pozostawała jedynie możliwość.

W końcu, tak jak się spodziewałem, przestałeś przyjeżdżać. Byłeś coraz starszy; stawałeś się mężczyzną. Do Lipo-wao-nahele przyjeżdżałeś strasznie zły – zły na babkę, zły na Edwarda, ale przede wszystkim zły na mnie. Pewnego weekendu, jednego z ostatnich przed całkowitym zaniechaniem wizyt, wkrótce po twoich piętnastych urodzinach, pomagałeś mi zbierać pędy bambusa, których kolonię odkryłeś dwa lata wcześniej po drugiej stronie góry. Te pędy bambusa ratowały mi życie, ale ostatnio nie miałem siły wyrywać ich z ziemi. Byłem już tak słaby, że stryj William przestał namawiać mnie na wizytę lekarską w mieście, za to raz na miesiąc przysyłał do mnie lekarza. Dostawałem krople przeciw pieczeniu oczu, syropy na wzmocnienie, maści do twarzy pokąsanej przez owady i pigułki, które miały złagodzić moje ataki. Dentysta przyjechał wyrwać mi ząb; w powstałą dziurę napakował gazy i zostawił mi tubkę maści do wcierania w dziąsło.

Tamtego dnia byłem ogromnie zmęczony. Stać mnie było jedynie na trzymanie starego worka po ryżu, do którego ty wrzucałeś pędy. Gdy skończyłeś, odebrałeś mi worek i zarzuciłeś sobie na ramię, podając mi drugą rękę, żebym się przytrzymał, kiedy będziesz sprowadzał mnie ze wzgórza. Byłeś już wtedy mojego wzrostu, ale znacznie silniejszy. Delikatnie trzymałeś mnie za końce palców, jakbyś się bał je połamać.

Edward wówczas przebywał na miejscu, ale nie odzywał się do żadnego z nas, i to nam odpowiadało. Denerwowałem się, że może się na mnie rozzłościć, za to ty już od dawna przestałeś się przejmować jego opinią o sobie, wiedząc, że nic ci z jego strony nie grozi. Zresztą Edward również zmarniał, chociaż inaczej niż ja. Był irytujący, ale już niegroźny, o ile kiedykolwiek mógł być groźny. Gdy do nas przyjeżdżałeś, wydzielałeś i podawałeś nam posiłki, a my, siedząc na podłodze, wyciągaliśmy po nie ręce jak dzieci, chociaż mieliśmy już – a może dopiero – po czterdzieści lat. Potem sam siadałeś do jedzenia. Podczas posiłków odzywał się tylko Edward: opowiadał ci stare bajki, przebrzmiałe bajki o tym, jak przywrócimy tę wyspę do dawnej świetności, i o tym, że robimy to dla ciebie, naszego syna Hawajów, naszego księcia. „To miło, Paiea" – odpowiadałeś mu czasem pobłażliwie, jak dziecku, które w kółko powtarza to samo. Raz przy takiej okazji spojrzał na ciebie ze zmieszaniem. „Edward – poprawił. – Mam na imię Edward". Przeważnie jednak nie mówił niczego z sensem, ale gadał i gadał swoje, aż wreszcie głos mu zamierał, a wówczas wstawał i wychodził na plażę, by gapić się w morze. Obydwaj zmaleliśmy – przybyliśmy na tę ziemię, by dać jej życie, a skończyło się na tym, że ona odebrała życie nam.

Weszliśmy do kuchni i przystąpiłeś do szykowania obiadu. Ja siedziałem i patrzyłem, jak się krzątasz, odkładasz na bok pędy bambusa, żebym miał co jeść po twoim odjeździe, i wyjmujesz z lodówki mieloną wieprzowinę. Traciłem już wzrok, ale i tak lubiłem patrzeć na ciebie i podziwiać, jaki jesteś przystojny, jak idealnie jesteś zbudowany.

Jane nauczyła cię gotować – proste potrawy, jak makaron i smażony ryż – więc kiedy do nas przyjeżdżałeś, zmieniałeś się w szefa kuchni. Ostatnio nauczyłeś się piec i przywiozłeś z sobą świeże jajka, mąkę, mleko i śmietanę. Obiecałeś, że nazajutrz rano upieczesz dla mnie chlebek bananowy. Podczas dwóch poprzednich wizyt byłeś skwaszony i opryskliwy, ale tego ranka przyjechałeś radosny i lekki, pogwizdywałeś sobie, rozładowując zakupy. Obserwowałem cię z niewysłowioną miłością i tęsknotą, gdy nagle rozpoznałem twój radosny stan – byłeś zakochany.

– Tato, możesz wstawić śmietanę i mleko do lodówki? – spytałeś. – Muszę wnieść do środka resztę zapasów.

Gdy byłeś młodszy, stryj William nigdy nie przysyłał zapasów przez ciebie, ale teraz czasami to robił, a ja z przyjemnością patrzyłem, jak wyładowujesz z auta rolki papieru toaletowego, torby z żywnością, a niekiedy także wiązki drewna, gdy tymczasem twoja babka siedziała za kierownicą i wyglądała przez okienko w stronę morza.

Wyszedłeś, a ja zostałem na swoim krześle (jedynym naszym krześle) i gapiąc się w ścianę kuchni, zastanawiałem się, w kim jesteś zakochany i czy ona odwzajemnia twoje uczucie. Siedziałem tak rozmarzony, aż zawołałeś mnie ponownie – musiałeś nas już wtedy przywoływać do siebie jak psy, a my posłusznie reagowaliśmy na swoje imiona i dreptaliśmy w twoją stronę – więc poszedłem za tobą wykopywać pędy bambusa.

Myślałem o tym owego ranka, o twoim marzycielskim, tajemniczym uśmiechu, o tym, jak mamrotałeś coś do siebie, sięgając do lodówki po paprykę i cukinię, które zamierzałeś udusić, gdy usłyszałem, że przeklinasz.

– Jezu Chryste, tato! – złościłeś się, więc przymrużyłem oczy, żeby zobaczyć, co trzymasz w ręce: była to butelka śmietany, którą zapomniałem wstawić do lodówki. – Zostawiłeś śmietanę na wierzchu, tato! I mleko! Teraz są do niczego!

Wylałeś śmietanę do zlewu i odwróciłeś się do mnie. Widziałem twoje zęby, twoje błyszczące czarne oczy.

– Czy ty nic nie potrafisz zrobić? Poprosiłem cię, żebyś schował śmietanę i mleko; nawet to schrzaniłeś? – Podszedłeś do mnie, złapałeś mnie za ramiona i zacząłeś potrząsać. – Co z tobą? Co ci jest? Nic nie umiesz zrobić?

Nauczyłem się przez te lata, że kiedy ktoś cię szarpie, najlepiej jest nie stawiać oporu, ale zupełnie się rozluźnić. Tak właśnie zrobiłem: pozwoliłem głowie kołysać się na boki, opuściłem luźno ramiona – aż wreszcie przestałeś mną potrząsać i pchnąłeś mnie tak mocno, że spadłem z krzesła na podłogę. Zobaczyłem twoje stopy, oddalające się ode mnie biegiem, i usłyszałem trzask frontowych szklanych drzwi.

Gdy wróciłeś, była już noc. Leżałem tam, gdzie upadłem. Wieprzowina, zostawiona na kuchennym blacie, także się zepsuła – w świetle lampy widziałem polatujący nad nią rój drobnych komarów.

Usiadłeś przy mnie, a ja przylgnąłem do twojej ciepłej nagiej skóry.

– Tato – powiedziałeś, a ja spróbowałem usiąść. – Daj, pomogę ci. – Podźwignąłeś mnie ramieniem wsuniętym pod plecy. Podałeś mi szklankę wody. – Zrobię coś do jedzenia.

Usłyszałem, jak wrzucasz wieprzowinę do wiadra na śmieci, a potem zaczynasz siekać warzywa.

Przyrządziłeś dla nas dwa talerze duszonych warzyw z ryżem. Jedliśmy, siedząc na podłodze.

– Przepraszam, tato – powiedziałeś wreszcie, a ja kiwnąłem głową, bo usta miałem zapchane jedzeniem. – Czasami nie mam już do ciebie siły – wyznałeś, a ja znów kiwnąłem głową. – Tato, czy możesz na mnie popatrzeć? – zapytałeś, więc uniosłem głowę, usiłując spojrzeć w twoje oczy, a ty ująłeś moją głowę w obie dłonie i zbliżyłeś do swojej twarzy. – Tu jestem – szepnąłeś. – Widzisz mnie teraz? – A ja jeszcze raz kiwnąłem głową. – Nie kiwaj głową, mów – pouczyłeś mnie, ale głos miałeś łagodny.

– Tak – powiedziałem. – Tak, widzę cię.

Tamtej nocy spałem pod dachem – w twoim pokoju, w twoim łóżku. Nie było Edwarda, który by mi tego zabronił, a ty wybierałeś się na nocny połów ryb.

– A co będzie, jak wrócisz? – spytałem.

Odpowiedziałeś, że wślizgniesz się obok mnie i będziemy spać razem, jak kiedyś w namiocie.

– Spokojnie – powiedziałeś. – Kładź się do łóżka.

Może powinienem się z tobą spierać, lecz usłuchałem. Ale ty wcale do mnie nie przyszedłeś, nie dotrzymałeś mi towarzystwa, a następnego dnia byłeś milkliwy i zdystansowany, bez śladu radości z poprzedniego ranka.

W tamten weekend widziałem cię po raz ostatni. Dwa tygodnie później siedziałem na plandece i czekałem na ciebie, gdy nadjechał stryj William. Wysiadł z samochodu z pustymi rękami. Tłumaczył mi, że w ten weekend nie mogłeś przyjechać, że miałeś jakieś zajęcia w szkole, których nie mogłeś przegapić.

– Ach tak – odparłem. – Ale przyjedzie w następny weekend?

Stryj William powoli pokiwał głową.

– Sądzę, że tak – odpowiedział.

Ale nie przyjechałeś, a stryj William zjawił się dopiero po miesiącu, tym razem z zapasami żywności i z wiadomością: nie zamierzałeś wrócić do Lipo-wao-nahele. Już nigdy.

– Postaraj się go zrozumieć, Wika – rzekł niemal błagalnie stryj William. – Kawika dorasta, synu; chce spędzać czas z przyjaciółmi i kolegami z klasy. To miejsce jest zbyt trudne dla młodego człowieka.

Chyba spodziewał się, że będę z nim dyskutował, ale jak mogłem, skoro wszystko, co powiedział, było prawdą. Wiedziałem, co rzeczywiście ma na myśli: to nie samo Lipo-wao-nahele było za trudne do życia. Trudno było być ze mną, z osobą, którą się stałem – a może zawsze byłem.

Wielu ludzi uważa, że zmarnowało sobie życie. Gdy studiowałem w college'u na kontynencie, pewnej nocy spadł śnieg i następnego dnia odwołano zajęcia. Okna mojego akademika wychodziły na strome zbocze prowadzące do stawu. Stałem w oknie i przyglądałem się kolegom, którzy przez całe popołudnie zjeżdżali z tego zbocza na sankach i toboganach, a potem wlekli się pod górę, żeby znów zjechać, roześmiani i czepiający się jeden drugiego, udając skrajne zmęczenie. Do akademika wrócili dopiero pod wieczór i słyszałem przez drzwi, jak rozmawiają w korytarzu o wspaniałym dniu. „Co ja zrobiłem? – wykrzyknął któryś chłopak w kpiącej rozpaczy. – Miałem na jutro napisać pracę z greki! Marnuję swoje życie!"

Wszyscy się roześmiali, bo to był absurd – on wcale nie marnował życia. Pracę z greki napisał pewnie tak czy owak, zaliczył rok, później zrobił dyplom, a po latach, posyłając do college'u własnego syna, zapewne dał mu radę: „Baw się wesoło, ale nie zanadto" – i opowiedział o swoim pobycie w college'u i o tym dniu, który zmarnował, bawiąc się na śniegu. Byłaby to jednak opowieść bez napięcia, bo obaj znaliby zakończenie.

Ja natomiast rzeczywiście zmarnowałem swoje życie. Pomijając ciebie, jedynym moim osiągnięciem było to, że nie opuściłem Lipo-wao-nahele. Ale nie zrobić czegoś to nie to samo, co zrobić. Zmarnowałem swoje życie, lecz ty nie pozwoliłeś mi zmarnować także twojego. Więc byłem dumny z ciebie, że mnie porzuciłeś, że uczyniłeś to, do czego ja sam nie byłem zdolny – nie dałeś się uwieść, oszukać ani oczarować. Że odchodzisz, porzucając nie tylko mnie i Lipo-wao-nahele, lecz także wszystko inne: tę wyspę, ten stan, historię i to, kim miałeś być, i to, kim mogłeś być. Porzucasz to wszystko, a gdy to już zrobisz, odnajdziesz w sobie taką lekkość, jakbyś kroczył po oceanie. Twoje stopy nie będą się zanurzały, lecz ślizgały po powierzchni. I zaczniesz iść – na wschód, ku innemu życiu, takiemu, w którym nikt nie wie, kim jesteś, nawet ty sam.

Ty wiesz, co było później, Kawika, może lepiej niż ja. Kilka miesięcy po twoim odejściu – stryj William mówił mi, że to było siedem miesięcy – Edward się utopił. Oficjalnie stwierdzono, że padł ofiarą nieszczęśliwego wypadku, ale ja zastanawiam się czasem, czy nie zrobił tego specjalnie. Przybył tutaj, żeby coś znaleźć, ale nie miał dość siły, żeby to zrobić, zresztą tak samo jak ja. Miałem być jego widownią, lecz nie sprostałem zadaniu, a beze mnie Edward także się poddał.

To stryj William znalazł jego ciało na plaży, gdy przyjechał tutaj jak zwykle. Tego samego dnia – po przesłuchaniu mnie przez policję – zabrał mnie do szpitala w Honolulu. Kiedy się obudziłem, leżałem w jakiejś sali, a podniósłszy wzrok, ujrzałem lekarza, który powtarzał moje imię i świecił mi w oczy jasnym białym światełkiem.

Lekarz usiadł przy łóżku i zadawał mi pytania. Czy wiem, jak się nazywam? Czy wiem, gdzie jestem? Czy wiem, kto jest prezydentem? Czy umiem policzyć szóstkami wstecz od stu? Odpowiadałem, a on zapisywał moje odpowiedzi. A na koniec, zanim wyszedł, powiedział: „Wika, nie możesz mnie pamiętać, ale ja ciebie znam". Ponieważ nie odpowiedziałem, dodał: „Nazywam się Harry Yoshimoto, chodziliśmy razem do szkoły. Pamiętasz?". Ale ja przypomniałem go sobie dopiero w nocy, leżąc samotnie w łóżku: Harry, ten chłopiec, który jadał ryżowe kanapki i z którym nikt nie rozmawiał – a ja cieszyłem się, że nim nie jestem.

To był koniec. Nigdy nie wróciłem do domu w dolinie. Po jakimś czasie przewieźli mnie tutaj. Straciłem resztki wzroku. Straciłem chęć, a potem zdolność do robienia czegokolwiek. Leżałem w łóżku i marzyłem, a czas się rozmazywał i zmiękczał i było tak, jak gdybym nigdy nie popełnił żadnych błędów. Nawet ciebie – który, jak mi mówiono, byłeś teraz w innej szkole na Big Island – nawet ciebie, który nigdy mnie nie odwiedzałeś, umiałem wyobrazić sobie w pobliżu, a czasami, w chwilach wielkiego szczęścia, potrafiłem oszukać się, że w ogóle nigdy cię nie znałem. Miałeś być pierwszym Kawiką Binghamem, który nie ukończył naszej szkoły – kto wie, w czym jeszcze będziesz pierwszym Kawiką Binghamem? Może pierwszym, który zamieszka za granicą? Pierwszym, który stanie się kimś innym? Pierwszym, który wyjedzie gdzieś daleko, gdzieś tak daleko, że nawet Hawaje wydadzą się prawie gdzie indziej?

Myślałem o tym dzisiaj po obudzeniu, a moim myślom towarzyszył czyjś płacz – płacz kobiecy, powstrzymywany, przerywany spazmatycznym oddechem. Ktoś mówił: „Bardzo mi przykro, pani Bingham. Ale wygląda na to, że on chce odejść – możemy go utrzymać przy życiu dopóty, dopóki on sam chce żyć". A potem znów zabrzmiał ten płacz, rozpaczliwy, żałosny, i znowu ten sam głos mówił: „Przykro mi, pani Bingham. Bardzo mi przykro".

– Będę musiała napisać do wnuka... syna mojego syna – usłyszałem. – Nie potrafię powiedzieć mu tego przez telefon. Czy zdążę?

– Tak – odparł męski głos – tylko proszę mu napisać, żeby się pospieszył.

Żałowałem, że nie mogę im powiedzieć, żeby się nie martwili, ponieważ jest ze mną coraz lepiej, już prawie dobrze. Ledwo powstrzymałem się od uśmiechu, od okrzyku radości, od wywołania twojego imienia. Ale chcę, żeby była to niespodzianka – chcę zobaczyć twoją minę, gdy wreszcie staniesz tu w drzwiach, a ja wyskoczę z łóżka, żeby cię powitać. Ależ się zdziwisz! Ależ wszyscy się zdziwią. Ciekawe, czy zaczną mi klaskać. Czy będą ze mnie dumni? A jeśli się speszą, może nawet rozzłoszczą, to czy speszą się dlatego, że mnie nie docenili, czy rozzłoszczą się dlatego, że wystrychnąłem ich na dudka?

Mam jednak nadzieję, że do tego nie dojdzie, bo teraz nie czas na złość. Ty masz przyjechać – już czuję, jak serce mi wali, a krew dudni w uszach. Ale nie zaprzestanę ćwiczeń. Jestem już tak silny, Kawika – jestem prawie gotowy. Tym razem jestem gotowy wprawić cię w dumę. Tym razem cię nie zawiodę. Tak długo myślałem, że Lipo-wao-nahele będzie jedyną opowieścią o moim życiu, ale teraz już wiem: dostałem drugą szansę, szansę stworzenia innej opowieści, szansę na przekazanie ci czegoś nowego. Dlatego wieczorem, gdy już się ściemni i wszystko wokół mnie ucichnie, wstanę z łóżka i pójdę tą samą drogą do ogrodu, ale tym razem otworzę tylną furtkę i wyjdę na świat. Widzę już czubki drzew, czarne na tle pociemniałego nieba; czuję już zapach imbiru. Pomylili się: nie jest za późno, nie jest za późno, jednak nie jest za późno. I ruszę przed siebie – nie do domu matki, nie do Lipo-wao-nahele, ale gdzie indziej, mam nadzieję, że tam, gdzie ty odszedłeś, i nie zatrzymam się, nie będę musiał odpoczywać, dopóki tam nie dojdę, do ciebie, do raju.

Księga III

Ósma strefa

CZĘŚĆ I
Jesień 2093

CZĘŚĆ II
Jesień, pięćdziesiąt lat wcześniej

CZĘŚĆ III
Zima 2094

CZĘŚĆ IV
Zima, czterdzieści lat wcześniej

CZĘŚĆ V
Wiosna 2094

CZĘŚĆ VI
Wiosna, trzydzieści lat wcześniej

CZĘŚĆ VII
Lato 2094

CZĘŚĆ VIII
Lato, dwadzieścia lat wcześniej

CZĘŚĆ IX
Jesień 2094

CZĘŚĆ X
16 września 2088

Część I

Jesień 2093

Zwykle łapię wahadłowiec o 18.00 do domu i między 18.30 a 18.40, zależnie od zakłóceń, wysiadam na rogu Ósmej Ulicy i Piątej Alei, ale dzisiaj wiedziałam, że odbędzie się Ceremonia, więc poprosiłam doktora Morgana o wcześniejsze zwolnienie. Obawiałam się, że wahadłowiec utknie w pobliżu Czterdziestej Drugiej Ulicy na nie wiedzieć jak długo, a wówczas nie zdążyłabym kupić kolacji dla męża. Gdy tłumaczyłam to wszystko doktorowi Morganowi, przerwał mi w pół słowa. „Szczegóły mnie nie interesują – powiedział. – Oczywiście, że pozwalam. Proszę pojechać wahadłowcem o siedemnastej". Podziękowałam mu i tak zrobiłam.

Pasażerowie wahadłowca z godziny 17.00 różnili się od pasażerów wahadłowca z 18.00. Pasażerami tego drugiego byli inni technicy laboratoryjni i naukowcy, a nawet niektórzy z głównych badaczy, za to jedyną znajomą mi osobą w tym z 17.00 była jedna z woźnych. Gdy mnie minęła, przypomniałam sobie, że wypada do niej pomachać, i zrobiłam to, odwracając się na siedzeniu, ale chyba mnie nie zauważyła, bo nie odmachała.

Tak jak przewidywałam, wahadłowiec zwolnił, a potem zatrzymał się tuż na południe od Czterdziestej Drugiej Ulicy. Okna wahadłowca są okratowane, ale i tak całkiem dobrze widać przez nie, co dzieje się na zewnątrz. Wybrałam miejsce po prawej stronie, więc miałam widok na Starą Bibliotekę. Oczywiście stały przed nią krzesła, w sumie sześć, ustawione w rzędzie przodem do alei, chociaż nikt na nich nie siedział i liny nie były jeszcze rozwinięte. Ceremonia miała się rozpocząć dopiero za dwie godziny, ale radiotechnicy już przechadzali się tam w swoich długich czarnych płaszczach, a dwaj mężczyźni napełniali druciane kosze na śmieci kamieniami z paki wielkiej ciężarówki. To właśnie ta ciężarówka wstrzymała ruch uliczny, lecz nie można było nic zrobić, dopóki mężczyźni nie napełnią kamieniami wszystkich koszy i nie odjadą; gdy tak się stało, resztę drogi przebyliśmy błyskawicznie, przejeżdżając nawet przez punkty kontrolne.

Zanim dotarliśmy do mojego przystanku, była 17.50, więc chociaż sama jazda trwała dłużej niż zwykle, wróciłam do domu dużo wcześniej niż normalnie. Zrobiłam jednak to, co zawsze po pracy, czyli poszłam prosto do sklepu. Był to dzień mięsny, a ponieważ wypadał jednocześnie trzeci czwartek miesiąca, miałam także prawo pobrać nasze miesięczne racje mydła i papieru toaletowego. Jeden z bonów na warzywa zaoszczędziłam z poprzedniego tygodnia, dzięki czemu poza ziemniakami i marchwią mogłam wziąć puszkę zielonego groszku. Oprócz zwykłego asortymentu smakowych kostek proteinowych, pasztetów sojowych i sztucznych mięs rzucili tego dnia prawdziwą koninę, psinę, sarninę i mięso nutrii. Mięso nutrii było najtańsze, ale mój mąż uważa je za zbyt tłuste, więc kupiłam pół kilo koniny i trochę mąki kukurydzianej, bo nam się kończyła. Przydałoby się mleko, ale kombinowałam, że jeśli zaoszczędzę jeszcze jeden tygodniowy przydział, będę mogła kupić prawie pół litra budyniu, więc wzięłam mleko w proszku, za którym oboje z mężem nie przepadaliśmy, musiało jednak wystarczyć.

Potem wróciłam przez cztery przecznice do naszego bloku i dopiero gdy znalazłam się bezpiecznie w mieszkaniu, zajęta podsmażaniem koniny w oleju roślinnym, przypomniało mi się, że mój mąż ma dzisiaj wolny wieczór i nie wraca do domu na kolację. Było za późno, żeby przerwać gotowanie, więc usmażyłam mięso i zjadłam je z częścią zielonego groszku. Z sufitu dobiegały rozlegające się echem wrzaski, więc domyśliłam się, że sąsiedzi z góry słuchają Ceremonii przez radio. Sama jednak nie miałam ochoty jej słuchać, więc pozmywałam i rozsiadłam się na kanapie, żeby trochę poczekać na męża, chociaż wiedziałam, że nieprędko wróci do domu. Później poszłam spać.

Następny dzień minął normalnie. Złapałam wahadłowiec o 18.00, by wrócić do domu. Gdy przejeżdżaliśmy obok Starej Biblioteki, rozejrzałam się za śladami Ceremonii, jednak żadnych nie było: poznikały kamienie, krzesła i flagi, a schody były czyste, szare i puste jak zwykle.

W domu rozgrzewałam właśnie odrobinę oleju, żeby dosmażyć resztę mięsa, gdy usłyszałam pukanie męża do drzwi – puk-puk-pum-pum-pum – i jego okrzyk – „Kobra" – na który odkrzyknęłam: „Mangusta", a wtedy rozległ się szczęk otwieranych zasuw: pierwszej, drugiej, trzeciej, czwartej. Drzwi się otwarły i stanął w nich on, mój małżonek, mój Mangusta.

– Obiad prawie gotowy – powiedziałam.

– Zaraz będę – rzekł i poszedł do pokoju się przebrać.

Położyłam kawałek mięsa na jego talerzu i kawałek na swoim, dołożyłam każdemu trochę groszku i pół ziemniaka, którego upiekłam już z rana, po wyjściu męża do pracy, a teraz podgrzałam. Potem zajęłam swoje miejsce i czekałam, aż przyjdzie zasiąść naprzeciwko mnie.

Przez chwilę jedliśmy w milczeniu.

– Koń? – zapytał mój mąż.

– Tak – potwierdziłam.

– Hmm – mruknął on.

Chociaż jesteśmy już przeszło pięć lat po ślubie, to rozmowa z moim mężem wciąż sprawia mi trudność. Tak samo było w czasie naszego pierwszego spotkania. Gdy wyszliśmy z biura kojarzenia małżeństw, Dziadek objął mnie ramieniem i przyciągnął do siebie, ale nie rozmawialiśmy aż do powrotu do domu.

– Co sądzisz? – spytał Dziadek.

– Nie wiem – odpowiedziałam. Miałam przestać odpowiadać „nie wiem", bo podobno za często to powtarzałam, jednak w tym wypadku naprawdę nie wiedziałam. – Nie miałam pojęcia, co mam do niego mówić, gdy nie odpowiadałam na jego pytania – wyjaśniłam.

– To normalne – powiedział Dziadek. – Z czasem zrobi się łatwiej. – Zamilkł na chwilę. – Po prostu przypominaj sobie nasze lekcje, tematy, które poruszaliśmy w rozmowach. Pamiętasz je?

– Tak, oczywiście – odparłam. – „Jak ci minął dzień?", „Słyszałeś tę audycję radiową?", „Zdarzyło się dzisiaj coś ciekawego?".

Razem z Dziadkiem układałam listę pytań, jakie jedna osoba może zadać drugiej. Czasami przeglądałam tę listę przed pójściem do łóżka i myślałam sobie, że następnego dnia mogłabym zadać jedno z tych pytań mojemu mężowi albo któremuś z kolegów. Problemem było jednak to, że niektóre pytania – Co chciałbyś zjeść dziś wieczorem? Jakie książki czytasz? Gdzie wyjeżdżasz na następne wakacje? Pogoda fantastyczna/okropna, prawda? Jak się czujesz? – stały się albo nieistotne, albo niebezpieczne. Patrząc na tę listę, przypominałam sobie, jak ćwiczyłam konwersacje z Dziadkiem, lecz nie umiałam sobie przypomnieć jego odpowiedzi.

– Jak mięso? – zapytałam teraz mojego męża.

– W porządku.

– Nie za twarde?

– Nie, nie, w porządku. – Ugryzł jeszcze kęs. – Dobre.

Poczułam się dzięki temu lepiej, swobodniej. Dziadek mnie uczył, żebym w chwilach napięcia dodawała liczby w pamięci, i to właśnie robiłam, dopóki mąż nie udzielił mi odpowiedzi. Poczułam się po niej tak lekko, że postanowiłam coś jeszcze do niego powiedzieć.

– Jak spędziłeś wolną noc? – spytałam.

Nie podniósł oczu znad talerza.

– W porządku – powiedział. – Przyjemnie.

Nie wiedziałam, co dalej mówić. Nagle sobie przypomniałam:

– Wczoraj wieczorem była Ceremonia. Minęłam ją, jadąc do domu.

Tym razem spojrzał na mnie.

– Słuchałaś?

– Nie – odparłam. – A ty?

– Nie.

– Wiesz, kim oni byli? – zapytałam, chociaż wiadomo było, że tego pytania się nie zadaje.

Zadałam je wyłącznie w celu podtrzymania rozmowy z mężem, lecz on, ku mojemu zdziwieniu, ponownie popatrzył na mnie, spojrzał mi prosto w oczy i przez kilka sekund nic nie mówił. Ja także milczałam.

– Nie – odpowiedział wreszcie. Odniosłam wrażenie, że chciał powiedzieć coś więcej, ale tego nie zrobił, i dojedliśmy kolację w milczeniu.

Dwie noce później obudziło nas walenie do drzwi i męskie głosy. Mój mąż wyskoczył ze swojego łóżka z przekleństwem na ustach, a ja wyciągnęłam się i zapaliłam lampę.

– Nie ruszaj się stąd – nakazał, ale już szłam za nim do przedpokoju.

– Kto tam? – zapytał przez zaryglowane drzwi, a ja, jak zwykle w podobnych przypadkach, byłam pod wrażeniem odwagi mojego męża, który w ogóle nie okazywał lęku.

– Urząd Miejski Trzeci Wydział Śledczy pięćset czterdzieści sześć, Funkcjonariusze pięć tysięcy pięćset dwadzieścia osiem, siedem tysięcy osiemset siedemdziesiąt dziewięć i cztery tysiące pięćset siedemdziesiąt osiem – odpowiedział głos z tamtej strony drzwi. Usłyszałam szczekanie psa. – Ścigamy podejrzanego o naruszenie Kodów sto dwadzieścia dwa, sto trzydzieści pięć, dwieście dwadzieścia dziewięć, dwieście czterdzieści siedem i trzysta trzydzieści trzy. – Kody zaczynające się od jedynki oznaczały zbrodnie przeciwko racji stanu. Kody zaczynające się od dwójki były związane z wykroczeniami drogowymi. Kody zaczynające się od trójki wskazywały na przestępstwa informacyjne: zazwyczaj chodziło o uzyskanie dostępu do internetu lub posiadanie zakazanej książki. – Żądamy zezwolenia na rewizję lokalu.

Co prawda żądali zezwolenia, ale w żaden sposób nie można było im odmówić.

– Udzielam zezwolenia – powiedział mój mąż i rozryglował zamki. Trzej mężczyźni oraz rosły, chudy pies o spiczastym pysku weszli do naszego mieszkania. Największy z mężczyzn został w drzwiach z bronią wycelowaną w nas, którzy staliśmy pod najdalszą ścianą twarzami do niego, z rękami uniesionymi i zgiętymi w łokciach pod kątem prostym, podczas gdy dwaj pozostali mężczyźni otwierali nasze szafy i przeszukiwali łazienkę oraz sypialnię. Tego typu akcje miały odbywać się po cichu, ale słyszałam, jak mężczyźni w sypialni podnoszą materace, jeden po drugim, a te z głuchym hukiem spadają z powrotem na stelaże. Zza olbrzyma tarasującego drzwi dostrzegłam innych policjantów, z których jeden wchodził właśnie do mieszkania po lewej, a drugi wbiegał na górę po schodach.

Zakończyli rewizję; dwaj mężczyźni z psem wyszli z sypialni i jeden z funkcjonariuszy powiedział: „czyste" do tego w drzwiach, a do nas: „podpisać", więc oboje złożyliśmy odciski prawych kciuków na podstawionym przez niego ekranie i wymówiliśmy swoje nazwiska oraz numery identyfikacyjne do mikrofonu skanera. Później mężczyźni wyszli, a my zamknęliśmy za nimi drzwi.

Po rewizjach zawsze zostaje bałagan: wszystkie nasze ubrania i buty zostały wywalone z szafy, materace krzywo leżały na stelażach, a okno było otwarte, bo funkcjonariusze sprawdzali, czy ktoś nie wisi na parapecie albo nie chowa się w koronie drzewa, co podobno zdarzyło się rok wcześniej. Mój mąż sprawdził, czy składana żelazna bramka za oknem jest zabezpieczona i zamknięta, a następnie zamknął samo okno i zasłonił je czarną kotarą. Później pomógł mi wyprostować materace, najpierw mój, a potem swój. Chciałam wziąć się do pobieżnego chociaż uporządkowania szafy, ale mąż mnie powstrzymał.

– Zostaw to – powiedział. – Poczeka do jutra.

Położył się do swojego łóżka, a ja do mojego, zgasił lampę i znowu zrobiło się ciemno.

Zapanowała cisza, ale nie całkowita. Słyszeliśmy funkcjonariuszy w mieszkaniu piętro wyżej – coś ciężkiego upadło na podłogę i nasza sufitowa instalacja świetlna zaklekotała. Rozległy się stłumione okrzyki i szczekanie psa. A później usłyszeliśmy kroki schodzących z góry policjantów i sygnał odwołania alarmu, po którym rozbrzmiał komunikat z megafonów zamontowanych na dachu jednego z policyjnych vanów: „Strefa Ósma, plac Waszyngtona Strona Północna Trzynaście, osiem mieszkań plus piwnica, wszystkie pomieszczenia sprawdzone". Następnie zaterkotało śmigło policyjnego helikoptera i w końcu rzeczywiście znów zrobiło się cicho, tak cicho, że słyszeliśmy czyjś płacz, płacz kobiety z góry albo zza ściany. Ale ostatecznie on także ustał i nastąpiła chwila prawdziwej ciszy. Leżałam i patrzyłam na plecy mojego męża w snopie stroboskopowego światła, który omiatał je, by wspiąć się po ścianie i zniknąć z powrotem za oknem. Zasłony miały blokować to światło, ale nie były zbyt szczelne, na szczęście po jakimś czasie człowiek o nim zapominał.

Nagle ogarnęła mnie panika, więc skuliłam się w łóżku, chowając głowę pod poduszki i naciągając na siebie koc, tak jak robiłam w dzieciństwie. Mieszkałam jeszcze z Dziadkiem, gdy doświadczyłam swojej pierwszej rewizji: tamtej nocy wystraszyłam się tak bardzo, że zaczęłam jęczeć i kołysać się na siedząco, aż Dziadek musiał mnie mocno przytulić, żebym nie zrobiła sobie krzywdy. „Wszystko będzie dobrze, wszystko będzie dobrze" – powtarzał w kółko, a kiedy obudziłam się nazajutrz rano, bałam się w dalszym ciągu, ale mniej, a Dziadek powiedział mi, że strach jest czymś normalnym, że z czasem przyzwyczaję się do rewizji i że jestem dobra i dzielna, o czym nie powinnam zapominać.

Ale – podobnie jak rozmowy z moim mężem – rewizje nigdy nie stały się łatwiejsze. Po latach od tamtej pierwszej nauczyłam się przynajmniej dochodzić do siebie: przekonałam się, że jeśli zakryję się tak szczelnie, że powietrze, które wdycham, jest tym samym, które wydycham, tak że po krótkim czasie całą kryjówkę wypełnia mój gorący, znajomy oddech, potrafię w końcu wmówić sobie, że znajduję się gdzie indziej, w jakimś plastikowym strąku koziołkującym w przestrzeni kosmicznej.

Jednak tamtej nocy nie udało mi się uwierzyć w plastikowy strąk. Uświadomiłam sobie wówczas, że brakuje mi czegoś do przytulenia, czegoś ciepłego, masywnego i wypełnionego własnym oddechem – nie wiedziałam, co to może być. Próbowałam zgadnąć, co powiedziałby Dziadek, gdyby tu był, ale i to na próżno. Uciekłam się więc do matematyki i dodawałam liczby, wyszeptując je w pościel, aż w końcu uspokoiłam się i zasnęłam.

Rankiem po rewizji obudziłam się później niż zwykle, ale nie aż tak późno, żeby się spóźnić do pracy. Zwykle wstaję tak, że widzę, gdy mój mąż wychodzi do biura, lecz dzisiaj nie zdążyłam.

Wahadłowiec mojego męża odjeżdża wcześniej niż mój, ponieważ pracuje on w miejscu pilniej strzeżonym niż moja instytucja: każdy pracownik przed wejściem tam jest skanowany i badany. Codziennie przed wyjściem do pracy mąż szykuje śniadanie dla nas obojga, więc moje zostawił dzisiaj w piekarniku: owsianka w kamionkowej misce posypana była uprażonymi na patelni i pokruszonymi migdałami – wiedziałam, że to resztka naszych migdałów. Jedząc śniadanie w naszym dużym pokoju, wyglądałam przez okno zza osłaniającej je metalowej kraty. Na prawo widziałam szczątki drewnianego tarasu należącego do mieszkania w sąsiednim budynku. Lubiłam kiedyś patrzeć na ten taras, obserwować, jak hodowane tam w doniczkach zioła i pomidory wzrastają, grubieją i zielenieją. Po delegalizacji prywatnych upraw lokatorzy z tamtego mieszkania ozdobili patio sztucznymi roślinami z plastiku i papieru, które jakimś cudem pomalowali na zielono – przypomniało mi to Dziadka, który nawet wtedy, gdy zrobiło się już naprawdę źle, znajdował papier, żeby wycinać z niego dla nas różne rzeczy – kwiatki, płatki śniegu, zwierzęta, które widywał w dzieciństwie – i przylepiać je do naszego okna za pomocą kleksa owsianki. Ci ludzie z sąsiedniego bloku nakryli w końcu swoje rośliny wytrząśniętą skądś niebieską plandeką, więc jedząc śniadanie, stawałam w oknie, patrzyłam na plandekę i wyobrażałam sobie sztuczne rośliny. Ogarniał mnie spokój.

Ale potem był nalot i lokatorów z tamtego mieszkania uznano za winnych ukrywania wroga, ów taras zaś zniszczono tej samej nocy, kiedy ich zabrali. W ramach poprzedniej rewizji pięć miesięcy temu. Nie wiem, kim oni byli.

Wprawdzie mój mąż przed wyjściem zaczął układać rzeczy z powrotem w szafie, ale i ja odrobinę posprzątałam, zanim wybiegłam łapać wahadłowiec do pracy o 8.30. Z naszego przystanku wahadłowca na rogu Szóstej Alei i Dziewiątej Ulicy, zaledwie trzy przecznice od domu. Ze Strefy Ósmej odjeżdżało co rano osiem wahadłowców, od 6.00 co pół godziny. Wahadłowce miały cztery przystanki w Strefie Ósmej, trzy w Strefie Dziewiątej, następnie zatrzymywały się w Strefie Dziesiątej, gdzie pracuje mój mąż, w Strefie Piętnastej, gdzie ja pracuję, i w Strefie Szesnastej. A po południu, od 16.00 do 20.00, kursowały z powrotem od Strefy Szesnastej, przez Strefę Piętnastą i Strefę Dziesiątą, do Strefy Dziewiątej i Strefy Ósmej, skąd odbijały na wschód, do Strefy Siedemnastej.

Odkąd jeżdżę wahadłowcem, lubię przyglądać się współpasażerom i odgadywać, co robią i gdzie wysiądą. Ten wysoki mężczyzna, chudy i długonogi jak mój mąż, jest, wyobrażam sobie, ichtiologiem i pracuje przy Stawie w Strefie Dziesiątej; ta kobieta z zaciętą miną, o małych, ciemnych oczkach jak dwie pestki to epidemiolożka, pracuje w Strefie Piętnastej. Wiedziałam, że wszyscy są naukowcami i technikami – nigdy nie miałam się o nich dowiedzieć niczego więcej.

Na trasie do mojej pracy nigdy nie było nowych widoków, ale i tak zawsze siadałam przy oknie. Lubię wyglądać przez okno. Gdy byłam mała, mieliśmy kota, który lubił jazdę samochodem – ustawiał się pomiędzy moimi nogami, opierał przednie łapki o podstawę okna i wyglądał na zewnątrz. Patrzyłam razem z nim, a Dziadek, który czasem, gdy chciałam mieć więcej miejsca, siadywał z przodu, obok kierowcy, oglądał się na nas i śmiał się: „Moje dwa kotki patrzą na przemijanie świata. Co tam widzicie, koteczki?". Wówczas mu odpowiadałam – auto, człowieka, drzewo – na co Dziadek pytał: „A jak myślisz, dokąd jedzie to auto? A jak myślisz, co ten człowiek jadł dzisiaj na śniadanie? A jaki smak miałyby kwiaty tego drzewa, gdyby były jadalne?". Dziadek stale prowokował mnie do wymyślania historii, w czym nie byłam zbyt mocna, co mi wytykali nauczyciele. Nieraz, jadąc do pracy, opowiadałam Dziadkowi w myślach o tym, co widzę: brązowy ceglany budynek, na którym na czwartym piętrze naklejono nad oknem dwa pasy czarnej taśmy w kształcie „X", a w szparze tego okna mignęła mała buzia małego chłopczyka, jak mrugnięcie okiem; czarny wóz policyjny z uchylonymi tylnymi drzwiami, z których wystaje długa biała stopa; dwudziestoosobowa grupa dzieci w granatowych mundurkach – każde trzyma się supła na długim, szarym sznurze – czeka w kolejce do punktu kontrolnego na Dwudziestej Trzeciej Ulicy, żeby przejść do Strefy Dziewiątej, w której mieszczą się elitarne szkoły. Myślę o Dziadku i chciałabym mieć mu więcej do powiedzenia, ale prawda jest taka, że niewiele zmienia się w Strefie Ósmej – niemniej głównie z tego powodu uważam, że mieliśmy szczęście tam zamieszkać.

Pewnego dnia, jakiś rok temu, jechałam wahadłowcem do pracy i zobaczyłam coś, czego nigdy jeszcze nie widziałam w Strefie Ósmej. Sunęliśmy jak zwykle Szóstą Aleją i przecinaliśmy właśnie Czternastą Ulicę, gdy nagle na skrzyżowanie wbiegł jakiś mężczyzna. Siedziałam po lewej stronie w połowie długości wahadłowca, więc nie widziałam, skąd wziął się ten człowiek, widziałam jednak, że nie ma na sobie koszuli i ubrany jest w same białe majtki z gazy, które noszą ludzie w centrach izolacji, zanim przeniesieni zostaną do centrów relokacji. Mężczyzna najwyraźniej coś mówił, czego nie słyszałam, gdyż okna wahadłowca są kuloodporne i dźwiękoszczelne – mimo to widziałam, że krzyczy. Wyciągał przed siebie ręce, a mięśnie szyi miał nabrzmiałe i stwardniałe tak, że przez chwilę wyglądał jak wykuty z kamienia. Jego klatka piersiowa była w kilkunastu miejscach poznaczona śladami po próbach zamaskowania oznak choroby – wiele osób tak robiło: wypalali lezje zapałką, pozostawiając matowe czarne blizny przypominające pijawki. Nigdy nie rozumiałam sensu tego działania. Wprawdzie każdy wiedział, co znaczą lezje, ale każdy także wiedział, co znaczą blizny, więc była to po prostu zamiana jednego znaku na drugi. Mężczyzna ów, młody i biały, wyglądał na dwadzieścia parę lat. Chociaż był wychudzony i prawie nie miał włosów, co jest typowe dla drugiego stadium choroby, zauważyłam, że kiedyś musiał być przystojny – a teraz stał boso na ulicy i darł się wniebogłosy. Po chwili podbiegli do niego dwaj sanitariusze w srebrnych kombinezonach przeciw zagrożeniom biologicznym i odblaskowych przyłbicach na twarzach – gdy się patrzy w taką przyłbicę, widać wyłącznie własną twarz – i jeden z nich doskoczył do mężczyzny, próbując przyszpilić go do ziemi.

Mężczyzna okazał się jednak zaskakująco sprawny: wymknął się sanitariuszowi i ruszył biegiem do naszego wahadłowca. Wszyscy pasażerowie, obserwujący tę scenę w milczeniu, jak jeden mąż wstrzymali oddech, natomiast kierowca, który musiał zatrzymać pojazd, żeby nie potrącić sanitariuszy, wcisnął klakson, jakby chciał odstraszyć golasa. Ale mężczyzna podskoczył na wysokość mojego okna i przez moment widziałam jego oko: źrenica była tak rozszerzona, granatowa i błyszcząca, że okropnie się wystraszyłam. Usłyszałam także, nawet przez okno, że krzyczał: „Pomóż mi!". W tej samej chwili rozległ się huk, głowa mężczyzny zsunęła się w tył, a on sam zniknął mi z oczu. Widziałam, jak biegną do niego sanitariusze, jeden z uniesioną jeszcze bronią.

Wahadłowiec dość prędko ruszył dalej, jakby szybka jazda mogła zmazać to, co się stało. Wszyscy pasażerowie milczeli, a ja czułam się tak, jakby wszyscy na mnie patrzyli, jakby myśleli, że to moja wina, jakbym namówiła tego człowieka do zwrócenia się właśnie do mnie. Ludzie rzadko rozmawiają w wahadłowcu, ale usłyszałam cichy głos jakiegoś mężczyzny: „Jego już w ogóle nie powinno być na tej wyspie". Chociaż nikt więcej się nie odezwał, czuło się, że ludzie przyznają mu rację, i nawet ja poczułam, że są przerażeni, bo nie rozumieją tego, co się dzieje. Ale chociaż ludzie często boją się rzeczy, których nie rozumieją, to tym razem byłam z nimi zgodna: kogoś tak chorego należało odesłać już dawno temu.

W pracy dzień mijał niestety w ślimaczym tempie, a moje myśli wciąż wracały do porannego zdarzenia. Myślałam nie tyle o tamtym człowieku, o jego jasnym oku, ile o tym, że kiedy upadł, nie rozległ się właściwie żaden dźwięk, był tak lekki i miękki. Kilka miesięcy później ogłoszono, że centra izolacji stref Ósmej i Dziewiątej ulegną relokacji. Chociaż pojawiły się plotki na temat tego, co by to miało znaczyć, oczywiście nigdy nie wiedzieliśmy nic na pewno.

Od tamtego dnia w Strefie Ósmej nie odnotowano więcej dziwnych incydentów, więc dzisiaj rano wyglądałam przez okno i wszystko było po staremu. Wszystko było tak przewidywalne, że zdawało się, jakbyśmy to nie my sami byli w ruchu, lecz samo miasto stało się ciągiem scenografii i performerów przesuwających się przed nami na ruchomej taśmie. Oto budynki mieszkalne, a dalej łańcuch dzieci trzymających się za rączki, a jeszcze dalej Strefa Dziewiąta i dwa duże szpitale, już opróżnione, a teraz klinika, tu natomiast, zaraz przed Farmą, rząd gmachów ministerialnych.

To był znak, że przecinamy granicę najważniejszej strefy – Strefy Dziesiątej. W Strefie Dziesiątej nikt nie mieszkał. Pomijając kilka ministerstw, na jej obszarze dominowała Farma, która kiedyś była gigantycznym parkiem przecinającym wyspę na pół. Pod względem powierzchni wielkość tego parku stanowiła znaczny procent terenu całej wyspy. Ja już nie pamiętałam go jako parku, ale Dziadek pamiętał i opowiadał mi, że cały ten teren był poprzecinany ścieżkami, betonowymi i ziemnymi, po których ludzie biegali, jeździli na rowerach i spacerowali. Mówił, że urządzało się tam pikniki. Na terenie parku mieściło się zoo, gdzie spacerowicze przychodzili oglądać za pieniądze dziwne, bezużyteczne zwierzęta, od których nie wymagano niczego ponad to, żeby siedziały spokojnie i jadły dostarczane im jedzenie. Było tam także jezioro, po którym wioślarze pływali małymi łódkami, a na wiosnę mieszkańcy schodzili się przy nim, żeby oglądać kolorowe ptaki, które przylatywały spod równika. Zbierali również grzyby i podziwiali kwiaty. W wielu miejscach w parku stały żelazne rzeźby, wymyślne w formie i przeznaczone do zabawiania dzieci. Dawno, dawno temu spadł nawet śnieg i ludzie, którzy przyszli do parku, przypinali sobie do stóp długie, wąskie deski i ślizgali się na nich po oblodzonych wzgórzach, co, jak mówił mi Dziadek, mogło skończyć się upadkiem. Wiem, że trudno dzisiaj zrozumieć, czemu służył ten park – Dziadek twierdził, że n i c z e m u nie służył: było to po prostu miejsce do miłego spędzania czasu. Nawet jezioro służyło jedynie przyjemnościom – można było puszczać po nim papierowe łódki albo spacerować dookoła, albo po prostu usiąść na jego brzegu i patrzeć.

Wahadłowiec zatrzymał się przed głównym wejściem na Farmę. Pasażerowie, którzy wysiedli, zaczęli ustawiać się w kolejce. Na Farmę mogło się dostać jedynie około dwóch tysięcy certyfikowanych pracowników i nawet przed dołączeniem do kolejki trzeba było poddać się skanowaniu siatkówki na dowód, że ma się prawo wstępu. Ponadto uzbrojeni strażnicy pilnowali, żeby nikt nie wdarł się do środka, co czasem się zdarzało. O Farmie krążyły plotki. Mówiono, że hoduje się tam nowe odmiany zwierząt – krowy z dodatkowymi wymionami, dające podwójną ilość mleka; bezmózgie, beznogie kury, które, tłuste i foremne, można upakować ciasno w klatkach i karmić przez rurki; owce, które dzięki inżynierii genetycznej żywią się wyłącznie odpadami, dzięki czemu nie trzeba marnować ziemi pod pastwiska. Jednak żadna z owych plotek nie była potwierdzona, a jeżeli istotnie powstawały tam nowe zwierzęta, myśmy ich nigdy nie widzieli.

Za to na Farmie prowadzono wiele innych projektów. Były tam cieplarnie służące do hodowli wszelkiego rodzaju nowych roślin w celach spożywczych lub leczniczych; był także las, w którym hodowano nowe odmiany drzew, i laboratorium, gdzie naukowcy pracowali nad stworzeniem nowych rodzajów biopaliw. Na Farmie mieścił się również staw, przy którym pracuje mój mąż. Staw dzielił się na dwie części: przeznaczoną na hodowlę zwierząt i hodowlę roślin. Ichtiologowie i genetycy pracowali w pierwszej części, botanicy i chemicy – w drugiej. Mój mąż pracował w tej drugiej, mimo że nie jest naukowcem, bo nie udało mu się zrobić dyplomu. Był ogrodnikiem wodnym: sadził zatwierdzone przez botaników okazy i próbki roślin – przeważnie rozmaite algi – a potem nadzorował ich wzrost i zbiory. Z niektórych roślin miały powstać lekarstwa, z innych żywność, a te, które nie nadawały się do żadnego ze wspomnianych celów, miały zostać przerobione na kompost.

Tak mówię, ale w rzeczywistości nie wiem, co naprawdę robi mój mąż. P r z y p u s z c z a m jedynie, że zajmuje się sadzeniem, hodowlą i zbiorami – ale nie wiem tego na pewno, tak jak i on nie ma pewności co do moich zajęć.

Dziś rano wytężałam wzrok przez okno wahadłowca, ale jak zwykle nie zobaczyłam nic nowego. Całą Farmę otacza kamienny mur czterometrowej wysokości, zwieńczony rozmieszczonymi co trzydzieści centymetrów czujnikami, tak że nawet gdyby człowiek się tam wspiął, niemal natychmiast zostałby ujęty. Przeważająca część farmy mieści się pod gigantyczną biokopułą, ale w pobliżu ściany południowej zostało parę metrów odsłoniętej ziemi, a zaraz za murem rosną dwa rzędy akacji ciągnących się szpalerem wzdłuż całej granicy od alei Farmerskiej Zachodniej po Piątą Aleję. Oczywiście w mieście również rosły drzewa, ale prawie nigdy nie widywało się ich z liśćmi, gdyż ludzie obrywali je – na herbatę albo na zupę – ledwie się pojawiły. Rzecz jasna zrywanie liści było zabronione, ale i tak wszyscy to robili. Nikt jednak nie śmiał tknąć liści na terenie Farmy ani wokół niej, więc gdy wahadłowiec zakręcał na południe, by wjechać w aleję Farmerską Południową, widziało się soczyście zielone obłoki: ja widywałam je pięć razy w tygodniu, a mimo to ich widok za każdym razem mnie zadziwiał.

Minąwszy przystanek przed Farmą, wahadłowiec jechał do alei Madisona, gdzie skręcał na północ, a potem brał zakręt w prawo przy Sześćdziesiątej Szóstej i skręcał na południe z alei Jorku, by zatrzymać się przed Uniwersytetem Rockefellera, który mieści się przy Sześćdziesiątej Piątej Ulicy. Tam wysiadałam razem z innymi pracownikami Uniwersytetu Rockefellera albo Zakładu Badawczego Sloana-Ketteringa oddalonego o jedną przecznicę. Zmierzający do Uniwersytetu Rockefellera ustawiają się w dwie kolejki: w jednej stają naukowcy, w drugiej technicy laboratoryjni i personel pomocniczy. Przed wejściem na kampus sprawdzano nam odciski palców, przeszukiwano torby i skanowano całe ciała – powtarzało się to przy wejściu do każdego z budynków. W zeszłym tygodniu mój kierownik ogłosił, że w związku ze zdarzeniem z uciekającym nagim mężczyzną również u nas zostanie wprowadzone skanowanie siatkówki. Wszyscy się zmartwili, ponieważ u nas nie ma baldachimu, pod którym można by schronić się przed deszczem, tak jak na Farmie, i chociaż cały kampus osłania biokopuła, to nie obejmuje ona strefy bezpieczeństwa, co oznacza półgodzinne czekanie w upale. Kierownik powiedział nam, że na wypadek długich kolejek wystawione zostaną chłodziarki, ale jeszcze ich nie dostarczono. Za to zaczęli różnicować godziny przyjścia i wyjścia z pracy, żebyśmy nie czekali wszyscy naraz.

– Co to było za zdarzenie? – zapytał jeden z techników z drugiego laboratorium, mnie osobiście nieznany, ale kierownik mu nie odpowiedział; nikt zresztą tego nie oczekiwał.

Pracuję w Centrum Larssona, budynku wzniesionym w latach trzydziestych dwudziestego wieku. Jego główny kampus łączy się mostem ze znacznie mniejszym kampusem na sztucznej wyspie na rzece East. W Centrum Larssona jest dziewięć laboratoriów i wszystkie specjalizują się w odmianach grypy. Jedno z laboratoriów bada pochodne grypy z 2046 roku, która okazała się ewolucyjnie agresywna; inne zajmuje się pochodnymi grypy z 2056 roku, która, według doktora Morgana, wcale nie była grypą. Moje laboratorium, pod kierownictwem doktora Wesleya, specjalizuje się w grypie predyktywnej. To znaczy, że próbujemy przewidzieć następną nieznaną dotąd grypę, która może się całkowicie różnić od obydwu wspomnianych powyżej. Jest to jedno z największych laboratoriów na Uniwersytecie Rockefellera. Oprócz doktora Wesleya, głównego badacza, czyli szefa laboratorium, mamy dwudziestu czterech adiunktów, jak doktor Morgan, którzy posiadając już stopień doktora, usiłują dokonać jakiegoś ważnego odkrycia, żeby objąć kiedyś własne laboratoria, dziewięciu doktorantów, którzy tytułowani są doktorami, oraz dziesięcioosobowy personel techników i pracowników pomocniczych, do których ja się zaliczam.

Pracuję z myszami. W każdym momencie jest ich co najmniej czterysta, czyli znacznie więcej, niż mają łącznie dwa pozostałe laboratoria. Podsłuchuję nieraz rozmowy techników z tamtych laboratoriów. Mówią o tym, że ich szefowie skarżą się na obfitość funduszy, którymi dysponuje doktor Wesley – funduszy przeznaczanych na „ekspedycje wędkarskie". Termin ów znam od Dziadka: oznacza, że mój szef nie posiada rzeczywistych dowodów ani informacji, a jedynie poszukuje czegoś, czego nie potrafi nawet nazwać. Powtórzyłam to kiedyś doktorowi Morganowi, który nasrożył się i powiedział, że tamci nie powinni tak mówić, ale cóż, to zaledwie prości technicy laboratoryjni. Potem poprosił mnie o podanie ich nazwisk, ale udałam, że to byli pracownicy czasowi, których nie znam, więc popatrzył na mnie przeciągle i kazał sobie obiecać, że jeśli jeszcze raz coś podobnego usłyszę, to mu powiem. Obiecałam, ale tego nie zrobiłam.

Jestem odpowiedzialna za mysie embriony. Myszy – już w drugim tygodniu ciąży – dostarcza nam w skrzyniach firma zaopatrzeniowa. Od moich naukowców dostaję listę zamówień na embriony w konkretnym wieku: zazwyczaj mają być dziesięciodniowe, ale czasami są trochę starsze. Zabijam myszy i pobieram z nich płody, które przygotowuję w probówkach lub szalkach Petriego, i ustawiam na półkach w lodówce według wieku. Moim zadaniem jest dbać o to, żeby myszy dostępne były zawsze, ilekroć potrzebują ich naukowcy.

Wszystko to zabiera sporo czasu, zwłaszcza jeżeli działa się starannie, ale i tak zdarzają mi się chwile bezczynności. Proszę wtedy o zezwolenie na wykorzystanie moich dwóch dwudziestominutowych przerw. Czasami spędzam je na spacerze. Wszystkie gmachy Uniwersytetu Rockefellera łączą się podziemnymi tunelami, żeby nigdy nie trzeba było wychodzić na zewnątrz. Podczas epidemii roku pięćdziesiątego szóstego wybudowano ciąg spiżarni i pokoi bezpieczeństwa, ale ja nigdy ich nie widziałam. Wszyscy mówią, że pod tunelami są jeszcze dwa piętra pomieszczeń: sal operacyjnych, laboratoriów i chłodni. Ale Dziadek zawsze mi powtarzał, żebym nie wierzyła w nic, czego nie mogę udowodnić. „Dla naukowca nic nie jest prawdą bez dowodu" – mawiał. Chociaż nie jestem naukowczynią, przypominam sobie o tym, gdy idę tunelem, i nagle ogarnia mnie lęk, ponieważ nabieram pewności, że powietrze się oziębiło i z daleka, gdzieś z dołu, słyszę chrobot myszy, jęki i szepty. Kiedy dopadło mnie to po raz pierwszy, zastygłam w miejscu, a gdy się ruszyłam, ocknęłam się w kącie korytarza, przy jednych z drzwi na klatkę schodową, i krzykiem wzywałam Dziadka. Ja sama tego nie pamiętam, ale doktor Morgan mówił mi później, że znaleźli mnie tam zasikaną i kazali mi siedzieć w recepcji z nieznanym mi technikiem z innego laboratorium, aż mój mąż przyszedł i zabrał mnie do domu.

Było to wkrótce po naszym ślubie, niedługo po śmierci Dziadka. Obudziłam się wtedy w środku nocy i nie wiedziałam, gdzie jestem – dopiero po chwili uprzytomniłam sobie, że to moje łóżko w naszym mieszkaniu. Rozejrzałam się i ujrzałam, że ktoś siedzi na drugim łóżku i patrzy na mnie: mój mąż.

– Nic ci nie jest? – zapytał.

Czułam się dziwnie sennie i nie znajdowałam w głowie potrzebnych słów. On nie zapalił światła, ale nagle zza okna padł blask reflektora i dostrzegłam jego twarz.

Usiłowałam coś powiedzieć, lecz miałam sucho w ustach; mąż podał mi kubek, z którego piłam i piłam, a kiedy woda się skończyła – za szybko – wyjął kubek z moich rąk i wyszedł z pokoju. Usłyszałam, że w kuchni podnosi pokrywę z kamiennej kadzi na wodę, drewniany czerpak uderzył o cembrowinę i chlusnęła ciecz przelewana do kubka.

– Nie pamiętam, co się stało – powiedziałam, kiedy zaspokoiłam pragnienie.

– Zemdlałaś – wyjaśnił mój mąż. – W pracy. Wezwali mnie, przyjechałem i zabrałem cię do domu.

– Aha – mruknęłam. Potem coś mi się przypomniało, ale tak jakby była to opowieść Dziadka z dawnych czasów. – Przepraszam – powiedziałam.

– Nie przejmuj się. Cieszę się, że już ci lepiej.

Wstał i zbliżył się; przez chwilę myślałam, że mnie dotknie, może nawet pocałuje, i sama nie wiedziałam, co o tym myśleć, ale on spojrzał mi w oczy z góry i przelotnie dotknął dłonią mojego czoła. Jego dłoń była chłodna i sucha. Nagle zapragnęłam pochwycić go za palce, ale nie uczyniłam tego, bo nie dotykamy się w ten sposób.

Wyszedł z pokoju i zamknął za sobą drzwi. Długo leżałam przytomna, nasłuchując odgłosu jego kroków i pstryknięcia zapalanej lampy w dużym pokoju. Ale nie usłyszałam niczego. Spędził tę noc po ciemku w dużym pokoju, nic nie robiąc, nigdzie nie wychodząc, ale w innym pomieszczeniu niż ja.

Tamtej nocy myślałam o Dziadku. Często o nim myślałam, ale tamtej nocy ze szczególną wyrazistością: powtarzałam sobie wszystkie miłe słowa Dziadka, które zostały mi w pamięci, i przypominałam sobie, że kiedy coś mi się udało, Dziadek przyciągał mnie do siebie i przyciskał – niby tego nie lubiłam, ale równocześnie było to jakoś przyjemne. Przypominam sobie, jak nazywał mnie swoim koteczkiem i jak, kiedy się bałam, biegłam do niego, a wtedy odprowadzał mnie z powrotem do łóżka, siadał obok i trzymał mnie za rękę, dopóki nie zasnęłam. Starałam się nie myśleć o tym, kiedy widziałam go po raz ostatni, gdy go wyprowadzali: odwrócił się wtedy i zobaczyłam jego oczy lustrujące tłum, poszukujące mnie – próbowałam do niego krzyknąć, ale nie mogłam, tak strasznie się bałam, więc stałam bez ruchu, a mój świeżo poślubiony mąż stał koło mnie. Obserwowałam oczy Dziadka wędrujące w tę i z powrotem, w tę i z powrotem, aż wreszcie, gdy wprowadzali go po schodkach na platformę, wykrzyknął: „Kocham cię, koteczku" – a ja nadal nie zdołałam nic powiedzieć.

– Słyszysz mnie, koteczku? – krzyknął i dalej rozglądał się za mną, ale nie patrzył we właściwą stronę, krzyczał do masy ludzi, którzy z niego szydzili, a człowiek na platformie już zmierzał ku niemu z czarną szmatą w rękach. – Kocham cię, koteczku, nigdy o tym nie zapomnij. Choćby nie wiem co.

Leżałam w łóżku, kołysałam się skulona i mówiłam do Dziadka:

– Nie zapomnę – powtarzałam głośno. – Nie zapomnę.

Ale chociaż tego nie zapomniałam, to zapomniałam, jak to jest być kochaną. Kiedyś to rozumiałam, ale teraz już nie.

Kilka tygodni po nalocie słuchałam porannej transmisji i dowiedziałam się, że na Uniwersytecie Rockefellera nastąpiła awaria klimatyzacji i tego dnia nie musimy przychodzić do pracy.

Codziennie nadawano cztery biuletyny poranne – o 5.00, o 6.00, o 7.00 i o 8.00 – i obowiązywał nakaz wysłuchania co najmniej jednego, ponieważ można było uzyskać przydatne informacje. Czasami się zdarzało, że z powodu wypadku zmieniano trasę wahadłowca i wówczas głos męski lub kobiecy wymieniał dotknięte zmianą obszary i informował o zastępczym miejscu oczekiwania. Czasami nadawano komunikat o jakości powietrza, z którego wynikała konieczność włożenia maski ochronnej, albo o indeksie UV oznaczającym konieczność przywdziania specjalnego okrycia, albo o indeksie temperatury, który wskazywał na potrzebę włożenia kombinezonu chłodzącego. Czasami informowano o Ceremonii albo o egzekucji, więc można było odpowiednio przystosować harmonogram dnia. Jeśli się pracowało w którejś z wielkich instytucji państwowych, tak jak mój mąż i ja sama, można było skorzystać z doniesień o ich zamknięciu lub innych nietypowych okolicznościach. Na przykład w ubiegłym roku mieliśmy tu kolejny huragan, w związku z którym całkowicie zamknięto Uniwersytet

Rockefellera, ale mój mąż i reszta personelu technicznego musieli mimo wszystko stawić się na Farmie, żeby nakarmić i oporządzić zwierzęta, przeprowadzić dwukrotny pomiar zasolenia wody w tajnych zbiornikach oraz wykonać wszystkie prace, których nie wykonują komputery. Specjalny wahadłowiec – przejeżdżający przez wszystkie strefy, a nie wyłącznie przez wyznaczone – zabrał go rano sprzed domu i odwiózł z powrotem pod same drzwi po zapadnięciu zmroku.

Gdy sześć lat temu zaczynałam pracę na Uniwersytecie Rockefellera, nie zdarzały się awarie klimatyzacji. Tymczasem w zeszłym roku mieliśmy ich cztery. Oczywiście budynki nigdy nie były całkowicie pozbawione elektryczności: działało pięć dużych generatorów zaprogramowanych do niemal natychmiastowej kompensacji spadku energii. Jednak po ostatnim, majowym zaciemnieniu kazano nam nie przychodzić do pracy w razie następnego, ponieważ generatory pracowały pełną mocą, aby utrzymać prawidłową temperaturę w lodówkach, a zbiorowe ciepło naszych organizmów obciążyłoby system.

Mimo że nie musiałam w owym dniu iść do pracy, wykonałam normalnie wszystkie poranne czynności. Zjadłam owsiankę, wyszorowałam zęby, obmyłam się ściereczkami higienicznymi, zasłałam łóżko. Na tym repertuar moich czynności się wyczerpał: nie mogłam pójść do sklepu poza wyznaczonymi godzinami, a nawet gdybym chciała zrobić pranie, było to dozwolone tylko w dniu dodatkowej wody, który dla nas wypadał w przyszłym tygodniu. W końcu wyjęłam z szafki miotłę i pozamiatałam całe mieszkanie, co zazwyczaj robię jedynie w środy i niedziele. Nie zajęło to zbyt wiele czasu, jako że był czwartek i podłogi po wczorajszym zamiataniu nie zostały jeszcze zabrudzone. Przeczytałam więc ponownie miesięczny biuletyn Strefy Ósmej, dostarczany do wszystkich gospodarstw domowych i zawierający spis wszystkich planowanych remontów ulic w naszej okolicy, nowych nasadzeń drzew w alejach Piątej i Szóstej, a także nowych produktów spożywczych, które mogą pojawić się w sklepie, z podaniem daty dostawy i ceny poszczególnych artykułów w bonach. Biuletyn zawierał również przepis kulinarny jednego z mieszkańców Strefy Ósmej, który zazwyczaj próbowałam wykorzystać. Tym razem trafiłam na przepis na duszonego szopa z lubczykiem i grysikiem, co mnie szczególnie zainteresowało, gdyż nie lubię przyrządzać szopa i ciągle szukam sposobów na poprawienie jego smaku. Wycięłam przepis i schowałam do szuflady w kuchni. Co kilka miesięcy wysyłałam własny przepis, ale moich nigdy nie wybierano do publikacji.

Później usiadłam na kanapie i słuchałam radia. Od 8.30 do 17.00 nadawali muzykę, potem trzy biuletyny wieczorne i znów muzykę od 18.30 do 23.59. Potem następowała przerwa w nadawaniu do godziny 4.00. W tym czasie radio przekazywało zaszyfrowane wiadomości dla personelu wojskowego, które myśmy odbierali jako przeciągłe buczenie – poza tym przerwa miała zachęcić ludność do spania, ponieważ państwo dbało o nasz zdrowy styl życia, czego drugim przejawem było zmniejszenie do połowy mocy sieci elektroenergetycznej w tych samych godzinach. Nie znałam tytułu tego utworu, ale był ładny i uspokajał mnie: słuchając go, myślałam o mysich embrionach pływających w solankowych kąpielach, z niedorozwiniętymi jeszcze łapkami, które do złudzenia przypominały ludzkie rączki. Embriony nie miały także ogonków, a wyłącznie lekko przedłużone kręgosłupy, więc ktoś, kto się nie zna, nie zdołałby odgadnąć, że są to embriony myszy. Równie dobrze mogły to być koty, psy, małpy albo ludzie. Naukowcy mówili na nie „paluszki".

Martwiłam się o te embriony, chociaż było to niemądre: generatory utrzymywały je w chłodzie, a zresztą były przecież martwe. Miały już na zawsze pozostać martwe – nigdy nie przekształcą się w nic innego, nie urosną, nigdy nie otworzą oczu, nigdy nie porosną sierścią. A jednak to przez embriony popsuła się klimatyzacja. A to dlatego, że Uniwersytet Rockefellera budził niechęć pewnych grup ludzi. Niektórzy uważali, że naukowcy nie pracują dość ciężko – sądzili, że gdyby pracowali szybciej, choroby dałoby się wyeliminować i życie uległoby poprawie, może nawet do poziomu znanego w czasach, gdy Dziadek był w moim wieku. Inni znów twierdzili, że naukowcy pracują nad niewłaściwymi roztworami. Jeszcze inni byli zdania, że to naukowcy wytwarzają choroby w naszych laboratoriach, bo chcą wyeliminować pewne typy ludzi albo pomagają rządowi sprawować kontrolę nad krajem – i ci byli najniebezpieczniejsi.

Głównym działaniem grup drugiej i trzeciej były próby pozbawienia naukowców „paluszków": jeśli zabraknie im embrionów, nie będą mogli wstrzykiwać im wirusów i albo będą zmuszeni zaniechać swojej pracy, albo zmienić jej metody. Tak rozumowały te grupy. Krążyły pogłoski, że podczas zaciemnień uzbrojone transporty zwierząt laboratoryjnych są atakowane przez bojówki w drodze z Long Island. Po incydencie z roku osiemdziesiątego ósmego wszystkich kierowców ciężarówek wyposażono w broń i każdej ciężarówce towarzyszyło trzech żołnierzy. A mimo to dwa lata temu coś się stało: grupa powstańcza zatrzymała jedną z ciężarówek. Całą obsadę transportu zabito i po raz pierwszy w historii uniwersytetu embriony nie dojechały. W tym samym mniej więcej czasie nastąpił pierwszy atak na system elektryczny. Uniwersytet Rockefellera dysponował wtedy tylko dwoma generatorami, które nie wystarczyły, i skrzydło Delacroix zostało całkowicie pozbawione prądu: setki okazów uległy zepsuciu i wielomiesięczna praca poszła na marne. Po tym zdarzeniu rektor uniwersytetu udał się do władz z apelem o wzmocnienie ochrony, więcej generatorów i surowsze kary dla bojówkarzy, co mu zagwarantowano.

Oczywiście nikt mi tego wszystkiego nie mówił. Sama musiałam się domyślać, podsłuchując naukowców, którzy gromadzili się po kątach laboratorium i szeptali między sobą. Donosząc im embriony i zabierając inne, ociągałam się dyskretnie i próbowałam podsłuchać ich rozmowy. Żaden z naukowców nie zwracał na mnie uwagi, chociaż z powodu Dziadka wszyscy wiedzieli, kim jestem. Zawsze zgadywałam, kiedy nowy doktor lub doktorant dowiedział się, kim jestem, bo gapili się na mnie, gdy wchodziłam do sali, i dziękowali mi, kiedy im podawałam nową partię myszy, i dziękowali ponownie za zabranie starej. W końcu jednak przyzwyczajali się do mnie i przestawali dziękować, a nawet zapominali, że w ogóle jestem, co niezmiernie mi odpowiadało.

Zdawało mi się, że długo słuchałam muzyki, chociaż gdy spojrzałam na zegar, przekonałam się, że minęło dopiero dwadzieścia minut i była zaledwie 9.20, co oznaczało, że nie mam co robić do 17.30, kiedy zaczynały się moje godziny zakupów. Mnóstwo czasu. Wtedy postanowiłam przespacerować się dookoła placu.

Nasze mieszkanie mieści się po północnej stronie placu, na wschodnim rogu Piątej Alei. W czasach mojego dzieciństwa nasz budynek był domem jednorodzinnym, w którym mieszkaliśmy tylko ja i Dziadek, kucharz i dwoje służących. Jednak podczas powstania osiemdziesiątego trzeciego roku państwo podzieliło dom na osiem mieszkań, po dwa na każdym piętrze, i pozwoliło nam wybrać lokal. Po moim ślubie zostałam z mężem w naszym mieszkaniu, a Dziadek się wyprowadził. Jedno z mieszkań na każdym piętrze wychodzi na plac, a drugie na północ. Nasze mieści się na trzecim piętrze po stronie północnej, spokojniejszej, a zatem lepszej. Z okien po tej stronie domu widać teren, gdzie rodzina, która postawiła ten dom przeszło dwieście lat temu, trzymała swoje konie – nie były przeznaczone do jedzenia, ale do wożenia jej po mieście.

Nie miałam specjalnej ochoty na spacer wokół placu, ponieważ było strasznie gorąco, goręcej niż zwykle w końcu października, a ponadto spacer wokół placu potrafi napędzić strachu. Tak czy inaczej, trudno mi było wysiedzieć w mieszkaniu, gdzie nie miałam co robić ani na kogo patrzeć, więc w końcu posmarowałam się kremem z filtrem, włożyłam kapelusz i koszulę z długim rękawem, zeszłam po schodach, opuściłam budynek, przeszłam przez jezdnię i znalazłam się na placu.

W tej okolicy można było dostać wszystko. Na krańcu północno-zachodnim mieli swoje warsztaty kowale, którzy umieli zrobić wszystko, od zamka do drzwi po rondel, a ponadto skupowali od klientów stary metal. Ważyli go i mówili, co to jest, czy stop kobaltu z aluminium, czy żelaza z niklem, po czym płacili – złotem, żywnością albo bonami na wodę, do wyboru – a zakupiony metal przetapiali i przerabiali na inne przedmioty. Na południu ulokowali się sukiennicy, krawcowie i szwaczki, którzy także skupowali starzyznę – używane ubrania i tkaniny; przerabiali również stare ubrania na nowe. W północno-wschodnim krańcu działali lichwiarze, a obok nich – zielarze, na południe od nich zaś stolarze, produkujący i naprawiający wyroby z drewna. Byli również wulkanizatorzy, powroźnicy i handlarze plastikiem, którzy skupowali lub wymieniali wszelkie artykuły plastikowe, a z odzyskanych materiałów także potrafili zrobić coś nowego.

Nie wszyscy mieli pozwolenie na handel na placu. Co parę miesięcy policja robiła nalot i wtedy wszyscy handlarze, nawet ci legalni, znikali na tydzień, a potem wracali. Ludzie – nie wszyscy, oczywiście nie naukowcy i ministrowie, ale większość innych ludzi – polegali na handlarzach. W Strefie Czternastej znajdowały się domy towarowe, gdzie można było kupować różne rzeczy, nie wiem jakie, ale my w Strefie Ósmej mieliśmy wyłącznie sklepy spożywcze, a zamiast domów towarowych – plac. Władze nie przejmowały się zresztą sukiennikami, stolarzami i blacharzami – interesowały się za to ludźmi krążącymi pomiędzy stoiskami. Ci, w przeciwieństwie do handlarzy, nie zajmowali stałych miejsc na placu – nie mieli stołów osłoniętych plandeką przed słońcem i deszczem. W najlepszym razie dysponowali stołkiem i parasolem i siadali codziennie w innym miejscu. Czasami nie mieli nawet tego, więc pałętali się po placu. Ale wszyscy, i handlarze, i stali klienci, wiedzieli, kim są ci ludzie i gdzie można ich znaleźć, chociaż nigdy nie posługiwali się ich nazwiskami. Ci ludzie potrafili nastawić kość, założyć szwy na ranę, wybronić człowieka od prefektury i załatwić, co tylko się chciało, od nielegalnych książek, poprzez cukier, po konkretną osobę. Byli wśród nich tacy, którzy znajdowali zaginione dzieci, i tacy, którzy dzieci zabierali. Byli spece od załatwiania miejsc w dobrych ośrodkach izolacyjnych i spece od wyciągania pacjentów z ośrodków tego rodzaju. Byli nawet tacy, którzy twierdzili, że potrafią uleczyć z choroby – na nich właśnie władze polowały najzacieklej, ale mówiono, że ci ludzie mają zdolność znikania na własne życzenie i nigdy nie dają się złapać. To oczywiście niedorzeczne: człowiek nie potrafi zniknąć. A jednak wciąż krążyły plotki o tych spryciarzach, którzy raz po raz wymykają się władzom.

Pośrodku placu znajdowała się duża, płytka betonowa niecka w kształcie pierścienia, w której na wysokim postumencie nieustannie, nawet w największe upały, płonął ogień, gaszony wyłącznie podczas nalotów, a wokół niego także gromadzili się handlarze. Było ich od dwudziestu do trzydziestu, zależnie od dnia: siedzieli kołem i na betonowej cembrowinie każdy miał rozłożoną plastikową płachtę, a na niej kawałki rozmaitego mięsa. Czasami można było rozpoznać, z jakiego zwierzęcia pochodzi określony rodzaj mięsa, a czasami nie. Każdy handlarz posiadał ostry nóż i długie metalowe szczypce oraz zestaw metalowych rożnów i wachlarz z plastikowej plecionki do odganiania much. Handlarze przyjmowali złoto lub bony, za które albo odkrawali dla klienta mięso i zawijali je w papier, albo nabijali porcję na rożen i piekli na miejscu, jak kto wolał. Ogień otaczały metalowe tace, na które kapał tłuszcz. Kogo nie było stać na mięso, ten mógł kupić sam tłuszcz i użyć go w domu do smażenia. To zaskakujące, ale wszyscy handlarze z betonowej niecki byli przeraźliwie chudzi i nigdy nie widziano, żeby jedli. Ludzie gadali, że to dlatego, że brzydzą się oni sprzedawanym mięsem, a co parę miesięcy wybuchała plotka, że to jest ludzkie mięso pochodzące z jednego z obozów. To jednak nie powstrzymywało ludzi przed kupowaniem go, przed szarpaniem zębami mięsa nadzianego na rożny i starannym oblizywaniem samych rożnów przed zwróceniem ich handlarzowi.

Mimo że plac rozciągał się zaraz przed naszym domem, rzadko go odwiedzałam. Może mój mąż bywał tam częściej. Wielki hałas, wielkie zamieszanie, te tłumy, te zapachy, te krzyki handlarzy – „Mee-tal kuu-puu-jiiii! Mee-tal kuu-puu-jiiii!" – i nieustanny stukot młotków o drewno – wszystko to razem wzięte działało mi na nerwy. Do tego dochodziło jeszcze gorąco, od którego skraplało się powietrze – aż myślałam, że zaraz zemdleję.

Nie ja jedna czułam się na placu nieswojo, co właściwie było niemądre, ponieważ teren monitorowało co najmniej dwadzieścia Much, które bzycząc, latały w tę i z powrotem, więc gdyby naprawdę działo się coś złego, policja zjawiłaby się na miejscu w mgnieniu oka. Mimo to stanowiliśmy grupę, która regularnie spacerowała po chodniku okalającym plac, przyglądając mu się zza płotu, ale nie wchodząc na jego teren. W tej grupie większością byli starcy i bezrobotni, ale nikogo z nich nie znałam – może nawet nie mieszkali w Strefie Ósmej, ale poprzychodzili z innych stref, co wprawdzie było nielegalne, lecz rzadko karane. Strefy południowa i wschodnia miały własne wersje naszego placu, ale plac Strefy Ósmej uchodził za najlepszy, ponieważ Strefa Ósma była stabilnym, zdrowym i spokojnym miejscem do życia.

Obszedłszy plac kilka razy, zgrzałam się niemiłosiernie. Na południowym krańcu placu znajdował się rząd ochładzarek, ale stała do nich długa kolejka, a zresztą głupio płacić za korzystanie z ochładzarki, gdy można po prostu przejść dwa kroki do własnego domu. Kiedy mój Dziadek miał tyle lat co ja, nie było ani ochładzarek, ani handlarzy. Na placu rosły wtedy drzewa i trawa, a w miejscu betonowego kręgu znajdowała się fontanna, z której tryskała woda. Tryskała i spadała wyłącznie dlatego, że ludziom się to podobało. Wiem, że dziwnie to brzmi, ale to prawda: Dziadek pokazywał mi jej zdjęcie. W tamtych czasach ludzie mieszkali z psami, które trzymali w domu dla towarzystwa, tak jak dzieci, i te psy dostawały specjalną karmę, i wszystkie miały imiona, całkiem jak ludzie, i właściciele przyprowadzali je na plac, gdzie biegały sobie po trawie, a właściciele przyglądali im się z ławek poustawianych tam właśnie w tym celu. Tak mówił Dziadek. On sam przychodził wtedy na plac, żeby posiedzieć na ławeczce i poczytać książkę albo przespacerować się do Strefy Siódmej, która nie nazywała się Strefą Siódmą, ale miała rzeczywiste imię, tak samo jak człowiek. Wiele rzeczy miało imiona w tamtych czasach.

O tym wszystkim myślałam, wędrując południową stroną placu, gdy nagle grupa ludzi, zebranych wokół jednego z handlarzy blisko wejścia, rozstąpiła się. Zobaczyłam, że handlarz stoi obok przyrządu przypominającego kształtem gigantyczne metalowe imadło i umieszcza w nim wielką bryłę lodu. Dawno nie widziałam tak dużej bryły lodu, więc przystanęłam, aby popatrzeć: lód nie był całkiem czysty – raczej jasnobeżowy, z cętkami zamrożonych w nim komarów – ale prawie przejrzysty. Nagle handlarz odwrócił się i spostrzegł mnie.

– Coś zimnego? – zagadnął. Był starym człowiekiem, starszym od doktora Wesleya, prawie tak starym jak Dziadek, nosił sweter z długimi rękawami – w tak potwornym upale! – i plastikowe rękawice.

Nie przywykłam, żeby obcy się do mnie odzywali, więc spanikowałam, ale zaraz przymknęłam oczy i odetchnęłam głęboko, tak jak nauczył mnie Dziadek, a gdy uniosłam powieki, handlarz wciąż stał w tym samym miejscu i patrzył na mnie, chociaż nie w sposób budzący niepokój.

– Po ile? – wykrztusiłam wreszcie.

– Jeden na nabiał albo dwa na kasze – odpowiedział bez wahania.

Była to wysoka cena, jako że dostawaliśmy miesięcznie zaledwie dwadzieścia cztery bony na nabiał i czterdzieści bonów na kasze, a zdawała się tym wyższa, że nawet nie wiedziałam, co staruszek sprzedaje. Wiem, że mogłam go spytać, ale tego nie zrobiłam. Nie wiem dlaczego. „Zawsze możesz zapytać" – powtarzał mi Dziadek i chociaż nie była to prawda, już nie, to w t y m wypadku rzeczywiście mogłam zapytać handlarza. Nikt by mnie nie obsztorcował i nie wpakowałabym się w kłopoty.

– Widzę, że nieźle Ci dogrzało – powiedział staruszek, a gdy się nie odezwałam, dodał: – Słowo daję, że warto.

Był sympatyczny, a głos miał trochę podobny do głosu Dziadka.

– Dobra – powiedziałam. Sięgnęłam do kieszeni, wydarłam bon nabiałowy i podałam mu, a on wetknął go w kieszeń fartucha. Ustawił papierowy kubek w otworze maszyny tuż pod lodem i zaczął szybko kręcić korbą. Wtedy do kubka zaczęły spadać strużynki lodu. Gdy zrównały się z brzegiem, handlarz opukał szybko kubek dnem o imadło, wstawił z powrotem w otwór i zaczął znów kręcić korbą, obracając jednocześnie kubek, aż utworzyła się w nim czubata masa lodu. Wreszcie uklepał lód i sięgnął po stojącą przy nodze szklaną butelkę zawierającą mętną, bladawą ciecz, którą długo polewał lód, a na koniec podał go mnie.

– Dziękuję – powiedziałam.

Skinął głową.

– Smacznego – rzekł. Podniósł rękę, żeby podrapać się po czole, a wówczas osunął mu się rękaw swetra i po bliznach na jego przedramieniu poznałam, że staruszek przeżył chorobę roku siedemdziesiątego, która dotknęła przede wszystkim dzieci.

Poczułam się wtedy ogromnie nieswojo, odwróciłam się i odeszłam jak najprędzej, tak poruszona, że dopiero gdy dotarłam do zachodniego rogu, na którym kolejka ludzi czekała na dostęp do ochładzarek, i poczułam, że lód ścieka mi po ręce, przypomniałam sobie o smakołyku. Polizałam go i stwierdziłam, że lód został polany słodkim syropem. Słodkim nie od cukru – cukier stanowił zbyt dużą rzadkość – ale od czegoś, co miało smak cukru i było prawie tak samo dobre. Lód był cudownie zimny, ale ja już straciłam humor, więc po kilku dalszych liźnięciach wrzuciłam kubek do kosza na śmieci i z odrętwiałym i płonącym językiem ruszyłam pospiesznie do domu.

Z ulgą znalazłam się z powrotem w naszym mieszkaniu. Zaraz usiadłam na kanapie i oddychałam głęboko, czekając, aż poczuję się lepiej. Trwało to parę minut, ale się udało. Włączyłam radio, wróciłam na kanapę i pooddychałam jeszcze trochę.

Po chwili jednak zaczęłam czuć się źle. Wystraszyłam się, że oddałam nasz bon nabiałowy. Była dopiero połowa miesiąca, a to znaczyło, że kolejne dwa dni musimy przeżyć bez mleka i twarogu, a co gorsza, wydałam ten bon na lody, zapewne niehigieniczne, których – co jeszcze gorsza – nawet nie zjadłam. Ponadto wyszłam z domu, więc byłam teraz cała spocona, a zegar wskazywał dopiero 11.07, co oznaczało jeszcze prawie dziewięć godzin oczekiwania na prysznic.

Nagle zatęskniłam za obecnością męża. Nie dlatego, że chciałam mu powiedzieć, co zrobiłam, ale dlatego, że mój mąż był żywym dowodem na to, że nic złego mnie nie spotka, że jestem bezpieczna, że zawsze się mną zaopiekuje, tak jak obiecał.

Wtedy przypomniało mi się, że to czwartek, czyli mój mąż ma wolny wieczór i do domu wróci po kolacji, a może nawet dopiero wtedy, gdy już będę spała.

Ta myśl przyprawiła mnie o niedający się bliżej określić niepokój, który czasami mnie nachodził i różnił się od ogarniającego mnie czasem nerwowego napięcia, a nieraz nawet bywał ekscytujący, tak jakby coś się miało wydarzyć. Ale oczywiście nic nie mogło się wydarzyć: znajdowałam się w naszym mieszkaniu w Strefie Ósmej, gdzie zawsze będę bezpieczna, ponieważ Dziadek o to zadbał.

Jednak nie mogłam usiedzieć spokojnie: wstałam i zaczęłam krążyć po mieszkaniu. Później pootwierałam wszystkie drzwi, co robiłam także w dzieciństwie, jakbym szukała nie wiadomo czego. „Czego ty szukasz, koteczku?” – pytał mnie wówczas Dziadek, a ja mu nie umiałam odpowiedzieć. Gdy byłam mała, Dziadek próbował mnie tego oduczyć: brał mnie na kolana, trzymał za nadgarstki i szeptał mi do ucha: „Wszystko jest dobrze, koteczku, wszystko jest dobrze" – a ja rzucałam się i wyrywałam, bo nie chciałam być trzymana, chciałam być wolna i wędrować. Później, gdy nieco podrosłam, Dziadek odrywał się od swoich zajęć i szukał nie wiadomo czego razem ze mną. Ja otwierałam szafkę pod zlewem i zamykałam ją, a on z wielką powagą robił to samo, aż pootwieraliśmy i pozamykaliśmy wszystkie drzwi i drzwiczki na wszystkich piętrach domu. Po zdarzeniach tego rodzaju byłam zmęczona, a i tak nie znalazłam nie wiadomo czego, więc Dziadek brał mnie na ręce i zanosił do łóżka. „Znajdziemy to następnym razem, koteczku – obiecywał mi. – Nie martw się. Znajdziemy".

Teraz jednak wszystko było na swoim miejscu. W kuchni – puszki fasoli i ryb, słoiki korniszonów i rzodkiewek, pojemniki z owsianką i suszonym tofu oraz szklane ampułki ze sztucznym miodem. W szafie przy drzwiach – nasze parasole i płaszcze przeciwdeszczowe, kombinezony chłodzące, maski i pakiet przetrwania zawierający cztery litrowe butelki wody, antybiotyki, latarki i baterie, krem z filtrem, żele chłodzące, skarpetki, trampki, bieliznę, kostki proteinowe, suszone owoce i orzechy. W szafie w przedpokoju – nasze koszule, spodnie, bielizna i zapasowe buty oraz czternastodniowy zapas wody pitnej, a na dole pudełko z naszymi świadectwami urodzenia, dowodami obywatelstwa i miejsca zamieszkania oraz kopiami świadectw bezpieczeństwa i ostatnich badań, a także kilkoma zdjęciami Dziadka, które udało mi się zachować. W szafce w łazience zaś trzymaliśmy witaminy i dodatkowy zapas antybiotyków, dodatkowy krem z filtrem i żel na oparzenia, a oprócz tego szampon, mydło, ściereczki higieniczne i papier toaletowy. W szufladzie pod moim łóżkiem leżały nasze złote monety i papierowe kwity. Jako pracownicy państwowi zarabialiśmy wystarczająco dobrze, żeby dwa razy w tygodniu pozwolić sobie na zakup smakołyków w rodzaju mrożonego mleka albo trzech czy sześciu dodatkowych bonów żywnościowych. A ponieważ żadne z nas nie kupowało niczego ekstra, zaoszczędziliśmy sporo środków, które można było przeznaczyć na coś większego, jak nowe ubrania albo nowe radio.

My jednak nie mieliśmy tego rodzaju potrzeb: poza uniformami służbowymi państwo dawało każdemu z nas po dwa nowe ubrania rocznie, a nowe radio raz na pięć lat, więc głupotą byłoby wydawać na to samo nasze monety i kwity. Nie wydawaliśmy ich zatem na nic, nawet na rzeczy tak praktyczne jak dodatkowe bony na nabiał – nie wiem, dlaczego tak było.

Wróciłam do przedpokoju i wyciągnęłam z szafy pudełko, bo chciałam popatrzeć na zdjęcia Dziadka. Gdy zdejmowałam z wierzchu kopertę z naszymi świadectwami urodzenia, papiery wypadły z niej na podłogę, a wraz z nimi druga koperta, której nigdy nie widziałam. Nie była stara, ale niewątpliwie używana. Otworzyłam ją i znalazłam w środku sześć kartek. Nie były to właściwie kartki, lecz skrawki papieru wyszarpane z notatników albo książek. Na żadnym nie było daty, adresu ani podpisu, za to na wszystkich było coś napisane: kilka słów, czarnym atramentem, pospiesznym, spiczastym charakterem pisma. Na jednym odczytałam: „Tęsknię za Tobą". Na drugim: „22.00, tam gdzie zawsze". Na trzecim: „20.00". Na czwartym i piątym to samo: „Myślę o Tobie". Na szóstym widniało jedno słowo: „Kiedyś".

Siedziałam chwilę, gapiąc się na te skrawki papieru i zachodząc w głowę, skąd się wzięły. Wiedziałam jednak, że muszą należeć do mojego męża – nie były moje, a nikt inny nie wchodził nigdy do naszego mieszkania. Ktoś napisał te słowa do mojego męża, a on je zachował. Wiedziałam, że nie powinnam była ich zobaczyć, ponieważ znalazły się wśród naszych dokumentów, którymi zajmował się mój mąż, nie ja; to on co roku odnawiał nasze obywatelstwo.

Mimo że do powrotu męża zostało mi jeszcze wiele godzin, po przeczytaniu liścików pospiesznie schowałam je z powrotem do koperty. Później, nie patrząc nawet na zdjęcia Dziadka, które chciałam obejrzeć, odstawiłam pudełko na miejsce – jakbym się bała, że mój mąż lada chwila zapuka do drzwi. Potem poszłam do naszej sypialni i położyłam się w ubraniu na łóżku, patrząc w sufit.

– Dziadku – powiedziałam.

Oczywiście odpowiedzi nie było.

Leżałam tak i starałam się myśleć o czymś innym niż te skrawki papieru z wyznaniami i instrukcjami, jakże skomplikowanymi w swojej prostocie. Myślałam o „paluszkach", o Dziadku, o tym, co widziałam na placu. Przez cały czas jednak miałam w uszach to słowo z ostatniej wiadomości, którą ktoś napisał do mojego męża, a on ją zachował. „Kiedyś", napisał ten ktoś, a mój mąż zachował ten świstek papieru, którego lewa krawędź była bardziej wiotka niż prawa, tak jakby ktoś pocierał ją palcami, jakby ktoś wielokrotnie brał ten skrawek do ręki, by raz po raz odczytywać: „Kiedyś, kiedyś, kiedyś".

Część II

Jesień, pięćdziesiąt lat wcześniej

Drogi Peterze, 1 września 2043

wielkie dzięki za kwiaty, które dostarczono wczoraj. Doprawdy, nie powinieneś był ich przysyłać. Ale są fantastyczne i bardzo nam się podobają – dziękujemy.

Skoro już mowa o kwiatach, florystyka pokpiła sprawę. Mówiłem, że chcemy białe lub liliowe miltonie, a oni co zamówili? Niezliczone pęki żółtawych katlei. Sklep wyglądał jak zalany żółcią. Jak dochodzi do takich pomyłek? Ja, jak wiesz, niespecjalnie się tym przejmuję, ale Nathaniel dostaje apopleksji, w związku z czym jestem również zmuszony demonstrować współczującą apopleksję dla zachowania domowej harmonii: tylko spokój może nas uratować i tak dalej.

Zostało niespełna czterdzieści osiem godzin do wielkiego dnia. Wciąż nie wierzę, że się na to zgodziłem. I nie chce mi się wierzyć, że Ciebie z nami nie będzie. Wybaczam Ci oczywiście, ale bez Ciebie to nie będzie to samo.

Nathaniel i maleństwo ślą ucałowania. Ja także.

Drogi P, 5 września 2043

jak widzisz, jeszcze żyję. Ledwo. Ale żyję.

Od czego zacząć? Przedwczorajszej nocy padało, chociaż po północnej stronie wyspy nie pada nigdy. Przez całą noc musiałem wysłuchiwać lamentów Nathaniela – A jak zrobi się błoto? A jak nie przestanie padać? (Nie mieliśmy planu awaryjnego). A co z dołem na świnię, który wykopaliśmy? Jeśli zamoknie i gałęzie kiawe* nie obeschną? Nie powinniśmy kazać Johnowi i Matthew przenieść ich do środka? – aż wreszcie powiedziałem mu, żeby się zamknął. Gdy to nie poskutkowało, zmusiłem go do zażycia pigułki, więc w końcu zasnął.

On zasnął, a ja nie, więc około trzeciej nad ranem wyszedłem na zewnątrz i stwierdziłem, że przestało padać. Księżyc był wielki i srebrzysty, ostatnie strzępy chmur odpływały na południe, w stronę morza. John i Matthew wcześniej poprzenosili wiązki drewna pod ganek, a dół przykryli liśćmi monstery. Wszystko pachniało słodyczą i zielenią i doznałem – nie pierwszy raz i nie ostatni – poczucia cudu: że dane mi jest mieszkać w tym pięknym miejscu, przynajmniej jeszcze jakiś czas, i że mam wziąć ślub.

A potem, trzynaście godzin później, pobraliśmy się z Nathanielem. Oszczędzę ci (większości) szczegółów, ale muszę powiedzieć, że znowu byłem niespodziewanie wzruszony, Nathaniel płakał (jakżeby inaczej?) i ja też płakałem. Ceremonia odbyła się na trawniku za domem Johna i Matthew, gdzie Matthew z niewiadomych powodów postawił coś w rodzaju huppy z bambusów. Gdy złożyliśmy przysięgę, Nathaniel wpadł na pomysł, żebyśmy przeskoczyli przez płot i pobiegli do oceanu, co też uczyniliśmy.

Na tym koniec. A teraz powrót do normalności – w domu nadal panuje straszny bałagan, firma przeprowadzkowa przyjeżdża za niespełna dwa tygodnie, a ja nawet jeszcze nie zacząłem porządkować laboratorium, nie mówiąc o tym, że mam do skończenia redakcję referatu o moim życiu jako adiunkta. Miesiąc miodowy (wielkie słowo, zwłaszcza z maleństwem na karku) będzie musiał poczekać. Nawiasem mówiąc, twoje prezenty bardzo mu się spodobały, dzięki za przesyłkę – genialny dobór i doskonały sposób przekonania go, że jednak znalazł się w centrum uwagi, chociaż w jego krótkim życiu był to jeden jedyny dzień nie jemu w całości poświęcony. (Przed ślubem dostał ataku histerii, a gdy we dwóch z Nathanielem

* Szarańczyn strąkowy, jego strąki nazywane są chlebem świętojańskim.

skakaliśmy koło niego jak strwożone wrony i błagaliśmy, żeby się uspokoił, wrzasnął: „I przestańcie mówić na mnie «maleństwo»! Mam prawie c z t e r y lata!". Na te słowa parsknęliśmy śmiechem, co dodatkowo go rozzłościło).

Idę sprawdzić jego mejl z podziękowaniem do wujka P.

Całuję, ja

PS Byłbym zapomniał: ten wypadek na Mayfair. Okropność. W kółko go pokazują w wiadomościach. Czy to nie była kawiarnia na tej samej ulicy co bar, w którym byliśmy kilka lat temu? Domyślam się, że masz z tym masę roboty. Oczywiście nie to jest w tej sytuacji najgorsze. Ale jednak.

Petey, Mój Drogi, 17 września 2043

udało się. Ufff. Nathaniel we łzach cały, maleństwo tak samo, mnie też niewiele brakuje. Więcej niebawem. Całuję, ja

Mój Kochany Peterze, 1 października 2043

przepraszam Cię, że jestem takim okropnym korespondentem. Od trzech tygodni codziennie myślę sobie: muszę napisać długą wiadomość do Peteya o wszystkim, co się dzisiaj wydarzyło, ale wieczorem jedyne, na co mnie stać, to nasze standardowe: „jak się masz", „tęsknię za Tobą", „czy czytałeś ten a ten artykuł?". Więc wybacz.

Ten mejl ma dwie części: zawodową i prywatną. Jedna będzie nieco bardziej interesująca od drugiej. Zgadnij która.

Ulokowaliśmy się już w Domu Florenckim Wschodnim, który jest starym wysokościowcem położonym na zachód od ulicy FDR. Ma prawie osiemdziesiąt lat, ale – jak wiele budynków wzniesionych w połowie lat sześćdziesiątych – sprawia wrażenie jednocześnie nowszego i starszego: nie z tej epoki i w ogóle spoza czasu. Wielu adiunktów i prawie wszyscy główni badacze (czyli szefowie laboratoriów) mieszkają na kampusie w tego rodzaju domach. Zdaje się, że nasze przybycie wywołało pewne zamieszanie, gdyż przydzielone nam mieszkanie jest po pierwsze, na wysokim piętrze (dwudziestym); po drugie, narożne; po trzecie, z widokiem na południowy wschód (najlepsze światło itd.); oraz po czwarte, ma trzy prawdziwe sypialnie (w przeciwieństwie do innych trójsypialniowych mieszkań, które są przeróbkami dużych dwusypialniowych, co znaczy, że trzecia sypialnia nie ma okna). Zdaniem jednego z naszych sąsiadów miała się odbyć loteria (z uwzględnieniem wielkości rodziny, długości etatu oraz – co brane jest tutaj pod uwagę przy każdej okazji – liczby publikacji), ale się nie odbyła i mieszkanie przydzielono nam, co daje wszystkim jeszcze jeden powód do tego, żeby mnie z góry znienawidzić. Cóż, trudno. Mam tak przez całe życie.

Mieszkanie jest duże i dobrze usytuowane (nie odmówię sobie uszczypliwości), z widokiem na stary szpital dla chorych na ospę na Wyspie Roosevelta, który teraz przygotowują do przekształcenia w jeden z nowych obozów dla uchodźców. Przy pogodnym niebie widok rozciąga się aż po grzbiet wyspy, a kiedy świeci słońce, rzeka, zazwyczaj brunatna i mętna, skrzy się i wygląda niemal pięknie. Wczoraj widzieliśmy malutką motorówkę policyjną prującą na północ, co, jak mi później powiedział ten sam sąsiad, jest częstym widokiem. Podobno ludzie tutaj zabijają się, skacząc z mostu, i spływają potem w dół rzeki, skąd policja musi ich wyławiać. Lubię pochmurne dni z metalicznym niebem – wczoraj mieliśmy tu burzę i oglądaliśmy błyskawice nad wodą, a maleństwo skakało i piszczało z radości.

À propos maleństwa – uczęszcza nadal do kampusowej szkoły (sponsorowanej, a mimo to nie taniej), gdzie może chodzić do ósmej klasy włącznie, po czym – jeśli uda mu się uniknąć katastrofy w rodzaju wydalenia lub oblania egzaminów – pójdzie prosto do średniej szkoły Huntera (za darmo!). Jest to szkoła przeznaczona dla dzieci, których rodzice są profesorami lub adiunktami Uniwersytetu Rockefellera bądź stypendystami lub byłymi stypendystami Zakładu Badawczego Sloana-Ketteringa, który znajduje się przecznicę na zachód i przecznicę na południe od nas – a więc społeczność uczniowską cechuje znaczna różnorodność rasowa, od Hindusów po Japończyków, z wszystkimi pośrednimi grupami etnicznymi. Budynek mieszkalny łączy się socrealistycznym betonowym mostem ze skrzydłem starego szpitala na kampusie, skąd można zejść do systemu tuneli łączących cały kampus i kończących się w podziemiach Centrum Dziecka i Rodziny (zdaje mi się, że ludzie wolą tę podziemną drogę od naziemnej). Jak dotąd szkoła nie przesadza z edukacją – z tego, co wiem, dzieci chodzą przeważnie do zoo albo słuchają lektur – ale Nathaniel mówi, że właśnie na tym polega szkoła w dzisiejszych czasach, a w tych sprawach mam do niego zaufanie. W każdym razie maleństwo wydaje się zadowolone, a czegóż więcej można wymagać od czterolatka?

Chciałbym móc to samo powiedzieć o Nathanielu, który jest ewidentnie nieszczęśliwy. Równocześnie jednak nie narzeka, za co go kocham, chociaż trochę mnie to boli. Od początku obaj wiedzieliśmy, że małe jest prawdopodobieństwo, by w Nowym Jorku czekało na niego stanowisko kuratora dla eksperta od dziewiętnastowiecznych hawajskich tekstyliów i sztuki tkackiej. Pisałem ci chyba, że skontaktowałem się z kolegą ze studiów, który pracuje jako badacz w dziale Oceanii w MET, i myślałem, że uda się tam jakoś zatrudnić Nathaniela, choćby dorywczo, ale wygląda na to, że nic z tego nie wyjdzie. Nie mieliśmy lepszego pomysłu. Przez cały ubiegły rok dyskutowaliśmy o tym, co jeszcze Nathaniel mógłby robić i w jakim kierunku mógłby się przekwalifikować, ale żaden z nas nie angażował się należycie w te dyskusje: jego, jak sądzę, hamował lęk, a mnie świadomość, że każda rozmowa musi się nieuchronnie zakończyć wyeksponowaniem egoizmu mojej decyzji o przeprowadzce, która pozbawia Nathaniela środków do życia i tożsamości zawodowej. Ja co rano wychodzę wcześnie do laboratorium, on zaś odprowadza dziecko do szkoły i resztę dnia spędza na próbach urządzenia mieszkania, które, jak wiem, wpędza go w depresję: te niskie stropy, te tandetne drzwi, te liliowe kafelki w łazience.

Najgorsze, że nieszczęście Nathaniela budzi we mnie wyrzuty sumienia: gdy opowiadam mu o laboratorium, równocześnie stale przypominam o tym, co ja posiadam, a on nie. Po raz pierwszy więc mamy przed sobą sekrety, tym trudniejsze, że codzienne, bo dotyczą spraw, o których normalnie gadało się przy zmywaniu naczyń po położeniu dziecka spać albo rano, gdy Nathaniel szykował maleństwu śniadanie. A tych sekretów jest mnóstwo! Niestety wiążą się z zatrudnianiem ludzi. Dla przykładu: na drugi dzień po przybyciu tutaj przyjąłem pierwszą pracownicę, techniczkę laboratoryjną po Harvardzie, która sprowadziła się do Nowego Jorku, bo jej mąż – muzyk jazzowy – uznał, że tu otworzą się przed nim większe możliwości. Owa kobieta ma na oko czterdzieści parę lat i od dziesięciu lat pracuje nad immunologią myszy. W tym tygodniu przyjąłem drugiego adiunkta, niezwykle bystrego absolwenta Stanforda o nazwisku Wesley. Mam jeszcze fundusze na zatrudnienie trzech dodatkowych adiunktów i czterech albo pięciu doktorantów, którzy krążą między laboratoriami w cyklu dwunastotygodniowym. Doktoranci czekają na ogół, aż określone laboratorium się rozkręci, zanim zdecydują, czy chcą w nim pracować, czy nie – przypomina to nieco, wstyd powiedzieć, powoływanie bractwa – ale zapewniają mnie, że z moją reputacją mam szansę pozyskać część załogi wcześniej. Przysięgam, że staram się nie przechwalać. Powtarzam po prostu to, co mi mówiono.

Moje laboratorium (m o j e laboratorium) mieści się w jednym z nowszych budynków, w Gmachu Larssona, którego fragment dosłownie tworzy most pomiędzy Manhattanem a sztuczną masą lądu przylegającą do Wyspy Roosevelta. Widok z mojego gabinetu różni się nieco od tego, który mam w domu: tu widzę wodę, autostradę, betonowy most i Domy Florenckie, Wschodni i Zachodni. Wszystkie tutejsze laboratoria mają oficjalne nazwy; moje to Laboratorium Powstających i Początkowych Infekcji. Jednak gdy ktoś z obsługi przyniósł mi dzisiaj z rana zapas erlenmajerek i zapytał: „To pan jest szefem Działu Nowych Chorób?" – roześmiałem się. „Jak to? Pomyliłem się?" – spytał speszony, na co mu powiedziałem, że trafił doskonale.

Przepraszam, że piszę tylko o sobie, ale prosiłeś o to. W przyszłym tygodniu czekają nas ostatnie przesłuchania w Urzędzie Imigracyjnym, po których oficjalnie zostaniemy pełnoprawnymi i pełnoetatowymi stałymi rezydentami Stanów Zjednoczonych (fiu, fiu!). Napisz mi, co u Ciebie, jak praca, jak ten dziwak, z którym się spotykasz, i w ogóle. Tymczasem pozdrawiam Cię serdecznie z Działu Nowych Chorób.

Twój kochający stary kumpel, C.

Drogi Peterze, 11 kwietnia 2045

dzięki za Twój ostatni list; trochę poprawił mi humor, co ostatnimi czasy nie udaje się prawie nikomu.

Wiedząc, jak dobrze orientujesz się już w tutejszych sprawach (nie mówiąc o zdarzeniach w twojej części świata), zastanawiam się, czy słyszałeś już o cięciach, które mają być przeprowadzone przed końcem lata i wpłynąć na wszystkie placówki naukowe w tym kraju. Oficjalnie mówi się, że pieniądze mają zostać przekierowane na potrzeby wojny, i w pewnym sensie tak jest, ale całe środowisko wie, że zostaną wysłane do Kolorado, gdzie podobno trwają prace nad nowym rodzajem broni biologicznej. Wprawdzie ja jak dotąd mam szczęście: Uniwersytet Rockefellera nie opiera się wyłącznie na grantach rządowych, ale jednak opiera się na nich w znacznym stopniu, dlatego obawiam się, że sytuacja wpłynie także na moją pracę.

Wojna dotyka mnie zresztą na różne sposoby. Jak wiesz, Chińczycy prowadzą najbardziej zaawansowane i zróżnicowane badania nad chorobami zakaźnymi na świecie, a nowe sankcje oznaczają, że nie możemy się już z nimi kontaktować – przynajmniej nie oficjalnie. Od miesięcy – odkąd w ubiegłym roku zaproponowano sankcje – współpracujemy nieoficjalnie z Narodowym Instytutem Zdrowia, Centrami Kontroli Chorób Zakaźnych i Kongresem, ale niewielki z tego pożytek. Znów muszę dodać, że moja praca nie ucierpiała tak znacząco jak prace niektórych kolegów, wszystko to jednak może okazać się kwestią czasu.

Na największe szaleństwo zakrawa fakt, że dzieje się to po wydarzeniu w Karolinie Południowej – nie wiem, czy dotarła do Ciebie wiadomość, że w początkach lutego doszło do ataku nieznanego wirusa w pobliżu miasteczka Moncks Corner na południowym wschodzie tego stanu, gdzie znajduje się także bagienny rezerwat czarnej wody o nazwie Park Cyprysowy. Mieszkanka owych okolic – kobieta po czterdziestce, ogólnie zdrowa – po ukąszeniu komara podczas kajakowania na bagnach zachorowała na coś, co przypominało grypę. Czterdzieści osiem godzin po postawieniu diagnozy dostała ataku epilepsji, dobę później była już sparaliżowana, a po następnej dobie zmarła. Do tego czasu podobne objawy zaczęli wykazywać syn tej kobiety oraz jej najbliższy sąsiad, mężczyzna w podeszłym wieku. Wiem, że opisane symptomy są zbliżone do objawów wschodniego końskiego zapalenia mózgu, ale to fałszywy trop; to raczej nowy alfawirus. Całe szczęście, że burmistrz miasteczka był misjonarzem w Afryce Wschodniej w roku trzydziestym siódmym, gdy szalała tam gorączka chikungunya, i nabrał podejrzeń, że to może być ta choroba: powiadomił Centrum Kontroli i Prewencji Chorób, ci przyjechali i zarządzili lockdown. Ów stary mężczyzna zmarł, ale syn tamtej kobiety przeżył. Oczywiście Centrum Kontroli Chorób uważa to za swój wielki triumf. Choroba się nie rozprzestrzeniła, ale przede wszystkim: nie stała się tematem ogólnokrajowych wiadomości. W ogóle nie dopuścili jej do mediów – wywarli nacisk na prezydenta, żeby zabronił burmistrzowi informować o chorobie środki masowego przekazu, a zwłaszcza obywateli miasta. Burmistrz zastosował się do tego zakazu, a teraz krąży plotka, że zdarzenie to doprowadzi do odgórnego zakazu publikacji jakichkolwiek niezatwierdzonych wiadomości o ewentualnych przyszłych ogniskach zakaźnych – w interesie bezpieczeństwa narodowego. Wynika to z przekonania, że panika spowodowałaby próby ucieczki ludności z tych terenów, więc wyłącznie wczesny i drastyczny lockdown mógłby powstrzymać szybko szerzącą się zarazę. Dostrzegam oczywiście mądrość takiego rozumowania, ale jednocześnie uważam je za rozwiązanie niebezpieczne. Informacja zawsze zdoła ominąć zakazy, a gdy ludzie zorientują się, że są oszukiwani czy w najlepszym razie trzymani w niewiedzy, dojdzie do fali nieufności i podejrzeń, a w konsekwencji – do jeszcze większej paniki. Ale rząd gotów jest uczynić wszystko, żeby opóźnić konfrontację z rzeczywistym problemem, którym jest analfabetyzm naukowy Amerykanów.

Wracając do rzeczy – jak można w *tym* kontekście obcinać nasze fundusze? Czy oni rzeczywiście są aż tak krótkowzroczni, żeby myśleć, że to ostatnia zaraza? Zdaje się panować milczące, lecz uporczywe przekonanie, że choroba jest czymś, co zdarza się *gdzie indziej*, my natomiast, ponieważ mamy pieniądze, środki i zaawansowaną infrastrukturę badawczą, zdołamy powstrzymać każdą przyszłą zarazę, zanim „będzie za późno". Ale co to znaczy „za późno" i jak niby zamierzają tego dokonać, dysponując *mniejszym* wywiadem i *ograniczonymi* środkami? W przeciwieństwie do Wesleya – pokój jego zajęczemu sercu – nie należę do naukowców, którzy za każdym rogiem spodziewają się apokalipsy i ze swoistą satysfakcją wieszczą nieuchronność „najgorszego". Jednak sądzę, że karygodną głupotą jest reagować na zarazę przemilczeniem, jakbyśmy, pozbawiając się rozwiązania, pozbawiali zarazem problem szansy zaistnienia. Tak dalece oswoiliśmy się z ogniskami infekcji, że zapominamy, iż nie ma czegoś takiego jak pomniejszy wirus: są jedynie wirusy, których namnażanie udaje się powstrzymać na wczesnym etapie, ale są także takie, z którymi się to nie udaje. Jak dotąd mieliśmy szczęście. Ale nie będziemy mieli szczęścia zawsze.

Tyle o pracy. W domu też niewiele lepiej. Nathaniel wreszcie znalazł sobie zajęcie, i to w samą porę, bo atmosfera między nami była już wyjątkowo napięta. Przebywanie w znienawidzonym mieszkaniu nie sprzyja nawiązywaniu nowych przyjaźni: został wolontariuszem w szkole maleństwa i w schronisku dla bezdomnych, gdzie co czwartek rano przygotowuje posiłki. Mimo to czuje się (jak mi powiedział) „bezużyteczny i nic nieznaczący". Rzecz w tym, że od początku wiedział, że nie znajdzie tu pracy w swojej dziedzinie, ale przyjęcie tego do wiadomości – a nie wyłącznie *mówienie*, że przyjmuje to do wiadomości, zajęło mu prawie dwa lata. Więc teraz uczy plastyki uczniów czwartej i piątej klasy w małej, drogiej, słabej w rankingu szkole w Brooklynie, przyciągającej rodziców, którzy mają tępe pociechy i dużo pieniędzy. Nathaniel nigdy wcześniej nie uczył, a dojazdy do pracy znosi ciężko, ale i tak humor znacznie mu się poprawił. Trafił tam w nagłym zastępstwie nauczycielki, u której wykryto raka macicy w trzecim stadium, przez co odeszła ze szkoły w połowie semestru.

Jedną z nieprzewidzianych konsekwencji dotychczasowego układu – ja w pracy i zadowolony, Nathaniel w domu, rozgoryczony – jest to, że on i maleństwo stworzyli sobie życie niejako oddzielne ode mnie i moich spraw. Teraz Nathaniel jest nadal głównym rodzicem maleństwa, ale od roku coś się zmieniło i coraz częściej przypominam sobie o tym, że ich wzajemna relacja w pewnym sensie mnie wyklucza, że nie mam pojęcia o niektórych aspektach ich codzienności. Te przypomnienia objawiają się w postaci drobiazgów: jakiegoś niezrozumiałego dla mnie żartu rzuconego przy stole, którego nie uważają za stosowne mi objaśnić (a ja, w poczuciu urazy, nie dopytuję i potem się tego wstydzę); wściekle fioletowego blaszanego robota, którego kupiłem z poczucia winy i sprezentowałem maleństwu, dowiadując się przy tej okazji, że fioletowy już nie jest jego ulubionym kolorem, bo teraz lubi czerwony, której to informacji udzieliło mi w tonie zniecierpliwienia i rozczarowania, bolesnym dla mnie niewspółmiernie do sytuacji.

Albo wczorajszego wieczoru: układałem maleństwo do snu, kiedy znienacka obwieściło: „Mama jest w niebie".

W niebie? – pomyślałem. Gdzie on się tego nauczył? „Mama"? Nigdy nie nazywaliśmy kuzynki Nathaniela mamą maleństwa – zawsze mówiliśmy mu prawdę: daleka kuzynka Nathaniela nosiła je w brzuchu, ale jest ono wyłącznie naszym synkiem, z naszego wyboru. A gdy kuzynka zmarła, poinformowaliśmy je precyzyjnym językiem: „Kuzynka tatusia, ta, która pomogła cię zrobić, umarła wczoraj w nocy". Przypuszczam jednak, że mały źle sobie zinterpretował moje milczenie, bo dodał tytułem wyjaśnienia: „Umarła. Więc jest w niebie".

Zatkało mnie. „No tak, umarła" – wyjąkałem po chwili, obiecując sobie, że poproszę Nathaniela o sprawdzenie, skąd wzięła się ta historia o niebie (chyba nie ze szkoły?). Nie przyszło mi na myśl już nic więcej, co nie wymagałoby znacznie dłuższej rozmowy.

Mały przez chwilę milczał, a ja zastanawiałem się, jak już nieraz wcześniej, co dzieje się w mózgu dziecka, który jest zdolny utrzymać naraz w świadomości dwie lub trzy idee kompletnie sprzeczne lub kompletnie różne: nie tylko pogodzić je, ale też spleść razem, uzależniając jedną od drugiej. Kiedy tracimy zdolność takiego myślenia?

Potem powiedział: „Tatuś i mama mnie zrobili".

– Tak – przyznałem po namyśle. – Tatuś i twoja mama cię zrobili.

Znowu zamilkł.

– Ale teraz jestem sam – powiedział cicho, a ja poczułem, że coś we mnie mięknie.

– Nie jesteś sam – zaprzeczyłem. – Masz tatusia i masz mnie, obaj bardzo cię kochamy.

Zamyślił się nad tym.

– Czy ty umrzesz?

– Tak – odpowiedziałem. – Ale jeszcze długo nie.

– Jak długo? – spytał.

– Za długo – powiedziałem. – Tak długo, że nawet nie umiem do tylu zliczyć.

Nareszcie się uśmiechnął.

– Dobranoc – powiedział.

– Dobranoc. – Pocałowałem go. – Do zobaczenia rano.

Wstałem, żeby zgasić światło (przy sposobności zauważyłem fioletowego robota kopniętego w kąt, głową w dół, i zrobiło mi się go strasznie żal, jakby ta głupia zabawka miała uczucia, a nie była zaledwie przedmiotem, który kupiłem w sklepie z zabawkami na dziesięć minut przed zamknięciem), i już chciałem przejść do naszej sypialni, żeby przesłuchać Nathaniela, gdy nagle ogarnęło mnie skrajne zmęczenie. Oto ja, mężczyzna z własnym laboratorium i własną rodziną, z własnym, budzącym zawiść mieszkaniem, któremu wszystko się układa albo przynajmniej jako tako układa, doznałem wówczas uczucia, że balansuję na wielkiej białej plastikowej rurze, która toczy się w dół po ścieżce, więc co sił przebieram nogami, żeby utrzymać się w pionie. Tak właśnie odczułem swoje życie. Poszedłem więc do naszego pokoju, ale nie powiedziałem nic o rozmowie z maleństwem, za to kochałem się z Nathanielem pierwszy raz od długiego czasu, a potem w końcu obaj zasnęliśmy.

To tyle na pytanie, co u mnie. Przepraszam, że wyszło tak żałośnie i egotycznie. Wiem, jak Ty ciężko pracujesz, i mogę sobie tylko wyobrażać, z jakimi problemami się borykasz. To zapewne niewiele znaczy, ale za każdym razem, gdy moi koledzy skarżą się na biurokratów, myślę o Tobie, i chociaż bywa, że nie zgadzam się z ustaleniami twoich kolegów po fachu, wiem, że są wśród was tacy, którzy starają się podejmować najlepsze decyzje, słuszne decyzje, i że Ty się do nich zaliczasz. Gdybyś tak mógł być dobrym biurokratą tu, w Ameryce – byłoby nam wszystkim znacznie lepiej.

Z miłością, C.

Kochany, kochany Peteyu, 22 listopada 2045

tak więc stało się. Wiem, że śledzisz wiadomości, sam zresztą informowałem Cię, że wisiała nad nami groźba znacznych federalnych cięć, ale wiesz także, że w gruncie rzeczy nie spodziewałem się, że do nich dojdzie. Nathaniel mówi, że byłem naiwny, ale czy rzeczywiście? Przyjrzyjmy się faktom: społeczeństwo ledwo się pozbierało po grypie roku trzydziestego piątego. Co najmniej sześć miniognisk choroby w ostatnich pięciu latach. Zważywszy na te okoliczności, jakie największe głupstwo można było zrobić? Otóż właśnie: obciąć fundusze jednemu z wiodących instytutów nauk biologicznych w kraju! Jak mi powiedział jeden z szefów laboratoriów, problem polega na tym, że chociaż *my* wiemy, jak blisko katastrofy byliśmy w roku trzydziestym piątym, to reszta społeczeństwa tego nie wie. A teraz nie ma sensu mówić ludziom prawdy, bo i tak ją zlekceważą. (*Wtedy* zaś nie mogliśmy im tego mówić z obawy przed paniką. Odnoszę wrażenie, i to nie pierwszy raz, że coraz większa część naszej pracy sprowadza się do dyskusji nad tym, jak, kiedy i czy w ogóle powinniśmy ogłaszać odkrycia, które pochłonęły lata badań i miliony dolarów). Rzecz w tym, że naszym zażaleniom nikt nie da wiary. Innymi słowy, ponosimy karę za swoją kompetencję.

Nie powinienem tego zdradzać nikomu spoza uniwersytetu. Tak uważa rzecznik prasowy naszego instytutu, który zebrał nas w auli, by wygłosić stosowny wykład na krótko przed wyciekiem wiadomości, a także (zwłaszcza) Nathaniel, który tłumaczył mi to, gdy staliśmy w korku wczorajszego wieczoru w drodze na kolację. Dlatego piszę do Ciebie.

Nie wspominałem o tym dotąd z powodów, które postaram się wyłuszczyć w swoim czasie – może w przyszłym tygodniu, gdy się spotkamy – ale Nathaniel nawiązał nowe przyjaźnie. Mężczyźni ci nazywają się Norris i Aubrey (Aubrey!) i są parą leciwych, nieprzyzwoicie bogatych ciot, które Nathaniel poznał kilka miesięcy temu, wysłany przez dom aukcyjny do potwierdzenia autentyczności prywatnej kolekcji rzekomo osiemnastowiecznych, rzekomo hawajskich narzut na łóżka z tkaniny kapa, bez wątpienia skradzionych nie wiadomo komu. Wówczas zbadał eksponaty i potwierdził ich autentyczność oraz wiek – uważa, że pochodzą z początków XVIII wieku, czyli z epoki przedkontaktowej, co czyni je niezmierną rzadkością.

Rzecz w tym, że dom aukcyjny miał już zainteresowanego nabywcę, niejakiego Aubreya Cooke'a, który kolekcjonuje przedkontaktowe artefakty polinezyjskie i mikronezyjskie. Zaaranżowali więc jego spotkanie z Nathanielem, a wtedy ci dwaj zakochali się w sobie od pierwszego wejrzenia. Teraz Nathaniel ma konsultancką fuchę: kataloguje kolekcję Aubreya Cooke'a, którą uważa za „różnorodną i spektakularną".

Mam w związku z tym mieszane uczucia. Dominuje ulga. Od czasu przybycia tutaj nosiłem w sobie bolesną zadrę z powodu tego, co uczyniłem Nathanielowi, a także maleństwu. Tacy byli szczęśliwi w Honolulu, i ja właściwie mógłbym być tam szczęśliwy, gdyby nie moje ambicje. Frustrowałem się czasem, ale to było nasze miejsce. Wszyscy mieliśmy pracę – ja jako naukowiec w małym, ale szacownym laboratorium, Nathaniel jako kurator w małym, ale szacownym muzeum, a maleństwo jako maleństwo w małym, ale szacownym przedszkolu – a mimo to zmusiłem ich do wyjazdu, bo chciałem pracować na Uniwersytecie Rockefellera. Nie mogę udawać, co nieraz mi się zdarza, że zrobiłem to, aby ratować ludzkie życie w przekonaniu, że tutaj uczynię więcej dobra. Tak naprawdę chciałem znaleźć się w prestiżowej instytucji, a oprócz tego uwielbiam polować. Codziennie lękam się wieści o nowym ognisku zarazy, a jednocześnie jej pożądam. Chcę być na miejscu, kiedy dojdzie do następnej pandemii. Chcę zostać jednym z jej odkrywców, chcę ją pokonać, chcę należeć do tych, którzy odrywają wzrok od biurka i widząc czarne niebo za oknem, uświadamiają sobie, że nie wiedzą, jak długo już siedzą w laboratorium, bo praca pochłonęła ich do tego stopnia, że dzień stracił jakiekolwiek znaczenie. Zdaję sobie z tego sprawę i mam poczucie winy, które jednak nie powstrzymuje mnie od tych pragnień. Dlatego kiedy Nathaniel przyszedł do mnie po tamtym pierwszym spotkaniu w domu aukcyjnym – tak szczęśliwy, tak niezmiernie szczęśliwy – poczułem się uniewinniony. Uświadomiłem sobie, od jak dawna nie widziałem go w stanie takiego uniesienia, i jak miałem nadzieję, że kiedyś tak się stanie (przekonywałem go, że tak się stanie) – że znajdzie swoje miejsce i powód od życia w tym mieście i kraju, którego skrycie nienawidzi. Więc gdy wrócił uszczęśliwiony poznaniem Aubreya Cooke'a, ja także się ucieszyłem. Wcześniej wprawdzie nawiązał kilka przyjaźni, ale niewiele, i to przeważnie z rodzicami innych dzieci ze szkoły maleństwa.

Moją radość dość szybko przesłoniło jednak inne uczucie, do którego wstydzę się przyznać, ponieważ owym innym uczuciem jest oczywiście zazdrość. Nathaniel co sobota, od ponad dwóch miesięcy, jeździ metrem na plac Waszyngtona, gdzie Aubrey ma własny dom w samym parku, a ja zostaję w domu z maleństwem (w myśl niepisanej klauzuli, że teraz przyszła moja kolej siedzenia w domu z dzieckiem – po dwóch latach spędzania wszystkich weekendów w laboratorium, kiedy pilnował go Nathaniel). A po południu Nathaniel wraca rozpromieniony. Bierze maleństwo na ręce i robi mu karuzelę, a potem przystępuje do szykowania kolacji i w trakcie gotowania opowiada mi o Aubreyu i jego mężu, Norrisie. O niewiarygodnie głębokiej i bogatej wiedzy Aubreya na temat osiemnastowiecznej i dziewiętnastowiecznej Oceanii. O fantastycznym domu Aubreya. O tym, że Aubrey dorobił się fortuny, zarządzając funduszem funduszy. O tym, jak Aubrey i Norris się poznali. O tym, jak i gdzie Aubrey z Norrisem spędzają wakacje. O tym, że Aubrey i Norris zapraszają nas „na wschód", do Frog's Pond Way, swojej „posiadłości" w Water Mill. O tym, co Norris mówił o książce X albo sztuce Y. O tym, co Aubrey myśli o rządzie. O genialnym pomyśle Aubreya i Norrisa dotyczącym obozów dla uchodźców. O tym, co, zdaniem Aubreya i Norrisa, m u s i m y zobaczyć/zrobić/zjeść.

Ja na to wszystko mówię „super" albo „super, kochanie, to rewelacja". Naprawdę staram się, żeby to brzmiało szczerze, ale jeżeli brzmi inaczej, to nie szkodzi, bo Nathaniel ledwo mnie słucha. Moje życie poza laboratorium miało zawsze dwa filary: jego i maleństwo. Ale jego życie to teraz (niekoniecznie w tej kolejności) ja, maleństwo, Aubrey i Norris. Co sobota wyskakuje rano z łóżka, ubiera się na siłownię (chadza tam częściej, odkąd poznał Aubreya i Norrisa), ćwiczy, wraca do domu, żeby wziąć prysznic i nakarmić maleństwo, całuje nas obu na do widzenia i wychodzi z domu na swój dzień w centrum. Chcę, żebyś miał jasność: ja nie sądzę, żeby on był w nich zakochany albo pieprzył się z nimi – do czego, jak wiesz, żaden z nas nie przywiązuje specjalnej wagi. Chodzi o to, że w jego fascynacji tamtymi dwoma wychwytuję nutkę odrzucenia mnie. Nie nas, nie mnie i maleństwa, tylko mnie.

Zawsze mi się zdawało, że Nathaniel jest zadowolony z naszego życia. Nigdy nie imponowały mu pieniądze, swoboda towarzyska i blichtr. Jednak po wieczorze wysłuchiwania szczegółowych opisów pięknego domu Aubreya i Norrisa oraz ich pięknych rzeczy leżę bezsennie i gapię się w nasz niski sufit, w rozklekotane plastikowe żaluzje, w szynę oświetleniową z przepaloną żarówką (od pół roku obiecuję Nathanielowi, że ją wymienię). Zastanawiam się, czy moje osiągnięcia, moja pozycja zawodowa naprawdę dają mu to, czego pragnie i na co zasługuje. Zawsze cieszył się moimi sukcesami i był ze mnie dumny, ale czy zapewniam mu dobre życie? Czy nie rzuci mnie dla innego?

A teraz o wczorajszym wieczorze. Wprawdzie spodziewałem się zaproszenia na kolację, lecz w pierwszej chwili zasłoniłem się maleństwem, które złapało jakąś jesienną infekcję. Dni są ciepłe, potem robi się chłodno, a potem znów gorąco; krokusy, które w ubiegłym roku zakwitły w październiku, tym razem wystrzeliły już we wrześniu, a miesiąc po nich śliwy, więc mały od kilku tygodni kaszle i kicha. Ale zaczęło mu się polepszać, jest w coraz lepszej formie, a ponadto Nathaniel znalazł opiekuna, który podoba się dziecku, więc straciłem wszystkie argumenty. Tak więc ubiegłej nocy wsiedliśmy do taksówki i pojechaliśmy do centrum – do Aubreya i Norrisa.

Właściwie nie wiedziałem, jak wyobrażam sobie Aubreya i Norrisa, przeczuwałem jedynie, że są to osoby, które powinienem traktować podejrzliwie i których już nie lubię. Ach, i byli biali – to znaczy oczekiwałem, że będą biali. Ale nie byli. Drzwi otworzył przystojny blondyn po pięćdziesiątce, w garniturze, więc wypaliłem: „Pan musi być Aubreyem", na co usłyszałem cichy śmiech zażenowanego Nathaniela. Mężczyzna się uśmiechnął. „Chciałbym mieć takie szczęście! – powiedział. – Nie, jestem Adams, lokaj. Ale proszę do środka, panowie czekają w salonie na górze".

Wchodziliśmy po lśniących ciemnych schodach. Byłem wściekły na Nathaniela, że się za mnie wstydził. A gdy Adams przez półprzymknięte dwuskrzydłowe drzwi z atłasowego drewna wprowadził nas do salonu, dwaj siedzący w środku mężczyźni wstali.

Wiedziałem od Nathaniela, że Aubrey ma lat sześćdziesiąt pięć, a Norris jest od niego o kilka lat młodszy, chociaż obaj mieli gładkie, błyszczące twarze, których wiek się nie ima, charakterystyczne dla ludzi niezmiernie zamożnych. Zdradzały ich jedynie dziąsła, ciemnofioletowe Aubreya, a Norrisa szaroróżowe jak zużyta gumka do wycierania. Zaskoczyła mnie barwa ich skóry: Aubrey był czarny, a Norris był Azjatą... z jakąś jednak domieszką. Wyglądał trochę jak mój dziadek, więc wypaliłem bez namysłu: „Pan pochodzi z Hawajów?". Znów usłyszałem nieszczery chichot Nathaniela, do którego tym razem dołączyli głośnym śmiechem Nathaniel i Aubrey.

– Nathaniel zadał mi to samo pytanie, gdy się poznaliśmy – rzekł bez śladu urazy Norris. – Niestety, muszę zaprzeczyć. Przepraszam, jeśli pana rozczaruję, ale jestem tylko ciemnoskórym Azjatą.

– Nie tylko – wtrącił się Aubrey.

– Owszem, po trosze Hindusem – przyznał Norris. – Ale to też Azjaci, Aub. – Po czym zwrócił się do mnie: – Hindus i Anglik ze strony ojca; moja matka była Chinką.

– Moja tak samo – wyrwałem się głupio. – Chińską Hawajką.

Uśmiechnął się.

– Wiem – powiedział. – Nathaniel mówił.

– Może byście usiedli? – zaproponował Aubrey.

Usiedliśmy posłusznie. Adams powrócił z drinkami, potem przez chwilę rozmawialiśmy o maleństwie, dopóki Adams nie zjawił się ponownie z informacją, że zaraz podadzą kolację, na co podnieśliśmy się i przeszliśmy do jadalni, gdzie stał nieduży okrągły stół, przykryty czymś, co zrazu wziąłem za kawałek tkaniny kapa. Spojrzałem na Aubreya, który się do mnie uśmiechał.

– To współczesna tkanina inspirowana oryginałem – wyjaśnił. – Piękna, prawda?

Przełknąłem ślinę i wymamrotałem jakieś ogólniki.

Zasiedliśmy. Na kolację – „ucztę sezonową" – składały się: zupa dyniowo-kiełbasiana, podana w dużym, wydrążonym białym kabaczku, kotlety cielęce z zieloną fasolką polaną masłem i pomidorowe galette. Jedliśmy. W pewnym momencie Norris zaczął rozmawiać z Nathanielem, a ja siedziałem obok Aubreya. Musiałem się odezwać. „No więc" – zacząłem, ale nic więcej nie przyszło mi do głowy. A raczej przychodziło mi do głowy zbyt wiele rzeczy, ale wszystkie były nieodpowiednie. Na przykład pomysł sprowokowania sprzeczki z Aubreyem. Chciałem ją zacząć od delikatnej sugestii, że jest zaborcą kulturowym – zważywszy jednak na to, że nie kazał mi – chociaż się tego obawiałem – podziwiać swojej kolekcji, oraz na fakt, że był czarny (później pokłóciliśmy się z Nathanielem o to, czy czarnoskórzy mogą w ogóle być zaborcami kulturowymi), pomysł ten już po chwili przestał mi się wydawać tak porywający i prowokacyjny.

Milczałem tak długo, że Aubrey w końcu zaczął się śmiać.

– To może ja zacznę – powiedział całkiem miło, a jednak poczułem, że się czerwienię. – Nathaniel opowiedział nam co nieco o twojej pracy.

– W każdym razie próbowałem – wtrącił niespodziewanie z przeciwnej strony stołu Nathaniel.

– Próbował – potwierdził Aubrey – a ja usiłowałem coś zrozumieć. Byłbym jednak zaszczycony, gdyby dane mi było usłyszeć coś ze źródła, że się tak wyrażę.

Wyrecytowałem więc swój krótki wykład o chorobach zakaźnych, o przewidywaniu najnowszych odmian, o podkręcaniu statystyk, za którymi laicy przepadają, ponieważ laicy uwielbiają panikować. O tym, że grypa z roku 1918 uśmierciła pięćdziesiąt milionów ludzi, co doprowadziło do kolejnych, chociaż nie tak tragicznych, pandemii z lat 1957, 1968, 2009 i 2022. Że od lat siedemdziesiątych XX wieku żyjemy w epoce multipandemicznej, w której co pięć lat pojawia się nowa zaraza. O tym, że wirusów nigdy nie da się wyeliminować – można je najwyżej kontrolować. O tym, że kilkadziesiąt lat nadmiernego i niefrasobliwego przepisywania antybiotyków zaowocowało nową rodziną drobnoustrojów, najpotężniejszych i najtrwalszych w dziejach ludzkości. Że dewastacja środowiska naturalnego i rozwój wielkich miast doprowadziły do tego, że żyjemy bliżej zwierząt niż kiedykolwiek dotąd, a to z kolei przyczynia się do rozkwitu chorób zoonotycznych. Że z całą pewnością czeka nas kolejna katastroficzna pandemia, która tym razem pochłonie nawet jedną czwartą światowej populacji, dorównując czarnej śmierci sprzed ponad siedmiuset lat, i że wszystko w ostatnim stuleciu, począwszy od zarazy roku 2030 po zeszłoroczny epizod w Botswanie, potraktować można jak serię testów, które ostatecznie oblaliśmy, ponieważ prawdziwym zwycięstwem byłoby nie potraktowanie każdej pandemii osobno, ale opracowanie kompleksowego planu globalnego. Ponieważ go brak, jesteśmy nieuchronnie skazani na zagładę.

– Ale dlaczego? – zdziwił się Aubrey. – Przecież mamy nieporównanie lepsze systemy opieki zdrowotnej niż w tysiąc dziewięćset osiemnastym roku, a nawet niż głupie dwadzieścia lat temu.

– To prawda – przyznałem. – Jednak czynnikiem, który sprawił, że grypa z tysiąc dziewięćset osiemnastego roku okazała się mniej tragiczna w skutkach, niż powinna, było tempo rozprzestrzeniania się infekcji. Drobnoustrój przemieszczał się między kontynentami drogą morską, a w tamtych czasach przeprawa statkiem z Europy do Ameryki w najlepszym razie trwała tydzień. Śmiertelność zarażonych w trakcie tej międzykontynentalnej podróży była tak wysoka, że gdy statek dobijał do portu, przywoził tam już znacznie mniej nosicieli choroby, którzy mogli ją rozprzestrzeniać na lądzie. Jedynym, co powstrzymuje potencjalnie agresywną chorobę zakaźną, a takie właśnie są dla nas pandemie, jest nie technologia, ale szybka segregacja i izolacja zainfekowanych obszarów, ta zaś zależy od tego, czy i jak szybko władze lokalne poinformują centrum epidemiologiczne, które powinno zarządzić na dotkniętym obszarze natychmiastowy lockdown. Problem polega na tym – mówiłem dalej – że zarządy aglomeracji miejskich niechętnie informują o nowych chorobach. Pomijając zbiorową histerię i straty gospodarcze, miasta dotknięte zarazą nieuchronnie zaczynają mieć złą sławę, która w wielu przypadkach trwa dłużej niż skuteczne powstrzymanie choroby. Czy na przykład pojechałbyś dzisiaj do Seulu?

– Cóż... nie.

– Właśnie. A przecież minęły cztery lata, odkąd zlikwidowano tam zagrożenie EARS. Ale tam mieliśmy szczęście: miejscowy radny zawiadomił burmistrza już po trzecim zgonie, a po piątym zgonie burmistrz zaalarmował Narodowe Służby Zdrowia i w ciągu dwunastu godzin cały obszar Samcheong-dong osłonięto namiotami i zamieniono w obóz epidemiczny, co pozwoliło ograniczyć śmiertelność do tej jednej dzielnicy.

– Ale dużo ludzi umarło.

– Tak. To wielkie nieszczęście. Jednak zmarłych byłoby o wiele więcej, gdyby nie zastosowano tej metody.

– Przecież oni zabili tych ludzi!

– Nieprawda. Nie zabili. Po prostu nie wypuścili ich na zewnątrz.

– Skutek był taki sam!

– O nie; skutek był taki, że zmarło nieporównanie mniej ludzi. Dziewięć tysięcy zamiast czternastu milionów. Skutkiem było także powstrzymanie rozprzestrzeniania się wyjątkowo patogenicznych drobnoustrojów.

– A jeżeli odpowiem ci na to, że izolacja tego obszaru była wyrokiem skazującym na jego mieszkańców, a nie pomocą? Że gdyby otworzyli tam dostęp dla pomocy międzynarodowej, tych ludzi dałoby się może uratować?

– Wysuwasz argument globalistów, który w wielu przypadkach jest słuszny – odpowiedziałem. – Nacjonalizm oznacza ograniczenie wymiany informacji między naukowcami, a to jest wysoce niebezpieczne. Ale tam mieliśmy inny przypadek. Korea nie jest wrogim rządem: niczego nie próbowali ukrywać, szczerze podzielili się swoją wiedzą z międzynarodową społecznością naukową i innymi rządami. Zachowali się wzorowo, właśnie tak, jak powinni. To, co wyglądało na działanie jednostronne, izolacja pewnego obszaru, było w istocie aktem altruistycznym: zapobiegli potencjalnej pandemii, poświęcając stosunkowo niewielką liczbę własnych obywateli. Właśnie tego rodzaju kalkulacji potrzeba w każdej społeczności, jeżeli chcemy powstrzymać, naprawdę powstrzymać wirusa.

Aubrey pokręcił głową.

– Chyba jestem zbyt staroświecki, żeby uznać śmierć dziewięciu tysięcy ludzi za *happy end*. I chyba z tego właśnie powodu więcej tam nie pojechałem: nie potrafię zapomnieć tamtych obrazów: czarnych plastikowych namiotów okrywających całą dzielnicę, a pod tymi namiotami ludzi czekających na śmierć. Nie było ich widać. Ale wiadomo było, że tam są.

Cokolwiek odpowiedziałbym na te słowa, zabrzmiałoby bezdusznie, więc sączyłem wino i milczałem.

Wciąż panowała cisza. Aubrey energicznie pokręcił głową, jakby chciał się otrząsnąć ze wzruszenia.

– Jak to się stało, że zainteresowałeś się hawajskimi antykami? – zagadnąłem go z poczucia obowiązku.

Nareszcie się uśmiechnął.

– Jeżdżę tam od kilkudziesięciu lat – powiedział. – Uwielbiam Hawaje. Łączą mnie zresztą z nimi więzy rodzinne: mój prapradziadek stacjonował na Kaho'olawe, gdy była to amerykańska baza wojskowa, tuż przed secesją. – Zreflektował się. – Chciałem powiedzieć: przed restauracją.

– Jasne, nie szkodzi – uspokoiłem go. – Nathaniel mówi, że posiadasz imponującą kolekcję.

Wtedy się rozpromienił i przez jakiś czas paplał o swoich cennych przedmiotach. Opowiadał o ich pochodzeniu, o tym, że urządził w piwnicy specjalną klimatyzowaną komorę do przechowywania niektórych eksponatów. Mówił, że gdyby miał ją urządzać jeszcze raz, umieściłby ją na czwartym piętrze, jako że piwnice lubią wilgoć, więc chociaż on i jego specjalista od klimatyzacji utrzymują tam stałą temperaturę dwudziestu jeden stopni, to nie udało im się ustabilizować wilgotności, która powinna wynosić czterdzieści procent, ale bez względu na ich starania uparcie sięga pięćdziesięciu. Słuchając go, uświadomiłem sobie dwie rzeczy: po pierwsze, że przez osmozę dowiedziałem się więcej, niż dotychczas wiedziałem o osiemnastowiecznej i dziewiętnastowiecznej broni, tkaninach i artefaktach; a po drugie, że nigdy nie zrozumiem przyjemności kolekcjonerstwa – to wieczne polowanie, wieczny kurz, wieczne kłopoty z przechowywaniem. I na co to wszystko?

Nagle jego ton – poufny, wstydliwie dumny – kazał mi spojrzeć na niego ponownie.

– Ale mojego największego skarbu – mówił – mojego największego skarbu nigdy nie wypuszczam z ręki.

Uniósł prawą dłoń i zobaczyłem, że na małym palcu nosi grubą obrączkę z ciemnego zniszczonego złota. Obrócił ją i okazało się, że przodem do wnętrza dłoni trzymał wprawiony w obrączkę kamień – mętną, nieprzezroczystą, niefachowo przyciętą perłę. Już wiedziałem, co zaraz zrobi, ale i tak obserwowałem, jak ściska palcami małe zatrzaski po obu stronach pierścienia i perła się otwiera jak maleńkie drzwiczki, odsłaniając miniaturowy schowek. Pozwolił mi zajrzeć do środka: pusto. Identyczny pierścień nosiła kiedyś moja praprababka; setki kobiet posprzedawały takie pierścienie łowcom skarbów, zbierając fundusz na kampanię na rzecz restytucji królowej. W maleńkim schowku trzymały po kilka grudek arszeniku, w ten symboliczny sposób deklarując gotowość do samobójstwa, jeśli ich królowa nie odzyska tronu. A teraz taki pierścień zdobił dłoń tego mężczyzny. Na moment zaniemówiłem.

– Nathaniel mówi, że wy nie zajmujecie się kolekcjonerstwem – powiedział Aubrey.

– Nie mamy potrzeby kolekcjonować hawajanów – odparłem. – Sami jesteśmy hawajanami.

Zabrzmiało to ostrzej, niż chciałem, i na chwilę znów zapadła cisza. (Uwaga: Nie zabrzmiało to aż tak pretensjonalnie jak teraz, w tym liście).

Krępujące wrażenie mojej gafy (ale czy rzeczywiście była to gafa?) ulotniło się z chwilą wejścia kucharza, który podsunął mi paterę z tortem z czarnych porzeczek. „Świeżutki, prosto z farmerskiego targu" – zachwalał, jakby osobiście wymyślił farmerskie targi. Podziękowałem mu i wziąłem kawałek. W tej chwili rozmowa zeszła na tematy poruszane we wszystkich przyjacielskich rozmowach ludzi o podobnych poglądach: pogoda (fatalna), zatonięcie łodzi z filipińskimi uchodźcami u wybrzeży Teksasu (też fatalne), sytuacja gospodarcza (również fatalna, jednak mogło być gorzej; Aubrey, jak większość forsiastych ludzi, rozprawiał o niej z pewną satysfakcją, podobnie jak ja, przyznaję szczerze, zwykłem mówić o następnej wielkiej pandemii), nadchodząca wojna z Chinami (fatalna sprawa, ale, zdaniem Norrisa, „skończy się w rok" – Norris był prawnikiem i miał klienta, który „sprzedawał sprzęt wojskowy", czyli był handlarzem bronią), najnowsze wiadomości o stanie środowiska i prognozowanej fali uchodźców klimatycznych (gorzej być nie może). Chciałem powiedzieć: „Mój najbliższy przyjaciel, Peter, piastuje bardzo wysokie stanowisko w rządzie brytyjskim i twierdzi, że wojna z Chinami potrwa minimum trzy lata i wywoła globalny kryzys migracyjny z udziałem milionów uchodźców" – ale nie powiedziałem. Po prostu siedziałem i milczałem. Nathaniel nie patrzył na mnie ani ja na niego.

– To okazały dom – odezwałem się po jakimś czasie. Nie brzmiało to do końca jak komplement i nie miało tak brzmieć (poczułem na sobie karcące spojrzenie Nathaniela), ale Aubrey się uśmiechnął.

– Dziękuję – powiedział.

Później nastąpiła długa opowieść o kupowaniu domu od latorośli rzekomo legendarnej bankierskiej rodziny, o której nigdy nie słyszałem; sprzedający podobno nie miał grosza przy duszy, za to dużo opowiadał o straconym majątku swojej rodziny i wyrażał opinię, że dla czarnoskórego musi to być nie lada przeżycie, kupować ten dom od białego, który myślał, że ma ów dom na zawsze. „Ładne rzeczy – powiedziałby mój dziadek. – Banda ciemnoskórych udaje białych" – chociaż posłużyłby się słowem „haole" zamiast „biali". Wszystko, co ja robiłem, a on uważał za dziwaczne, było dla niego haole: czytanie książek, studia, przeprowadzka do Nowego Jorku. Postrzegał moje życie jako zamach na swoje tylko dlatego, że było inne.

Tymczasem zrobiło się już dostatecznie późno, by grzecznie opuścić Aubreya i Norrisa. Odsiedziawszy więc około dwudziestu minut z kawą, zacząłem się demonstracyjnie przeciągać i powiedziałem, że powinniśmy wracać do maleństwa: miałem przeczucie, jakie miewa się po piętnastu latach wspólnego życia, że Nathaniel lada moment zaproponuje obejrzenie kolekcji Aubreya, która mnie w ogóle nie interesowała. Zdawało mi się także, że Nathaniel chce protestować przeciwko wyjściu do domu, ale sam chyba zorientował się, że poddał mnie dostatecznie srogiej próbie (albo że prędzej czy później znów coś palnę i tym razem będzie to coś naprawdę niestosownego), więc wszyscy wstaliśmy i wymieniliśmy pożegnania. Aubrey powiedział, że musimy spotkać się ponownie, żebym mógł obejrzeć kolekcję, na co odparłem, że byłbym zaszczycony, chociaż nie miałem zamiaru się na to narażać.

W drodze powrotnej nie odzywałem się do Nathaniela ani on do mnie. Bez słowa weszliśmy do mieszkania, zapłaciliśmy opiekunowi, poszliśmy zajrzeć do maleństwa i przygotowaliśmy się do łóżka. Dopiero gdy leżeliśmy obok siebie w ciemności, Nathaniel wreszcie przemówił:

– Równie dobrze możesz powiedzieć to na głos.

– Co? – spytałem.

– To, co masz do powiedzenia – odrzekł.

– Nie mam nic do powiedzenia – oświadczyłem. Było to oczywiste kłamstwo: od pół godziny układałem sobie w głowie przemowę, a teraz zastanawiałem się, jak mam ją wygłosić, żeby zabrzmiała spontanicznie. Nathaniel westchnął. – Uważam jednak, że to trochę dziwne – powiedziałem. – Nate, przecież ty nie znosisz ludzi tego rodzaju! Czy nie mówiłeś zawsze, że kolekcjonowanie przedmiotów etnicznych jest formą materialnej kolonizacji? Czy nie optowałeś za zwrotem takich przedmiotów państwu hawajskiemu albo przynajmniej przekazaniem ich do muzeum? A teraz co? Jesteś za pan brat z tym bogatym palantem i jego handlującym bronią mężem, i nie dość, że tolerujesz ich kolekcję trofeów, to jeszcze w niej uczestniczysz? Nie mówiąc o tym, że on uważa królestwo za głupi żart.

Nathaniel zesztywniał.

– Nigdy nie odniosłem takiego wrażenia.

– Mówił o s e c e s j i, Nate. Poprawił się, ale daj spokój, znamy ten typ.

Milczał przez dłuższą chwilę.

– Obiecałem sobie nie być asekurantem – powiedział. Zamilkł i dodał: – Mówisz tak, jakby Norris był handlarzem bronią.

– A nie jest?

– On ich broni. To nie to samo.

– Och, nie zgrywaj się, Natey.

Wzruszył ramionami. Nie patrzyliśmy na siebie, ale słyszałem, jak koc unosi się i opada na jego piersi.

– A poza tym – ciągnąłem – nie uprzedziłeś mnie, że oni nie są biali.

Popatrzył na mnie.

– Owszem, uprzedziłem.

– Nieprawda, nie uprzedziłeś.

– Oczywiście, że tak. Po prostu mnie nie słuchałeś. Jak zwykle. Zresztą jakie to ma znaczenie?

– Och, przestań, Natey. Dobrze wiesz, że ma.

Mruknął coś niewyraźnie. Nie miał na to argumentu. Potem znów zapadła cisza. W końcu powiedział:

– Wiem, że to dziwnie wygląda. Ale… ja ich lubię. I jestem samotny. Z nimi mogę rozmawiać o domu.

Powinienem był powiedzieć mu na to: „O domu możesz rozmawiać ze mną". Ale tego nie zrobiłem. Ponieważ wiedziałem, i on także wiedział, że to *ja* wyrwałem nas z domu, że to z mojego powodu zostawił pracę i życie, z którego był dumny. A tutaj sam siebie nie poznawał i nie lubił, ale robił wszystko, żeby mnie za to nie obwiniać, i to do tego stopnia, że wyrzekł się siebie. Ja to wiedziałem i on to wiedział.

Dlatego nic mu nie odrzekłem, a kiedy namyśliłem się, co powiedzieć, on już spał albo udawał, że śpi. Najwyraźniej znowu go zawiodłem.

Uświadomiłem sobie, że tak będzie wyglądało nasze życie. On będzie coraz bardziej zbliżać się do Aubreya i Norrisa, a ja będę go musiał do tego zachęcać, gdyż inaczej jego niechęć w stosunku do mnie tak się nasili i wymknie spod kontroli, że nie będzie dało się udawać, że jej nie ma. A wtedy on mnie rzuci i zabierze maleństwo, a ja zostanę sam jak palec, bez rodziny.

To już wszystko. Wiem, że masz znacznie poważniejsze problemy do rozwikłania niż rozterki starego kumpla, ale będę Ci wdzięczny za każde słowo pocieszenia. Nie mogę się doczekać spotkania z Tobą. Pisz mi o wszystkim, co Ciebie dotyczy, albo przynajmniej tyle, ile możesz. Będę milczał jak grób albo grobowiec, bo nie pamiętam, jak to się mówi.

Kocham Cię. C.

Mój Kochany Peterze, 29 marca 2046

zamiast usprawiedliwiać się z egocentryzmu na końcu tego listu, z a c z n ę od przeprosin za egocentryzm.

Swoją drogą nie czuję, abym musiał przesadnie przepraszać, skoro ubiegły tydzień był cały poświęcony Tobie, i to w tak wspaniałych okolicznościach. To był przepiękny ślub, Peteyu. Dzięki, że nas zaprosiłeś. Zapomniałem Ci powiedzieć, że gdy wychodziliśmy ze świątyni, maleństwo spojrzało na mnie i z wielką powagą powiedziało: „Wujek Peter był chyba bardzo szczęśliwy". Oczywiście miało rację. Byłeś – i jesteś – bardzo szczęśliwy. A ja cieszę się bardzo razem z Tobą.

W tej chwili zapewne wraz z Olivierem przebywasz gdzieś w Indiach, przynajmniej tak sądzę. Nathaniel i ja, jak wiesz, nie mieliśmy miodowego miesiąca. Planowaliśmy go, ale potem ja organizowałem laboratorium, zajęliśmy się także aklimatyzacją maleństwa i… sam już nie wiem, po prostu nigdy do niego nie doszło. (Pamiętasz może, że chcieliśmy pojechać na Malediwy. Ja to mam pomysły, nie ma co).

Piszę do Ciebie z Waszyngtonu, gdzie uczestniczę w konferencji o chorobach odzwierzęcych – N. i maleństwo zostali w domu. A dokładnie mówiąc, wcale nie są w domu: wyjechali z Aubreyem i Norrisem do Frog's Pond Way. To pierwszy weekend na tyle ciepły, że można się kąpać, więc Nathaniel spróbuje nauczyć maleństwo surfingu. Planował nauczyć je w styczniu, kiedy byliśmy w Honolulu, ale plaga meduz zniechęciła nas do tego stopnia, że całkowicie zrezygnowaliśmy z plaży. Między nami trochę się poprawiło, dzięki za pytanie. Mam z nimi nieco lepszy kontakt – a może to jedynie skutek tego, że Ty i Olivier emanujecie nadmiarem miłości, który nasza trójka przechwyciła. Zobaczymy, jak będzie dalej. Sądzę, że naszą odnowioną bliskość zawdzięczamy, jak słusznie zauważyłeś, temu, że oswajam się z Aubreyem i Norrisem. Weszli na dobre w nasze życie, tak mi się przynajmniej zdaje. Przez wiele miesięcy z tym walczyłem, lecz później się poddałem. Co teraz? No cóż. Przypuszczam, że mają się dobrze. Są dla nas bardzo hojni, bez dwóch zdań. Nathaniel nie jest już konsultantem zatrudnionym u Aubreya, ale odwiedza go co najmniej dwa razy na miesiąc. I maleństwo ogromnie ich lubi, szczególnie Aubreya.

Tutaj nastroje są ponure. Po pierwsze, racje żywnościowe są znacznie skromniejsze niż w Nowym Jorku – wczoraj wieczorem w hotelu zabrakło wody, co prawda jedynie na godzinę, ale zawsze. Po drugie, co mnie bardziej martwi, wszystkim obcięto fundusze – ponownie. Trzecią rundę ogłoszą prawdopodobnie w przyszłym tygodniu. Moje laboratorium jest mniej narażone niż inne – zaledwie trzydzieści procent funduszy pobieramy od rządu, a nasze niedobory pokrywa częściowo Instytut Howarda Hughesa – lecz mimo to się niepokoję. Wszyscy Amerykanie rozmawiają o tym między sesjami: Ile wam obcięli? Kto was dofinansowuje? Jakie prace są lub będą zagrożone?

Ale główne przyczyny ponurego nastroju są inne, bardziej alarmujące, i znacznie wykraczają poza administracyjną szarpaninę Amerykanów i nasz zbiorowy dyskomfort. Ton nadali dwaj naukowcy z Uniwersytetu Erazma w Rotterdamie, którzy wykonali wczesne badania nad weneckim ogniskiem choroby z roku trzydziestego dziewiątego, które, jak wiesz, przypisano mutacji wirusa Nipah. Ich referat był niezwykły z kilku powodów, przede wszystkim dlatego, że miał charakter bardziej spekulatywny niż większość wystąpień konferencyjnych. Skądinąd takie referaty zdarzają się coraz częściej – gdy ja sam byłem doktorantem, dotyczyły przeważnie odkryć laboratoryjnych w odniesieniu do drugiej lub trzeciej generacji mutacji konkretnego wirusa. Teraz jednak jest tak wiele nowych wirusów, że nasze konferencje stały się forami uściślania doniesień, o których czytaliśmy w prywatnych sieciach naszych instytucji, gdzie każdy naukowiec z akredytowanego uniwersytetu może umieszczać swoje odkrycia lub pytania. Nieobecność Chin w tej sieci (i wymianie konferencyjnej) stanowi jeden z najbardziej palących problemów międzynarodowej społeczności, a rewelacją obecnej konferencji – przekazywaną pocztą pantoflową – jest wiadomość, że grupa badaczy z Chin kontynentalnych stworzyła tajny portal, na którym jej członkowie umieszczają własne odkrycia. Przypuszczam, że skoro *my* o tym wiemy, to musi wiedzieć także ich rząd, a zatem informacja nie jest do końca wiarygodna – z drugiej jednak strony niepotraktowanie jej poważnie mogłoby doprowadzić do katastrofy.

Ale do rzeczy. Zespół z Uniwersytetu Erazma twierdzi, że odkrył nowego wirusa pochodzącego od nietoperzy. Został sklasyfikowany jako Henipavirus, co znaczy, że jest wirusem RNA o szybkim tempie mutacji. W XX wieku sądzono, że ta rodzina wirusów jest endemiczna wyłącznie dla Afryki i Azji – chociaż, jak dowodzi epidemia roku trzydziestego dziewiątego, szczególnie wirus Nipah wykazuje zdolność do częstych nawrotów i stanowi od siedmiu lat przedmiot intensywnych badań pod kątem odporności na zmiany klimatyczne, jak również adaptacji zoonotycznej do gospodarzy – psów, których nigdy w przeszłości nie infekował. Przynajmniej tak było we włoskim przypadku. Nipah dziesiątkował bydło i inne zwierzęta domowe, lecz nigdy dotąd nie stanowił poważniejszego zagrożenia dla ludzi, jako że nie przenosił się pomiędzy nimi i nie mógł przetrwać dłużej niż kilka dni bez odpowiedniego gospodarza. A gdy już dochodziło do zakażenia ludzi, szybko wytracał impet: stopień zakaźności był niski, ponieważ wirus okazywał się niezdolny do dalszej transmisji. Przykładem może być to, że po zlikwidowaniu populacji psów w Wenecji zniknęła tam również choroba.

Teraz jednak zespół z Uniwersytetu Erazma sugeruje, że ta nowa odmiana, którą nazwali Nipah-45, infekuje ludzi, a co więcej – jest silnie zakaźna i wysoce śmiertelna. Podobnie jak wirus źródłowy Nipah-45, może przenosić się zarówno przez zanieczyszczoną żywność, jak i drogą powietrzną, a w przeciwieństwie do swojego ewolucyjnego przodka potrafi utrzymywać się w organizmie gospodarza przez mniej więcej miesiąc. Badaniem objęto grupę wiosek na północ od Luang Prabang, do których rząd zsyła mniejszości muzułmańskie napływające przez granicę z Chin. Zdaniem badaczy pół roku temu wspomniany wirus zdziesiątkował tamtejszą społeczność: w ciągu ośmiu tygodni zmarło prawie siedem tysięcy ludzi. Wirus przeniósł się z nietoperzy na bawoły wodne i doszło do zainfekowania żywności. W przypadku ludzi choroba objawia się kaszlem, który szybko doprowadza do całkowitej niewydolności oddechowej, a następnie do niewydolności organów – pacjenci umierali średnio po jedenastu dniach od postawienia diagnozy. Wskaźnik śmiertelności był szokujący, a jednak autorzy referatu postawili tezę, że izolacja tamtejszej społeczności i uniemożliwienie jej podróży po kraju (ta grupa ma prawny zakaz opuszczania miejsca pobytu) zapobiegły rozprzestrzenieniu się choroby.

Minęło pół roku, wioski są nadal w izolacji. Mimo to rząd Laosu, popierany przez rząd amerykański, czyni desperackie starania, by nie dopuścić tej historii do mediów, ponieważ, oprócz groźby rozprzestrzenienia się choroby, obawia się następujących skutków: po pierwsze, niemal nieuchronnej stygmatyzacji tych nieszczęsnych ludzi, która łatwo może doprowadzić do ich wymordowania, co oglądaliśmy w Malezji w latach czterdziestych; i po drugie, kolejnego kryzysu uchodźczego. Granice Hongkongu są strzeżone, podobnie jak granice Singapuru, Indii, Chin, Japonii, Korei i Tajlandii. Jeśli zatem dojdzie do kolejnej wielkiej migracji, uchodźcy nieuchronnie spróbują przeprawić się przez Pacyfik. Ci, którzy nie zostaną zastrzeleni na miejscu u wybrzeży Filipin, Australii, Nowej Zelandii, Hawajów czy Ameryki, spróbują (zgodnie z tym rozumowaniem) przedostać się do Oregonu, Waszyngtonu lub Teksasu, a z tych krajów przez granicę do USA.

Nic dziwnego, że referat wywołał wzburzenie. Nie w związku z ustaleniami badaczy – te nie budziły kontrowersji – lecz w związku z ich opinią, niewyrażoną wprost, ale silnie zasugerowaną, że wspomniany wirus może być tym, na którego wszyscy czekaliśmy i przygotowywaliśmy się. Lęk mieszał się z pewną dozą zawodowej zazdrości, resentymentu (gdybyśmy to m y mieli rząd tak skory do finansowania badań naukowych jak rząd holenderski, sami byśmy to pierwsi odkryli) oraz pewnego podniecenia. Na jednej z tablic ogłoszeniowych ktoś przyrównał wirusologię spekulatywną do sytuacji statysty w rekordowo długo granej rewii na Broadwayu: czekasz i czekasz na swoją szansę wyjścia na scenę, i przeważnie czekasz na próżno, ale musisz dalej trzymać rękę na pulsie, bo jeśli pewnego dnia nadejdzie jednak twoja kolej?

Będę Cię informował na bieżąco. Ty rób tak samo. To znamienne, że wiceminister spraw wewnętrznych ma więcej informacji o światowej sytuacji epidemicznej niż ja, ale tak to już jest. Tymczasem ściskam Cię jak zawsze najserdeczniej i Oliviera także. Nie pakuj się w kłopoty i trzymaj się z dala od nietoperzy.

Całuję, ja

Mój Najdroższy Peterze, 6 stycznia 2048

truchlejemy ze zgrozy, patrząc, co tam się dzieje. Dzisiaj laboratoria na dobrą sprawę przestały działać, ponieważ wszyscy oglądali wiadomości, a kiedy most wyleciał w powietrze, dosłownie słychać było zbiorowe wstrzymanie oddechu, zarówno u nas w laboratorium, jak i na całym piętrze. Co za niesamowita scena: most Londyński złamany wpół i wszyscy ci ludzie i samochody koziołkujący w powietrzu – w relacji, którą oglądaliśmy, reporter tylko krzyknął. Nie wypowiedział żadnych słów, tylko wydał ten przejmujący okrzyk, a potem zapadła cisza i słychać było jedynie terkot latających helikopterów. Później usiedliśmy kołem i snuliśmy domysły na temat sprawców. Jeden z moich doktorantów powiedział, że należy się raczej zastanawiać nad tym, kto, miejmy nadzieję, tego nie popełnił, bo potencjalnych sprawców jest cała masa. A ty jak sądzisz: czy to był atak na obóz uchodźców? Czy coś innego?

Ale powiem Ci, Peterze, że przede wszystkim z wielkim, wielkim smutkiem przyjąłem wiadomość, że wśród ofiar jest Alice. Wiem, jak bardzo byliście zżyci i od jak dawna pracowaliście razem, więc mogę sobie tylko wyobrażać, jak Ty i Twoi koledzy czujecie się w tej chwili.

Nathaniel i maleństwo przyłączają się do moich ucałowań. Olivier dobrze się Tobą opiekuje, wiem o tym, ale napisz mi esemesa albo po prostu zadzwoń, gdybyś chciał pogadać.

Kocham Cię. C.

Najdroższy Peterze, 14 marca 2049

piszę do Ciebie z naszego nowego mieszkania. Owszem, plotki głoszą prawdę: przeprowadziliśmy się. Niedaleko i właściwie nie w lepszą okolicę – nasze nowe lokum, z dwiema sypialniami, znajduje się na rogu ulic Siedemdziesiątej i Drugiej, na czwartym piętrze budynku z lat osiemdziesiątych XX wieku – ale musieliśmy, ze względu na dobrostan Nathaniela, a także na moje zdrowie psychiczne. Mieszkanie było jednak dość tanie, lecz jedynie dlatego, że chodzą słuchy, że rzeka East przekroczy wreszcie tamy: gdzieś między przyszłym rokiem a nigdy. (Oczywiście z tego samego powodu nie należało zostawać na osiedlu Uniwersytetu Rockefellera, które może zostać zalane z jeszcze większym prawdopodobieństwem niż ta nowa lokalizacja, a zatem stare mieszkanie sprzedaliśmy bardzo tanio, ale Nathaniel miał go po dziurki w nosie i nie było z nim dyskusji).

Niewiele mam do powiedzenia o naszej nowej okolicy, ponieważ jest mniej więcej taka sama jak stara. Jedyna różnica polega na tym, że teraz okna salonu wychodzą na stację sanitarną po drugiej stronie ulicy. U Was nie ma jeszcze stacji tego rodzaju, prawda? Będziecie je mieli. Mieszczą się w opuszczonych witrynach sklepowych (ta nasza była, jak na ironię, lodziarnią), które rząd przejął i wyposażył w klimatyzację przemysłową oraz prysznice powietrzne w liczbie dziesięciu do dwudziestu. To nowa technologia, w fazie testowania: zdejmujesz ciuchy i wchodzisz do kabinki, która przypomina pionową walcowatą trumnę, wciskasz guzik i smagają cię potężne bicze powietrza. Idea jest taka, że nie trzeba używać wody, bo siła powietrza zdmuchnie z ciebie cały brud. Zdaje mi się, że to jakby działa. W każdym razie lepsze to niż nic. Stacje sanitarne są otwierane w całym mieście: za miesięczną opłatą korzystanie z nich jest nieograniczone; istnieją też stacje bardzo drogie, także regulowane federalnie, ale prywatne, gdzie można spędzić cały dzień w klimatyzacji, a czas pryszniców powietrznych jest nieograniczony. Są także miejsca do pracy i spania dla ludzi zmuszonych spędzić noc poza domem, ponieważ ich budynek objęty został zaciemnieniem. Ale ta stacja naprzeciwko nas to pogotowie: przeznaczona jest dla ludzi z budynków, którym na dłuższy czas (tzn. na ponad dziewięćdziesiąt sześć godzin) odłączono wodę lub elektryczność, albo mieszkańców okolic, w których brak dostatecznej liczby generatorów. Tak więc całymi dniami obserwujemy tych nieszczęśników, dosłownie setki – masa dzieci, masa starców, żadnych białych – sterczących godzinami w strasznym upale w kolejce do wejścia. W efekcie paniki z ubiegłego miesiąca nie wolno tam wejść nikomu, kto kaszle. Zresztą nawet jeśli się nie kaszle, trzeba poddać się kontroli temperatury, co jest śmieszne, bo po tylu godzinach spędzonych w upale temperatura ciała musi się podnieść w sposób naturalny. Władze miasta utrzymują, że kontrolerzy rozpoznają różnicę między gorączką wywołaną infekcją a zwyczajnym przegrzaniem, ale ja w to szczerze wątpię. A żeby jeszcze bardziej skomplikować sprawę, w drzwiach sprawdzane są również dowody tożsamości: wpuszcza się wyłącznie obywateli USA i stałych mieszkańców.

Któregoś dnia w zeszłym miesiącu zanieśliśmy tam do oddania trochę starych ubranek i zabawek maleństwa, w rezultacie odstaliśmy kilka minut w oddzielnej, znacznie krótszej kolejce. Chociaż w tym gównianym mieście już prawie nic mnie nie szokuje, to w tej stacji sanitarnej przeżyłem wstrząs. Około setki dorosłych i pięćdziesięciorga dzieci tłoczyło się w przestrzeni przeznaczonej dla może sześćdziesięciu osób, a smród – wymiocin, odchodów, niemytych włosów i skóry – był tak dokuczliwy, że niemal go widziałem: zabarwiał całe pomieszczenie mętnym kolorem musztardy. Najbardziej uderzająca była jednak cisza. Tylko jedno niemowlę płakało, a właściwie piszczało, cienko i bezradnie – poza tym nie było słychać żadnych dźwięków. Wszyscy stali cicho w kolejkach do siedmiu pryszniców powietrznych: gdy ktoś wychodził z kabiny, ktoś inny w milczeniu zajmował jego miejsce i zaciągał zasłonkę.

Przeciskając się przez tłum rozstępujący się przed nami bez słowa zmierzaliśmy na tyły sali, gdzie znajdował się plastikowy stół, za którym siedziała kobieta w średnim wieku. Na stole stał olbrzymi metalowy kocioł. W kolejce do niego czekali ludzie z fajansowymi kubkami. Ten, kto znalazł się na przodzie kolejki, podstawiał kubek, a kobieta zanurzała w kotle chochlę i nalewała mu zimnej wody. Obok niej stały jeszcze dwa garnki o ściankach pokrytych skroploną parą wodną, a pilnujący ich strażnik trwał nieruchomo z rękami skrzyżowanymi na piersiach i z pistoletem w kaburze na biodrze. Powiedzieliśmy tej kobiecie, że przynieśliśmy dziecięce ubranka. Kazała nam je wrzucić do jednego z pojemników ustawionych pod oknami, co też uczyniliśmy. Gdy już mieliśmy odejść, podziękowała nam i spytała, czy nie mamy w domu antybiotyków w płynie, kremu pieluszkowego albo napojów odżywczych. Musieliśmy odpowiedzieć, że nie mamy, bo nasz syn już od dawna nie potrzebuje rzeczy tego rodzaju, na co ze znużeniem pokiwała głową i rzekła: „W każdym razie dzięki".

Przeszliśmy z powrotem przez ulicę – upał był tak gęsty i otępiający, że powietrze zdawało się wełniane – i w milczeniu wdrapaliśmy się po schodach do mieszkania, a gdy znaleźliśmy się w środku, Nathaniel odwrócił się do mnie i przytuliliśmy się do siebie. Nie przytulaliśmy się w ten sposób od bardzo dawna. Chociaż wiedziałem, że Nathaniel przylgnął do mnie raczej w odruchu smutku i lęku niż miłości, to i tak byłem zadowolony.

– Biedni ludzie – wymamrotał w moje ramię, a ja odpowiedziałem westchnieniem. Nagle Nathaniel odsunął się; był zły. – I to jest N o w y J o r k – powiedział. – Mamy dwa tysiące czterdziesty dziewiąty rok! Jezu Chryste!

Tak, chciałem mu odpowiedzieć, to jest Nowy Jork. Mamy 2049 rok. W tym właśnie tkwi problem. Ale się nie odezwałem.

Wzięliśmy potem długi prysznic, co było dość groteskowe po tym, cośmy przed chwilą widzieli, ale niewątpliwie rozkoszne i wyzywające – utwierdziliśmy się w przekonaniu, że możemy się oczyścić, kiedy chcemy, że nie jesteśmy tamtymi ludźmi i nigdy nie będziemy. Tak przynajmniej powiedziałem, gdy leżeliśmy już w łóżku.

– Powiedz mi, że z nami tak nie będzie – poprosił Nathaniel. – Nigdy. Obiecaj mi.

– Obiecuję ci – powiedziałem. Chociaż nie mogłem mu tego obiecać. Ale cóż innego miałem powiedzieć? Leżeliśmy później dłuższą chwilę, wsłuchani w mruczenie klimatyzatora, a potem Nathaniel poszedł odebrać maleństwo z lekcji pływania.

Wiem, że wspomniałem już o tym w ostatnim komunikacie, ale pomijając finanse, byliśmy zmuszeni pozostać w tej dzielnicy z powodu maleństwa, ponieważ staramy się zapewnić mu możliwie najwięcej normalności. Pisałem Ci o ubiegłorocznym zdarzeniu na boisku koszykówki, ale dwa dni temu wydarzył się następny incydent: zadzwonili do mnie do laboratorium (Nathaniel wyjechał na plener ze swoimi uczniami), więc pognałem do szkoły, gdzie znalazłem maleństwo w gabinecie dyrektorki. Widać było, że płakało, chociaż udawało, że wcale nie. Targnęły mną tak straszne emocje – złość, strach i bezradność – że przez chwilę stałem jak wryty, gapiąc się na małego, zanim kazałem mu wyjść, a on usłuchał i wyszedł, w progu udając, że kopie framugę drzwi.

A przecież powinienem był go przytulić i zapewnić, że wszystko będzie dobrze. Zauważam, że coraz częściej w moim obcowaniu z ludźmi pojawia się ten sam schemat: widzę problem, daję się ponieść emocjom, nie okazuję współczucia, kiedy trzeba, i druga osoba odchodzi wściekła.

Dyrektorką jest twarda lesba w średnim wieku, na imię ma Eliza. Lubię ją – należy do osób, które nie przejmują się dorosłymi, za to autentycznie poświęcają się dzieciom – ale gdy na dzielącym nas biurku położyła strzykawkę, musiałem wpić się palcami w boczne oparcia fotela, żeby nie dać jej w twarz: dramatyzm i koturnowość jej gestu były nieznośne.

– Doktorze Griffith – przemówiła – pracuję w tej szkole od dawna. Mój ojciec także był naukowcem. Nie muszę więc pytać, skąd pański syn to miał. Ale nigdy jeszcze nie widziałam, żeby małe dziecko posługiwało się igłą jako bronią.

Wówczas pomyślałem: Naprawdę? N i g d y? To gdzie się dziś podziewa dziecięca fantazja? Nie zadałem tych pytań – przeprosiłem tylko w imieniu maleństwa, powiedziałem, że ma ono wybujałą wyobraźnię i że z trudem przyzwyczaja się do Ameryki. Wszystko to było prawdą. Nie powiedziałem, jakim szokiem jest dla mnie jego postępek, chociaż i to było prawdą.

– Jeśli się nie mylę, mieszkają panowie w Ameryce już... – zerknęła na ekran swojego komputera – prawie sześć lat?

– Ale jemu nadal jest trudno – odparłem. – Inny język, inne środowisko, inne zwyczaje...

– Wybaczy pan, że mu przerwę, doktorze Griffith. Nie muszę panu mówić, że David jest bardzo, bardzo inteligentny. – Spojrzała na mnie surowo, jakby inteligencja maleństwa była jakąś moją winą. – Niestety, ma utrzymujący się problem z opanowaniem impulsów; nie po raz pierwszy odbywamy taką rozmowę. David z pewnym... trudem się socjalizuje. Ma kłopot z odczytywaniem sygnałów społecznych.

– Ja miałem podobnie w jego wieku – powiedziałem. – Mój mąż powiedziałby, że to mi nie przeszło.

Uśmiechnąłem się, ale ona nie.

Westchnęła, wychyliła się z fotela i maska profesjonalizmu opadła jej z twarzy.

– Doktorze Griffith – powiedziała. – Martwię się o Davida. W listopadzie skończy dziesięć lat: rozumie konsekwencje swoich czynów. Zostały mu jeszcze tylko cztery lata w tej szkole, potem pójdzie do szkoły średniej i jeśli nie nauczy się interakcji z rówieśnikami teraz, w tym roku... – Urwała. – Czy jego wychowawczyni poinformowała pana, co się stało?

– Nie – przyznałem.

Więc dowiedziałem się. Pokrótce: w klasie jest kilku chłopców – niezbyt wysportowanych, niezbyt ładnych: to w końcu dzieci naukowców – cieszących się „popularnością" z racji tego, że konstruują roboty. Maleństwo chciało do nich dołączyć i zaczęło siadać z nimi przy lunchu. Ale tamci je odtrącili, i to wielokrotnie („W sposób kulturalny, zapewniam pana. Nie tolerujemy u nas przemocy ani złych manier"), więc w końcu maleństwo przyniosło strzykawkę i zagroziło przywódcy tej grupy, że wstrzyknie mu wirusa, jeśli nie przyjmą go do swojego grona. Świadkami tej rozmowy była cała klasa.

Słuchałem i zmagały się we mnie dwa uczucia: zgroza na wieść, że moje dziecko grozi innemu dziecku, i to nie byle czym, bo rzekomą zarazą, i dojmujący żal. Osamotnienie maleństwa tłumaczyłem sobie, i nadal tłumaczę, jego tęsknotą za domem, ale prawdą jest, że nawet na Hawajach nie miało wielu kolegów. Chyba nigdy Ci tego nie mówiłem, ale kiedyś, gdy mały miał może ze trzy latka, widziałem, jak na placu zabaw podchodzi do dzieci w piaskownicy i pyta, czy może się z nimi pobawić. Zgodziły się, maleństwo weszło do piaskownicy, a wtedy wszystkie dzieci zerwały się i pobiegły do małpiego gaju, pozostawiając je całkiem samo. Nie wyśmiewały go, nie przezywały, ale czy mógł inaczej odczytać ich zachowanie niż jako to, czym przecież było – odrzucenie?

Najgorsze zdarzyło się jednak dopiero później: mały posiedział w piaskownicy, popatrzył za dziećmi, a potem powoli zaczął bawić się sam. Co parę sekund oglądał się na dzieci, mając nadzieję, że wrócą, ale nie wróciły. Wytrzymałem może pięć minut, podszedłem, wyjąłem synka z piaskownicy i powiedziałem mu, że pójdziemy na lody, tylko niech nie naskarży na mnie tatusiowi.

W nocy nie opowiedziałem Nathanielowi o zajściu w piaskownicy. Wstydziłem się, jakbym sam był winien smutku maleństwa. Poniosło porażkę, a ja poniosłem porażkę jako jego obrońca. Zostało odrzucone, a ja odpowiadałem w jakiś sposób za to odrzucenie, choćby dlatego, że je widziałem i nie umiałem mu zaradzić. Następnego dnia w drodze na plac zabaw mały pociągnął mnie za rękę i spytał, czy musimy tam iść. Powiedziałem mu, że nie, i nie poszliśmy – w zamian za to byliśmy znowu na zakazanych lodach. Na tamten plac zabaw nie chodziliśmy już nigdy. Ale teraz myślę, że należało tam pójść. Powinienem wówczas powiedzieć maleństwu, że tamte dzieci były niegrzeczne, ale to nie ma nic wspólnego z nim, że znajdzie sobie innych przyjaciół, którzy je pokochają i docenią, a ktoś, kto tego nie robi, nie zasługuje w ogóle na jego uwagę.

Ale nie powiedziałem. Nigdy o tym nie porozmawialiśmy. Z upływem lat maleństwo stawało się coraz bardziej wycofane. Może nie wobec Nathaniela, a może jednak także wobec niego. Nie wiem po prostu, czy Nathaniel to dostrzega. Nie umiałbym tego precyzyjnie określić. Ale coraz częściej czuję, że mały jest nie całkiem obecny, nawet gdy jest przy nas – że już się od nas odcina. Ma tutaj paru przyjaciół, spokojnych, poważnych chłopczyków, ale oni rzadko bywają u nas w domu i rzadko zapraszają go do siebie. Nathaniel mówi o nim, że jest nad wiek dojrzały, ale tak właśnie mówią o swoich dzieciach zmartwieni rodzice, kiedy ich nie rozumieją – a ja uważam, że jeśli on jest w czymkolwiek dojrzały, to tylko w samotności. Dziecko może być samo. Ale nie powinno być samotne. A nasze jest.

Eliza zaleciła odręczne napisanie listów z przeprosinami, zawieszenie w prawach ucznia na dwa tygodnie, cotygodniową terapię i udział w sportach zespołowych – „niech mierzy się z wyzwaniami i spala swoje resentymenty" – a także „większe zaangażowanie obu rodziców", co odnosiło się do mnie, bo Nathaniel bywa na wszystkich wywiadówkach, meczach, imprezach i przedstawieniach.

– Ja wiem, że panu jest ciężko, doktorze Griffith – powiedziała i zanim zdążyłem zaprotestować albo odpowiedzieć atakiem na atak, mówiła dalej, łagodniejszym tonem: – Wiem, że tak jest. Nie mówię tego ironicznie. Wszyscy jesteśmy dumni z twojej pracy, Charles.

Nagle poczułem, że łzy – głupia sprawa – napływają mi do oczu, i wymamrotałem:

– Założę się, że to samo mówi pani wszystkim wirusologom.

I wyszedłem, za drzwiami wziąłem maleństwo za ramię i wyprowadziłem na zewnątrz.

Szliśmy do domu w milczeniu, ale gdy tylko znaleźliśmy się w mieszkaniu, naskoczyłem na syna.

– Coś ty sobie myślał, David, cholera jasna?! – wrzeszczałem. – Masz świadomość, że mogli cię wyrzucić ze szkoły, a nawet aresztować? Jesteśmy gośćmi w tym kraju! Nie rozumiesz, że mogą nam ciebie odebrać, zamknąć cię w poprawczaku? Wiesz, że dzieciaki trafiają tam za mniejsze przewinienia? – Chciałem awanturować się dalej, gdy nagle spostrzegłem, że maleństwo płacze. Ten widok zamknął mi usta, bo nasze dziecko rzadko płakało.

– Przepraszam – chlipało. – Przepraszam.

– David – jęknąłem. Usiadłem obok niego i wciągnąłem go sobie na kolana, tak jak robiłem, gdy naprawdę był maleństwem, i zacząłem go kołysać, co także robiłem, kiedy był maleństwem. Przez jakiś czas milczeliśmy.

– Nikt mnie nie lubi – rzekł w końcu cicho, na co ja odpowiedziałem w jedyny możliwy sposób:

– Skąd znowu, David, lubią cię.

A przecież należało powiedzieć: „Mnie też nikt nie lubił, gdy byłem w twoim wieku, Davidzie. Ale urosłem i ludzie mnie polubili, i znalazłem twojego tatusia, i ty nam się urodziłeś, i teraz jestem najszczęśliwszy ze wszystkich ludzi, których znam".

Posiedzieliśmy jeszcze chwilę. Dużo czasu minęło – całe lata – odkąd ostatni raz trzymałem tak dziecko. Wreszcie David się odezwał:

– Nie mów mu.

– Tatusiowi? – upewniłem się. – Muszę mu powiedzieć, Davidzie, wiesz przecież.

Wydawał się z tym pogodzony. Wstał i chciał odejść. Ale mnie jedna rzecz nie dawała spokoju.

– Davidzie, skąd wziąłeś strzykawkę? – spytałem.

Spodziewałem się jakiejś wykrętnej odpowiedzi w rodzaju „jeden chłopak mi dał" albo „nie pamiętam", albo „znalazłem". On jednak odpowiedział mi wprost:

– Zamówiłem.

– Pokaż mi jak.

Zaprowadził mnie więc do gabinetu, gdzie zobaczyłem, jak loguje się na mój komputer – omijając skan siatkówki przez wpisanie hasła z wprawą, która dowodziła, że robi to nie pierwszy raz – a potem wchodzi na stronę tak nielegalną, że oznaczało to dla mnie konieczność złożenia raportu z objaśnieniem tego, co się stało, i podania o nowego laptopa. Wstał, odsunął się od mojego krzesła i opuścił luźno rękę. Przez chwilę obaj wpatrywaliśmy się w ekran, na którym wirował graficzny symbol atomu. Co kilka obrotów atom się zatrzymywał i pojawiała się nad nim nowa kategoria danych: „Odczynniki wirusowe". „Igły i strzykawki". „Przeciwciała". „Toksyny i antytoksyny".

Możesz sobie wyobrazić, jak się poczułem. Jednak pierwsze pytania, które sobie zadałem, miały charakter praktyczny: Jak dowiedział się o takiej stronie? Jak złamał bariery dostępu do niej? Skąd wiedział, co ma zamówić? Kto podsunął mu ten pomysł?

Czy to normalne dla dziecka w jego wieku?

Czy coś z nim jest nie w porządku?

Kim właściwie jest moje dziecko?

Popatrzyłem na niego.

– David – zacząłem, nie mając zielonego pojęcia, co dalej mówić.

Nie spojrzał na mnie, nawet gdy powtórzyłem jego imię.

– David – powiedziałem po raz trzeci. – Ja nie jestem zły – (co nie było do końca prawdą, ale wówczas nie umiałbym określić prawdy) – tylko proszę cię, żebyś na mnie popatrzył.

Usłuchał wreszcie i po jego minie poznałem, że się boi.

A wtedy – nie wiem dlaczego, naprawdę nie wiem – uderzyłem go: płaską dłonią w twarz. Zaskowytał i upadł na wznak, ale poderwałem go do pionu i uderzyłem drugi raz, tym razem w lewy policzek. Wtedy się rozpłakał. Sprawiło mi to niejaką ulgę, że wciąż jest zdolny do strachu, i to strachu przede mną. To także przypomniało mi, że to przecież jeszcze dziecko, że jest dla niego nadzieja, że nie jest stracony, zepsuty, zły. Wszystko to jednak wyartykułowałem sobie dopiero później – w tamtym momencie czułem tylko strach: bałem się o niego, ale także bałem się jego. Już świerzbiła mnie ręka, by go uderzyć jeszcze raz, gdy nagle zjawił się Nathaniel i odciągnął mnie od niego z krzykiem.

– Charles! Co ty, kurwa, robisz?! – wrzeszczał na mnie. – Ty dupku pierdolony, ty psycholu, co, kurwa, robisz?!

Pchnął mnie mocno, tak że upadłem i wyrżnąłem twarzą o podłogę, i zaraz przytulił rozszlochane maleństwo i zaczął je uspokajać.

– Ćśśś – mamrotał. – Już dobrze, David, już wszystko dobrze, kochanie, jestem tutaj, jestem tutaj, jestem tutaj.

– On krzywdzi ludzi – powiedziałem cicho, ale krew mi leciała z nosa i ledwo bełkotałem. – Chciał zrobić ludziom krzywdę.

Ale Nathaniel mi nie odpowiedział. Ściągnął koszulę i przycisnął ją do krwawiącego nosa maleństwa, a potem obaj wstali i wyszli. Nathaniel obejmował ramieniem plecy naszego syna. Nawet się na mnie nie obejrzał.

Całą tę moją epistołę mogę streścić następująco: Jestem w naszym nowym mieszkaniu. Piszę do Ciebie z gabinetu, do którego zostałem zesłany na najbliższą przyszłość. Nathaniel wciąż się do mnie nie odzywa, maleństwo tak samo. Wczoraj odniosłem mojego laptopa do szefa bezpieczeństwa technologicznego i wyjaśniłem mu, co się stało – wydał się mniej zszokowany, niż przypuszczałem, co nasunęło mi myśl, że nie ma powodu aż tak strasznie się martwić. Ale gdy wydawał mi nowy komputer, zagadnął:

– Mówił pan, że ile lat ma pana syn?

– Niecałe dziesięć.

Pokręcił głową.

– I jesteście obcokrajowcami, dobrze pamiętam?

– Zgadza się – potwierdziłem.

– Doktorze Griffith, ja wiem, że pan to wie, ale... musi pan uważać. Gdyby pański syn wszedł na tę stronę, a pan nie miałby poświadczenia bezpieczeństwa, którym pan dysponuje...

– Wiem – przerwałem mu.

– Nie – powiedział, przyglądając mi się uważnie. – Pan nie wie. Proszę uważać, doktorze Griffith. Instytut ma niewielkie możliwości wybronienia pana syna, gdyby coś takiego się powtórzyło.

Nagle zapragnąłem oddalić się od niego jak najprędzej. I nie tylko od niego, ale od wszystkiego: Uniwersytetu Rockefellera, mojego laboratorium, Nowego Jorku, Ameryki, nawet od Nathaniela i Davida. Chciałem znaleźć się z powrotem w domu, na farmie dziadków, chciałem być nieszczęśliwy tak, jak byłem tam, na długo przed tym... przed tym wszystkim. Ale już nigdy nie mogę wrócić do domu. Z dziadkami nie rozmawiam, farma została zalana i to jest teraz moje życie. Muszę robić dobrą minę do złej gry. I będę robił.

Tylko czasami boję się, że nie dam rady.

Kocham Cię – Charles

Część III

Zima 2094

Mam takie jedno miłe wspomnienie: jak Dziadek czesze mi włosy. Lubiłam siedzieć w kącie jego gabinetu i przyglądać się, jak pracuje; potrafiłam przesiedzieć tak długie godziny, rysując lub bawiąc się cichutko. Kiedyś jeden z asystentów badawczych Dziadka wszedł i zobaczył mnie w tym kącie – widziałam, że się zdziwił.

– Mogę ją zabrać, jeśli przeszkadza – powiedział cicho.

Wtedy z kolei Dziadek się zdziwił:

– Moja maleńka? Ona nikomu nie przeszkadza, a mnie w szczególności.

Usłyszawszy to, poczułam się dumna, jakbym coś dobrze zrobiła.

Miałam poduszkę do siedzenia, gdy Dziadek czytał, stukał w klawiaturę albo pisał ręcznie, a kiedy go nie obserwowałam, bawiłam się zestawem drewnianych klocków. Wszystkie klocki były pomalowane na biało. Starałam się nie piętrzyć ich za wysoko, żeby się nie zwaliły i nie narobiły hałasu.

Czasami jednak Dziadek przerywał pracę i odwracał się w fotelu.

– Chodź no tutaj, maleńka – mówił do mnie, a ja brałam swoją poduszkę i kładłam ją na podłodze między jego kolanami, on zaś wyjmował z szuflady dużą, płaską szczotkę i zaczynał gładzić nią moje włosy. – Jakie masz śliczne włoski – mówił. – Kto ci dał takie śliczne włoski?

Było to tak zwane pytanie retoryczne, czyli takie, na które nie musiałam odpowiadać, więc nie odpowiedziałam. Właściwie w ogóle nie musiałam nic mówić. Zawsze czekałam na to czesanie. Było bardzo przyjemne, bardzo relaksujące, jak powolne spadanie w dół długim, chłodnym tunelem.

Ale po chorobie nie miałam już ślicznych włosów. Nikt z nas, którzy ocaleliśmy, takich nie ma. To wskutek działania leków, które musieliśmy zażywać. Najpierw włosy nam wypadały, a kiedy odrastały, były rzadkie, cienkie i myszowate i nie można ich było zapuścić poniżej podbródka, ponieważ się łamały. Większość ludzi strzygła się bardzo krótko, byleby zasłonić łysą głowę. To samo spotkało wielu ocalałych z epidemii roku pięćdziesiątego i pięćdziesiątego szóstego, ale nas, ocalałych z epidemii roku siedemdziesiątego, dotknęło z większą siłą. Przez pewien czas można było poznać po włosach, kto przetrwał naszą chorobę, ale później odmianę tego samego leku zaczęto stosować w epidemii roku siedemdziesiątego drugiego, więc rozróżnienie stało się trudniejsze, a krótkie włosy uznano po prostu za praktyczne rozwiązanie: nie przegrzewały karku, a ich mycie pochłaniało mniej wody i mydła. Dlatego teraz mnóstwo ludzi nosi krótkie włosy – na długie trzeba mieć pieniądze. Między innymi po tym można poznać, kto mieszka w Strefie Czternastej: tam wszyscy mają długie włosy, bo wiadomo, że Strefa Czternasta dostaje trzy razy więcej wody niż następna po niej strefa najwyższego przydziału wody, którą jest nasza Strefa Ósma.

Myślę o tym od ubiegłego tygodnia. Wówczas czekałam na wahadłowiec i do kolejki dołączył mężczyzna, którego nigdy przedtem nie widziałam. Stałam prawie na końcu, więc mogłam mu się dobrze przyjrzeć. Był w szarym kombinezonie, takim samym, jaki nosi mój mąż, co oznaczało, że jest technikiem serwisantem na Farmie, może nawet przy Stawie, a na kombinezon miał narzuconą lekką nylonową wiatrówkę, też szarą. Na głowie nosił czapkę z szerokim rondem.

Od kilku tygodni czułam się dziwnie. Z jednej strony byłam szczęśliwa, bo zbliżał się grudzień, a grudzień to najwspanialszy miesiąc w roku: wprawdzie robiło się tak chłodno, że w nocy trzeba było czasem wkładać anorak, ale zalegający nad miastem smog ustępował, a w sklepach pojawiały się produkty dojrzewające w sezonie zimowym, jak jabłka i gruszki. Styczeń był burzowy, a w lutym wypadał Nowy Rok Księżycowy i wszyscy pracownicy państwowi otrzymywali cztery dodatkowe bony na artykuły sypkie i albo dwa dodatkowe bony nabiałowe, albo dwa dodatkowe bony na towary sezonowe, jak kto chciał. My z mężem dzieliliśmy się zazwyczaj dodatkowymi bonami, tak że do spółki mieliśmy osiem dodatkowych bonów na artykuły sypkie, dwa dodatkowe bony na nabiał i dwa dodatkowe bony na towary sezonowe. Rok po ślubie – a zarazem rok po podjęciu przez mojego męża pracy na Farmie – kupiliśmy za dodatkowe bony trójkątny blok żółtego sera: mąż zawinął go w papier i schował w najdalszym kącie szafy w przedpokoju, mówiąc, że jest to najzimniejsze miejsce w całym mieszkaniu, i rzeczywiście: ser zachował świeżość bardzo długo. Tego roku krążyła plotka, że mogą dać nam w tym tygodniu dodatkowy dzień na kąpiel i pranie. Ostatnio zdarzyło się to dwa lata temu: w zeszłym roku nie dostaliśmy wolnego, bo była susza.

Z drugiej jednak strony pomimo miłych oczekiwań nie mogłam przestać myśleć o tych liścikach. Co tydzień w wolny wieczór męża opróżniałam ponownie pudełko, żeby sprawdzić, czy nadal tam są – zawsze były. I znów czytałam wszystkie po kolei, obracając świstki papieru w dłoni i zbliżając je do światła lampy, a potem chowałam je z powrotem do koperty i odstawiałam pudełko do szafy.

Rozmyślałam o nich właśnie tamtego ranka, gdy ujrzałam mężczyznę w szarym kombinezonie dołączającego do kolejki. Jego obecność oznaczała, że ktoś w strefie musiał umrzeć albo zostać zabrany, ponieważ aby dostać mieszkanie w Strefie Ósmej, należało poczekać, aż ktoś ją opuści, a nikt nie opuszczał Strefy Ósmej z własnej woli. Nagle stało się coś dziwnego: mężczyzna poprawił kapelusz i w tej samej chwili spod ronda wymknęło się długie pasmo włosów, muskając jego policzek. Natychmiast upchnął je pod kapeluszem i rozejrzał się szybko na wszystkie strony, upewniając się, że nikt nie widział, ale wszyscy patrzyli prosto przed siebie, co poczytywano za grzeczność. Tylko ja jedna widziałam, bo akurat się odwróciłam, ale on tego nie zauważył. Nigdy przedtem nie widziałam mężczyzny z długimi włosami. Ale jeszcze ciekawsze było to, że nieznajomy bardzo przypominał mojego męża – miał ten sam kolor skóry, ten sam kolor oczu i ten sam kolor włosów, chociaż mój mąż nosi krótkie włosy, tak jak ja.

Nigdy nie lubiłam nowości, nawet w dzieciństwie; nie lubię też, kiedy coś nie wygląda tak jak należy. Gdy byłam młoda, Dziadek czytywał mi opowieści z dreszczykiem, ale mnie one denerwowały – lubiłam wiedzieć, co się dzieje; lubiłam, kiedy zawsze było tak samo. Nie mówiłam tego jednak Dziadkowi, bo jemu najwyraźniej podobały się historie tego rodzaju, a chciałam chociaż spróbować polubić to, co on lubił. Ale potem zakazano czytania kryminałów, więc mogłam przestać udawać.

Teraz za to miałam dwie własne tajemnice: pierwszą były liściki. A ten mężczyzna z długimi włosami zamieszkały w Strefie Ósmej był drugą. Miałam poczucie, jakby stało się coś, o czym nikt mi nie powiedział: zdawało mi się, że wszyscy znają sekret, do którego ja jedna nie mam dostępu. Tak się działo codziennie w pracy, ale to było w porządku, bo przecież nie jestem naukowczynią i nie mam prawa wiedzieć, co się dzieje – nie jestem dostatecznie wykształcona, więc i tak bym nie zrozumiała. Ale zawsze myślałam, że rozumiem zasady miejsca, w którym mieszkam, a teraz zaczynałam się zastanawiać, czy jednak i w tej sprawie się nie mylę.

To Dziadek wytłumaczył mi zjawisko wolnych wieczorów.

Kiedy powiedział mi, że mam wyjść za mąż, ucieszyłam się, ale i przeraziłam, więc zaczęłam chodzić po pokoju w kółko, co zawsze robię w chwilach wielkiej radości albo wielkiego niepokoju. Innych ludzi to drażni, ale Dziadek powiedział mi tylko: „Wiem, jak się czujesz, koteczku".

Później przyszedł otulić mnie kołderką i dał mi fotografię mojego męża, o którą zapomniałam poprosić wcześniej. Patrzyłam na to zdjęcie i patrzyłam, dotykając twarzy, jakbym naprawdę ją czuła. Kiedy chciałam je zwrócić Dziadkowi, pokręcił głową.

– Jest twoje – powiedział.

– Kiedy to będzie? – zapytałam.

– Za rok – odparł. – I przez ten rok opowiem ci o wszystkim, co powinnaś wiedzieć o życiu w małżeństwie.

To mnie znacznie uspokoiło – Dziadek zawsze wiedział, co należy powiedzieć, nawet gdy ja sama tego nie wiedziałam.

– Zaczniemy od jutra – obiecał, a potem ucałował mnie w czoło, zgasił światło i poszedł do salonu, gdzie sypiał.

Następnego dnia Dziadek rozpoczął swoje lekcje. Miał kartkę, na której wypisał długą listę tematów i co miesiąc wybierał trzy z nich do omówienia. Ćwiczył ze mną rozmowę i pomaganie, przedstawiał różne okoliczności, w których mogę poprosić o pomoc, i uczył mnie odpowiednich sformułowań. Mówił także, jak mam się zachowywać w nagłych wypadkach. Mówiliśmy też o tym, jak mogę nabrać zaufania do męża, i co powinnam robić, żeby być dla niego dobrą małżonką, i jak to jest mieszkać z drugą osobą, i co powinnam zrobić, gdyby mój mąż kiedykolwiek uczynił coś, co mnie wystraszy.

Wiem, że to wyda się dziwne, ale po początkowym napięciu byłam mniej zdenerwowana zamążpójściem, niż przypuszczał Dziadek. W końcu nigdy nie mieszkałam z drugą osobą, wyłączając Dziadka. Owszem, nie jest to do końca prawda: kiedyś mieszkałam z drugim dziadkiem i ojcem, ale byłam wtedy malutka; nawet nie pamiętam, jak wyglądali. Zakładałam chyba, że mieszkanie z mężem będzie podobne do mieszkania z Dziadkiem.

Pod koniec szóstego miesiąca szkolenia Dziadek opowiedział mi o wolnych nocach: raz na tydzień mój mąż będzie opuszczał nasze mieszkanie i wtedy będę miała całą noc dla siebie. A następnej takiej nocy ja będę mogła wyjść z domu sama i robić, co zechcę. Mówiąc o tym, przyglądał mi się uważnie, a potem czekał, aż się zastanowię.

– Która to będzie noc w tygodniu? – spytałam.

– To zależy, jak ty i twój mąż się umówicie.

Pomyślałam jeszcze chwilę.

– Co mam robić w swoją noc? – spytałam.

– Co tylko zechcesz – odrzekł Dziadek. – Może zechcesz się przespacerować, a może przyjdzie ci ochota pójść na plac. Chyba że będziesz wolała iść do Centrum Rekreacyjnego i pograć z kimś w ping-ponga.

– A może przyjdę odwiedzić ciebie – powiedziałam. Przekonałam się bowiem, że najbardziej dziwi mnie to, że Dziadek nie będzie mieszkał z nami: ja po ślubie zostanę w naszym mieszkaniu z moim mężem, a Dziadek gdzieś się przeprowadzi.

– Uwielbiam spędzać z tobą czas, koteczku – odrzekł powoli Dziadek. – Ale musisz się przyzwyczajać do bycia ze swoim mężem. Nie powinnaś rozpoczynać nowego życia od myślenia, jak często możesz mnie odwiedzać.

Nie odezwałam się, bo czułam, że Dziadek próbuje powiedzieć mi coś jeszcze, chociaż nie wprost. Nie wiedziałam, co to jest, ale domyślałam się, że nie chcę tego usłyszeć.

– Głowa do góry, koteczku – powiedział w końcu Dziadek i z uśmiechem poklepał moją rękę. – Nie smuć się. To emocjonujący czas: wychodzisz za mąż, a ja jestem z ciebie strasznie dumny. Mój mały koteczek jest już dorosły i zakłada własny dom.

Przez lata małżeństwa przydało mi się bardzo niewiele lekcji Dziadka. Na przykład nigdy nie musiałam chodzić na policję, ponieważ mąż mnie nie bił, nigdy nie musiałam prosić męża o pomoc w obowiązkach domowych, nigdy nie musiałam się martwić, że mąż nie daje mi swoich bonów żywnościowych, nigdy też nie przyszło mi walić do drzwi sąsiada z powodu awantury urządzonej przez męża. Za to żałuję, że nie wypytałam Dziadka dokładniej o wolne noce i emocje z nimi związane.

Wkrótce po naszym ślubie ustaliliśmy z mężem, że jego wolne noce będą w czwartki, a moje we wtorki. To znaczy: tak ustalił mój mąż, a ja się z nim zgodziłam. „Naprawdę nie przeszkadza ci wtorek?" – spytał mnie tonem autentycznej troski, tak jakbym mogła odpowiedzieć: „No wiesz, jednak wolałabym czwartek", a wtedy on by się ze mną zamienił. Ale mnie wtorki urządzały, bo było mi wszystko jedno.

Początkowo starałam się spędzać wolną noc poza domem. W przeciwieństwie do męża wracałam po pracy do domu i najpierw zjadałam z nim kolację, a potem przebierałam się w swobodne ciuchy i wychodziłam. Dziwnie było znaleźć się poza domem nocą po tylu latach Dziadkowych napomnień, że mam nigdy nie wychodzić sama, a już absolutnie po zmierzchu. Ale to było w złych, niebezpiecznych czasach, przed drugim powstaniem.

Przez kilka pierwszych miesięcy postępowałam za radą Dziadka i chodziłam do Centrum Rekreacyjnego. Mieściło się ono na Czternastej Ulicy, kawałek na zachód od Szóstej Alei. Ponieważ był już czerwiec, musiałam tam chodzić w kombinezonie chłodzącym, żeby się nie przegrzać. Szłam Piątą Aleją i skręcałam na zachód w Dwunastą Ulicę, bo podobały mi się tamtejsze stare budynki przypominające ten, w którym mieszkałam z mężem. W niektórych oknach paliły się światła, ale większość była ciemna, a na ulicy spotykałam tylko pojedyncze osoby, również zmierzające do centrum.

Centrum Rekreacyjne było otwarte od 6.00 do 22.00 i przeznaczone wyłącznie dla mieszkańców Ósmej Strefy. Każdy miał zagwarantowane dwadzieścia bezpłatnych godzin w miesiącu, a wchodząc i wychodząc, należało zostawić odcisk kciuka. W centrum można było uczestniczyć w kursach gotowania, szycia, tai-chi albo jogi lub też zapisać się do któregoś z klubów. Były kluby dla miłośników szachów, badmintona, ping-ponga i warcabów. Można też było pracować w wolontariacie i robić pakiety sanitarne dla ludzi z ośrodków relokacji. Jedną z najwspanialszych rzeczy w centrum było to, że stale panował tam chłód, ponieważ placówka ta miała duży generator, dlatego w łagodniejszych miesiącach ludzie woleli zostać w domu i zaoszczędzić sobie godziny, żeby w sezonie letnim móc spędzać długie dni w klimatyzowanym budynku zamiast we własnych mieszkaniach. W centrum można było także wziąć prysznic powietrzny, więc gdy bardzo mi zależało na oczyszczeniu, a nie wypadał akurat „dzień wodny", część czasu, który mogłam tam spędzić, przeznaczałam na taki prysznic. Przychodziło się też do centrum na coroczne szczepienia oraz obowiązkowe co dwa tygodnie pobrania krwi i wymazy z nosa; tam także odbierało się miesięczne bony żywnościowe i przydziały, a od maja do końca września po trzy kilogramy lodu na miesiąc, które każdy mieszkaniec miał prawo kupić po cenach preferencyjnych.

Ale do moich pierwszych wolnych nocy nigdy nie chodziłam do centrum w celach rekreacyjnych. Dziadek zabrał mnie tam raz wkrótce po otwarciu i na stojąco obserwowaliśmy grę w ping-ponga. W centrum były dwa stoły pingpongowe i w czasie, gdy jedni ludzie grali, inni siedzieli na krzesłach pod ścianami i śledzili grę, a gdy któryś z graczy zdobył punkt – klaskali. Pamiętam, że fajnie to wyglądało, fajnie też brzmiało, kiedy piłeczka robiła tuk-tuk po stole, więc stałam i przyglądałam się przez dłuższy czas.

– Chcesz zagrać? – szepnął do mnie Dziadek.

– Nie, nie – odszepnęłam. – Nie umiem.

– Możesz się nauczyć – powiedział Dziadek.

Ale ja wiedziałam, że to niemożliwe.

Gdy wychodziliśmy stamtąd po południu, Dziadek powiedział:

– Możesz tu wrócić, koteczku. Wystarczy, że zapiszesz się do drużyny i poprosisz kogoś, żeby z tobą zagrał.

Przemilczałam to, bo Dziadek czasami mówił tak, jakby wszystko było dla mnie łatwe, a ja się frustrowałam, widząc, że on nie rozumie, że ja naprawdę nie umiem robić pewnych rzeczy, chociaż on sądzi, że umiem. Dlatego wpadałam w rozdrażnienie i złość. Dziadek po chwili to zauważył, zatrzymał się, odwrócił do mnie i położył mi ręce na ramionach.

– Umiesz, koteczku – powiedział cicho. – Pamiętasz, jak ćwiczyliśmy rozmawianie z innymi ludźmi? Pamiętasz, jak ćwiczyliśmy sztukę konwersacji?

– Tak – odrzekłam.

– Wiem, że to nie jest dla ciebie łatwe – powiedział Dzaidek. – Ja to wiem. Ale nie namawiałbym cię, gdybym całym sercem nie wierzył, że dasz radę.

Tak więc poszłam do Centrum Rekreacyjnego, choćby po to, żeby móc powiedzieć Dziadkowi, że tam byłam. Jednak nie dałam rady nawet wejść do środka – usiadłam na występie fasady i obserwowałam wchodzących. Szli pojedynczo lub parami. Nagle zauważyłam okno z drugiej strony głównych drzwi i zorientowałam się, że jeśli stanę pod odpowiednim kątem, będę mogła obserwować przez nie grających w ping-ponga. Okazało się, że to świetny pomysł, bo prawie jakbym była z nimi, a nie musiałam z nikim rozmawiać.

Tak właśnie spędziłam wolne noce z pierwszego miesiąca: stojąc na zewnątrz centrum i śledząc przez okno grę w ping-ponga. Niektóre mecze były niezmiernie emocjonujące, więc wracałam szybko do domu z myślą, że opowiem mężowi o tej czy innej rozgrywce, chociaż on nigdy nie pytał mnie, co porabiam w wolne noce, nigdy też nie opowiadał mi, co robi podczas swoich. Czasem wyobrażałam sobie, że nawiązałam nową przyjaźń: z tą kobietą o krótkich kręconych włosach, z dołeczkami w policzkach, która ścinała piłeczkę przez cały stół, robiąc zamaszysty wykrok w tył na lewą piętę; z tym mężczyzną w czerwonym dresie w białe obłoczki. Nieraz wyobrażałam sobie, że po meczu idę z nimi do baru hydracyjnego, i w myślach informowałam męża, że chciałabym wykorzystać jeden z dodatkowych bonów na płyny, żeby napić się z przyjaciółmi, a on na pewno by się na to zgodził, może nawet kiedyś przyszedłby popatrzeć, jak gram.

Ale po kilku miesiącach podglądania przez okno przestałam chodzić do centrum. Po pierwsze: Dziadek umarł i odechciało mi się próbować. Po drugie: robiło się coraz goręcej i źle się czułam. Dlatego w następny wtorek powiedziałam mężowi, że jestem zmęczona i zamierzam wolną noc spędzić w mieszkaniu.

– Chora jesteś? – spytał. Zmywał akurat po kolacji.

– Nie, ale jakoś nie chce mi się wychodzić.

– To może chcesz dla odmiany wyjść w środę? – zaproponował.

– Nie. Dzisiaj mam wolną noc. Po prostu nie wyjdę.

– Aha – powiedział. Odstawił ostatni talerz na suszarkę. A potem spytał: – Co wolisz, salon czy sypialnię?

– Nie rozumiem.

– Cóż, dbam o twoją prywatność. Więc gdzie wolisz posiedzieć, w salonie czy w sypialni?

– Chyba w sypialni – odparłam i natychmiast dopadło mnie zwątpienie: Czy to właściwa odpowiedź? – Nie masz nic przeciwko temu?

– Oczywiście, że nie. To twoja noc.

Poszłam więc do sypialni, gdzie przebrałam się w strój nocny i położyłam na łóżku. Po kilku minutach rozległo się ciche pukanie do drzwi i wkroczył mój mąż, niosąc radio.

– Pomyślałem sobie, że może masz ochotę posłuchać muzyki – powiedział. Podłączył radio do kontaktu, włączył je i wyszedł, zamykając za sobą drzwi.

Długo leżałam i słuchałam radia. W końcu wyszłam skorzystać z łazienki, wyszorować zęby i oczyścić twarz i całe ciało nawilżonymi chusteczkami. W trakcie tej toalety zajrzałam do salonu, gdzie mój mąż siedział na kanapie i czytał. Ma wyższy stopień autoryzacji niż ja, więc wolno mu czytać pewne książki – te dotyczące jego dziedziny – które wypożycza z pracy. Ta, którą czytał, była o hodowli tropikalnych wodnych roślin jadalnych. Nie interesują mnie tropikalne wodne rośliny jadalne, a jednak nagle mu pozazdrościłam. Potrafi siedzieć i czytać godzinami. Patrząc na niego, zatęskniłam za Dziadkiem, który wiedziałby, co powiedzieć, żeby poprawić mi humor. Przygotowałam się do snu i wróciłam do naszej sypialni, skąd wreszcie, zdawało mi się, że po upływie wielu godzin, usłyszałam westchnienie mojego męża i pstryk gaszonego światła w salonie. Potem on także wyszedł do łazienki, a na koniec wszedł cicho do naszej sypialni, gdzie przebrał się i położył do swojego łóżka.

Od tamtego dnia spędzam swoje wolne noce w domu. Tylko co jakiś czas, gdy czuję się bardzo podminowana, wychodzę na spacer dookoła placu albo do śródmieścia. Zazwyczaj jednak idę do sypialni, gdzie mój mąż na stałe umieścił radio. Przebieram się, gaszę światło, wchodzę do łóżka i czekam: na odgłos siadania na kanapie, na trzask kostek palców, kiedy mąż przy czytaniu wywija splecione dłonie, wreszcie na odgłosy zamykania książki i gaszenia lampy. Od sześciu i pół roku co czwartek czekam na powrót męża do domu po jego wolnej nocy, którą rozpoczyna bezpośrednio po pracy. Co wtorek leżę w swoim łóżku, w naszej sypialni, i czekam, aż moja wolna noc dobiegnie końca, czekam, aż mój mąż do mnie powróci, choćby miał nie powiedzieć ani słowa.

Pomysł śledzenia męża w jego wolną noc wyniosłam z laboratorium. Stało się to w pewien piątek. Był 1 stycznia 2094 roku i doktor Wesley, który interesował się historią Zachodu i obchodził Nowy Rok zgodnie z tradycyjnym kalendarzem, zebrał wszystkich pracowników laboratorium na szklaneczkę soku z winogron. Każdy dostał odrobinę, nawet ja. „Jeszcze tylko sześć lat do dwudziestego drugiego wieku!" – obwieścił doktor Wesley i wszyscy zaczęliśmy klaskać. Sok miał barwę ciemnego, mętnego fioletu i był tak słodki, że aż szczypało w gardle. Ale od dawna nie piłam soku, więc pomyślałam sobie, że może to być dostatecznie ciekawe, by opowiedzieć o tym mężowi, ponieważ różniło się od codziennych zdarzeń w pracy, a zarazem nie było informacją ściśle tajną.

Wracając na swoje stanowisko w laboratorium, zrobiłam sobie przerwę na wyjście do toalety, a tam, siedząc na sedesie, usłyszałam, że wchodzą dwie osoby i zaczynają myć ręce. Były to kobiety, których głosów nie rozpoznałam, chyba dwie adiunktki, bo brzmiały młodo. Rozmawiały o jakimś artykule z czasopisma, które obie czytały.

Dyskutowały o tym artykule – który dotyczył jakiejś odmiany nowego leku antywirusowego pozyskiwanego z prawdziwego wirusa o zmienionym kodzie genetycznym – i nagle jedna z nich powiedziała szybko:

– No więc myślałam, że Percy mnie oszukuje.

– Naprawdę? – spytała ta druga. – Dlaczego?

– Ponieważ od pewnego czasu zachowywał się bardzo dziwnie. Z pracy wracał późno i zrobił się strasznie roztargniony; zapomniał nawet, że ma pójść ze mną na półroczne badania kontrolne. Poza tym zaczął wychodzić do pracy wcześnie rano, tłumacząc, że ma masę roboty, którą musi nadgonić, a gdy byliśmy na sobotnim obiedzie u moich rodziców, zachowywał się dziwnie wobec ojca, którego wzroku wyraźnie unikał. Tak więc pewnego dnia, gdy wyszedł do pracy, odczekałam kilka minut i poszłam za nim.

– Belle! Nie mów!

– Jak słowo daję! Ćwiczyłam w myślach, co do niego powiem, co powiem rodzicom i co zrobię, gdy nagle przyłapałam go, kiedy wchodził do Urzędu Mieszkaniowego. Zawołałam go po imieniu. Ależ się zdziwił! Powiedział mi jednak, że z myślą o narodzinach dziecka stara się dla nas o lepsze mieszkanie w lepszej części strefy i że działa w tej sprawie do spółki z moim ojcem, a dla mnie miała to być niespodzianka.

– Och, Belle, to nadzwyczajne!

– Wiem. Poczułam się winna z powodu swoich nienawistnych podejrzeń, nawet jeśli żywiłam je tylko parę tygodni.

Roześmiała się, a koleżanka jej zawtórowała.

– Odrobina nienawiści nie zaszkodzi Percy'emu pod warunkiem, że to twoja nienawiść.

– To prawda – przyznała pierwsza i znów się roześmiała. – On wie, kto tu rządzi.

Wyszły z łazienki, a ja spuściłam wodę, umyłam ręce i także wyszłam na korytarz, gdzie minęłam te dwie kobiety, nadal zagadane. Obydwie były bardzo ładne, obie miały lśniące ciemne włosy ściągnięte w schludny koczek na karku i małe złote kolczyki w kształcie planet. Ubrane były w fartuchy laboratoryjne, na dole spod tych fartuchów wystawały kolorowe jedwabne spódnice i skórzane buty na niskim obcasie. Jedna z kobiet, ta ładniejsza, była w ciąży; rozmawiając z koleżanką, masowała sobie brzuch powolnym, okrężnym ruchem.

Wróciłam do mojego sektora, gdzie czekała na mnie nowa partia mysich embrionów do przeniesienia na oddzielne płytki Petriego, które najpierw musiałam wypełnić solą fizjologiczną. Pracując, myślałam o liścikach, które przechowywał mój mąż. I nagle przypomniała mi się ta kobieta z łazienki, która podejrzewała, że jej mąż spotyka się z inną. Okazało się jednak, że jej mąż nie robi nic złego: starał się po prostu o większe mieszkanie dla niej, ponieważ była ładna, wykształcona i w ciąży, więc nie miał powodu rozglądać się za jakąś inną, lepszą, ponieważ lepszej nie było. Po jej włosach poznałam, że musi mieszkać w Strefie Czternastej, a skoro miała tytuł doktora, to i jej rodzice mieszkali zapewne w Strefie Czternastej i najpierw opłacili jej szkołę, a później zapłacili jeszcze więcej, żeby mogła zamieszkać w pobliżu nich. Złapałam się na rozmyślaniu o tym, co mogli jeść na sobotni obiad – słyszałam kiedyś, że w Strefie Czternastej są takie sklepy, w których można kupić dowolny gatunek mięsa, i to w dowolnej ilości. Można tam było codziennie jadać lody i czekoladę, pić sok, a nawet wino. Można było kupić cukierki, owoce i mleko. Można było codziennie brać prysznic we własnym domu. Myślałam o tym wszystkim i coraz bardziej się denerwowałam, aż upuściłam jednego „paluszka". Był tak delikatny, że rozpaćkał się o podłogę jak galareta, a ja głośno krzyknęłam. Zawsze byłam bardzo uważna. Nigdy nie zdarzyło mi się upuścić embriona. Aż do tej chwili.

Myślałam o tej kobiecie ze Strefy Czternastej przez cały weekend i poniedziałek, a kiedy nastał wtorek, a zatem i moja wolna noc, myślałam o niej w dalszym ciągu. Po kolacji poszłam prosto do sypialni, zamiast jak zwykle pomóc mężowi przy zmywaniu, choćby tylko dla zabicia czasu. Położyłam się na łóżku, kołysałam się w przód i w tył i rozmawiałam z Dziadkiem, radząc się go, co robić. Wyobrażałam sobie, że Dziadek mówi: „Już dobrze, koteczku" i „Kocham cię, koteczku", ale nie umiałam wymyślić dla niego więcej słów. Gdyby Dziadek żył, pomógłby mi zrozumieć, co mnie tak martwi, i jakoś temu zaradzić. Ale Dziadek umarł, więc musiałam wykombinować coś na własną rękę.

Wtedy przypomniało mi się, że kobieta w łazience mówiła, że śledziła swojego męża. W przeciwieństwie do jej męża mój nie wychodził z domu bardzo wcześnie rano. Nie wracał po nocy. Zawsze wiedziałam, gdzie jest – poza czwartkami.

I wtedy postanowiłam sobie, że w najbliższą wolną noc męża będę go śledzić.

Następnego dnia zrozumiałam, że mój plan ma pewien defekt. Otóż mąż nigdy nie wracał z pracy do domu, gdy miał wolną noc, więc albo znajdę sposób, by go śledzić od opuszczenia Farmy, albo nakłonię go, żeby przed wolną nocą wrócił do domu. Uznałam, że druga opcja jest łatwiejsza do zrealizowania. Myślałam i myślałam, co zrobić, aż przyszło mi do głowy rozwiązanie.

Wieczorem przy kolacji powiedziałam:

– Zdaje mi się, że cieknie z prysznica.

Nie podniósł głowy znad talerza.

– Nic nie słyszałem – powiedział.

– Na dnie wanny zebrało się trochę wody – brnęłam dalej.

Wtedy na mnie spojrzał, odepchnął krzesło i poszedł do łazienki, gdzie wcześniej wlałam na dno wanny pół filiżanki wody – wystarczająco, aby uznać, że prysznic przecieka. Usłyszałam rozsuwanie zasłony prysznicowej, a potem szybkie okręcenie i zakręcenie kurków.

Gdy mąż zajmował się łazienką, ja pozostałam na swoim miejscu: siedziałam prosto, tak jak nauczył mnie Dziadek, i czekałam na jego powrót. Gdy wrócił, miał marsową minę.

– Kiedy to zauważyłaś? – spytał.

– Dziś wieczorem, jak wróciłam do domu – odpowiedziałam. Westchnął. – Poprosiłam nadzorcę strefy, żeby przysłał kogoś z zarządu budynku, kto to sprawdzi – dodałam, a mąż spojrzał na mnie uważniej. – Ale ten ktoś może przyjść dopiero jutro o dziewiętnastej – tłumaczyłam, a mąż popatrzył w ścianę i westchnął tak głęboko, że barki uniosły mu się i opadły. – Wiem, że to twoja wolna noc – powiedziałam, widocznie ze strachem, bo mąż uśmiechnął się do mnie niemrawo.

– Nie przejmuj się – odparł. – Wrócę do domu, żeby ci towarzyszyć, a na wolną noc wyjdę później.

– To dobrze. Dziękuję ci.

Dopiero po jakimś czasie uświadomiłam sobie, że przecież mógł przełożyć swoją wolną noc na piątek. A potem dotarło do mnie, że jego obstawanie przy tym, żeby jednak wziąć wolną noc jak zwykle, oznaczało, że ktoś – ten ktoś, kto pisał do niego te wszystkie karteczki – zapewne czeka na niego w każdy czwartek, więc teraz mąż musi znaleźć sposób na zawiadomienie tej osoby, że się spóźni. Wiedziałam jednak, że poczeka w domu na przyjście inspektora – zużycie wody co miesiąc podlegało kontroli i przekroczenie dopuszczalnej normy było karane mandatem i odnotowywane w kartotece obywatelskiej.

W czwartek powiedziałam doktorowi Morganowi, że zepsuł mi się prysznic i proszę o zezwolenie na wcześniejsze wyjście do domu. Wyraził zgodę. Wróciłam wahadłowcem o 17.00, więc zanim zjawił się mąż – jak zwykle o 18.57 – szykowałam już kolację.

– Spóźniłem się? – zapytał.

– Nie, jeszcze go nie było.

Na wszelki wypadek przygotowałam dodatkowy pasztecik z nutrii, słodkie ziemniaki i porcję szpinaku, jednak gdy spytałam męża, czy coś zje w trakcie oczekiwania, pokręcił głową.

– Ale ty jedz, póki ciepłe – powiedział. Mięso nutrii wysycha, jeśli nie zje się go od razu po zdjęciu z ognia.

Więc zabrałam się do jedzenia: usiadłam przy stole i dziobałam widelcem w talerzu. Mój mąż także usiadł przy stole i otworzył książkę.

– Na pewno nie jesteś głodny? – spytałam, ale znów pokręcił głową.

– Nie, dziękuję.

Przez chwilę siedzieliśmy w milczeniu. Mąż wiercił się na krześle. Nigdy nie rozmawialiśmy dużo przy jedzeniu, ale przynajmniej wykonywaliśmy jakąś wspólną czynność. A teraz siedzieliśmy jak w dwóch szklanych gablotach ustawionych jedna obok drugiej: inni mogli nas widzieć, ale my sami nie widzieliśmy i nie słyszeliśmy niczego spoza swoich gablot, i nie mieliśmy pojęcia, jak blisko siebie się znajdujemy.

Mąż znów zmienił pozycję na krześle. Przewrócił stronicę, ale zaraz ją cofnął i jeszcze raz przeczytał to, na co patrzył przed chwilą. Spojrzał na zegar, ja tak samo. Była 19.14.

– Szlag – powiedział. – Ciekawe, gdzie on się podziewa. – Popatrzył na mnie. – Nie było przypadkiem jakiejś kartki?

– Nie – odparłam, na co pokręcił głową i wrócił do lektury.

Pięć minut później podniósł wzrok.

– O której on miał tu być? – spytał.

– Punktualnie o dziewiętnastej.

Znowu pokręcił głową.

Po upływie kilku następnych minut zamknął książkę i siedzieliśmy oboje, gapiąc się w okrągłą, obojętną tarczę zegara.

Nagle mąż wstał.

– Muszę iść – powiedział. – Muszę już wyjść. – Była 19.33. – Ja... muszę gdzieś zdążyć. Już się spóźniłem. – Popatrzył na mnie. – Kobra... jeśli on przyjdzie, załatwisz to sama?

Wiedziałam, że chce, żebym była bardziej samodzielna, ale nagle się przestraszyłam, jakby rzeczywiście czekała mnie rozmowa sam na sam z zarządcą budynku, jakbym zupełnie zapomniała, że żaden zarządca nie przychodzi, że cała ta awaria to mój wymysł, który ma mi umożliwić coś jeszcze straszniejszego: śledzenie męża w jego wolną noc.

– Tak – odrzekłam. – Załatwię to sama.

Uśmiechnął się, co rzadko mu się zdarzało.

– Poradzisz sobie – powiedział. – Znasz przecież zarządcę. To miły człowiek. A ja za to wrócę do domu wcześniej, zanim zaśniesz, zgoda?

– Zgoda.

– Nie denerwuj się. Potrafisz to zrobić.

Tak zawsze mawiał do mnie Dziadek: „Potrafisz to zrobić, koteczku. Nie ma się czego bać". A potem mąż zdjął swój anorak z wieszaka.

– Dobrej nocy – powiedział, zamykając drzwi.

– Dobrej nocy – powiedziałam do zamkniętych drzwi.

Odczekałam równo dwadzieścia sekund i także wyszłam z mieszkania. Miałam już spakowaną torbę z przydatnymi rzeczami, wśród których znalazła się niewielka latarka, notes, ołówek i termos z wodą na wypadek, gdyby zachciało mi się pić, oraz anorak w razie zimna, co było jednak mało prawdopodobne.

Na zewnątrz było ciemno i ciepło, ale nie gorąco. Więcej ludzi niż zwykle spacerowało wokół placu albo wracało do domów ze sklepu. Natychmiast wypatrzyłam mojego męża: szedł szybko Piątą Aleją, kierując się na północ. W ślad za nim skręciłam na zachód w ulicę Dziewiątą. Tą samą trasą wędrowaliśmy co rano, każde o swojej porze, na przystanek wahadłowca, więc przez moment pomyślałam, że mąż poczeka na wahadłowiec, bo chce wrócić do pracy. On jednak przeszedł na drugą stronę Szóstej Alei, przeciął obszar, który nazywaliśmy Małą Ósemką, bo był to kompleks mieszkalnych wysokościowców, tworzący jakby własną strefę w ramach Strefy Ósmej, potem przeszedł przez Siódmą Aleję i podążył dalej.

Rzadko miałam powody, by zapuszczać się aż tak daleko na zachód. Strefa Ósma rozciągała się od południowego krańca ulicy Nowej Pierwszej po północny kraniec Dwudziestej Trzeciej i od wschodniej strony Broadwayu po Ósmą Aleję i zachodni brzeg rzeki. Teren był administracyjnie jeszcze większy, ale dziesięć lat temu większość obszarów za Ósmą Aleją została zalana w wyniku ostatniej wielkiej burzy, a zatem ludzie, którzy zdecydowali się pozostać w domach na rzece, także byli mieszkańcami Strefy Ósmej. Jednak z każdym rokiem przesiedlano ich coraz więcej, ponieważ bezpieczeństwo mieszkania tam stanęło pod znakiem zapytania.

Na terenie Strefy Ósmej nie przewidziano żadnej hierarchii: żaden jej obszar nie uchodził za lepszy od pozostałych. Tak nam wmawiało państwo. Ale każdy, kto m i e s z k a ł w Strefie Ósmej, wiedział doskonale, że są miejsca – jak choćby to, w którym mieszkałam z mężem – bardziej pożądane od innych. Za zachód od Szóstej Alei nie było sklepów spożywczych ani też stacji pralniczych i higienicznych, z wyjątkiem tej, która była dostępna wyłącznie dla mieszkańców Małej Ósemki i prowadziła dodatkowo tak zwaną Spiżarnię, gdzie można było kupić artykuły niepsujące się, jak towary sypkie i żywność w proszku.

Jak już wspomniałam, Strefa Ósma była jednym z najbezpieczniejszych dystryktów na wyspie, o ile nie w całej aglomeracji miejskiej. Mimo to plotkowano o tym, co zdarzało się w pobliżu rzeki, i o tym, co zdarzało się w Strefie Siedemnastej, która biegła wzdłuż osi północ–południe Strefy Ósmej, ale ciągnęła się dalej aż po wschodni brzeg rzeki przy Pierwszej Alei. Mówiono, że daleka zachodnia część Strefy Ósmej jest nawiedzana przez duchy. Spytałam o to kiedyś Dziadka, a wówczas zabrał mnie na Ósmą Aleję, by pokazać, że żadnych duchów tam nie ma. Powiedział, że ta plotka zrodziła się jeszcze przed moim narodzeniem, kiedy pod ulicami biegła sieć tuneli sięgająca aż do ośrodków relokacji, chociaż wtedy to jeszcze nie były ośrodki relokacyjne, lecz dystrykty, takie jak Strefa Ósma, gdzie ludzie mieszkali i pracowali. Później, po epidemii siedemdziesiątego roku, te dystrykty pozamykano, a ludzie zaczęli gadać, że państwo wykorzystało tunele jako centra izolacji dla zakażonych, których były setki tysięcy, i że wyloty tuneli zalano betonem i wszyscy w środku umarli.

– To prawda? – zapytałam Dziadka.

Staliśmy nad rzeką i rozmawialiśmy cichuteńko, bo mówienie o tym uchodziło za zdradę stanu. Zawsze ogromnie się bałam, gdy rozmawialiśmy z Dziadkiem na zakazane tematy, a jednocześnie było mi przyjemnie, bo wiedziałam, że Dziadek wie, że umiem dochować sekretu i nigdy go nie zdradzę.

– Nie – odparł. – To są historie apokryficzne.

– Co to znaczy? – spytałam.

– To znaczy nieprawdziwe.

Zamyśliłam się nad tym.

– Skoro to nieprawda, to dlaczego ludzie je opowiadają? – zdziwiłam się, a Dziadek spojrzał w bok, gdzieś daleko, w stronę fabryk po drugiej stronie rzeki.

– Czasami ludzie opowiadają historie tego rodzaju, ponieważ próbują przez nie wyrazić swój lęk albo swoją złość. Państwo w tamtych czasach zrobiło wiele strasznych rzeczy – powiedział powoli, a mnie przeszły ciarki, że ktoś wyraża się w ten sposób o państwie i że tym kimś jest mój dziadek. – Wiele strasznych rzeczy – powtórzył po krótkiej pauzie. – Ale tego nie zrobiło. – Popatrzył na mnie. – Wierzysz mi?

– Tak – odpowiedziałam. – Wierzę we wszystko, co mówisz, Dziadku.

Znowu odwrócił ode mnie wzrok, więc zmartwiłam się, że powiedziałam coś niewłaściwego, ale on z powrotem położył mi dłoń na głowie i nie odezwał się.

Prawdą było to, że tunele zaplombowano dawno temu. Mówiono, że jeśli przyszło się nad rzekę późną nocą, to można usłyszeć szlochania i jęki ludzi zamkniętych tam na pewną śmierć.

Gadano także, że na zachodnim skraju Strefy Ósmej stoją budynki, które w y g l ą d a j ą jak domy mieszkalne, ale nikt w nich nie mieszka. Dopiero po kilku latach podsłuchiwania doktorantów zrozumiałam, co to znaczy.

Większą część Strefy Ósmej zabudowano setki lat temu, w osiemnastym i początkach dziewiętnastego wieku, ale znaczne partie tej zabudowy rozebrano na krótko przed moim narodzeniem, zastępując kamienice wysokościowcami pełniącymi zarazem funkcję klinik. Wcześniej wskaźnik populacji był bardzo wysoki i ludzie napływali do aglomeracji z całego świata. Ale choroba roku pięćdziesiątego prawie całkowicie zahamowała imigrację, a epidemie z pięćdziesiątego szóstego i siedemdziesiątego rozwiązały problem przeludnienia, co w praktyce oznaczało, że wprawdzie w Strefie Ósmej było nadal znaczne zagęszczenie ludności, ale nikt już nie mieszkał tam nielegalnie. Jednak trochę pierwotnej zabudowy Strefy Ósmej oszczędzono, zwłaszcza budynki w pobliżu Piątej Alei i placu oraz Ósmej Alei. Te przypominały dom, w którym mieszkałam z mężem: wzniesiono je z czerwonej cegły i rzadko miały więcej niż cztery piętra. Niektóre były nawet niższe i znajdowały się w nich zaledwie cztery mieszkania.

Zdaniem doktorantów, których rozmowy podsłuchiwałam, kilka z budynków, które stały nad rzeką i były kiedyś podzielone na mieszkania, tak jak nasz dom, z biegiem lat opustoszało. Chodziło się do nich, żeby... właściwie nie wiem po co, ale wiem, że było to nielegalne i że gdy doktoranci o tym rozmawiali, śmiali się i rzucali uwagi typu: „Ty się na tym znasz, co nie, Foxley?". Stąd wywnioskowałam, że są to miejsca niebezpieczne i ekscytujące zarazem, a doktoranci udają, że je znają, ale nie starczyłoby im odwagi, żeby tam pójść.

Tymczasem znalazłam się już bardzo blisko rzeki, na ulicy o nazwie Bethune. Gdy byłam dzieckiem, państwo postanowiło zmienić wszystkie nazwy ulic, zastępując je numerami, co dotknęło zwłaszcza strefę Siódmą, Ósmą, Siedemnastą, Osiemnastą i Dwudziestą Pierwszą. Ale ludzie nadal używali dwudziestowiecznych nazw. Przez cały ten czas mój mąż ani razu się nie obejrzał. Zrobiło się już ciemno, ale miałam szczęście, ponieważ mąż nosił jasnoszary anorak, który łatwo się śledziło po ciemku. Widać było, że chodził tą trasą już wiele razy – w pewnym momencie zszedł nagle z chodnika na jezdnię, a gdy tam spojrzałam, stwierdziłam, że w chodniku zieje ogromna dziura, o której musiał wiedzieć, żeby ją ominąć.

Bethune była jedną z ulic rzekomo nawiedzanych przez duchy, mimo że nie przebiegała blisko dawnych wejść do podziemnych tuneli. Jednak pozostały na niej wszystkie drzewa, chociaż w większości ogołocone z liści, przez co wyglądała staroświecko i ponuro. Była także jedną z nielicznych ulic, które nie zostały zalane, dzięki czemu ciągnęła się na zachód aż do ulicy Waszyngtona. Mój mąż doszedł do połowy ciągu domów między przecznicami, zatrzymał się tam i rozejrzał na wszystkie strony.

Na ulicy nie było nikogo oprócz mnie, więc pospiesznie ukryłam się za jednym z drzew. Nie martwiłam się, że mąż mnie zauważy:

byłam ubrana na czarno, w czarnych butach, miałam dość ciemną skórę, więc wiedziałam, że mnie nie widać. Mąż ma kolor skóry podobny do mojego, a był już taki mrok, że gdyby nie jego kurtka, także bym go nie widziała.

– Halo? – zawołał. – Jest tam kto?

Wiem, że to głupio zabrzmi, ale w tamtym momencie omal mu nie odpowiedziałam. „To ja" – chciałam powiedzieć, wstępując na chodnik. „Chciałam się tylko przekonać, dokąd idziesz. Chcę być z tobą". Ale nie umiałam wymyślić, co mi odpowie.

Milczałam więc. Schowałam się za drzewem. Uderzyło mnie jednak, jak spokojnie brzmiał jego głos, spokojnie i zdecydowanie.

Ruszył dalej przed siebie, a ja wyszłam zza drzewa i poszłam za nim, tym razem zachowując nieco większy dystans. W końcu doszedł do numeru 27, jednego z ostatnich w ciągu domów, staroświeckiego budynku, trochę jak nasz. Tam rozejrzał się ponownie, a potem wspiął po kamiennych schodkach i w skomplikowanym rytmie zastukał w drzwi: „puk-puk-pukpuk-puk-puk-puk-puk-pukpuk". Wtedy w drzwiach otworzyło się małe żaluzjowe okienko i twarz mojego męża oświetlił prostokąt światła. Ktoś widocznie go o coś spytał, bo odpowiedział, nie słyszałam co, i drzwi uchyliły się na tyle, by mój mąż wślizgnął się do środka. Usłyszałam, jak ktoś mówi: „Spóźniasz się dzisiaj" – głos był męski. Później drzwi znowu się zamknęły.

I już go nie było. Stałam przed tym domem i wpatrywałam się w okna. Gdy patrzyło się z ulicy, budynek wydawał się niezamieszkany. Ani jednego światła, żadnych odgłosów. Odczekawszy pięć minut, weszłam po schodkach i przytknęłam ucho do drzwi pomalowanych łuszczącą się czarną farbą. Nasłuchiwałam długo. Ale nie dotarł do mnie żaden dźwięk. Było tak, jakby mój mąż całkiem zniknął – nie w jakimś domu, ale w jakimś całkiem innym świecie.

Dopiero następnego dnia, kiedy znalazłam się z powrotem w bezpiecznym otoczeniu mojego pokoju laboratoryjnego, pojęłam w pełni ryzyko, jakie podjęłam minionej nocy. A gdyby mąż mnie zobaczył? A gdyby ktoś zauważył, że go śledzę, i posądził mnie o nielegalną działalność?

Musiałam sama siebie przekonywać, że mąż mnie nie widział. Nikt mnie nie widział. A jeśli przypadkiem zarejestrowała mnie jakaś zabłąkana Mucha patrolująca okolicę, wytłumaczyłabym się na policji, że mąż, wychodząc na swój nocny spacer, zapomniał okularów i chciałam mu je donieść.

Wróciłam do mieszkania i wcześnie położyłam się do łóżka, tak że kiedy mąż wrócił, udawałam, że śpię. W łazience zostawiłam mu liścik z informacją, że awaria została usunięta. Słyszałam, jak rozsuwa zasłonę prysznica, żeby to sprawdzić. Nie umiem powiedzieć, czy faktycznie wrócił wcześniej niż normalnie, bo w sypialni nie było zegara. Za to wiem, że uwierzył, że śpię, ponieważ zachowywał się bardzo cicho; rozebrał się i położył po ciemku.

Byłam tak roztargniona po minionym dniu, że dopiero po dłuższej chwili zorientowałam się, że w laboratorium czegoś brakuje. Dopiero gdy zaniosłam nową partię „paluszków" do sektora doktorskiego, zrozumiałam, że powodem absolutnej ciszy jest to, że wszyscy mają na głowach słuchawki i słuchają radia.

W laboratorium były dwa radia. Jedno normalne, takie, jakie wszyscy mają w domu. Drugie radio nadawało wyłącznie do akredytowanych placówek badawczych na całym świecie, aby każdy naukowiec mógł obwieścić swoje odkrycia w danej dziedzinie, wygłosić wykład albo uzupełnić dane. Zazwyczaj typową drogą było dzielenie się takimi treściami w referatach, do których dostęp – przez specjalnie zabezpieczone komputery – mieli wyłącznie akredytowani naukowcy. Jeśli jednak sprawa nie cierpiała zwłoki, informowało o niej to specjalne radio, w którym na mówiącego nałożony był ekran dźwiękowy – kto nie miał specjalnych słuchawek omijających ów ekran dźwiękowy, ten usłyszałby wyłącznie oderwane, pozbawione sensu dźwięki, przypominające ćwierkanie świerszczy albo trzask płonącego ogniska. Każda osoba upoważniona do słuchania tego radia znała sekwencję cyfr, które należało wpisać w komputer, a każda sekwencja przypisana była do konkretnego użytkownika, aby państwo mogło w każdej chwili sprawdzić, kto słucha. Także słuchawki aktywowało się specjalnym, indywidualnym kodem, a przed opuszczeniem laboratorium na noc naukowcy zamykali swoje zestawy w sejfie mającym formę ciągu małych skrzynek, również otwieranych kodem, oczywiście osobnym.

Wszyscy w milczeniu, ze zmarszczonymi brwiami, słuchali teraz radia. Postawiłam tacę z szalkami Petriego na skraju stołu, a wówczas jeden z doktorów machnął na mnie niecierpliwie, dając mi znak do odejścia; reszta nawet nie podniosła głów znad notesów, w których coś pisali, robili przerwę na słuchanie i pisali dalej.

Wróciłam do swojego pokoju z myszami i obserwowałam naukowców przez szybę. Całe laboratorium pogrążone było w ciszy. Nawet doktor Wesley, zamknięty w swoim gabinecie, słuchał i marszczył brwi przed komputerem.

Po jakichś dwudziestu minutach transmisja widocznie się skończyła, bo wszyscy pościągali z głów słuchawki i pospieszyli do gabinetu doktora Wesleya – nawet doktoranci, zazwyczaj wyłączeni z tego typu zebrań. Gdy zobaczyłam, że wyłączają radio, przeszłam do sektora doktoranckiego i zaczęłam zbierać na tacę puste szalki Petriego, co nie należało do moich obowiązków. Robiąc to, usłyszałam, jak któryś doktor mówi do kolegi: „Myślisz, że to prawda?", a ten drugi odpowiada: „Kurde, mam nadzieję, że nie".

Potem obaj zniknęli w gabinecie i nic już więcej nie usłyszałam. Ale widziałam, że doktor Wesley przemawia, a pozostali kiwają głowami i wszyscy mają bardzo poważne miny. Wystraszyłam się, bo normalnie, jeśli coś się dzieje – na przykład ktoś odkrywa nowego wirusa – naukowcy są podekscytowani.

Teraz jednak byli wyraźnie przestraszeni i poważni. Kiedy podczas przerwy szłam do łazienki, mijając inne laboratoria na piętrze, widziałam, że tam również zostali wyłącznie technicy i personel pomocniczy, jak zwykle zajęci czyszczeniem i porządkowaniem – wszyscy naukowcy udali się do gabinetów swoich naczelnych badaczy i rozmawiali tam między sobą przy drzwiach zamkniętych.

Czekałam i czekałam, lecz w gabinecie doktora Wesleya wciąż trwała dyskusja. Szyba była dźwiękoszczelna, więc nic nie słyszałam. W końcu musiałam wyjść, żeby nie przegapić mojego wahadłowca, ale napisałam do doktora Morgana karteczkę z informacją, że już wychodzę, i położyłam ją na jego biurku na wypadek, gdyby mnie szukał.

Odkrycie jakiejś cząstki tego, co naukowcy usłyszeli przez radio, zajęło mi kolejny tydzień. Tamte dni okazały się zaskakujące. Zazwyczaj potrafię dotrzeć do informacji dość szybko. Naukowcom odradza się głośne plotkowanie i snucie domysłów, ale i tak to robią, tyle że szeptem. Pomijając ich brak dyskrecji, sprzyja mi też to, że rzadko zauważają moją obecność. Czasami mnie to złości. Ale o wiele częściej potrafię to wykorzystać.

Dzięki nasłuchiwaniu dowiedziałam się wielu rzeczy. Na przykład tego, że podczas epidemii roku pięćdziesiątego Wyspa Roosevelta na rzece East była jednym z pierwszych w mieście centrów relokacji, a potem zamieniono ją na obóz więzienny. W końcu, kiedy opanowały ją gryzonie roznoszące zarazę, rząd przeniósł obóz na położoną na południu Wyspę Gubernatora, która wcześniej była obozem uchodźców, a na Wyspie Roosevelta rozsypał tysiące zatrutych kawałków karmy, przez co wszystkie gryzonie pozdychały – od tamtej pory nikt poza pracownikami krematorium nie odwiedzał Wyspy Roosevelta. Dowiedziałam się, że doktor Wesley jeździł regularnie do Kolonii Zachodnich, gdzie rząd wybudował wielki ośrodek badawczy, w którym w podziemnej komorze przechowywano próbki wszystkich znanych mikrobów. Słyszałam, że rząd przewiduje wielką suszę w ciągu najbliższych pięciu lat i że gdzieś w kraju działa zespół naukowców pracujących nad wytwarzaniem deszczu na skalę masową.

Poza tymi informacjami dowiedziałam się jeszcze innych rzeczy, podsłuchując doktorów. Większość z nich miała współmałżonków, więc rozmawiali o swoich mężach i żonach, a nieraz także o romansach. Jeśli chodzi o sprawy tego rodzaju, zasadniczo unikali szczegółów. Mówili na przykład: „No i wiesz, co było później", a rozmówca odpowiadał im: „Jasne", więc czasami miałam na końcu języka: „Co było później? O czym rozmawiacie?", ponieważ nie wiedziałam, a chciałam wiedzieć. Ale gryzłam się w język.

Jednak w tygodniu po konferencji radiowej wszyscy zachowywali niezwykłą ciszę, milczenie i powagę i pracowali o wiele pilniej. Nie wiedziałam, nad czym właściwie tak pracują, ale widziałam, że zachowują się inaczej i że w laboratorium coś się zmieniło.

Jednak zanim odkryłam, co to takiego, poszłam znów śledzić męża. Nie wiem po co. Pewnie dlatego, żeby się przekonać, czy robi to samo w każdy czwartek, bo wówczas wiedziałabym o nim o jedną rzecz więcej.

Tym razem z przystanku wahadłowca poszłam prosto na zachodni koniec ulicy Bethune i czekałam. Dokładnie naprzeciwko domu, do którego tydzień wcześniej wszedł mój mąż, stał inny dom. Tak jak przypadku wszystkich domów z tamtego okresu główne wejście do niego prowadziło po schodach, a drugie, ukryte, znajdowało się pod schodami. Dziadek mi mówił, że w dawnych czasach te drzwi zabezpieczała żelazna krata, ale stąd ową kratę dawno usunięto, żeby przetopić ją na potrzeby wojska, co oznaczało, że stojąc tuż pod schodami, będę miała dobry widok na przeciwną stronę ulicy.

Tego dnia ruch był nieduży, więc znalazłam się w swojej kryjówce już o 18.42. Patrzyłam na tamten dom: wyglądał na tak samo opuszczony jak w poprzedni czwartek. Było już ciemno, w końcu to styczeń, ale nie tak ciemno jak tydzień wcześniej, więc dostrzegłam, że okna pozaklejano czarnym papierem, a może zamazano czarną farbą, tak że ani z zewnątrz, ani od środka nic przez nie nie było widać. Zauważyłam również, że chociaż budynek jest obskurny, to prezentuje się solidnie: schody były stare i wyszczerbione na drugim stopniu, ale poza tym całe. Kompostownik wyglądał schludnie i czysto, nie unosiły się nad nim brzęczące komary.

Po jakichś trzech minutach spostrzegłam, że ktoś zmierza ulicą na zachód, więc wycofałam się pod schody, sądząc, że to mój mąż. Ale zamiast niego zobaczyłam mężczyznę mniej więcej w wieku moim i mojego męża, tyle że był biały. Miał na sobie zapinaną koszulę i lekkie spodnie. Kroczył szybko, tak jak tydzień wcześniej mój mąż, a doszedłszy do domu naprzeciwko, wszedł po schodach, nie sprawdzając numeru, i wystukał ten sam rytm, który już znałam. I stało się dokładnie to samo, co przed tygodniem: otwarcie okienka, prostokąt światła, pytanie i odpowiedź, i uchylenie drzwi na tyle, by mężczyzna wślizgnął się do środka.

Przez chwilę nie mogłam uwierzyć, że widziałam to na własne oczy. Było tak, jakbym sprawiła to wszystko siłą woli. Z takim przejęciem śledziłam przybycie mężczyzny, że nie zaobserwowałam w jego postaci żadnych użytecznych szczegółów.

– W przypadku każdej napotkanej osoby powinnaś zauważyć pięć rzeczy – mawiał Dziadek, gdy siliłam się na czyjś opis. – Jakiej jest rasy? Wysoki czy niski? Gruby czy chudy? Szybki w ruchach czy powolny? Patrzy w ziemię czy prosto przed siebie? Stąd dowiesz się prawie wszystkiego, co warto wiedzieć o człowieku.

– Jak to? – spytałam, nie rozumiejąc.

– Weźmy na przykład kogoś, kto idzie pospiesznie ulicą lub korytarzem – tłumaczył mi Dziadek. – Czy ogląda się za siebie? Może ucieka przed czymś albo przed kimś? Stąd wniosek: zapewne się boi. Albo jeśli mamrocze coś do siebie i co chwila zerka na zegarek, to dla ciebie jest to znak, że na coś się spóźnia. Albo weźmy człowieka, który idzie powoli, patrząc w ziemię: od razu wiesz, że to osoba zamyślona albo marzyciel. Tak czy owak, coś pochłania jego uwagę, więc chyba lepiej nie zawracać mu głowy – chociaż to akurat zależy od kontekstu. Bo bywa, że trzeba takiemu komuś przeszkodzić, by uczulić go na coś, co zaraz się wydarzy.

Pomna jego pouczeń, spróbowałam opisać sobie tego człowieka. Był więc biały i poruszał się szybko, ale nie oglądał się za siebie. Szedł tak, jak nasi adiunkci po korytarzach laboratorium: nie patrząc ani na lewo, ani na prawo, a na pewno nigdy za siebie. Poza tym było mi trudno go opisać. Nie był ani gruby, ani chudy, ani młody, ani stary, ani wysoki, ani niski. Po prostu mężczyzna, który na ulicy Bethune wszedł do tego samego domu, co mój mąż tydzień wcześniej.

Gdy tak myślałam, znów dobiegły mnie czyjeś kroki, a podniósłszy wzrok, ujrzałam swojego męża. I znów poczułam się tak, jakbym go sobie wyśniła, jakby nie był całkiem rzeczywisty. Niósł nylonową torbę i był w cywilnym ubraniu, czyli przebrał się z kombinezonu na Farmie. Tym razem się nie oglądał, nie podejrzewał, że jest obserwowany; wspiął się po schodach, zastukał w drzwi i został wpuszczony.

A potem wszystko ucichło. Odczekałam jeszcze dwadzieścia minut, żeby upewnić się, czy nie przyjdzie jeszcze ktoś inny, ale nikt się nie zjawił, więc w końcu poszłam do domu. Po drodze minęłam kilka osób – samotnie idącą kobietę, dwóch mężczyzn omawiających naprawy elektryczne, których dokonali w jednej ze szkół; samotnego mężczyznę o krzaczastych brwiach – i przy każdej zadawałam sobie pytanie: czy on także idzie do domu przy ulicy Bethune? Czy też wejdzie po schodach, zapuka do drzwi, wypowie tajne hasło i zostanie wpuszczony do środka? A gdy już się tam znajdzie, co będzie robić? Czy zna mojego męża? Czy ktoś z nich jest osobą, która mu przysyłała te liściki?

Od jak dawna on tam chodzi?

Znalazłszy się z powrotem w naszym mieszkaniu, otworzyłam pudełko z szafy i raz jeszcze przejrzałam liściki. Myślałam, że może jakiś przybył, ale nie. Odczytując je ponownie, uświadomiłam sobie, że niczego specjalnie ciekawego nie zawierały – tylko zwykłe, codzienne słowa. A jednak wiedziałam, że tego rodzaju liścików mąż nigdy nie napisałby do mnie ani ja do niego. Wiedziałam to, ale nie umiałabym wyjaśnić ich specyfiki. Jeszcze raz rzuciłam na nie okiem, a potem schowałam na miejsce i położyłam się na swoim łóżku. Uświadomiłam sobie, że żałuję, że śledziłam męża, ponieważ to, czego się dowiedziałam, wcale mi nie pomogło. Bo dowiedziałam się w istocie tylko tyle, że mój mąż prawdopodobnie wszystkie wolne noce spędza w jednym miejscu, ale była to jedynie teoria, a żeby jej dowieść, musiałabym śledzić go od dzisiaj w każdą wolną noc. Pewien szczegół jednak nie dawał mi spokoju, a mianowicie to, że gdy mój mąż odpowiedział przez drzwi tamtej osobie, roześmiał się. Nie pamiętałam już, kiedy ostatni raz słyszałam śmiech męża i czy w ogóle kiedykolwiek go słyszałam – a był to ładny śmiech. Mój mąż był w obcym domu i śmiał się, a ja byłam w naszym domu i czekałam na jego powrót.

Nazajutrz jak zwykle udałam się na Uniwersytet Rockefellera, gdzie w laboratorium nadal panowała dziwna atmosfera, adiunkci dalej milczeli i pracowali jak szaleni, a po doktorantach znać było napięcie i podniecenie. Meandrowałam wśród nich, rozdając nowe embriony i zabierając stare, i zatrzymywałam się na dłużej przy tych, których znałam jako gaduły i plotkarzy. Ale tym razem milczeli.

Byłam jednak cierpliwa, co Dziadek uważał za niedocenianą zaletę, i wiedziałam, że doktoranci relaksują się między 15.00 a 15.30, kiedy mają przerwę na herbatę. Oczywiście nie powinno się pić herbaty w miejscu pracy, ale i tak prawie wszyscy to robili, zwłaszcza że adiunkci są wtedy na codziennej odprawie w innej sali. Odczekałam więc do piętnastej z minutami i dopiero wtedy poszłam po stare embriony do sektora doktorantów.

Przez kilka chwil słyszałam siorbanie herbaty, która właściwie nie była herbatą, ale opracowanym na Farmie rozpuszczalnym napojem odżywczym, który miał smakować jak herbata. Z herbatą zawsze kojarzył mi się Dziadek. Miałam dziesięć lat, gdy herbatę zaliczono do dóbr limitowanych, ale Dziadek miał ukryty zapasik wędzonej czarnej herbaty, którą piliśmy jeszcze przez rok. Dziadek odmierzał ją z wielką skrupulatnością – po kilka listków na imbryk – jednak te listki miały taką moc, że więcej nie było trzeba. Gdy zapasik się skończył, Dziadek zaczął kupować odpowiednik herbaty w proszku, ale sam go nigdy nie pijał.

Nagle jeden z doktorantów zapytał:

– Myślicie, że to jest prawda?

– Zachowują się tak, jakby była – odrzekł drugi.

– Dobrze, ale skąd wiemy, że to nie jest po prostu następny fałszywy alarm? – spytał trzeci.

– Sekwencjonowanie genomowe jest inne w tym przypadku – powiedział czwarty.

Od tego momentu rozmowa stała się dla mnie zbyt techniczna, ale mimo to nie wychodziłam i podsłuchiwałam dalej, dzięki czemu udało mi się zrozumieć, że zdiagnozowano kolejną nową chorobę, niezwykle groźną, potencjalnie katastrofalną.

Na Uniwersytecie Rockefellera często wykrywano nowe choroby, zresztą tak samo jak w innych laboratoriach na całym świecie. Co poniedziałek Pekin rozsyłał do naczelnych badaczy akredytowanych jednostek badawczych sprawozdanie zawierające statystykę przypadków śmiertelnych z poprzedniego tygodnia, nowych zachorowań na trzy do pięciu najpoważniejszych z bieżących pandemii oraz raport o nowych kierunkach badawczych. Zestawienia obejmowały kontynenty, kraje, a w razie potrzeby także prefektury i aglomeracje miejskie. Następnie w każdy piątek Pekin sporządzał i rozsyłał najnowszy biuletyn o odkryciach badawczych, klinicznych lub epidemiologicznych. Sporządzano go na podstawie doniesień krajów członkowskich. Celem działań tego rodzaju było, jak powiedział kiedyś doktor Wesley, nie tyle wyeliminowanie chorób, gdyż to byłoby niemożliwe, ile ograniczenie ich występowania, najlepiej do regionu, w którym zostały wykryte. „Epidemie, nie pandemie – podsumował doktor Wesley. – Nasz cel to wykrywać je, zanim się rozprzestrzenią".

Od siedmiu lat pracuję w laboratorium doktora Wesleya na Uniwersytecie Rockefellera. Co najmniej raz w roku zdarza się jeden alarm: nadzwyczajny komunikat radiowy, tak jak było u nas w zeszłym tygodniu, wprawiający cały instytut w panikę i podniecenie, ponieważ najwyraźniej zdaje się, że stoimy przed ryzykiem doświadczenia kolejnej wielkiej pandemii, równie tragicznej jak choroby z pięćdziesiątego szóstego i siedemdziesiątego. Choroby, które – przywołam słowa doktora Wesleya – „zmieniły mapę świata". Koniec końców jednak wszystkie dotychczasowe zagrożenia udało się ograniczyć. Żadne z nich nie dotarło nawet do wyspy; nie mieliśmy tu kwarantanny, izolacji, biuletynów specjalnych, koordynacji działań z Narodowym Wydziałem Farmakologii. Mimo to przyjęło się, że pozostajemy czujni przez pierwsze trzydzieści dni od wykrycia nowej choroby, ponieważ tyle trwał typowy okres inkubacji większości tych chorób. Niemniej w głębi duszy każdy wiedział, że wiedza o dotychczasowym modelu ich rozwoju nie oznacza, że przyszłe choroby ten model powtórzą. Dlatego tak ważne było to, co robili naukowcy z naszego laboratorium – zajmowanie się próbami prognozowania następnej mutacji, następnej choroby, która zagrozi nam wszystkim.

Wiem, że to może dziwić osoby postronne, ale naukowcy często są bardzo przesądni. Wspominam o tym, ponieważ przez ostatnie pięć lat nasiliła się panika wokół wspomnianych raportów; chyba wszyscy są przekonani, że następna plaga, czymkolwiek będzie, jest już spóźniona. Upłynęło czternaście lat między chorobami z pięćdziesiątego szóstego i siedemdziesiątego; teraz mamy rok dziewięćdziesiąty czwarty i do żadnej katastrofy nie doszło. Oczywiście, jak lubi powtarzać doktor Morgan, nasza sytuacja jest znacznie lepsza niż ludzi w latach siedemdziesiątych, i to jest prawda. Nasze laboratoria są doskonalsze, szersza jest także współpraca naukowa. O wiele trudniejsze stało się rozprzestrzenianie fałszywych informacji, a zatem wzniecanie paniki; nie można już wsiąść do samolotu i niepostrzeżenie zainfekować ludzi za granicą; nie wolno już dzielić się własnymi teoriami przez internet, z kim się chce i kiedy się chce; powstały systemy segregacji i humanitarnego traktowania zarażonych. A więc jest lepiej.

Ja nie jestem przesądna. Choć nie jestem naukowczynią, wiem, że zdarzenia nie powielają modeli, nawet jeżeli tak to z pozoru wygląda. Dlatego byłam przekonana, że szykuje się kolejny pomniejszy incydent, których w przeszłości było już wiele: wokół niego wybuchną emocje i potrwają jeszcze kilka tygodni, a później opadną – przeminie kolejna choroba, niezasługująca nawet na nazwę.

Na każdy Nowy Rok Księżycowy do sklepu rzucali trochę wieprzowiny. Narodowy Wydział do spraw Żywienia zazwyczaj już w grudniu wiedział, ile wieprzowiny będzie mógł przydzielić poszczególnym strefom. Z końcem miesiąca w sklepie pojawiała się wywieszka informująca, ile półkilogramowych porcji znajdzie się w sprzedaży oraz ile dodatkowych bonów proteinowych wyniesie cena jednej. Następnie należało zapisać się na loterię – losowanie odbywało się w ostatnią niedzielę stycznia, chyba że Nowy Rok wypadał wcześniej – wtedy losowano na dziesięć dni przed świętem, aby w razie przegranej ludzie mieli dość czasu na zmianę planów.

Mnie tylko raz udało się wygrać na wieprzowej loterii. Było to w drugim roku małżeństwa. Potem w prefekturach i koloniach, gdzie hodowano świnie, popsuła się pogoda, więc mięsa było bardzo mało. Ale 2093 był dobrym rokiem, bez znaczniejszych załamań klimatycznych, z ogniskami epidemii pod kontrolą, dlatego miałam nadzieję, że tym razem będziemy mieli wieprzowinę na święta.

Strasznie się emocjonowałam, widząc mój numer wśród wybranych. Od dawna nie jadłam wieprzowiny, a uwielbiałam jej smak – tak samo jak mój mąż. Martwiłam się tylko, żeby święto noworoczne nie wypadło w czwartek, tak jak przed dwoma laty, ale okazało się, że wypadło w poniedziałek – wraz z mężem spędziłam go przy kuchni. Wspólne gotowanie w Nowy Rok Księżycowy było naszym zwyczajem od ślubu, i z tego właśnie powodu tak lubiłam to święto.

Przezornie oszczędzałam bony od czterech miesięcy, żebyśmy mogli urządzić sobie prawdziwą ucztę. Ponadto uzbierałam także dość bonów na ciasto: połowę ciasta przeznaczymy na pierogi, a drugą połowę na placek o smaku pomarańczowym. Największe emocje budziła jednak we mnie wieprzowina. Rząd co roku usiłował wprowadzić nowy zastępnik wieprzowiny i innych gatunków mięsa zwierzęcego – niektóre były nawet całkiem smaczne, ale białka wieprzowego i wołowego nie udawało się podrobić. Mimo usilnych starań producentów podróbki te miały kiepski smak. Wreszcie prób zaniechano, wychodząc z założenia, że ci ludzie, którzy jeszcze pamiętają smak wołowiny i wieprzowiny, w końcu je zapomną, a zaczną się rodzić dzieci, które nigdy ich nie poznają.

Spędziliśmy więc ranek na gotowaniu. Potem o 16.00 zjedliśmy wcześniejszą kolację. Jedzenia było tyle, że mogliśmy zjeść po osiem pierogów, do tego ryż z gorczycą, którą mój mąż udusił w oleju sezamowym kupionym za zaoszczędzone bony, a na deser po kawałku ciasta. Był to jedyny dzień w roku, gdy rozmawiało nam się swobodnie, bo mówiliśmy o jedzeniu. Czasami wspominaliśmy nawet to, co jadaliśmy w młodości, pomiędzy okresami ścisłego racjonowania, lecz to był niebezpieczny temat, ponieważ przywodził na myśl mnóstwo innych rzeczy z młodości.

Nagle mój mąż powiedział:

– Mój ojciec robił wyśmienite polędwiczki wieprzowe.

Uznałam, że nie muszę odpowiadać, skoro było to stwierdzenie, a nie pytanie, a on mówił dalej:

– Jadaliśmy je co najmniej dwa razy w roku, nawet po wprowadzeniu racjonowania. Ojciec dusił mięso na wolnym ogniu godzinami, tak że wystarczyło dotknąć widelcem, a rozpadało się na talerzu. Jedliśmy je z fasolką szparagową i makaronem, a jeśli zostawały jakieś resztki, matka dodawała je do kanapek. Siostra i ja najczęściej… – Nagle urwał, odłożył pałeczki i zapatrzył się w ścianę. – W każdym razie – powiedział – cieszę się z dzisiejszej kolacji.

– Ja też – przyznałam.

Nocą, gdy już leżeliśmy w swoich łóżkach, spróbowałam sobie wyobrazić, jaki był mój małżonek, zanim go poznałam. Im więcej lat mijało po ślubie, tym częściej o tym myślałam. Nie wiedziałam o nim zbyt wiele. Wiedziałam, że pochodzi z Prefektury Pierwszej, że oboje jego rodzice byli profesorami na dużym uniwersytecie, lecz pewnego dnia zostali aresztowani i osadzeni w obozach resocjalizacyjnych. Wiedziałam, że miał starszą siostrę, którą także wywieziono do obozu, a ponieważ wszystkich członków jego najbliższej rodziny uznano za wrogów państwa, jego samego wydalono z uniwersytetu. Oboje zostaliśmy oficjalnie ułaskawieni na mocy Ustawy abolicyjnej z roku 2087 i dostaliśmy pracę, ale nie wolno nam było wstąpić ponownie na uniwersytet. W przeciwieństwie do męża nie marzyłam o powrocie na studia – stanowisko techniczki laborantki całkiem mnie zadowalało. Ale mój mąż chciał zostać naukowcem, którym tak naprawdę nigdy nie był. Dziadek mi to powiedział. „Nie wszystko mogę, koteczku" – dodał, nie wyjaśniając, co ma na myśli.

Po Nowym Roku Księżycowym świętowaliśmy Dzień Uczczenia, zawsze w piątek. Rząd wprowadził to święto w roku siedemdziesiątym pierwszym. Wszystkie sklepy i urzędy były zamknięte. Należało siedzieć cicho w domu i rozmyślać o wszystkich umarłych, i to nie wyłącznie w minionym roku, ale w czasie wszystkich epidemii. Mottem Dnia Uczczenia było hasło: „Nie wszyscy zmarli byli niewinni, ale wszystkim zmarłym się wybacza".

Pary małżeńskie spędzały zwykle Dzień Uczczenia razem, ale mój mąż i ja – nie. On szedł do centrum, gdzie odbywały się sponsorowany przez rząd koncert muzyki orkiestrowej oraz wykłady o żałobie, a ja udawałam się na spacer wokół placu. Teraz jednak zadałam sobie pytanie, czy mąż nie chodził wtedy na ulicę Bethune.

Najwięcej jednak myślałam o Dziadku, mimo że przyczyną jego śmierci nie była żadna choroba. Każdy Dzień Uczczenia spędzałam razem z nim. Dziadek pokazywał mi zdjęcia mojego ojca, który umarł w roku sześćdziesiątym szóstym, gdy miałam dwa latka.

Przyczyną jego śmierci również nie była choroba, ale o tym dowiedziałam się dużo później. Wtedy także zmarł mój drugi dziadek – w tym samym czasie i w tym samym miejscu. To z tamtym dziadkiem byłam spokrewniona genetycznie, ale nie mogę powiedzieć, że za nim tęskniłam, ponieważ w ogóle go nie pamiętałam. Jednak Dziadek zawsze mi mówił, że tamten dziadek bardzo mnie kochał. Z przyjemnością słuchałam jego słów.

Ojca także prawie nie pamiętam, ponieważ w ogóle zostało mi niewiele wspomnień sprzed choroby. Czasami mam wrażenie, że kiedyś byłam całkiem inną osobą, kimś, komu nie jest tak trudno zrozumieć innych ludzi i tego, co kryje się za ich słowami. Kiedyś spytałam Dziadka, czy kochał mnie bardziej, zanim się rozchorowałam, a wtedy odwrócił na moment głowę i przycisnął mnie do siebie, chociaż wiedział, że tego nie lubię. „Nie – powiedział śmiesznym, zduszonym głosem – zawsze kochałem cię tak samo, odkąd się urodziłaś. Nie chciałbym, żeby mój koteczek był ani trochę inny". Było to niezmiernie przyjemne i wprawiło mnie w świetny nastrój. Poczułam się tak jak w chłodny dzień, kiedy można włożyć coś z długimi rękawami i chodzić po ulicach, ile się chce, wcale się nie męcząc.

Ale jednym z powodów, dla których podejrzewam, że mogłam być inna, jest moje najżywsze wspomnienie o ojcu. Widzę go, jak się śmieje i okręca w kółko małą dziewczynkę, trzymając ją za rączki, a robi to tak szybko, że dziewczynka fruwa i jej nóżki śmigają w powietrzu. Dziewczynka jest ubrana w jasnoróżową sukienkę, ma czarne włosy uczesane w koński ogon, który majta się za nią, i także się zaśmiewa. Ów obrazek zapamiętałam z choroby, a gdy już wyzdrowiałam, spytałam Dziadka, kim była ta mała dziewczynka, na co Dziadek zrobił dziwną minę. „To byłaś ty, koteczku – powiedział. – Ty i twój tata. Obracał cię tak w kółko, aż obojgu wam kręciło się w głowie". Wtedy myślałam, że to niemożliwe, ponieważ byłam już łysa i nie wyobrażałam sobie siebie samej z taką ilością włosów. Ale w miarę jak dorastałam, kiełkowała we mnie myśl: A może to jednak *byłam* ja, ta dziewczynka z tą masą włosów? Co jeszcze mogłam mieć, a czego nie pamiętałam? Myślałam o tej małej, roześmianej dziewczynce, o jej szeroko otwartej buzi, o śmiejącym się razem z nią ojcu. Nigdy nie umiałam nikogo rozśmieszyć, nawet Dziadka, i mnie też nikt nie umiał rozśmieszyć. Ale kiedyś się śmiałam. Kiedyś, jak mi mówiono, umiałam nawet fruwać.

Dziadek zawsze powtarzał, że Dzień Uczczenia jest świętem na moją cześć, ponieważ przeżyłam. „Masz dwie daty urodzin w każdym roku – mówił mi. – Dzień, w którym się urodziłaś, i dzień, w którym do mnie wróciłaś". Dlatego uważam Dzień Uczczenia za swój dzień, chociaż nigdy nie przyznałabym się do tego głośno, ponieważ wiem, że to samolubne, a co gorsza – nieuprzejme ze względu na ludzi, którzy umarli. Drugą rzeczą, do której nigdy bym się głośno nie przyznała, była przyjemność, z jaką słuchałam opowieści Dziadka o mojej chorobie: jak leżałam miesiącami w szpitalnym łóżku, jak tygodniami nie mogłam nawet mówić z powodu wysokiej gorączki, jak większość moich współpacjentów z oddziału poumierała, jak pewnego dnia otworzyłam oczy i spytałam o Dziadka. Było mi przyjemnie, gdy słuchałam opowieści o tym, jak Dziadek się o mnie martwił, jak całymi nocami siedział przy moim łóżku, jak czytał mi za dnia, jak opowiadał mi o ciastkach, które mi kupi, gdy wyzdrowieję – ciastkach z prawdziwymi truskawkami zmiksowanymi na gęstą masę, z czekoladową polewą przypominającą korę drzewa albo posypanych prażonymi ziarnkami sezamu. Dziadek mówił, że jako mała dziewczynka uwielbiałam wszelkie słodycze, szczególnie ciastka, ale po chorobie przestały mi smakować, dzisiaj można powiedzieć, że na szczęście, ponieważ właśnie wtedy cukier również zaliczono do dóbr reglamentowanych.

Od śmierci Dziadka nikt już nie pamięta, że kiedyś byłam chora. Nikt już nie pamięta, że ktoś kiedyś tak bardzo pragnął mojego wyzdrowienia, że przesiadywał przy mnie całe noce.

W tamtym roku Dzień Uczczenia był dla mnie szczególnie samotny. Budynek tonął w ciszy. Nazajutrz po święcie księżyca w efekcie policyjnego nalotu zabrano naszych sąsiadów. Wprawdzie nigdy nie zachowywali się głośno, ale mimo wszystko głośniej, niż sądziłam: bez ich obecności za ścianą nasze mieszkanie było jak wymarłe. Dzień wcześniej sprawdziłam kopertę zawierającą liściki do mojego męża i znalazłam nowy, skreślony tym samym charakterem pisma, także na świstku papieru: „Będę na Ciebie czekać” – tylko tyle.

Pożałowałam, co często mi się zdarzało, że Dziadek już nie żyje albo że nie mam chociaż jego zdjęcia z ostatnich czasów. Nie miałam nic, na co mogłabym patrzeć, do czego mogłabym mówić. Ale nie miałam i już nie będę miała – ta myśl tak mnie zgnębiła, że wstałam i zaczęłam chodzić po mieszkaniu, które nagle wydało mi się tak małe, że nie dało się w nim oddychać, chwyciłam więc klucze, zbiegłam po schodach i wypadłam na ulicę.

Na placu jak zwykle roiło się od ludzi, jakby to nie był Dzień Uczczenia. Dołączyłam do tłumu i od razu poczułam się spokojniejsza i mniej samotna, chociaż powodem naszego przebywania razem w tłumie było to właśnie, że wszyscy byliśmy samotni.

Za życia Dziadka przychodziłam na plac razem z nim. Wtedy działała tam grupa opowiadaczy rozmaitych historii. Zbierali się w północno-wschodniej części placu, tam gdzie Dziadek za młodu najchętniej przychodził czytać na powietrzu. Opowiadał mi kiedyś, jak usiadł na jednej z drewnianych ławek, które ciągnęły się rzędem wzdłuż całego placu, i zaczął jeść kanapkę z wieprzowiną i jajkiem. Wtedy nagle na ramię wskoczyła mu wiewiórka, wyrwała kanapkę z ręki i uciekła ze zdobyczą.

Po minie Dziadka, gdy to opowiadał, poznałam, że to zabawna historia, chociaż mnie wcale taka się nie wydawała. Dziadek spojrzał na mnie i dodał pospiesznie: „To było zanim” – czyli zanim doszło do epidemii pięćdziesiątego drugiego roku, która przeniosła się na ludzi właśnie z wiewiórek i której rezultatem było doszczętne wytępienie tych północnoamerykańskich gryzoni.

Chodziliśmy z Dziadkiem na plac głównie po to, żeby słuchać opowiadaczy. Zbierali się zwykle w weekendy, a czasem wieczorem w dni powszednie, żeby ludzie mogli ich posłuchać po pracy. Pracowali w systemie tak zwanej gildii, czyli dzielili się po równo zarobkami i przestrzegali ustalonego wspólnie harmonogramu, dzięki któremu nigdy nie było ich więcej niż trzech naraz. Przychodziło się o konkretnej godzinie – na przykład o 19.00 w dni powszednie albo o 16.00 w weekendy – i płaciło się kwitami albo monetami.

Była to opłata za pół godziny słuchania. Co trzydzieści minut któryś z asystentów opowiadaczy obchodził całą publiczność z wiaderkiem i jeśli chciało się zostać dłużej, należało wnieść nową opłatę.

Opowiadali różnego rodzaju historie. Do jednego opowiadacza szło się posłuchać romansu, do innego – bajek, jeszcze inny opowiadał historie o zwierzętach albo snuł opowieści historyczne. Opowiadacze należeli do szarej strefy. To znaczy, że posiadali państwowe licencje na swoją działalność, tak samo jak stolarze i wytwórcy plastiku, ale byli ściśle monitorowani. Wszystkie opowieści musiały uzyskać zatwierdzenie Wydziału Informacji, a i tak występom opowiadaczy zawsze towarzyszyły Muchy. Wiadomo było, że niektórzy z nich są wyjątkowo niebezpieczni. Pamiętam, jak raz poszliśmy z Dziadkiem na sesję opowieści, ale gdy Dziadek zobaczył, kto jest opowiadaczem, wstrzymał oddech. „O co chodzi?" – spytałam. „Ten opowiadacz… – szepnął mi do ucha Dziadek. – Za czasów mojej młodości był bardzo sławnym pisarzem. Nie do wiary, że jeszcze żyje". Podniósł wzrok na opowiadacza, który był stary i kulawy i sadowił się właśnie na swoim stołku. Zajęliśmy miejsca na ziemi wokół niego, siadając na przyniesionych z domu kawałkach materiału albo plastikowych torbach. „Ledwo go poznałem" – wymamrotał Dziadek, i rzeczywiście: coś było nie w porządku z twarzą tego opowiadacza, jakby usunięto mu całą lewą stronę dolnej szczęki. Co parę zdań przykładał do ust chusteczkę i ścierał ślinę ściekającą mu po brodzie. Ale przywykłam do jego niewyraźnej mowy. Okazało się, że historia, którą opowiadał – o mężczyźnie, który dwieście lat temu mieszkał na tej wyspie, na tym placu i wyrzekł się wielkiej rodzinnej fortuny, by podążyć za ukochaną osobą aż do Kalifornii, chociaż jego rodzina była pewna, że ta osoba go zdradzi – była tak wciągająca, że przestałam nawet zwracać uwagę na buczenie Much krążących nad naszymi głowami; tak wciągająca, że nawet zbieracze pieniędzy zapomnieli obejść zasłuchany tłum. Dopiero gdy minęła godzina, opowiadacz wyprostował plecy i oznajmił: „Za tydzień opowiem wam, co przydarzyło się temu mężczyźnie" – a wtedy wszyscy, nawet Dziadek, wydali jęk zawodu.

Tydzień później czekaliśmy dużą grupą na powrót tego opowiadacza. Czekanie się przedłużało, aż w końcu nadeszła jakaś inna opowiadaczka i poinformowała nas z wielkim żalem, że jej kolega cierpi dzisiaj na straszną migrenę i nie pojawi się na placu.

– Ale w przyszłym tygodniu wróci? – zawołał ktoś z tłumu.

– Nie wiem – przyznała kobieta i nawet ja zauważyłam, że jest wystraszona i zaaferowana. – Ale mamy tu dzisiaj troje innych wyśmienitych opowiadaczy i serdecznie zapraszamy do wysłuchania ich historii.

Mniej więcej połowa oczekujących ludzi dołączyła do kręgów tamtych opowiadaczy, ale reszta, w tym Dziadek i ja, nie skorzystała z zaproszenia. Odeszliśmy stamtąd. Dziadek przez całą drogę patrzył w ziemię, a gdy znaleźliśmy się w domu, poszedł prosto do sypialni i położył się na łóżku twarzą do ściany, co robił zawsze, gdy potrzebował odosobnienia. Zostałam w drugim pokoju i słuchałam radia.

Przez kilka następnych tygodni regularnie chodziliśmy z Dziadkiem na plac, ale ten opowiadacz, który kiedyś był sławnym pisarzem, nigdy więcej się nie pojawił. Dziadek zdawał się tym bardzo zmartwiony. Po każdej wycieczce na plac wracał do domu wolniej niż zwykle.

Po miesiącu wypatrywania i wyczekiwania opowiadacza spytałam Dziadka, co mogło się stać z tym człowiekiem. Przyglądał mi się dłuższą chwilę, zanim odpowiedział.

– Został zrehabilitowany – rzekł w końcu. – Ale bywają rehabilitacje tymczasowe.

Nie zrozumiałam, co to znaczy, ale jakoś wiedziałam, że nie należy dalej pytać. Wkrótce potem opowiadacze w ogóle zniknęli, a kiedy pojawili się z powrotem, jakieś osiem lat temu, Dziadek nie chciał już do nich chodzić, a ja nie miałam ochoty iść bez niego. Później Dziadek umarł. Wówczas zmusiłam się do odnowienia zwyczaju słuchania opowiadaczy, chociaż zaledwie parę razy w roku. Minęło wiele lat, ale wciąż zastanawiałam się nad losem mężczyzny, który miał wyjechać do Kalifornii. Czy mimo wszystko tam pojechał? Czy ukochany czekał na niego? Czy rzeczywiście został zdradzony? A może wszyscy byliśmy w błędzie? Czy połączyli się i żyli długo i szczęśliwie? Może wciąż żyją razem w Kalifornii i są szczęśliwi? Wiedziałam, że to niemądre, bo przecież nie byli prawdziwymi postaciami, ale i tak często o nich myślałam. Chciałam się dowiedzieć, co się z nimi stało.

Żaden z opowiadaczy, których spotkałam, odkąd przestałam z Dziadkiem chodzić na plac, nie dorównywał tamtemu staremu człowiekowi. Niemniej z przyjemnością słuchałam ich opowieści, przeważnie o wiele weselszych niż te dawne. Szczególnie jeden specjalizował się w historyjkach o zwierzętach, które robiły głupstwa, stroiły żarty i psociły, ale na koniec zawsze przepraszały i wszystko kończyło się dobrze.

Dzisiaj nie było go na placu. Zobaczyłam za to innego, którego również lubiłam, ponieważ opowiadał śmieszne historie o małżeństwie wiecznie popadającym w kłopoty. W jednej z jego opowieści mąż nie pamiętał, czyja wypadła kolej robienia zakupów – jego czy żony, a że była to ich rocznica ślubu, nie chciał pytać o to żony, żeby jej nie rozczarować. Więc udał się do sklepu i sam kupił tofu. Tymczasem żona też nie mogła sobie przypomnieć, czy to jej kolej, czy męża, a z tego samego powodu (rocznica ślubu) wolała go nie pytać, więc poszła do sklepu i także kupiła pewną ilość tofu. W końcu oboje śmieją się z nadmiaru nakupionego tofu i gotują z niego gulasze o różnych smakach, które razem zjadają. Historyjka była oczywiście nierzeczywista. Skąd wzięliby tyle bonów proteinowych? Czy nie pokłóciliby się, widząc, ile bonów zmarnowali? Kto właściwie zapomniał, czyja jest kolej na pójście do sklepu? Ale tego wszystkiego nie było w opowieści. Opowiadacz zręcznie imitował głosy małżonków – donośny i niepokojący głos męski, cichy i zrzędliwy głos kobiecy – a publiczność się zaśmiewała. Nie dlatego, że słyszała prawdę, ale dlatego, że przedstawiono jej problem, który w istocie nie był żadnym problemem, lecz został potraktowany z całą powagą.

Kucając w ostatnim rzędzie, poczułam, że ktoś sadowi się obok mnie. Nie za blisko, ale wystarczająco blisko, żebym poczuła jego obecność. Nie obejrzałam się i ta osoba również się nie obejrzała. Tym razem słuchaliśmy opowiastki o małżeństwie, które gdzieś zapodziało bon na nabiał. Nie była taka dobra jak ta o tofu, ale mimo wszystko całkiem niezła, więc gdy poborca opłat podszedł do mnie, wrzuciłam bon do kubełka, żeby móc zostać na kolejne pół godziny.

Opowiadacz zapowiedział krótką przerwę. Niektórzy spośród słuchaczy powyciągali małe menażki z przekąskami i zabrali się do jedzenia. Żałowałam, że też nie wzięłam sobie przekąski, ale trudno. Gdy tak myślałam, siedząca obok mnie osoba odezwała się:

– Masz ochotę?

Odwróciłam się i ujrzałam mężczyznę z papierową torebeczką łuskanych orzechów włoskich. Pokręciłam odmownie głową. Nieroztropnie było przyjmować żywność od obcych ludzi – nikt nie miał jej aż tyle, żeby częstować kogoś nieznajomego, a zatem każda propozycja poczęstunku była z góry podejrzana.

– Mimo wszystko dziękuję – odparłam i nagle go rozpoznałam: był to mężczyzna z przystanku wahadłowca, ten z długimi lokami. Wpatrywałam się w niego ze zdumieniem, ale nie wydawał się urażony, a nawet się uśmiechnął.

– Ja ciebie już widziałem – powiedział. Ponieważ milczałam, przekrzywił głowę i z uśmiechem mówił dalej: – Rano na przystanku wahadłowca.

– Aha – bąknęłam, tak jakbym nie poznała go od razu. – A tak. Zgadza się.

Pochylił się nad kolejnym orzechem, dzieląc go na pół naciskiem kciuka i rozgniatając resztki skorupki na równe odłamki. Miałam okazję przyjrzeć się mu bliżej: znowu był w czapce, spod której jednak nie dostrzegłam włosów. Miał na sobie szarą nylonową koszulę i szare spodnie – strój tego typu nosił także mój mąż.

– Często przychodzisz słuchać tego opowiadacza? – zapytał.

Dopiero po chwili uświadomiłam sobie, że mówi do mnie. Znów nie wiedziałam, co odpowiedzieć. Z reguły nikt się do mnie nie odzywał poza ludźmi, którzy musieli to robić: sklepikarzem, gdy pytał, czy życzę sobie nutrię, psinę czy tempeh; doktorantami, gdy domagali się więcej embrionów; rozdawczynią bonów w centrum, gdy podstawiając mi urządzenie, prosiła o odcisk palca na potwierdzenie, że otrzymałam swój miesięczny przydział. A tu nagle ten człowiek, obcy człowiek, zadaje mi pytanie i do tego się uśmiecha, jakby naprawdę chciał poznać odpowiedź. Ostatnią osobą, która się do mnie uśmiechała i zadawała mi pytania, był Dziadek – na to wspomnienie zrobiło mi się strasznie smutno i zaczęłam kołysać się w miejscu, tak leciutko, ale gdy się opanowałam i znów podniosłam wzrok, ten człowiek wciąż na mnie patrzył i uśmiechał się, jakbym była po prostu drugim człowiekiem.

– Tak – odpowiedziałam, co właściwie nie było prawdą. – Nie – poprawiłam się. – Tylko czasami. Czasami tak.

– Ja też – odrzekł tym samym tonem, jakbym nie różniła się od innych ludzi, jakbym należała do osób, które rozmawiają całymi dniami.

Przyszła moja kolej, żeby coś powiedzieć, ale nic mi nie przychodziło do głowy. I znowu ten mężczyzna wybawił mnie z kłopotu.

– Od dawna mieszkasz w Strefie Ósmej? – zapytał.

Odpowiedź na to pytanie powinna być łatwa, ale zawahałam się. Właściwie mieszkałam w Strefie Ósmej przez całe życie. Tyle że gdy się urodziłam, nie było jeszcze stref – to była po prostu część miasta i każdy mógł przemieszczać się po całej wyspie, jak chciał, i mieszkać w wybranej przez siebie dzielnicy, o ile miał na to dość pieniędzy. Później, gdy miałam siedem lat, ustanowiono strefy, ponieważ jednak już mieszkałam z Dziadkiem w tej – tak zwanej po nowemu – Strefie Ósmej, nie musieliśmy się przeprowadzać ani zmieniać statusu.

Ale byłaby to długa odpowiedź, więc po prostu powiedziałam, że tak.

– Ja dopiero co się tutaj wprowadziłem – oznajmił ten człowiek, gdy zapomniałam go spytać, czy długo mieszka w naszej strefie. („Dobrą zasadą w rozmowie jest wzajemność – uczył mnie Dziadek. – To znaczy, że powinnaś spytać rozmówcę o to, o co sam przed chwilą spytał ciebie. Jeśli powie do ciebie: «Jak się masz?», to powinnaś na to odpowiedzieć i zapytać: «A jak ty się masz?»”). – Dawniej mieszkałem w Strefie Siedemnastej, ale tu jest o wiele przyjemniej. – Znowu się uśmiechnął. – Mieszkam w Małej Ósemce – dodał.

– Aha – powiedziałam. – Mała Ósemka jest ładna.

– Owszem – przyznał. – Mieszkam w Bloku Szóstym.

– Aha – powtórzyłam.

Blok Szósty był najwyższym budynkiem Małej Ósemki i mieszkali tam tylko nieżonaci, którzy przepracowali co najmniej trzy lata przy którymś z projektów rządowych i mieli mniej niż trzydzieści pięć lat. O zamieszkaniu w Bloku Szóstym przesądzała specjalna loteria. Nikt nie mieszkał tam dłużej niż dwa lata, ponieważ jedną z zalet mieszkania w owym bloku było to, że rząd aranżował twój ślub. Obowiązek ten spadał zazwyczaj na rodziców, ale w dzisiejszych czasach coraz mniej dorosłych ludzi miało rodziców. Na Blok Szósty mówiło się potocznie „Blok Seksu".

Czymś niezwykłym, chociaż nie niesłychanym, było przeniesienie ze Strefy Siedemnastej do Strefy Ósmej, a zwłaszcza do Bloku Szóstego. Zdarzało się to, jeśli ktoś był naukowcem, statystykiem czy inżynierem, czyli człowiekiem wykształconym. Jednak po kombinezonie, który miał na sobie na przystanku wahadłowca, poznałam, że ten mężczyzna jest technikiem, możliwe, że technikiem wyższej klasy niż ja, ale na pewno nie kimś, kto ma dostęp do wrażliwych danych. Mógł jednak dokonać czegoś niezwykłego w przeszłości. Zdarzały się czasami doniesienia o tym, że jakiś technik botanik z Farmy błyskawicznie przeniósł pozostające pod jego opieką sadzonki do innego laboratorium, gdy w jego własnym wysiadł generator. Albo – to przykład jeszcze bardziej poruszający – że technik zoolog zasłonił własnym ciałem przed ostrzałem słoje z płodami, gdy na jego konwój napadli powstańcy. (Bohaterski technik zmarł, ale otrzymał pośmiertny awans i pochwałę).

Zastanawiałam się, co właściwie uczynił ten mężczyzna, by zasłużyć na przeprowadzkę do Małej Ósemki, gdy opowiadacz wrócił i podjął nową opowieść. Traktowała ona o mężu i żonie, którzy planują dla siebie nawzajem prezenty z okazji rocznicy ślubu. Mąż poprosił swojego kierownika o zwolnienie i wziął udział w losowaniu biletów na koncert orkiestrowy. Żona tymczasem także poprosiła swojego kierownika o zwolnienie i wzięła udział w losowaniu biletów na koncert muzyki folk. Oboje tak bardzo starali się utrzymać niespodziankę w tajemnicy, że zapomnieli uzgodnić daty – i wygrali bilety na ten sam wieczór. Wszystko jednak dobrze się skończyło, ponieważ kolega męża zamienił się z nim biletami na koncert orkiestrowy z późniejszą datą, tak że małżonkowie mieli okazję celebrować swoją rocznicę dwukrotnie i oboje byli zadowoleni z pomysłu współmałżonka.

Wszyscy klaskali i zbierali swoje rzeczy, ale ja pozostałam na swoim miejscu. Zastanawiałam się, co ten mąż z opowieści robił w swoje wolne noce i co jego żona robiła w swoje.

Nagle usłyszałam, że ktoś mówi do mnie:

– Hej.

Podniosłam wzrok. Stał przy mnie ten mężczyzna z długimi włosami i wyciągał rękę. Przez moment nie wiedziałam, o co chodzi, ale zaraz dotarło do mnie, że chce mi pomóc we wstawaniu. Podniosłam się jednak o własnych siłach, otrzepując spodnie.

Zmartwiłam się, że postąpiłam niegrzecznie, odrzucając jego pomoc, ale gdy spojrzałam na niego ponownie, nadal się uśmiechał.

– Przyjemna historyjka – powiedział.

– Tak – przyznałam.

– Będziesz tu w przyszłym tygodniu? – zapytał.

– Jeszcze nie wiem.

– No tak – powiedział, zarzucając torbę na ramię. – Ja będę. – Zamilkł na chwilę. – To może: do zobaczenia?

– Dobrze – odpowiedziałam.

Znowu się uśmiechnął. Później odwrócił się i ruszył przed siebie. Nie uszedł jednak więcej niż kilka kroków, gdy przystanął i znów spojrzał na mnie.

– Zapomniałem spytać cię, jak masz na imię – powiedział.

Zabrzmiało to jak jakieś niezwykłe przewinienie, tak jakby każdy przypadkowy znajomy albo współpracownik znał moje imię, jakby nadzwyczajnym grubiaństwem było go nie znać. Nie mówię, że innych ludzi nie pyta się, jak mają na imię; nie mówię, że niebezpiecznie jest podawać komuś swoje imię. Pomyślałam o dwóch młodych naukowczyniach z pracy – na pewno wszyscy chcą znać ich imiona. Pomyślałam o moim mężu w domu na ulicy Bethune, gdzie ten mężczyzna w drzwiach mówi do niego poufale „spóźniasz się dzisiaj" i gdzie na pewno wszyscy znają jego imię. Pomyślałam o autorze liścików do mojego męża – ta osoba także z pewnością zna jego imię. Pomyślałam o adiunktach, naukowcach i doktorantach z mojej pracy – znałam imiona ich wszystkich, a oni znali moje, ale nie dlatego, że było moje: znali je, ponieważ wiedzieli, co się za nim kryje, wiedzieli, że moje imię wyjaśnia, dlaczego w ogóle tam jestem.

Ale kiedy ostatnio ktoś spytał mnie o imię ze zwykłej ciekawości? Nie na potrzeby formularza, nie w celach opisania próbki albo sprawdzenia mojej kartoteki – tylko po to, żeby mieć jak mnie zawołać – z ciekawości, z tego prostego powodu, że ktoś pomyślał, żeby nadać mi to imię, a ktoś inny jest ciekawy, jak ono brzmi.

Lata minęły, odkąd się tak zdarzyło. Było to dokładnie siedem lat, bo tyle upłynęło, odkąd poznałam mojego męża w biurze pośrednictwa małżeńskiego Strefy Dziewiątej. Podałam mu swoje imię, on podał mi swoje, a potem rozmawialiśmy. Rok później byliśmy po ślubie. Trzy miesiące później umarł Dziadek. Od tamtego czasu nikt nie zapytał mnie o imię.

Odwróciłam się więc do mężczyzny w szarej koszuli i spodniach, który cały czas stał i czekał. Czekał na moją odpowiedź.

– Charlie – powiedziałam mu. – Na imię mam Charlie.

– Miło mi poznać cię, Charlie – odpowiedział.

Część IV

Zima, czterdzieści lat wcześniej

Najdroższy P, 3 lutego 2054

dzisiaj przydarzyło mi się coś niezwykłego.

Była może druga po południu. Zaraz miałem złapać przelotowy autobus odjeżdżający w kierunku wschodnim z ulicy Dziewięćdziesiątej Szóstej, ale w ostatniej chwili rozmyśliłem się i postanowiłem wrócić do domu. Od kilku tygodni padał tak rzęsisty deszcz, że rzeka East znowu wylała i musieli wyłożyć workami z piaskiem całą wschodnią część kampusu, lecz dziś pogoda się poprawiła. Słońca nie widać, ale nie pada i jest ciepło, prawie gorąco.

Dawno nie przechodziłem przez park. Po paru minutach spaceru zorientowałem się, że zbaczam na północ. Gdy tak szedłem, uświadomiłem sobie nagle, że nie byłem w tej części parku – zwanej Wąwozem, najdzikszej i zajmującej spory obszar sztucznie ożywionej przyrody – od czasu, gdy jako student zwiedzałem Nowy Jork. Wówczas wydawała mi się ona wielce egzotyczna; egzotyczna i piękna. Było to w grudniu, a wtedy grudnie bywały jeszcze mroźne. Chociaż wcześniej napatrzyłem się na liście na Wschodnim Wybrzeżu i w Nowej Anglii, to wciąż czułem zachwyt nasyconym brązem listowia, jego brunatnością, czernią i chłodem, oślepiającymi w swej nagości. Pamiętam tę zimę jako niezmiernie hałaśliwą: opadłe liście, strącone gałązki, cienka warstewka lodu pokrywająca ścieżki – wszystko to chrzęściło i trzeszczało pod stopami, nad głową szumiały na wietrze gałęzie, a ze wszystkich stron niósł się monotonny odgłos kapania topniejącego lodu na kamienie. Byłem przyzwyczajony do dżungli, gdzie rośliny są ciche, ponieważ nigdy nie tracą wilgoci. Nie zsychają się, lecz pęcznieją, nasiąkając wodą, a gdy opadną na ziemię, nie stają się pustymi łuskami, ale miazgą. Dżungla milczy.

Teraz oczywiście wąwóz wygląda całkiem inaczej. Brzmi inaczej. Tamtych drzew – wiązów, topól, klonów – dawno już nie ma, pousychały w upałach i zastąpiono je drzewami i paprociami, jakie pamiętam z lat dzieciństwa, nadal zupełnie tu niepasującymi. Ale w Nowym Jorku poradzili sobie dobrze – powiedziałbym, że lepiej niż ja. W okolicach ulicy Dziewięćdziesiątej Ósmej przespacerowałem się po rosłym gaju zielonych bambusów ciągnącym się na północ przez co najmniej pięć przecznic. Tworzył tunel chłodnego, pachnącego zielenią powietrza, coś magicznego i uroczego, więc postałem tam chwilę, oddychając głęboko, zanim w końcu wyszedłem przy ulicy Sto Drugiej, w pobliżu Loch, sztucznie stworzonej rzeki płynącej od ulicy Sto Szóstej do Sto Drugiej. Pamiętasz tamto zdjęcie, które Ci wysłałem przed laty, to z Davidem i Nathanielem w szalikach, które nam podarowałeś? Zrobione było właśnie tutaj podczas jednej z wycieczek szkolnych Davida. Mnie tam nie było.

W każdym razie gdy wyłaniałem się z bambusowego tunelu, rozkojarzony i oszołomiony tlenem, usłyszałem jakiś dźwięk, plusk dobiegający od Loch, którą miałem po prawej stronie. Odwróciłem się, pewien, że zobaczę ptaka, może nawet flaminga z tego stada, które rok temu przyleciało na północ i nigdy nie odleciało, ale nagle ujrzałem niedźwiedzia. Był to niedźwiedź czarny, dorosły, sądząc z wyglądu. Niemal po ludzku siedział sobie na jednym z płaskich głazów w nurcie rzeki, pochylał się do przodu, opierając cały ciężar ciała na lewej przedniej łapie, a prawą czerpał wodę i cedził ją przez pazury. Wydawał niski odgłos, pomruk. Poczułem, że nie jest zły, ale rozdrażniony – jego działanie było intensywne i celowe: przypominał poszukiwacza złota ze starych westernów, przesiewającego rzeczny piasek.

Stanąłem jak wryty, usiłując przypomnieć sobie zasady zachowania w przypadku spotkania z niedźwiedziem. (Udaj większego, niż jesteś? Czy udaj mniejszego, niż jesteś? Zrób raban? Uciekaj?) Ale zwierzę nawet na mnie nie spojrzało. Nagle jednak pewnie wiatr zmienił kierunek i niedźwiedź musiał mnie zwęszyć. Gwałtownie zadarł łeb, a gdy zrobiłem pierwszy ostrożny krok, chcąc się od niego oddalić, podźwignął się na tylne łapy i ryknął.

Zaraz się na mnie rzuci. Wiedziałem to, zanim dotarła do mnie pełna groza tej sytuacji. Rozwarłem usta do krzyku, ale nie zdążyłem wydobyć z siebie głosu, gdy coś puknęło i niedźwiedź zwalił się na wznak, całym swoim dwumetrowym cielskiem runął w nurt z głośnym pluskiem i woda momentalnie zabarwiła się czerwienią.

Obok mnie wyłonił się człowiek, drugi tymczasem biegł do niedźwiedzia.

– Niewiele brakowało – powiedział ten obok mnie. – Nic panu nie jest?

Był to strażnik parkowy. Ponieważ wciąż nie mogłem mówić, rozpiął zamek błyskawiczny kieszonki kamizelki i podał mi plastikową piersiówkę z jakimś płynem.

– Jest pan w szoku – powiedział. – Proszę się napić, to zawiera cukier.

Palce odmówiły mi posłuszeństwa, więc strażnik musiał odkręcić flaszeczkę i pomóc mi zdjąć maskę, żebym się napił. Usłyszałem z bliska drugi wystrzał i wzdrygnąłem się instynktownie. Strażnik nadawał przez radio:

– Mamy go, sir. Tak jest. Na Loch. Nie, jeden przechodzień. Żadnych ofiar śmiertelnych.

Nareszcie odzyskałem głos.

– To był niedźwiedź – powiedziałem głupkowato.

– Tak jest, proszę pana – odrzekł cierpliwie strażnik (dopiero wtedy zauważyłem, jaki jest młody). – Polowaliśmy na tę sztukę od jakiegoś czasu.

– Na *tę* sztukę? – zdziwiłem się. – To są jeszcze inne?

– Sześć w ciągu ostatnich dwunastu miesięcy – odparł, a widząc moją minę, dodał: – Nie rozgłaszamy tego. Nie ma ofiar śmiertelnych, nie ma ataków. Ten był ostatni z klanu, który tropiliśmy. Samiec alfa.

Musieli doprowadzić mnie przez gaj bambusowy do swojego wozu, gdzie złożyłem formalne zeznanie, a potem mnie puścili.

– Na przyszłość lepiej nie kręcić się po tej części parku – powiedział starszy strażnik. – Podobno miasto i tak ma ją zamknąć za parę miesięcy na polecenie rządu: ma tu powstać jakiś ośrodek.

– Zamknąć cały park? – zapytałem.

– Jeszcze nie cały – odpowiedział – ale pewnie na północ od Dziewięćdziesiątej Szóstej. Proszę na siebie uważać.

Odjechali, a ja jeszcze przez kilka minut stałem na ścieżce. Nieopodal była ławka, więc ściągnąłem rękawice, rozpiąłem maskę i usiadłem, żeby spokojnie pooddychać. Wąchałem powietrze i gładziłem drewno ławki, wyślizgane i lśniące, ponieważ ludzie siadali tu od lat. Dotarło do mnie, że miałem podwójne szczęście: po pierwsze, zostałem ocalony, a po drugie, moimi wybawcami byli strażnicy miejscy, a nie żołnierze, którzy na pewno odstawiliby mnie do centrum śledczego na przesłuchanie, ponieważ przesłuchaniami zajmuje się wojsko. Potem wstałem i szybkim krokiem ruszyłem w stronę Piątej Alei, gdzie złapałem autobus i w ten sposób przebyłem resztę drogi na wschód.

Mieszkanie zastałem puste. Było dopiero około wpół do czwartej, ale czułem się zanadto roztrzęsiony, by wracać do laboratorium. Wysłałem esemesy do Nathaniela i Davida, włożyłem maskę i rękawice do odkażacza, umyłem ręce i twarz, wziąłem tabletkę na uspokojenie i położyłem się do łóżka. Myślałem o niedźwiedziu, ostatnim ze swojego klanu, o tym, że kiedy wspiął się na tylne łapy, zobaczyłem, że – chociaż wielki – był wychudzony, a futro miał miejscami wyliniałe. Dopiero teraz, znalazłszy się z dala od niego, potrafiłem zrozumieć, że tym, co mnie najbardziej przeraziło, nie była ani jego wielkość, ani dzikość, lecz intuicyjnie wyczuwalna panika, ten rodzaj paniki, który bierze się ze skrajnego głodu, z takiego głodu, od którego się wariuje, który gna cię na południe autostradami i ulicami. Gna cię do miejsca, przed którym dotąd broniła cię intuicja, podpowiadająca: nie idź tam, inaczej otoczą cię istoty, które chcą ci zrobić krzywdę i narazisz się na niechybną śmierć. Wiedziałeś o tym, a jednak poszedłeś, niedźwiedziu, ponieważ głód, zaspokojenie głodu jest ważniejsze niż własne bezpieczeństwo: jest ważniejsze niż życie. Wciąż miałem przed oczami jego rozwartą czerwoną paszczę, zżarty próchnicą siekacz, czarne ślepia rozjarzone strachem.

Usnąłem. Obudziłem się w ciemności – nadal byłem sam. Maleństwo miało seans z terapeutą. Nathaniel pracował do późna. Wiedziałem, że powinienem zrobić coś użytecznego, wstać i ugotować kolację, zejść na portiernię i spytać nadzorcę, czy nie potrzebuje pomocy przy zmianie filtra w dekontaminatorze. A nie robiłem nic. Leżałem po ciemku, gapiłem się w niebo i czekałem, aż zapadnie noc.

Teraz nastąpi część opowieści, którą pominąłem.

Jeżeli doczytałeś do tego miejsca, to zastanawiasz się na pewno, po co w ogóle szedłem przez park. I prawdopodobnie domyślasz się, że ma to związek z maleństwem, ponieważ wszystkie moje złe posunięcia w jakiś sposób odnoszą się do niego.

Jak Ci wiadomo, maleństwo w ciągu trzech lat dwa razy zmieniało szkołę – ta, do której teraz chodzi, jest jego trzecią i jej dyrektor oświadczył mi jasno, że to jest jego ostatnia szansa. Jak można mówić o ostatniej szansie w przypadku dziecka, które nie skończyło nawet piętnastu lat? – spytałem, a dyrektor, zgryźliwy kurdupel, spojrzał na mnie surowo. „Innymi słowy, skończyły wam się dobre opcje" – powiedział. Miałem ochotę strzelić go w łeb, ale tego nie zrobiłem, ponieważ wiedziałem, że ma rację: To *jest* ostatnia szansa Davida. Tym razem musi się postarać.

Szkoła mieści się po drugiej stronie parku, przy Dziewięćdziesiątej Czwartej, zaraz za skrzyżowaniem z Kolumba po stronie zachodniej, w niegdyś świetnym budynku mieszkalnym odkupionym przez założyciela szkoły w latach dwudziestych, u szczytu szału szkół czarterowych. Potem przekształcono ją w szkołę prywatną dla chłopców z „trudnościami behawioralnymi". Klasy są tam małe i każdy uczeń, którego rodzice sobie tego życzą, uczęszcza po lekcjach na psychoterapię. Mnie i Nathanielowi wielokrotnie powtarzano z naciskiem, że David ma wielkie, *wielkie* szczęście, że został przyjęty, gdyż szkoła ma o wiele, *wiele* więcej zgłoszeń, niż może przyjąć kandydatów, wręcz rekordowo wiele w historii szkoły, i wyłącznie naszym *szczególnym koneksjom* – rektor Uniwersytetu Rockefellera zna jednego z członków naszej rady powierniczej i napisał list polecający, częściowo, jak sądzę, z poczucia winy za wyrzucenie Davida ze szkoły Uniwersytetu Rockefellera, co rozpoczęło jego trzyletnią tułaczkę – zawdzięczamy to, że w ogóle został przyjęty. (Później uznałem argument dyrektora za naciągany: statystycznie liczba chłopców poniżej osiemnastego roku życia znacznie spadła w ciągu ostatnich czterech lat. Jak to więc możliwe, że teraz trudniej się dostać do szkoły? Czyżby zmieniono liczebność klas? Wieczorem spytałem Nathaniela, co o tym sądzi, ale tylko jęknął i wyraził wdzięczność, że nie zadałem tego pytania dyrektorowi).

Odkąd rozpoczął się rok szkolny, czyli od października – jak Ci już pisałem, przesunęli początek roku o miesiąc po ataku wirusa w końcu sierpnia (źródło wirusa wciąż nieznane) – maleństwo już dwa razy wpakowało się w kłopoty. Najpierw napyskowało nauczycielowi matematyki. A potem dwukrotnie opuściło sesje terapii behawioralnej (w odróżnieniu od sesji pozalekcyjnych, które są indywidualne i dobrowolne, te prowadzone są w małych grupach i są obowiązkowe). A wczoraj znowu wezwano nas do szkoły w związku z wypracowaniem, które David napisał na lekcję angielskiego.

– Będziesz musiał pójść – westchnął ze znużeniem Nathaniel, kiedy wczoraj wieczorem przeczytaliśmy mejl od dyrektora. Nie musiał tego mówić, na ostatnich dwóch wywiadówkach też byłem sam. Nie wspomniałem o jeszcze jednym szczególe: ta szkoła jest diabelnie droga; całe szczęście, że Nathaniel, któremu zamknęli szkołę w zeszłym roku, zdołał w końcu znaleźć posadę prywatnego nauczyciela sześcioletnich bliźniaków w Cobble Hill. Rodzice nie wypuszczają ich z domu od roku pięćdziesiątego, więc Nathaniel razem z drugim nauczycielem spędzają z nimi cały dzień – nie zdarza się, żeby N. wrócił do miasta przed wieczorem.

Wszedłszy do szkoły, zostałem doprowadzony do gabinetu dyrektora, w którym czekała także młoda kobieta, nauczycielka angielskiego. Była zdenerwowana, spłoszona, a kiedy na nią spojrzałem, odwróciła się i podniosła rękę do policzka. Później dowiedziałem się, że próbuje makijażem tuszować blizny po ospie na podbródku i że nosi tanią perukę, prawdopodobnie wywołującą swędzenie, więc zrobiło mi się jej żal, chociaż doniosła na mojego syna. Była jedną z ocalałych.

– Doktorze Griffith – zaczął dyrektor – dziękuję, że pan przyszedł. Chcieliśmy porozmawiać z panem o wypracowaniu Davida na lekcję angielskiego. Czy wiadomo panu o tym wypracowaniu?

– Tak – przyznałem.

W zeszłym tygodniu David dostał następujące zadanie: „Napisz o znaczącej dla ciebie rocznicy. Może to być opis pierwszego pobytu w jakimś miejscu, nowego doświadczenia albo spotkania z osobą, która teraz jest dla ciebie ważna. Bądź twórczy! Nie pisz o swoich urodzinach, bo to zbyt banalne. Pięćset słów. Nie zapomnij zatytułować swojej pracy! Na następny poniedziałek".

– A czytał pan to, co napisał David?

– Tak? – odrzekłem niepewnie. Bo nie czytałem. Spytałem Davida, czy potrzebuje pomocy przy odrabianiu zadania, odpowiedział, że nie, a potem zapomniałem go spytać, co ostatecznie napisał.

Dyrektor spojrzał mi w oczy.

– Nie – przyznałem. – Wiem, że powinienem, ale ostatnio jestem bardzo zajęty, a mój mąż ma nową pracę, więc…

Dyrektor uniósł rękę.

– Mam tutaj to wypracowanie – powiedział i podał mi czytnik maleństwa. – Może zechce pan przeczytać teraz.

To nie była prośba. (Błędy ortograficzne i gramatyczne w tekście poprawiłem).

„CZTERY LATA". ROCZNICA
napisał DAVID BINGHAM-GRIFFITH

Dzisiaj przypada czwarta rocznica odkrycia NiVid-50, powszechnie znanego jako zespół Lombok, najgroźniejszej pandemii w historii od czasów AIDS w ubiegłym wieku. W samym Nowym Jorku zabiła ona osiemdziesiąt osiem tysięcy osiemset dziewięćdziesiąt pięć osób. Jest to także czwarta rocznica śmierci praw obywatelskich i początku państwa faszystowskiego, które szerzy dezinformację wśród ludzi skłonnych wierzyć we wszystko, co mówi im rząd.

Weźmy na przykład popularną nazwę wspomnianej choroby, która rzekomo zaczęła się na wyspie Lombok w Indonezji.

Choroba ta jest zoonozą, czyli chorobą, która zaczęła się od zwierząt, a potem przeniosła się na populację ludzką. Od osiemdziesięciu lat zoonozy występują z roku na rok coraz częściej, a powodem tego jest postępujące zagospodarowywanie dzikich terenów, przez co zwierzęta tracą swoje naturalne siedliska i zmuszone są wchodzić w nienaturalnie bliski kontakt z ludźmi. W tym przypadku choroba zaczęła się od nietoperzy zjadanych następnie przez cywety, które zainfekowały zwierzynę domową, od której zarazili się ludzie. Problem w tym, że na Lombok nie ma dość ziemi na hodowlę bydła, a jej mieszkańcy jako muzułmanie nie jadają wieprzowiny. Jak więc choroba mogła się zacząć właśnie tam? Czy nie jest to kolejny przypadek obwiniania krajów azjatyckich o globalne zarazy? Robiliśmy to w roku trzydziestym, i w trzydziestym piątym, i w czterdziestym siódmym, a teraz robimy to znowu.

Różne rządy przystąpiły szybko do prac nad ograniczeniem zasięgu wirusa, zarzucając Indonezji nieuczciwość, ale rząd amerykański sam jest daleki od uczciwości. Wszyscy myśleli, że tu jest samo dobro, ale nagle całą imigrację do Ameryki zablokowano, rozdzielając rodziny, wskutek czego tysiące ludzi albo potopiło się w morzu, albo zostało zawrócone i skazane na pewną śmierć na łodziach. Moja ojczyzna, Królestwo Hawajów, całkowicie się odizolowała, ale nic to nie zmieniło i teraz nie mogę już nigdy powrócić tam, gdzie się urodziłem. Tu, w Ameryce, ogłoszono stan wojenny, a na wyspach Roosevelta i Gubernatora pozakładano wielkie obozy dla ludzi chorych i dla zdesperowanych uchodźców, w innych miejscach zresztą też. Rząd amerykański trzeba obalić.

Mój ojciec jest naukowcem, który od wczesnego etapu pracował nad chorobą. Nie odkrył jej, zrobił to ktoś inny, ale to on ustalił, że mamy do czynienia z mutacją wcześniej zdiagnozowanej choroby zwanej wirusem Nipah. Mój ojciec pracuje na Uniwersytecie Rockefellera i jest bardzo ważny. Popiera kwarantanny i obozy. Mówi, że czasami po prostu trzeba zatkać nos i robić takie rzeczy. Mówi, że choroba nie ma lepszego sprzymierzeńca niż demokracja. Mój drugi ojciec mówi, że on

Tu następował koniec, na słowach „mówi, że on". Przesunąłem ekran, żeby sprawdzić, czy jest tam następna strona. Nie było. Gdy podniosłem wzrok na dyrektora i nauczycielkę, oboje przyglądali mi się z poważnymi minami.

– No, sam pan widzi – powiedział dyrektor. – Sprawa jest oczywista. A raczej sprawy.

Wcale nie widziałem.

– Na przykład jakie? – zapytałem.

Oboje wyprostowali się w fotelach.

– No cóż, po pierwsze, chłopiec pisał to z pomocą – rzekł dyrektor.

– To nie jest przestępstwo – zaoponowałem. – A zresztą skąd pan wie? Tekst nie jest przecież zanadto wyszukany.

– Istotnie, nie jest – przyznał – jednak, biorąc pod uwagę trudności Davida z pisaniem, musimy uznać, że miał daleko idącą pomoc, przekraczającą zwykłą korektę błędów i redakcję. – Zawiesił głos, a potem dodał z nutą triumfu: – On się już przyznał, panie Griffith. Opłaca poznanego online studenta, który pisze za niego wypracowania.

– W takim razie wyrzuca pieniądze – odparłem, ale tamtych dwoje milczało. – Tekst nie jest nawet dokończony.

– Doktorze Griffith – włączyła się nauczycielka zaskakująco cichym i melodyjnym głosem – w naszej szkole oszustwo traktowane jest bardzo poważnie. Oboje wiemy jednak, że znacznie większym problemem jest to, że pisanie takich rzeczy nie... nie jest dla Davida bezpieczne.

– Może to i racja, gdyby był urzędnikiem państwowym – odparłem. – Ale nim nie jest. Jest czternastoletnim chłopcem, którego wszyscy bliżsi i dalsi krewni poumierali, zanim zdążył się z nimi pożegnać, i jest uczniem prywatnej szkoły, której mój mąż i ja płacimy wielkie pieniądze, żeby go kształciła i otaczała opieką.

Znowu wyprostowali się w fotelach.

– Wypraszam sobie insynuacje, że moglibyśmy kiedykolwiek... – zaczął dyrektor, ale nauczycielka uciszyła go, kładąc mu dłoń na ramieniu.

– Doktorze Griffith, nigdy nie zadenuncjowalibyśmy Davida – powiedziała – ale on sam powinien uważać. Czy pan czuwa nad tym, kim są jego przyjaciele, z kim rozmawia, co mówi w domu, co robi w sieci?

– Oczywiście – odpowiedziałem zgodnie z prawdą, ale poczułem, że się czerwienię. Zupełnie tak, jakby moi rozmówcy wiedzieli, że ja sam wiem, iż nie czuwam dość pilnie, a w dodatku wiedzieli, dlaczego nie dość czuwam: bo nie chcę odkryć, że David się od nas oddala; nie chcę dowiedzieć się o jego kolejnych przewinieniach; nie chcę otrzymać więcej dowodów na to, że nie rozumiem własnego syna, którego od lat znam coraz mniej, i że od lat upatruję w tym swoją winę.

Pożegnałem ich wkrótce z zapewnieniem, że porozmawiam z Davidem o ostrożności w tym, co mówi i pisze na temat rządu, i przypomnę mu o ustawie o języku antypaństwowym, którą wprowadzono wkrótce po zamieszkach, oraz o tym, że nadal żyjemy w stanie wojennym.

Ale z nim nie porozmawiałem. Poszedłem na spacer przez park, spotkałem niedźwiedzia, wróciłem do domu, zdrzemnąłem się. A potem, zanim Nathaniel albo David wrócili do domu, wyszedłem do laboratorium, gdzie siedzę teraz o północy i piszę do Ciebie ten list.

Nigdy nie przypuszczałem, że będziemy tu mieszkać przez blisko jedenaście lat, wierz mi, Peter. Nigdy nie chciałem, żeby David musiał spędzić dzieciństwo w tym mieście, w tym kraju. „Jak wrócimy do domu" – obiecywaliśmy mu zawsze; aż przestaliśmy. A teraz nie ma domu, do którego moglibyśmy wrócić; t o jest dom, chociaż nigdy tego nie czułem i nie czuję. Z okna mojego gabinetu mam bezpośredni widok na krematorium, które wybudowali na Wyspie Roosevelta. Rektor Uniwersytetu Rockefellera energicznie je oprotestował – przekonywał, że chmury popiołów będą ciągnęły na zachód, prosto nad uniwersytet – ale miasto i tak je zbudowało, argumentując, że jeśli wszystko pójdzie według planu, krematorium będzie wykorzystywane najwyżej przez kilka lat. Co okazało się zgodne z prawdą: przez trzy lata trzy razy dziennie obserwowaliśmy czarny dym snujący się z kominów i rozwiewający się po niebie. Teraz jednak kremacje zredukowano do jednej na miesiąc i niebo znowu jest błękitne.

Nathaniel pisze do mnie esemesa. Nie odpowiadam.

Nie mogę przestać myśleć o ostatnich linijkach wypracowania Davida. Napisał je samodzielnie – poznałem to. Wyobrażam sobie jego minę, gdy wystukiwał je na klawiaturze, ten wyraz niedowierzania i pogardy pod moim adresem, który czasami łowię wzrokiem. On nie rozumie, dlaczego podjąłem decyzję, którą podjąć musiałem, ale nie musi tego rozumieć – jest dzieckiem. Więc dlaczego odczuwam to przytłaczające poczucie winy, ten przymus tłumaczenia się, skoro uczyniłem tylko to, co konieczne, aby zapobiec rozprzestrzenianiu się choroby? „Mój drugi ojciec mówi". Co? Co mówi o mnie Nathaniel? Tamtego dnia, kiedy powiedziałem mu, że zdecydowałem się współpracować z rządem nad środkami powstrzymania epidemii, pokłóciliśmy się straszliwie i głośno. Maleństwa nie było wtedy w domu – było w śródmieściu z Aubreyem i Norrisem – ale zastanawiam się, czy Nathaniel mu czegoś nie powiedział. Ciekawe, o czym rozmawiali, kiedy mnie nie było. Jak miało się zakończyć to ostatnie zdanie? „Mój drugi ojciec mówi, że mój ojciec chce zrobić to, co jest słuszne, żeby nas wszystkich chronić"? „Mój drugi ojciec mówi, że mój ojciec stara się, jak może"?

A może miało to być, czego się obawiam, coś zgoła innego? „Mój drugi ojciec mówi, że mój ojciec stał się człowiekiem, którego nie możemy już szanować"? „Mój drugi ojciec mówi, że mój ojciec jest złym człowiekiem"? „Mój drugi ojciec mówi, że to wina mojego ojca, że jesteśmy tutaj, sami, bez nikogo, kto by nas uratował"?

Które z tych zdań, Peter? Jak to się miało skończyć?

Charles

Najdroższy Peterze, 22 października 2054

muszę zacząć od podziękowania Ci za rozmowę o Davidzie w zeszłym tygodniu – poprawiłeś mi trochę humor. Mógłbym powiedzieć więcej, ale napiszę to w oddzielnym mejlu. I możemy też pogadać o Olivierze – mam parę obserwacji.

Niestety, o doniesieniach z Argentyny wiem nie więcej niż Ty, mimo to sprawiają wrażenie potencjalnie niepokojących. Rozmawiałem z kolegą z Narodowego Instytutu Alergii i Chorób Zakaźnych, który twierdzi, że najbliższe trzy tygodnie okażą się krytyczne: jeśli wirus nie rozprzestrzeni się do tego czasu, powinno być dobrze. Jak zrozumiałem, rząd Argentyny jest zaskakująco skłonny do współpracy – wręcz potulny. Zawiesili wszystkie wjazdy i wyjazdy z Bariloche, o czym zapewne już słyszałeś. Będziesz musiał uaktualnić moją wiedzę – znam się co nieco na epidemiologicznym aspekcie sytuacji, ale moje zrozumienie problemu ogranicza się właściwie do wirusologii i wątpię, czy może okazać się wzbogacające, biorąc pod uwagę to, co ty sam wiesz.

Teraz garść najnowszych wiadomości o mnie. Jak Ci wspominałem, nasze podanie o samochód zostało w końcu przyjęte i w sobotę dostarczyli nam wóz. Jest to standardowy model rządowy, granatowy, z podstawowym wyposażeniem. Na metrze wciąż nie można polegać, więc posiadanie samochodu ma sens – poranny przejazd do Cobble Hill zabiera Nathanielowi niespełna dwie godziny. Ja dodatkowo użyłem argumentu, że muszę regularnie co tydzień odwiedzać Wyspę Gubernatora i Bethesdę, ponadto jeżdżenie samochodem jest w sumie tańsze niż podróżowanie samolotem lub pociągiem.

Plan był taki, że z samochodu będzie korzystał głównie Nathaniel, ale tak się złożyło, że w poniedziałek wezwali mnie do Instytutu Alergii i Chorób Zakaźnych (biurokratyczna kontrola w związku z nową współpracą międzyinstytutową, niemająca nic wspólnego z Bariloche), więc wziąłem samochód, przenocowałem tam i wróciłem z Marylandu we wtorek. Przejeżdżając przez most, odebrałem esemesa od Holsonów, tej rodziny, której dzieci uczy Nathaniel. Informowali, że Nathaniel zemdlał. Próbowałem się do nich dodzwonić, ale – jak zwykle ostatnio – nie było sygnału, więc zawróciłem i pognałem do Brooklynu.

Nathaniel pracuje u tej rodziny już ponad rok, ale niewiele o nich rozmawiamy. Pan Holson, który aranżuje fuzje korporacyjne, spędza większość czasu w Zatoce. Pani Holson była prawniczką w korporacji, ale zrezygnowała z pracy, by zostać w domu z synami po ich zdiagnozowaniu.

Holsonowie mieszkają w pięknej willi z brązowej cegły, dwustuletniej albo i starszej, odnowionej za duże pieniądze z wielkim smakiem. Stopnie wiodące do frontowych drzwi zostały przebudowane, aby poszerzyć ganek i zmieścić urządzenie dekontaminacyjne w oddzielnej kamiennej komórce, zupełnie jakby znajdowało się tam od zawsze – gdy rozległ się syk otwarcia tej komórki, drzwi frontowe, pomalowane czarną błyszczącą farbą, także się otworzyły. We wnętrzu panował półmrok, wszystkie zasłony były zaciągnięte, a podłogi pomalowano na tę samą błyszczącą czerń co drzwi. Kobieta – biała, drobna, czarnowłosa – wyszła mi naprzeciw. Wzięła ode mnie maskę i podała pokojówce. Przywitaliśmy się ukłonem. Wręczyła mi parę lateksowych rękawiczek.

– Doktorze Griffith – powiedziała. – Jestem Frances Holson. On już odzyskał przytomność, ale i tak postanowiłam do pana zadzwonić, żeby zabrał go pan do domu.

– Dziękuję pani – odparłem. Poszedłem za nią na górę, gdzie wprowadziła mnie do pokoju, który musiał być gościnną sypialnią. Nathaniel leżał na łóżku. Uśmiechnął się na mój widok.

– Nie siadaj – powiedziałem, ale już zdążył usiąść. – Co się stało, Natey?

Odrzekł, że zakręciło mu się w głowie, może dlatego, że nic jeszcze dzisiaj nie jadł, ale ja wiedziałem, że to z przemęczenia. Mimo to ostentacyjnie dotknąłem jego czoła, sprawdzając, czy nie ma gorączki, a potem zajrzałem mu do ust i obejrzałem oczy, czy nie zrobiły mu się wypryski.

– Jedźmy do domu – powiedziałem. – Mam samochód.

Spodziewałem się, że będzie oponował, ale nie stawiał oporu.

– Dobrze – powiedział. – Tylko pożegnam się z chłopcami.

Przeszliśmy przez podest do pokoju na końcu korytarza. Drzwi były uchylone. Nathaniel zapukał w nie lekko końcami palców, zanim weszliśmy.

W środku przy dziecinnym stoliku siedzieli dwaj chłopcy i układali puzzle. Wiedziałem, że mają siedem lat, ale wyglądali na cztery. Czytałem pracę naukową o młodocianych ocalałych, więc natychmiast rozpoznałem w tych dzieciach charakterystyczne objawy. Obaj nosili przyciemnione okulary, by chronić oczy nawet w tym słabym świetle, byli bardzo bladzi, kończyny mieli miękkie i chudziutkie, klatki piersiowe szerokie i wydatne, a na policzkach i dłoniach liczne dołki blizn. Włosy wprawdzie im odrosły, ale były cieniutkie i wiotkie jak u niemowląt, a lek na porost włosów, który zażywali, sprawił, że krótki, miękki zarost pokrywał także ich podbródki, czoła, boki szyi i karki. Każdy miał cienką rurkę tracheostomijną przytwierdzoną do małego aparatu wentylacyjnego przypiętego klipsem do paska.

Nathaniel ich przedstawił – Ezra i Hiram – a chłopcy pomachali mi rączkami, małymi i wiotkimi jak salamandry.

– Jutro będę normalnie – obiecał im Nathaniel. Ton jego głosu upewnił mnie w przekonaniu, że lubi tych malców i troszczy się o nich.

– Co ci się stało, Nathanielu? – zapytał blaszanym, zdyszanym głosikiem jeden z nich, a Nathaniel pogłaskał go po główce, elektryzując włoski swoimi rękawiczkami.

– Po prostu trochę się zmęczyłem – odpowiedział.

– Zaraziłeś się? – spytał ten drugi, a Nathaniel skrzywił się nieznacznie, zanim uśmiechnął się do niego.

– Nie – odpowiedział. – Nic z tych rzeczy. Jutro będę normalnie. Obiecuję.

Na dole oczekiwała nas Frances. Wręczyła nam nasze maski i kazała mi przyobiecać, że zajmę się Nathanielem.

– Na pewno – odpowiedziałem, na co skinęła głową. Była ładna, ale między jej brwiami rysowały się dwie głębokie bruzdy. Zaciekawiło mnie, czy miała je zawsze, czy dopiero od czterech lat.

Po powrocie do domu położyłem Nathaniela do łóżka i wysłałem esemesa do Davida, żeby zachowywał się cicho i dał ojcu pospać, a potem udałem się do laboratorium. Po drodze myślałem o Davidzie i o tym, jakie mamy szczęście, że jest bezpieczny i zdrowy. „Chroń go", powtarzałem, nie wiedząc, do kogo właściwie kieruję te słowa, idąc do pracy, zmywając naczynia, biorąc prysznic. „Chroń go, chroń go. Chroń mojego syna". Było to irracjonalne. Ale jak dotąd działało.

Gdy później jadłem kolację przy biurku, przyszli mi na myśl tamci dwaj chłopcy, Ezra i Hiram. Wszystko to razem było jak z bajki: ten cichy dom z łagodnym oświetleniem, Frances Holson i Nathaniel jako rodzice, ja jako skradający się gość i te elfickie stworzonka – pół ludzkie, pół farmaceutyczne – do których należało to królestwo. Przypomniał mi się jeden z powodów, dla których nie zostałem klinicystą: nigdy nie byłem przekonany, że życie – jego ratowanie, przedłużanie, przywracanie – jest najlepszym, co może nas spotkać. Aby być dobrym lekarzem, *musisz* tak myśleć, musisz głęboko wierzyć, że życie jest lepsze niż śmierć, musisz wierzyć, że celem życia jest dalsze życie. Nie prowadziłem terapii pacjentów zarażonych NiVid-50; nie uczestniczyłem w tworzeniu leków. Nie rozmyślałem o tym, jak wygląda życie ocalałych – to nie było moje zadanie. Jednak od kilku lat, odkąd choroba została powstrzymana, niemal codziennie staję w obliczu faktów z ich życia. Owszem, niektórzy z nich, jak nauczycielka w szkole Davida, zarazili się, gdy byli już dorośli i zapewne zdołali powrócić do jakiejś wersji swojego dawnego życia. Ale ci chłopcy nigdy nie zaznają normalnego życia. Nigdy nie będą mogli wyjść na zewnątrz; nigdy nie dotkną ich niczyje nagie dłonie, z wyjątkiem dłoni matki. Takie jest życie; takie jest ich życie. Są za mali, żeby pamiętać inne. A może żal mi nie ich, lecz ich rodziców – stroskanej matki, nieobecnego ojca. Jak musi czuć się człowiek, patrząc na swoje dzieci – najpierw tak bliskie śmierci, a potem, gdy zostały uratowane, uświadamiając sobie, że przeniósł je w miejsce, z którego sam może wyjść, ale jego dzieci już nigdy? Ni to śmierć, ni życie – egzystencja: cały ich świat w jednym domu, nadzieje na to wszystko, czym będą, co zobaczą, czego doświadczą, na zawsze pogrzebane na podwórzu za domem. Jak można zachęcać takie dzieci do marzeń o czymkolwiek innym? Jak można żyć z żałobą i poczuciem winy, że skazało się je na życie odarte z wszelkiej przyjemności: ruchu, dotyku, słońca na twarzy? Jak w ogóle można żyć?

Serdeczności, Charles

7 sierpnia 2055

Drogi P, wybacz, proszę, że piszę na kolanie, ale mam tu urwanie głowy (z oczywistych powodów). Mogę tylko z pewnością potwierdzić, że wszystko na to wskazuje. Czytałem ten raport, o którym wspominasz, ale dostałem jeszcze inny, tym razem od kolegi, i nie zdołałbym inaczej zinterpretować zawartych w nim wyników. Jutro zespół międzyinstytutowy wyjeżdża do Manili, a stamtąd do Boracay. Zapytano mnie, czy mogę jechać, ponieważ ten nowy szczep wygląda bardzo podobnie do tego z roku pięćdziesiątego. Niestety, nie dam rady – z Davidem jest tak źle, że po prostu nie mogę. Odmowa wyjazdu wygląda na zaniedbanie obowiązku, ale wyjazd wyglądałby tak samo.

Jedyne pytanie brzmi teraz: co możemy uczynić w kwestii ograniczenia zasięgu tego zjawiska? Jeśli w ogóle cokolwiek możemy uczynić. Obawiam się, że niewiele. Będę Cię informował na bieżąco o wszystkim, czego się dowiem, a Ty potraktuj tę informację jako anonimową.

Kocham, C.

Cześć, Drogi P, 11 października 2055

dziś rano miałem pierwsze posiedzenie MuFIDRT. Co oznacza ten skrót? Bardzo się cieszę, że o to zapytałeś. Wyjaśniam: MuFIDRT to Multi-Field Infectious Disease Response Team – Interdyscyplinarny Zespół Reagowania na Choroby Zakaźne. MuFIDRT. Zapis ów przypomina wiktoriański eufemizm oznaczający kobiece genitalia albo nazwę gniazda złoczyńców z powieści science fiction. Wymawia się, jeśli to coś pomoże, Mufid-RT. To podobno najlepszy akronim, jaki zdołała wymyślić grupa urzędników (bez obrazy).

Celem jest sformułowanie (a właściwie przeformułowanie) globalnej interdyscyplinarnej odpowiedzi na to, co nadchodzi, przez grupę epidemiologów, specjalistów chorób zakaźnych, ekonomistów, urzędników Systemu Rezerwy Federalnej, transportowców, pedagogów, sędziów, pracowników służby zdrowia, informatyków, przedstawicieli ministerstw bezpieczeństwa i imigracji, reprezentantów wszystkich największych spółek farmaceutycznych oraz dwóch psychologów – specjalistów od depresji i myśli samobójczych: dziecięcego i zajmującego się dorosłymi.

Zakładam, że przynajmniej uczestniczysz w zebraniach swojej grupy tego rodzaju. Zakładam także, że wasze zebrania są lepiej zorganizowane, spokojniejsze, bardziej kulturalne i mniej kłótliwe, niż było nasze. My pod koniec spotkania mieliśmy listę rzeczy, co do których zgodziliśmy się, że ich n i e zrobimy (swoją drogą, większość z nich byłaby nielegalna w świetle obowiązującej konstytucji), jak również listę posunięć, których konsekwencje mamy przemyśleć w kontekście swoich dziedzin. Plan zakłada, że każdy z krajów członkowskich spróbuje przedstawić swoje uzgodnione stanowisko.

Nie wiem, jak jest z Twoją grupą, ale w naszej kością niezgody stały się obozy izolacyjne, jak na mocy cichego porozumienia zaczęliśmy nazywać obozy kwarantanny, ponieważ jest to nazwa celowo myląca. Przypuszczałem, że rozłam pójdzie po linii ideologicznej, ale – ku mojemu zdziwieniu – tak się nie stało: właściwie wszyscy z jakimkolwiek zapleczem naukowym opowiedzieli się za obozami – nawet psychologowie, choć niechętnie – przeciwni zaś byli ludzie niezwiązani z nauką. Ale nie wiem, jak – w przeciwieństwie do roku pięćdziesiątego – mielibyśmy ich uniknąć tym razem. Jeśli modelowanie predykcyjne jest słuszne, ta choroba będzie znacznie bardziej patogenna i zakaźna niż jej poprzedniczka, będzie także szybciej się rozprzestrzeniała i spowoduje wyższą śmiertelność; jedyna nasza nadzieja w masowej ewakuacji. Jeden z epidemiologów zasugerował nawet prewencyjne izolowanie grup wysokiego ryzyka, ale cała reszta zgodnie stwierdziła, że wzbudziłoby to zbyt wielki protest. „Nie wolno mieszać do tego polityki” – powiedział jakiś ważniak z wymiaru sprawiedliwości, a była to uwaga tak durna, zarazem głupio oczywista i niedająca szansy na odpowiedź, że wszyscy ją po prostu zignorowali.

Zebranie zakończyło się dyskusją na temat tego, kiedy zamknąć granice. Zbyt wczesne zamknięcie oznaczałoby powszechną panikę. Zbyt późne było bez sensu. Czuję, że ogłoszą zamknięcie najpóźniej w końcu listopada.

Przy sposobności: biorąc pod uwagę to, co obaj wiemy, nie wydaje mi się rozsądne, abyśmy teraz przyjeżdżali do Ciebie i Oliviera. Piszę to z przykrością i żalem. David bardzo się cieszył na te odwiedziny. Nathaniel również się cieszył. A ja cieszyłem się najbardziej ze wszystkich. Tak dawno się nie widzieliśmy: tęsknię za Tobą. Wiem, że mogę powiedzieć to chyba tylko Tobie: nie jestem gotów na następną pandemię. Oczywiście nie mam wyboru. Jeden z epidemiologów powiedział dzisiaj: „Tym razem mamy szansę zrobić to jak należy". Chodziło mu o to, że możemy sobie poradzić lepiej niż w roku pięćdziesiątym: jesteśmy lepiej przygotowani, lepiej skomunikowani, bardziej realistyczni, mniej przestraszeni. Ale jesteśmy też bardziej zmęczeni. Gdy robi się coś po raz drugi, problem polega na tym, że wie się wprawdzie, co można poprawić, ale wie się także, co przekracza nasze możliwości – jeszcze nigdy nie życzyłem sobie większej niewiedzy.

Mam nadzieję, że jakoś się tam trzymasz. Martwię się o Ciebie. Czy Olivier dał Ci znać, kiedy mniej więcej może wrócić?

Kocham Cię. Ja

Najdroższy Peterze, 13 lipca 2056

tu jest już bardzo późno, prawie trzecia nad ranem, a ja siedzę w swoim gabinecie w laboratorium.

Byliśmy dziś wieczorem u Aubreya i Norrisa. Nie chciało mi się tam iść. Byłem zmęczony, wszyscy byliśmy zmęczeni, i nie miałem ochoty ubierać się w pełny kombinezon dekontaminacyjny jedynie po to, żeby iść do nich do domu. Ale Nathaniel nalegał. Nie widział się z nimi od miesięcy i martwił się o nich. Wyobraź sobie, że Aubrey w przyszłym miesiącu skończy siedemdziesiąt sześć lat, a Norris siedemdziesiąt dwa. Nie wychodzą z domu, odkąd w stanie Nowy Jork zdiagnozowano pierwszy przypadek, a ponieważ niewiele osób ma pełne kombinezony ochronne, są właściwie odcięci od świata. Poza sprawdzeniem, co się u nich dzieje, miałem do załatwienia jeszcze jedną sprawę łączącą się z Davidem. Więc pojechaliśmy.

Gdy zaparkowaliśmy i David powlókł się przodem, przystanąłem i popatrzyłem na ich dom. Stojąc na chodniku i gapiąc się w wyzłocone światłem okna, przypomniałem sobie dokładnie swoją pierwszą w nim wizytę. Nawet z ulicy widać było bogactwo jego mieszkańców, ten rodzaj bogactwa, który zawsze stanowił swoistą ochronę – nikt nie pomyślałby o włamaniu się do takiego domu, chociaż w nocy widać było jak na dłoni wszystkie dzieła sztuki i precjoza leżące na wierzchu, gotowe do zabrania, gotowe zmienić właściciela.

Teraz jednak okno bawialni zostało całkiem zamurowane cegłami, tak jak w wielu innych domach po pierwszych oblężeniach. Krążyło tyle opowieści, które przynajmniej po części musiały być prawdą – o ludziach, którzy budzą się w nocy i widzą w swoim mieszkaniu kogoś obcego, kto nie przyszedł kraść, tylko żebrać o pomoc: o jedzenie, o leki, o dach nad głową – że większość tych, którzy mieszkali poniżej czwartego piętra, postanowiła się zamurować. Na okna wyższych pięter ponakładano natomiast żelazne klatki, za którymi bez patrzenia domyśliłem się całkowicie zalutowanych okien.

Zaszły również inne zmiany. Wnętrze domu było zaniedbane jak nigdy dotąd; wiedziałem od Nathaniela, że obydwie długoletnie służące zmarły w czasie pierwszej fali epidemii, jeszcze w styczniu. Zmarłego w roku pięćdziesiątym Adamsa zastąpił mizerny Edmund, który zawsze wyglądał, jakby właśnie leczył się z kataru. Edmund wziął na siebie większość obowiązków domowych, ale wykonywał je bez przekonania: na przykład komora dekontaminacyjna domagała się szorowania, a gdy przechodziliśmy z niej do hallu, siła ssąca przegoniła po podłodze obłoczki kurzu. Hawajska kapa wisząca na ścianie hallu była szara po brzegach, a dywan, którego położenie Adams zmieniał dokładnie co pół roku, miał jedną krawędź wyświeconą i poprzecieraną podeszwami butów. Wszystko zalatywało stęchlizną, jak sweter wyjęty z szuflady po długim nienoszeniu.

Zmienili się także Aubrey i Norris. Wyszli nam naprzeciw, uśmiechnięci, z otwartymi ramionami; ponieważ wszyscy trzej byliśmy w kombinezonach, mogliśmy ich uściskać, ale mimo to stwierdziłem, że wychudli i znacznie opadli z sił. Nathaniel też to zauważył – gdy gospodarze się odwrócili, spojrzał na mnie z wyraźnym zmartwieniem.

Kolacja była prosta: zupa z białej fasoli i kapusta z pancettą, do tego dobry chleb. Zupa jest najtrudniejszym daniem do jedzenia w tych nowych maskach, ale żaden z nas, nawet David, nie zająknął się na ten temat, a Aubrey i Norris zdawali się nie widzieć naszych zmagań. Zazwyczaj serwowano u nich posiłki przy świetle świec, ale tym razem nad stołem zwieszała się wielka kula emitująca ciche brzęczenie i jaskrawe białe światło. Była to jedna z nowoczesnych lamp słonecznych, które dostarczają witaminę D osobom niewychodzącym z domu. Oczywiście widywałem już tego typu lampy, ale takiej wielkiej nie widziałem jeszcze nigdy. Efekt nie był nieprzyjemny, tyle że dodatkowo podkreślał dyskretny, ale niedający się przeoczyć stan rozkładu, swoistą zapyziałość, która nieuchronnie gromadzi się w przestrzeni stale zajmowanej przez ludzi. W roku pięćdziesiątym, kiedy my izolowaliśmy się w mieszkaniu, często przychodziło mi na myśl, że mieszkanie nie jest przeznaczone do tego, żebyśmy w nim spędzali cały dzień, i to przez wiele dni z rzędu – potrzebowało przerw w naszej obecności, okien otwartych na oścież, wolności od naszego łupieżu i komórek skóry. Klimatyzator – on przynajmniej działał świetnie, tak jak pamiętałem – wzdychał głęboko, przechodząc cykl swoich ustawień; gdzieś w tle terkotał osuszacz powietrza.

Nie widziałem Aubreya i Norrisa od miesięcy. Trzy lata temu straszliwie pokłóciłem się o nich z Nathanielem, była to jedna z naszych największych kłótni. Doszło do niej jakieś jedenaście miesięcy po ujawnieniu, że Hawaje są nie do odzyskania. Wtedy także wyciekły pierwsze tajne raporty o szabrownikach. Incydenty tego rodzaju zdarzały się również w innych zdziesiątkowanych rejonach na całym południowym Pacyfiku; maruderzy docierali do celu prywatnymi łodziami i cumowali w portach. Schodzili z pokładu całymi ekipami – w pełnym rynsztunku ochronnym – i plądrowali wyspę, ogołacając wszystkie muzea i domy. Finansowała to przedsięwzięcie grupa miliarderów. Założyli tak zwany Projekt Aleksandria: ich celem było „zabezpieczenie i ochrona największych dokonań artystycznych naszej cywilizacji" poprzez „ratowanie" ich z miejsc, „które, niestety, utraciły kustoszy odpowiedzialnych za ich ochronę". Członkowie „Projektu" twierdzili, że budują muzeum (lokalizacja niesprecyzowana) z archiwum cyfrowym w celu ochrony dzieł sztuki. W rzeczywistości jednak zatrzymywali wszystko dla siebie i przechowywali te skarby w gigantycznych magazynach, gdzie nikt nie mógł ich oglądać.

Byłem przekonany, że Aubrey i Norris, o ile sami nie są członkami projektu, to przynajmniej nabyli część skradzionych artefaktów. Prześladował mnie obraz Aubreya wytrząsającego kapę mojej babki – tę, która była przeznaczona dla mnie i która, jak wszystkie tekstylia moich dziadków, została spalona po ich śmierci. (Nie, nie lubiłem dziadków ani oni mnie, ale nie o to chodzi). Widziałem także Norrisa odzianego w osiemnastowieczną opończę z piór, taką samą, jaką mój dziadek kilkadziesiąt lat temu musiał sprzedać kolekcjonerowi, żeby opłacić moje szkoły.

Nie posiadałem żadnych konkretnych dowodów. Po prostu pewnej nocy rzuciłem na nich oskarżenie i tym samym dałem upust narastającym latami urazom, które nas podzieliły. Nathaniel wyrzucał mi, że nigdy do końca nie ufałem Aubreyowi i Norrisowi, mimo że zajęli się nim, wskazując cel i inspirując go intelektualnie, kiedy utknął w marazmie w Nowym Jorku z powodu mojej pracy; ja zarzuciłem mu, że jest zbyt ufny i naiwny, że nie rozumiem jego nieskończonej pobłażliwości dla Aubreya i Norrisa; on na to, że ja nienawidzę ich tylko za to, że są bogaci, chociaż wiem, że moja uraza do bogactwa jest dziecinna i głupia; ja – że Nathaniel w skrytości ducha marzy o bogactwie, więc go przepraszam, że tak go rozczarowałem; on – że nigdy nie poskąpił mi niczego, gdy chodziło o moje sprawy zawodowe, nawet jeśli wymagało to poświęcenia jego własnej kariery i zainteresowań, a Norrisowi i Aubreyowi jest wdzięczny za to, że interesują się jego życiem, a co więcej, także życiem Davida, co przez miesiące i lata mojej nieobecności było szczególnie ważne dla naszego syna, naszego syna, którego w tej chwili wyrzucają za „skrajną niesubordynację" z jednej z ostatnich szkół na Manhattanie, która była skłonna go przyjąć.

Syczeliśmy na siebie, stojąc w przeciwległych końcach sypialni, a maleństwo spało w swoim pokoju za ścianą. Awantura była poważna, nasza złość była prawdziwa, ale pod tą wymianą zdań krył się inny, jeszcze prawdziwszy ładunek uraz i oskarżeń. Gdybyśmy kiedykolwiek odważyli się rzucić je sobie w twarz, zakończyłyby nasze wspólne życie na zawsze. Nathaniel: że zrujnowałem im życie. Że problemy dyscyplinarne Davida, jego bunt, to, że jest nieszczęśliwy, że nie ma przyjaciół – to wszystko moja wina. Ja: że on z Davidem, Norrisem i Aubreyem stworzyli własną rodzinę, z której jestem wykluczony. Że sprzedał tym dwóm swoją ojczyznę, naszą ojczyznę. Że to ja wyrwałem nas z tej ojczyzny na zawsze. Że nastawił Davida przeciwko mnie.

„Mój drugi ojciec mówi".

Żaden z nas nie wygłosił tych zarzutów, ale nie potrzebowaliśmy tego robić. Ja czekałem – wiedziałem, że i on czeka – aż z ust któregoś z nas padną słowa niewymawialne, które powalą nas na ziemię, i zaczniemy spadać na łeb na szyję coraz niżej, przez kolejne piętra naszego zasranego bloku mieszkalnego, aż wylądujemy na chodniku.

Ale żaden z nas tego nie zrobił. Kłótnia się skończyła, tak jak zawsze kończą się tego rodzaju kłótnie, i przez jakiś tydzień potem byliśmy wobec siebie wyjątkowo ostrożni i uprzejmi. Było tak, jakby duch tego, co mogliśmy powiedzieć, wcisnął się między nas i baliśmy się go urazić, aby nie zamienił się w demona. Przez następne miesiące niemal żałowałem, że nie powiedzieliśmy sobie chociaż części tego, co obaj chcieliśmy powiedzieć, bo wtedy przynajmniej on wreszcie wyraziłby to głośno, zamiast stale o tym myśleć. Ale gdybyśmy to zrobili – musiałem to sobie przypominać – wówczas nie pozostałoby nam nic innego, jak się rozstać.

Wydawało się nieuchronne i słuszne, że w rezultacie tej awantury Nathaniel i David zaczną spędzać więcej czasu u Aubreya i Norrisa. Z początku Nathaniel utrzymywał, że to tylko dlatego, że ja pracuję do późna; potem mówił, że Aubrey ma dobry wpływ na Davida (to była prawda: umiał go uspokoić, czego ja nigdy nie mogłem zrozumieć – nawet później, gdy David stawał się coraz zagorzalszym marksistą, Aubreya i Norrisa nadal uważał za wyjątki);

wreszcie oświadczył, że przesiadują tam dlatego, że Aubrey i Norris (zwłaszcza Aubrey) prawie już nie wychodzą z domu ze strachu przed zarażeniem się, a ponieważ wielu przyjaciół w ich wieku już zmarło, Nathaniel czuł się odpowiedzialny za ich dobre samopoczucie, szczególnie że okazali nam taką hojność. Ostatecznie poczułem się zmuszony towarzyszyć im w wizycie i spędziliśmy niegodny wspomnienia wieczór, podczas którego maleństwo przystało nawet na poobiednią partię szachów z Aubreyem, tymczasem ja starałem się nie wypatrywać nowych nabytków, a i tak je znajdowałem. Czy ta kapa, oprawiona w ramę i zawieszona nad schodami, zawsze tam była? Czy ta drewniana misa, wytoczona na tokarce, jest nowym nabytkiem, czy po prostu trzymali ją w schowku? Czy Aubrey i Nathaniel wymienili ukradkiem spojrzenia, widząc, że zauważyłem oprawiony w ramkę ornament z zęba rekina, czy tylko tak mi się zdawało? Przez cały wieczór czułem się jak intruz w cudzym przedstawieniu i od tamtego czasu trzymałem się z daleka od Aubreya i Norrisa.

Dziś wieczorem zgodziłem się jednak tam pójść między innymi z tego powodu, że doszliśmy z Nathanielem do wniosku, że potrzebujemy pomocy Aubreya w związku z Davidem. Chłopcu zostały dwa lata szkoły średniej, a nie miał gdzie ich ukończyć, natomiast Aubrey był zaprzyjaźniony z założycielem nowej prywatnej szkoły otwierającej się właśnie w West Village. We trzech – Nathaniel, David i ja – rozegraliśmy mecz na krzyki, w którym David oświadczył bez ogródek, że w ogóle nie zamierza wracać do szkoły, a Nathaniel i ja (wspólnym frontem, co nie zdarzyło nam się od lat) perswadowaliśmy mu, że musi. Kiedyś powiedzielibyśmy mu wprost, że skoro nie chce się uczyć, to musi się wynieść z domu, ale teraz baliśmy się, że weźmie nas za słowo, a wtedy, zamiast chodzić na rozmowy z jego dyrektorem, szukalibyśmy go całymi nocami po ulicach.

Tak więc po jedzeniu Norris, Nathaniel i ja przeszliśmy do bawialni, a Aubrey i David zostali w pokoju stołowym na partię szachów. Po upływie może pół godziny dołączyli do nas i widać było, że Aubrey jakoś przekonał Davida do pójścia do szkoły i że David mu się zwierzył, więc pomimo zazdrości o ich relację poczułem ulgę, chociaż zabolało mnie, że ktoś dotarł do mojego syna, a nie byłem to ja. David wydawał się swobodniejszy i lżejszy. Po raz kolejny zadałem sobie pytanie, co takiego widzi on w Aubreyu. Dlaczego Aubrey umiał go pocieszyć, a ja nie? Czy tylko dlatego, że nie był jego rodzicem? Ale nie mogłem tak myśleć, bo zaraz przypomniało mi się, że David nie nienawidzi swoich r o d z i c ó w – tylko jednego rodzica. Mnie.

Aubrey usiadł koło mnie na kanapie. Gdy nalewał sobie herbaty, zauważyłem, że ręka mu drży, odrobinę, i że zapuścił trochę za długie paznokcie. Pomyślałem o Adamsie, który nigdy by nie dopuścił do tego, żeby jego pan sam sobie nalewał herbaty i żeby zszedł do gości, nawet do nas, w tym stanie. Dotarło do mnie, że chociaż sam czułem się w tym domu jak w pułapce, to Aubrey i Norris rzeczywiście s ą tu w pułapce. Aubrey był bogatszy niż ktokolwiek inny z moich znajomych, a jednak, mając blisko osiemdziesiąt lat, utknął w domu, z którego nigdy już nie wyjdzie. Popełnił kilka błędów inwestycyjnych. Posiadłość w Newport, o trzy godziny jazdy od domu, na pewno zajęli squattersi; leżącą na wschód, w Water Mill, Frog's Pond Way uznano za zagrożenie dla zdrowia i zrównano z ziemią. Cztery lata temu Aubrey – co wiedziałem od Nathaniela – miał okazję uciec do swojego domu w Toskanii, ale z niej nie skorzystał, a teraz Toskania i tak już nie nadaje się do zamieszkania. Coraz bardziej wygląda na to, że w końcu żadnemu z nas nie będzie wolno podróżować. Cóż z pieniędzy, jeśli nie ma się dokąd wyjechać?

Przy herbacie rozmowa jak zwykle zeszła na obozy kwarantanny, ze szczególnym uwzględnieniem wydarzeń z ubiegłego tygodnia. Nigdy nie przypuszczałem, że Aubrey i Norris interesują się losem zwykłego człowieka, ale z rozmowy wynikło, że należą do grupy domagającej się zamknięcia tych obozów. Nie muszę dodawać, że Nathaniel i David również. Rozgadali się o tym, co się w tych obozach wyrabia, porównując oburzające zjawiska i cytując statystyki (jedne prawdziwe, inne nie). Oczywiście żaden z nich nie widział obozu na własne oczy. Nikt ich nie widział.

– A widzieliście tę dzisiejszą relację? – spytał David z ożywieniem, jakiego dawno u niego nie zaobserwowałem. – O tej kobiecie z dzieckiem?

– Nie, co się stało?

– Kobieta z Queens ma niemowlę i wynik testu niemowlęcia jest dodatni. Kobieta wie, że władze szpitala odeślą ją do obozu, więc mówi, że musi wyjść do łazienki, po czym ucieka do domu. Dwa dni później ktoś gwałtownie dobija się do jej drzwi i do mieszkania wpadają żołnierze. Kobieta wrzeszczy, dziecko wrzeszczy, ale mówią jej, że albo pozwoli im zabrać małą, albo pójdzie razem z nią. Ona wybiera to drugie. Pakują ją na ciężarówkę pełną innych chorych. Panuje straszny ścisk. Wszyscy kaszlą i płaczą. Dzieciaki sikają pod siebie. Ciężarówka jedzie i jedzie, wreszcie zatrzymuje się przed jednym z obozów w Arkansas i wszystkim każą wysiadać. Dzielą ich na grupy: chorzy w stadium początkowym, średnim i końcowym. U dziecka tej kobiety zostaje stwierdzone stadium średnie. Prowadzą matkę z dzieckiem do dużego budynku i przydzielają im jedną wspólną pryczę. Osoby w średnim stadium nie otrzymują leków, dostają je wyłącznie ludzie w stadium początkowym. Czekają dwa dni, czy choroba się nasili, co oczywiście się staje, skoro nie otrzymują leków. Wtedy chorych przenosi się do budynku dla stadium końcowego. Więc ta kobieta, która sama też jest już chora, przenosi się wraz z córeczką i stan obu się pogarsza, ponieważ nie ma leków, nie ma jedzenia, nie ma wody. Po czterdziestu ośmiu godzinach umierają i, jak co nocy, wszystkie zwłoki zostają wyniesione na zewnątrz i spalone.

David ogromnie się emocjonował, opowiadając tę historię, a ja patrzyłem na mojego syna i myślałem sobie, że jest piękny, piękny i łatwowierny. Bałem się o niego. Ta jego pasja, jego gniew, pragnienie czegoś, czego nie rozumiałem i nie mogłem mu dać; bójki, w które się wdawał z kolegami w szkole, zatargi z nauczycielami, ta złość, którą wszędzie z sobą nosił. Czy byłby taki sam, gdybyśmy zostali na Hawajach? Czy to ja go takim uczyniłem?

Takie myśli chodziły mi po głowie. Jednocześnie czułem, jak otwierają mi się usta i słowa wylatują z nich, jakbym nie sprawował nad nimi żadnej kontroli. Czułem, jak podnoszę głos i przekrzykuję ich tyrady zgorszenia i świętego oburzenia, ich wzajemne przekonywanie się, że państwo stało się potworem, że gwałcone są prawa obywatelskie kobiet, że owszem, opanowanie tych chorób musi kosztować, ale jego ceną nie może być utrata naszego zbiorowego człowieczeństwa. Jeszcze chwila, a zaczęliby przerzucać się argumentami, którymi zawsze przerzucają się ludzie w podobnych rozmowach: że różne rasy są wysyłane do różnych obozów, czarni do jednego, biali do drugiego, a my, wszyscy pozostali, zapewne do trzeciego. Że kobietom oferuje się do pięciu milionów dolarów za oddanie zdrowych dzieci do eksperymentów. Że rząd *zaraża* ludzi chorobą (przez kanalizację, przez odżywki dla niemowląt, przez aspirynę), aby ich następnie eliminować. Że ta choroba to wcale nie przypadek, tylko wytwór laboratoriów.

– Wszystko to nieprawda – krzyknąłem w końcu.

Natychmiast się uciszyli.

– Charles – warknął ostrzegawczo Nathaniel, ale David wyprężył się jak struna, z miejsca gotowy do kłótni.

– Co chcesz przez to powiedzieć? – zapytał.

– Że to nieprawda – odparłem. – Że w obozach wcale się tak nie dzieje.

– Skąd wiesz?

– Wiem. Nawet gdyby rząd był do tego zdolny, nie zdołałby długo utrzymać takich rzeczy w tajemnicy przed społeczeństwem.

– Jaki ty jesteś kurewsko naiwny!

– *David*! – huknął Nathaniel. – Nie odzywaj się tak do ojca!

Przez mgnienie chwili byłem szczęśliwy. Kiedy ostatnio Nathaniel stanął w mojej obronie tak spontanicznie, tak żywiołowo? To było jak wyznanie miłości. Ale gardłowałem dalej:

– Zastanów się, David – powiedziałem, nienawidząc się za te słowa. – Dlaczego mielibyśmy przestać dawać ludziom lekarstwa? Nie jesteśmy w sytuacji sprzed sześciu lat: lekarstw jest pod dostatkiem. I po co utrzymywalibyśmy stację pośrednią, czyli, jak go nazywasz, budynek dla „średniego stadium"? Nie prościej byłoby posłać wszystkich od razu do budynku dla stadium końcowego?

– Ale...

– To, co opisujesz, to obóz śmierci, a u nas nie ma obozów śmierci.

– Twoja wiara w to państwo jest wzruszająca – powiedział cicho Aubrey, a mnie na chwilę zaślepił gniew. *On* śmiał odnosić się protekcjonalnie d o m n i e, ten człowiek, który ma dom wypakowany po dach skarbami skradzionymi z mojego kraju?

– Charles – powiedział Nathaniel, zrywając się z miejsca – powinniśmy już iść.

W tej samej chwili Norris położył dłoń na dłoni Aubreya, mówiąc:

– Aubrey, to nie fair.

Ale nie napadłem na Aubreya. Nie zrobiłem tego. Mówiłem dalej tylko do Davida.

– A nawet, Davidzie, gdyby ta twoja historyjka b y ł a prawdą, to wskazujesz niewłaściwego winowajcę. Wrogiem w tej sytuacji nie są władze ani wojsko, ani ministerstwo zdrowia, lecz właśnie tamta kobieta. Tak, właśnie ta kobieta, która w i e, że jej dziecko jest chore, zadaje sobie trud przyniesienia go do szpitala, a potem, zamiast poddać je leczeniu, wykrada je i ucieka. A dokąd ucieka? Metrem albo autobusem jedzie z powrotem do bloku, w którym mieszka. Ile ulic przemierza po drodze? Koło ilu osób się przeciska? Na ilu ludzi jej dziecko wydycha zarazki, ile ich rozsiewa? Ile mieszkań znajduje się w jej bloku? Ile tam mieszka osób? Ile z tych osób cierpi na choroby współistniejące? Ile mieszka tam dzieci, chorych, niepełnosprawnych? Ilu z nich ta kobieta ostrzega: „Moje dziecko jest chore; podejrzewam, że jest zarażone, proszę trzymać się w daleka"? Czy dzwoni do wydziału zdrowia, by poinformować o chorobie w swoim domu? Czy myśli o kimkolwiek innym? Czy tylko o sobie, tylko o swojej rodzinie? Możesz mi oczywiście odpowiedzieć, że tak postępują rodzice. Ale właśnie dlatego, w ł a ś n i e z powodu tego zrozumiałego egoizmu rząd m u s i wkraczać do akcji, nie rozumiesz tego? Chodzi o bezpieczeństwo ludzi z jej otoczenia, tych wszystkich, których ona miała w nosie, tych wszystkich, którzy przez nią stracą dzieci. Stąd k o n i e c z n o ś ć ich interwencji.

David słuchał mojej przemowy znieruchomiały i milczący, ale gdy skończyłem mówić, skulił się, jakbym dał mu w twarz.

– Użyłeś słowa „my" – powiedział i atmosfera w pokoju zgęstniała.

– Słucham? – zdziwiłem się.

– Powiedziałeś „naszej interwencji".

– Nieprawda. Powiedziałem „ich interwencji”.

– Nie. Powiedziałeś „naszej”. Kurwa mać. Kurwa m a ć. Jesteś w tym, tak? Kurwa mać. Brałeś udział w planowaniu tych obozów, Tak? – A potem zwrócił się do Nathaniela: – Tato. Ta t o. Słyszałeś to? On jest wmieszany! On za tym stoi!

Patrzyliśmy obaj na Nathaniela, który siedział z półotwartymi ustami, wędrując wzrokiem od jednego do drugiego z nas. Zamrugał powiekami.

– Davidzie… – zaczął.

Ale David już stał, wysoki i chudy jak Nathaniel, wskazując mnie palcem.

– Jesteś jednym z nich – obwieścił cienkim, rozjątrzonym głosem. – Ja w i e m, że jesteś. Zawsze wiedziałem, że jesteś kolaborantem. Zawsze wiedziałem, że te obozy to twoja sprawka. Wiedziałem.

– David! – krzyknął zgorszony Nathaniel.

– Wal się – powiedział dobitnie David, trzęsąc się z wściekłości. – Wal się. – Odwrócił się na pięcie do Nathaniela: – I ty też, wal się. Wiesz, że mam rację. Rozmawialiśmy o tym, że on pracuje dla państwa. A teraz nawet nie chcesz mnie poprzeć.

I zanim ktokolwiek z nas zdążył zareagować, już biegł do drzwi i otwierał je; komora dekontaminacyjna cmoknęła głośno, oznajmiając jego wyjście.

– David! – wrzasnął Nathaniel i rzucił się do drzwi, gdy nagle Aubrey, który przypatrywał się nam, siedząc z Norrisem na kanapie, wymieniając z nim spojrzenia i ściskając go za rękę, jakby byli widzami w teatrze, a my aktorami w jakiejś szczególnie emocjonującej sztuce – wstał.

– Nathanielu – powiedział. – Nie przejmuj się. Daleko nie ucieknie. Nasi ochroniarze będą mieli go na oku.

(To inne tutejsze zjawisko: ludzie zatrudniają ochroniarzy, w pełnym rynsztunku, do patrolowania swojej posesji dzień i noc).

– Nie wiem, czy wziął dokumenty – denerwował się Nathaniel. Przypominaliśmy Davidowi setki razy, że wychodząc z mieszkania, musi zawsze mieć przy sobie dowód osobisty i świadectwo zdrowia, ale on zapominał.

– Wszystko jest w porządku – powiedział Aubrey. – Obiecuję ci. Nie pobiegnie daleko, a ekipa będzie go obserwowała. Zaraz ich zawiadomię. – I wyszedł do swojego gabinetu.

Zostaliśmy tylko we trzech.

– Powinniśmy już pójść – powiedziałem. – Poszukajmy Davida i chodźmy.

Ale Norris położył mi rękę na ramieniu.

– Nie czekałbym na niego, Charles – rzekł łagodnie. – Niech zostanie tu dzisiaj na noc. Ochroniarze go przyprowadzą i poprosimy ich, żeby jutro odwieźli go do domu.

Popatrzyłem na niego: skinął lekko głową, więc odpowiedziałem mu skinieniem.

Aubrey powrócił, otrzymał przeprosiny i podziękowania, chociaż stonowane. Wychodząc, odwróciłem się i złapałem spojrzenie Norrisa, który patrzył na mnie z trudną do rozszyfrowania miną. Potem drzwi się zamknęły i otoczyła nas noc, upalna, wilgotna i nieruchoma. Włączyliśmy osuszacze naszych masek.

– David! – wołaliśmy na zmianę. – David!

Ale nikt nie odpowiadał.

– Wychodzimy? – spytałem Nathaniela, chociaż Aubrey zadzwonił, żeby nam powiedzieć, że David znajduje się w kamiennym domku ochroniarzy dobudowanym na zapleczu, jest bezpieczny i towarzyszy mu jeden z ochroniarzy.

Westchnął i wzruszył ramionami.

– Chyba trzeba – odrzekł ze znużeniem. – On i tak nie wróciłby z nami do domu. Nie dzisiaj.

Popatrzyliśmy obaj na południe, w kierunku placu. Przez chwilę żaden z nas się nie odzywał. Spycharka, której drogę oświetlało pojedyncze jasne światło, zgarniała pozostałości ostatniego slumsu na kopiec plastiku i sklejki.

– Pamiętasz, jak pierwszy raz przyjechaliśmy do Nowego Jorku? – zapytałem. – Zatrzymaliśmy się w tym obskurnym hotelu przy Centrum Lincolna i poszliśmy piechotą do TriBeCa. Jedliśmy lody w parku. Pod łukiem ustawiony był fortepian, a ty usiadłeś przy nim i zagrałeś…

– Charles – przerwał mi łagodnym tonem Nathaniel – nie chce mi się teraz rozmawiać. Chcę po prostu wrócić do domu.

Z niewiadomej przyczyny właśnie to zdołowało mnie najbardziej tego wieczoru. Nie kiepski stan Aubreya i Norrisa; nie oczywista nienawiść Davida wobec mnie. Wolałbym, żeby Nathaniel się na mnie rozzłościł, żeby mnie obwinił, starł się ze mną. Wtedy mógłbym się bronić. Kłótnie zawsze dobrze nam wychodziły. Ale ta rezygnacja, to zmęczenie – nie wiedziałem, co z nimi zrobić.

Zaparkowaliśmy na Uniwersyteckiej i dalej poszliśmy spacerem. Na ulicach nie było nikogo. Przypomniał mi się pewien wieczór sprzed jakichś dziesięciu lat, kiedy jeszcze godziłem się z tym, że Aubrey i Norris weszli trwale w nasze życie, ponieważ weszli w życie Nathaniela. Urządzili proszoną kolację. Davida – zaledwie siedmioletniego, prawdziwe maleństwo – zostawiliśmy w domu z opiekunką i pojechaliśmy metrem na południe. Na przyjęciu byli sami bogaci przyjaciele Aubreya i Norrisa, ale paru z nich miało chłopaków lub mężów w naszym wieku, więc nawet ja nieźle się bawiłem. Po wyjściu postanowiliśmy wracać do domu pieszo. Czekał nas długi spacer, ale było to w marcu, więc pogoda świetna, nie za gorąco, a że obaj byliśmy lekko pijani, zatrzymaliśmy się w parku Madisona i kochaliśmy się na ławce, wśród innych ludzi, którzy też kochali się na ławkach. Nathaniel był w doskonałym humorze, bo uważał, że zdobyliśmy paczkę nowych przyjaciół. Wtedy jeszcze obaj udawaliśmy, że zostaniemy w Nowym Jorku najwyżej kilka lat.

Teraz szliśmy w milczeniu. W pewnym momencie Nathaniel mnie zatrzymał i odwrócił twarzą do siebie. Po raz pierwszy od miesięcy dotknął mnie tak mocno, z takim rozmysłem.

– Charles – powiedział – byłeś?

– Byłem co? – zapytałem.

Wziął głębszy oddech. Filtr osuszacza przy jego hełmie najwyraźniej domagał się czyszczenia, bo gdy Nathaniel oddychał, jego twarz to znikała za zaparowanym wizjerem, to pojawiała się na nowo.

– Byłeś zaangażowany w tworzenie tych obozów? – uściślił. Odwrócił na chwilę twarz, ale zaraz spojrzał na mnie z powrotem. – Wciąż jesteś z nimi związany?

Nie wiedziałem, co odpowiedzieć. Oczywiście widziałem sprawozdania na własne oczy – te publikowane w prasie i te pokazywane w telewizji, jak również tamte inne, które i Ty widziałeś. Byłem obecny na zebraniu Komitetu w dniu, w którym wyświetlono materiał otrzymany z Rohwer i ktoś w sali, któryś z prawników z ministerstwa sprawiedliwości, żachnął się głośno na widok zdjęć z sektorów niemowlęcych i wkrótce potem opuścił salę. Ja też nie mogłem po tym spać w nocy. Oczywiście, że wolałbym, żebyśmy wcale nie potrzebowali obozów. Ale były one koniecznością i tego zmienić nie mogłem. Jedyne, co mogłem zrobić, to chronić nas. Za to nie umiałem przepraszać, tego nie umiałem wyjaśnić. Zgłosiłem się do tego zadania na ochotnika. Nie mogłem wyrzec się tego teraz, wyrzec się wyłącznie dlatego, że działy się rzeczy, których wolałbym uniknąć.

Ale jak wytłumaczyć to Nathanielowi? Nie zrozumiałby; nigdy by nie zrozumiał. Stałem więc niemy, z otwartymi ustami, zawieszony między mową a ciszą, między przeprosinami a kłamstwem.

– Myślę, że powinieneś nocować dzisiaj w laboratorium – odezwał się w końcu Nathaniel, wciąż tym samym cichym głosem.

– Ach tak – odparłem. – W porządku.

Nathaniel cofnął się o krok, jakbym go walnął w splot słoneczny. Nie wiem: może spodziewał się, że będę się z nim wykłócał, że będę go błagał, że będę wszystkiemu zaprzeczał, kłamał. Ale stało się tak, jakbym zgadzając się, potwierdził wszystko, w co on nie chciał wierzyć. Znów popatrzył mi w oczy, ale wizjer jego hełmu zaciągał się coraz gęstszą mgłą. Wreszcie wrócił do samochodu i odjechał na północ.

Ja poszedłem dalej. Na Czternastej zatrzymałem się, żeby przepuścić czołg, a potem brygadę piechoty w strojach ochronnych, mundurach nowego typu, których wizjery są jednostronnymi lusterkami, tak że rozmawiając z kimś w takim mundurze, widzisz gapiącą się na ciebie własną twarz. Szedłem tak i szedłem, minąłem barykadę na ulicy Dwudziestej Trzeciej, przy której żołnierz skierował mnie na wschód, tak abym ominął park Madisona, osłaniany właśnie klimatyzowaną kopułą geodezyjną, gdyż trzymano tam zwłoki do czasu, aż mogło je przyjąć któreś krematorium. Nad każdym rogiem parku wirował dron z kamerą, a jego strobosko-powe światła przelotnie wyławiały z ciemności kartonowe trumny ustawione równymi rzędami w poczwórnych kolumnach. Przechodząc przez aleję Parkową, minąłem się z mężczyzną idącym z naprzeciwka; zbliżywszy się do mnie, spuścił oczy. Czy i Ty zauważyłeś tę powszechną niechęć do nawiązywania kontaktu wzrokowego, tak jakby choroba przenosiła się nie przez oddech, tylko przez patrzenie sobie w oczy?

Wreszcie znalazłem się z powrotem na kampusie Rockefellera, wziąłem prysznic i pościeliłem sobie na kanapie. Ale nie mogłem zasnąć; po paru godzinach wstałem, pociągnąłem zaciemniające żaluzje i obserwowałem helikoptery z kostnicy dostarczające swoje ładunki na Wyspę Roosevelta. Śmigła błyskały w omiatających je światłach jupiterów. Krematoria pracują tu nieustannie, ale transport zwłok barkami zawieszono z powodu zamknięcia drogi wodnej – jest nadzieja, że powstrzyma to napływ uchodźców klimatycznych, którzy pod osłoną nocy dowożeni byli ostatnio tratwami do ujścia rzek Hudson albo East i musieli docierać do lądu wpław.

Jestem straszliwie zmęczony, chyba bardziej niż kiedykolwiek. Dzisiejszej nocy wszyscy śpimy oddzielnie. Ty w Londynie. Olivier w Marsylii. Mój mąż cztery ulice stąd. Mój syn trzy mile na południe. A ja tu, w swoim laboratorium. Jakże bym chciał być teraz z którymś z was, z którymkolwiek. Jedno okno zostawiłem odsłonięte, to w ścianie naprzeciwko: kwadrat światła pojawia się i znika, pojawia się i znika, pojawia się i znika, jak jakiś kod przeznaczony tylko dla mnie.

Całuję, ja

Kochany Peterze, 20 września 2058

dzisiaj odbył się pogrzeb Norrisa. Spotkałem się z Nathanielem i Davidem w domu pogrzebowym Przyjaciele na Rutherford Place. Davida nie widziałem od trzech miesięcy, Nathaniela od tygodnia, ale przez szacunek dla Norrisa byliśmy wszyscy nieznośnie grzeczni wobec siebie. Nathaniel wcześniej zadzwonił, żeby mnie uprzedzić, abym nie próbował przytulić Davida na powitanie, więc nie zrobiłem tego, za to David zaskoczył nas obu, bo poklepał mnie po plecach i coś tam mruknął.

Podczas nabożeństwa, które było krótkie i skromne, wpatrywałem się w twarz Davida. Siedział w rzędzie przede mną, jedno krzesło w lewo, więc miałem okazję podziwiać jego profil z długim, wydatnym nosem i nową fryzurę, z którą jego głowa wyglądała jak najeżona kolcami. Rozpoczął naukę w nowej szkole, tej, do której przekonał go Aubrey, kiedy wyrzucili go z poprzedniej szkoły, i o ile wiedziałem, nie było skarg na niego ani on sam się nie skarżył. Swoją drogą, rok szkolny trwał na razie dopiero trzy tygodnie.

Nie znałem większości ludzi obecnych na nabożeństwie – niektórych rozpoznałem z widzenia, z kolacji i bankietów sprzed lat – ale ogólnie panowało wrażenie pustki. Nie uświadamiałem sobie dotąd, że Aubrey i Norris stracili aż tylu przyjaciół w pięćdziesiątym szóstym: chociaż sala była w połowie wypełniona, to nasuwało się przykre wrażenie, że czegoś, kogoś w niej brakuje.

Po ceremonii Nathaniel, maleństwo i ja poszliśmy do domu Aubreya, gdzie zebrało się kilka osób. Aubrey chodził w kombinezonie dekontaminacyjnym, więc jego goście mogli pozdejmować swoje. Od mniej więcej roku, odkąd Norris powoli umierał, w domu utrzymywany był półmrok i pomieszczenia oświetlano świecami. Trochę to pomagało – zarówno Aubrey, jak i cały dom wyglądali w owym półmroku mniej żałośnie – ale też sprawiło, że wchodziło się tam jak do innej epoki, sprzed wynalezienia elektryczności. A może rzecz była w tym, że dom wydawał się teraz zamieszkany nie przez istoty ludzkie, ale przez jakiś inny gatunek zwierzęcia: może krety, stworzenia o małych, słabych, paciorkowatych oczach, które nie znoszą blasku słońca. Pomyślałem o uczniach Nathaniela, Hiramie i Ezrze, obecnie jedenastoletnich, którzy wciąż żyli w swoim przyciemnionym świecie.

Na koniec zostaliśmy we czterech. Nathaniel i David zaoferowali się, że zanocują u Aubreya, a on się zgodził. Skorzystam z okazji i pod ich nieobecność w mieszkaniu zabiorę parę swoich rzeczy do akademika Uniwersytetu Rockefellera, gdzie wciąż rezyduję.

Przez chwilę wszyscy milczeliśmy. Aubrey położył głowę na oparciu kanapy i przymknął oczy.

– David – szepnął Nathaniel, dając mu znak, żeby pomógł Aubreyowi obrócić się na kanapie i wyciągnąć wygodnie. David wstał, żeby to zrobić, ale wtedy Aubrey zaczął mówić.

– Pamiętacie naszą rozmowę wkrótce po zdiagnozowaniu pierwszej osoby w Nowym Jorku w roku pięćdziesiątym? – zapytał, nie otwierając oczu. Żaden z nas nie odpowiedział. – Spytałem ciebie, Charles, czy to już to, na co czekaliśmy: choroba, która wykończy nas wszystkich, a ty odpowiedziałeś: „Nie, ale da nam popalić". Pamiętasz to?

Ton jego głosu był łagodny, ale i tak struchlałem.

– Tak – powiedziałem – pamiętam.

Usłyszałem ciche, smutne westchnienie Nathaniela.

– Mmm – mruknął. Znów nastąpiła przerwa. – Okazuje się, że miałeś rację. Bo potem przyszedł rok pięćdziesiąty szósty. Nigdy wam tego nie mówiłem – mówił dalej Aubrey – ale w listopadzie pięćdziesiątego roku skontaktował się z nami dawny znajomy. Właściwie był to bardziej znajomy Norrisa niż mój, znali się od college'u, gdzie przez krótki czas byli parą. Na imię miał Wolf.

Mieszkaliśmy wtedy od jakichś trzech miesięcy w Frog's Pond Way. Wydawało nam się, jak wielu ludziom, nawet z twojego środowiska, Charles, że tam będziemy bezpieczniejsi, że lepiej trzymać się z dala od miasta, miejskich tłumów i brudu. A wcześniej zaczęły się te napady łupieżcze; ludzie bali się wychodzić z domu. Jeszcze nie było tak źle jak w pięćdziesiątym szóstym, jeszcze nie napadali na ulicy, żeby nakaszleć człowiekowi w twarz i go zarazić, żeby i on zachorował. Ale było ciężko. Pamiętacie.

W każdym razie któregoś wieczoru Norris powiedział mi, że Wolf się z nim skontaktował. Przebywał w okolicy i pytał, czy może do nas wpaść. Cóż. Myśmy wszystkie zalecenia traktowali poważnie. Norris miał astmę i wyjechaliśmy na Long Island przede wszystkim po to, żeby nie natykać się na innych ludzi. Doszliśmy więc do wniosku, że odpowiemy Wolfowi, że spotkalibyśmy się z nim z wielką przyjemnością, ale przez wzgląd na niego i nas samych nie wydaje nam się to bezpieczne, więc odłóżmy to spotkanie na spokojniejsze czasy.

Norris wysłał mu wiadomość tej treści, ale Wolf odpisał mu natychmiast, że nie *chce* się z nami zobaczyć, ale *musi* się z nami zobaczyć. Potrzebuje naszej pomocy. Norris go spytał, czy nie wystarczy pogadać na czacie wideo, ale Wolf się uparł: musi się z nami spotkać.

Cóż mieliśmy robić? Na drugi dzień w południe przychodzi wiadomość: „Jestem przed domem". Wychodzimy przed dom, ale nikogo nie widać. Za chwilę słyszymy, że Wolf nawołuje Norrisa po imieniu, więc schodzimy ścieżką, ale nadal nikogo nie widzimy. Powtarza się to jeszcze kilka razy, aż wreszcie słyszymy głos Wolfa: „Stop".

Stajemy. Nic się nie dzieje. Nagle zza tej wielkiej topoli przy stróżówce słychać trzask miażdżonych gałązek i wyłania się Wolf.

Widać od razu, że jest poważnie chory. Cała twarz we wrzodach, chudy jak szkielet. Za laskę służy mu gałąź magnolii, ale ponieważ brak mu siły, żeby ją unieść, wlecze tę gałąź za sobą jak miotłę. Ma mały plecak. Jedną dłonią podtrzymuje spodnie. Ma wprawdzie pasek, ale nie na wiele on się zdaje.

Norris i ja natychmiast się cofamy. Oczywiste jest, że Wolf zbliża się do końcowego stadium choroby, a zatem bardzo łatwo zaraża.

Mówi: „Nie przyszedłbym tutaj, gdybym miał dokąd pójść. Wiecie, że nie. Ale potrzebuję pomocy. Wiem, że już długo nie pożyję. Wiem, że się narzucam. Ale mam nadzieję… mam nadzieję, że pozwolicie mi umrzeć tutaj".

Uciekł z ośrodka izolacji. Później dowiedzieliśmy się, że apelował jeszcze do kilku osób, ale wszyscy go odprawili. „Nie będę prosił, żebyście mnie wpuścili do środka. Myślałem jednak… myślałem, że mógłbym zostać w domku nad stawem. O nic więcej was nie poproszę. Ale chciałbym umrzeć pod dachem, w jakimś domu".

Nie wiedziałem, co powiedzieć. Czułem, jak stojący za mną Norris ściska mnie za ramię. Wreszcie powiedziałem: „Muszę porozmawiać z Norrisem", na co Wolf skinął głową i wycofał się z powrotem za topolę, jakby chciał nam zapewnić prywatność. Norris i ja odeszliśmy kawałek ścieżką w stronę domu. Norris popatrzył na mnie, ja na niego, i żaden z nas się nie odezwał. Nie było to konieczne, wiedzieliśmy już, co zrobimy. Miałem przy sobie portfel i wyjąłem z niego całą zawartość – nieco ponad pięćset dolarów. Zawróciliśmy w stronę drzewa. Wolf do nas wyszedł.

„Wolf – powiedziałem – bardzo mi przykro. Niezmiernie mi przykro, ale nie możemy. Norris jest delikatny, wiesz o tym. Nie możemy, naprawdę nie możemy. Bardzo mi przykro". Powołałem się na ciebie, Charles. Powiedziałem: „Nasz przyjaciel ma znajomości w rządzie; może załatwić ci pomoc, mogą cię przenieść do lepszego ośrodka". Nie byłem nawet pewien, czy istnieje coś takiego jak „lepszy ośrodek", ale mu to obiecałem. Potem położyłem pieniądze na ziemi, niecałe pół metra od niego. „Mogę przynieść więcej, jeśli potrzebujesz" – powiedziałem.

Niczego nie potrzebował. Stał, dyszał, patrzył na pieniądze i chwiał się na nogach. A ja chwyciłem Norrisa za rękę i odeszliśmy szybko do domu – ostatnie trzydzieści metrów przebiegliśmy, jakby Wolf miał dość siły, żeby nas gonić, jakby mógł się nagle wznieść w powietrze niczym jakaś wiedźma i zablokować nam wejście. Znalazłszy się w środku, zaryglowaliśmy drzwi i obeszliśmy cały dom, sprawdzając wszystkie okna i zamki, jakby Wolf mógł sforsować któryś z nich i napełnić nasz dom swoją chorobą.

A wiecie, co było najgorsze? To, że obaj z Norrisem byliśmy źli. Byliśmy źli na Wolfa, że zachorował, że do nas przyszedł, że poprosił nas o pomoc, że postawił nas w takiej sytuacji. To właśnie powtarzaliśmy sobie wieczorem, opychając się jedzeniem, przy spuszczonych żaluzjach, z włączonym systemem alarmowym, w naszym domu z basenem pozamykanym na cztery spusty: Jak on *śmiał*. Jak on *śmiał* sprawić, że tak podle się czujemy, jak on *śmiał* zmusić nas do odmowy. Takie były nasze myśli. Nasz przyjaciel był bezradny i przerażony, a myśmy zareagowali w ten sposób.

Od tamtej pory nic między nami nie było już tak jak przedtem. Och, wiem, że na zewnątrz wszystko zawsze wyglądało świetnie. Ale coś się zmieniło. Jakby nasz związek nie opierał się już na miłości, ale na wstydzie, na tym straszliwym sekrecie, który dzieliliśmy, na tym ohydnym, nieludzkim uczynku, którego dopuściliśmy się razem. I za to także mam pretensje do Wolfa. Dzień po dniu siedzieliśmy w domu i lustrowaliśmy posiadłość przez lornetkę. Ekipie ochroniarzy zaoferowaliśmy podwójną gażę za powrót, ale odmówili, więc przygotowaliśmy się na oblężenie – jednoosobowe. Wszystkie żaluzje trzymaliśmy spuszczone, okiennice pozamykane. Żyliśmy jak w filmie grozy, jakbyśmy w każdej chwili mieli usłyszeć głuche uderzenie w okno i po podniesieniu żaluzji ujrzeć przyklejonego do szyby Wolfa. Udało nam się przekonać lokalną policję, żeby skontrolowała rejestr zmarłych w naszej okolicy, ale nawet gdy dwa tygodnie później przyszła wiadomość, że Wolf został znaleziony przy autostradzie, martwy najwyraźniej od kilku dni, nie potrafiliśmy wyzbyć się czujności. Przestaliśmy odbierać telefony, przestaliśmy sprawdzać pocztę elektroniczną, przestaliśmy kontaktować się z kimkolwiek, bo jak długo odmawialiśmy kontaktów ze światem, tak długo nikt nie mógł nas o nic prosić, więc byliśmy bezpieczni.

Gdy alarm został odwołany, powróciliśmy na plac Waszyngtona. Ale już nigdy nie pojechaliśmy do Water Mill. Ty, Nathanielu, zapytałeś kiedyś, dlaczego nie bywamy w Frog's Pond Way. Teraz wiesz dlaczego. Nie musieliśmy tego między sobą uzgadniać; obaj wiedzieliśmy, że nie należy. Latami staraliśmy się zadośćuczynić za nasze przewinienie. Wpłacaliśmy darowizny na pomoc chorym; wspomagaliśmy szpitale; sponsorowaliśmy grupy aktywistów zwalczających obozy. Ale gdy u Norrisa zdiagnozowano białaczkę, jego pierwsze słowa po wyjściu lekarza brzmiały: „To kara za Wolfa". Wiem, że w to wierzył. W ostatnich dniach, kiedy leżał w delirium wywołanym lekami, powtarzał w kółko jedno imię – nie moje, lecz Wolfa. I chociaż wam to opowiadam tak, jakbym sam w to nie wierzył, ja też wierzę. Wierzę, że pewnego dnia... pewnego dnia Wolf przyjdzie i po mnie.

Siedzieliśmy bez słowa. Nawet David, nieustępliwy w swoim absolutyzmie moralnym, spoważniał i zamilkł. Nathaniel westchnął.

– Aubreyu – zaczął, ale Aubrey mu przerwał.

– Musiałem się komuś wyspowiadać – powiedział – i to jest jeden z powodów, dla których powiedziałem wam. Ale jest także drugi powód: Davidzie, wiem, że żywisz wielką urazę do ojca, i rozumiem cię. Ale strach zmusza nas do robienia rzeczy, których potem żałujemy, rzeczy, do jakich nie sądziliśmy, że jesteśmy zdolni. Jesteś bardzo młody; prawie całe twoje życie upłynęło w bliskości śmierci i możliwości śmierci; uodporniłeś się na nią, co jest tragiczne. Dlatego nie zrozumiesz do końca, o co mi chodzi. Ale kiedy dorośniesz, uczynisz wszystko, co w twojej mocy, żeby pozostać przy życiu. Czasem nie będziesz nawet świadomy, że o to zabiegasz. Coś, jakiś instynkt, jakieś gorsze ja, bierze górę i zatracasz siebie. Nie każdy tego doświadcza. Ale wielu z nas. Chyba próbuję ci powiedzieć, że powinieneś wybaczyć swojemu ojcu. – Popatrzył na mnie. – Ja ci wybaczam, Charles. Za... za to, cokolwiek zrobiłeś w związku z obozami. Chciałem ci to powiedzieć. Norris nigdy nie obwiniał cię tak jak ja, więc nie miał za co przepraszać i prosić o wybaczenie. Ale ja mam.

Zrozumiałem, że powinienem coś powiedzieć.

– Dziękuję ci, Aubreyu – powiedziałem do człowieka, który obwiesił sobie ściany najcenniejszymi i najświętszymi przedmiotami z mojego kraju, jakby to były plakaty w pokoju w akademiku, i który zaledwie dwa lata wcześniej zarzucił mi wysługiwanie się amerykańskiemu rządowi. – Doceniam to.

Aubrey westchnął i westchnął także Nathaniel, jakbym położył rolę, którą miałem odegrać. W drugim końcu pokoju siedział David, ale twarz miał odwróconą tak, że nie widziałem jego miny. Kochał Aubreya. Szanował go. Potrafiłem sobie wyobrazić, co teraz myśli, i było mi go żal.

Byłem do tego stopnia samolubny, że zamierzałem poprosić go o wybaczenie: tam, od razu. Zanim zdążyłem się pohamować, już fantazjowałem o naszym pojednaniu: wprowadzę się z powrotem do domu, Nathaniel z powrotem mnie pokocha, a David przestanie się na mnie złościć. Znów będziemy rodziną.

Ale nie powiedziałem ani słowa. Wstałem, pożegnałem się ze wszystkimi i zgodnie z planem udałem się do mieszkania po rzeczy, a stamtąd do akademika.

Słyszałem – obaj słyszeliśmy – wiele strasznych opowieści o tym, co istoty ludzkie uczyniły innym istotom ludzkim w ciągu ostatnich dwóch lat. Historia Aubreya nie była jeszcze najgorsza, daleko jej było do najgorszej. Przez te miesiące donoszono o rodzicach porzucających dzieci w metrze, o mężczyźnie, który zamordował oboje rodziców, strzelając im w tył głowy, gdy siedzieli na podwórku, o kobiecie, która po czterdziestu latach małżeństwa wywiozła umierającego męża wózkiem inwalidzkim na wysypisko śmieci w pobliżu tunelu Lincolna i tam go zostawiła. Ale w opowieści Aubreya uderzyła mnie najbardziej nie sama historia, lecz raczej wynikająca z niej małość życia Aubreya i Norrisa. Wyobraziłem ich sobie, jak we dwóch w tym domu, którego tak nie znosiłem i zazdrościłem, przy szczelnie zamkniętych okiennicach, przez które światło nie ma prawa się prześlizgnąć, kulą się w kącie, próbując się pomniejszyć w nadziei, że wtedy wielkie oko choroby ich nie dostrzeże, zostawi ich w spokoju, jakby mogli całkiem ustrzec się przed zarażeniem.

Całuję, C.

Kochany Peterze, 30 października 2059

dziękuję za spóźnione życzenia urodzinowe; kompletnie zapomniałem. Pięćdziesiąt pięć. W separacji. Znienawidzony przez własnego syna i znaczną część reszty zachodniego świata (znienawidzone moje czyny, jeśli nie ja sam). Nieopatrznie przeistoczony z niegdyś obiecującego naukowca w szarą figurę pracownika rządowego. Cóż więcej da się powiedzieć? Chyba niewiele.

W domu Aubreya, gdzie Nathaniel i David mieszkają teraz na stałe, odbyła się dość niemrawa uroczystość. Nie wspominałem Ci o niej zapewne dlatego, że po prostu miała miejsce i nic poza tym, właściwie poza świadomością moją i Nata. Początkowo on i David zaczęli spędzać więcej czasu w śródmieściu, aby dotrzymać Aubreyowi towarzystwa w pierwszych tygodniach po śmierci Norrisa. Nathaniel uprzedzał mnie o tym esemesem, żebym wiedział, że mogę wrócić do naszego mieszkania i zostać tam na noc. Pałętałem się po pokojach, wysuwałem szuflady biurka maleństwa, buszowałem; grzebałem w szufladzie ze skarpetkami Nathaniela. Nie szukałem niczego konkretnego – wiedziałem, że Nathaniel nie ma sekretów, a David swoje na pewno zabrał ze sobą. Po prostu sprawdzałem. Poskładałem na nowo część koszul Davida; postałem nad bielizną Nathaniela, wdychając jej zapach.

Z czasem zacząłem zauważać znikanie rzeczy – tenisówek Davida, książek z nocnego stolika Nathaniela. Któregoś wieczoru wróciłem do domu i stwierdziłem, że nie ma fikusa. Czułem się trochę jak w kreskówce: wychodziłem na cały dzień, a przedmioty czmychały, ledwie się odwróciłem. Były oczywiście przenoszone na plac Waszyngtona. Po jakichś pięciu miesiącach tej kroplówkowej wyprowadzki Nathaniel przysłał mi esemesa, że mogę wprowadzić się z powrotem do naszego domu, jeśli mam ochotę. Chociaż chciałem mu odmówić dla zasady – co kilka tygodni odbywaliśmy małą dyskusję o spłaceniu mnie przez Nathaniela, żebym mógł poszukać sobie własnego mieszkania, ale przecież wiedziałem, że ani on nie ma na to pieniędzy, ani ja – to byłem już zanadto zmęczony całą sytuacją i wróciłem do mieszkania. Nie wszystko jednak zabrali do Aubreya. W chwilach użalania się nad sobą dopatruję się w tym swoistego symbolizmu. Stare dziecinne książeczki maleństwa, kilka marynarek Nathaniela, na które teraz jest za ciepło, nieodwracalnie osmalony garnek, w którym latami przypalały się potrawy – i ja: wszystkie odpady życia Nathaniela i Davida; cały dobytek, którego już nie chcieli.

Nathaniel i ja zmuszamy się do rozmowy raz na tydzień. Czasami te spotkania wypadają dobrze. Czasami nie. Nie kłócimy się w dosłownym tego słowa znaczeniu, ale każda rozmowa, nawet najprzyjemniejsza, jest kruchą, cienką taflą lodu, pod którą kłębi się ciemna, lodowata woda: dekady uraz i oskarżeń. Wiele z tych oskarżeń dotyczy Davida, podobnie jak znaczna część naszej zażyłości. Obaj się o niego martwimy, chociaż Nathaniel wykazuje w tym względzie więcej współczucia niż ja. David kończy w przyszłym miesiącu dwadzieścia lat, ale nie mamy pojęcia, co z nim albo dla niego uczynić – nie zrobił matury, nie ma zamiaru iść do college'u, nie ma zamiaru podjąć pracy. Nathaniel mówi, że codziennie znika na wiele godzin, potem wraca na kolację i partię szachów z Aubreyem, a później znów znika. Przynajmniej, mówi Nathaniel, wciąż odnosi się z czułością do Aubreya; gdy my go napominamy, żeby poszukał sobie pracy czy zdał maturę, tylko przewraca oczami i prycha, ale sporadycznych łagodnych kazań Aubreya wysłuchuje cierpliwie, a przed wieczornym wyjściem z domu pomaga Aubreyowi pokonać schody w drodze do sypialni.

Dziś wieczorem jedliśmy z Nathanielem ciasto, gdy nagle komora dekontaminacyjna zamknęła się z trzaskiem i zjawił się David. Nigdy nie wiem, w jaki humor wprawi go mój widok. W złośliwy, z przewracaniem oczami na każdą moją wypowiedź? W sarkastyczny, z dopytywaniem się, ilu zabitych mam na sumieniu w tym tygodniu? A może niespodziewanie we wstydliwy, niemal przymilny, ze skromnym wzruszaniem ramionami na moje komplementy i zapewnienia, że bardzo za nim tęsknię? Za każdym razem mówię mu, że za nim tęsknię; za każdym razem mówię mu, że go kocham. Ale nie proszę go o wybaczenie, choć wiem, że na to czeka, ponieważ nie mam sobie nic do zarzucenia.

– Cześć, David – powiedziałem, obserwując niepewną minę, która przemknęła mu przez twarz.

Uświadomiłem sobie, że on tak samo nie potrafi przewidzieć swojej reakcji na mnie jak ja.

Postawił na sarkazm:

– Nie wiedziałem, że goszczą u nas dzisiaj na kolacji międzynarodowi zbrodniarze wojenni – powiedział.

– David – rzekł ze znużeniem Nathaniel. – Przestań. Mówiłem ci: dzisiaj są urodziny twojego ojca.

Zanim David zdążył powiedzieć coś więcej, wtrącił się łagodnie Aubrey:

– Siadaj, Davidzie, spędź z nami trochę czasu. – A ponieważ David jeszcze się wahał, dodał: – Jest mnóstwo ekstrajedzenia.

Usiadł. Edmund przyniósł mu pełny talerz i we trzech przyglądaliśmy się przez chwilę, jak go pospiesznie opróżnia. Oparł się wygodnie i beknął.

– D a v i d – żachnęliśmy się równocześnie ja i Nathaniel, a wtedy nagle wyszczerzył się od ucha do ucha, popatrując to na jednego, to na drugiego z nas, co kazało nam spojrzeć na siebie nawzajem. Przez chwilę uśmiechaliśmy się wszyscy trzej.

– Trudno się powstrzymać, co nie? – zapytał niemal czule David, zwracając się do Nathaniela i do mnie razem, więc uśmiechnęliśmy się ponownie: do niego i do siebie. Siedzący naprzeciwko nas David wbił widelec w ciasto marchewkowe. – Ile masz lat, ojczulku? – zapytał.

– Pięćdziesiąt pięć – odpowiedziałem, ignorując prowokacyjnego „ojczulka". David wiedział, że nienawidzę tego słowa. Ale minęło wiele lat od czasu, gdy ostatni raz nazwał mnie „ojczulkiem", nie mówiąc o tym okresie, w którym w ogóle mnie nie nazywał.

– Jezu! – jęknął z autentycznym przejęciem. – Pięćdziesiąt pięć! To już starość!

– Prastarość – przyznałem z uśmiechem, a siedzący obok Davida Aubrey roześmiał się.

– Smarkacz – poprawił nas. – Dzidziuś.

Byłaby to dla Davida idealna chwila na rozpoczęcie jeremiady – o średnim wieku dzieci odsyłanych do obozów, o śmiertelności dzieci niebiałych, o tym, że rząd wykorzystuje chorobę jako okazję do eksterminacji czarnych i rdzennych Amerykanów i dlatego wszystkim ostatnim plagom pozwala się plenić bez opamiętania – ale nie odezwał się. Przewrócił oczami, tak dobrotliwie, i ukroił sobie następną porcję ciasta. Zanim jednak zaczął jeść, rozwiązał sobie bandanę, którą miał na szyi, i spostrzegłem, że całą prawą stronę jego szyi pokrywa ogromny tatuaż.

– Jezu! – wykrzyknąłem odruchowo, a Nathaniel, który zobaczył to samo co ja, ostrzegawczym tonem wymówił moje imię. Dostałem już od niego długą listę tematów, których nie wolno poruszać przy Davidzie ani o nie pytać. Figurowały na niej między innymi: matura, plany życiowe, przyszłość, polityka, ambicje, przyjaciele oraz pytanie, jak spędził dzień. Na liście nie było jednak wielkich, szpecących tatuaży, więc rzuciłem się na drugą stronę stołu, jakby tatuaż miał zniknąć, jeśli nie obejrzę go z bliska w ciągu najbliższych pięciu sekund. Odciągnąłem wycięcie koszulki Davida i przyjrzałem się wątpliwej ozdobie. Było to oko, szerokości około piętnastu centymetrów, wielkie i groźne, z którego wychodziły promienie światła, a pod spodem gotykiem wytatuowano słowa: *Ex Obscuris Lux*.

Puściłem koszulkę i cofnąłem się o krok. David uśmiechał się szyderczo.

– Czyżbyś wstąpił do Amerykańskiej Akademii Oftalmologicznej? – zapytałem go.

Przestał się uśmiechać; był wyraźnie zbity z tropu.

– Co? – bąknął.

– *Ex obscuris lux* – zacytowałem. – „Z ciemności światło". To ich motto.

Jeszcze przez chwilę wyglądał niepewnie, ale się otrząsnął.

– Nie – warknął gniewnie.

Widziałem, że jest speszony i właśnie dlatego się złości.

– No więc co to ma znaczyć? – spytałem.

– Charles – odezwał się Nathaniel i westchnął. – Nie teraz.

– Jak to: nie teraz? Nie mogę nawet spytać syna, skąd ma ten olbrzymi – omal nie powiedziałem „ohydny" – tatuaż na szyi?

– Stąd, że należę do światła – odparł z dumą David, a ponieważ się na to nie odezwałem, znów przewrócił oczami. – Jezu, ojczulku – jęknął. – Ś w i a t ł o to jest grupa.

– Co za grupa? – spytałem.

– Charles – wtrącił się Nathaniel.

– Och, Nate, przestań z tym „Charles, Charles", to jest także mój syn. Mogę go pytać, o co chcę. – Spojrzałem z powrotem na Davida. – Co za grupa?

David znów uśmiechał się szyderczo; miałem ochotę dać mu w twarz.

– Grupa polityczna – odpowiedział.

– Co za grupa polityczna? – drążyłem.

– Grupa, która próbuje odkręcić twoją robotę.

W tym momencie, Peter, byłbyś ze mnie dumny. Miałem jeden z rzadkich przebłysków, w którym przewidziałem, jasno i dokładnie, do czego doprowadzi ta rozmowa. David spróbuje mnie sprowokować. Dam się sprowokować. Powiem coś obraźliwego. On mi odpowie podobnie. Nathaniel stanie na linii bocznej, załamując ręce. Aubrey pozostanie na swoim miejscu i będzie nam się przyglądał ze smutkiem, litością i odrobiną obrzydzenia – że znaleźliśmy się w jego życiu, że wszyscy trzej doszliśmy do tak marnego końca.

Ale do niczego takiego nie doszło. Wprost przeciwnie: demonstrując opanowanie, o które nawet sam siebie nie podejrzewałem, powiedziałem po prostu Davidowi, że cieszę się, że znalazł swoją misję w życiu, i życzę mu, a także jego towarzyszom wszystkiego najlepszego w podjętej walce. A potem podziękowałem Aubreyowi i Nathanielowi za kolację i wyszedłem.

– Och, Charles – prosił Nathaniel, odprowadzając mnie do drzwi. – Charles, nie idź jeszcze.

Wciągnąłem go do bawialni.

– Nathanielu – powiedziałem – czy on mnie nienawidzi?

– Kto? – spytał, chociaż doskonale wiedział, kogo mam na myśli. A potem westchnął. – Nie, Charles, oczywiście, że nie. On tylko przeżywa taką fazę. I… i bardzo serio traktuje swoje poglądy. Wiesz o tym. Nie nienawidzi cię.

– Ale *ty* mnie nienawidzisz – powiedziałem.

– Nieprawda. Nienawidzę twojego zachowania, Charles. Nie *ciebie*.

– Zrobiłem to, co trzeba było zrobić, Natey.

– Charles – powiedział Nathaniel. – Nie mam zamiaru dyskutować z tobą teraz na ten temat. Liczy się tylko to, że jesteś jego ojcem. Zawsze będziesz.

Jakoś niezbyt mnie to pocieszyło, a po wyjściu (miałem nadzieję, że Nathaniel będzie bardziej starał się mnie zatrzymać, ale nie nalegał) przystanąłem w północnym wejściu na plac Waszyngtona, obserwując najnowsze pokolenie ludzi ze slumsów w akcji. Kilkoro kąpało się w fontannie, a jakaś rodzina – dwoje rodziców z córeczką – rozpaliła obok łuku małe ognisko, na którym piekła niezidentyfikowane zwierzę. „Już gotowe? – dopytywała się co chwila dziewczynka z wielkim przejęciem. – Gotowe już, tatusiu? Już gotowe?” „Prawie, skarbie – odpowiadał ojciec. – Już prawie, prawie”. Uskubał kawałek pieczeni i podał dziewczynce, która pisnęła z radości i natychmiast zabrała się do ogryzania. Odwróciłem się. Na placu mieszkało około dwustu osób i ciągle napływali nowi, chociaż wiedzieli, że pewnej nocy spycharki zrównają z ziemią ich domy. Tu było jednak bezpieczniej niż pod mostem czy w tunelu. Nie mogłem wprawdzie zrozumieć, jak śpią w tym agresywnym świetle jupiterów, ale widocznie człowiek przyzwyczaja się do wszystkiego. Wielu mieszkańców placu nawet w nocy nosi ciemne okulary albo przepaskę na oczy z czarnej gazy. W większości nie mają hełmów ochronnych, więc z daleka przypominają armię duchów, bo owijają całe głowy szmatami.

Znalazłszy się z powrotem w mieszkaniu, sprawdziłem w wyszukiwarce organizację Ex Obscuris Lux. Okazała się tym, co podejrzewałem: antyrządową i antynaukową grupą, stawiającą sobie za cel „obnażenie prawdy o rządowych manipulacjach i zakończenie epoki plag". Grupa jest raczej mała, nawet jak na organizacje tego typu, i nie ma na swoim koncie większych ataków ani poważniejszych incydentów. Mimo to do mojego kontaktu w Waszyngtonie posłałem mejl z prośbą o przysłanie mi całego dossier Światła, nie tłumacząc się, dlaczego o to proszę.

Peter, nigdy nie proszę Cię o takie przysługi, ale czy możesz się czegoś dowiedzieć, czegokolwiek? Głupio mi o to prosić. Naprawdę. Ale nie prosiłbym, gdybym nie musiał.

Wiem, że nie mogę mu zabronić. Ale może zdołam mu pomóc. Muszę spróbować. Prawda?

Serdeczności. Charles

Kochany Peterze, 7 lipca 2062

to będzie krótka wiadomość, ponieważ za sześć godzin muszę być w Waszyngtonie. Korzystam jednak z paru wolnych minut, żeby do Ciebie napisać.

Panuje tu nieznośny upał.

Nowe państwo zostanie ogłoszone dziś o 16.00 czasu wschodniego. Pierwotny plan zakładał, że stanie się to trzeciego lipca, ale wszyscy zgodnie doszli do wniosku, że ludziom trzeba umożliwić świętowanie ostatniego Dnia Niepodległości. Uznano, że jeśli ogłosimy wiadomość teraz, pod koniec dnia, łatwiej będzie zamknąć pewne obszary kraju przed weekendem, a potem dać ludziom parę dni na ochłonięcie z szoku przed ponownym otwarciem rynków w poniedziałek.

Dziękuję Ci, kochany, za wszystkie porady z ostatnich miesięcy. Ostatecznie skorzystałem z twojej rady i nie przyjąłem pracy w ministerstwie: zostaję więc za kulisami, a to, co stracę w sferze wpływów, zyskam w sferze bezpieczeństwa. Zresztą i tak mam dostateczne wpływy – poprosiłem wywiad o śledzenie Davida, odkąd Światło stwarza tak duże problemy, a pod domem Aubreya stacjonują tajniacy, którzy będą bronić jego i Nathaniela, jeśli dojdzie do poważnych zamieszek, czego obydwaj się obawiają. Aubrey nie ma się dobrze, w żadnym razie – nastąpił przerzut raka na wątrobę i Nathaniel mówi, że zdaniem doktora Aubreyowi zostało zaledwie sześć do dziewięciu miesięcy życia.

Zadzwonię do ciebie na zastrzeżony numer wieczorem mojego czasu, czyli wcześnie rano twojego. Życz mi szczęścia. Całusy dla Ciebie i Oliviera...

Charles

Część V

Wiosna 2094

Od czasu tamtego pierwszego spotkania widywaliśmy się z tygodnia na tydzień coraz częściej. Początkowo przypadkiem. W niedzielę po sobotnim spotkaniu przy opowiadaczu historii spacerowałam sobie wokół placu, gdy nagle wyczułam za plecami czyjąś obecność. Oczywiście szło za mną mnóstwo ludzi, przede mną również – maszerowałam pośrodku grupy – ale ta obecność była specyficzna, więc odwróciłam się, a to był znowu on; uśmiechał się do mnie.

– Cześć, Charlie – powiedział z uśmiechem.

Ten uśmiech mnie niepokoił. Gdy Dziadek był w moim wieku, podobno wszyscy uśmiechali się bez przerwy. Dziadek mówił, że z tego właśnie słynęli Amerykanie: że się uśmiechają. On sam nie był Amerykaninem, tylko się nim stał. Ale ja nie uśmiechałam się zbyt często, podobnie jak wszyscy ludzie, których znałam.

– Cześć – odpowiedziałam.

Przyłączył się do mnie i dalej poszliśmy razem. Bałam się, że będzie chciał rozmawiać, ale nie próbował – zrobiliśmy trzy okrążenia placu. Potem powiedział, że miło mu było mnie spotkać i może zobaczymy się na następnym występie opowiadaczy, a później znów się uśmiechnął i odszedł na zachód, zanim zdążyłam wymyślić, co mu odpowiedzieć.

W najbliższą sobotę wróciłam do tamtego opowiadacza. Nie myślałam, że mam nadzieję zobaczyć jego, ale gdy spostrzegłam, że siedzi w tym samym miejscu w tylnym rzędzie, co w dniu naszego spotkania, ogarnęło mnie dziwne uczucie i podbiegłam kilka ostatnich metrów, żeby ktoś nie zajął mojego miejsca. Nagle się zatrzymałam. A jeśli on nie chce mnie widzieć? Wtedy się odwrócił, zauważył mnie, uśmiechnął się i przywołał mnie gestem, poklepując ziemię obok siebie.

– Cześć, Charlie – powiedział, gdy się zbliżyłam.

– Cześć.

Miał na imię David. Powiedział mi to, gdy widzieliśmy się pierwszy raz.

– O – zdziwiłam się wówczas. – Mój ojciec miał na imię David.

– Naprawdę? – spytał. – Mój tak samo.

– Aha – powiedziałam. Zdawało mi się, że powinnam coś dodać, więc wreszcie wykrztusiłam: – To sporo tych Davidów.

Na to on uśmiechnął się szeroko, a nawet trochę zaśmiał.

– To prawda – powiedział. – Sporo tych Davidów. Zabawna jesteś, wiesz, Charlie?

Było to jedno z pytań, które w istocie nie są pytaniami, a zresztą to nie była prawda. Jeszcze nikt nigdy nie powiedział mi, że jestem zabawna.

Tym razem przyniosłam skórkę z tofu, którą sama wysuszyłam i pocięłam na trójkąciki, oraz odżywcze drożdże w pojemniczku jako rodzaj sosu. Gdy opowiadacz sadowił się na składanym krześle, podsunęłam torebkę Davidowi.

– Poczęstuj się – powiedziałam i zaraz się przestraszyłam, że zabrzmiało to zbyt szorstko, nieprzyjaźnie, podczas gdy w rzeczywistości byłam po prostu zdenerwowana. – Jeśli chcesz – dodałam.

Zajrzał do torebki i zlękłam się, że wyśmieje mnie razem z moją przekąską. Ale wziął czipsa, zanurzył go w drożdżach i schrupał.

– Dzięki – szepnął, bo opowiadacz właśnie zaczynał występ – to jest pyszne.

Opowiadanie z tego dnia: mąż, żona i ich dwoje dzieci budzą się pewnego ranka i odkrywają w mieszkaniu ptaka. Wprawdzie niezbyt to realistyczne, jako że ptaki były rzadkością, ale opowiadacz umiejętnie nakreślił scenę, w której ptak uparcie nie pozwala się schwytać, a ojciec, syn, matka i córka wpadają na siebie, ganiając po całym domu z poszewką na poduszkę. W końcu ptak zostaje złapany. Syn proponuje go zjeść, ale córka okazuje się mądrzejsza i całą rodziną odnoszą ptaka do lokalnego ośrodka dla zwierząt, tak jak należy to robić, a w nagrodę dostają trzy dodatkowe bony proteinowe, za które matka kupuje proteinowe paszteciki.

Gdy opowiadanie się skończyło, poszliśmy spacerem na północny kraniec placu.

– Jak ci się podobało? – spytał David.

Nic mu nie odpowiedziałam, bo wstydziłam się przyznać, że poczułam się zdradzona przez tę opowieść. Sądziłam, że ten mąż i żona są zwyczajnym małżeństwem, jak mój mąż i ja, a tymczasem mieli oni dwoje dzieci, chłopca i dziewczynkę, co oznaczało, że wcale nie są tacy jak mój mąż i ja. Nie byli tylko mężczyzną i kobietą: byli ojcem i matką. Ale głupio byłoby powiedzieć coś takiego, więc rzuciłam:

– Było w porządku.

– Moim zdaniem było durne – stwierdził David, a ja podniosłam na niego wzrok. – Kto ma takie wielkie mieszkanie, żeby po nim biegać? Kto jest takim wcieleniem dobroci, że odnosi ptaka do ośrodka?

Na jego słowa po grzbiecie przeszły mi ciarki. Poczułam zaniepokojenie. Spuściłam oczy.

– Przecież tego wymaga prawo.

– Jasne, że prawo tego wymaga, ale on jest opowiadaczem – zżymał się David. – Naprawdę myśli, że mu uwierzymy, że gdy duży, tłusty, soczysty gołąb wpadnie komuś przez okno, ten ktoś go nie zabije, nie oskubie i nie wsadzi prosto do piekarnika?

Spojrzałam na niego: przyglądał mi się z krzywym uśmieszkiem. Nie wiedziałam, co powiedzieć.

– Przecież to tylko bajka – rzekłam w końcu.

– Właśnie o to mi chodzi – powiedział, tak jakbym się z nim zgodziła, a potem zasalutował. – Pa, Charlie. Dzięki za przegryzkę i towarzystwo.

I poszedł w kierunku zachodnim, do Małej Ósemki.

Nie powiedział, że spotkamy się za tydzień, ale w następną sobotę znów stał przed namiotem opowiadacza, a mnie znów dopadło to dziwne uczucie w żołądku.

– Moglibyśmy się przejść, zamiast tu siedzieć, jeśli to ci pasuje – powiedział, chociaż było niesamowicie gorąco, tak gorąco, że musiałam włożyć kombinezon chłodzący. Za to on był w tej samej szarej koszuli, szarych spodniach i szarej czapce i wcale nie wyglądał na zgrzanego. Powitał mnie tak, jakbyśmy planowali się tu spotkać w ustalonym celu, który on nagle proponuje zmienić.

Gdy już szliśmy, przypomniało mi się, że mam zadać mu pytanie, które chodziło mi po głowie przez cały tydzień:

– Nie widuję cię już na przystanku wahadłowca – powiedziałam.

– To prawda – przyznał. – Pracuję teraz na inną zmianę. Jeżdżę tym o siódmej trzydzieści.

– Aha – powiedziałam. I po chwili dorzuciłam: – Mój mąż też jeździ tym o siódmej trzydzieści.

– Naprawdę? Gdzie pracuje?

– Przy Stawie – odparłam.

– Aha – rzekł David. – Ja pracuję na Farmie.

Nie trzeba było pytać, czy się znają, ponieważ Farma była największym przedsięwzięciem państwowym w naszej prefekturze, zatrudniającym dziesiątki naukowców i setki techników, a co więcej, pracownicy Stawu odizolowani byli przy Stawie i rzadko mieli okazję spotkać kogoś, kto pracował w większym przedsiębiorstwie.

– Jestem specjalistą od bromelii – powiedział David, chociaż go nie pytałam, bo nie wypadało pytać, co kto robi. – Tak się to formalnie nazywa, ale faktycznie jestem po prostu ogrodnikiem. – To też było niezwykłe: nie tylko opisywać swoją pracę, ale i świadomie umniejszać jej wagę. – Zajmuję się krzyżowaniem okazów, które posiadamy, ale przeważnie po prostu opiekuję się roślinami.

Mówił wesoło i otwarcie, ale ja nagle poczułam, że powinnam stanąć w obronie jego pracy.

– To ważna praca – powiedziałam. – Wszystkie badania prowadzone na Farmie bardzo nam się przydają.

– Tak przypuszczam – odparł. – Chociaż osobiście nie zajmuję się badaniami. Ale kocham rośliny, jakkolwiek głupio to brzmi.

– A ja kocham embriony – powiedziałam i uświadomiłam sobie, że to prawda. Rzeczywiście kochałam embriony. Były tak delikatne i tak krótko żyły; biedne, nieukształtowane biedactwa, stworzone tylko po to, żeby mogły umrzeć, zostać pokrojone i zbadane, a potem spalone i zapomniane.

– Embriony? – zaciekawił się. – Powiedz coś więcej.

Więc objaśniłam mu, na czym polega moja praca, opowiedziałam, jak preparuję embriony i jak naukowcy denerwują się, gdy nie doniosę ich na czas, co go rozśmieszyło, a wtedy mnie zrobiło się głupio, ponieważ nie chciałam, by pomyślał sobie, że skarżę się na naukowców albo się z nich wyśmiewam, bo przecież wykonują najważniejszą pracę, co też mu powiedziałam.

– Nie, nie odnoszę wrażenia, że ich lekceważysz – powiedział. – Tylko że… to są bardzo ważni ludzie, ale w końcu tylko ludzie, wiesz? Niecierpliwią się, miewają złe humory, tak jak my wszyscy.

Nigdy dotąd nie myślałam w ten sposób o naukowcach – jako o ludziach – więc zbyłam to milczeniem.

– Od jak dawna jesteś zamężna? – spytał David.

Przez chwilę nie wiedziałam, co odpowiedzieć na tak bezpośrednie pytanie.

– Może nie powinienem o to pytać – powiedział, patrząc na mnie. – Musisz mi wybaczyć. Tam, skąd pochodzę, ludzie rozmawiają znacznie bardziej otwarcie.

– Ach tak – powiedziałam. – A skąd pochodzisz?

Okazało się, że pochodził z Prefektury Piątej, jednej z prefektur południowych, chociaż nie mówił z tamtejszym akcentem. Ludzie czasami zmieniali prefektury, ale zazwyczaj tylko wtedy, gdy posiadali jakieś niezwykłe albo pożądane umiejętności. Wiedząc to, zaciekawiłam się, czy David nie jest przypadkiem kimś ważniejszym, niż się przedstawia: to wyjaśniałoby, dlaczego trafił tutaj, nie tylko do Prefektury Drugiej, ale do Strefy Ósmej.

– Jestem zamężna od prawie sześciu lat – powiedziałam nagle, a ponieważ przewidziałam jego następne pytanie, dodałam: – Jesteśmy bezpłodni.

– Przykro mi, Charlie – odrzekł. Powiedział to łagodnie, ale w jego głosie nie było fałszywej litości. Nie odwrócił się również ode mnie, jak robili to niektórzy ludzie, tak jakby moją bezpłodnością można się było zarazić. – Czy to z powodu choroby? – spytał.

To także było zbyt bezpośrednie, ale przyzwyczajałam się do niego i nie zgorszyłam się tak, jak zgorszyłabym się, gdyby to pytanie zadał ktoś inny.

– Tak, tej z roku siedemdziesiątego – odpowiedziałam.

– A twój mąż… z tego samego powodu?

– Tak – potwierdziłam, chociaż to nie była prawda. Miałam dość tego tematu, który nie nadawał się do dyskusji z nieznajomymi ani z przygodnymi znajomymi, ani w ogóle z nikim. Rząd czynił usilne starania w celu osłabienia stygmatu bezpłodności. Prawo zabraniało już odmówić wynajęcia mieszkania bezpłodnej parze, ale większość z nas i tak gnieździła się na kupie, bo tak po prostu było nam łatwiej: nikt nie spoglądał na nas dziwnie, a przede wszystkim nie musieliśmy stale oglądać cudzych osesków i dzieci, które codziennie przypominałyby nam o naszym defekcie. W naszym bloku niemal w całości zamieszkiwały pary bezpłodne. W ubiegłym roku rząd zalegalizował małżeństwa osób bezpłodnych z osobami płodnymi, i to bez względu na płeć, z tym że, o ile mi wiadomo, nikt z tego prawa dotąd nie skorzystał, bo płodni nie widzieli powodu, by w ten sposób rujnować sobie życie.

Musiałam mieć dziwną minę, bo David dotknął mojego ramienia, na co się wzdrygnęłam i odsunęłam, ale on się nie obraził.

– Popsułem ci humor, Charlie – powiedział. – Przepraszam. Nie chciałem być wścibski. – Westchnął. – Przecież to nie znaczy, że jesteś złym człowiekiem.

A potem, zanim zdążyłam wymyślić jakąś odpowiedź, odwrócił się i odszedł, machając mi ręką na pożegnanie.

– Do zobaczenia za tydzień – rzucił na odchodnym.

– Okej – odpowiedziałam i patrzyłam za nim, kiedy oddalał się na zachód, aż całkiem zniknął mi z oczu.

Od tamtej pory widywałam Davida co sobota. Wkrótce nastał kwiecień i zrobiło się jeszcze cieplej, za ciepło na nasze spacery, ale starałam się nie myśleć, co stanie się później.

Pewnego wieczoru, może miesiąc po tym, jak zaczęłam się spotykać z Davidem, mąż spojrzał na mnie przy kolacji i powiedział:

– Zmieniłaś się.

– Naprawdę? – spytałam. Wcześniej David opowiadał mi o dorastaniu w Prefekturze Piątej, o wspinaniu się z kolegami na pekany i obżeraniu się orzechami aż do bólu brzucha. Zapytałam go, czy nie bał się zrywać orzechów, bo przecież prawnie wszystkie drzewa owocowe były własnością państwa, ale odpowiedział, że państwo ma więcej luzu w Prefekturze Piątej. „Tak naprawdę to zależy im tylko na Prefekturze Drugiej, ponieważ tam ulokowane są wszystkie pieniądze i ośrodki władzy" – powiedział. Wypowiadał się głośno i swobodnie, tak że każdy mógł słyszeć, a gdy go poprosiłam, żeby ściszył głos, był wyraźnie skonsternowany. „Dlaczego? – spytał. – Przecież nie zdradzam racji stanu". Musiałam się nad tym zastanowić. Nie dopuszczał się zdrady, to prawda, ale w jego sposobie mówienia było coś budzącego podejrzenie, że jednak tak się dzieje. – Przepraszam – powiedziałam.

– Nie ma za co – odparł mój mąż. – Po prostu wyglądasz... – zawiesił głos i zaczął mi się bacznie przyglądać, o wiele dłużej niż kiedykolwiek dotąd, tak długo, że poczułam się nieswojo – ...zdrowo. Tryskasz zadowoleniem. Miło mi to widzieć.

– Dziękuję – rzekłam po chwili, a mąż, pochylony już z powrotem nad pasztetem z tofu, skinął głową.

Nocą, leżąc w łóżku, uświadomiłam sobie, że już od kilku tygodni nie zastanawiam się, jak mój mąż spędza wolne noce. Ani razu nie przyszło mi do głowy, żeby sprawdzić pudełko i poszukać nowych liścików. Gdy tak myślałam, stanął mi nagle przed oczami dom przy ulicy Bethune i mój mąż wślizgujący się przez uchylone drzwi, zza których męski głos mówi: „Spóźniasz się dzisiaj", więc aby odegnać ten obraz, pomyślałam o Davidzie, o tym, jak się uśmiechnął i powiedział, że jestem zabawna.

W środku nocy zbudziłam się ze snu. Rzadko coś mi się śni, ale ten sen był tak wyrazisty, że przez chwilę po otwarciu oczu nie wiedziałam, gdzie jestem. We śnie szłam przez plac z Davidem i przystanęliśmy w północnym wejściu, tam, gdzie plac styka się z Piątą Aleją. Nagle David położył ręce na moich ramionach i pocałował mnie. Złościło mnie, że nie pamiętałam, jak się poczułam, ale na pewno dobrze; podobało mi się to. I wtedy się obudziłam.

Potem noc w noc śniło mi się, że David mnie całuje. Różnie się czułam w tych snach: to przestraszona, to znów (przeważnie) podniecona, ale doświadczałam w nich ulgi – nigdy wcześniej nie byłam całowana i nauczyłam się godzić z tym, że już nie będę. A jednak.

Dwie soboty od pierwszego snu o całowaniu byłam znowu na placu z Davidem. Trwał już trzeci tydzień kwietnia i panował tak nieznośny upał, że nawet David zaczął nosić kombinezon chłodzący. Kombinezony chłodzące były skuteczne, ale mocno napompowane, przez co dziwnie się w nich chodziło, musieliśmy więc posuwać się powoli – ze względu na ich objętość i żeby się nie zasapać.

Robiliśmy właśnie drugie okrążenie placu i David opowiadał mi nowe historyjki o dorastaniu w Prefekturze Piątej, gdy nagle ujrzałam mojego męża, który zmierzał w naszą stronę.

Przystanęłam.

– Charlie? – zdziwił się David i spojrzał na mnie. Ale nie odpowiedziałam.

Tymczasem mąż już mnie zauważył i podszedł do nas. Był sam, także w kombinezonie chłodzącym. Zbliżając się, podniósł rękę na powitanie.

– Cześć – powiedział, zrównawszy się z nami.

– Cześć – powiedział David.

Przedstawiłam ich sobie nawzajem i obaj się skłonili. Wymienili parę zdań o pogodzie – bez wysiłku, tak jak to potrafi robić większość ludzi. A potem mój mąż ruszył dalej w swoją stronę na północ, a ja z Davidem na zachód.

– Sympatycznego masz męża – powiedział po chwili David, ponieważ ja się nie odzywałam.

– Owszem – przyznałam. – Jest sympatyczny.

– Czy to było aranżowane małżeństwo?

– Tak, zaaranżował je mój dziadek.

Pamiętam, kiedy Dziadek po raz pierwszy rozmawiał ze mną o małżeństwie. Miałam dwadzieścia jeden lat; rok wcześniej polecono mi opuścić college, ponieważ mój ojciec został uznany za wroga państwa, mimo że od dawna już nie żył. To były dziwne czasy: w jednym tygodniu chodziły plotki, że powstańcy zdobywają tereny, a w następnym donoszono oficjalnie, że siły rządowe ich odparły. W oficjalnych komunikatach obiecywano zwycięstwo państwa, a Dziadek potwierdził, że na pewno tak się stanie. Ale powiedział także, że chce mieć pewność, że jestem bezpieczna i ktoś się mną opiekuje. „Przecież mam ciebie" – rzekłam, a on się uśmiechnął. „Tak jest – powiedział – masz całe moje serce, koteczku. Ale ja nie będę żył wiecznie, a chcę być pewien, że ty zawsze będziesz miała obrońcę, nawet długo po moim odejściu".

Nie odpowiedziałam na to, bo nie lubiłam, gdy Dziadek mówił o swojej śmierci, ale tydzień później udaliśmy się oboje do pośrednika małżeńskiego. Dziadek miał jeszcze wtedy pewne wpływy, więc wybrał najbardziej elitarnego pośrednika małżeńskiego w prefekturze; pośrednik ten zazwyczaj aranżował wyłącznie małżeństwa rezydentów Strefy Czternastej, ale w drodze wyjątku zgodził się przyjąć Dziadka.

W biurze pośrednika małżeńskiego zasiedliśmy z Dziadkiem w poczekalni. Nagle drugie drzwi się otworzyły i wszedł przez nie wysoki, chudy, blady mężczyzna.

– Pan doktor? – spytał Dziadka.

– Tak, to ja – potwierdził Dziadek, wstając. – Dziękuję, że nas pan przyjął.

– Ależ oczywiście – rzekł chudzielec, który gapił się na mnie od chwili wejścia. – A to jest pańska wnuczka?

– Tak – odrzekł z dumą Dziadek i przyciągnął mnie do siebie. – To jest Charlie.

– Rozumiem – powiedział tamten. – Witaj, Charlie.

– Dzień dobry – wyszeptałam.

Zapadło milczenie.

– Jest trochę wstydliwa – powiedział Dziadek, mierzwiąc mi włosy.

– Rozumiem – powtórzył tamten. Potem zwrócił się do Dziadka: – Zechce pan, doktorze, wejść sam, żebyśmy mogli zamienić dwa słowa? – Popatrzył na mnie. – A młoda dama może poczekać tutaj.

Czekałam jakieś piętnaście minut, kopiąc piętami nogi krzesła, co było moim brzydkim nawykiem. W poczekalni nie było na co patrzeć: cztery zwyczajne krzesła i kawałek pospolitego szarego dywanu. Nagle jednak usłyszałam zza tamtych drzwi podniesione głosy: kłócili się, więc podeszłam i przytknęłam ucho do drzwi.

Najpierw usłyszałam głos tamtego mężczyzny:

– Z całym szacunkiem, doktorze, z całym s z a c u n k i e m, uważam, że powinien pan być realistą.

– Co to ma znaczyć? – odezwał się Dziadek i ze zdziwieniem usłyszałam złość w jego głosie.

– Wybaczy pan, doktorze, ale pańska wnuczka jest…

– No, jaka jest moja wnuczka? – warknął Dziadek i znów zapadła cisza.

– Specyficzna – powiedział wreszcie tamten.

– To prawda – przyznał Dziadek. – J e s t specyficzna, jest wielce specyficzna i potrzebuje męża, który zrozumie, jak bardzo jest specyficzna.

Miałam dość. Usiadłam z powrotem. Po paru minutach Dziadek wymaszerował szybko z gabinetu, przepuścił mnie w drzwiach i wyszliśmy na ulicę. Żadne z nas się nie odzywało. Wreszcie spytałam:

– Znalazłeś kogoś dla mnie?

Dziadek fuknął.

– Ten człowiek to idiota – powiedział. – Nie mam pojęcia, o co mu chodzi. Pójdziemy do kogoś innego. Przepraszam, że zmarnowałem twój czas, koteczku.

Potem byliśmy jeszcze u dwóch pośredników małżeńskich. Za każdym razem Dziadek wychodził zamaszyście z gabinetu, przepuszczał mnie w drzwiach wyjściowych, a na ulicy oznajmiał, że ten pośrednik to baran albo głupiec. Później stwierdził, że nie muszę mu towarzyszyć w tych wyprawach, bo nie chce tracić czasu własnego i mojego. W końcu znalazł pośrednika, z którego był zadowolony, specjalistę od swatania osób bezpłodnych, i pewnego dnia oświadczył mi, że znalazł dla mnie kandydata na męża, takiego, który będzie się mną zawsze opiekował.

Pokazał mi zdjęcie mężczyzny, który miał zostać moim mężem. Na odwrocie widniało jego imię i nazwisko, data urodzenia, wzrost, waga, przynależność rasowa i zawód. Na karcie wytłoczony był specjalny stempel, który wszyscy bezpłodni musieli stawiać na swoich dokumentach, i drugi stempel, oznaczający, że co najmniej jedna osoba z jego najbliższej rodziny była wrogiem państwa. Zazwyczaj na takich kartach podawano imiona i profesje rodziców kandydata, lecz na tej zostawiono w tych miejscach puste rubryki. Chociaż rodziców mojego męża uznano za wrogów, on sam musiał znać kogoś lub być spokrewniony z kimś, kto miał pewne wpływy albo władzę, skoro tak jak ja chodził na wolności, zamiast być w obozie pracy, w więzieniu albo w areszcie.

Odwróciłam zdjęcie z powrotem i przyjrzałam się mężczyźnie. Miał przystojną, poważną twarz i schludne, czyste, krótko przystrzyżone włosy. Lekko uniesiony podbródek nadawał mu śmiały wygląd. Osoby bezpłodne lub spokrewnione ze zdrajcami mają zwykle spuszczony wzrok, jakby się wstydziły albo przepraszały – ale on nie.

– Co sądzisz? – spytał mnie Dziadek.

– W porządku – odpowiedziałam, a Dziadek obiecał zaaranżować nasze spotkanie.

Po tym spotkaniu ustalono datę naszego ślubu – za rok. Jak już wspomniałam, mój mąż trafił na czarną listę, gdy był w szkole podyplomowej, ale próbował się odwoływać, co też świadczy o tym, że ktoś mu pomagał. Poprosił o odroczenie ślubu do czasu zapadnięcia wyroku sądu apelacyjnego, na co Dziadek się zgodził.

Pewnego dnia, kilka miesięcy po podpisaniu przez nas oboje promesy umowy małżeńskiej, szłam z Dziadkiem Piątą Aleją, gdy nagle Dziadek powiedział:

– Są różne rodzaje małżeństwa, koteczku.

Czekałam, aż powie coś więcej, a kiedy wreszcie podjął temat, mówił o wiele wolniej niż zwykle, robiąc pauzę co kilka słów.

– Niektóre pary małżeńskie – zaczął – są dla siebie nawzajem bardzo atrakcyjne. Panuje między nimi taka… taka… chemia fizyczna, taki wzajemny głód. Rozumiesz, co mam na myśli?

– Seks – powiedziałam. Dziadek sam objaśnił mi sprawy seksu, wiele lat wcześniej.

– No właśnie – powiedział. – Seks. Ale niektóre pary nie przyciągają się w ten sposób. Mężczyzna, którego masz poślubić, koteczku, nie jest zainteresowany tym… No wiesz. Poprzestańmy na stwierdzeniu, że nie jest zainteresowany. Co jednak w żaden sposób nie obniża rangi twojego małżeństwa. Ani nie znaczy, że twój mąż nie jest dobrym człowiekiem, a tym bardziej ty sama. Chcę, żebyś wiedziała, koteczku, że seks wprawdzie stanowi część małżeństwa, ale nie zawsze. I nie on jeden stanowi o małżeństwie, wcale nie. Twój mąż będzie cię zawsze dobrze traktował, to ci obiecuję. Rozumiesz, co usiłuję ci powiedzieć?

Zdawało mi się, że rozumiem, ale pomyślałam, że to, co mnie się wydaje, może nie być jednak tym, co Dziadek ma na myśli.

– Tak mi się zdaje – powiedziałam, a on popatrzył na mnie i po chwili kiwnął głową.

Później, kiedy całował mnie na dobranoc, powiedział jeszcze:

– Twój mąż będzie zawsze dobry dla ciebie, koteczku. Nie mam co do tego żadnych obaw.

Pokiwałam głową, ale teraz podejrzewam, że Dziadek jednak miał obawy, skoro w końcu poinstruował mnie, co mam robić, gdyby mąż kiedykolwiek potraktował mnie niewłaściwie – do czego, jak już mówiłam, nigdy nie doszło.

Rozmyślałam o tym wszystkim, gdy wreszcie wróciłam do naszego mieszkania, pożegnawszy Davida na placu. Mój mąż wrócił, kiedy kończyłam szykować kolację, przebrał się z kombinezonu chłodzącego, nakrył do stołu i nalał wody dla nas obojga.

Denerwowałam się przed konfrontacją z mężem po przypadkowym spotkaniu na placu, ale wyglądało na to, że będzie to posiłek jak każdy inny. Nie miałam pojęcia, dokąd mój mąż chadza w soboty; w każdym razie nie wychodził wtedy na cały dzień. Codziennie rano robił zakupy, a w niedzielę wspólnie zajmowaliśmy się domem – praniem, gdy wypadała nasza kolej, i sprzątaniem – a potem oboje, chociaż nie równocześnie, wykonywaliśmy prace w ogrodzie komunalnym.

Na kolację mieliśmy resztkę tofu, z którego zrobiłam zimny gulasz. W trakcie jedzenia mój mąż, nie podnosząc głowy znad talerza, powiedział:

– Cieszę się, że poznałem dzisiaj Davida.

– Tak, było miło – potwierdziłam.

– Jak wyście się poznali?

– Na jednym z występów opowiadacza historii. Siedział obok mnie.

– Kiedy?

– Jakieś siedem tygodni temu.

Pokiwał głową.

– Gdzie on pracuje?

– Na Farmie – powiedziałam. – Jest technikiem od roślin.

Popatrzył na mnie.

– A skąd jest? – spytał.

– Z Małej Ósemki. Ale przedtem mieszkał w Prefekturze Piątej.

Mój mąż przycisnął serwetkę do ust, odchylił się na oparcie krzesła i popatrzył w sufit. Wyglądał, jakby nie mógł czegoś wykrztusić. Wreszcie spytał:

– Co robicie razem?

Wzruszyłam ramionami.

– Chodzimy do opowiadacza... – zaczęłam, chociaż już co najmniej od miesiąca nie byliśmy u opowiadacza. – Spacerujemy wokół placu. On opowiada mi o dorastaniu w Prefekturze Piątej.

– A co ty jemu opowiadasz?

– Nic – odpowiedziałam i uświadomiłam sobie, że to prawda. Nie miałam co opowiadać ani Davidowi, ani mężowi.

Mąż westchnął i przeciągnął dłonią po oczach, jak zwykle, gdy był zmęczony.

– Kobra – powiedział – powinnaś być ostrożna. Cieszę się, że masz przyjaciela, naprawdę się cieszę. Ale ty... ty przecież ledwo znasz tę osobę. Po prostu bądź czujna. – Przemawiał tonem łagodnym jak zawsze, ale patrzył mi w oczy, i to tak, że w końcu odwróciłam wzrok. – Nie przyszło ci do głowy, że on może być wysłannikiem państwa?

Nic nie odpowiedziałam. Coś we mnie wzbierało.

– Kobra? – zagadnął łagodnie mój mąż.

– Bo uważasz, że nikt nie chciałby być po prostu moim przyjacielem? – zapytałam. Nigdy wcześniej nie podniosłam głosu na męża, nigdy się na niego nie rozzłościłam, więc teraz zrobił zdziwioną minę i lekko rozchylił usta.

– Nie – odparł. – Nie to miałem na myśli. Po prostu... – Zawiesił głos i zaczął od nowa: – Obiecałem twojemu dziadkowi, że zawsze będę się tobą opiekował – powiedział.

Przez chwilę siedziałam bez słowa. Potem wstałam od stołu, poszłam do naszej sypialni, zamknęłam drzwi i położyłam się na swoim łóżku. W ciszy usłyszałam szuranie odsuwanego krzesła, odgłos zmywania naczyń i włączone radio, a potem mąż wszedł do pokoju, gdzie ja udawałam, że śpię. Usłyszałam, że siada na swoim łóżku. Czekałam, czy coś do mnie powie, ale się nie odezwał, a niebawem po jego oddechu poznałam, że śpi.

Oczywiście, że przyszło mi do głowy, że David może być informatorem rządu. Jeśli jednak nim był, to bardzo kiepskim, bo informatorzy są cisi i niewidoczni, a on nie był ani cichy, ani niewidoczny. Chociaż zastanawiałam się, czy nie jest taki celowo: czy to, że nie pasuje do postaci informatora, nie zwiększa prawdopodobieństwa, że nim jest. Swoją drogą to ciekawe: informatorzy są *tacy* cisi i niewidzialni, że łatwo można ich po tym rozpoznać. Może nie od razu, ale po jakimś czasie; są, jak to mówił Dziadek, bezkrwiści, i właśnie to ich wyróżnia. Ale ostatecznym argumentem potwierdzającym, że David nie jest informatorem, byłam ja sama. Kto by się mną interesował? Jakie ja miałam sekrety? Wszyscy wiedzieli, kim był mój dziadek i kim był mój ojciec, wszyscy wiedzieli, jak obaj umarli; wszyscy wiedzieli, że dostali wyrok i że w przypadku Dziadka ten wyrok został cofnięty – niestety za późno. Jedyne, co miałam na sumieniu, to te noce śledzenia mojego męża, ale nie było to raczej przewinienie z gatunku tych, na które poluje informator.

Skoro jednak niemożliwe było, żeby David był informatorem, to dlaczego spędzał czas ze mną? Nigdy nie byłam osobą, do której ludzie się garną. Gdy wyzdrowiałam, Dziadek zabierał mnie na różne zajęcia z udziałem dzieci w moim wieku. Rodzice siedzieli tam na krzesłach ustawionych wokół sali, a dzieci się bawiły. Jednak po kilku próbach przestaliśmy tam chodzić. Mnie to nie przeszkadzało, bo zawsze mogłam bawić się, rozmawiać i spędzać czas z Dziadkiem – aż do dnia, w którym stało się to niemożliwe.

Tamtej nocy, leżąc bezsennie, wsłuchując się w oddech męża i wspominając jego słowa, zadałam sobie pytanie, czy aby na pewno jestem osobą, za jaką się uważam. Wiedziałam, że jestem nudna, nieatrakcyjna i często nie rozumiem ludzi. Ale może się jakimś cudem zmieniłam, sama o tym nie wiedząc. Może już nie jestem tym, kim wiedziałam, że byłam.

Wstałam i wyszłam do łazienki. Nad umywalką wisiało małe lustro, które można było ustawić pod różnym kątem i w ten sposób obejrzeć całe swoje ciało. Ściągnęłam ubranie i przyjrzałam się sobie, dochodząc ostatecznie do wniosku, że wcale się nie zmieniłam. Byłam wciąż tą samą osobą, z tymi samymi grubymi nogami, cienkimi włosami i małymi oczami. Nic nie stało się inne; byłam taka, jak już od dawna wiedziałam, że jestem.

Ubrałam się, zgasiłam światło i wróciłam do sypialni. I wtedy poczułam się fatalnie, bo mój mąż miał rację – było coś dziwnego w tym, że David ze mną rozmawiał. Byłam nikim, a on nie.

„Nie jesteś nikim, koteczku – powiedziałby Dziadek. – Jesteś moja".

Ale – rzecz najdziwniejsza – nie obchodziło mnie, dlaczego David chce się ze mną przyjaźnić. Po prostu chciałam, żeby przyjaźnił się ze mną w dalszym ciągu. I postanowiłam sobie, że nie będę się tym przejmować, bez względu na to, co nim powoduje. Uprzytomniłam sobie także, że im wcześniej zasnę, tym wcześniej będzie niedziela, a potem poniedziałek i wtorek, i z każdym dniem będzie bliżej do następnego spotkania z Davidem. Z tą myślą zamknęłam oczy i w końcu usnęłam.

Od jakiegoś czasu nie opowiadałam, co działo się w laboratorium.

Prawdę mówiąc, przyjaźń z Davidem tak mnie pochłonęła, że miałam mniej czasu i ochoty na podsłuchiwanie doktorantów.

Z drugiej strony podsłuchiwanie nie było już tak potrzebne, ponieważ ewidentnie coś się działo i naukowcy zaczęli rozmawiać o tym otwarcie, chociaż nie powinni. Oczywiście trudno mi było poznać szczegóły – których i tak bym pewnie nie zrozumiała – ale wszystko wskazywało na to, że mamy do czynienia z następną chorobą. Prognozowano, że spowoduje wysoką śmiertelność. Wiedziałam tylko tyle, że chorobę wykryto gdzieś w Ameryce Południowej, że zdaniem naukowców wywołuje ją wirus przenoszony drogą powietrzną, że ma ona charakter krwotoczny i rozprzestrzenia się również przez płyny ustrojowe, czyli należy do chorób najgorszego typu, do których zwalczania byliśmy mniej przygotowani, ponieważ większość badań, pieniędzy i działań prewencyjnych przeznaczaliśmy na choroby układu oddechowego. Nic więcej nie wiedziałam, ale i naukowcy wiedzieli niewiele więcej: nie mieli pojęcia, w jakim stopniu jest zakaźna, ile trwa okres jej inkubacji, jak wysoką powoduje śmiertelność. Chyba nawet nie wiedzą – przynajmniej jeszcze nie – ile osób dotychczas na nią zmarło. To, że zaczęła się w Ameryce Południowej, było dość niefortunne, ponieważ Ameryka Południowa była tradycyjnie najmniej otwarta w kwestii informowania o infekcjach, i to do tego stopnia, że podczas ostatniej epidemii Pekin musiał jej zagrozić poważnymi sankcjami, aby wymusić współpracę.

Może to zabrzmi dziwnie, ale w laboratorium mimo wszystko panował przyjemny nastrój. Naukowcy lubili nowe wyzwania, więc początkowy niepokój zamienił się w podniecenie. Dla większości młodych naukowców miała to być pierwsza poważna choroba; wielu było mniej więcej w moim wieku, więc ledwo pamiętali wydarzenia roku siedemdziesiątego, a ogólna zachorowalność spadła, odkąd wprowadzono zakaz podróżowania. Każdy głośno wyrażał nadzieję, że to co najwyżej odizolowany incydent, który łatwo zostanie zlokalizowany, ale po cichu wszyscy mówili co innego i podśmiewali się, ponieważ starsi naukowcy ciągle im powtarzali, że są zepsuci wskutek braku doświadczenia pandemii z perspektywy zawodowej, a teraz mieli szansę zdobyć tego rodzaju doświadczenie.

Ja też się nie bałam; moje życie codzienne pozostawało bez zmian. W laboratorium zawsze będzie zapotrzebowanie na embriony, bez względu na to, czy choroba okaże się zagrożeniem na wielką skalę czy nie.

Drugim powodem mojego spokoju było to, że miałam przyjaciela. Jakieś dziesięć lat temu rząd wprowadził indywidualny obowiązek rejestracji nazwisk przyjaciół w lokalnym urzędzie, ale prawo to szybko zniesiono. Nawet Dziadek uznał, że to groteskowy pomysł. „Rozumiem, o co im chodzi – powiedział – ale ludzie mniej się nudzą, a zatem sprawiają mniej kłopotów, kiedy wolno im mieć przyjaciół". Teraz nawet ja zrozumiałam, że to prawda. Łapię się na tym, że gromadzę obserwacje, żeby mieć co opowiadać Davidowi. Nigdy nie powiedziałabym mu, co się dzieje w laboratorium, to oczywiste, ale czasami wyobrażam sobie rozmowy, które moglibyśmy prowadzić, gdybym mu to mówiła. Początkowo było mi trudno, bo nie rozumiałam jego sposobu myślenia. Z czasem jednak zauważyłam, że wypowiada się odmiennie niż typowa osoba. Na przykład gdybym mu powiedziała: „W laboratorium niepokoją się nową chorobą", typowa osoba odrzekłaby: „Czy to bardzo poważna choroba?". Tymczasem David powiedziałby coś innego, może nawet coś całkiem innego, na przykład: „Po czym poznajesz, że się niepokoją?" – a wtedy musiałabym się na serio zastanowić nad odpowiedzią: no bo p o c z y m poznałam, że się niepokoją? W ten sposób rozmawiałam z nim nawet w dni, kiedy go nie widziałam.

Ale niektóre obserwacje mogłam mu przekazywać, i robiłam to. Na przykład mówiłam mu o tym, że jadąc do domu wahadłowcem, zobaczyłam psa policyjnego, który skakał, szczekał i machał ogonem, bo fruwał przed nim motyl – chociaż psy policyjne zazwyczaj są ciche i zdyscyplinowane. Albo o tym, że jedna z doktorantek, Belle, urodziła córeczkę i do wszystkich laboratoriów na naszym piętrze przysłała kilkadziesiąt pudełek ciasteczek z prawdziwą cytryną i prawdziwym cukrem, tak że każdy się poczęstował, nawet ja. Albo o tym, że odkryłam embrion z dwiema głowami i sześcioma nogami. Przedtem zapamiętywałam historyjki tego rodzaju, żeby opowiedzieć je mężowi przy kolacji. Ale teraz myślałam tylko o tym, co powie David, i gdy widziałam coś ciekawego, odruchowo wybiegałam w przyszłość i wyobrażałam sobie jego minę, gdy będzie mnie słuchał.

W następną sobotę spotkaliśmy się w tak ogromnym upale, że ledwo dało się spacerować, nawet w kombinezonach chłodzących.

– Wiesz, co powinniśmy zrobić? – zagadnął mnie David, gdy w żółwim tempie kroczyliśmy na zachód. – Powinniśmy się dla odmiany spotkać w centrum i na przykład posłuchać koncertu.

Zastanowiłam się nad tym.

– Ale wtedy nie moglibyśmy rozmawiać – powiedziałam.

– No tak, to prawda – przyznał. – Nie w czasie koncertu. Ale pogadać moglibyśmy później, na przykład na bieżni.

W centrum znajdowała się klimatyzowana kryta bieżnia w kształcie pętli, po której można było spacerować.

Nic na to nie odpowiedziałam, więc popatrzył na mnie i spytał:

– Często chodzisz do centrum?

– Tak – skłamałam. Nie chciałam mówić mu prawdy: że nie wchodzę do środka ze strachu. – Dziadek zawsze mówił, że powinnam tam chodzić częściej; że mogłoby mi się spodobać.

– Już wcześniej wspominałaś o swoim dziadku – powiedział David. – Jaki on był?

– Był miły – odrzekłam po chwili, chociaż był to bardzo niedoskonały opis Dziadka. – Kochał mnie – powiedziałam wreszcie. – Opiekował się mną. Graliśmy razem w różne gry.

– W co na przykład?

Już miałam odpowiedzieć, kiedy dotarło do mnie, że gry, w które grałam z Dziadkiem – na przykład gra w rozmowę albo ta, w której opisywałam kogoś, kogo minęliśmy na ulicy – dla kogokolwiek oprócz nas mogły w ogóle nie być grami i nadawanie im tej nazwy czyni ze mnie podwójną dziwaczkę: dziwaczkę, która uważa, że to są gry, i dziwaczkę, która potrzebuje tego typu zabaw. Więc na wszelki wypadek odpowiedziałam:

– W piłkę, w karty i różne inne.

Bo wiedziałam, że to są normalne gry, i byłam z siebie zadowolona, że przyszła mi do głowy właśnie ta odpowiedź.

– To fajnie – powiedział David i przeszliśmy jeszcze kawałek. – Czy twój dziadek był technikiem laborantem, tak jak ty?

To wcale nie było takie dziwne pytanie, jak się zdaje. Gdybym miała dziecko, zapewne ono również zostałoby technikiem laboratoryjnym albo kimś tej samej rangi, chyba że okazałoby się szczególnie zdolne i wytypowano by je w młodym wieku na – powiedzmy – naukowca. Ale za czasów Dziadka można było zostać, kim się chciało.

W tej samej chwili uświadomiłam sobie, że David nie wie, kim był Dziadek. Kiedyś wszyscy o tym wiedzieli, ale przypuszczam, że teraz jego nazwisko znane jest tylko rządowcom i naukowcom. Davidowi go nie podałam. Dla niego mój dziadek był wyłącznie moim dziadkiem i nikim więcej.

– Tak – powiedziałam. – Był także technikiem laborantem.

– I też pracował na Uniwersytecie Rockefellera?

– Tak – potwierdziłam, bo to akurat była prawda.

– A jak wyglądał?

Może to zabrzmi dziwnie, ale chociaż bardzo dużo myślałam o Dziadku, coraz słabiej pamiętałam, jak wyglądał. Lepiej pamiętam jego głos, zapach i tamto uczucie, gdy obejmował mnie ramieniem. Najczęściej wracał w mojej pamięci prowadzony na szafot, kiedy szukał mnie oczami w tłumie, wśród setek ludzi, którzy zbiegli się gapić i szydzić z niego, którzy wykrzykiwali moje nazwisko, dopóki kat nie zarzucił mu na głowę czarnego kaptura.

Lecz tego oczywiście nie mogłam powiedzieć Davidowi.

– Był wysoki – zaczęłam. – I chudy. Skórę miał ciemniejszą od mojej. I siwe włosy, krótkie, i…

Tu głos mi zamarł, bo już nie wiedziałam, co dalej mówić.

– Ubierał się ekstrawagancko? – spytał David. – Bo mój dziadek ze strony matki lubił stroić się ekstrawagancko.

– Nie – odparłam, chociaż jednocześnie przypomniałam sobie sygnet, który Dziadek nosił, gdy byłam mała. Był to stary sygnet ze złota, który z jednej strony miał wprawioną perłę. Gdy przycisnęło się małe zawiaski po bokach oprawy, perła się unosiła, odsłaniając malutkie wgłębienie. Dziadek nosił go na małym palcu lewej ręki, zawsze z perłą odwróconą do wnętrza dłoni. Aż pewnego dnia przestał go nosić, a gdy zapytałam go dlaczego, pochwalił moją spostrzegawczość. „Ale gdzie on jest?” – nalegałam, a Dziadek się uśmiechnął. „Musiałem dać go dobrej wróżce jako zapłatę” – odpowiedział. „Jakiej wróżce?” – spytałam. „Tej, która czuwała nad tobą, gdy byłaś chora – odpowiedział. – Obiecałem, że dam jej wszystko, czego zażąda, jeśli będzie się tobą opiekowała, więc zgodziła się, pod warunkiem że dam jej w zamian mój sygnet". Byłam już wtedy kilka lat po chorobie i wiedziałam, że dobre wróżki nie istnieją, ale ilekroć znów pytałam o sygnet, Dziadek tylko się uśmiechał i powtarzał tę samą bajkę, aż w końcu przestałam pytać.

Ale i tej historii nie mogłam opowiedzieć Davidowi. Na szczęście rozgadał się o swoim drugim dziadku, farmerze z Prefektury Piątej, zanim zaczęto ją nazywać Prefekturą Piątą. Hodował świnie, krowy i kozy, miał sto drzew brzoskwiniowych i David, gdy w dzieciństwie odwiedzał dziadka, mógł zjeść tyle brzoskwiń, ile tylko chciał.

– Wstyd się przyznać, ale w dzieciństwie nienawidziłem brzoskwiń – opowiadał. – Za dużo ich było. Babcia piekła z nich placki i ciasta, i chleb, robiła dżemy i lody, kroiła je w plastry i suszyła na słońcu, aż twardniały jak suszone mięso. A przede wszystkim wekowała tyle brzoskwiń, że nam samym i sąsiadom starczało na rok.

Później jednak państwo przejęło farmę i dziadek Davida z właściciela stał się pracownikiem, a drzewa brzoskwiniowe wycięto, żeby zrobić miejsce na pola soi, która ma większą wartość odżywczą niż brzoskwinie i jej uprawa bardziej się opłaca. Nierozstropnie było opowiadać o przeszłości tak swobodnie, jak to robił David, a szczególnie o konfiskatach rządowych, ale David mówił o nich tak zwyczajnie, lekko i konkretnie, jak wcześniej o brzoskwiniach. Dziadek powiedział mi kiedyś, że wspominanie przeszłości jest zakazane, bo często budzi w ludziach złość lub smutek, ale David nie mówił jak ktoś smutny albo zły. Mówił, jakby to wszystko przydarzyło się nie jemu, tylko komuś innemu, kogo nie za dobrze znał.

– Dzisiaj zabiłbym za brzoskwinię – powiedział wesoło, gdy zbliżaliśmy się do północnej strony placu, gdzie się spotykaliśmy i rozstawaliśmy co sobota. – Do zobaczenia w przyszłym tygodniu, Charlie – rzekł na pożegnanie. – Pomyśl, co miałabyś ochotę robić w centrum.

Gdy wróciłam do domu, wyjęłam z szafy pudełko i obejrzałam zachowane zdjęcia Dziadka. Pierwsze zostało zrobione, gdy był studentem akademii medycznej. Śmiał się na nim, a włosy miał długie, kręcone i czarne. Na drugim zdjęciu stał z moim ojcem, jeszcze malutkim, i z moim drugim dziadkiem, tym, z którym jestem spokrewniona genetycznie. W moich wspomnieniach ojciec jest podobny do Dziadka, ale na tym zdjęciu widać, że tak naprawdę wyglądał jak mój drugi dziadek. Obaj mieli jaśniejszą karnację niż Dziadek i proste, ciemne włosy, jakie i ja kiedyś miałam. Na trzecim zdjęciu, moim ulubionym, Dziadek wygląda tak, jak go pamiętam. Uśmiecha się szeroko, a w ramionach trzyma małe, chude niemowlę – to niemowlę to ja. „Charles i Charlie – napisał ktoś na odwrocie tej fotografii – 12 września, 2064".

Łapię się na tym, że odkąd poznałam Davida, myślę o Dziadku więcej, a równocześnie mniej. Nie muszę już często, tak jak kiedyś, mówić do niego w myślach, ale coraz częściej chcę to robić, chcę mówić przeważnie o Davidzie i o tym, jak to jest mieć przyjaciela. Ciekawa jestem, co Dziadek by o nim pomyślał. Ciekawe, czy podzielałby zdanie mojego męża.

Ciekawi mnie też, co David pomyślałby o Dziadku. To dziwne, że nie wie, kim był Dziadek, że dla niego to po prostu mój krewny, którego kochałam i który umarł. Jak już mówiłam, w mojej pracy wszyscy wiedzą, kim był Dziadek. Na szczycie jednego z gmachów Uniwersytetu Rockefellera była cieplarnia jego imienia; istniało także prawo nazwane jego nazwiskiem, Ustawa Griffitha, sankcjonujące legalność ośrodków relokacji zwanych niegdyś obozami kwarantanny.

A jednak nie tak dawno temu wielu ludzi nienawidziło Dziadka. Przypuszczam, że nadal tacy są, tyle że już o nich nie słychać. Po raz pierwszy zetknęłam się z tą nienawiścią na lekcji wychowania obywatelskiego, gdy miałam jedenaście lat. Uczyliśmy się o tym, jak po chorobie roku pięćdziesiątego zaczął się formować nowy rząd, który gdy przyszła choroba roku pięćdziesiątego szóstego, był już na nią lepiej przygotowany, a w roku sześćdziesiątym drugim nowe państwo było już faktem. Jednym z wynalazków, które przyczyniły się do powstrzymania choroby roku siedemdziesiątego – która jakkolwiek była straszna, mogła być jeszcze straszniejsza – stały się ośrodki relokacji. Pierwotnie zakładano je tylko na zachodzie i środkowym zachodzie, ale już w roku sześćdziesiątym dziewiątym znajdowały się w każdej aglomeracji miejskiej.

– Obozy te okazały się niezmiernie ważne dla naszych naukowców i lekarzy – mówiła nasza nauczycielka. – Czy ktoś z was zna nazwy pierwszych, najwcześniejszych obozów?

Dzieci zaczęły się przekrzykiwać: Heart Mountain. Rohwer. Minidoka. Jerome. Poston. Gila River.

– Dobrze, dobrze – chwaliła nauczycielka po każdej nazwie. – Tak jest, prawidłowo. A czy ktoś wie, kto założył te wszystkie obozy?

Nikt nie wiedział. Wtedy pani Bethesda popatrzyła na mnie.

– Dokonał tego dziadek Charlie – powiedziała. – Doktor Charles Griffith był jednym z architektów tych obozów.

Wszyscy odwrócili się do mnie i poczułam, że czerwienię się ze wstydu. Lubiłam naszą nauczycielkę – zawsze była dla mnie miła. Gdy inne dzieci ze śmiechem uciekały ode mnie na boisku, zawsze podchodziła i pytała, czy mam ochotę wrócić z nią do klasy i pomóc jej rozkładać na ławkach przybory do rysunków na lekcję popołudniową. Tym razem także spojrzałam na nauczycielkę i napotkałam jej spojrzenie, ale jednak coś było nie w porządku. Poczułam, że jest na mnie zła, chociaż nie wiedziałam za co.

Wieczorem przy kolacji zapytałam Dziadka, czy to naprawdę on wymyślił ośrodki. Popatrzył na mnie uważnie i pomachał ręką, a wtedy służący, który nalewał mi mleka, odstawił dzbanek i wyszedł.

– Dlaczego mnie o to pytasz, koteczku? – spytał Dziadek, gdy służący domknął za sobą drzwi.

– Bo uczyliśmy się o tym na wychowaniu obywatelskim. Nasza pani powiedziała, że byłeś jednym z ich wynalazców.

– Czyżby? – powiedział Dziadek i chociaż głos miał zwyczajny, to zauważyłam, że lewą dłoń zacisnął w pięść tak mocno, że aż drżała. Zauważył, że na to patrzę, więc rozwarł dłoń i położył ją płasko na stole. – A co jeszcze mówiła?

Powtórzyłam to, co mówiła pani Bethesda: że dzięki ośrodkom było mniej przypadków śmierci, a Dziadek powoli kiwał głową. Przez chwilę milczał, a ja słuchałam tykania zegara, który stał na kamiennej półce kominka.

Wreszcie Dziadek się odezwał:

– Dwa lata temu – mówił – byli ludzie, którzy protestowali przeciwko tym obozom, nie chcieli ich budowy, a mnie okrzyknęli złym człowiekiem za to, że je popierałem. – Musiałam zrobić zdziwioną minę, bo pokiwał głową. – Tak, tak – powiedział. – Nie rozumieli, że tworzymy te obozy po to, żebyśmy my, my wszyscy, mogli być zdrowi i bezpieczni. W końcu jednak przekonali się, że obozy to konieczność, że musieliśmy je pobudować. A ty rozumiesz dlaczego?

– Tak – odpowiedziałam, bo tego też uczyłam się na wychowaniu obywatelskim. – Ponieważ dzięki temu chorzy ludzie znaleźli się w jednym miejscu, żeby ci, którzy byli zdrowi, nie zachorowali.

– No właśnie – powiedział Dziadek.

– To dlaczego się nie podobały? – spytałam.

Dziadek popatrzył w sufit, co robił, gdy namyślał się nad odpowiedzią dla mnie.

– Trudno to wytłumaczyć – rzekł powoli – ale jednym z powodów było to, że w tamtych czasach odsyłano do obozów tylko osobę zarażoną, bez rodziny, a zdaniem niektórych ludzi takie rozdzielanie rodzin było okrucieństwem.

– Aha – powiedziałam i zamyśliłam się nad słowami Dziadka. – Nie chciałabym zostać oddzielona od ciebie, Dziadku – wyznałam, a on się uśmiechnął.

– A ja nigdy nie dałbym się oddzielić od ciebie, koteczku – powiedział. – Dlatego zmieniono politykę i teraz do ośrodka trafia cała rodzina.

Nie musiałam pytać, co dzieje się w ośrodkach, bo już wiedziałam: tam się umierało. Ale przynajmniej umierało się w miejscu czystym, bezpiecznym i dobrze wyposażonym – były tam szkoły dla dzieci, dorośli mogli uprawiać sporty, a ciężko chorych zabierano do ośrodkowego szpitala, lśniącego bielą i czystością, gdzie lekarze i pielęgniarki zajmowali się pacjentem aż do śmierci. Widziałam te ośrodki w telewizji i na zdjęciach w podręczniku. Na jednym zdjęciu, z Heart Mountain, roześmiana młoda kobieta trzymała na rękach małą dziewczynkę, która też się śmiała. W tle widać było ich domek, przed którym rosła jabłonka. Obok kobiety z dziewczynką stała lekarka, po której – chociaż miała na sobie pełny kombinezon ochronny – widać było, że również się śmieje. Lekarka trzymała rękę na ramieniu kobiety. Odwiedziny w ośrodkach były niedozwolone ze względu na bezpieczeństwo odwiedzających, ale chory mógł sprowadzić z sobą, kogo chciał, tak że przebywały tam nieraz całe liczne rodziny: matki, ojcowie, dzieci, dziadkowie, wujostwo i kuzyni. Początkowo do ośrodka szło się dobrowolnie. Potem wprowadzono przymus, co wzbudziło kontrowersje, ponieważ, jak mówił Dziadek, ludzie nie lubią, gdy coś im się każe, nawet jeżeli jest to dla dobra ich własnego i współobywateli.

Tymczasem – był rok 2075 – liczba osób w ośrodkach znacznie się zmniejszyła, gdyż pandemię udało się prawie całkowicie zahamować. Czasami oglądałam ten obrazek w podręczniku i żałowałam, że sama nie mieszkałam w którymś ośrodku. Nie żebym chciała zachorować albo żeby Dziadek zachorował, ale było tam tak ładnie z tymi jabłonkami i zielonymi łąkami. Ale nie mieliśmy szans trafić do ośrodka, nie tylko z powodu zakazu wstępu, ale też dlatego, że Dziadek potrzebny był tutaj. Nie poszliśmy zatem do ośrodka, gdy ja zachorowałam – ponieważ Dziadek musiał pozostawać w pobliżu swojego laboratorium, a najbliższy ośrodek znajdował się na Davids Island, wiele mil na północ od Manhattanu, a więc bardzo daleko.

– Masz więcej pytań? – spytał Dziadek, uśmiechając się do mnie.

– Nie – odparłam.

To było w piątek. W najbliższy poniedziałek przyszłam do szkoły, a w klasie zamiast naszej nauczycielki stał ktoś inny – niski, ciemny mężczyzna z wąsami.

– Gdzie jest pani Bethesda? – spytał ktoś z uczniów.

– Pani Bethesdy już nie ma w tej szkole – odrzekł ten pan. – Jestem waszym nowym nauczycielem.

– Zachorowała? – spytał ktoś inny.

– Nie – odpowiedział nowy nauczyciel. – Ale nie pracuje już w tej szkole.

Nie wiem dlaczego, ale nie powiedziałam Dziadkowi, że pani Bethesda odeszła. Nigdy mu tego nie powiedziałam, chociaż nauczycielka więcej się nie pokazała. Później dowiedziałam się, że ośrodki nie wyglądały jednak tak jak na obrazkach w moim podręczniku. To było w roku 2088, na początku drugiego powstania. W następnym roku powstańcy ponieśli ostateczną klęskę, nazwisko Dziadka zostało oczyszczone i przywrócono mu status. Ale za późno. Dziadek już nie żył, a ja zostałam sama z mężem.

Przez wszystkie te lata wielokrotnie wracało do mnie pytanie o ośrodki relokacji: która ich wersja była prawdziwa? W miesiącach poprzedzających egzekucję Dziadka pod naszym domem przechodziły marsze protestacyjne z powiększonymi zdjęciami, które, zdaniem protestujących, zrobiono w ośrodkach. „Nie patrz na to – mówił mi Dziadek podczas naszych rzadkich wyjść domu. – Odwróć wzrok, koteczku". Czasami jednak patrzyłam: osoby na zdjęciach były tak zdeformowane, że w ogóle nie przypominały już istot ludzkich.

Ale nigdy nie pomyślałam, że Dziadek był zły. Zrobił to, co było konieczne. A mną opiekował się przez całe życie. Nikt nie był dla mnie lepszy, nikt mnie bardziej nie kochał. Mój ojciec, wiedziałam o tym, nie zgadzał się z Dziadkiem; nie pamiętam, jak się tego dowiedziałam, ale tak było. Chciał, żeby Dziadek został ukarany. Dziwnie jest wiedzieć, że twój własny ojciec chce, żeby jego ojciec poszedł do więzienia. Moich uczuć to jednak nie zmieniło. Ojciec porzucił mnie, gdy byłam mała – Dziadek nigdy tego nie zrobił. Nie rozumiałam, jak ktoś, kto porzuca swoje dziecko, może być lepszy od kogoś, kto stara się ocalić jak najwięcej istnień ludzkich, nawet jeśli w swoim staraniu popełnia błędy.

W następną sobotę jak zwykle spotkałam się z Davidem na placu. Znowu zaproponował pójście do centrum. Tym razem się zgodziłam, bo upał był już nieznośny. Przeszliśmy osiem przecznic, bardzo powoli, żeby nie eksploatować nadmiernie kombinezonów chłodzących.

David zapowiadał, że idziemy na koncert, ale gdy zapłaciliśmy za bilety i weszliśmy do sali, zobaczyłam tylko jednego muzyka – ciemnoskórego młodzieńca z wiolonczelą. Gdy już wszyscy usiedli, artysta ukłonił się i zaczął grać.

Nigdy nie myślałam, że jakoś szczególnie lubię muzykę, ale gdy koncert dobiegł końca, pożałowałam, że zgodziłam się jeszcze na spacer po bieżni, bo wolałam wrócić do domu. Występ wiolonczelisty przypomniał mi o muzyce z radia, którego Dziadek słuchał w swoim gabinecie, gdy byłam mała. Zatęskniłam za Dziadkiem tak boleśnie, że z trudem przełykałam ślinę.

– Charlie? – zaniepokoił się David. – Dobrze się czujesz?

– Tak – odpowiedziałam, zmuszając się do wstania i wyjścia z sali, którą wszyscy, z wiolonczelistą włącznie, już opuścili.

Na skraju krytej bieżni stał człowiek sprzedający mrożone napoje owocowe. Spojrzeliśmy oboje najpierw na niego, a potem na siebie nawzajem, bo żadne z nas nie miało pewności, że to drugie stać na taki napój.

– No dobra – powiedziałam w końcu. – Ja mogę.

David się uśmiechnął.

– Ja też – powiedział.

Kupiliśmy sobie napoje i popijając, ruszyliśmy wokół bieżni. Oprócz nas było tam jeszcze kilkanaście osób. Wciąż mieliśmy na sobie kombinezony chłodzące – bo gdy się je już raz założyło, to lepiej było ich nie zdejmować – ale spuściliśmy z nich powietrze, więc mogliśmy poruszać się zwyczajnie, co było przyjemne.

Przez chwilę szliśmy w milczeniu. Nagle David spytał:

– Chciałabyś czasem zwiedzić inny kraj?

– To nie jest dozwolone – powiedziałam.

– Wiem, że to nie jest dozwolone – powiedział. – Pytam, czy byś chciała.

Nagle poczułam się zmęczona dziwnymi pytaniami Davida, jego skłonnością do nieustannego pytania o rzeczy, które jeśli nawet nie były nielegalne, to pytać o nie było niegrzecznie, ponieważ o pewnych sprawach nie należało nawet myśleć, a co dopiero o nich rozmawiać. A jaki jest sens chęci na zrobienie czegoś, co nie jest dozwolone? Sama chęć niczego nie zmieni. Miesiącami chciałam codziennie, żeby Dziadek wrócił – jeśli mam być szczera, to wciąż tego chcę. Ale on nigdy nie wróci. Lepiej było nie chcieć niczego: chęć czyni człowieka nieszczęśliwym, a ja nie byłam nieszczęśliwa.

Pamiętam, jak kiedyś, gdy chodziłam do college'u, jedna dziewczyna z mojej grupy wykombinowała sposób na uzyskanie dostępu do internetu. Było to ogromnie trudne, ale tamta dziewczyna była wybitnie inteligentna. Kilka innych koleżanek chciało zobaczyć, co jest na ekranie, ale ja nie chciałam. Wiedziałam oczywiście, czym jest internet, chociaż byłam za młoda, żeby go dobrze pamiętać: miałam trzy lata, kiedy został zdelegalizowany. Nie byłam nawet pewna, czy rozumiem, jak działa. Raz, gdy byłam nastolatką, poprosiłam Dziadka, żeby mi to objaśnił. Milczał dosyć długo, a potem powiedział, że jest to sposób komunikowania się na wielkie odległości. „Problem z internetem – mówił – polegał na tym, że często pozwalał on na wymianę złych informacji, nieprawdziwych, niebezpiecznych. W takich przypadkach wyciągano surowe konsekwencje". Po wydaniu zakazu, tłumaczył Dziadek, zrobiło się bezpieczniej, bo teraz wszyscy otrzymują te same informacje w jednym czasie, co znaczy, że jest mniejsza szansa na zamieszanie. Wydało mi się to rozsądne. Później te cztery dziewczyny, które oglądały internet, zniknęły i większość ludzi przypuszczała, że zgarnęło je państwo. Ja jednak pamiętałam, co mi mówił Dziadek, więc podejrzewałam, że mogły skontaktować się przez internet z ludźmi posiadającymi niebezpieczne informacje i stało im się coś złego. Chodzi mi o to, że niewielki sens ma zastanawianie się, jak by to było robić rzeczy lub odwiedzać miejsca, które i tak są dla mnie na zawsze niedostępne. Nie próbowałam szukać dostępu do internetu i nie rozmyślałam o wyjeździe do innego kraju. Niektórzy to robią, ale ja nie.

– Nie za bardzo – odpowiedziałam.

– Ale czy nie ciekawi cię, jak wygląda inny kraj? – nalegał David. Teraz nawet on ściszył głos. – Może gdzie indziej jest lepiej.

– Pod jakim względem lepiej? – spytałam mimo woli.

– O, lepiej pod wieloma względami. Może na przykład gdzie indziej pracowalibyśmy w innych zawodach.

– Ja lubię moją pracę.

– Wiem o tym – powiedział. – Ja też lubię moją pracę. Po prostu głośno myślę.

Nie umiałam sobie jednak wyobrazić, że w innym kraju mogłoby być inaczej. Choroby wszędzie odcisnęły swoje piętno. Wszędzie było tak samo.

Ale Dziadek, gdy był w moim wieku, zjeździł wiele różnych krajów. W tamtych czasach można było wyjechać, gdzie się chciało, o ile miało się pieniądze. Więc po ukończeniu college'u Dziadek wsiadł do samolotu i wylądował w Japonii. Z Japonii ruszył na zachód, przez Koreę i Chińską Republikę Ludową dotarł do Indii, a stamtąd do Turcji, Grecji, Włoch, Niemiec i Holandii. Na kilka miesięcy zatrzymał się u znajomych przyjaciela z college'u w Wielkiej Brytanii, a potem ruszył w dalszą drogę. Podróżował wzdłuż jednego wybrzeża Afryki na południe i z powrotem wzdłuż drugiego. Potem odwiedził Australię i Nową Zelandię; był w Kanadzie i w Rosji. W Indiach przejechał przez pustynię na wielbłądzie, w Japonii wdrapał się na szczyt góry, w Grecji pływał w wodzie, która, jak mówił, była błękitniejsza niż niebo. Pytałam go, dlaczego nie wolał zostać z domu, ale powiedział, że dom był dla niego za ciasny – chciał się przekonać na własne oczy, jak mieszkają inni ludzie, co jedzą, w czym chodzą, co robią ze swoim życiem.

– Pochodziłem z maleńkiej wysepki – tłumaczył mi. – Wiedziałem, że wielki świat jest pełen ludzi robiących rzeczy, o których nie będę miał pojęcia, jeśli utknę na miejscu. Więc musiałem wyjechać.

– I co ci inni ludzie robili lepiej? – spytałam.

– Nie lepiej – odpowiedział. – Tylko inaczej. Im więcej widziałem, tym mniej czułem się powołany do powrotu tam, skąd przybyłem.

Rozmawialiśmy szeptem, chociaż Dziadek pogłośnił radio, żeby muzyka maskowała naszą rozmowę przed urządzeniami podsłuchowymi, którymi był naszpikowany cały nasz dom.

A jednak reszta świata musiała okazać się lepsza, bo w Australii Dziadek spotkał inną osobę z Hawajów. Zakochali się w sobie i pojechali z powrotem na Hawaje, gdzie urodził im się syn, mój ojciec. Później przenieśli się do Ameryki i już nigdy nie wrócili na stałe do domu, nawet przed chorobą roku pięćdziesiątego. A potem było już za późno, bo na Hawajach wszyscy poumierali, a oni tymczasem stali się wszyscy troje obywatelami Ameryki. A jeszcze później, gdy weszły w życie ustawy roku sześćdziesiątego siódmego, nikomu już nie wolno było wyjeżdżać za granicę. O innych krajach pamiętali tylko najstarsi ludzie, a oni nie wspominali dawnych lat.

Po dziesięciu okrążeniach bieżni postanowiliśmy wyjść. Ale znalazłszy się na ulicy, usłyszeliśmy głuche dudnienie i wkrótce ukazała się jadąca wolno ciężarówka z platformą. Na platformie klęczało troje ludzi. Nie dało się odgadnąć, czy to mężczyźni, czy kobiety, bo wszyscy byli ubrani w białe koszule i czarne kaptury okrywające całe głowy, w których musiało im być bardzo gorąco. Ręce mieli skrępowane z przodu, a za ich plecami stali dwaj strażnicy w kombinezonach chłodzących i odblaskowych hełmach. Przez odgłos werbli przebijał się głos z megafonu: „Czwartek godzina osiemnasta. Czwartek godzina osiemnasta". Ceremonie ogłaszano w ten sposób wyłącznie wtedy, kiedy skazańcy oskarżeni byli o zdradę stanu, i zazwyczaj tylko w przypadku skazańców wyższej rangi, może nawet pracowników państwowych. Pracowników państwowych karano tak najczęściej wtedy, gdy zostali przyłapani na próbie opuszczenia kraju, co było nielegalne, albo gdy usiłowali przeszmuglować kogoś do kraju, co było i niebezpieczne, i nielegalne, ponieważ mogło oznaczać przeniknięcie obcego drobnoustroju. W ten sam sposób karano również za próbę rozpowszechniania nieautoryzowanej informacji, zwykle z użyciem technologii, na której użytkowanie i posiadanie nie mieli zezwolenia. Umieszczano ich na platformie i obwożono po wszystkich strefach, aby każdy mógł ich oglądać i lżyć, jeśli miał na to ochotę. Ja wcale nie miałam, David też nie, chociaż oboje przystanęliśmy, gapiąc się na sunący powoli pojazd. A potem skręciliśmy na południe w Siódmą Aleję.

Ale gdy ciężarówka zniknęła nam z oczu, stało się coś dziwnego: odwróciłam się do Davida i zobaczyłam, że spogląda w ślad za pojazdem. Miał lekko rozchylone usta i łzy w oczach.

Było to zaskakujące, a także bardzo niebezpieczne – okazywanie nawet najmniejszego współczucia skazańcom mogło zostać zauważone przez którąś Muchę, a Muchy były zaprogramowane tak, że interpretowały wyraz ludzkiej twarzy. Wyszeptałam natychmiast jego imię, a wówczas zamrugał i odwrócił się do mnie. Rozejrzałam się: chyba nikt nas nie widział. Jednak na wszelki wypadek lepiej było się ruszać i wyglądać normalnie, więc podążyłam na wschód, z powrotem do Szóstej Alei. Po chwili dołączył do mnie David. Chciałam mu coś powiedzieć, ale nie wiedziałam co. Byłam przerażona, nie wiem czym, i zła na niego, że tak dziwnie zareagował.

Gdy przechodziliśmy na drugą stronę ulicy Trzynastej, powiedział do mnie cicho:

– To było straszne.

Miał słuszność – to b y ł o straszne – ale to działo się przez cały czas. Ja także nie lubiłam oglądać tych ciężarówek; nie lubiłam oglądać Ceremonii ani słuchać ich radiowych transmisji. Ale tak wyglądał porządek rzeczy – nabroiłeś, więc ponosiłeś karę. Nic nie mogło zmienić ani przewinienia, ani kary.

Tymczasem David zachowywał się, jakby nigdy wcześniej nie widział takiej ciężarówki. Patrzył prosto przed siebie, milczał i przygryzał wargę. Na ogół nie nosiliśmy hełmów na naszych wspólnych spacerach, ale teraz David wyjął swój z torby i założył na głowę, z czego byłam zadowolona, ponieważ publiczne okazywanie emocji nie było na porządku dziennym i łatwo mogło przyciągnąć uwagę.

Zatrzymaliśmy się przy północnej ścianie placu. Było to nasze zwyczajowe miejsce pożegnań, gdzie David skręcał w lewo, w stronę Małej Ósemki, a ja w prawo, do domu. Przez chwilę staliśmy w milczeniu. Nasze rozstania nigdy nie były krępujące, bo David zawsze miał coś do powiedzenia, a później machał mi na pożegnanie i odchodził. Teraz jednak nic nie mówił, a przez wizjer hełmu widać było, że nadal jest poruszony.

Zrobiło mi się głupio, że potraktowałam go tak surowo, nawet jeśli zachowywał się nieodpowiedzialnie. Był moim przyjacielem, a przyjaciele są dla siebie wyrozumiali, nawet w skomplikowanych sytuacjach. Nie okazałam Davidowi wyrozumiałości i chyba z poczucia winy zrobiłam nagle coś dziwnego: wyciągnęłam ręce i objęłam go.

Nie było to łatwe, bo oboje mieliśmy na sobie kombinezony chłodzące nadmuchane do maksimum, więc właściwie nie objęłam go, a jedynie poklepałam po plecach. I w tym momencie złapałam się na udawaniu, że jesteśmy małżeństwem, że David jest moim mężem. Publiczne okazywanie komuś uczuć, nawet współmałżonkowi, nie było wprawdzie typowe, ale nie budziło złych emocji; po prostu stanowiło rzadkość. Chociaż raz widziałam parę całującą się na pożegnanie: kobieta stała w bramie, a mężczyzna, technik, wychodził do pracy. Kobieta była w ciąży. Kiedy skończyli się całować, przycisnęła dłoń mężczyzny do swojego brzucha, spojrzeli sobie w oczy i się uśmiechnęli. Akurat przejeżdżałam i odwróciłam się na siedzeniu, żeby jeszcze na nich popatrzeć: mężczyzna włożył czapkę i odszedł, wciąż uśmiechnięty. Bezwiednie wyobraziłam sobie, że David jest moim mężem i że jesteśmy taką właśnie parą, która przytula się w miejscu publicznym, bo po prostu nie może się od tego powstrzymać; parą połączoną tak wielkim uczuciem, że musi znaleźć wyraz w gestach, ponieważ słowa nam się skończyły.

Myślałam o tym i nagle uświadomiłam sobie, że David nie odwzajemnia mojego gestu, że stoi sztywny i nieruchomy w moich ramionach, więc gwałtownie cofnęłam ręce i odsunęłam się o krok.

Było mi okropnie wstyd. Poczułam ogień na twarzy i szybko wcisnęłam na głowę hełm. Zachowałam się bardzo niemądrze. Wygłupiłam się. Powinnam stąd natychmiast odejść.

– Do widzenia – powiedziałam i ruszyłam przed siebie.

– Zaczekaj – odezwał się po chwili. – Zaczekaj, Charlie. Zaczekaj.

Ale udałam, że nie słyszę, i szłam dalej. Nie obejrzałam się. Wkroczyłam na plac, zatrzymałam się w sektorze zielarzy i odczekałam, żeby mieć pewność, że David już sobie poszedł. Wreszcie odwróciłam się i ruszyłam do domu. Znalazłszy się z powrotem w bezpiecznym wnętrzu naszego mieszkania, ściągnęłam hełm i kombinezon. Męża nie było: byłam sama.

Nagle okropnie się rozzłościłam. Nie jestem z natury złośnicą – nawet jako mała dziewczynka nie urządzałam scen, nie darłam się i niczego nie domagałam się głośno. Próbowałam być jak najgrzeczniejsza – dla Dziadka. Teraz jednak miałam ochotę coś walnąć, coś uszkodzić, coś rozwalić. Ale w domu nie było nic i nikogo, kogo można by walnąć, uszkodzić czy rozwalić: talerze były plastikowe, miski silikonowe, garnki metalowe. Wtedy przypomniałam sobie, że chociaż w dzieciństwie się nie złościłam, to często się frustrowałam: jęczałam, miotałam się i drapałam swoje ciało, a Dziadek próbował mnie uspokoić. Więc teraz położyłam się do łóżka i spróbowałam powstrzymać natłok emocji metodą, której nauczył mnie Dziadek: położyć się na brzuchu, wcisnąć twarz w poduszkę i oddychać głęboko aż do zawrotu głowy.

Po jakimś czasie wstałam z łóżka. Nie mogłam zostać w mieszkaniu – nie mogłam go znieść. Dopięłam na sobie zamek błyskawiczny kombinezonu chłodzącego i wyszłam z powrotem na ulicę.

Było już późne popołudnie i upał nieco zelżał. Ruszyłam spacerem wokół placu. Dziwnie było iść samej po tylu tygodniach spacerowania z Davidem. Zapewne z tego powodu, zamiast wykonać pełne okrążenie, zeszłam na plac po zachodniej stronie. Niczego z placu nie chciałam ani nie potrzebowałam, ale – na przekór tej bezcelowości – złapałam się na tym, że zmierzam wprost do sektora południowo-wschodniego.

Nie jestem pewna, z jakiego powodu, ale ten sektor placu miał opinię podejrzanego. Zyskał ją w sposób dość tajemniczy; jak już wspomniałam, część południowo-wschodnią zajmowali przeważnie stolarze, więc – jeśli komuś nie przeszkadzały odgłosy młotków i pił – było tam właściwie całkiem przyjemnie. Drewno intensywnie pachniało czystością i można było stanąć i obserwować proces powstawania lub naprawy krzeseł, stołów i szaflików. Stolarze – w przeciwieństwie do innych straganiarzy – nie przeganiali gapiów. A jednocześnie chodziło się tam, żeby znaleźć tych, o których wspominałam wcześniej: osoby działające bez zezwolenia i bez własnego straganu, które jednak urzędowały na placu – specjalistów od rozwiązywania problemów, o które ludzie krępują się pytać.

Jedyna znana mi teoria tłumacząca genezę tego miejsca kompletnie nie miała sensu. Południowo-wschodnia część placu położona była najbliżej wysokiego ceglanego gmachu, gdzie kiedyś mieściła się biblioteka pobliskiego uniwersytetu. Po zamknięciu uniwersytetu gmach ten służył przez jakiś czas za więzienie. Teraz znajdowały się w nim archiwa czterech południowych stref wyspy, w tym Strefy Ósmej. To tutaj państwo trzymało świadectwa urodzeń i zgonów wszystkich mieszkańców tych obszarów, jak również wszelkie dotyczące ich akta i adnotacje. Przez całkowicie przeszklony fronton budynku można było zajrzeć do środka i zobaczyć półki pełne akt. W lobby, na poziomie ulicy, znajdował się czarny sześcian bez okien, o przekroju jakichś trzech metrów. Zasiadał w nim archiwista, który umiał znaleźć każdy potrzebny dokument. Oczywiście do archiwum mieli dostęp wyłącznie urzędnicy państwowi, i to jedynie ci z najwyższą autoryzacją. Gmach archiwum był jednym z nielicznych budynków stale oświetlonych, nawet w godzinach, gdy włączanie światła było nielegalne, ponieważ oznaczało marnowanie prądu. Nigdy nie zrozumiałam, dlaczego to, że południowo-wschodni róg placu sąsiaduje z gmachem archiwum, ma mieć coś wspólnego z prowadzoną tam nielegalną działalnością, ale tak wszyscy mówili: że im bliżej budynku rządowego, tym łatwiej jest prowadzić niebezpieczną działalność, ponieważ władzom nie przyjdzie do głowy, że ktoś mógłby działać nielegalnie tak blisko.

Jak już wspomniałam, ludzie z południowo-wschodniego rogu nie mieli swoich stałych miejsc ani straganów, więc nie można było po prostu pójść tu czy tam, żeby ich znaleźć. Było odwrotnie – to oni musieli znaleźć ciebie. Należało przechadzać się powoli pomiędzy handlarzami. Nie podnosić oczu. Nie rozglądać się. Po prostu iść, patrzeć na pokrywające ziemię strużyny drewna i czekać, aż w końcu ktoś do ciebie podejdzie i zada ci pytanie. Pytanie składało się zazwyczaj z dwóch, trzech słów i jeśli nie okazało się właściwe, po prostu szło się dalej. Jeśli zaś było to właściwe pytanie, należało podnieść wzrok. Ja sama nigdy tego nie próbowałam, ale kiedyś, stojąc przy jednym z warsztatów stolarskich, widziałam pewne zdarzenie. Młoda kobieta, ładna, o jasnej cerze, przechadzała się powoli z rękami założonymi na plecach. Na głowie miała zieloną chustkę, spod której wystawało trochę włosów, grubych i rudych, sięgały jej do podbródka. Widziałam, jak kluczy, zakreślając pętlę, przez jakieś trzy minuty, zanim pierwsza osoba, niski, chudy mężczyzna w średnim wieku, podeszła do niej i powiedziała coś, czego nie dosłyszałam. Ale młoda kobieta poszła dalej, ignorując go, więc mężczyzna się wycofał. Może minutę później podeszła do niej druga osoba, lecz ona wciąż szła dalej. Za piątym razem osobą, która do niej podeszła, była kobieta. Wówczas ruda w zielonej chustce podniosła głowę i poszła za tą kobietą na najdalszy wschodni skraj placu, do małego namiotu zrobionego z plandeki. Kobieta uniosła brzeg tej plandeki, rozejrzała się za Muchami i wpuściła rudą do środka, a sama wślizgnęła się za nią.

Sama nie wiem, co mi kazało przechadzać się tego dnia po południowo-wschodnim sektorze. Koncentrowałam się na własnych stopach, brodzących w trocinach. Ale oto, parę chwil później, poczułam, że ktoś za mną idzie. Usłyszałam męski głos, bardzo cichy: „Szukasz kogoś?". Szłam jednak dalej i wkrótce mężczyzna się odczepił.

Niebawem ujrzałam, tym razem przed sobą, następną parę męskich stóp. „Choroba? – spytał. – Może lekarstwo?" Ale poszłam dalej.

Przez dłuższą chwilę nic się nie działo. Zwolniłam kroku. Wreszcie ujrzałam zmierzające ku mnie kobiece stopy; poznałam to po tym, że były małe. Zbliżyły się do mnie i wtedy usłyszałam szept: „Miłość?". Podniosłam wzrok i poznałam kobietę widzianą wcześniej, tę od namiotu na wschodnim skraju. „Chodź ze mną" – powiedziała, więc podążyłam za nią w jej rewir. Nie myślałam o tym, co robię; w ogóle nie myślałam. Miałam wrażenie, że tylko oglądam to, co się dzieje, nie uczestnicząc w tym fizycznie. Przed namiotem kobieta rozejrzała się po niebie za Muchami – tak jak przedtem, gdy przyprowadziła tu rudą w zielonej chustce – i ruchem dłoni zaprosiła mnie do środka.

W namiocie panowała straszna duchota. Stała w nim zgrzebna drewniana skrzynia zamknięta na kłódkę i leżały dwie brudne poduszki: na jednej usiadła ona, a na drugiej ja.

– Zdejmij hełm – powiedziała, a ja usłuchałam. Ona sama była bez hełmu, ale usta i nos miała omotane szalem, który teraz odwinęła, więc zobaczyłam, że dolną część lewego policzka wyżarła jej choroba i że jest młodsza, niż przypuszczałam.

– Ja ciebie już widziałam – powiedziała, a ja wybałuszyłam na nią oczy. – Tak, tak, spacerowałaś z mężem wokół placu. Przystojny mężczyzna. Ale nie kocha cię?

– Nie – odparłam, doszedłszy do siebie. – On nie jest moim mężem. Jest moim... jest moim przyjacielem.

– Ach tak – powiedziała i twarz jej się rozluźniła. – Rozumiem. I chcesz, żeby się w tobie zakochał.

Zaniemówiłam na moment. Czy rzeczywiście tego chciałam? Czy po to tutaj przyszłam? Przecież to niemożliwe – wiedziałam, że nigdy nie będę kochana, nie w sensie, w jakim ludzie mówią o miłości. Wiedziałam także, że nigdy nie pokocham. To nie dla mnie. Jakże trudno było mi wiedzieć, co czuję. Inni ludzie potrafili powiedzieć: „Jestem szczęśliwy", „Jestem smutna", „Tęsknię za tobą", „Kocham cię", ale ja tego nie umiałam. „Kocham cię, koteczku" – mówił do mnie Dziadek, lecz rzadko odpowiadałam mu tym samym, ponieważ nie wiedziałam, co to znaczy. Miałam jakieś uczucia – ale jakie miałam dla nich słowa? Uczucie, z jakim czytam liściki pisane do mojego męża; uczucie, z jakim patrzyłam, jak mój mąż wchodzi do domu przy ulicy Bethune; uczucie, z jakim nasłuchuję jego późnych powrotów w czwartkowe noce; uczucie, jakie mi towarzyszy, gdy leżę w łóżku i zastanawiam się, czy on mnie kiedyś dotknie albo pocałuje, ale wiem, że to nigdy nie nastąpi – co to były za uczucia? Jak je nazwać? Albo z Davidem: uczucie, z jakim stałam po północnej stronie placu, czekając, aż do mnie pomacha na powitanie; uczucie, z jakim patrzyłam za nim odchodzącym pod koniec naszego wspólnego dnia; uczucie, które mnie ogarniało piątkowej nocy na myśl, że następnego dnia go zobaczę; uczucie, jakiego doznałam, gdy próbowałam go objąć, i uczucie, z jakim zobaczyłam jego twarz i wypisane na niej zmieszanie, kiedy się ode mnie odsunął – co to były za uczucia? Czy wszystkie były tym samym? Czy wszystkie były miłością? Czy mimo wszystko byłam zdolna ją odczuwać? Czy to, co zawsze uważałam za niemożliwe, było tym samym, co znałam od dawna?

Nagle ogarnęło mnie przerażenie. Wchodząc tutaj, zachowałam się lekkomyślnie, ryzykownie. Straciłam zdrowy rozsądek.

– Muszę już iść – powiedziałam, wstając. – Przepraszam. Do widzenia.

– Czekaj – zawołała kobieta. – Mogę ci coś dać: dam ci proszek. Wsypiesz go ukradkiem do napoju, a po pięciu dniach…

Ale ja już wychodziłam spod plandeki, i to szybko, żeby przypadkiem nie usłyszeć, co kobieta ma do powiedzenia, żeby mnie to nie skusiło do powrotu – jednak nie dość szybko, by nie ściągnąć na siebie oka Muchy.

Zeszłam z placu wschodnią bramą. Miałam do przejścia zaledwie kilkaset metrów, zanim znów znajdę się bezpieczna w swoim mieszkaniu, a gdy już tam będę, udam, że to wszystko wcale się nie stało, udam, że nigdy nie spotkałam Davida. Będę z powrotem tym, kim byłam: mężatką, techniczką laboratoryjną, osobą, która godzi się na świat taki, jaki jest, która rozumie, że życzenie sobie czegokolwiek innego jest bez sensu, ponieważ nic nie można zrobić, więc najlepiej nawet nie próbować.

Część VI

Wiosna, trzydzieści lat wcześniej

Najdroższy Peterze, 2 marca 2064

zanim przystąpię do rzeczy: Gratulacje. To dobrze zasłużony awans, chociaż wynika z niego, że im wyżej zajdziesz, tym bardziej mętny staje się twój tytuł. I tym mniej jesteś rozpoznawalny w sferze publicznej. Nie żeby to miało znaczenie. Wiem, że mówiliśmy już o tym, ale czy ostatnimi czasy równie mocno czujesz się duchem jak ja? Duchem, który przenika przez drzwi (jeśli nie przez ściany) dla większości zamknięte, niedostrzegany przez nikogo. Obiektem grozy i przerażenia, który – choć rzadko widywany – wiadomo, że istnieje. Raczej abstrakcją niż konkretną istotą ludzką. Wiem, że niektórym ludziom odpowiada ten rodzaj widmowej egzystencji. Sam się kiedyś do nich zaliczałem.

Mniejsza z tym. Tak, dziękuję Ci, że o to pytasz, rzeczywiście dzisiaj skończyło się podpisywanie ostatnich dokumentów i dom Aubreya stał się oficjalnie domem Nathaniela. Kiedyś Nathaniel przekaże go Davidowi, a David w końcu sceduje go na kogoś innego, o czym za chwilę.

Nathaniel, mimo że mieszkał tam od paru dobrych lat, nigdy nie mówił ani nie myślał o tym domu jako swoim. Był to zawsze dom „Aubreya i Norrisa", a później „Aubreya". Nawet na pogrzebie zapraszał ludzi „do domu Aubreya na stypę", dopóki nie przypomniałem mu, że to już nie dom Aubreya, lecz jego. Rzucił mi gniewne spojrzenie, ale potem słyszałem, że mówi już wyłącznie „do domu". Ani Aubreya, ani swojego, ani niczyjego, ale do domu, który godzi się nas przyjąć.

Przez ostatni rok spędzałem w domu (no widzisz?; ja też to robię) znacznie więcej czasu. Kiedy Aubrey umierał, w jego śmierci było coś majestatycznego. Wyglądał całkiem dobrze, przez co chcę powiedzieć, że chociaż był wyniszczony, zostało mu oszczędzonych wiele poniżających przypadłości, na które napatrzyliśmy się w przypadku ludzi umierających w ostatniej dekadzie – nie miał jątrzących się wrzodów, ropiejących ran, nie ślinił się, nie krwawił. Potem mieliśmy jego pogrzeb i porządkowanie papierów, następnie musiałem wyjechać na krótko w sprawach służbowych, a zanim wróciłem, personel domu został zwolniony (każda osoba dostała odprawę wyszczególnioną w testamencie Aubreya) i Nathaniel próbował wcielić się w rolę właściciela olbrzymiego domu przy placu Waszyngtona.

Zdumiałem się, wszedłszy tam dzisiaj, jak wielkie zaszły zmiany. Nathaniel nic nie mógł zrobić z zamurowanymi oknami bawialni i kratami na oknach wyższych pięter, ale ogólnie zapanowało wrażenie większej przestronności i jasności. Na ścianach nadal wisiało kilka kluczowych dzieł sztuki hawajskiej – reszta poszła do Metropolitan, które obecnie jest w posiadaniu najważniejszych dzieł należących niegdyś do rodziny królewskiej, przeznaczonych pierwotnie na przechowanie i późniejszy zwrot, lecz teraz stanowiących własność muzeum – ale Nathaniel zmienił oświetlenie i pomalował ściany na głęboki odcień szarości, która – przewrotnie i perwersyjnie – rozświetliła wnętrze. Dom wciąż był pełen Aubreya i Norrisa, mimo że już nie byli w nim obecni.

Zrobiliśmy obchód, oglądając dzieła. Teraz, kiedy ich właścicielem był Nathaniel – Hawajczyk posiadający hawajskie przedmioty – potrafiłem je lepiej docenić; były tam nie tyle eksponowane, ile wystawione na pokaz, jeśli takie rozgraniczenie ma sens. Nathaniel rozgadywał się o każdej tkaninie, każdej misie, każdym naszyjniku: skąd pochodzą, jak zostały wykonane. Przyglądałem mu się, gdy tak mówił. Od tak dawna marzył o pięknym domu z pięknymi przedmiotami, a teraz go miał. Mimo że majątek

Aubreya okazał się znacznie skromniejszy, niż przypuszczaliśmy – pieniądze poszły na ochronę, pseudomedyczne kuracje, a także, i to w znacznych ilościach, na cele dobroczynne – zostało dość, żeby Nathaniel wreszcie mógł czuć się finansowo zabezpieczony. Około Nowego Roku David w przypływie nienawiści poinformował mnie, że Nathaniel z kimś się spotyka, z jakimś prawnikiem z ministerstwa sprawiedliwości – „Facet jest nawet całkiem cool"; nie powiedziałem, że skoro pracuje w ministerstwie sprawiedliwości, to z definicji macza palce w utrzymywaniu obozów kwarantanny – jednak Nathaniel sam o tym nie wspomniał, a ja nie pytałem.

Po obchodzie domu wróciliśmy do bawialni i Nathaniel powiedział, że coś dla mnie ma, coś od Aubreya. Jedna z moich ostatnich wizyt u Aubreya zbiegła się z jego momentem względnej jasności umysłu; zapytał mnie wtedy, czy chciałbym dostać coś z jego kolekcji. Odpowiedziałem, że nie. Nauczyłem się akceptować Aubreya, nawet go polubiłem, ale ta akceptacja i sympatia podszyte były resentymentem: nie chodziło mi o przedmioty, które zgromadził, ani o to, że posiadał większą cząstkę Hawajów niż ja, ale o to, że on z moim mężem i dzieckiem stali się rodziną, z której ja byłem wykluczony. Kiedy Nathaniel poznał Aubreya i Norrisa, wszystko zaczęło się kończyć. Najpierw tak powoli, że zrazu nie umiałem powiedzieć, czy to naprawdę się dzieje, a potem tak gwałtownie, że nie mogłem mieć nadziei na zatrzymanie tego procesu.

Przysiadłem na jednej z kanap, a Nathaniel wyjął coś z szuflady komody: czarne aksamitne pudełeczko wielkości piłki golfowej.

– Co to jest? – zadałem mu idiotyczne pytanie, jakie ludzie zadają, otrzymując prezent. Uśmiechnął się.

– Otwórz i zobacz – powiedział, więc otworzyłem.

Wewnątrz był sygnet Aubreya. Wyjąłem go, zważyłem w dłoni, poczułem ciepło złota. Odemknąłem perłowe wieczko, ale w środku nic nie było.

– No? – zagadnął mnie pogodnie Nathaniel.

– No – odpowiedziałem.

– Uważał, że najbardziej nienawidziłeś go za ten sygnet – powiedział Nathaniel, ale łagodnym tonem, a ja spojrzałem na niego w zdumieniu. – Och tak. On wiedział, że go nienawidzisz.

– Nie nienawidziłem go – odparłem niemrawo.

– Oj tak, tak – rzekł Nathaniel. – Ale po prostu nie chciałeś się do tego przyznać sam przed sobą.

– To też Aubrey o mnie wiedział – odparowałem, bezskutecznie usiłując nie zabrzmieć sarkastycznie, ale Nathaniel tylko wzruszył ramionami.

– Tak czy owak – powiedział – jest twój.

Wsunąłem go na mały palec lewej ręki i pokazałem dłoń Nathanielowi. Nadal nosiłem na niej ślubną obrączkę. Nathaniel dotknął jej leciutko. Sam przestał nosić swoją lata temu.

W tej chwili poczułem, że mógłbym się nachylić i pocałować go, a on by na to pozwolił. Ale nie uczyniłem tego, a Nathaniel, który jakby wyczuł tę samą możliwość, nagle wstał.

– No dobrze – powiedział rzeczowo. – Kiedy przyjdzie David, proszę cię, żebyś był wobec niego nie tylko kulturalny, ale serdeczny, zgoda?

– Zawsze jestem serdeczny – odparłem.

– Charles, ja mówię serio. David przedstawi ci kogoś, kto... jest dla niego bardzo ważny. I oznajmi ci pewną... pewną nowinę.

– Wraca do szkoły? – spytałem z czystej złośliwości. Nawet ja znałem odpowiedź na to pytanie. David nigdy nie zamierzał wrócić do szkoły.

Nathaniel zignorował prowokację.

– Po prostu mi to obiecaj – powiedział. Zaraz jednak, pod wpływem kolejnej nagłej zmiany nastroju, usiadł z powrotem obok mnie. – Nie mogę znieść tego, że tak jest między wami – powiedział. Ja milczałem. – Pomijając wszystko inne, jesteś wciąż jego ojcem – dodał.

– Powiedz to jemu.

– Mówiłem. Ale dla niego liczy się Światło.

– O Boże – westchnąłem. Miałem nadzieję, że odbędziemy rozmowę, nie wspominając o Świetle.

W tej samej chwili komora dekontaminacyjna zasyczała i zjawił się David, a za nim weszła kobieta. Wstałem, skłoniliśmy się sobie nawzajem.

– Patrz, David – powiedziałem, pokazując mu sygnet, na co chrząknął i uśmiechnął się jednocześnie.

– Ładny, ojczulku – powiedział. – Wreszcie go dostałeś.

Dotknęło mnie to, ale nie pisnąłem ani słowa. Zresztą miał rację: dostałem go.

Nasza relacja się unormowała, co znaczy, że bez słownego uzgodnienia doszliśmy do stanu zawieszenia broni. Ja nie będę szydził ze Światła, a on nie będzie czepiał się mojej pracy. Jednak stan ten mógł trwać najwyżej około kwadransa, i to wyłącznie wtedy, gdy mieliśmy inny temat rozmowy. Nie chciałbym wydać się bezduszny, ale śmierć Aubreya okazała się w tym względzie niezmiernie pomocna. Zawsze można było sprawdzić szczegóły jego chemioterapii, skomentować jego nastrój, skontrolować ilość wypitej wody, odmierzyć środki przeciwbólowe. Byłem wzruszony – wzruszony i, przyznaję, trochę zazdrosny – widząc, jak troskliwie, jak delikatnie David, nasze maleństwo, opiekuje się Aubreyem w jego ostatnich miesiącach: jak okłada jego głowę zimnym kompresem, jak trzyma go za rękę, jak umiejętnie, lepiej niż większość ludzi, przemawia do umierającego – jego szemrzący monolog był wolny od paternalizmu i uwzględniał obecność Aubreya, nie oczekując od niego odpowiedzi. David miał dar niesienia pomocy umierającym, rzadki i cenny dar, który mógł spożytkować na wiele różnych sposobów.

Przez chwilę staliśmy w miejscu, aż wreszcie Nathaniel, zawsze skazany na rolę negocjatora i mediatora, wykrzyknął:

– Och! A to, Charles, jest Eden, dobra przyjaciółka Davida.

Była starsza, po trzydziestce, co najmniej dziesięć lat starsza od Davida – Koreanka o jasnej skórze, ufryzowana tak samo cudacznie jak David. Tatuaże pokrywały jej ręce od nadgarstków aż po szyję; wierzch dłoni miała usiany małymi gwiazdkami, które, jak później się dowiedziałem, układały się w konstelacje – lewą dłoń zdobiły wiosenne konstelacje półkuli północnej, prawą zaś wiosenne konstelacje południa. Kobieta nie była właściwie ładna – szpeciła ją ta fryzura, te tatuaże, te przerysowane brwi, pokryte tuszem tak gęsto, że przywodziły na myśl impast – ale miała w sobie jakąś giętkość, smukłość, dzikość i zmysłowość.

Skłoniliśmy się oboje.

– Miło cię poznać, Eden – powiedziałem.

Nie umiałem poznać, czy skrzywiła się ironicznie, czy właśnie tak wyglądał jej uśmiech.

– Wzajemnie, Charlie – odrzekła. – David dużo mi o tobie opowiadał.

To zostało powiedziane znacząco, ale nie zareagowałem na zaczepkę.

– Miło mi to słyszeć – powiedziałem. – Och, i mów mi Charles.

– Charles – syknął Nathaniel, ale David i Eden wymienili spojrzenia i uśmiechnęli się tymi samymi ironicznymi skrzywieniami.

– Mówiłem ci – zwrócił się do kobiety David.

Nathaniel zamówił gotowe dania – podpłomyki i mezze – więc przeszliśmy do stołu. Przyniosłem butelkę wina, którego napiłem się z Davidem i Nathanielem; Eden powiedziała, że poprzestanie na wodzie.

Zaczęła się rozmowa. Czułem, że wszyscy zachowujemy wielką ostrożność, więc rozmowa okazała się strasznie nudna. Nie było tak źle, jakbyśmy konwersowali o pogodzie, ale niewiele lepiej. Lista tematów, których nie wolno mi było poruszać przy Davidzie, zrobiła się już prohibicyjnie długa, łatwiej było spamiętać te tematy, na które mogłem z nim rozmawiać bez obawy wkroczenia na grząski teren: rolnictwo organiczne, filmy, roboty, pieczenie bez drożdży. Złapałem się na tym, że brakuje mi Aubreya, który doskonale wiedział, jak nas prowadzić, i zawsze umiał zawrócić rozmówcę, który zbaczał na niebezpieczne tereny.

Zauważyłem, co często mi się zdarzało podczas naszych rozmów, że David był nadal dzieckiem, i właśnie ta cecha – jego entuzjazm dla tematów, którymi się pasjonował, przyspieszona mowa i coraz bardziej piskliwy głos – budziła we mnie żal, że nie poszedł do college'u. Tam znalazłby swoje plemię; poczułby się mniej samotny. Może nawet stałby się mniejszym dziwakiem albo przynajmniej znalazł środowisko, w którym nie raziłby swoim dziwactwem. Wyobrażałem go sobie w pomieszczeniu pełnym młodych ludzi, pijanych własną egzaltacją – na pewno poczułby, że gdzieś jednak ma swoje miejsce. Ale on wybrał sobie inne miejsce – Światło – które ja dzięki tobie mógłbym teraz śledzić tak obsesyjnie, jak zechcę, ale rzadko miewam na to ochotę. Kiedyś chciałem wiedzieć wszystko o czynach i myślach Davida – teraz wolę nie wiedzieć, wolę udawać, że życie mojego syna i rzeczy, które sprawiają mu radość, nie istnieją.

Osobą, którą naprawdę bacznie obserwowałem, była Eden. Siedziała w końcu stołu, po lewej ręce miała Davida i spoglądała na niego z pobłażliwą czułością, jak matka na niesforne, lecz uzdolnione dziecko. David nie włączał jej do swojego monologu, ale od czasu do czasu zerkał na nią, a wtedy nieznacznie kiwała głową, niemal tak, jak gdyby David recytował tekst, a ona potwierdzała, że robi to prawidłowo. Zauważyłem, że Eden bardzo mało je – jej podpłomyk leżał nietknięty, w porcji humusu, której spróbowała, było jedynie malutkie wgłębienie, reszta zaś stygła na talerzu. Nawet szklanka z wodą stała nieruszona, a plasterek cytryny opadł w niej na dno.

Wreszcie, gdy David na moment przestał nadawać, wtrącił się Nathaniel.

– Zanim pójdę po deser – powiedział – może zechcesz, Davidzie, oznajmić ojcu swoją nowinę?

David zrobił taką zmieszaną minę, że już wiedziałem, że bez względu na to, jaka to wiadomość, ja wolałem jej nie usłyszeć. Zanim więc zdążył cokolwiek powiedzieć, zwróciłem się do Eden.

– Jak się poznaliście? – spytałem.

– Na zebraniu – odpowiedziała. Mówiła powoli, niemal letargicznie, przeciągając słowa.

– Na zebraniu?

Spojrzała na mnie pogardliwie.

– Światła – uzupełniła.

– Ach tak – powiedziałem, nie patrząc na Nathaniela. – Światła. A czym ty się zajmujesz?

– Jestem artystką – odparła.

– Eden jest niesamowitą artystką – wtrącił gorliwie David. – Projektuje wszystkie nasze strony internetowe, wszystkie reklamy, wszystko. Jest naprawdę utalentowana.

– Nie wątpię – powiedziałem, i chociaż pilnowałem się, by nie mówić w sposób ironiczny, Eden i tak się skrzywiła, jakby usłyszała ironię, a przecież to ja, nie ona, stałem się celem własnego sarkazmu. – Od jak dawna się spotykacie?

Wzruszyła ramionami, a właściwie uniosła lekko tylko lewe.

– Od jakichś dziewięciu miesięcy. – Posłała Davidowi półuśmiech. – Zobaczyłam go i po prostu musiałam go mieć. – Na te słowa David się zaczerwienił, zażenowany i połechtany pochlebstwem, a uśmiech Eden, gdy na niego patrzyła, nieco się poszerzył.

Tu znowu wtrącił się Nathaniel:

– Co nam przypomina o nowinie Davida – powiedział. – Davidzie?

– Przepraszam – powiedziałem; wstałem pospiesznie, ignorując mordercze spojrzenie Nathaniela, i uciekłem do małej toalety ukrytej pod schodami. Aubrey utrzymywał, że za jego młodych lat było to miejsce wielu poobiednich numerków z udziałem gości, ale już dawno temu toaletę oklejono frymuśną tapetą w czarne róże, która kojarzyła mi się z wiktoriańskim burdelem. Umyłem ręce i oddychałem głęboko. David miał mi oznajmić, że żeni się z tą dziwaczną, perwersyjnie uwodzicielską, o wiele za starą dla siebie kobietą, a moim zadaniem było zachować spokój. Nie, David, nasze maleństwo, nie dojrzało do małżeństwa. Nie, nie miało pracy. Nie, nie wyprowadziło się z domu rodziców. Nie, nie było wykształcone. Ale nie moją rolą było to komentować; co więcej, moja opinia była nie tylko nieistotna, ale wręcz niepożądana.

Powziąwszy to postanowienie, wróciłem na swoje miejsce przy stole.

– Przepraszam – zwróciłem się do wszystkich. A potem rzekłem do Davida: – Zdradź mi swoją nowinę, Davidzie.

– No więc… – powiedział z dość niepewną miną David. Ale zaraz wypalił: – Eden jest w ciąży.

– Słucham?

– W czternastym tygodniu – uściśliła Eden i odchyliła się na oparcie, a przez jej twarz przemknął ten osobliwy półuśmieszek. – Mam termin na czwartego września.

– Nie była pewna, czy tego chce – podchwycił wątek David, teraz już podekscytowany, ale Eden mu przerwała.

– Ale w końcu pomyślałam sobie – wzruszyła ramionami – że co mi szkodzi. Mam trzydzieści osiem lat; ostatni dzwonek.

Och, Peter, możesz sobie wyobrazić, co cisnęło mi się na usta, co może nawet powinienem był powiedzieć. A tymczasem – z tak wielkim wysiłkiem, że zacząłem się pocić – przysiadłem na podłożonych dłoniach, przymknąłem oczy, odchyliłem w tył głowę i nie powiedziałem nic. Gdy otworzyłem oczy – nie wiem, po jakim czasie; mogła minąć godzina – zobaczyłem, że wszyscy się na mnie gapią, nie drwiąco, lecz z zaciekawieniem, może nawet z lekką obawą, jakby martwili się, że fizycznie eksploduję.

– Rozumiem – powiedziałem tak obojętnie, jak to było dla mnie możliwe. (Uwaga: trzydzieści osiem?! David ma dopiero dwadzieścia cztery lata, i to niedawno skończone). – I wszyscy troje zamieszkacie tutaj z tatusiem?

– Troje? – stropił się David, ale zaraz twarz mu się przejaśniła. – A tak. Racja. Dziecko. – Uniósł nieco podbródek, niepewny, czy moje pytanie to zarzut, czy po prostu pytanie. – Chyba tak. W końcu jest tutaj mnóstwo miejsca.

Na to jednak Eden wydała odgłos podobny do chrząknięcia, więc popatrzyliśmy wszyscy na nią.

– Ja tu nie będę mieszkać – oświadczyła.

– Och – powiedział David, zdruzgotany.

– Bez obrazy – rzekła Eden, może do Davida, może do Nathaniela, a może nawet do mnie. – Po prostu muszę mieć własną przestrzeń.

Zapadła cisza.

– Cóż – powiedziałem – wygląda na to, że wy dwoje macie sporo do ustalenia.

David posłał mi spojrzenie pełne nienawiści. Po pierwsze, miałem rację, a po drugie, byłem świadkiem jego upokorzenia.

Od tego momentu wiedziałem, że mój udział w dalszej rozmowie jest niemożliwy, bo może tylko doprowadzić do jakiejś katastrofy, więc oznajmiłem, że muszę już iść. Nikt mnie nie zatrzymywał. Zmusiłem się do uściskania Davida, chociaż obaj zrobiliśmy to tak niezdarnie, że wyszła z tego raczej parodia; następnie spróbowałem uściskać także Eden, której chude, chłopięce ciałko zesztywniało w moich ramionach.

Nathaniel odprowadził mnie do drzwi. Gdy stanęliśmy na ganku, powiedział:

– Zanim cokolwiek powiesz, Charles, wiedz, że się z tobą zgadzam.

– Nate, to szaleństwo – powiedziałem. – On ją ledwo zna! Ona ma praktycznie czterdzieści lat! Czy my cokolwiek wiemy o tej kobiecie?

Nathaniel westchnął.

– Pytałem jednego... jednego kolegę, a on powiedział...

– Kolegę z ministerstwa sprawiedliwości?

Znowu westchnął i podniósł oczy. (Rzadko patrzy mi w oczy ostatnimi czasy).

– Tak, kolegę z ministerstwa sprawiedliwości. Zajrzał w jej akta i mówi, że nie ma się czym przejmować; to członkini średniego szczebla, odpowiednik porucznika w tej organizacji, pochodzi z klasy średniej, z Baltimore, absolwentka szkoły sztuk pięknych, właściwie nienotowana.

– Brzmi oszałamiająco – skwitowałem, ale nie doczekałem się odpowiedzi. – Nate, wiesz, że to ty będziesz się zajmował tym dzieckiem, prawda? Wiesz, że David sam nie da rady.

– Przecież będzie miał Eden i...

– Na nią też bym nie liczył.

Westchnął jeszcze raz.

– No cóż, to może tak się skończyć – przyznał.

Nie pierwszy raz zadałem sobie pytanie, kiedy Nathaniel stał się tak bierny. Owszem, może nie bierny – trudno mówić o bierności przy wychowywaniu dziecka – ale zrezygnowany. Czy zaczęło się to, odkąd ich tutaj przywlokłem? Odkąd maleństwo David zaczęło pokazywać rogi? Odkąd stracił pracę? Od śmierci Norisa, a może Aubreya? Odkąd nasz syn przystąpił do nieudolnej i marginalnej komórki powstańczej? A może winne były lata życia ze mną? Już chciałem mu powiedzieć: „Przecież świetnie się spisałeś, wychowując swoje pierwsze dziecko" – ale uświadomiłem sobie, że tym zdaniem oskarżam samego siebie.

Więc nie powiedziałem nic. Patrzyliśmy na plac. Spycharki powróciły i uprzątnęły najnowszą wersję slumsów – przy każdym z wejść na plac stał na straży żołnierz, pilnujący, aby nikt nie spróbował wejść i postawić nowych bud. Niebo nad nami było białe od świateł jupiterów.

– Nie wiem, jak ty możesz spać w tym oświetleniu – powiedziałem, a on wzruszył ramionami, znów z rezygnacją.

– I tak wszystkie okna na plac są zabite deskami – powiedział. Odwrócił się do mnie. – Słyszałem, że likwidują obozy uchodźców.

Tym razem ja wzruszyłem ramionami.

– Ale co się stanie z tymi wszystkimi ludźmi? Dokąd pójdą? – spytał.

– Czemu nie zadasz tego pytania swojemu koledze z ministerstwa sprawiedliwości? – odparowałem infantylnie.

Nathaniel westchnął.

– Charles – powiedział ze znużeniem – ja tylko próbuję podtrzymać rozmowę.

Ale ja nie wiedziałem, dokąd udadzą się uchodźcy. Ludność tak intensywnie się przemieszczała – do szpitali, ze szpitali, do obozów kwarantanny, do krematoriów, do grobów i do więzień – że straciłem rozeznanie, gdzie która grupa przebywa w danym czasie.

Przede wszystkim myślałem o tym, że David sprowadza na ten świat dziecko i że najgorsze w tym nie są jego wady jako potencjalnego rodzica, ale sam fakt powstania nowego życia. Ludzie robią to nieustannie, oczywiście – liczymy na to. Ale po co robić to dla zgrywy? Życie Davida polega na niszczeniu tego kraju. Więc czemu chce w to wmieszać swoje dziecko? Kto chciałby, żeby dziecko dorastało w tych czasach, w tym miejscu? Trzeba szczególnej odmiany okrucieństwa, żeby teraz płodzić dziecko, wiedząc, że świat, w którym przyjdzie mu żyć i który dziedziczy, będzie brudny, nękany chorobami, niesprawiedliwy i uciążliwy. Więc po co? Gdzie tu szacunek dla życia?

Całuję, Charles

Najdroższy Peterze, 5 września 2064

nie przypuszczałem, że napiszę to, będąc w tym wieku, ale – zostałem dziadkiem. Charlie Keonaonamaile Bingham-Griffith urodziła się 3 września 2064, o 5.58, waży 3,650 kilograma.

Żebym przypadkiem nie wbił się w dumę, szybko mi wyjaśniono, że dziecko nosi imię nie po mnie, ale po (zmarłej) matce Eden, na którą mówiono Charlie. To ładne imię dla dziewczynki, chociaż sama dziewczynka ładna nie jest. Ma słabo zarysowany podbródek, kulfoniasty nosek i małe oczka zwężone w szparki.

Ale ubóstwiam ją. Tego ranka, kiedy przyszła na świat, niechętnie wpuszczono mnie do pokoju matki i niechętnie podano mi do potrzymania noworodka. David sterczał nade mną i pouczał: „Podtrzymuj jej główkę, ojczulku. Musisz podtrzymywać jej główkę!", tak jakbym nigdy w życiu nie trzymał niemowlęcia, począwszy od niego. Ale nie przeszkadzały mi jego kazania – prawdę mówiąc, było to wzruszające: słyszeć, jak się przejmuje kimś innym niż sobą, widzieć go takim bezbronnym, obserwować, jak czule tuli córeczkę.

Odkąd malutka jest tutaj, mnożą się pytania, na czele z tym, czy Eden w końcu wprowadzi się do domu przy placu Waszyngtona, zamiast tkwić dalej u siebie w Brooklynie. Powstaje także pytanie, kto zajmie się wychowaniem Charlie, jako że Eden już zapowiedziała, że nie zrezygnuje z „pracy" dla Światła, natomiast David, konwencjonalny tak, jak bywają tylko młodzi ludzie, uważa, że koniecznie powinni się pobrać i zamieszkać razem.

Na razie jednak mieliśmy czas dla nas czworga (oczywiście na zmianę z Eden). Ta mała to najlepsze, co David dotąd zrobił, ale zanim zinterpretujesz to sobie jako ironię, dodam, że nigdy nie mógłby zrobić nic lepszego. Moja malutka Charlie.

No to tyle na razie. Z ostrożną radością przyjmuję wiadomość, że Olivier znalazł się z powrotem na obrazku. A skoro mowa o obrazkach, to mam chybа setkę zdjęć poprzypinanych po całym domu.

Kocham Cię, C.

Mój Kochany Peterze, 21 lutego 2065

jedną z cech Nathaniela, które nauczyłem się doceniać, jest poczucie odpowiedzialności za tych, którzy jego zdaniem gorzej radzą sobie w życiu. Dawniej mnie to denerwowało. Ja sam na przykład jako zaliczony do tych, którzy sobie radzą, uchodziłem w jego oczach za osobę niewymagającą pomocy, uwagi ani czasu. Za to jego uczniowie, a potem, kiedy odszedł ze szkoły, Norris, Aubrey i David, uznani zostali za bezradnych, a zatem wymagających jego opieki.

Nawet po odziedziczeniu części majątku Aubreya Nathaniel wciąż widywał się z dwoma swoimi uczniami, Hiramem i Ezrą, tymi chłopcami, którzy, jak Ci kiedyś pisałem, przeżyli chorobę roku pięćdziesiątego, ale potem już nigdy nie opuścili domu. Gdy ukończyli dwanaście lat, ich matka zatrudniła nowych nauczycieli, którzy uczą algebry i fizyki, ale Nathaniel i tak niemal co tydzień przeprawiał się przez most, żeby ich odwiedzić. Od narodzin Charlie odbywa z nimi w zamian wideokonferencje, ponieważ jest zajęty opieką nad małą.

Tak jak przewidywałem, opieka nad Charlie spadła głównie na Nathaniela. Jest wprawdzie jakaś niania, ale tak naprawdę liczy się wyłącznie on: David ma nieregularne godziny pracy, a Eden tym bardziej. Chyba powinienem tu dodać (jak to zawsze czyni Nathaniel), że gdy David j e s t na miejscu, fantastycznie zajmuje się małą. Ale czy nie chodzi właśnie o to, żeby po prostu b y ć o b e c n y m, konsekwentnie i stale? Zaczynam wątpić, czy dobre zachowanie jest cnotą dorównującą stałości. Co się tyczy Eden, nie mam nic do powiedzenia. Nie wiem nawet, czy ona i David są wciąż razem, chociaż wiem, że David nadal ją kocha. Ona jednak wydaje się wyjątkowo mało zainteresowana własną córką. Powiedziała mi kiedyś, że chciała zaliczyć „doświadczenie" ciąży, ale nie wygląda na to, żeby chciała, czy choćby brała pod uwagę, doświadczenie rodzicielstwa. W tym miesiącu była u nas zaledwie dwa razy, zawsze pod nieobecność Davida. Nathaniel wciąż ponawia propozycję powierzenia jej dziecka, ale ona odmawia. Tłumaczy, że jest zbyt zajęta albo że w jej mieszkaniu jest zbyt niebezpiecznie, albo że właśnie się zaziębiła. Nathaniel nie przestaje jej też proponować całego piętra w swoim domu lub przynajmniej pieniędzy na remont jej mieszkania, ale widzi, że te propozycje wytrącają ją z równowagi – nie przyjmuje ani jednej, ani drugiej.

W ubiegłym tygodniu Nathaniel zapytał mnie, czy mógłbym pojechać do Holsonów i odwiedzić chłopców, którzy opuścili dwa ostatnie spotkania wideo i nie odpowiadają ani na jego telefony, ani esemesy.

– Żartujesz sobie? – spytałem zaskoczony. – Czemu sam do nich nie pojedziesz?

– Nie mogę – odparł. – Charlie kaszle i muszę zostać przy niej.

– A może ja zostanę z Charlie, a ty pojedziesz? – Ciągle mi mało tego dziecka: ilekroć mam wolny wieczór, zawsze jadę do śródmieścia, żeby spędzić go z Charlie.

– Charles – odrzekł, przekładając dziecko z jednego ramienia na drugie – po prostu zrób to dla mnie, zgoda? Gdyby się okazało, że coś im dolega, może mógłbyś pomóc.

– Nie jestem klinicystą – przypomniałem mu, ale nie było sensu dyskutować. Musiałem jechać. Tak się jakoś stało, że Nathaniel i ja żyjemy teraz w relacji bardziej małżeńskiej niż za naszych formalnie małżeńskich czasów. Znacznie przyczyniło się do tego dziecko – mam takie uczucie, jakbyśmy na nowo przeżywali wczesny etap wspólnego życia, tyle że teraz już obaj doskonale wiemy, jak się wzajemnie rozczarowaliśmy, i nie oczekujemy zmiany.

Tak więc po poniedziałkowym zebraniu pojechałem do Cobble Hill. Ostatni raz widziałem chłopców pięć lat temu, gdy ich rodzice (a konkretnie matka, bo nieobecny pan Holson był jak zwykle nieobecny) wydali spóźnione przyjęcie pożegnalne na cześć Nathaniela – było to, ściślej mówiąc, jego pożegnanie jako nauczyciela z Hiramem i Ezrą. Bliźniacy mieli wówczas trzynaście lat, a wyglądali na dziewięć, dziesięć. Jak przystało na dobrze ułożonych chłopców, poczęstowali najpierw ciastem mnie, Nathaniela, gosposię i swoją matkę – wszyscy byliśmy w kompletnych strojach ochronnych, ponieważ chłopcy mieli trudności z oddychaniem w swoich – a sobie wzięli po kawałku dopiero na końcu. Nie wolno im było jeść cukru, który zdaniem Nathaniela i pani Holson mógł wywołać zapalenie wewnętrzne (cokolwiek to znaczy), ale ciasto, ledwo, ledwo słodkie, z idealnie gładkim musem jabłkowym, upieczono najwyraźniej jako specjalny przysmak dla nich. Odpowiadali na pytania cienkimi, nosowymi głosami. Gdy pani Holson wysłała ich po laurkę, którą zrobili dla Nathaniela, obaj puścili się biegiem na sztywnych nogach, a dozowniki tlenu obijały im się o pośladki.

Kiedy Nathaniel opowiedział mi o planach edukacyjnych dla chłopców, jakie miała pani Holson, uznałem je za specyficzne, wręcz okrutne. Zrozumiałem jednak, że przygotowując synów do obcowania ze światem, w którym nigdy nie zamieszkają – czego dowodem były ich staranne maniery, umiejętność patrzenia w oczy i prowadzenia rozmowy, a więc to wszystko, czego nigdy nie udało nam się nauczyć Davida – matka nauczyła ich także akceptacji życiowych ograniczeń. Gdy jeden z nich, albo Hiram, albo Ezra (jeszcze ich nie rozróżniałem), powiedział do mnie: „Nathaniel mówił, że niedawno był pan w Indiach", musiałem ugryźć się w język, żeby odruchowo nie odpowiedzieć: „No tak, ty też tam byłeś?". Zamiast tego odrzekłem, że faktycznie byłem niedawno w Indiach, na co drugi bliźniak westchnął: „Och, to musiało być cudowne". Była to prawidłowa odpowiedź, grzeczna (może nieco staroświecka), ale nie tkwiło w niej pragnienie ani zazdrość. Z dalszej rozmowy wynikło, że chłopcy sporo wiedzą o historii swojego kraju, o bieżącej polityce i klęskach epidemiologicznych, chociaż ich wypowiedzi były podszyte przekonaniem, że nic z tego nie zobaczą na własne oczy: udało im się poznać świat, a jednocześnie pogodzić się z tym, że nigdy nie będą jego częścią. W pewnym sensie wiele osób podziela tę cechę: wiemy o Indiach, ale nigdy nie będziemy ich częścią. Jednak poruszające i niepokojące w obydwu chłopcach było to, że dla nich B r o o k l y n był Indiami. Cobble Hill było Indiami. Ogród za domem, który widzieli z pokoju zabaw przekształconego teraz w pokój do nauki, był Indiami – o wszystkich tych miejscach dowiadywali się, ale nigdy nie mieli ich zwiedzić.

Byli dobrze ułożeni, byli inteligentni, a jednak zrobiło mi się ich żal. Przypominałem sobie piętnastoletniego Davida, wyrzucanego z jednej szkoły po drugiej, piękny zarys jego sylwetki, gdy szykował się do skoku na deskorolce, zręczność, z jaką zrywał się z powrotem, gdy upadł na ziemię, gwiazdy na jednej ręce, które wykonywał na trawnikach placu Waszyngtona, połysk jego skóry w słońcu.

Teraz chłopcy zbliżali się do osiemnastych urodzin, a ja, pukając do ich drzwi, myślałem o mojej Charlie. „Niech im się nic nie stanie – powtarzałem w duchu – bo jeśli im się nic nie stanie, to mojej Charlie też się nic nie stanie". Ale myślałem także: „Jeżeli im się coś stało, to jej się nic nie stanie". Nie miało to oczywiście najmniejszego sensu.

Ponieważ nikt nie otwierał, wpisałem do czytnika kod, który podał mi Nathaniel, i wszedłem do środka. Od momentu otwarcia się komory dekontaminacyjnej poczułem śmierć. Te nowe hełmy potęgują każdy zapach, więc zdarłem swój z głowy i podciągnąłem sweter, zasłaniając nim nos i usta. W domu jak zwykle panował półmrok. Żadnego dźwięku, żadnego ruchu; tylko ten smród.

– Frances! – zawołałem. – Ezra! Hiram! To ja, Charles Griffith, Nathaniel mnie przysłał. Halo?

Nikt nie odpowiedział. Przedsionek był oddzielony drzwiami od reszty parteru; pchnąłem je i niemal zadławiłem się smrodem. Wszedłem do salonu. Przez chwilę nie widziałem nic, ale zaraz usłyszałem nikły, bzyczący odgłos i ujrzałem niedużą, zbitą chmurę kołującą nad sofą. Kiedy podszedłem bliżej, chmura okazała się rojem czarnych much, który wirował, bucząc niczym tornado. Kołowały nad postacią kobiety, Frances Holson, skulonej, martwej od co najmniej dwóch tygodni.

Odsunąłem się; serce mi waliło.

– Chłopcy! – krzyknąłem głośno. – Hiram! Ezra!

Znów odpowiedziała mi cisza.

W dalszym ciągu szedłem przez salon. Nagle usłyszałem coś innego, słaby szelest. Zobaczyłem, że coś się rusza pod ścianą, a gdy podszedłem bliżej, okazało się, że jest to płachta przezroczystego plastiku osłaniająca szczelnie framugę drzwi prowadzących z salonu do kuchni: kuchnia była przez nią odcięta od reszty domu. W dolnym prawym rogu plastikowej płachty wycięto dwa okienka. Przez jedno w stronę salonu zwieszały się dwie plastikowe koszulki na dokumenty, drugie natomiast było pustym prostokątem. Właśnie to drugie miało luźną klapę, która poruszała się w podmuchach z niewidocznego źródła.

Zajrzałem przez plastik do kuchni. Pierwszym, co rzuciło mi się w oczy, było jej podobieństwo do nory jakiegoś zwierzęcia: goffera albo nieświszczuka. Żaluzje były spuszczone, a wszystkie powierzchnie poprzykrywane. Rozpiąłem plastikową ścianę i dostałem się do środka: tu też panował smród rozkładu, z tym że nie zwierzęcego, a roślinnego. Blaty kuchenne były zastawione naczyniami, garnkami i rondlami, między którymi piętrzyły się sterty podręczników. W zlewie garnki i rondle moczyły się w tłustej brei, jakby ktoś zaczął zmywać, ale w połowie mu się odechciało. Obok zauważyłem dwie miski na zupę, dwie łyżki i dwa kubki, pozmywane i wytarte. Z każdego kąta wyzierały pękate czarne worki na śmieci, a gdy zmusiłem się do rozwiązania jednego, odkryłem wewnątrz nie porąbane szczątki ludzkie, tylko resztki marchwi i chleba, tak przegniłe, że utworzyły cuchnącą maź, i torebki herbaty, które wyglądały jak wyssane do sucha. Kosz na odpady do recyklingu był przepełniony – istna parodia rogu obfitości. Wziąłem do ręki puszkę ciecierzycy i zajrzałem do środka: była pusta, nieskazitelnie wyczyszczona, aż lśniła. Następna puszka tak samo, i kolejna też.

Pośrodku podłogi – w odległości niespełna pół metra od siebie, rozdzielone następną stertą książek, na której spoczywały dwa laptopy – leżały dwa śpiwory, każdy z poduszką i przy każdym znajdował się pewien szczegół, który mnie poraził: pluszowy miś ułożony pod wierzchnią warstwą śpiwora, z łebkiem na poduszce, wpatrzony w sufit czarnymi ślepkami. Tę prowizoryczną sypialnię okrążała wysprzątana ścieżka wiodąca do łazienki, gdzie znalazłem dwa dozowniki tlenu podłączone do gniazdka w ścianie; na umywalce stały dwie szklanki z dwiema szczoteczkami do zębów i tubka pasty do zębów, prawie pełna. Z łazienki przechodziło się do pralni, gdzie również wszystko wyglądało jak należy: w szafkach znalazłem równo poskładane ręczniki i zapas papieru toaletowego, latarki i baterie, środek do prania, a w suszarce leżały jeszcze poszewki na poduszki i dwie pary dziecięcych dżinsów.

Wróciłem do kuchni i dobrnąłem przez śmieci do środka pomieszczenia, gdzie rozejrzałem się wokoło, zastanawiając się, co teraz zrobić. Zadzwoniłem do Nathaniela, ale nie odebrał.

Wtedy podszedłem do lodówki, żeby wziąć sobie coś do picia, a tam w środku – nic. Ani butelki soku, ani słoika musztardy, ani nawet zbłąkanego liścia sałaty więdnącego w głębi szuflady na warzywa. W zamrażarce to samo: nic. Ogarnęło mnie przerażenie i zacząłem otwierać wszystkie szafki, wszystkie szuflady – nic, nic, nic. W kuchni nie było ani jednej jadalnej rzeczy, nawet mąki, sody oczyszczonej czy drożdży, z których można by zrobić coś do jedzenia. To dlatego puszki były takie czyste: wylizali wszystko. To dlatego w kuchni panował taki bałagan: przetrząsnęli wszystko w poszukiwaniu żywności. Nie wiem, dlaczego zabunkrowali się w kuchni – a raczej, co bardziej prawdopodobne, dlaczego zabunkrowała ich tam matka; być może dla ich bezpieczeństwa. Lecz gdy skończyło im się jedzenie, zapewne spenetrowali cały dom w poszukiwaniu żywności.

Wybiegłem z kuchni i rzuciłem się ku schodom.

– Ezra! – wołałem. – Hiram!

Sypialnia ich rodziców mieściła się na drugim piętrze. Również została przetrząśnięta: majtki, skarpety i męskie podkoszulki wylewały się z szuflad; wszędzie leżały wywalone z szafy buty.

Na trzecim piętrze to samo: opróżnione szuflady szaf w nieładzie. Tylko ich pokój do nauki był równie schludny, jak go pamiętałem – znali go przecież na wylot, nie musieli szukać tam tego, czego, jak wiedzieli, na pewno nie było.

Przystanąłem tam, próbując się uspokoić. Jeszcze raz zadzwoniłem do Nathaniela i wysłałem mu esemesa. Czekając na jego odpowiedź, wyjrzałem przez okno i daleko w dole ujrzałem dwie postacie leżące twarzami do ziemi w ogrodzie za domem.

Tak, to byli chłopcy. Ubrani w wełniane płaszcze, chociaż było na to o wiele za ciepło. Strasznie wychudzeni. Jeden z nich, może Hiram, a może Ezra, leżał odwrócony twarzą do brata, którego twarz była wciśnięta w kamienną płytę. Dozowniki tlenowe, dawno już opróżnione, wciąż mieli przypięte do spodni. Mimo że było ciepło, chłód kamieni przyczynił się do względnie dobrego zachowania ciał.

Zostałem tam aż do przybycia zespołu kryminalistycznego, powiedziałem im wszystko, co wiedziałem, a potem pojechałem do domu, by zawiadomić Nathaniela, który fatalnie zniósł tę wiadomość.

– Dlaczego nie pojechałem tam wcześniej? – rozpaczał. – Wiedziałem, że stało się coś złego, wiedziałem to. Gdzie była ich gosposia? Gdzie był ich pieprzony ojciec?

Przeprowadziłem małe śledztwo; upierając się, że sprawa dotyczy zdrowia publicznego, domagałem się przeprowadzenia rzetelnego dochodzenia, i to jak najprędzej. Dziś otrzymałem raport o zdarzeniu, a raczej domniemanym zdarzeniu. Przyjęto teorię, że około pięciu tygodni temu Frances Holson zapadła na „chorobę o nieznanej etiologii". Uświadomiwszy sobie, że choroba jest zakaźna, zapieczętowała chłopców w kuchni i poprosiła gosposię, by regularnie dostarczała im jedzenie. Przez pierwszy tydzień gosposia przychodziła. Lecz gdy stan Frances się pogorszył, przestraszyła się i przestała się pojawiać. Przypuszcza się, że Frances zeszła na dół o własnych siłach, żeby być bliżej synów, i oddała im resztę jedzenia, które odkładała dla siebie, przekazując je w sterylnych rękawicach przez jedno z okienek wyciętych w plastikowej płachcie. Chłopcy zapewne oglądali jej śmierć, a potem przez co najmniej dwa kolejne tygodnie patrzyli na martwe ciało. Przypuszcza się, że wyszli na zewnątrz, by zdobyć jedzenie, około pięciu dni przed tym, zanim ich znalazłem; opuścili dom kuchennymi drzwiami i zeszli po metalowych schodkach do ogrodu. Hiram – ten, który leżał twarzą do ziemi – umarł pierwszy; domniemywa się, że Ezra, odwrócony twarzą do brata, zmarł dzień po nim.

Wielu rzeczy jednak nie wiemy i zapewne nigdy się nie dowiemy. Dlaczego Frances, Hiram ani Ezra do nikogo nie zadzwonili? Jak to możliwe, że nauczyciele nie zauważyli bałaganu w kuchni podczas lekcji wideo i nie spytali Hirama i Ezry, czy potrzebują pomocy? Czy nie mieli rodziny, do której mogli zadzwonić? Czy nie mieli przyjaciół? Jak gosposia mogła zostawić dwóch bezradnych chłopców bez pomocy? Dlaczego Frances nie zamówiła więcej jedzenia? Albo dlaczego nie zrobili tego chłopcy? Czy zarazili się od Frances nieznanym wirusem? Nie zagłodziliby się przecież na śmierć w ciągu tygodnia, a nawet dwóch. Czy zabił ich wstrząs po wyjściu na zewnątrz? Czy zawiodły ich słabe systemy immunologiczne? A może było to coś, na co medycyna kliniczna nie ma nazwy? Rozpacz? Beznadzieja? Lęk? Czy po prostu się poddali, wyrzekli się życia, mimo że przecież mogli znaleźć jakąś pomoc? Mogli skontaktować się ze światem – dlaczego więc nie próbowali? Może – z całą prostotą – mieli już dość samego życia?

A przede wszystkim: gdzie był ich pieprzony ojciec? Ekipa ministerstwa zdrowia wytropiła go niespełna dwa kilometry od domu, w Brooklyn Heights, gdzie, jak się okazało, mieszkał od pięciu lat z nową rodziną – nową żoną, z którą wdał się w romans siedem lat temu, i dwojgiem innych – i zdrowych – dzieci w wieku pięciu i sześciu lat. Powiedział śledczym, że zawsze dbał o to, żeby Hiram i Ezra byli pod dobrą opieką, że co miesiąc posyłał Frances pieniądze. Ale gdy go zapytali, do którego domu pogrzebowego mają wysłać ciała jego synów po autopsji, pokręcił głową i powiedział: „Wystarczy do miejskiego krematorium. Tak dawno umarli". I zamknął drzwi.

Nie mówiłem o tym wszystkim Nathanielowi. Ogromnie by go to przygnębiło. Ja sam czułem się przybity. Jak można wyrzec się własnych dzieci tak całkowicie, tak doszczętnie, jakby nigdy nie istniały? Jak rodzic może być tak bez serca?

Dziś w nocy leżałem bezsennie i rozmyślałem o Holsonach. Żal mi było chłopców, a jeszcze bardziej żal mi było Frances: że ich wychowała, że chroniła ich tak starannie, tak czujnie tylko po to, żeby umarli z rozpaczy. Już prawie zasypiając, zadałem sobie pytanie: a może chłopcy nie dzwonili do nikogo po pomoc z jednego prostego powodu – ponieważ chcieli zobaczyć świat? Wyobraziłem sobie, jak trzymając się za ręce, wychodzą z domu, schodzą po schodkach i stają na podwórku za domem. Stoją tak, nadal trzymając się za ręce, wdychają powietrze i patrzą w górę na czubki otaczających ich drzew, z buziami otwartymi z zadziwienia, chociaż jeden raz w poczuciu wspaniałości życia, jednak tuż przed jego końcem.

Całuję – ja

Mój Kochany Peterze, 19 kwietnia 2065

przepraszam za brak korespondencji. Wiem, że minęły tygodnie. Myślę jednak, że mnie zrozumiesz, kiedy Ci opowiem, co się stało.

Eden odeszła. Przez „odeszła" nie chcę powiedzieć, że zniknęła pewnej nocy, zostawiając po sobie tylko liścik. Wiemy dokładnie, gdzie jest – w swoim mieszkaniu w Windsor Terrace, zajęta prawdopodobnie pakowaniem rzeczy. „Odeszła" znaczy w tym przypadku, że nie chce już być rodzicem. Tak to faktycznie ujęła: „Po prostu nie sądzę, że mam w sobie zadatki na rodzica".

Niewiele więcej zostaje do powiedzenia. Właściwie nie ma się czemu dziwić. Odkąd Charlie przyszła na świat, widziałem Eden może sześć razy. Inna sprawa, że nie mieszkam w tym domu, więc możliwe, że bywała tam częściej niż w Święto Dziękczynienia, Boże Narodzenie, Nowy Rok i tym podobne okazje, chociaż widząc ostrożność i zdenerwowanie Nathaniela w jej obecności, szczerze w to wątpię. Nathaniel nigdy nie wyrażał się o niej źle w rozmowach ze mną – nie dlatego, myślę, że miał o niej dobre zdanie, ale raczej dlatego, że bał się głośnym oświadczeniem „Eden jest złą matką" sprawić, że słowo stanie się ciałem. A przecież ona była złą matką. Wiem, że to niedorzeczne, ale tak rozumuje Nathaniel. Ty i ja wiemy, jak postępują złe matki, ale Nathaniel tego nie wie – zawsze kochał swoją matkę i trudno mu pojąć, że nie każda matka pozostanie matką z poczucia obowiązku, o miłości nie wspominając.

Nie byłem obecny przy rozmowie, którą Eden odbyła z Nathanielem. Davida też wtedy nie było – coraz mniej wiemy o tym, gdzie się podziewa. Podobno Eden przysłała Nathanielowi wiadomość, że jeszcze tego samego dnia muszą porozmawiać, i wyznaczyła mu spotkanie w parku. „Przyjdę z Charlie" – odpisał Nathaniel, ale Eden szybko odpowiedziała, że lepiej nie, bo ma grypę „czy coś w tym rodzaju" i nie chce małej zarazić. (Czyżby myślała sobie, że kiedy powie, że Charlie już jej nie interesuje, Nathaniel wepchnie jej dziecko w ramiona i ucieknie?) Tak więc spotkali się w parku. Nathaniel mówił mi, że Eden spóźniła się pół godziny (zwaliła winę na zamknięte metro, chociaż zamknęli je pół roku temu), a do tego przyszła z jakimś facetem, który czekał na innej ławce, kilka metrów dalej, aż Eden poinformuje Nathaniela, że wyprowadza się z kraju.

– Dokąd? – spytał Nathaniel, przezwyciężywszy pierwszy szok.

– Do stanu Waszyngton – powiedziała. – W dzieciństwie spędzałam z rodziną wakacje na wyspie Orcas i zawsze chciałam tam zamieszkać.

– A co z Charlie? – zapytał.

Nathaniel opowiadał, że wtedy przez jej twarz przemknął dziwny wyraz – poczucia winy, być może; wstydu, mam nadzieję.

– Mnie się zdaje, że jej jest lepiej tu z tobą – powiedziała, a gdy Nathaniel się nie odezwał, dodała: – Świetnie sobie radzisz, stary. Ja po prostu nie sądzę, żebym miała w sobie zadatki na rodzica.

Siląc się na zwięzłość, oszczędzę Ci szczegółów negocjacji, błagań, propozycji włączenia do sprawy Davida. Powiem krótko: Eden zniknęła z życia Charlie. Podpisała dokument zrzeczenia się praw rodzicielskich, na mocy którego David został jedynym rodzicem Charlie. Z tym że, jak już wspomniałem, David rzadko bywa w domu, co oznacza, że faktycznie, nawet jeśli nie prawnie, jej jedynym rodzicem jest teraz Nathaniel.

– Nie wiem, co mam robić – powiedział Nathaniel. Było to wczoraj wieczorem po kolacji. Siedzieliśmy na kanapie w bawialni. Charlie spała na rękach Nathaniela. – Położę ją do łóżeczka.

– Nie, daj mi ją potrzymać – poprosiłem. Wówczas popatrzył na mnie z tą szczególną Nathanielową miną, na wpół irytacji, na wpół czułości, i przekazał mi malutką.

Siedzieliśmy tak przez jakiś czas: ja patrzyłem z góry na Charlie, a Nathaniel głaskał ją po główce. Doznałem śmiesznego wrażenia, że czas się cofnął i dostaliśmy obaj drugą szansę – jako rodzice, jako para. Jakbyśmy byli zarazem młodsi i starsi niż w rzeczywistości i wiedzieli, co możemy popsuć, nie mając pojęcia o tym, co może się zdarzyć. Jakby to było nasze dziecko, a to, co działo się przez ostatnie dwie dekady – moja praca, pandemia, obozy, nasz rozwód – wcale nie miało miejsca. Zaraz jednak uświadomiłem sobie, że wymazując przeszłość, wymazuję także Davida, a wraz z nim Charlie.

Wyciągnąłem rękę i zacząłem gładzić włosy Nathaniela, a on spojrzał na mnie, unosząc jedną brew, ale odchylił głowę w tył i przez chwilę tak trwaliśmy: ja głaskałem po głowie Nathaniela, a on Charlie.

– Tak sobie myślę, że może powinienem się tu wprowadzić – powiedziałem, a on spojrzał mi w oczy, unosząc brwi.

– Tak myślisz? – spytał.

– Tak – potwierdziłem. – Pomagałbym ci i spędzałbym więcej czasu z Charlie.

Nie planowałem tej propozycji, ale gdy już ją złożyłem, wydała mi się słuszna. Moje mieszkanie – kiedyś nasze mieszkanie – było już raczej składnicą nieożywionych przedmiotów niż miejscem do życia. Sypiałem w laboratorium. Jadałem u Nathaniela. A potem szedłem do mieszkania się przebrać. To naprawdę nie miało sensu.

– No cóż – powiedział Nathaniel i nieznacznie przesunął się na kanapie. – Nie miałbym nic przeciwko temu. – A po krótkiej pauzie dodał: – Ale nie wracamy do siebie, pamiętaj.

– Wiem – powiedziałem. Nawet nie byłem urażony.

– I nie będziemy uprawiać seksu.

– Zobaczymy.

Przewrócił oczami.

– Nie, Charles, naprawdę nie.

– Okej – odpowiedziałem. – Może tak, może nie. – Ale tylko się z nim droczyłem. Mnie też już seks z Nathanielem nie interesował.

To tyle, żebyś był na bieżąco. Na pewno będziesz miał pytania, nie krępuj się, pytaj. Zresztą spotkamy się za kilka dni. Może pomożesz mi w przeprowadzce? (To żart).

Całuję, Charles

Kochany Peterze, 3 września 2065

wielkie dzięki dla Ciebie i Oliviera za zabawki. Dotarły w samą porę i Charlie je uwielbia, co widać po tym, że kotka natychmiast wpakowała do buzi i zaczęła ogryzać, a to bezdyskusyjna oznaka sympatii.

Nie mam wielkiego doświadczenia z przyjęciami z okazji pierwszych urodzin, ale to na szczęście było skromne: tylko ja i Nathaniel, i nawet David. I oczywiście Charlie. Być może słyszałeś o ostatniej teorii spiskowej, która głosi, że chorobę z ostatniego miesiąca wynalazł rząd (w jakim celu, o tym się nie dyskutuje, jako że te teorie rzadko idą w parze z logiką), ale David najwyraźniej w nią uwierzył i przez całe popołudnie unikał rozmowy ze mną.

Trzymałem Charlie na kolanach, kiedy wszedł, obszarpany i nieogolony, ale nie bardziej niż zwykle, a po zdjęciu kombinezonu i umyciu rąk podszedł i, jakby nigdy nic, zdjął mi ją z kolan, jakbym był niczym więcej niż pojemnikiem, i położył się z nią na dywanie.

Pamiętasz pewnie Davida jako niemowlę – strasznie chudy i cichy, gdy już wydawał jakiś odgłos, był to płacz. Kiedy ja miałem osiem lat, matka, na krótko przed odejściem, powiedziała mi, że stosunek matki do dziecka decyduje się w pierwszych sześciu tygodniach (a może mówiła o miesiącach?) jego życia. Starałem się nie pamiętać jej słów, a jednak wracały do mnie, nieproszone, w niestosownych momentach niemowlęctwa Davida. Po dziś dzień zastanawiam się, czy może w głębi duszy nigdy go nie lubiłem, a on w głębi swojej duszy o tym wie.

Radość z Charlie wynika po części z tego wspomnienia – radość pomieszana z ulgą. Tak łatwo jest ją kochać, przytulać, nosić na rękach. David wyginał się i wyrywał z moich objęć (z Nathanielem, żeby być sprawiedliwym, robił to samo), a Charlie wtula się we mnie i na każdy uśmiech odpowiada uśmiechem. Wszyscy jesteśmy przy niej delikatniejsi, uprzejmiejsi, jakbyśmy umówili się, że ukryjemy przed nią prawdę o sobie, jakbyśmy obawiali się jej dezaprobaty, gdyby się dowiedziała, jakby miała wstać i wyjść z domu, opuszczając nas na zawsze. Wszystkie pieszczotliwe przezwiska, które jej nadajemy, mają związek z mięsem. Wołamy ją „schabiku", „cielęcinko" albo „rumsztyczku" – przywołujemy nazwy wszystkiego, czego nie jedliśmy od miesięcy, odkąd wprowadzono racjonowanie. Czasami udajemy, że ogryzamy jej nóżkę, warcząc jak psiaki. „Zjem cię! – mówi Nathaniel, ssąc jej udko, a wtedy Charlie chichocze i wstrzymuje oddech. – Zaraz cię schrupię!" (Tak, wiem, że to trochę niepokojące, gdy się głębiej zastanowić).

Nathaniel stanął na wysokości zadania i upiekł tort cytrynowy. Spałaszowaliśmy go wszyscy z wyjątkiem Charlie, ponieważ Nathaniel jeszcze nie pozwala jej jeść cukru. Może to i lepiej, bo nie wiadomo, ile cukru zostanie, gdy mała osiągnie nasz wiek. „Daj spokój, tato, chociaż kawałeczek" – prosił David, podsuwając jej okruch ciasta jak psu, ale Nathaniel pokręcił głową. „Wykluczone" – powiedział, a David uśmiechnął się i westchnął, niemal z dumą, jak dziadek, który dziwuje się przesadnie surowym zasadom swojego syna. „Co ja mogę, Charlie? – zagadnął córeczkę. – Przynajmniej próbowałem". Aż wreszcie nieuchronnie nadszedł moment położenia Charlie spać. Później David usiadł z nami w bawialni i zaczął swoją ograną jeremiadę na temat rządu, obozów uchodźców (co do których jest przekonany, że wciąż działają), ośrodków relokacji (które uparcie nazywa „obozami internowania"), nieskuteczności komór dekontaminacyjnych i hełmów (z czym się potajemnie zgadzam), skuteczności leków ziołowych (z czym się nie zgadzam) i rozmaitych teorii spiskowych o Centrum Kontroli i Prewencji Chorób oraz „innych państwowych instytutach badawczych" (jak choćby Uniwersytet Rockefellera), które tworzą choroby, zamiast je leczyć. Według niego państwem rządzi rozbudowana konspiracja, dziesiątki ponurych siwowłosych białych mężczyzn w wojskowych mundurach, którzy przesiadują w dźwiękoszczelnych bunkrach z hologramami i urządzeniami nasłuchowymi – prawda zdruzgotałaby go swoją banalnością.

Tego samego kazania, z nielicznymi wariacjami, słuchałem już od sześciu lat. Ale już mnie nie martwiło – a przynajmniej nie martwiło mnie z tych samych powodów. Tym razem, tak jak poprzednio, patrzyłem na mojego syna, wciąż egzaltowanego, który mówił tak szybko i głośno, że musiał co chwila ocierać z ust ślinę, nachylając się do Nathaniela, który ze znużeniem potakiwał mu ruchem głowy, i odczuwałem perwersyjny smutek. Wiedziałem, że David wierzy w ideały Światła, ale wiedziałem również, że przystąpił do tej grupy w poszukiwaniu swojego miejsca na świecie, miejsca dającego przynajmniej złudzenie przynależności.

Był szczerze oddany Światłu, ale jego oddanie nie było odwzajemnione. Jak Ci wiadomo, Światło bazuje na quasi-militarnej strukturze władzy. Jego członkowie po każdym awansie przyznanym przez komitet tatuują sobie kolejną gwiazdkę po wewnętrznej stronie prawego przedramienia: Eden miała trzy, gdy ją poznaliśmy, a na ostatnim spotkaniu z Nathanielem nosiła już cztery. Natomiast nadgarstek Davida zdobiła pojedyncza, samotna gwiazdka. Był wiecznym piechurem, relegowanym (co wiem z Twoich raportów) do czarnej roboty: zdobywał drobny złom, którym inżynierowie faszerowali bomby, nigdy nie otrzymując imiennej pochwały w kwiecistych mowach dowództwa wygłaszanych po każdym udanym ataku. Był tam nikim, bezimiennym popychadłem. Oczywiście cieszyłem się z tego, że jest nieważny, niedostrzegany – dzięki temu był bezpieczny, nie w pełni zaangażowany. Zarazem jednak miałem świadomość, że znienawidziłem Światło nie tylko za jego propagandę, ale także za niedostrzeganie wysiłków mojego syna. Wstąpił do tej organizacji, bo szukał domu, a ona potraktowała go jak wszyscy dotąd. Powtórzę: wiedziałem, że to perwersja – czy byłbym szczęśliwszy, gdyby ramię Davida roiło się od granatowych gwiazdek? Nie, oczywiście, że nie. Ale byłby to inny rodzaj przykrości: być może przykrość zabarwiona jakąś koślawą dumą i ulgą, że nawet jeśli nie jesteśmy z Nathanielem jego rodziną, to jednak znalazł sobie rodzinę, wprawdzie niebezpieczną i błądzącą, ale zawsze. Pomijając Eden, nigdy nikogo nie sprowadził do domu i nam nie przedstawił, nie opowiadał o przyjaciołach, nie sięgał po telefon w środku kolacji, co mogłoby świadczyć o tym, że dostał mnóstwo wiadomości i musiał natychmiast na nie odpowiedzieć, uśmiechając się do ekranu podczas wystukiwania esemesów. Chociaż nigdy nie widziałem go w akcji, w wyobraźni jawił mi się nieustannie na marginesie grupy – wieczny słuchacz, którego wcale nie pytają o zdanie. Oczywiście nie mogę tego dowieść, ale uważam, że w pewnym sensie to właśnie brak przyjaciół nie pozwalał mu spędzać więcej czasu z córką – jakby się bał zarazić ją swoją samotnością, jakby i ona mogła dostrzec w nim kogoś, kto się nie liczy.

Boli mnie to. Często – zbyt często, zważywszy, że David ma już dwadzieścia pięć lat, jest dorosłym mężczyzną, a nawet ojcem – myślę o nim jako o małym chłopczyku na hawajskim placu zabaw. Przypomina mi się, jak inne dzieci przed nim uciekały, a on już wtedy wiedział, że coś z nim jest nie tak, że zraża ludzi, że jest dożywotnio skazany na samotne stanie z boku.

Teraz mogę jedynie nadal żywić nadzieję, że jakoś sobie poradzi, i spisać się lepiej przy jego dziecku. Nie mogę powiedzieć, że dbałość o Charlie przekreśli moją porażkę z Davidem, ale wiem, że moim obowiązkiem jest próbować. Tak wiele się zmieniło, odkąd David był niemowlęciem; tak wiele zostało zaprzepaszczone. Nasz dom, nasza rodzina, nasze nadzieje. Ale dzieci potrzebują dorosłych. To się nie zmieniło. A więc mogę spróbować jeszcze raz. Nie tylko mogę: muszę.

Całuję, Charles

Mój Kochany Peterze, 7 stycznia 2067

kończy się bardzo długi dzień, kończący bardzo długi tydzień. Z Komitetu wróciłem późno – niania już dawno położyła Charlie spać, a kucharka zostawiła mi miskę ryżu z tofu i ogórkami konserwowymi. Obok miski leżała kartka, na której widniała gruba zielona, rozszczepiona na końcu kreska na całą stronę, narysowana kredką. „Od Charlie dla Tatusia" – napisała niania w prawym dolnym rogu. Schowałem kartkę do teczki, żeby w poniedziałek zabrać ją do laboratorium.

Komitet omawiał wydarzenia, które nastąpiły w Zjednoczonym Królestwie – przepraszam: w Nowej Brytanii – od czasu wyborów. Ucieszy Cię wiadomość, że – przynajmniej zdaniem wszystkich – proces zmian przebiega znacznie bardziej harmonijnie, niż Ty uważasz. I na pewno nie zdziwisz się, gdy Ci to powiem: otóż wszyscy są zdania, że mimo wszystko podjąłeś złą decyzję, że zbyt pobłażliwie potraktowałeś społeczeństwo i uległeś żądaniom protestujących. Wszyscy są także zgodni co do tego, że szaleństwem jest ponowne otwarcie przez Ciebie metra. Wiesz, że nie jestem całkiem odmiennego zdania.

Zjadłem i obszedłem cały dom. Od pewnego czasu robię to zawsze pod koniec każdego tygodnia. Zaczęło się od pierwszej soboty po imprezie, gdy zbudziłem się z dziwnego snu. Tak więc śniło mi się, że byliśmy z Nathanielem z powrotem na Hawajach, w domu, w którym kiedyś mieszkaliśmy, ale mieliśmy tyle lat, ile teraz mamy. Nie pamiętam Davida w tym śnie – czy był we własnym domu, czy mieszkał z nami, ale wyszedł coś załatwić czy może nigdy się nie urodził. Nathaniel szukał pewnego zdjęcia, zrobionego wkrótce po naszym poznaniu. „Zauważyłem na nim coś śmiesznego – powiedział. – Muszę ci to koniecznie pokazać. Niestety nie pamiętam, gdzie je wsadziłem".

Wtedy się obudziłem. Wiedziałem, że to był sen, ale coś mi kazało wstać i też zacząć szukać. Przez następną godzinę wędrowałem z piętra na piętro – było to jeszcze przed tym, zanim na czwartym piętrze zamieszkały niania i kucharka – otwierając na chybił trafił szuflady i kartkując książki zdjęte przypadkiem z regałów. Przegrzebałem miskę ze szpargałami stojącą na blacie w kuchni, znajdując w niej foliowane druciki do zamykania plastikowych torebek, gumki aptekarskie, spinacze do papieru i agrafki: masę drobnych, skromnych, niezbędnych przedmiotów, które pamiętałem z dzieciństwa – leżały tam jak dawniej, chociaż tak wiele innych rzeczy się zmieniło. Przejrzałem szafę Nathaniela (koszule wciąż nosiły jego zapach) i jego szafeczkę w łazience, pełną witamin, które zażywał, chociaż już dawno dowiedziono ich nieskuteczności.

W tamtych pierwszych tygodniach nie miałem ani prawa, ani ochoty, by wejść do pokoju Davida. Nawet po zakończeniu śledztwa trzymałem drzwi tego pokoju zamknięte, a sam przeniosłem się na dół, do dawnego pokoju Nathaniela, żeby nie mieć pokusy do chodzenia na trzecie piętro. Zdobyłem się na to dopiero dwa miesiące później. Wysłannicy biura śledczego zostawili po sobie wzorowy porządek. Po części okazał się skutkiem ogołocenia tego pokoju: znikły komputery i telefony Davida, papiery i książki, które przedtem piętrzyły się na podłodze, i żaluzjowa plastikowa szafa z dziesiątkami szufladek wypełnionych gwoździami, pinezkami i kawałkami drutu, o których przeznaczeniu nie mogłem myśleć zbyt intensywnie, bym sam nie miał ochoty zadenuncjować go w biurze śledczym. W wyniku rewizji wymazano niejako ostatnie dziesięć lat, w rezultacie to, co zostało – jego łóżko, trochę ubrań, kilka figurek potworów, które zmontował jako nastolatek, i flaga Hawajów, od jego czasów niemowlęctwa wisząca w każdym zajmowanym przez niego pokoju – było odbiciem nastoletniego Davida z czasów tuż przed przystąpieniem do Światła, zanim on, Nathaniel i ja rozeszliśmy się, zanim eksperyment naszej rodziny poniósł klęskę. Jedynym śladem upływu czasu były dwa oprawione w ramki zdjęcia Charlie na stoliku przy łóżku: to, które dostał od Nathaniela, z jej pierwszych urodzin (Charlie na nim uśmiecha się od ucha do ucha i buzię ma umazaną rozpaćkanymi brzoskwiniami), i to drugie – pochodzące z filmu wideo nagranego przez Nathaniela kilka miesięcy później – na którym David trzyma Charlie za rączki i okręca ją w kółko. Widać, że oboje śmieją się do rozpuku, uszczęśliwieni.

Teraz, prawie cztery miesiące od tamtego dnia, łapię się na tym, że całymi godzinami potrafię o nich nie myśleć, a przebłyski iluzji – zastanawianie się w środku nudnego zebrania, co Nathaniel szykuje na kolację albo czy David zajrzy w tym tygodniu do Charlie – już mnie nie dobijają. Nie mogę jednak przestać myśleć o tamtej chwili, chociaż nie byłem jej świadkiem, chociaż nie skorzystałem nawet z okazji przejrzenia policyjnych zdjęć: eksplozja, ludzie znajdujący się najbliżej urządzenia porozrywani na kawałki, zewsząd brzęk tłukących się słoików. Wiem, że już Ci mówiłem, że jedyne zdjęcie, na które spojrzałem przed ostatecznym zamknięciem akt, było zrobione w nocy. Zdjęcie ukazywało podłogę w pobliżu miejsca, gdzie wybuchło urządzenie: w sklepowej alejce sosów i zup. Podłogę pokrywała kleista czerwona substancja, ale nie była to krew, lecz pasta pomidorowa usiana setkami gwoździ, poczerniałych od ognia i poskręcanych od temperatury eksplozji. Z prawej strony kadru leżała urwana męska dłoń z kawałkiem przedramienia: na nadgarstku wciąż zapięty był zegarek.

Widziałem również wideoklip dokumentujący moment wtargnięcia Davida do sklepu. Film jest bez głosu, ale po chaotycznych ruchach głową widać, że David wpadł w histerię. Otwiera usta, coś wykrzykuje, zapewne dwusylabowe słowo: „Tato! Tato! Tato!". Wbiega głębiej do sklepu, przez chwilę nie widać nic, a potem drzwi, już zamknięte; później obraz się chwieje wszystko niknie w bieli.

Dostałem ten wideoklip i od miesięcy pokazuję go śledczym i ministrom, usiłując im dowieść, że David nie mógł być odpowiedzialny za tę eksplozję, że kochał Nathaniela, że niemożliwe, aby chciał go zabić. Wiedział, że Nathaniel zawsze robi zakupy w tym sklepie; gdy zrozumiał, co planuje Światło, a Nathaniel przysłał mu wiadomość, że wychodzi do sklepu – czy nie po to wbiegł do środka, żeby go znaleźć i ocalić? Nie mogłem z całym przekonaniem utrzymywać, że David nie chciał zabić nikogo innego – chociaż powiedziałem to w śledztwie – ale wiedziałem, że nie chciałby zabić Nathaniela.

Ale władze się ze mną nie zgadzają. We wtorek odwiedził mnie sam minister spraw wewnętrznych, aby poinformować, że ponieważ David był „czołowym i znanym" członkiem organizacji powstańczej odpowiedzialnej za śmierć siedemdziesięciu dwóch osób, będą musieli wymierzyć mu pośmiertny wyrok za zdradę stanu. Oznacza to, że nie wolno go pochować na cmentarzu, a jego potomkowie mają zakaz dziedziczenia jego majątku, który przejmie państwo.

Potem minister zrobił dziwną minę i powiedział:

– Całe szczęście, jeśli mogę użyć tego słowa w tak tragicznej sytuacji, że pański były mąż zaznaczył w testamencie, iż jego dom i wszelka inna własność przechodzą bezpośrednio na pańską wnuczkę, z pominięciem pańskiego syna.

Byłem tak dalece oszołomiony tym, co przedtem powiedział o wyroku na Davida, że nie od razu zrozumiałem, co próbuje mi zakomunikować.

– Nie – powiedziałem po chwili – to nieprawda. Wszystko miało przejść na Davida.

– Nie – rzekł minister, wyciągając z kieszeni munduru plik kartek. – Śmiem twierdzić, że pan się myli, doktorze Griffith. W testamencie stoi wyraźnie, że cały majątek dziedziczy pańska wnuczka, a pan jest jego egzekutorem.

Rozwinąłem kartki i znalazłem ów zapis, zupełnie jakbym nie był świadkiem powstawania i podpisywania tego testamentu zaledwie rok temu: dla Charlie miał zostać ustanowiony fundusz powierniczy, ale to David miał odziedziczyć dom, z zastrzeżeniem jednak, że przed śmiercią przekaże go Charlie. Ale teraz widziałem dokument, podpisany przez Nathaniela i przeze mnie, ze znakiem wodnym i trzema imiennymi pieczęciami – prawnika, Nathaniela i moją – potwierdzający to, co przed chwilą powiedział minister. I coś jeszcze: Charlie figurowała w testamencie nie jako „Charlie Bingham-Griffith", lecz jako „Charlie Griffith" – nazwisko jej ojca, nazwisko Nathaniela, zostało wyeliminowane. Podniosłem wzrok. Minister popatrzył mi w oczy przeciągle i zagadkowo.

– Zostawiam panu tę kopię, doktorze Griffith – powiedział, wstał i wyszedł.

Dopiero po przyjściu do domu tego wieczoru podniosłem dokument pod światło, podziwiając dokładność podpisów i pieczęci. Nagle ogarnęło mnie przerażenie i przekonanie, że w papierze ukryty jest podsłuch, chociaż z tej technologii zrezygnowano dziesięć lat temu.

Od tamtego czasu próbuję odnaleźć oryginalny testament, chociaż jest to pozbawione sensu, a nawet niebezpieczne. Wyjąłem z sejfu wszystkie dokumenty, które trzymał tam Nathaniel, i co wieczór po kilka starannie przeglądam, obserwując życie biegnące wstecz: dokument przyznający Nathanielowi formalną, legalną kuratelę nad Charlie, podpisany trzy tygodnie przed atakiem; podpisane przez Eden dokumenty zrzeczenia się jakichkolwiek prawnych pretensji do córki; świadectwo urodzenia Charlie; akt notarialny domu; testament Aubreya; nasze papiery rozwodowe.

A potem zaczynam się wałęsać po domu. Mówię sobie, że szukam testamentu, ale chyba sam siebie oszukuję, ponieważ szukam w miejscach, gdzie Nathaniel na pewno by go nie schował, zresztą jeśli w ogóle trzymał kopię w domu, to na pewno została dawno dyskretnie usunięta. Nie było sensu szukać, tak jak nie było sensu dzwonić do naszego prawnika i wysłuchiwać jego zapewnień, że skądże znowu, ja się mylę, opisany przeze mnie testament nigdy nie istniał.

– Żyjesz w okropnym stresie, Charles – klarował mi prawnik. – Żałoba może sprawić, że pamięć ludzka… – zawahał się – …płata figle.

Wtedy na nowo się wystraszyłem. Powiedziałem prawnikowi, że na pewno ma słuszność, i odłożyłem słuchawkę.

Mam szczęście, wiem o tym. Znacznie gorszy los spotkał krewnych powstańców, ludzi powiązanych z atakami, które pociągnęły za sobą daleko mniej ofiar niż atak Davida. Wciąż jeszcze jestem zbyt użyteczny dla państwa. O mnie nie potrzebujesz się martwić, Peter. Jeszcze nie. Nie grozi mi bezpośrednie niebezpieczeństwo.

Chwilami jednak zastanawiam się, czy w istocie szukam nie testamentu, ale dowodu na istnienie osoby, którą byłem, zanim się to wszystko zaczęło. Jak daleko musiałbym się cofnąć? Do czasów przed ustanowieniem państwa? Do pierwszego odebranego telefonu z ministerstwa, w którym padło pytanie, czy zechcę zostać „architektem rozwiązania"? Do czasów sprzed choroby z roku pięćdziesiątego szóstego? Sprzed tej z pięćdziesiątego? Jeszcze wcześniej? Zanim podjąłem pracę na Uniwersytecie Rockefellera?

Jak daleko muszę się cofnąć? Ilu decyzji muszę pożałować? Czasami zdaje mi się, że gdzieś w tym domu jest schowana kartka z odpowiedziami i jeśli dostatecznie się postaram, obudzę się w miesiącu lub roku, w którym zacząłem schodzić na manowce, tyle że tym razem postąpię odwrotnie, niż postąpiłem. Nawet gdyby było to bolesne. Nawet gdybym czuł, że popełniam błąd.

Całuję, Charles

Kochany Peterze, 21 sierpnia 2067

pozdrawiam z laboratorium w niedzielne popołudnie. Siedzę tu, żeby nadrobić to i owo i poczytać raporty z Pekinu – co sądzisz o tym piątkowym? Nie rozmawialiśmy o nim jeszcze, ale wątpię, że jesteś zdziwiony. Chryste Panie: potwierdzona informacja, że nie tylko te głupie komory dekontaminacyjne, ale również hełmy są kompletnie bezużyteczne, wywoła zamieszki. Ludzie bankrutowali, żeby zainstalować i utrzymać te komory, wymieniali je przez piętnaście lat, a teraz mają się dowiedzieć, że – ups! – to była pomyłka i należy się ich pozbyć? Upublicznienie tej informacji wyznaczono na przyszły poniedziałek. Będzie źle.

Ale najtrudniejsze będzie najbliższe pięć dni. We wtorek ogłoszą „zawieszenie" internetu na czas nieograniczony. W czwartek ogłoszą zawieszenie podróży zagranicznych, w obie strony, obejmujące Kanadę, Meksyk, Federację Zachodnią i Teksas.

Jestem mocno podenerwowany i Charlie to wyczuwa. Wdrapuje mi się na kolana i klepie mnie po twarzy. „Jesteś smutny?" – pyta, a ja jej odpowiadam, że tak. „Dlaczego?" – pyta, więc jej mówię, że ludzie w naszym kraju walczą ze sobą, a my musimy ich skłonić do zaprzestania walk. „Ojejku – mówi. – Nie smuć się, papciu". „Przy tobie nigdy się nie smucę" – odpowiadam, chociaż wciąż jestem... smutny, bo właśnie tego słowa używa Charlie. A może jednak powinienem mówić jej prawdę: że smucę się, i to przez cały czas, i że smutek to nic złego. Tyle że ona jest tak radosnym dzieckiem, że byłoby to wręcz niemoralne.

Ministerstwo sprawiedliwości i ministerstwo spraw wewnętrznych są pewne, że zdławią protesty w trzy miesiące. Wojsko jest gotowe do akcji, ale jak wiesz z ostatniego raportu, liczba agentów w szeregach alarmująco wzrosła. Armia domaga się czasu na „sprawdzenie lojalności" swoich członków (Bóg jeden wie, co by to miało oznaczać), ale ministerstwa sprawiedliwości i spraw wewnętrznych twierdzą, że nie ma czasu do stracenia. Z najnowszych raportów wynika, że znaczna liczba „historycznie upośledzonych grup obywateli" pomaga powstańcom, jednak nie ma mowy o specjalnych karach. Jeśli chodzi o mnie, wiem, że jestem pod ochroną, że jestem traktowany wyjątkowo, a mimo to się denerwuję.

Nie martw się o mnie, Peterze. Wiem, że się martwisz, ale spróbuj tego nie robić. Jeszcze nie mogą się mnie pozbyć. Nie ograniczają mi, rzecz jasna, dostępu cyfrowego – choćby dlatego, że muszę się komunikować z Pekinem – ale, chociaż nasza korespondencja jest w całości szyfrowana, chyba zacznę posyłać Ci listy przez naszego wspólnego przyjaciela, tak na wszelki wypadek. To oznacza, że zapewne będziesz je dostawał rzadziej (szczęściarzu), ale za to będą dłuższe (nieszczęśniku). Sprawdźmy, jak to zadziała. A w sytuacji awaryjnej wiesz, jak się ze mną kontaktować.

Ucałowania dla Ciebie i Oliviera, C.

Mój Kochany Peterze, 6 września 2070

jest bardzo wcześnie rano i piszę do Ciebie z laboratorium. Dziękuję Tobie i Olivierowi za książki i prezenty; nawiasem mówiąc, miałem pisać do Ciebie w zeszłym tygodniu, zaraz po ich otrzymaniu, ale zapomniałem. Miałem nadzieję, że wypiszą Charlie do domu na jej urodziny. We wtorek znów dostała ataku padaczkowego, więc postanowili zatrzymać ją jeszcze na kilka dni. Jeśli przez weekend jej stan się ustabilizuje, pozwolą jej wyjść w poniedziałek.

To oczywiste, że spędzam z nią wszystkie dni i większość nocy. Komitet okazał się nadzwyczaj humanitarny. Zachowują się tak, jakby z góry wiedzieli, że komuś z nas zarazi się dziecko albo wnuczę – ryzyko było zbyt wielkie, żeby tak się nie stało – i z ulgą przyjęli fakt, że to moja wnuczka, a nie ich. Ta ulga budzi w nich poczucie winy i wynikającą z niego szczodrość: szpitalna salka Charlie jest zawalona zabawkami, którymi można by bawić się do końca życia, tak jakby zabawki były rodzajem ofiary, a ona pomniejszą boginką, którą ofiarodawcy próbują przebłagać, by chronić własne potomstwo.

Od dwóch miesięcy przebywamy tutaj, w Frear. Jutro minie dokładnie dziewięć tygodni. Wiele lat temu, gdy przybyliśmy z Nathanielem do tego miasta, oddział, na którym leży Charlie, był zajęty przez dorosłych pacjentów onkologicznych. W pięćdziesiątym szóstym przekształcili go w skrzydło chorób zakaźnych, a ostatniej zimy – w skrzydło dziecięcych chorób zakaźnych. Resztę pacjentów umieszczono na dawnym oddziale oparzeniowym, natomiast pacjentów oparzeniowych rozlokowano po innych szpitalach. W pierwszych dniach infekcji, zanim poinformowano o niej publicznie, mijałem ten szpital w pośpiechu, ponieważ wiedziałem, że jest to najlepiej wyposażona placówka do opieki nad dziećmi, które zachorują, i mówiłem sobie, że jeśli nie spojrzę na ten gmach od zewnątrz, nigdy nie ujrzę jego wnętrza.

Oddział mieści się na dziesiątym piętrze i zwrócony jest na wschód, w stronę rzeki, a zatem w stronę krematoriów, w których piece pracują pełną parą bez przerwy od marca. W tamtych wczesnych dniach, gdy bywałem tu jako obserwator, a nie odwiedzający – czy też „bliska osoba", jak na nas mówią w szpitalu – przez okna widać było przeładunek ciał z przepełnionych furgonetek na łodzie. Ciała były tak małe, że mieściły się po cztery, pięć na jednych noszach. Po sześciu tygodniach rząd kazał postawić ogrodzenie po wschodniej stronie rzeki, gdyż rodzice skakali do wody za odpływającymi łodziami, nawołując swoje dzieci, i próbowali przeprawić się wpław na drugi brzeg. Ogrodzenie ukróciło te praktyki, ale nie przeszkodziło ludziom z dziesiątego piętra (głównie rodzicom, gdyż większość dzieci leżała nieprzytomna) wyglądać przez okna i zamiast kojącego pejzażu dostrzegać, jak na okrutną ironię, miejsce, do którego wkrótce trafi większość ich dzieci, tak jakby Frear był zaledwie krótkim postojem przed ostatecznym celem podróży. W tej sytuacji szpital pozasłaniał wszystkie wschodnie okna na dziesiątym piętrze i wszystkich pozostałych i zatrudnił studentów akademii sztuki do ozdobienia ich malowidłami. Ale sceny malowane przez studentów – widok Piątej Alei obsadzonej palmami i wesołych dzieci maszerujących chodnikiem; wesołych dzieci karmiących chlebem pawie w Central Parku – także zakrawały na okrucieństwo, więc ostatecznie wszystko zamalowano na biało.

Oddział jest przeznaczony na sto dwadzieścioro pacjentów, ale leży tu teraz około dwustu. Najdłużej przebywa na nim Charlie. Przez minione dziewięć tygodni inne dzieci przychodziły i odchodziły. Większość spędza tu nie więcej niż dziewięćdziesiąt sześć godzin, chociaż był chłopczyk, może rok starszy od Charlie – wyglądał na siedem, osiem lat – którego przyjęli trzy dni przed nią, a umarł dopiero w zeszłym tygodniu. Był drugim pacjentem rekordzistą. Wszystkie dzieci, które tu leżą, są spokrewnione z pracownikami instytucji rządowych albo z kimś, komu rząd winien jest przysługę, i to wielką przysługę, skoro nie odsyła chorych dzieci do ośrodka relokacji. Przez siedem pierwszych tygodni mieliśmy izolatkę. Chociaż zapewniano mnie, że utrzymamy ją tak długo, jak będzie potrzeba, to w końcu przyszedł moment, gdy sumienie moralne nie pozwoliło mi wykorzystywać tej sytuacji. Dlatego teraz Charlie ma dwoje współpacjentów: leży w pomieszczeniu, które mogłoby pomieścić następnych troje. Rodzice tamtych dwojga i ja kłaniamy się sobie na powitanie – każdy nosi tak szczelny ubiór ochronny, że widzimy jedynie swoje oczy – ale poza tym udajemy, że inni nie istnieją. Istnieją tylko nasze dzieci.

Widziałem, co robicie tam u siebie, ale tu u nas łóżko każdego dziecka jest osłonięte przezroczystym plastikowym parawanem, podobnym do tych, za którymi żyli Ezra i Hiram; rodzice siedzą na zewnątrz parawanu i wkładają ręce w rękawice wmontowane w jego ściankę, żeby dać dziecku choćby namiastkę dotyku. Ci nieliczni rodzice, którzy z jakiegoś powodu nie zetknęli się z wcześniejszym wirusem, nie mają prawa wstępu do Frear – są narażeni tak samo jak dzieci i właściwie powinni przebywać w izolacji. Ale oczywiście lekceważą to: wystają przed szpitalem, nawet w upale, który od dwóch miesięcy jest nieznośny, i gapią się w okna. Przed wielu laty, gdy sam byłem dzieckiem, oglądałem stare wideo, na którym tłum ludzi czekał pod paryskim hotelem na pojawienie się na balkonie jakiejś gwiazdy muzyki pop. Tutejszy tłum jest równie liczny, ale podczas gdy tamten był niespokojny, nieomal histeryczny, ten jest cichy, upiornie cichy, jakby najdrobniejszy odgłos mógł zniweczyć szanse tych ludzi na wejście do szpitala i zobaczenie swoich dzieci. A przecież nie mogą mieć na to nadziei, dopóki wciąż zarażają lub są potencjalnymi nosicielami zarazy. Szczęściarze oglądają sobie przynajmniej w streamingu, jak ich nieprzytomne dziecko leży w łóżku; pechowcy nie mają nawet tego.

Dzieci przychodzą do Frear jako odrębne istnienia ludzkie, lecz po dwóch tygodniach leczenia Xychorem różnice między nimi zanikają: upodabniają się do siebie. Sam wiesz, jak to wygląda: skurczone twarzyczki, rozmiękczone zęby, utrata włosów, kończyny pokryte wrzodami. Czytałem ten raport z Pekinu, ale tutaj najwyższą śmiertelność obserwuje się wśród dzieci do dziesiątego roku życia; znacznie większe szanse przeżycia mają nastolatki, co nie znaczy, że ta szansa jest duża – wszystko zależy od tego, jaka instytucja opracowuje statystyki.

Czego nie znamy (i nie poznamy przynajmniej przez najbliższą dekadę), to odpowiedź na pytanie o długofalowe skutki przyjmowania Xychoru. Preparat ów z założenia nie był przeznaczony dla dzieci, a już z pewnością nie powinien być im podawany w obecnie stosowanych dawkach. Wiemy natomiast (dopiero od tygodnia), że jego toksyczność zmienia – nie wiemy jeszcze jak – proces dojrzewania, co z kolei oznacza, że z dużym prawdopodobieństwem Charlie stanie się bezpłodna. Kiedy to usłyszałem na jednym z posiedzeń Komitetu, w którym udało mi się uczestniczyć, ledwo zdążyłem do łazienki, zanim się rozpłakałem. Chroniłem ją przed zagrożeniem przez wiele miesięcy. Gdybym zdołał uchronić ją jeszcze przez dziewięć, mielibyśmy szczepionkę. Ale nie udało się.

Z raportów dowiedziałem się, że moja wnuczka się zmieni, że już się zmieniła, chociaż jedną z wielu rzeczy, których jeszcze nie wiem, jest to, jak dalece posuną się te zmiany. „Pojawią się zaburzenia" – wyczytałem w najnowszym raporcie, który następnie dość ogólnikowo nakreślił owe zaburzenia: zmiany poznawcze. Spowolnione odruchy fizyczne. Zahamowany wzrost. Bezpłodność. Bliznowatość. Najbardziej przeraża mnie to pierwsze, ponieważ „zmiany poznawcze" to wyjątkowo nieostra kategoria. Jej obecna milkliwość, gdy dotychczas była taką katarynką – czy to wynik zmiany poznawczej? Jej nagła beznamiętność – czy to wynik zmiany poznawczej? Jej oficjalność. „Kim ja jestem, Charlie? – spytałem ją w dniu, w którym odzyskała przytomność. – Poznajesz mnie?" „Tak – odpowiedziała, przyjrzawszy mi się. – Jesteś moim dziadkiem". „Tak – potwierdziłem, uśmiechając się tak szeroko, że policzki mnie rozbolały, ale ona wpatrywała się we mnie milcząco i z obojętną miną. – To ja. Twój papcio, który cię kocha". „Dziadek" – powtórzyła, i to tyle, a potem znów zamknęła oczy – czy to jest zmiana poznawcza? Nagłe przerwy w rozmowie, brak poczucia humoru, badanie wzrokiem mojej twarzy z tą beznamiętną, ale lekko zdziwioną miną, jakbym był przedstawicielem innego gatunku, który ona usiłuje przeniknąć – czy to jest zmiana poznawcza?

Wczoraj wieczorem przeczytałem jej bajkę, którą dawniej uwielbiała, o dwóch gadających królikach, a gdy skończyłem, zamiast jak zwykle zawołać „jeszcze raz!", spojrzała na mnie oczami bez wyrazu. „Króliki nie umieją mówić" – stwierdziła po chwili. „To prawda, skarbie – odparłem – ale to była bajka". A kiedy nic na to nie odpowiedziała, za to wciąż z nieczytelną miną wpatrywała się w moją twarz, dodałem: „To jest na niby".

Przeczytaj jeszcze raz, papciu! Tylko lepiej udawaj głosy!

„Aha" – powiedziała wreszcie.

Czy *to* jest zmiana poznawcza?

Albo ta jej nowa powaga – jej sposób wymawiania słowa „dziadku" zdaje się zawierać w sobie lekką dezaprobatę, jakby Charlie uważała, że ten tytuł jest dla mnie na wyrost. Czy to nieunikniony wpływ wszystkich śmierci, na które się napatrzyła? Pilnuję się z całych sił, żeby nie poruszać z nią tego tematu, ale sama groza choroby, którą przeszła, i setki tysięcy zmarłych dzieci – to musiało jakoś na nią wpłynąć, prawda? Jej współpacjenci zmienili się już siedem razy w ciągu dwóch tygodni; dzieci, które w czasie jednego oddechu zmieniały się w zmarłych, wywożono pospiesznie z sali pod muślinowym namiotem, żeby Charlie, która zresztą i tak spała, nie była świadkiem ich odejścia – pewne przejawy delikatności zachowały się jednak po dziś dzień.

Pogłaskałem ją po chropawej, pokrytej strupami główce, wyczuwając zalążki cienkiej szczecinki nowych włosów. Znów przypomniało mi się zdanie z ostatniego raportu, które powtarzam sobie codziennie po wielekroć: „Niniejsze ustalenia zachowają charakter spekulatywny do czasu, aż będziemy dysponowali większą próbą badawczą ocalałych; dotyczy to również trwałości wymienionych zaburzeń". „Śpij już, malutka" – powiedziałem jej, na co kiedyś odpowiedziałaby marudzeniem i prośbami o jeszcze jedną bajkę, ale teraz posłusznie zamknęła oczy, a mnie zmroziło, gdy ujrzałem ten akt uległości.

W ostatni piątek obserwowałem ją śpiącą prawie do jedenastej wieczorem (albo 23.00, jak każe teraz mówić rząd), zanim w końcu zmusiłem się do wyjścia. Ulice były puste. Przez pierwszy miesiąc godzina policyjna nie obejmowała rodziców, którzy czekali na ulicy i na kocach przyniesionych z domu spali na chodniku; drugi rodzic, jeśli takowy istniał, zazwyczaj zwalniał śpiącego o świcie, przynosił mu coś do jedzenia i sam zajmował miejsce na chodniku. Później jednak rząd przestraszył się ewentualnych zamieszek i zakazał nocnych zgromadzeń, chociaż akurat to, czego chcieli ci ludzie, znajdowało się w szpitalu. Rzecz jasna byłem zwolennikiem tego zakazu, choćby ze względu na zagrożenie epidemiologiczne, ale aż do czasu zniknięcia osób czuwających przed szpitalem nie uświadamiałem sobie, że drobne ludzkie odgłosy ulicznego zbiorowiska – wszystkie te westchnienia, pochrapywania i pomruki, szelest odwracanej kartki w czyjejś książce, gulgotanie wody pitej z butelki – skutecznie tłumiły inne odgłosy: warkot silników zaparkowanych w dokach ciężarówek-chłodni, głuche tąpnięcia owiniętych w płótna ciał rzucanych jedno na drugie, terkotanie łodzi pływających bez przerwy w tę i z powrotem. Wszyscy pracujący na wyspie zostali wyszkoleni do pracy w milczeniu – przez szacunek dla zmarłych, ale czasami komuś wyrwał się okrzyk grozy albo przekleństwo, i nie wiadomo było, czy dlatego, że upuścił ciało, czy całun się rozwinął, odsłaniając twarz, czy po prostu przytłaczała ich praca palaczy zwłok, tylu zwłok, i to zwłok dziecięcych.

Kierowca wiedział, dokąd wybieram się tej nocy, więc mogłem przyłożyć czoło do szyby i zasnąć na pół godzinki, zanim obudził mnie i oznajmił, że dotarliśmy do ośrodka.

Centrum znajduje się na wyspie, która pół wieku temu była naturalnym rezerwatem zagrożonych gatunków ptaków: rybitw rzecznych, nurów, rybołowów. Ostatnie rybitwy wyginęły w roku pięćdziesiątym piątym, a rok później na południowym brzegu wyspy zbudowano drugie krematorium. Jednak podczas sztormów wyspa była zalewana i pozostała opuszczona aż do roku sześćdziesiątego ósmego, kiedy to rząd po cichu rozpoczął jej rekonstrukcję, tworząc sztuczne łachy piasku i betonowe zapory.

Zapory mają chronić wyspę przed przyszłymi powodziami, ale stanowią także niezbędny parawan. Nigdy tego nie planowano, a jednak ostatecznie właśnie ten ośrodek stał się głównie ośrodkiem dla dzieci. Trwała dyskusja o możliwości dopuszczenia tam rodziców. Ja byłem za – przecież większość była uodporniona. Jednak psychologowie z Komitetu byli przeciwni – uważali, że rodzice chorych dzieci nigdy nie otrząsną się z tego, co tam zobaczyli, a trauma tego rodzaju, i to przeżyta na masową skalę, może zdestabilizować społeczeństwo. Wreszcie wybudowano dormitorium dla rodziców po północnej stronie wyspy, ale potem wydarzył się ten marcowy incydent i teraz rodzice nie są tam wpuszczani. Zbudowali więc sobie prowizoryczne miasteczko – co bogatsi postawili autentyczne domki z cegły, biedniejsi z kartonu – na wybrzeżu New Rochelle, chociaż widzą stamtąd jedynie betonowy mur okalający wyspę i lądujące na niej helikoptery.

Jak zapewne pamiętasz, było wiele dyskusji na temat lokalizacji tego ośrodka. Większa część składu Komitetu opowiadała się za jednym z dawnych obozów dla uchodźców na wyspach Fire, Block albo Shelter. Ja jednak walczyłem o tę wyspę: leży dostatecznie daleko na północ od Manhattanu, żeby zniechęcać nieproszonych gości, a jednocześnie nie za daleko dla helikopterów i dla łodzi, które – odkąd otwarto na nowo drogi wodne – mogą swobodnie spływać rzeką do krematorium.

Ale chociaż się do tego nie przyznawałem, prawdziwym powodem, dla którego wybrałem tę wyspę, była jej nazwa: Davids Island. Wyspa Davidów. Nie pojedynczego Davida, ale wielu, jakby mieszkała tam nie stale zmieniająca się populacja (głównie) dzieci, lecz gromada Davidów. Kopii mojego syna – w różnym wieku, wykonujących ulubione zajęcia mojego syna w różnych fazach jego życia. Konstruowanie bomb, owszem. Ale także czytanie i gra w koszykówkę, i gonienie w kółko jak psiak za własnym ogonem, żeby rozśmieszyć mnie i Nathaniela, i zabawa w karuzelę z córeczką, i włażenie do mojego łóżka, kiedy grzmi, a maleństwo boi się burzy. Starsi Davidowie byliby rodzicami młodszych Davidów, a gdyby któryś w końcu umarł – chociaż to jeszcze niezmiernie odległa perspektywa, jako że najstarsi mieszkańcy wyspy mieliby dopiero trzydzieści lat, czyli tyle, ile miałby mój David, gdyby przeżył – zastąpiłby go inny, tak że populacja Davidów pozostawałaby zawsze tak samo liczna: ani nie wzrastałaby, ani nie malała. Nie byłoby tam żadnych nieporozumień, żadnych obaw, że młodsi Davidowie są jacyś inni, jacyś dziwni, ponieważ starsi Davidowie rozumieliby ich doskonale. Nie byłoby samotności, ponieważ ci Davidowie nie poznaliby nigdy swoich rodziców ani szkolnych kolegów, którzy nie chcą się z nimi bawić, ani nikogo obcego: znaliby tylko siebie nawzajem, innymi słowy: samych siebie, i byliby skończenie szczęśliwi, bo nie zaznaliby udręki pragnienia bycia kimś innym – nie byłoby wszak nikogo innego, kto mógłby budzić podziw czy zazdrość.

Przychodzę tu czasami o późnej godzinie, gdy mieszkańcy prowizorycznego miasteczka już śpią. Siadam nad czarniawą, słonawą wodą i patrzę w stronę wyspy, która jest stale oświetlona. Wyobrażam sobie, co robią w tej chwili moi Davidowie. Może najstarsi piją piwo. Może nastolatki grają w siatkówkę, wykorzystując rzęsiste białe oświetlenie, które sprawia, że woda wokół wyspy lśni oleiście. Może najmłodsi czytają komiksy pod kołdrą, przy latarce – a może dzisiejsze dzieciaki łobuzują w jakiś inny sposób? (Czy w ogóle jeszcze łobuzują? Chyba nie może być inaczej, prawda?) Może zmywają po kolacji, bo małych Davidów nauczono pomagać w domu, nauczono ich być porządnymi ludźmi, dobrymi dla siebie nawzajem; może śpią pokotem na wielometrowej szerokości łożu, jeden oddycha w kark drugiemu, jeden wyciąga rękę, żeby się podrapać w udo, a drapie udo sąsiada. Ale to bez znaczenia: i tak obaj poczują to samo.

– David – mówię wtedy do wody, cichutko, żeby nie zbudzić śpiących za moimi plecami rodziców. – Słyszysz mnie?

A potem nadstawiam ucha.

Ale nikt nigdy nie odpowiada.

Całuję – Charles

Mój Kochany Peterze, 5 września 2071

dzisiaj odbyło się przyjęcie z okazji siódmych urodzin Charlie, którego nie mogliśmy urządzić, jak planowaliśmy, we czwartek, ponieważ mała nie czuła się dobrze. Nie miałem okazji wspomnieć

Ci o tym podczas naszej rozmowy, ale Charlie od miesiąca miewa małe ataki epilepsji: trwają tylko osiem do jedenastu sekund, ale nie byłem świadomy, jak często się powtarzają. Atak dopadł ją podczas wizyty u neurologa. Nawet tego nie zauważyłem, dopiero doktor zwrócił mi uwagę, że Charlie zastygła z oczami utkwionymi w jeden punkt i lekko rozchyloną buzią. „Na to powinien pan zwracać uwagę" – powiedział doktor, a ja ze wstydu nawet mu się nie przyznałem, że Charlie często tak wygląda, że już widziałem ją z taką miną, ale myślałem, że taka po prostu teraz jest – nie przypuszczałem, że to objaw zaburzeń neurologicznych. To kolejne następstwo przyjmowania Xychoru, obserwowane zwłaszcza u dzieci, którym podawano ten lek przed okresem dojrzewania. Doktor uważa, że Charlie wyrośnie z tego bez farmakoterapii – nie miałbym serca skazać jej na następny lek, zwłaszcza jeśli miałoby to spowodować jeszcze głębsze otępienie – ale trudno przewidzieć, „jakie wystąpią wady rozwojowe".

Po atakach Charlie jest zwiotczała i potulna. Odkąd wróciła ze szpitala do domu, jest jak z drewna: kiedy wyciągam do niej rękę, uchyla się w tył, sztywna jak drewniany pajacyk, co byłoby nawet komiczne, gdyby nie było takie przykre. Teraz już wiem, że w razie ataku muszę ją podnieść i przycisnąć do siebie, a gdy zaczyna się wyrywać – przestała lubić przytulanki – wiem, że atak minął.

Staram się ułatwiać jej życie, jak tylko mogę. Centrum Dziecka i Rodziny przy Uniwersytecie Rockefellera zamknięto z powodu braku uczniów, więc zapisałem ją do małej, drogiej szkoły podstawowej przy placu Unii, gdzie każde dziecko ma swojego nauczyciela i gdzie zgodzili się, aby rozpoczęła naukę w końcu września, gdy trochę przytyje i odrośnie jej więcej włosów. Mnie oczywiście jest obojętne, czy Charlie ma włosy czy nie, ale ją właśnie ta cecha wyglądu zdaje się krępować w największym stopniu. Nawiasem mówiąc, ucieszyłem się, że mogę zatrzymać ją w domu trochę dłużej. Wychowawczyni zasugerowała mi wzięcie do domu jakiegoś zwierzaka, żeby ją czymś zainteresować, więc w poniedziałek przyniosłem dla niej kotka, małego buraska, którego sprezentowałem jej, gdy tylko się obudziła. Właściwie się nie uśmiechnęła – ostatnio rzadko się uśmiecha – ale z miejsca okazała zainteresowanie: wzięła kotka na ręce i przyglądała się uważnie jego pyszczkowi.

– Jak on się nazywa, Charlie? – spytałem. Przed chorobą nadawała imiona wszystkiemu: ludziom mijanym na ulicy, roślinom doniczkowym, lalkom usadowionym na jej łóżku, nawet dwóm sofom z pokoju na dole, które według niej przypominały hipopotamy. Teraz podniosła na mnie ten swój po nowemu niepokojący wzrok, w którym można było wyczytać albo głębię, albo nicość.

– Kot – powiedziała po dłuższej chwili.

– A może nazwałabyś go jakoś bardziej... opisowo? („Niech ją pan namawia do opisywania rzeczy – radziła mi jej psycholożka. – Niech jak najwięcej mówi. Może nie zdoła pan rozbudzić jej wyobraźni, ale przypomni jej pan, że w ogóle ją ma i może jej używać").

Milczała tak długo, wpatrując się w kociaka i głaszcząc jego sierść, że wystraszyłem się kolejnego ataku. Wreszcie jednak przemówiła:

– Mały kot.

– Racja – odpowiedziałem i oczy mnie zapiekły. Poczułem, jak to często mi się zdarza, gdy ją obserwuję: przejmujący ból, który promieniuje od serca do wszystkich części ciała. – On j e s t mały, prawda?

– Tak – przyznała.

Ogromnie się zmieniła. Przed chorobą obserwowałem ją często od progu jej pokoju, nie chcąc przerywać zabawy swoim gadaniem: podsłuchiwałem, jak rozmawia z pluszakami, jednym głosem wydając im polecenia, a drugim wcielając się w poszczególne zwierzaki, i wzbierały we mnie emocje. Z czasów, gdy studiowałem na akademii medycznej, pamiętam kobietę, matkę dziecka z zespołem Downa, która opowiadała nam, w jakim tonie lekarze i genetycy zwykli omawiać z nią postnatalną diagnozę córki: ton ten wahał się od bezduszności do bezradności. Ale mówiła, że w dniu, w którym ją i jej maleństwo wypisano do domu, lekarz rezydent przyszedł się z nimi pożegnać. „Proszę się z niej cieszyć" – powiedział tej kobiecie. C i e s z y ć s i ę: nikt jej jeszcze nie mówił, że może czerpać radość ze swojego dziecka, że to dziecko może stać się źródłem nie kłopotów, lecz przyjemności.

Na tej samej zasadzie ja zawsze cieszyłem się z Charlie. Zawsze wiedziałem, że tak jest – że radość i przyjemność z samego faktu jej istnienia są nieodłączne od miłości, jaką ją darzę. Teraz jednak tej radości już nie ma – zastąpiło ją inne uczucie, głębsze i boleśniejsze. Nie umiem patrzeć na nią inaczej niż jak na istnienie potrójne: cień dawnej Charlie, rzeczywistość obecnej i projekcję tej, którą może się stać w przyszłości. Tę pierwszą opłakuję, tej drugiej nie rozumiem, a tej trzeciej się lękam. Nie uświadamiałem sobie, jak wielkie były moje nadzieje na jej przyszłość, dopóki nie obudziła się ze śpiączki taka odmieniona. Dawniej wiedziałem, że nie zdołam przewidzieć, jaki będzie kiedyś Nowy Jork, ten kraj i cały świat – ale zawsze miałem pewność, że Charlie śmiało i otwarcie zmierzy się z przyszłością, że ma w sobie opanowanie, urok osobisty i intuicję gwarantujące przetrwanie.

Ale teraz drżę o nią nieustannie. Jak poradzi sobie w tym świecie? Kim będzie? Czy ten obraz, który nieświadomie noszę w pamięci – obraz nastolatki wpadającej z impetem do domu po odwiedzinach u przyjaciółki i wysłuchującej mojego kazania o późnych powrotach – czy on się jeszcze kiedyś powtórzy? Czy Charlie zdoła samotnie przejść przez Greenwich Village – przepraszam, przez Strefę Ósmą? Czy znajdzie sobie przyjaciół? Co z niej wyrośnie? Chwilami czuję, że moja miłość do niej jest straszna, olbrzymia, mroczna – niczym wezbrana, cicha fala, z którą nie da się walczyć, nie można mieć nadziei na jej pokonanie; można jedynie stać i czekać, aż cię zaleje.

Rozumiem, że częścią tej straszliwej miłości jest świadomość, że świat, w którym żyjemy – świat, do którego powstania sam się przyczyniłem – nie będzie tolerował ludzi kruchych, innych i upośledzonych. Zawsze mnie dziwiło, skąd ludzie wiedzą, że przyszedł czas opuścić jakieś miejsce, bez względu na to, czy tym miejscem jest Phnom Penh, Sajgon czy Wiedeń. Co musi się wydarzyć, żeby człowiek porzucił wszystko, żeby stracił nadzieję na poprawę sytuacji, żeby zaczął uciekać do życia, którego w ogóle sobie nie wyobraża? Zawsze mi się zdawało, że ta świadomość rodzi się powoli, powoli, lecz konsekwentnie, tak że zmiany, jakkolwiek przerażające każda z osobna, łagodnieją przez swoją częstotliwość, jak gdyby ostrzeżenia unieważniały się przez swoją mnogość.

A potem nagle jest za późno. Przez cały ten czas – kiedy ty spałeś, pracowałeś, jadłeś kolację, czytałeś swoim dzieciom albo gadałeś z przyjaciółmi – zamykano bramy, barykadowano drogi, rozbierano tory kolejowe, cumowano statki, zmieniano trasy samolotów. Pewnego dnia coś się wydarza, może drobiazg, na przykład ze sklepów znika czekolada albo przyłapujesz się, że w całym mieście nie ma już sklepu z zabawkami, albo patrzysz przez okno i widzisz rozbiórkę placu zabaw po drugiej stronie ulicy (żelazny małpi gaj zostaje rozebrany i ląduje na ciężarówce), i nagle dociera do ciebie, że jesteś w niebezpieczeństwie. Że już nie będzie telewizji. Nie będzie internetu. Że – chociaż szczyt pandemii już minął – nadal buduje się obozy. Że gdy na ostatnim zebraniu Komitetu ktoś powiedział: „chroniczna prokreacja pewnych ludzi była pożądana tylko raz w historii" i nikt nie zareagował, nawet ty – wtedy zrozumiałeś, że wszystkie twoje podejrzenia w związku z tym krajem – że Ameryka nie jest dla wszystkich; że nie jest dla takich ludzi jak ja, jak ty; że Ameryka to kraj z grzechem w sercu – były słuszne. Że gdy uchwalono Ustawę antyterrorystyczną, która skazanym powstańcom dawała wybór: internowanie lub sterylizacja, nieuchronną jej konsekwencją było to, że resort sprawiedliwości prędzej czy później znajdzie sposób na rozszerzenie tej kary najpierw na dzieci, a potem na rodzeństwo skazanych powstańców.

I nagle sobie uświadamiasz: nie mogę tu zostać. Nie mogę tu wychowywać mojej wnuczki. I zaczynasz szukać kontaktów. Przeprowadzasz dyskretny wywiad. Docierasz do swojego najbliższego, najstarszego przyjaciela, byłego kochanka, i prosisz go o pomoc w wydostaniu się stąd. Ale on nie może pomóc. Nikt nie może. Władze informują cię, że twoja obecność w kraju jest niezbędna. Informują cię, że możesz wyjechać za granicę z paszportem krótkoterminowym, ale nie wydadzą takiego samego paszportu twojej wnuczce. Wiesz, że oni wiedzą, że ty za nic nie wyjechałbyś bez niej – przecież to ona jest powodem twojej chęci wyjazdu. Wiesz, że dzięki niej oni mają pewność, że nigdy nie wyjedziesz.

Nie sypiasz po nocach; rozmyślasz o swoim zmarłym mężu, o zmarłym synu, o projekcie ustawy mającej unieważnić takie rodziny, jaka kiedyś była twoja. Rozmyślasz o tym, jaki kiedyś byłeś dumny, jak się chwaliłeś, że jesteś młodym szefem laboratorium, jak zgłaszałeś się na ochotnika do budowy systemu, z którego teraz chciałbyś uciec. Rozmyślasz o tym, że gwarancją twojego bezpieczeństwa jest teraz dalsze uczestnictwo. Niczego nie pragniesz bardziej niż cofnięcia się w czasie. To twoje największe marzenie i pragnienie.

Ale nic z tego. Możesz jedynie starać się dalej zapewniać bezpieczeństwo twojej wnuczce. Nie jesteś odważnym człowiekiem – wiesz o tym. Ale chociaż jesteś tchórzem, to jej nigdy nie opuścisz, mimo że stała się dla ciebie niedostępna i niezrozumiała.

Co noc błagasz o wybaczenie.

Wiesz, że nigdy go nie uzyskasz.

Całuję, Charles

Część VII

Lato 2094

Denerwowałam się w dniu pierwszego spotkania z moim mężem. Było to wiosną 2087 roku; miałam dwadzieścia dwa lata. Tego ranka, kiedy miałam go poznać, obudziłam się wcześniej niż zwykle i włożyłam sukienkę, którą Dziadek skądś dla mnie wytrzasnął – sukienka była zielona jak bambus. W talii miała szarfę, którą zawiązałam na kokardę; miała też długie rękawy zasłaniające blizny po chorobie.

W biurze pośrednictwa małżeńskiego, które mieściło się w Strefie Dziewiątej, wprowadzono mnie do ascetycznego białego pokoju. Pytałam wcześniej Dziadka, czy będzie mi towarzyszył przy spotkaniu, ale powiedział, że mam się spotkać z kandydatem sam na sam, natomiast on będzie tuż za drzwiami, w poczekalni.

Po kilku minutach wszedł kandydat. Był ładny, tak samo ładny jak na zdjęciu, więc od razu się załamałam, wiedząc, że sama nie jestem ładna, a przez tę jego atrakcyjność wydam się jeszcze brzydsza. Pomyślałam, że on mnie wyśmieje albo odwróci się, albo w ogóle zaraz wyjdzie.

Nie stało się jednak nic podobnego. Ukłonił mi się, głęboko, ja się odkłoniłam i przedstawiliśmy się sobie. Potem usiadł, więc i ja usiadłam. Stał tam imbryk herbaty z proszku i dwie filiżanki, a na talerzyku leżały cztery ciasteczka. Zapytał, czy napiję się herbaty. Odpowiedziałam twierdząco; nalał mi do filiżanki.

Byłam spięta, lecz on starał się ułatwiać rozmowę. Wiedzieliśmy już o sobie to, co najważniejsze: wiedziałam, że jego rodziców i siostry uznano winnymi zdrady stanu i zesłano do obozów pracy, a następnie stracono. Wiedziałam, że jest doktorantem biologii i szykował doktorat, gdy wyrzucono go z uczelni jako krewnego zdrajców. On natomiast wiedział, kim jest Dziadek i kim był mój ojciec. Wiedział też, że jestem bezpłodna po chorobie. A ja wiedziałam, że on dał się wysterylizować, żeby uniknąć zesłania do obozu rehabilitacyjnego. Wiedziałam, że był obiecującym studentem. I wiedziałam, że jest bardzo inteligentny.

Spytał mnie, co lubię jeść, jaka muzyka mi się podoba, czy lubię swoją pracę na Uniwersytecie Rockefellera, czy mam jakieś hobby. Spotkania krewnych zdrajców stanu były zazwyczaj nagrywane, więc oboje zachowywaliśmy ostrożność. Podobało mi się, że on jest ostrożny i że nie zadaje mi pytań, na które nie umiałabym odpowiedzieć; podobał mi się jego głos, cichy i łagodny.

Jednak wciąż nie wiedziałam, czy chcę za niego wyjść. Kiedyś musiałam wyjść za mąż, to jasne. Ale małżeństwo oznaczało, że nie będę już sama z Dziadkiem, a ten moment chciałam odwlekać jak najdłużej.

W końcu jednak podjęłam decyzję – tak, chcę wyjść za mąż. Następnego dnia Dziadek udał się do pośrednika, żeby sfinalizować ustalenia, a potem szybko minął rok i nadszedł wieczór poprzedzający mój ślub. Zjedliśmy uroczystą kolację. Dziadek zdobył sok jabłkowy, który piliśmy z naszych ulubionych filiżanek, a także pomarańcze, wprawdzie suche i kwaśne, ale maczaliśmy je w sztucznym miodzie. Nazajutrz miałam znów zobaczyć przyszłego męża. Jego apelacja od wyroku wydalenia z uczelni została odrzucona, ale Dziadek znalazł mu pracę przy Stawie, którą miał rozpocząć w następnym tygodniu.

Gdy kończyliśmy posiłek, Dziadek oznajmił:

– Koteczku, chcę powiedzieć ci coś o twoim przyszłym mężu.

Przez całą kolację siedział poważny i milczący, ale gdy go spytałam, czy się na mnie gniewa, uśmiechnął się i pokręcił głową: „Nie, nie gniewam się. Ale to słodko-gorzka chwila. Mój koteczek wydoroślał i wychodzi za mąż". Teraz zaś rzekł:

– Biłem się z myślami, czy powiedzieć ci o tym, czy nie. Sądzę jednak... sądzę, że muszę, z powodów, które ci wyłożę.

Wstał, wyłączył radio i wrócił na miejsce. Długo milczał. Wreszcie przemówił:

– Koteczku, twój przyszły mąż jest taki jak ja. Rozumiesz, co chcę przez to powiedzieć?

– Jest naukowcem – zgadłam, chociaż to już przecież wiedziałam. W każdym razie starał się zostać naukowcem. To było pozytywne.

– Nie – odparł Dziadek. – To znaczy tak, ale nie to miałem na myśli. Chodzi mi o to, że on jest taki jak ja, ale i taki, jaki jest twój drugi dziadek. Jaki był. – Zamilkł potem i czekał, czy zrozumiem, co usiłował mi powiedzieć.

– Jest homoseksualistą – powiedziałam.

– Tak – przyznał Dziadek.

Wiedziałam co nieco o homoseksualizmie. Wiedziałam, na czym polega i że Dziadek jest homoseksualistą, i że kiedyś było to legalne. Teraz nie jest ani legalne, ani nielegalne. Można być homoseksualistą. Można utrzymywać stosunki homoseksualne, chociaż nie jest to dobrze widziane. Ale nie wolno wziąć ślubu z osobą tej samej płci. Teoretycznie każdy dorosły może mieszkać z osobą, z którą nie jest spokrewniony, a zatem dwaj mężczyźni lub dwie kobiety mogą mieszkać razem bez ślubu, ale niewiele osób się na to decyduje, gdyż żyjąc bez ślubu, otrzymywałyby kupony na żywność, wodę i elektryczność wyłącznie dla jednej osoby. Istniały tylko trzy rodzaje mieszkań: dla singli, dla małżeństw (bezdzietnych) i dla rodzin (z jednym dzieckiem lub z dwojgiem i więcej dzieci). W lokalu dla singli można mieszkać do ukończenia trzydziestego piątego roku życia. Wtedy, na mocy Ustawy o małżeństwach z 2078 roku, obywatel miał obowiązek zawrzeć związek małżeński. Osoba rozwiedziona lub owdowiała miała cztery lata na ponowne małżeństwo, a po dwóch latach podlegała państwowemu systemowi doboru partnerów. Czyniono oczywiście pewne wyjątki dla takich osób jak Dziadek. Rząd uznawał także wcześniej zawarte związki homoseksualne, jednak najwyżej przez dwadzieścia lat od wejścia w życie ustawy. Rzecz w tym, że nielogiczne było wspólne zamieszkiwanie z osobą, z którą nie miało się ślubu, gdyż szansa utrzymania przy życiu dwóch osób na pojedynczym zasiłku graniczyła z niemożliwością. Społeczeństwo było bardziej ustabilizowane i zdrowsze, gdy jego członkowie żyli w związkach małżeńskich, dlatego rząd na wszelkie sposoby zniechęcał ludzi do alternatywnych rozwiązań.

W innych krajach zakazywano homoseksualizmu ze względów religijnych, ale to nie był nasz przypadek. U nas zniechęcano do homoseksualizmu, ponieważ obowiązkiem ludzi dorosłych była prokreacja, jako że liczba urodzeń spadła do katastroficznie niskiego poziomu, ogromną liczbę dzieci zabiły choroby roku siedemdziesiątego i siedemdziesiątego szóstego, a znaczna część tych, które przeżyły, była bezpłodna. Dzieci umierały w tak straszny sposób, że wielu rodziców i byłych rodziców nie decydowało się na nowe potomstwo z obawy, że czeka je równie okrutna śmierć. Był jeszcze jeden powód nagonki na homoseksualistów: wielu z nich uczestniczyło w rebelii roku sześćdziesiątego siódmego; trzymali z powstańcami, więc rząd musiał ich ukarać i objąć ścisłą kontrolą. Dziadek mówił mi, że do rebelii przyłączyło się również wielu członków grup mniejszości rasowych, lecz nałożenie na nich takiej samej kary mijało się z celem, skoro państwu zależało na jak najszybszym zwiększeniu populacji.

Homoseksualizm nie był zatem nielegalny, ale i tak się o nim nie rozmawiało. Oprócz Dziadka nie znałam żadnych homoseksualistów. Nie myślałam o nich ani dobrze, ani źle. Nie wpływali na moje życie w jakiś znaczący sposób.

– Aha – odpowiedziałam Dziadkowi.

– Koteczku... – zaczął Dziadek i zamilkł. Po chwili zaczął od początku: – Mam nadzieję, że kiedyś zrozumiesz, dlaczego doszedłem do wniosku, że ten partner będzie dla ciebie najlepszy. Chciałem znaleźć ci męża, co do którego miałbym pewność, że zawsze o ciebie zadba, zawsze się tobą zaopiekuje, nigdy nie podniesie na ciebie ręki, nigdy na ciebie nie krzyknie ani cię nie poniży. Jestem przekonany, że ten młody człowiek jest właśnie tą osobą. Mogłem ci tego nie mówić. Ale c h c i a ł e m powiedzieć, bo nie chcę, żebyś przypisywała sobie winę za to, że mąż nie utrzymuje z tobą kontaktów seksualnych. Nie chcę, żebyś winiła siebie za to, że on nie kocha cię w pewien sposób. Będzie cię kochał na inne sposoby, a przynajmniej będzie okazywał ci swoją miłość na inne sposoby, a tylko to się liczy.

Zamyśliłam się nad tym. Żadne z nas nie odzywało się przez dłuższą chwilę.

Wreszcie powiedziałam:

– Może on zmieni zdanie.

Dziadek popatrzył na mnie i spuścił wzrok. Znowu zapadło milczenie.

– Nie – odezwał się, bardzo cicho. – Nie zmieni, koteczku. Tego się nie da zmienić.

Wiem, że to zabrzmi głupio, skoro Dziadek był tak inteligentny, a ja, jak już mówiłam, wierzyłam w każde jego słowo. Ale – chociaż mnie zapewnił o tej niemożności – zawsze miałam nadzieję, że pomylił się co do mojego męża, że pewnego dnia mój mąż poczuje do mnie pociąg fizyczny. Nie wiedziałam, jak mogłoby do tego dojść. Wiem, że nie jestem pociągająca. Wiem także, że nawet gdybym była pociągająca, dla mojego męża nie miałoby to znaczenia.

A mimo to przez dwa pierwsze lata małżeństwa śniło mi się, że mąż się we mnie zakochał. Nie był to zwyczajny sen, lecz raczej sen na jawie, ponieważ nigdy nie śnił mi się, kiedy spałam, chociaż bardzo tego pragnęłam. W tym śnie leżałam w swoim łóżku i nagle czułam, że mąż kładzie się obok mnie. Przytulał mnie i całowaliśmy się. I to był koniec tego snu, chociaż zdarzały się różne jego warianty: mąż całował mnie na stojąco albo byliśmy w centrum i słuchaliśmy muzyki, trzymając się za ręce.

Rozumiałam, że Dziadek zdradził mi prawdę o mężu przed ślubem, żebym nie obwiniała się za to, że mąż nie odczuwa do mnie pociągu. Ale znajomość prawdy wcale jej nie ułatwiła. Nie przestałam życzyć sobie, żeby mój mąż okazał się wyjątkiem, żeby nasze życie potoczyło się inaczej, niż zapowiedział mi Dziadek. Tak się nie stało, a jednak trudno było przestać mieć nadzieję. Zawsze byłam dobra w przyjmowaniu rzeczy takimi, jakie są, a jednak z tym trudno mi było się pogodzić. Starałam się codziennie i codziennie przegrywałam. Miewałam dni, a nawet tygodnie, wolne od nadziei, że Dziadek pomylił się co do mojego męża – że mąż pewnego dnia odwzajemni moją miłość. Wiedziałam, że rozsądniejsze i mniej stresujące byłoby, zamiast nadziei, przyzwyczajanie się do akceptacji faktów. Nadzieja ta sprawiała, że czułam się równocześnie gorzej i lepiej.

Wiedziałam, że ten, kto pisuje liściki do mojego męża, jest mężczyzną – poznałam to po charakterze pisma. I czułam się z tym źle, ale nie tak źle, jak czułabym się, gdyby pisała je kobieta. Oznaczało to po prostu, że Dziadek miał rację, że mój mąż jest taki, jak mówił. Mimo to byłam nieszczęśliwa. Mimo to miałam poczucie klęski, chociaż Dziadek uprzedzał mnie, żebym tak nie myślała. W pewnym sensie nie musiałam wiedzieć, kim jest autor liścików, tak samo jak nie musiałam wiedzieć, co dzieje się za drzwiami domu przy ulicy Bethune – wszelka dodatkowa wiedza byłaby dla mnie zbytecznym mnożeniem szczegółów. Nie potrafiłabym ich zmienić; nie potrafiłabym ich poprawić. A jednak chciałam wiedzieć – jak gdyby wiedza, choćby i najtrudniejsza, była lepsza od niewiedzy. Przypuszczam, że z tego samego powodu Dziadek wyznał mi prawdę o moim mężu.

Jakkolwiek unieszczęśliwiała mnie niemożność miłości ze strony męża, to niemożność ze strony Davida była jeszcze gorsza. Była gorsza, ponieważ nie pojmowałam w zasadzie swoich uczuć wobec niego; była gorsza, ponieważ wiedziałam, że od pewnego momentu sądziłam, że on także mnie lubi, i to lubi mnie w sposób niedostępny dla mojego męża. A najgorsze było to, że się pomyliłam: on nie czuł do mnie tego, co ja do niego.

W kolejną sobotę o 16.00 zostałam w domu. Mój mąż drzemał w sypialni; ostatnio bywał zmęczony i często mówił, że musi się położyć. Ale po dziesięciu minutach zeszłam na dół i otworzyłam drzwi na ulicę. Był jasny, upalny dzień, na placu znajdowało się pełno ludzi. Tłum tłoczył się przed straganem handlarza metalami, który stał najbliżej północnej krawędzi placu. W pewnej chwili jednak rozstąpił się i ujrzałam Davida. Chociaż panował upał, to jakość powietrza była dobra, więc trzymał hełm w jednej ręce. Drugą ręką ocieniał oczy i powoli obracał głowę, rozglądając się za czymś albo za kimś.

Uświadomiłam sobie, że to mnie wypatruje, więc skuliłam się przy drzwiach, zanim przypomniało mi się, że nigdy nie mówiłam Davidowi, gdzie mieszkam – wiedział tylko, że gdzieś w Strefie Ósmej, tak samo jak on. W tej samej chwili wzrok Davida padł prosto na mnie; wstrzymałam oddech, jakby to miało sprawić, że stanę się niewidzialna, ale wówczas David odwrócił głowę w przeciwną stronę.

Wreszcie, po upływie może dwóch minut, poszedł sobie, oglądając się po raz ostatni przez ramię, i skręcił na zachód.

W następną sobotę wydarzyło się to samo. Tym razem czekałam w drzwiach dokładnie o 15.55, żeby zobaczyć, jak David nadchodzi: stanął w połowie północnej krawędzi placu i przez jedenaście minut rozglądał się za mną, zanim wreszcie odszedł. W kolejną sobotę i w czwartą z kolei – tak samo.

Było mi przyjemnie, że wciąż chciał mnie widzieć, chociaż się przed nim skompromitowałam. Ale było mi jednocześnie smutno, bo wiedziałam, że ja już nie mogę się z nim spotykać. Wiem, że to głupio brzmi, nawet infantylnie, bo przecież nawet jeśli David nie czuł do mnie tego, co ja do niego, to nadal chciał się ze mną przyjaźnić – czy nie mówiłam zawsze, że chcę mieć przyjaciela?

Ale nie mogłam się z nim więcej spotkać, i koniec. Wiem, że to brzmi nielogicznie. Po prostu wyrzeczenie się nadziei na miłość męża kosztowało mnie tyle energii i samodyscypliny, że wątpiłam, czy wystarczy mi siły na odrzucenie nadziei na miłość Davida. To już było dla mnie za trudne. Musiałabym się nauczyć zapominać lub ignorować swoje uczucia wobec Davida, a to byłoby niemożliwe, gdybym dalej się z nim spotykała. Lepiej było udawać, że nigdy go nie poznałam.

Na szczycie budynku, w którym pracowałam, mieściła się cieplarnia. Nie ta nazwana imieniem Dziadka – tamta wieńczyła inny budynek.

Cieplarnia w Centrum Larssona nie była typową oranżerią, lecz pełniła funkcję muzeum. Przechowywano tam próbki wszystkich roślin stworzonych w laboratoriach Uniwersytetu Rockefellera do wykorzystania w lekach przeciwwirusowych – najstarsze pochodziły z roku 2037. Rośliny hodowano w oddzielnych glinianych doniczkach ustawionych rzędami – może nie wyglądały nadzwyczajnie, lecz każda opatrzona była etykietką ze swoją nazwą łacińską, a także nazwą laboratorium, w którym powstała, oraz leku, w którego składzie się znalazła. Większość badań botanicznych już dawno przeniesiono na Farmę, ale na Uniwersytecie Rockefellera działało jeszcze kilku naukowców współpracujących z programem rozwoju.

Oranżerię mógł odwiedzić każdy, ale chętnych było niewielu. W ogóle mało ludzi wychodziło na dach, czego nie potrafiłam zrozumieć, gdyż było tam naprawdę przyjemnie. Jak już wcześniej wspomniałam, cały kampus znajduje się pod biokopułą, co oznacza stałą kontrolę klimatyczną, a przy oranżerii stało kilka ławek i stolików, gdzie można było posiedzieć z widokiem na rzekę East albo na dachy innych budynków, także tych przeznaczonych do hodowli warzyw, owoców i ziół na użytek stołówki, gdzie jadali pracownicy uniwersytetu. Każdy, kto pracował na Uniwersytecie Rockefellera, mógł kupić w stołówce lunch w niższej cenie. Ja często wynosiłam swój lunch na dach, gdzie mogłam go zjeść w samotności i nie wstydzić się z tego powodu.

Szczególnie przyjemnie było siedzieć na dachu latem. Człowiek czuł się prawie jak na świeżym powietrzu, tyle że lepiej, bo nie musiał wkładać kombinezonu chłodzącego. Można było siedzieć sobie w dresie, zajadać kanapkę i patrzeć na brunatną wodę w dole.

Jedząc, rozmyślałam, jak często mi się zdarzało, o Davidzie. Minął prawie miesiąc, odkąd widziałam go po raz ostatni, i chociaż usilnie starałam się go zapomnieć, to wciąż na każdym kroku widywałam ciekawostki, które mogłyby go zainteresować. Wówczas z wielkim wysiłkiem przypominałam sobie, że już nigdy się z nim nie zobaczę, więc powinnam zaprzestać gromadzenia obserwacji z myślą o podzieleniu się z nim. Zaraz jednak myślałam o Dziadku, który mówił, że nie czynimy obserwacji tylko po to, żeby się nimi dzielić; że samo obserwowanie jest czymś dobrym. „Dlaczego?" – spytałam go. „Bo jesteśmy do niego zdolni – odrzekł po namyśle. – Bo to ludzka rzecz". Zastanawiałam się więc nieraz, czy mój brak zainteresowania obserwacjami oznacza, że nie jestem człowiekiem, ale wiem, że nie o to Dziadkowi chodziło.

Tak sobie rozmyślałam, gdy drzwi windy się otworzyły i wysiadły z niej trzy osoby, kobieta i dwaj mężczyźni. Po ich ubiorach od razu poznałam, że to pracownicy rządowi. Zauważyłam, że się kłócą, bo jeden z mężczyzn nachylał się do tego drugiego i wszyscy troje szeptali. Nagle kobieta obejrzała się, spostrzegła mnie i powiedziała: „O Jezu, wiecie co, chodźmy gdzie indziej". Zanim zdążyłam zaproponować, że to ja się usunę, wsiedli z powrotem do windy.

Dziadek często powtarzał, że ludzi, którzy pracują dla rządu, i ludzi, którzy nie pracują dla rządu, łączy wspólne pragnienie: żeby się nie spotykać. Pracownicy rządowi nie chcą widzieć nas, a my nie chcemy widzieć ich. I przeważnie się to udaje. Wszystkie ministerstwa znajdowały się w jednej strefie, a ich pracownicy mieli własne wahadłowce, sklepy i osiedla mieszkaniowe. Nie mieszkali wszyscy w jednej strefie, chociaż wielu starszych było rezydentami Strefy Czternastej, podobnie jak starszyzna naukowa uniwersytetu oraz starsi inżynierowie i badacze z Farmy i Stawu.

Wiadomo było, że przy każdej placówce badań biologicznych w kraju działa biuro pracowników rządowych. Musieli mieć nas na oku. Ale chociaż wszyscy wiedzieliśmy o istnieniu takiego biura na uniwersytecie, to jednak nikt nie wiedział, gdzie się ono mieści i ile zatrudnia osób. Niektórzy twierdzili, że mniej niż dziesięć. Inni natomiast uważali, że więcej, znacznie więcej, może nawet setkę, co oznaczałoby, że na prawie każdego z naszych głównych badaczy przypadają dwie osoby. Krążyły plotki, że ich biuro znajduje się na głębokim poziomie pod ziemią, niżej nawet niż domniemane dodatkowe laboratoria z domniemanymi dodatkowymi myszami i domniemane sale operacyjne, i że wszystkie podziemne biura rządowe są z sobą połączone specjalnymi tunelami, którymi kursują pociągi specjalne, odwożące pracowników do odpowiednich ministerstw, a nawet aż do Pierwszego Okręgu Miejskiego.

Ale wielu było zdania, że rządowcy gnieżdżą się w kilku pokoikach na terenie któregoś z mniej używanych budynków. Zapewne była to prawda, chociaż z drugiej strony kampus Uniwersytetu Rockefellera nie był aż tak wielki, żeby prędzej czy później nie spotkać każdego, kto tam przebywał. Mimo to nigdy wcześniej nie widziałam rządowców – za to rozpoznałam ich natychmiast, gdy ich zobaczyłam.

Ich obecność na Uniwersytecie Rockefellera była stosunkową nowością. Kiedy Dziadek zaczynał tam pracę, była to po prostu placówka badawcza. Laboratoria otrzymywały fundusze od państwa i czasem współpracowały z poszczególnymi ministerstwami, zwłaszcza zdrowia i spraw wewnętrznych, ale państwo nie sprawowało jurysdykcji nad ich działalnością. Zmieniło się to jednak po roku pięćdziesiątym szóstym, a w sześćdziesiątym drugim – roku ustanowienia państwa – rząd uzyskał nadzór nad wszystkimi placówkami badawczymi w kraju. Rok później czterdzieści pięć stanów podzielono na jedenaście prefektur, a w siedemdziesiątym drugim, czyli rok po ustanowieniu stref, dziewięćdziesiąt dwa państwa, w tym nasze, podpisały traktat z Pekinem, na mocy którego zyskały pełny dostęp do wszystkich instytucji naukowych w zamian za finansowanie i zasoby obejmujące żywność, wodę, leki i pomoc humanitarną. W rezultacie wszystkie projekty federalne były monitorowane przez państwo, ale tylko ci pracownicy rządowi, którzy nadzorowali instytucje w rodzaju Uniwersytetu Rockefellera, wysyłali raporty bezpośrednio do Pekinu, tam zaś nikogo nie obchodziły żadne inne krajowe przedsięwzięcia, a jedynie te związane z chorobami i zapobieganiem chorobom, czyli takie jak nasze.

Obok widocznych ludzi, co do których nie było wątpliwości, że pracują dla rządu, należało zakładać, że pewna liczba naukowców i innych badaczy pracuje równocześnie dla instytutu i dla państwa. Co nie znaczy, że byli tajnymi informatorami – instytut był poinformowany o ich podwójnej funkcji. Do takich osób zaliczał się Dziadek: zaczynał jako naukowiec, a pod koniec także współpracował z rządem. Gdy ja się urodziłam, Dziadek miał bardzo potężne wpływy. Ale stopniowo je tracił, a kiedy powstańcy po raz drugi przejęli na krótko władzę w kraju, zabili Dziadka za powiązania z rządem i za działania przeciwko rozprzestrzenianiu się zarazy.

Chodzi mi o to, że dziwnie było widzieć rządowców poruszających się tak jawnie po kampusie, zwłaszcza że zachowywali się dość osobliwie. Dlatego nie byłam już specjalnie zaskoczona, gdy jakiś tydzień później, wracając z dachu po zjedzeniu lunchu, zastałam pięciu doktorantów dyskutujących z przejęciem w kącie pokoju rekreacyjnego o świeżo wydanym oświadczeniu ministerstwa zdrowia nakazującym zamknięcie wszystkich ośrodków kwarantanny w naszej prefekturze: ze skutkiem natychmiastowym.

– Co by to miało znaczyć według ciebie? – zapytał doktorant, który wszystkie rozmowy rozpoczynał tym właśnie pytaniem, a potem często posługiwał się zasłyszanymi opiniami jako własnymi.

– To oczywiste – odrzekł potężny dryblas, którego ojciec podobno był bratem jednego z zastępców ministerstwa spraw wewnętrznych. – Znaczy, że ta nowa choroba jest już faktem i w związku z nią prognozuje się wysoką śmiertelność i łatwą zakaźność.

– Skąd te wnioski?

– Stąd, że gdyby dało się ją łatwo wyleczyć albo ograniczyć jej rozprzestrzenianie, to wystarczyłby stary system: ktoś się zaraża, trzyma się go przez tydzień czy dwa, czekając, czy nastąpi poprawa, a potem, jeśli poprawy nie ma, przenosi się delikwenta do ośrodka relokacji. Sprawdzało się to doskonale przez ostatnie, niech policzę, dwadzieścia pięć lat, prawda?

– Szczerze mówiąc – odezwał się inny doktorant, który na każdą wypowiedź bratanka zastępcy ministra przewracał oczami – osobiście nigdy nie uważałem tego systemu za szczególnie skuteczny. Zbyt wielki margines błędu.

– Owszem, system ma swoje wady – przyznał bratanek zastępcy ministra, zirytowany tym sprzeciwem. – Ale nie zapominajmy o osiągnięciach ośrodków izolacyjnych.

Znałam już jego argumenty w obronie ośrodków izolacyjnych: zawsze przypominał rozmówcom, że te ośrodki dawały naukowcom okazję do prowadzenia badań na ludziach na bieżąco i do wyłaniania spośród izolowanych osób do prób klinicznych.

– Teraz przypuszczają, że albo nie zdążą pozamykać ośrodków izolacyjnych, albo nie będzie to miało sensu, bo śmiertelność będzie tak wysoka i tak gwałtowna, że najlepiej i najprościej będzie wysyłać wszystkie przypadki do ośrodków relokacji i jak najprędzej pozbyć się ich z wyspy.

Wyraźnie się tym emocjonował. Podobnie zresztą jak pozostali. Na horyzoncie pojawiła się nowa choroba i tym razem to oni będą jej świadkami, spróbują rozwiązać jej zagadkę. Żaden nie wyglądał na wystraszonego; żaden nie pomyślał, że i on może się zarazić. Może mieli rację, nie bojąc się. Może ich nie dotknie ta choroba – wiedzieli o niej więcej niż ja, więc nie miałam pewności, czy się mylą.

Jadąc wahadłowcem do domu, przypomniałam sobie człowieka widzianego dwa lata temu, tego, który próbował uciec z ośrodka izolacyjnego i został zatrzymany przez straż. Od tamtej pory, gdy wahadłowiec mijał centrum, zawsze wyglądałam przez okno. Nie wiem dlaczego – ośrodek już tam nie istniał, a zresztą jego lustrzana fasada nie pozwalała dostrzec wnętrza. A mimo to wyglądałam, tak jakby któregoś dnia mógł się tam pojawić ten sam człowiek, który – tym razem ubrany – wyjdzie spokojnie z budynku, bo został wyleczony, i będzie wracał do domu, tam gdzie mieszkał przed chorobą.

Przez następne tygodnie mieliśmy w laboratorium mnóstwo pracy, ja oczywiście również. Dlatego trudniej mi było podsłuchiwać: naukowcy odbywali teraz znacznie więcej zebrań, wiele pod przewodnictwem doktora Wesleya, więc doktoranci mieli znacznie mniej czasu na plotkowanie w kącie o tym, co usłyszeli na zebraniach.

Dopiero po kilku dniach zorientowałam się, że nawet starsi naukowcy są zdumieni tym, co się dzieje. Wielu miało stopnie doktorskie i wyższe już podczas epidemii roku siedemdziesiątego, ale wówczas państwo nie było jeszcze tak silne jak teraz, dlatego dziwiła ich, a wręcz denerwowała ciągła i coraz liczniejsza obecność rządowców w instytucie: zarówno tych trojga, których spotkałam na dachu, jak i wielu innych, z różnych ministerstw. To oni mieli organizować reakcję na chorobę, przejmując nie tylko nasze laboratorium, ale wszystkie laboratoria Uniwersytetu Rockefellera.

Nowa choroba jeszcze nie miała nazwy, ale i tak mieliśmy surowy zakaz omawiania jej z kimkolwiek. Za złamanie tego zakazu groziło oskarżenie o zdradę stanu. Po raz pierwszy ucieszyłam się, że nie rozmawiam już z Davidem, gdyż nigdy dotąd nie miałam okazji utrzymywać sekretu przed przyjacielem i nie wiedziałam, jak bym sobie z tym poradziła. A tak – nie było problemu.

Odkąd przestałam widywać się z Davidem, wznowiłam czwartkowe śledzenie męża. Niewiele odkryłam ponad to, co widziałam już przedtem: mój mąż podchodzi do drzwi domu przy ulicy Bethune, puka w szczególny sposób, mówi w uchylone okienko coś, czego nie słyszę, a potem znika w środku. Mimo to śledziłam go nadal spod schodów domu naprzeciwko. Raz drzwi uchyliły się nieco szerzej niż zwykle i ujrzałam osobę stojącą wewnątrz – białego mężczyznę, mniej więcej w wieku mojego męża, o ciemnoblond włosach: wystawił głowę przez szparę w drzwiach, rozejrzał się pospiesznie w lewo i w prawo, po czym zamknął drzwi z powrotem. Po zamknięciu się drzwi czekałam zwykle jeszcze kilka minut, czy nie zdarzy się nic więcej, ale nigdy się nie zdarzało. Potem wracałam do domu.

W zasadzie wszystko wróciło do normy sprzed poznania Davida, a jednak wszystko było inaczej, bo kiedy przyjaźniłam się z Davidem, czułam się kimś innym, a teraz, straciwszy go, z trudem przypominałam sobie, kim właściwie jestem.

Pewnego wieczoru, jakieś sześć tygodni po moim ostatnim spotkaniu z Davidem, jadłam z mężem kolację, gdy zapytał mnie znienacka:

– Kobra, czy ty się dobrze czujesz?

– Tak – odpowiedziałam. Przypomniałam sobie, żeby dodać: – Dziękuję.

– A jak tam David? – zagadnął po chwili milczenia.

Podniosłam na niego wzrok.

– Dlaczego pytasz?

Wzruszył jednym ramieniem.

– Tak sobie – odpowiedział. – Okropnie teraz gorąco; spacerujecie jeszcze czy spędzacie więcej czasu w centrum?

– Już się nie przyjaźnimy – odparłam, a siedzący naprzeciw mnie mąż zamilkł na chwilę.

– Przykro mi, Kobra – powiedział. Tym razem to ja wzruszyłam ramionami. Nagle ogarnęła mnie wściekłość. Byłam wściekła na męża, że nie jest zazdrosny o Davida i naszą przyjaźń, że nie przyjął z ulgą wiadomości o końcu tej przyjaźni; że w ogóle nie jest zdziwiony.

– Dokąd chodzisz w wolne noce? – zagadnęłam go, z satysfakcją obserwując jego zakłopotanie. Opadł plecami na oparcie krzesła.

– Odwiedzam przyjaciół – odrzekł po chwili milczenia.

– I co z nimi robisz? – spytałam, a on znów zamilkł.

– Rozmawiamy – powiedział w końcu. – Gramy w szachy.

Zamilkliśmy oboje. Wciąż byłam zła; wciąż chciałam zadawać mu pytania. Ale miałam ich tyle, że nie wiedziałam, od którego zacząć. Zresztą wystraszyłam się: a jeżeli powie mi coś, czego wolę nie słyszeć? A jeżeli się na mnie rozzłości i zacznie krzyczeć? A jeżeli wybiegnie z mieszkania? Wtedy zostałabym sama i nie wiedziałabym, co robić.

Po dłuższej chwili wstał i zaczął sprzątać ze stołu. Tego wieczoru jedliśmy koninę, ale żadne z nas nie dokończyło porcji. Wiedziałam, że mąż zawinie resztki w papier, bo kości przydadzą się do poprawienia smaku owsianki.

To był wtorek, a więc mój wolny wieczór. Skierowałam się do sypialni, a mąż zostawił naczynia, chcąc przynieść mi radio, ale go powstrzymałam.

– Nie mam ochoty słuchać radia – powiedziałam. – Chce mi się spać.

– Kobra – rzekł mąż, podchodząc bliżej – na pewno nic ci nie jest?

– Na pewno.

– Przecież płaczesz – powiedział, chociaż ja wcale tego nie czułam. – Czy... czy David sprawił ci jakąś przykrość? Kobra?

– Nie, nie sprawił mi przykrości. Jestem po prostu bardzo zmęczona i chcę zostać sama, jeśli pozwolisz.

Usunął mi się z drogi, więc udałam się do łazienki, a potem do łóżka. Mąż wszedł do sypialni po paru godzinach. Na ogół nie kładł się tak wcześnie, ale oboje pracowaliśmy do późna, więc był bardzo zmęczony, podobnie jak ja. Wczoraj o świcie obudził nas jakiś nalot. Chociaż oboje byliśmy przemęczeni, tylko mąż zaraz zasnął z powrotem – ja już nie spałam: obserwowałam przesuwające się po suficie smugi świateł reflektorów. Wyobraziłam sobie mojego męża w domu przy ulicy Bethune, grającego z kimś w szachy, ale chociaż tak ogromnie się starałam, w myślach jawiło mi się wnętrze identyczne z naszym mieszkaniem, a osobą, która grała w szachy z moim mężem, nie był mężczyzna, który otworzył mu drzwi, lecz David.

W połowie lipca czułam się tak, jakbym żyła w dwóch światach. W laboratorium zaszły gruntowne zmiany: na dachu Gmachu Larssona powstało biuro zespołu epidemiologów z ministerstwa zdrowia, a odcinek najszerszego podziemnego tunelu przerobiono na biuro pracowników ministerstwa spraw wewnętrznych. Naukowcy przemykali się ze strapionymi minami. Nawet doktoranci siedzieli cicho. Wiedziałam jedynie, że to, co wykryto, jest niezwykle groźne, do tego stopnia, że przyćmiło nawet emocje związane z samym odkryciem.

Za to poza Uniwersytetem Rockefellera życie toczyło się normalnie. Wahadłowiec przywoził mnie do pracy; wahadłowiec odwoził mnie do domu. W sklepach był towar, a pewnego tygodnia nawet konina została przeceniona, jak to się czasem zdarzało w sytuacjach nadmiernej podaży mięsa z fabryk na dalekim zachodzie. W radiu o właściwych porach grała muzyka i o właściwych porach nadawano biuletyny. Nie było widać przygotowań, jakie czyniono przed chorobą roku siedemdziesiątego, o czym uczyłam się w szkole: nie zwiększono liczebności personelu wojskowego, nie rekwirowano budynków, nie zarządzono godziny policyjnej. W weekendy plac jak zwykle zapełniał się ludźmi. Chociaż David przestał na mnie czekać, ja wciąż co sobota o tej godzinie, o której się kiedyś spotykaliśmy, wystawałam przy frontowych drzwiach i wyglądałam przez szybkę, wypatrując jego tak jak dawniej on mnie. Ale nigdy się nie pokazał. Kilka razy przeszło mi przez myśl, że może trzeba było kupić tajemniczy proszek od handlarki i zgodnie z jej instrukcją ukradkiem dosypać go Davidowi do napoju, ale zaraz przypominałam sobie, że to nie David przestał spotykać się ze mną, ale to ja postanowiłam nigdy więcej nie widywać się z nim. Wtedy miałam ochotę wyjść na plac i dać się znowu znaleźć tamtej handlarce, żeby wziąć od niej proszek – nie tamten, który miał mi zapewnić miłość Davida, tylko inny: proszek, który dałby mi wiarę w to, że w ogóle ktokolwiek może mnie pokochać.

Jedyną chyba zmianą, jaka zaszła poza miejscem pracy, było to, że mój mąż spędzał w domu więcej czasu niż zwykle, najczęściej przesypiając go w swoim łóżku albo drzemiąc na kanapie. Zdarzało mu się nawet w wolne noce wracać do domu wcześniej i wtedy słyszałam, jak powoli, jak ciężko się porusza. Zazwyczaj stąpał lekko, ale teraz jego chód się zmienił, a kładąc się do łóżka, stękał cicho, jakby go coś bolało. Często też miał obrzękłą twarz. Pracował w nadgodzinach przy Stawie, podobnie jak ja w laboratorium, ale nie miałam pojęcia, czy wie to, co ja wiem, nawet jeśli wiedziałam bardzo mało. Pracownicy Stawu i Farmy wykonywali zadania najwyższej wagi, ale jakie dokładnie, tego nie wiedziałam ani ja, ani najczęściej oni sami. Być może mój mąż zostawał na nadgodziny, bo na przykład jakieś laboratorium – może nawet laboratorium Uniwersytetu Rockefellera – pilnie zażądało pobrania materiału z konkretnej rośliny, ale tak jak ja nie wiedziałam, w jakim celu preparuję myszy, tak i on nie wiedział, w jakim celu sporządza próbkę. Po prostu kazano mu to zrobić, więc robił. Różnica między nami polegała na tym, że ja nie byłam ciekawa, dlaczego każe mi się zrobić to czy owo; wystarczała mi świadomość, że moja praca jest potrzebna, użyteczna i ktoś musi ją wykonać. Za to mój mąż był dwa lata przed doktoratem, gdy ogłoszono go wrogiem państwa i wydalono z uniwersytetu – jego ciekawiło, dlaczego zleca mu się konkretne prace. Może nawet miałby ochotę wypowiedzieć własną opinię. Ale nigdy nie będzie miał do tego okazji.

Pamiętam, jak kiedyś rozzłościła mnie lekcja z Dziadkiem. Rozmawialiśmy o pytaniach, jakie należy zadawać innym ludziom. Często złościłam się na naszych lekcjach, bo przypominały mi one o tym, jak trudno jest mi robić i mówić rzeczy, które innym ludziom zdają się przychodzić z taką łatwością. „Nie umiem zadawać właściwych pytań" – poskarżyłam się Dziadkowi, chociaż nie to właściwie chciałam mu powiedzieć, ale tego, co naprawdę chciałam powiedzieć, nie umiałam sformułować.

Dziadek pomilczał wtedy dłuższą chwilę.

– Nieraz – rzekł wreszcie – niezadawanie pytań jest dobre, koteczku. Niezadawanie pytań może zapewnić ci bezpieczeństwo. – Potem popatrzył na mnie, naprawdę uważnie, jakby zapamiętywał moją twarz, której więcej nie zobaczy. – Ale czasami trzeba pytać, nawet jeżeli jest to niebezpieczne. – I znowu zamilkł. – Zapamiętasz to sobie, koteczku?

– Tak – odpowiedziałam.

Następnego dnia w pracy poszłam do doktora Morgana. Był najstarszym adiunktem w naszym laboratorium i nadzorował wszystkich techników. Ale doktoranci nie chcieli się do niego upodobnić. Nieraz słyszałam, jak mówią między sobą: „Niech Bóg broni, żebym stał się taki jak Morgan". To dlatego, że doktor Morgan nie miał własnego laboratorium i wciąż pracował dla doktora Wesleya, chociaż rozpoczął pracę siedem lat temu. Oboje rozpoczęliśmy pracę w laboratorium doktora Wesleya w tym samym roku. Dziadek mi mówił, że w każdym laboratorium jest przynajmniej jeden adiunkt, który nigdy nie odchodzi i trwa latami na swoim stanowisku, ale nie powinnam im nigdy tego wytykać ani pytać, dlaczego nie zmienią miejsca pracy.

Więc nie wytykałam i nie pytałam. Doktor Morgan był dla mnie zawsze miły. W przeciwieństwie do wielu innych naukowców z naszego laboratorium zawsze witał się ze mną na korytarzu. Mimo to rzadko z nim rozmawiałam, chyba że chodziło o zezwolenie na wcześniejsze wyjście albo późniejsze przyjście do pracy, a ponieważ nie wiedziałam, jak się do niego zwracać, czekałam zawsze w pobliżu jego stanowiska, gdy większość laborantów wyszła na lunch, niezbyt wiedząc, co robić, i mając nadzieję, że w końcu oderwie oczy od pracy i mnie zauważy.

Tak też się stało.

– Ktoś mnie podgląda – powiedział i odwrócił się. – Charlie. A co ty tu robisz?

– Przepraszam, doktorze Morgan – wyjąkałam.

– Czy coś się stało? – zaniepokoił się.

– Nie – uspokoiłam go. Ale nie wiedziałam, co dalej mówić. – Doktorze Morgan – wypaliłam znienacka, uprzedzając paraliżujący strach. – Może mi pan powiedzieć, co się dzieje?

Doktor Morgan popatrzył mi w oczy, a ja jemu. Jakoś zawsze przypominał mi Dziadka, chociaż właściwie nie wiem dlaczego: był przecież znacznie młodszy niż Dziadek, zaledwie kilka lat starszy ode mnie. Należał do innej rasy. I w przeciwieństwie do Dziadka nie był ani sławny, ani wpływowy. Ale nagle olśniło mnie, w czym są podobni: doktor Morgan też zawsze odpowiadał na moje pytania – inne osoby z laboratorium, nawet gdy je o coś pytałam, odpowiadały, że i tak nie zrozumiem, ale doktor Morgan nigdy tak nie mówił.

– To choroba odzwierzęca i z całą pewnością gorączka krwotoczna – odrzekł po chwili. – A przenosi się zarówno drogą kropelkową, jak i przez płyny ustrojowe, co sprawia, że jest niezwykle zaraźliwa. Nie mamy jeszcze jasności co do jej okresu inkubacji, nie wiemy także, jaki jest czas trwania choroby od jej stwierdzenia do śmierci pacjenta. Pojawiła się w Brazylii. W naszym kraju pierwszy przypadek wykryto około miesiąca temu w Prefekturze Szóstej. – Nie musiał dodawać, że był to szczęśliwy traf, jako że Prefektura Szósta była najsłabiej zaludniona z wszystkich prefektur. – Od tamtego czasu mamy sygnały, że choroba się rozprzestrzenia; nie wiadomo jeszcze, jak szybko. To wszystko, co mogę powiedzieć.

Nie zapytałam, czy dlatego, że więcej nie wie, czy dlatego, że mu nie wolno. Podziękowałam i wróciłam do swojego sektora, żeby spokojnie przemyśleć to, co usłyszałam.

Wiem, że przede wszystkim narzuca się pytanie, jak ta choroba do nas dotarła. Jednym z powodów tego, że od blisko dwudziestu czterech lat nie mieliśmy pandemii, było, jak już wspomniałam, zamknięcie przez państwo wszystkich granic połączone z zakazem podróży zagranicznych. Wiele innych krajów postąpiło podobnie. Dokładnie mówiąc, w siedemnastu zaledwie krajach – Nowej Brytanii, grupie państw Starej Europy i grupie państw Azji Południowo-Wschodniej – dominowali obrońcy prawa swobodnego przemieszczania się obywateli.

Zakaz wjazdu i wyjazdu z kraju nie oznaczał jednak, że rzeczywiście nikt nie przekraczał granicy. Na przykład cztery lata temu krążyła plotka, że w kontenerze na statku, który przybił do portu w Prefekturze Trzeciej, znaleziono pasażera na gapę z Indii. Zresztą Dziadek zawsze powtarzał, że wirus może przemycić się w gardle każdego stworzenia: oczywiście człowieka, ale również nietoperza, żmii albo pchły (to takie powiedzonko, bo przecież żmije i pchły nie mają gardeł). Wystarczy jeden osobnik, jak mawiał doktor Wesley.

Inna teoria, z którą bynajmniej się nie utożsamiam – chociaż wielu ją popiera – głosi, że choroby to sprawka państwa, że połowa pracy instytutów badawczych, w tym Uniwersytet Rockefellera, pracuje nad wytwarzaniem nowych chorób, a druga połowa nad ich zwalczaniem i że rząd, kiedy jest mu to na rękę, wypuszcza którąś z tych nowych chorób między ludzi. Proszę mnie nie pytać, skąd znam tę teorię, bo nie potrafię na to pytanie odpowiedzieć – po prostu ją znam. Na pewno wyznawał ją mój ojciec, którego między innymi za to ogłoszono wrogiem państwa.

Od dawna stykałam się z takimi poglądami, ale ich nie podzielałam. Jeżeli były słuszne, to dlaczego rząd nie wywołał epidemii w roku osiemdziesiątym trzecim albo w osiemdziesiątym ósmym, kiedy wybuchały powstania? Gdyby tak się stało, Dziadek jeszcze by żył, a ja mogłabym z nim rozmawiać.

Nigdy bym się do tego nie przyznała, ale nieraz życzyłam sobie następnej przywleczonej z daleka choroby. Nie chciałam, żeby ludzie umierali, ale byłby to w końcu jakiś dowód. Chciałam mieć pewność, że gdzieś są inne miejsca, inne kraje, w których też żyją ludzie podróżujący wahadłowcami, pracujący w laboratoriach i szykujący klops z nutrii na kolację. Wiedziałam, że nigdy tych miejsc nie odwiedzę – nawet nie *chciałam* mieć takiej możliwości.

Chciałam jedynie mieć pewność, że istnieją, że wszystkie te kraje, które zwiedził Dziadek, wszystkie ulice, po których chodził, są wciąż na miejscu. Czasami nawet miałam ochotę poudawać, że Dziadek wcale nie umarł, że nie widziałam na własne oczy, jak go zabijali, ale że jedynie przeleciał przez otwór w platformie i spadł prosto w środek jednego z miast, które odwiedził w młodości: Sydney, Kopenhagi, Szanghaju czy Lagos. Może tam teraz był i myślał o mnie, bo chociaż nadal bym za nim tęskniła, tak samo mocno, to wystarczyłoby mi wiedzieć, że Dziadek wciąż żyje, że o mnie pamięta, siedząc w jakimś obcym miejscu, którego ja nie umiem sobie nawet wyobrazić.

W następnych tygodniach zaczęłam dostrzegać pewne zmiany. Nie jakieś drastyczne – nie widziało się sznurów ciężarówek transportowych ani mobilizacji wojska – a jednak nie było wątpliwości, że coś się dzieje.

Większość działań przeprowadzano nocą, więc z rana, jadąc wahadłowcem w kierunku północnym na Uniwersytet Rockefellera, zauważałam różnice. I tak pewnego ranka w punkcie kontrolnym zatrzymali nas dłużej niż zwykle; jeszcze innego dnia pojawił się żołnierz, który przed wejściem do wahadłowca mierzył wszystkim temperaturę nowoczesnym urządzeniem, jakiego jeszcze nie widziałam. „Przechodzić, przechodzić – poganiał nas, ale bez złości, a nawet, chociaż nikt z nas nie pytał, wyjaśnił: – To tylko nowy sprzęt, który testujemy na polecenie rządu". Następnego dnia tego żołnierza już nie było; jego miejsce zajął inny, który stał z ręką na rękojeści broni i obserwował nas wsiadających do wahadłowca. „Stać! Co to jest?" – zwrócił się do mężczyzny z plamą koloru rozgniecionych winogron na policzku. „Znamię" – odrzekł tamten, zupełnie nieprzestraszony, a żołnierz wyjął z kieszeni jakieś urządzenie i oświetlił latarką naznaczony policzek. Odczytał wynik na urządzeniu, kiwnął głową i końcem lufy skierował mężczyznę do wahadłowca.

Nie wiem, co zauważali inni pasażerowie na mojej trasie. Z jednej strony w Strefie Ósmej zmieniło się tak niewiele, że nie sposób było przeoczyć tych zmian, które się dokonały. Z drugiej jednak strony większość ludzi nie wypatrywała zmian. Zakładam jednak, że większość nas wiedziała albo podejrzewała, co się dzieje. Wszyscy przecież pracowaliśmy w państwowych placówkach badawczych; przypuszczam, że pracownicy instytutów nauk biologicznych wiedzieli więcej niż ci, którzy pracowali przy Stawie albo na Farmie. Tak czy owak, nikt z nas nic nie mówił. Łatwo było uwierzyć, że nic się nie dzieje – wystarczyło się trochę postarać.

Pewnego dnia jechałam wahadłowcem, siedząc na swoim stałym miejscu, i wyglądałam przez okno, gdy nagle ujrzałam Davida. Był w swoim szarym kombinezonie i szedł Szóstą Aleją. Zaraz mieliśmy się zatrzymać na punkcie kontrolnym przy ulicy Czternastej, a gdy już staliśmy w kolejce, zobaczyłam, jak David skręca w prawo w ulicę Dwunastą, oddala się na zachód i znika mi z oczu.

Wahadłowiec posuwał się powoli, a ja odwróciłam się i patrzyłam do tyłu. Uświadomiłam sobie, że to nie mógł być David; jego wahadłowiec przejechał godzinę wcześniej – David z pewnością jest już w pracy na Farmie.

A jednak miałam wewnętrzną pewność, że widziałam właśnie jego, chociaż było to niemożliwe. Po raz pierwszy poczułam coś na kształt lęku w związku z tym, co się działo – z chorobą, z moją ograniczoną wiedzą na jej temat, z najbliższą przyszłością. Nie bałam się, że sama zachoruję; nie jestem pewna dlaczego. Ale tamtego dnia, jadąc wahadłowcem, doznałam dziwacznego uczucia, że świat naprawdę się rozszczepił i w jednym świecie jadę wahadłowcem do instytutu, by zająć się embrionami, a w drugim świecie David zmierza całkiem gdzie indziej, do miejsca, którego nigdy nie widziałam ani o nim nie słyszałam, tak jakby Strefa Ósma była w istocie znacznie większa, niż mi się zdawało, i jakby były w niej takie miejsca, o których wszyscy wiedzą, tylko ja jedna nie.

O Dziadku pamiętałam bez przerwy, ale były dwa dni, kiedy myślałam o nim szczególnie intensywnie. Pierwszy to dwudziesty września – dzień, w którym go zabili. Drugim był czternasty sierpnia – dzień, w którym mi go zabrali, ostatni dzień, który z nim spędziłam, i chociaż wiem, że to zabrzmi dziwnie, ta data była dla mnie jeszcze trudniejsza niż dzień jego śmierci.

Towarzyszyłam mu tamtego popołudnia. Była sobota i Dziadek przyszedł po mnie do mieszkania, które dawniej było nasze wspólne, a teraz należało do mnie i mojego męża. Dopiero od czwartego lipca byłam mężatką i małżeństwo wydawało mi się z wielu względów dziwne i trudne, ale najdziwniejsze i najtrudniejsze było to, że nie mogłam codziennie widywać Dziadka. Przesiedlili go do maleńkiego mieszkanka w bloku na wschodnim skraju strefy, gdzie przez pierwsze dwa tygodnie małżeństwa przychodziłam codziennie po pracy i czasami musiałam czekać kilka godzin na powrót Dziadka do domu. Za każdym razem witał mnie z uśmiechem, ale i kręcił głową.

– Koteczku – mówił, gładząc mnie po włosach – nigdy nie będzie ci łatwiej, jeżeli będziesz dalej przychodziła tutaj co wieczór. Poza tym mąż będzie się o ciebie martwił.

– Nie będzie – zapewniałam go. – Powiedziałam mu, że idę do ciebie.

Dziadek wzdychał.

– No, wejdź na górę – mówił i szliśmy na górę, w mieszkaniu Dziadek odstawiał teczkę i częstował mnie szklanką wody, a potem odprowadzał mnie do domu. Po drodze wypytywał o pracę, o męża, o to, czy dobrze czujemy się w mieszkaniu.

– Nadal nie rozumiem, dlaczego musiałeś się wyprowadzić – skarżyłam się.

– Już ci tłumaczyłem, koteczku – mówił łagodnie Dziadek. – Dlatego że to jest twoje mieszkanie. I dlatego że wyszłaś za mąż; nie chciałabyś chyba trzymać się wiecznie starego dziadka?

Całe szczęście, że w dalszym ciągu spędzałam z Dziadkiem przynajmniej wszystkie weekendy. Co piątek mąż i ja zapraszaliśmy go do nas na kolację, podczas której oni omawiali zawiłe kwestie naukowe, które ja przestawałam rozumieć po pierwszych dziesięciu minutach. A potem, w sobotę i niedzielę, byliśmy już tylko we dwoje. Dziadek miał wtedy poważne kłopoty w pracy – pół roku wcześniej powstańcy zajęli stolicę i urządzali tam masowe wiece, odgrażając się, że całą technologię oddadzą w ręce ludu, a przywódców reżimu przykładnie ukarzą. Bałam się o Dziadka, który zaliczał się do reżimu. Nie wiedziałam, czy jest przywódcą, ale na pewno był ważny. Na razie jednak nie działo się nic strasznego poza tym, że rząd wprowadził godzinę policyjną o 23.00. Wszystko inne było po staremu. Zaczynałam już nawet myśleć, że w końcu nic się nie zmieni, skoro jeszcze się nie zmieniło. Było mi wszystko jedno, kto rządzi państwem. Tak czy owak, byłam zwyczajną obywatelką i nie do mnie należało zamartwianie się takimi sprawami.

Sobota 14 sierpnia przebiegała jak zwyczajny dzień. Było niezmiernie gorąco, więc umówiliśmy się z Dziadkiem o 14.00 w centrum i wysłuchaliśmy koncertu kwartetu smyczkowego. Potem Dziadek kupił mnie i sobie mrożone mleko i zasiedliśmy przy jednym ze stolików, żeby je jeść małymi łyżeczkami. Dziadek spytał, co u mnie w pracy i czy lubię doktora Wesleya, który kiedyś u niego pracował, ale to było wiele lat temu. Powiedziałam, że lubię pracę i że doktor Wesley jest w porządku (jedno i drugie było prawdą), a Dziadek pokiwał głową.

– To dobrze, koteczku – rzekł. – Miło mi to słyszeć.

Posiedzieliśmy jeszcze trochę w klimatyzowanym wnętrzu, a potem Dziadek powiedział, że najgorszy upał już minął i można by wyjść na plac i popatrzeć, co oferują handlarze, co czasem robiliśmy przed moim powrotem do domu.

Byliśmy już zaledwie trzy przecznice od północnego wejścia na plac, kiedy zrównała się z nami furgonetka i wysiedli z niej trzej mężczyźni w czerni.

– Doktor Griffith – powiedział jeden z nich do Dziadka, który słysząc nadjeżdżający samochód, przystanął z dłonią na moim ramieniu, wziął mnie za rękę, ścisnął i odwrócił twarzą do siebie.

– Muszę pójść z tymi panami, koteczku – oznajmił spokojnie.

Nie zrozumiałam. Zdawało mi się, że zaraz zemdleję.

– Nie, Dziadku, nie – zaprotestowałam.

Poklepał wierzch mojej dłoni.

– Nie martw się, koteczku – powiedział. – Nic mi się nie stanie. Obiecuję.

– Wsiadać – rozkazał drugi mężczyzna, ale Dziadek go zlekceważył.

– Wracaj do domu – szepnął do mnie. – To tylko trzy przecznice stąd. Idź do domu i powiedz swojemu mężowi, że mnie zabrali, i nie przejmuj się, dobrze? Ja niedługo wrócę.

– Nie – powtórzyłam, a Dziadek puścił do mnie oko, po czym wsiadł do pudła furgonetki. – Nie, Dziadku. Nie, nie.

Dziadek wyjrzał, uśmiechnął się do mnie i zaczął coś mówić, ale ten, który kazał mu wsiadać, zatrzasnął drzwi, po czym wszyscy trzej mężczyźni usiedli z przodu i furgonetka odjechała.

Wtedy już krzyczałam; parę osób przystanęło i gapiło się na mnie, ale większość przechodziła obojętnie. Zbyt późno puściłam się w pogoń za furgonetką, która ruszyła na północ, ale szybko skręciła na zachód – było za gorąco, biegłam za wolno, wreszcie potknęłam się i upadłam. Przez chwilę siedziałam skulona na chodniku, kiwając się mechanicznie.

Wreszcie wstałam. Powlokłam się do naszego bloku i weszłam na górę do mieszkania. Mój mąż był w domu. Otworzył usta na mój widok, ale zanim zdążył coś powiedzieć, zrelacjonowałam mu, co się stało. Wtedy natychmiast zajrzał do szafy, wyciągnął z niej pudło z naszymi papierami i kilka z nich usunął. Potem z szuflady pod moim łóżkiem wyjął część naszych złotych monet. Włożył do wszystko do torby, a następnie nalał mi kubek wody.

– Pójdę sprawdzić, czy da się pomóc twojemu dziadkowi – powiedział. – Wrócę jak najprędzej, w porządku?

Kiwnęłam głową.

Cały wieczór czekałam na powrót męża, siedząc na kanapie w kombinezonie chłodzącym. Podrapane podczas upadku czoło swędziało mnie od zasychającej krwi. W końcu, bardzo już późno, tuż przed godziną policyjną, mąż wrócił.

– Gdzie Dziadek? – zapytałam, a on spuścił wzrok.

– Przykro mi, Kobra – powiedział. – Nie chcieli go wypuścić. Będę próbował dalej.

Wtedy zaczęłam jęczeć, jęczeć i kiwać się, a mąż po chwili przyniósł mi poduszkę z łóżka, żeby wchłaniała moje jęki, i usiadł na podłodze obok mnie.

– Będę próbował dalej, Kobra – powtórzył. – Zamierzam jeszcze próbować.

I próbował, a mimo to 15 września powiadomiono mnie, że Dziadek przegrał proces i czeka go egzekucja – pięć dni później został zabity.

Dzisiaj minęła szósta rocznica dnia aresztowania Dziadka, którą tradycyjnie uczcimy butelką soku o smaku winogronowym zakupioną w sklepie. Mój mąż naleje do dwóch szklanek, oboje wypowiemy głośno imię Dziadka i wychylimy toast.

Zawsze spędzałam ten dzień sama. Przez pięć lat każdego 13 sierpnia mąż stawiał mi pytanie: „Czy chcesz zostać jutro sama?", a ja odpowiadałam: „Tak", chociaż już od roku miałam wątpliwości, czy rzeczywiście mówię szczerze, czy może po prostu w ten sposób jest nam obojgu łatwiej. Gdyby mąż dla odmiany spytał mnie: „Czy dotrzymać ci jutro towarzystwa?", czy i na to nie odpowiedziałabym „Tak"? Nie miałam jak tego sprawdzić, gdyż wczoraj wieczorem zadał tradycyjne pytanie, na które ja tradycyjnie odpowiedziałam twierdząco.

W dniu rocznicy zawsze spałam jak najdłużej, bo dzięki temu miałam mniej czasu do zabicia. Gdy wreszcie około 11.00

wstawałam z łóżka, męża już dawno nie było, bo wyszedł do pracy. Jego łóżko jak zwykle było schludnie zasłane, w piecyku czekała na mnie miska owsianki przykryta drugą miską, odwróconą, żeby nie stężała. Wszystko było jak zawsze.

A jednak, gdy umyłam miskę po śniadaniu i szłam do łazienki, przed drzwiami wejściowymi na podłodze zauważyłam karteczkę. Gapiłam się na nią dłuższą chwilę, bo z jakiegoś powodu bałam się ją podnieść. Żałowałam, że nie ma męża, który mógłby mi pomóc. Nagle uświadomiłam sobie, że to może być liścik do mojego męża od osoby, która go kochała, i obleciał mnie jeszcze większy strach – miałam uczucie, że dotknięcie kartki będzie dowodem na istnienie tej osoby, która jakimś cudem dostała się do naszego budynku, weszła na nasze piętro i zostawiła kartkę. A później ogarnęła mnie złość, bo chociaż wiedziałam, że mąż mnie nie kocha, to oburzył mnie jego brak delikatności: jak mógł nie uprzedzić tej osoby, że akurat ten dzień był dla mnie najgorszym w życiu, że w każdą jego rocznicę myślałam tylko o mojej stracie i jej brutalnych okolicznościach? Z tej złości nachyliłam się i porwałam kartkę z podłogi.

I cała złość natychmiast mi przeszła, bo to nie był liścik do mojego męża. To był liścik do mnie.

Charlie – spotkaj się ze mną dzisiaj u naszego opowiadacza.

Podpisu brakowało, ale kartka mogła być tylko od Davida. Oszołomiona zaczęłam chodzić w kółko, zastanawiając się na głos, co powinnam zrobić. Za bardzo się wstydziłam, żeby się z nim spotkać: źle zrozumiałam jego uczucia i zachowałam się głupio. Kiedy o nim myślałam, przypominała mi się tylko mina, jaką zrobił, zanim wypuściłam go z objęć – nie pogardliwa, ale gorzej: uprzejma, nawet smutna, bardziej zawstydzająca, niż gdyby mnie odepchnął albo wyśmiał.

Ale tęskniłam za nim. Chciałam go widzieć. Chciałam znów poczuć to, co zawsze czułam, kiedy z nim byłam – to, co wcześniej czułam tylko przy Dziadku: że jestem kimś wyjątkowym, kimś ciekawym.

Krążyłam tak dość długo. Znowu pożałowałam, że w mieszkaniu nie ma nic, co mogłabym wyczyścić, poukładać, zrobić. Absolutnie nic. Godziny mijały powoli, tak wolno, że omal nie wybrałam się do centrum, żeby zająć czymś myśli, ale nie chciało mi się wkładać kombinezonu chłodzącego, a myśl o opuszczeniu mieszkania budziła we mnie niezrozumiałą niechęć.

Wreszcie nadeszła godzina 15.30. Chociaż dojście do namiotu opowiadacza miało mi zabrać pięć minut, czy nawet mniej, wyszłam już z domu. Dopiero w drodze olśniło mnie, że powinnam się zastanowić, skąd David znał mój adres i jak dostał się do naszego budynku, którego wejście otwierało się dwoma kluczami i skanem odcisku palca. Nagle stanęłam w miejscu, gotowa zawrócić – a jeśli mój mąż miał rację i David j e s t informatorem? Zaraz jednak przywołałam się do porządku: przecież ja nic nie wiem, jestem nikim, nie mam nic do ukrycia i nic do powiedzenia, a zresztą są inne wyjaśnienia. Na przykład mógł kiedyś widzieć, jak wchodzę do domu. Mógł wręczyć kartkę komuś z sąsiadów z prośbą o wsunięcie jej pod moje drzwi. Byłaby to wprawdzie nietypowa prośba, ale David był nietypowy. Moje myśli doprowadziły mnie jednak do nowych niemiłych pytań: dlaczego on chce się ze mną spotkać po tak długim czasie? Skoro wiedział, gdzie mieszkam, dlaczego nie próbował skontaktować się ze mną wcześniej?

Byłam tak pochłonięta własnymi myślami, że dopiero gdy ktoś do mnie przemówił, uprzytomniłam sobie, że stoję jak wryta tuż przed namiotem opowiadacza.

– Wchodzi pani? – zapytał asystent opowiadacza, więc kiwnęłam głową, weszłam do środka i rozłożyłam z tyłu na ziemi kawałek materiału do siedzenia.

Mościłam się właśnie z torbą u boku, gdy nagle poczułam, że ktoś przy mnie stoi, więc podniosłam oczy – to był David.

– Cześć, Charlie – powiedział i usiadł obok.

Serce biło mi bardzo szybko.

– Cześć – odpowiedziałam.

Dalsza rozmowa była niemożliwa, bo opowiadacz rozpoczął właśnie swoją historię.

Nie wiem, co to była za historia, ponieważ zupełnie nie mogłam się skupić – przez cały czas myślałam o swoich pytaniach i wątpliwościach – więc zdziwiłam się, słysząc oklaski, a wtedy David powiedział:

– Chodźmy na ławki.

Ławki tak naprawdę nie były ławkami, ale rzędem betonowych bloków użytych przed laty do powstrzymania tłumu. Po klęsce powstańców rząd pozostawił ich część przed budynkiem po wschodniej stronie placu i czasem ludzie, zwłaszcza staruszkowie, siadali tam, żeby oglądać spacerujących dookoła placu. Zaletą ławek było to, że stanowiły miejsce prywatne, chociaż stały w miejscu publicznym, i można było na nich chwilę odpocząć. Ich wadą było to, że się nagrzewały; latem parzyły w tyłek nawet przez kombinezon chłodzący.

David wybrał ławkę w południowym końcu. Przez dłuższą chwilę żadne z nas się nie odzywało. Oboje mieliśmy nałożone hełmy, lecz gdy podniosłam rękę, żeby rozpiąć pasek mojego, David mnie powstrzymał.

– Zostaw – powiedział. – Zostaw i patrz prosto przed siebie, nie reaguj na to, co ci powiem.

Usłuchałam.

– Charlie… – zaczął i urwał. – Charlie, coś ci powiem.

Miał teraz inny głos, poważniejszy, więc znowu się wystraszyłam.

– Gniewasz się na mnie? – spytałam.

– Nie – odpowiedział. – Coś ty. Po prostu chcę, żebyś mnie wysłuchała, zgoda?

I nieznacznie odwrócił do mnie głowę, a ja nieznacznie skinęłam, żeby pokazać, że zrozumiałam.

– Charlie, ja nie jestem stąd – powiedział.

– Wiem o tym. Jesteś z Prefektury Piątej.

– Nie – zaprzeczył. – Jestem… jestem z Nowej Brytanii. – Znów spojrzał na mnie przelotnie, ale miałam kamienną minę, więc mówił dalej: – Wiem, że to zabrzmi… dziwnie. Ale zostałem tutaj przysłany przez pracodawcę.

– Po co? – szepnęłam.

Teraz spojrzał mi prosto w oczy.

– Po ciebie – odrzekł. – Żeby cię odszukać. I mieć cię na oku tak długo, aż zrobi się bezpiecznie. – Ponieważ nic nie mówiłam, dodał: – Wiesz, że nadciąga nowa choroba.

Przez moment byłam w takim szoku, że nie mogłam mówić. Skąd David wiedział o chorobie?

– To prawda? – wykrztusiłam.

– Tak. To prawda. Będzie bardzo, bardzo źle. Tak źle jak w roku siedemdziesiątym, a nawet gorzej. Ale nie dlatego musimy natychmiast wyjechać, chociaż to oczywiście komplikuje sprawę.

– Słucham? – nie dowierzałam własnym uszom. – Wyjechać?

– Patrz przed siebie, Charlie – wyszeptał, a ja przybrałam poprzednią postawę. Nieroztropnie było okazywać złość lub zaniepokojenie. – Żadnych złych emocji – przypomniał mi David i znów zamilkliśmy oboje.

– Pracuję u kogoś, kto był bliskim przyjacielem twojego dziadka – zaczął mówić David. – Najbliższym przyjacielem. Twój dziadek przed śmiercią poprosił mojego pracodawcę, żeby wydostał cię z tego kraju, i od sześciu lat usiłujemy spełnić jego prośbę. Na początku tego roku wydawało się wreszcie, że będzie to możliwe, że znajdziemy jakieś wyjście. No i znaleźliśmy. Teraz możemy cię stąd wywieźć w jakieś bezpieczne miejsce.

– Kiedy ja mam bezpieczne miejsce tutaj – zaprotestowałam, odzyskawszy głos. Znów poczułam ruch jego głowy w moją stronę.

– Nie, Charlie – rzekł. – Nie jesteś tu bezpieczna. Nigdy nie będziesz bezpieczna tutaj. A swoją drogą – dorzucił, poprawiając się na betonowym siedzisku – nie masz ochoty na inne życie, Charlie? Gdzieś, gdzie możesz być wolna?

– Jestem wolna tutaj – wtrąciłam, ale David mówił dalej.

– Gdzieś, gdzie mogłabyś… no nie wiem, czytać książki, podróżować, chodzić, gdzie chcesz? Gdzieś, gdzie można… nawiązywać przyjaźnie?

Zatkało mnie.

– Już mam przyjaciół tutaj – oświadczyłam po chwili, a gdy nie odpowiedział, dodałam: – We wszystkich krajach jest tak samo.

Tym razem odwrócił się do mnie i przez wizjer dostrzegłam jego oczy, które były duże i ciemne jak oczy mojego męża i patrzyły prosto na mnie.

– Nie, Charlie – rzekł łagodnie. – Nie jest.

Wtedy wstałam. Czułam się dziwnie – wszystko działo się za szybko.

– Muszę już iść – powiedziałam. – Nie wiem, po co mi mówisz takie rzeczy, David. Nie wiem po co, ale to, co mówisz, jest zdradą stanu. Takie myślenie jest zdradzieckie. – Oczy mnie piekły, zaczęło kapać mi z nosa. – Nie wiem, czemu to robisz – mówiłam coraz głośniej i z narastającą paniką. – Nie wiem, nie wiem.

A David zerwał się z miejsca i zrobił coś nadzwyczajnego. Przyciągnął mnie do siebie, przytulił mocno i nic nie mówił, a ja po chwili odwzajemniłam jego uścisk i chociaż zrazu trochę się wstydziłam, wyobrażając sobie, jak ludzie na nas patrzą, to szybko przestałam o nich myśleć.

– Charlie – powiedział gdzieś nad moją głową David. – Wiem, że to szok dla ciebie. Wiem, że mi nie wierzysz. Wszystko to wiem. Przepraszam cię. Żałuję, że nie mogę ci niczego ułatwić. – Poczułam, że wsuwa coś do kieszeni mojego kombinezonu chłodzącego, coś małego i twardego. – Otworzysz to dopiero w domu, gdy będziesz sama – powiedział. – Zrozumiałaś? Tylko wtedy, gdy będziesz miała absolutną pewność, że nikt cię nie obserwuje; nawet twój mąż. – Kiwnęłam głową, uderzając w jego klatkę piersiową. – Więc dobrze – powiedział. – Teraz się rozdzielimy: ja pójdę na zachód, a ty idź dalej na północ, prosto do domu. Przyślę ci wiadomość o miejscu naszego następnego spotkania, zgoda?

– Jak?

– O to się nie martw – odpowiedział. – Wiedz tylko, że przyślę. A jeśli to, co masz w kieszeni, cię nie przekona, to po prostu nie przychodź na spotkanie. Chociaż, Charlie… – Zaczerpnął tchu, poczułam, jak jego brzuch się zasysa. – Mam nadzieję, że przyjdziesz. Dałem słowo mojemu pracodawcy i nie powrócę do Nowej Brytanii bez ciebie.

Opuścił gwałtownie ramiona i odszedł w kierunku zachodnim: nie za szybko, nie za wolno, jak każdy inny amator zakupów na placu.

Ja stałam tam jeszcze kilka sekund. Miałam dziwne uczucie, że wszystko, co się stało, było snem i że wciąż śnię. Ale nie śniłam. Słońce nade mną było białe, żarliwe; czułam pot ściekający mi po biodrze.

Nastawiłam kombinezon na maksimum chłodzenia i postąpiłam tak, jak mi poradził David. Kiedy jednak znalazłam się w mieszkaniu, za bezpiecznie zaryglowanymi drzwiami, i zdjęłam z głowy hełm, zdawało mi się, że zaraz zemdleję, więc usiadłam tam, gdzie stałam, na podłodze, i oparłam się plecami o drzwi, oddychając łapczywie, dopóki nie poczułam się lepiej.

Wreszcie wstałam. Sprawdziłam wszystkie zamki w drzwiach, a potem zawołałam męża po imieniu, chociaż było oczywiste, że nie ma go w domu. Na wszelki wypadek sprawdziłam wszystkie pomieszczenia: kuchnię, salon, naszą sypialnię, łazienkę. Pozaglądałam nawet do szaf. Następnie wróciłam do salonu. Spuściłam żaluzje w oknach, z których jedno wychodziło na zaplecze innego budynku, a drugie na szyb wentylacyjny. Dopiero wtedy usiadłam na kanapie i sięgnęłam do kieszeni.

Paczuszka miała rozmiary orzecha włoskiego: wewnątrz było coś twardego, zawiniętego w brązowy papier i oklejonego taśmą. Po zdrapaniu taśmy stwierdziłam, że pod pierwszą warstwą papieru znajduje się druga warstwa, a pod nią jeszcze cienka biała bibułka, którą też zdarłam. W dłoni została mi mała czarna sakiewka z miękkiej, gęstej tkaniny, ściągnięta sznurkiem. Rozluźniłam sznurek, podstawiłam drugą dłoń i wytrząsnęłam na nią zawartość sakiewki: sygnet Dziadka.

Jeszcze przed chwilą nie miałam żadnych oczekiwań, teraz jednak uświadomiłam sobie, że powinnam była się bać, bo przecież mogłam nieść w kieszeni cokolwiek: ładunek wybuchowy, fiolkę z wirusami, Muchę.

W pewnym sensie sygnet był jeszcze gorszy. Nie umiem wyjaśnić dlaczego, ale spróbuję. Dowiadywałam się oto, że stan rzeczy, którego byłam pewna, jest w istocie inny. Nie pierwszy raz oczywiście: David powiedział mi przecież, że nie jest tym, za kogo się podaje. Ale umiałam mu nie wierzyć, dopóki nie ujrzałam sygnetu. Dziadek nazywał tę cechę „wiarygodną zaprzeczalnością": możesz udawać, że czegoś nie wiesz, chociaż to wiesz. Jeśli więc David powiedział mi prawdę o sobie, to czy inne rzeczy, które mi mówił, też były prawdą? Skąd wiedział o chorobie? Czy naprawdę został tu przysłany, żeby mnie odnaleźć?

Czy inne kraje jednak różniły się od naszego?

Kim był David?

Patrzyłam na sygnet, tak samo ciężki, jak go zapamiętałam, z perłową pokrywką tak samo gładką i połyskliwą. „To się nazywa macica perłowa – tłumaczył mi Dziadek. – Jest ona rodzajem węglanu wapnia wytwarzanym przez mięczaki, które obudowują jej warstwami coś, co im przeszkadza, dajmy na to, drobinkę piasku, we wnętrzu muszli. Jak widzisz, jest bardzo wytrzymała".

– Czy ludzie też mogą wytwarzać macicę perłową? – spytałam, a Dziadek się uśmiechnął.

– Nie – odparł. – Istoty ludzkie muszą się chronić innymi sposobami.

Minęło prawie dwadzieścia lat, odkąd widziałam ten sygnet, a teraz zaciskałam go w garści. Był ciepły i solidny. „Musiałem podarować go dobrej wróżce – mówił Dziadek. – Dobrej wróżce, która czuwała nad tobą, gdy byłaś chora". Chociaż zawsze wiedziałam, że żartuje, chociaż wiedziałam, że dobre wróżki nie istnieją, to najbardziej chyba zasmucało mnie coś innego: to, że Dziadek nie musiał przecież płacić za to, żebym do niego powróciła. Że powróciłam do niego sama z siebie; że niepotrzebnie odesłał sygnet gdzieś daleko, do kogoś innego, a teraz sygnet powrócił do mnie, ale już nie wiedziałam, co oznacza ani gdzie się podziewał, ani co kiedyś symbolizował.

Spotkaliśmy się ponownie w następny czwartek. Rano w pracy wyszłam do łazienki, a gdy wróciłam do swojego biurka, zauważyłam złożoną karteczkę wetkniętą pod jedno z pudełek z solą fizjologiczną. Wyciągnęłam ją i rozejrzałam się, czy nikt nie patrzy, chociaż w pobliżu nie było nikogo – tylko ja i embriony.

Gdy o godzinie 19.00 dotarłam do centrum, David już tam był: stał przed budynkiem i uniósł rękę na powitanie.

– Pomyślałem, żebyśmy pochodzili po bieżni – powiedział, a ja kiwnęłam głową. Weszliśmy do środka. David kupił dwa soki owocowe i rozpoczęliśmy spacer, dość wolny, ale nie za wolny, w naszym normalnym tempie. – Nie ściągaj hełmu – powiedział David, więc go nie zdjęłam, otwierałam jedynie małą klapkę osłaniającą usta, kiedy chciałam się napić. W centrum panował chłód, ale niektórzy ludzie z lenistwa nie zdejmowali hełmów, więc nie budziłam podejrzeń. – Cieszę się, że cię widzę – powiedział cicho David. – Twój mąż ma wolną noc – dodał. Nie było to pytanie, lecz stwierdzenie, ale kiedy odwróciłam się do niego ze zdziwieniem, pokręcił nieznacznie głową. – Żadnego zdziwienia, żadnej złości, żadnego niepokoju – przypomniał mi, więc odwróciłam wzrok w inną stronę.

– Skąd wiesz o naszych wolnych nocach? – spytałam, siląc się na spokój.

– Twój dziadek mówił mojemu pracodawcy – odpowiedział.

Może wydać się dziwne, że David nie zaproponował spotkania w moim mieszkaniu albo w swoim. Pomijając jednak to, że nie chciałabym widzieć go u nas ani znaleźć się u niego, po prostu bezpieczniej było spotkać się w miejscu publicznym. W roku powstań, zanim rząd odzyskał władzę, uważano powszechnie, że większość przestrzeni prywatnych jest pod obserwacją, a nawet teraz trzeba było mieć do kogoś wielkie zaufanie, żeby odwiedzić go w mieszkaniu.

Przez jakiś czas żadne z nas się nie odzywało.

– Czy masz do mnie jakieś pytania? – spytał nagle David tym samym cichym głosem, który zupełnie nie pasował do Davida, którego przedtem znałam. Ale, napomniałam się zaraz, przecież David, którego znałam, nigdy nie istniał. A może nawet istniał, lecz nie był tym, z którym teraz rozmawiałam.

Miałam oczywiście wiele pytań, tak wiele, że nie wiedziałam, od którego zacząć.

– Czy ludzie w Nowej Brytanii nie mówią z innym akcentem? – zapytałam.

– Owszem – odparł – mówimy.

– Ale twój akcent brzmi tak, jakbyś był stąd – zauważyłam.

– Udaję – powiedział. – Gdybyśmy się znajdowali w bezpiecznym miejscu, mówiłbym po swojemu i przekonałabyś się, że brzmi to inaczej.

– Aha – bąknęłam. Milczeliśmy przez chwilę. Potem zagadnęłam go o to, co od dawna mnie intrygowało: – Masz długie włosy.

Spojrzał na mnie, a ja poczułam się dumna, widząc zaskoczenie w jego oczach.

– Wysunęły ci się spod czapki, kiedy cię pierwszy raz widziałam w kolejce do wahadłowca – wyjaśniłam; wtedy kiwnął głową.

– To prawda, miałem długie włosy. Ale ściąłem je już wiele miesięcy temu.

– Żeby się dopasować? – spytałam, a on znów kiwnął głową.

– Tak – powiedział. – Żeby się dopasować. Jesteś dobrą obserwatorką, Charlie.

Uśmiechnęłam się leciutko, zadowolona, że David uważa mnie za dobrą obserwatorkę, i z przyjemnością pomyślałam, że Dziadek byłby ze mnie dumny, ponieważ zauważyłam coś, co inni ludzie być może przeoczyli.

– W Nowej Brytanii ludzie noszą długie włosy? – dopytywałam.

– Niektórzy tak, niektórzy nie. Jak kto lubi.

– Nawet mężczyźni?

– Owszem – przytaknął. – Nawet mężczyźni.

Zamyśliłam się nad tym: a więc istnieje miejsce, gdzie każdy, kto chce, może nosić długie włosy – o ile oczywiście może je zapuścić. Potem spytałam:

– Znałeś mojego dziadka?

– Nie – odparł. – Nie miałem takiego szczęścia.

– Tęsknię za nim – powiedziałam.

– Domyślam się, Charlie.

– Naprawdę przysłali cię tutaj po mnie?

– Tak. Tylko po to się tu znalazłem.

Nie wiedziałam, co dalej mówić. Pewnie zabrzmi to pyszałkowato, a nie należę do pyszałków, ale na wieść, że David przybył tylko po mnie, żeby mnie odnaleźć, poczułam lekkość w środku. Chciałam słuchać tego bez końca; chciałam powiedzieć to całemu światu. Ktoś przyjechał specjalnie po to, żeby mnie odnaleźć: był tu tylko dla mnie. Nikt by mi w to nie uwierzył – sama sobie nie wierzyłam.

– Nie wiem, o co jeszcze cię pytać – przyznałam się w końcu i znów poczułam, że David dyskretnie mi się przygląda.

– W takim razie – powiedział – może na początek przedstawię ci plan.

I znowu spojrzał na mnie, a gdy skinęłam głową, zaczął mówić. Szliśmy po bieżni, robiąc okrążenie za okrążeniem; czasem mijaliśmy innych spacerowiczów, czasem inni mijali nas. Nie byliśmy tam ani najszybsi, ani najwolniejsi, ani najmłodsi, ani najstarsi – a gdyby ktoś nas obserwował z góry, nie poznałby, kto rozmawia na tematy bezpieczne, a kto w tej samej chwili mówi o czymś tak niebezpiecznym, tak niemożliwym, że nie do wiary wprost, że jeszcze żyje.

Część VIII

Lato, dwadzieścia lat wcześniej

Najdroższy Peterze, 17 czerwca 2074

dziękuję Ci za uroczy, uprzejmy list i przepraszam za spóźnioną odpowiedź. Chciałem napisać wcześniej, wiedząc, że się denerwujesz, ale dopiero teraz znalazłem nowego kuriera, któremu mogę ufać.

Oczywiście, że się na Ciebie nie gniewam. Uczyniłeś wszystko, co mogłeś. To była moja wina – powinienem był zgodzić się, żebyś mnie wywiózł, kiedy miałem (mieliśmy) po temu okazję. Wciąż powraca do mnie ta myśl: gdybym poprosił Cię zaledwie pięć lat temu, bylibyśmy już teraz w Nowej Brytanii. Nie byłoby to łatwe, ale przynajmniej możliwe. A zaraz potem nachodzą mnie myśli bardziej niebezpieczne i rozpaczliwe: gdybyśmy wyjechali, czy Charlie i tak by zachorowała? A gdyby nie zachorowała, czy byłaby dziś szczęśliwsza? I czy ja byłbym szczęśliwszy?

I kolejna myśl: być może ten jej nie tak znów nowy sposób bycia i myślenia lepiej pasuje do rzeczywistości tego kraju. Być może jej apatia jest swoistą siłą, która pozwoli jej przetrwać każdą postać świata. Może w istocie powinienem czuć ulgę, że utraciła te cechy, które w jej imieniu opłakiwałem – złożoność emocjonalną, ekspansywność, nawet buntowniczość. W chwilowych przypływach nadziei wyobrażam sobie nawet, że Charlie ewoluowała, stając się typem osoby lepiej przystosowanej do naszych czasów i naszego miejsca. Ona sama nie smuci się, że jest jaka jest.

Ale potem moje myśli znów zataczają błędne koło: gdyby nie zachorowała. Gdyby nie brała Xychoru. Gdyby wychowała się w kraju, gdzie czułość, delikatność i romantyzm są nadal, jeśli nie nagradzane, to przynajmniej tolerowane. Kim byłaby wówczas? Kim byłbym ja bez tego poczucia winy, tego smutku, bez smutku z powodu poczucia winy?

Nie przejmuj się nami. A raczej: przejmuj się, ale bez przesady. Oni nie wiedzą, że próbowałem uciec. I wciąż mnie potrzebują, o czym uporczywie nam obojgu przypominam. Dopóki istnieje choroba, dopóty będę istniał ja.

Z podziękowaniem i miłością. (Jak zawsze). Charles

Kochany Peterze, 21 lipca 2075

piszę w pośpiechu, żeby na pewno złapać kuriera, zanim odjedzie. Omal dzisiaj do Ciebie nie zadzwoniłem i może jeszcze spróbuję, chociaż coraz trudniej jest znaleźć linię bez podsłuchu. Jeżeli coś wykombinuję w najbliższych dniach, to zadzwonię.

Wspominałem Ci chyba, że od początku lata wypuszczam Charlie na krótkie samotne spacery. Krótkie w najdosłowniejszym znaczeniu: wolno jej dojść na północ do pierwszej przecznicy, za Washington Mews skręca na wschód i dochodzi do Uniwersytetu, stamtąd na południe do ulicy Washington Square North, którą kierując się na zachód, wraca do domu. Opierałem się, ale przekonała mnie jedna z jej nauczycielek – przypomniała mi, że Charlie we wrześniu skończy jedenaście lat, więc muszę zacząć ją wypuszczać na świat, tak po troszeczku.

Więc się przełamałem. Przez pierwsze trzy tygodnie wysyłałem za nią ochroniarza, na wszelki wypadek. Okazało się, że Charlie stosuje się ściśle do moich poleceń. Jej powroty do domu obserwowałem z okna na drugim piętrze.

Nie chciałem, żeby wiedziała, jak się denerwuję, więc za pierwszym razem odczekałem do kolacji, żeby z nią o tym porozmawiać.

– Jak było na spacerze, koteczku? – zagadnąłem.

Podniosła na mnie oczy i powiedziała:

– Dobrze.

– Co widziałaś?

Namyślała się chwilę.

– Drzewa.

– To pięknie – pochwaliłem. – A co jeszcze?

Znów chwila milczenia i odpowiedź:

– Budynki.

– Opowiedz mi o tych budynkach – poprosiłem. – Jakiego były koloru? Zauważyłaś kogoś w którymś oknie? A skrzynki na kwiaty? Jakiego koloru były drzwi tych domów?

Jej takie ćwiczenia pomagają, ale ja, prowadząc je, czuję się, jakbym szkolił szpiega: Widziałaś kogoś podejrzanego? Co robił? Jak był ubrany? Czy rozpoznajesz go na tych zdjęciach, które ci pokazuję?

Charlie bardzo się stara udzielać odpowiedzi, jakie ja, w jej mniemaniu, chcę usłyszeć. Ja tymczasem chcę tylko, żeby pewnego dnia wróciła do domu i powiedziała mi, że widziała coś śmiesznego, pięknego, frapującego albo przerażającego – chcę tylko, żeby zyskała zdolność opowiadania sobie historii. Kiedy coś mówi, spogląda na mnie od czasu do czasu, a ja skinieniem głowy albo uśmiechem okazuję jej aprobatę i serce ściska mi się w piersi – znam to uczucie tylko w związku z Charlie.

Pod koniec czerwca zacząłem ją wypuszczać z domu samą. Pod moją nieobecność jej niania ma przykazane czekać na jej powrót; przejście wyznaczonej trasy zajmuje Charlie zaledwie siedem minut, w co wliczony jest czas na przystawanie i przyglądanie się otoczeniu. Nigdy nie próbowała zapuścić się gdzieś dalej, zresztą jest za gorąco. Ale na początku tego miesiąca zapytała mnie, czy może pochodzić po placu.

Z jednej strony ucieszyłem się: moja mała Charlie, która nigdy o nic nie prosi, która chwilami zdaje się pozbawiona jakichkolwiek zachcianek, pragnień i preferencji – nagle się ożywiła. Chociaż z tymi preferencjami to nieprawda: Charlie zna różnicę między smakiem słodkim a słonym i woli słony. Zna różnicę między ładną a brzydką koszulą i woli ładną. Wie, kiedy ktoś śmieje się złośliwie, a kiedy radośnie. Nie umie tego uzasadnić, ale wie. Stale jej przypominam: w porządku jest prosić o to, czego się chce; w porządku jest lubić pewne osoby, rzeczy i miejsca bardziej niż inne. Nie lubić też jest w porządku. „Wystarczy, że powiesz – uczę ją. – Wystarczy, że poprosisz. Rozumiesz mnie, koteczku?"

Patrzy na mnie i nie umiem odgadnąć, co sobie myśli. „Tak" – odpowiada. Ale nie jestem pewien, czy rozumie.

Na pewno nie puściłbym jej na plac pół roku temu. Teraz jednak, odkąd państwo zwyciężyło, mogą tam wchodzić tylko mieszkańcy Strefy Ósmej – przy każdej bramie strażnik sprawdza wszystkim dokumenty. Po zeszłorocznym zajęciu reszty Central Parku obawiałem się, że wszystkie parki zostaną przekształcone w ośrodki badawcze, chociaż pierwotny plan tego nie zakładał. Doszło jednak do niecodziennego sojuszu: ministrowie zdrowia i sprawiedliwości jednomyślnie przekonali resztę Komitetu, że brak publicznych miejsc zgromadzeń spowoduje nasilenie działalności wywrotowej, spychając potencjalne ugrupowania powstańcze do podziemia, gdzie trudniej będzie je monitorować. Wygraliśmy więc tę rundę, chociaż z trudem, ale teraz wygląda na to, że plac Unii podzieli ostatecznie los placu Madisona i stanie się, jeśli nie ośrodkiem badawczym, to państwowym terenem do wszystkiego: w jednym miesiącu prowizoryczną kostnicą, w drugim – prowizorycznym więzieniem.

Plac Waszyngtona to jednak co innego. Tu park jest mały i usytuowany w strefie mieszkalnej, a zatem niezbyt interesujący dla państwa. Na jego terenie od lat powstają kartonowe miasteczka, które są systematycznie niszczone, odbudowywane i znów niszczone. Nawet z mojego punktu obserwacyjnego w oknie na piętrze wyczuwa się swoistą rutynę działań likwidacyjnych – poznać można ją po tym, jak niemrawo młody żołnierz przy północnej bramie kręci pałką, trzymając ją za pętlę, i po tym, jak operatorka wyrywarki drzew ziewa, zadzierając głowę, z jedną ręką na desce rozdzielczej, a drugą wywieszoną przez okno.

A jednak cztery miesiące temu zbudził mnie tępy huk, jakby coś wielkiego zwaliło się na ziemię, wyjrzałem więc przez okno i zobaczyłem, że maszyna powróciła – tym razem po to, żeby wyrywać z korzeniami drzewa po zachodniej stronie placu. Dwie wyrywarki uporały się z pracą w dwa dni, a potem zjawiła się ekipa ogrodników, którzy zabezpieczyli korzenie wyrwanych drzew zwojami juty i grudami ziemi, po czym z nimi odjechali, zapewne do Strefy Czternastej, do której przesadzano wiele dorosłych drzew.

Plac został pusty, niemal doszczętnie ogołocony z drzew – pozostawiono jedynie wąski pas zieleni sięgający od rogu północno-wschodniego po południowo-wschodni. Tam wciąż są ławki, ścieżki i pozostałości placu zabaw. Podobno zostawiono je tymczasowo. Resztę dawnych trawników robotnicy w jeden dzień zalali betonem. Kolega z ministerstwa spraw wewnętrznych mówił, że powstanie tu bazar dla handlarzy, którzy utracili swoje sklepy.

Tam właśnie, na ten oszczędzony spłachetek zieleni, pozwoliłem się Charlie zapuścić. Miała nie wychodzić poza niego i z nikim nie rozmawiać, a gdyby ktoś ją zaczepił – natychmiast wracać do domu. Przez dwa pierwsze tygodnie podglądałem ją dzięki kamerce ustawionej w jednym z okien na górze: siedząc w laboratorium, widziałem na ekranie, jak maszeruje dziarsko w południowy koniec parku, nie zatrzymując się i nie rozglądając, a potem parę sekund odpoczywa i rusza z powrotem. Niebawem powróciła do domu i druga kamera pokazała mi, jak wchodzi, zamyka za sobą frontowe drzwi i zmierza do kuchni po szklankę wody.

Zazwyczaj odbywa swoje spacery późnym popołudniem, kiedy słońce schodzi już po nieboskłonie, a ja, wygłaszając coś albo pisząc, cały czas obserwuję jej marsz w postaci ruchomego paska, oddalającego się lub przybliżającego do kamery – jej krągłe ciałko i krągła twarzyczka to uciekają z kadru, to w niego wracają.

Aż nastał miniony czwartek. Siedziałem na zdalnym zebraniu Komitetu. Tematem obrad był kombinezon chłodzący, który prawdopodobnie pojawi się na rynku w przyszłym roku, inny niż twój wariant, gdyż wyposażony w pełny twardy hełm z filtrującą zanieczyszczenia osłoną. Używałeś już takiego? Nie da się w nim chodzić inaczej niż w rozkroku, a hełm jest tak ciężki, że producent dołącza do projektu kołnierz ortopedyczny. Ale działa doskonale. Sprawdziliśmy to całą grupą któregoś wieczoru i po raz pierwszy od lat po powrocie do laboratorium nie zacząłem zaraz kaszleć, rzęzić i pocić się. To jednak będą drogie kombinezony: rząd sonduje, czy da się obniżyć ich cenę, jak dotąd astronomiczną.

Tak czy inaczej, jednym uchem słuchałem referatu, a jednym okiem śledziłem Charlie, która właśnie zaczynała swój spacer przez park. Wyszedłem do łazienki, wpadłem do kuchni po herbatę, wróciłem do biurka. Jeden z ministrów spraw wewnętrznych nadal snuł monotonny wywód o kłopotach z produkcją tych kombinezonów na skalę masową, więc spojrzałem na mój prywatny ekranik – Charlie zniknęła.

Wstałem z krzesła, jakby to miało w czymś pomóc. Charlie po dojściu do południowego krańca parku siada zwykle na którejś ławce. Jeżeli ma z sobą coś do jedzenia, zjada to. Potem wstaje i rusza na północ. Ale teraz na ekranie nie było nic: tylko pracownik oczyszczania miasta zamiatał chodnik, a w tle stał żołnierz, twarz miał skierowaną na południe.

Przekręciłem kamerę w prawo, lecz ujrzałem tylko żołnierzy w granatowych mundurach – zapewne korpus inżynieryjny – wymierzających plac. Więc przekręciłem kamerę w lewo, najdalej, jak się dało.

Przez chwilę nic nowego nie widziałem – tylko zamiatacza i żołnierza, i jeszcze jednego żołnierza, który stał w północno-wschodnim rogu i rytmicznie bujał się na piętach. Nic nie zadziwia mnie bardziej niż takie swobodne, beztroskie gesty – dowód na to, że chociaż wszystko się zmienia, ludzie nadal bujają się na piętach, dłubią w nosie, drapią się po tyłku i bekają.

Nagle jednak dostrzegłem coś na samym skraju południowo-wschodniego rogu, jakiś ruch. Powiększyłem obraz najbardziej, jak się dało. Zobaczyłem dwóch chłopców, młodych nastolatków, stojących tyłem do kamery i rozmawiających z kimś, kto stał przodem do kamery i nie mieścił się w kadrze – widać było tylko buty, białe tenisówki.

„O nie! – pomyślałem. – Proszę, nie!"

W tym momencie chłopcy się przesunęli i zobaczyłem, że ta trzecia osoba to Charlie w białych tenisówkach i czerwonej T-shirtowej sukience. Szła za tymi chłopcami, którzy nawet się na nią nie obejrzeli, lecz oddalali się na wschód ulicą Washington Square South.

– Straż! – krzyknąłem bez sensu do ekranu. – Charlie!

Ale oczywiście nikt się nie zatrzymał. Siedziałem i patrzyłem bezradnie, jak cała trójka znika mi z oczu, wychodząc poza kadr ekranu. Jeden z chłopaków obejmował ją nonszalancko za szyję; była taka niska, że mieściła mu się pod pachą.

Zleciłem sekretarce zaalarmowanie jednostki sił bezpieczeństwa, a sam zbiegłem do samochodu. Jadąc na południe, raz po raz wydzwaniałem do niańki. Gdy wreszcie odebrała, nawrzeszczałem na nią.

– Ależ doktorze Griffith – rzekła roztrzęsiona – Charlie jest w domu. Właśnie wróciła ze spaceru.

– Daj mi ją – warknąłem, a kiedy na ekranie ukazała się Charlie ze zwykłą miną, niemal się rozszlochałem. – Charlie – powiedziałem. – Koteczku. Nic ci nie jest?

– Nie, Dziadku – odpowiedziała.

– Nie wychodź z domu – poleciłem. – Zostań tu, gdzie jesteś. Ja zaraz wracam.

– Dobrze – powiedziała.

W domu zwolniłem niańkę (celowo nie precyzując, czy jedynie na ten dzień, czy na zawsze) i wszedłem na górę do pokoju Charlie. Siedziała na łóżku, tuląc do siebie kotka. Obawiałem się poszarpanych ubrań, siniaków, łez, lecz Charlie wyglądała całkiem zwyczajnie – była lekko zaróżowiona, ale to pewnie od upału.

Usiadłem obok niej, starając się uspokoić.

– Koteczku – powiedziałem – widziałem cię dzisiaj na placu. – Nie odwróciła się ode mnie. – Przez kamerę – wyjaśniłem, ale ona milczała. – Co to byli za chłopcy? – spytałem, a gdy nie odpowiedziała, dodałem: – Nie gniewam się, Charlie. Chcę tylko wiedzieć, kto to był.

Charlie milczała. Po czterech latach byłem przyzwyczajony do jej milczenia. Nie jest nieposłuszna ani uparta – po prostu namyśla się nad odpowiedzią, a to czasem trwa. W końcu się odezwała:

– Spotkałam ich.

– No dobrze – powiedziałem. – Kiedy ich spotkałaś? I gdzie?

Zmarszczyła czoło w intensywnym namyśle.

– Tydzień temu – powiedziała. – Na placu Uniwersyteckim.

– W pobliżu Mews? – upewniłem się, a ona kiwnęła głową. – Jak się nazywają?

Teraz już pokręciła głową, po czym poznałem, że się denerwuje – nie wiedziała albo nie pamiętała. A zawsze ją napominałem: „Pytaj osobę, z którą rozmawiasz, jak się nazywa. A jak zapomnisz, spytaj jeszcze raz. Zawsze możesz o to zapytać – masz prawo".

– W porządku – powiedziałem. – Widywałaś się z nimi codziennie, odkąd ich poznałaś?

Znów pokręciła głową. Wreszcie odezwała się cichutko:

– Powiedzieli, żebym spotkała się z nimi dzisiaj w parku.

– I co robiliście?

– Powiedzieli, że pójdziemy na spacer. Ale potem... – Urwała i wcisnęła twarz w futro małego kota. Zaczęła się kołysać, co robi zawsze, gdy jest zdenerwowana, a ja masowałem jej plecki. – Mówili, że są moimi przyjaciółmi – powiedziała w końcu i przycisnęła kotka tak mocno, że aż pisnął. – Mówili, że chcą się przyjaźnić – jęknęła niemal, a ja przytuliłem ją do siebie; nie opierała się.

Lekarka orzekła, że obrażenia są powierzchowne: drobne otarcia, drobne skaleczenia, lekkie krwawienie. Zasugerowała konsultacje z psychologiem. Zgodziłem się, nie mówiąc jej, że Charlie już spotyka się z psychologiem, a także z terapeutą zajęciowym i behawioralnym. Następnie połączyłem się przez wideo z ministerstwem spraw wewnętrznych i zażądałem intensywnych poszukiwań. Znaleźli tych chłopaków w trzy godziny: mieli po czternaście lat, obaj mieszkali w Strefie Ósmej, obaj byli synami pracowników naukowych Memorial, jeden biały, drugi Azjata. Jedno z rodziców przyjaźni się ze znajomym Wesleya i poprosiło go listownie o wyrozumiałość dla swojego syna. Wesley wczoraj przyniósł mi ten list do ministerstwa i wręczył mi go z kamienną twarzą.

– Ja się w to nie mieszam, Charles – powiedział, a gdy zmiąłem kartkę i oddałem mu ją, skinął głową, życzył mi dobrej nocy i wyszedł.

Dziś wieczorem znów posiedzę przy łóżku Charlie. To już czwarta taka noc. W czwartek, około pół godziny po zaśnięciu, zaczęła postękiwać gardłowo, wstrząsać ramionami i zarzucać głową. Po chwili się uspokoiła. Odczekałem jeszcze około godziny i poszedłem spać. Brakowało mi, tak jak często, Nathaniela, a także – to już rzadkość – brakowało mi Eden. A tak naprawdę chodziło mi zapewne jedynie o to, żeby ktoś jeszcze był odpowiedzialny za Charlie, nie tylko ja.

Nie mogę powiedzieć, że jeszcze nigdy tak się o nią nie bałem – najbardziej boję się jej śmierci – ale wtedy bałem się bardzo. Wcześniej próbowałem z nią rozmawiać o jej ciele, tłumaczyć, że należy ono tylko do niej, że nie musi robić niczego, na co nie ma ochoty. Nie wyrażam się precyzyjnie. Nie próbowałem – rozmawiałem. Wiedziałem, że Charlie jest typem ofiary; wiedziałem, że coś takiego może się zdarzyć. I wiem, że mieliśmy szczęście – że chociaż stało się coś bardzo złego, to mogło być jeszcze gorzej.

Gdy byłem studentem, jeden z profesorów tłumaczył nam, że istnieją dwa typy ludzi: ci, którzy płaczą nad światem, i ci, którzy płaczą nad sobą. Opłakiwanie własnej rodziny, mówił, jest formą płaczu nad sobą. „Ci, którzy gratulują sobie poświęceń na rzecz własnej rodziny, w istocie niczego nie poświęcają, ponieważ rodzina jest przedłużeniem ich własnego ja, a zatem przejawem ego. Prawdziwa bezinteresowność – mówił – polega na dawaniu siebie obcemu człowiekowi, którego życie nigdy nie splącze się z twoim".

Czyż nie usiłowałem tego robić? Przecież starałem się poprawić sytuację nieznanych mi ludzi za cenę własnej rodziny, a zatem i siebie samego. A teraz innowacje mojego autorstwa są kwestionowane. Nic więcej nie mogę zrobić, żeby pomóc światu – mogę tylko próbować pomóc Charlie.

Jestem w tej chwili bardzo zmęczony. Oczywiście płaczę, zapewne samolubnie. Nie słyszałem jednak o nikim, kto w dzisiejszych czasach nie opłakiwałby siebie – choroba sprawia, że przestajemy oddzielać siebie od obcych, więc nawet gdy o nich myślimy, o tych milionach ludzi, z którymi mijamy się w tym mieście, to siłą rzeczy zastanawiamy się, kiedy ich życie może otrzeć się o nasze, gdyż każde spotkanie to groźba zarażenia, każdy dotyk to potencjalna śmierć. To egoizm, ale nie da się inaczej – nie w tej chwili.

Ucałowania dla Ciebie i Oliviera – Charles

Mój Kochany Peterze, 3 grudnia 2076

przed laty, przejeżdżając przez Aszchabad, poznałem w kawiarni pewnego człowieka. Było to w latach dwudziestych, gdy Republika Turkmenii nosiła jeszcze nazwę Turkmenistan i panował w niej reżim totalitarny.

Studiowałem wówczas na uniwersytecie. Ten człowiek przysiadł się i wciągnął mnie w rozmowę. Pytał, co mnie sprowadza do Aszchabadu i co o nim sądzę. Dziś jestem prawie pewien, że był to szpieg, ale wtedy, nieopierzony i głupi, a do tego samotny, chętnie dzieliłem się przemyśleniami o nieludzkim autokratycznym reżimie. Nie opowiadałem się bynajmniej za demokracją, lecz tłumaczyłem różnicę między monarchią konstytucyjną, w której sam żyłem, a dystopią, w której żył on.

Słuchał cierpliwie moich egzaltowanych wynurzeń, a gdy skończyłem, powiedział „chodź ze mną". Podeszliśmy do jednego z otwartych okien. Kawiarnia mieściła się na drugim piętrze budynku przy wąskiej uliczce, którą dochodziło się na skróty do Rosyjskiego Targu. Była to jedna z ostatnich uliczek w mieście, których nie zrównano z ziemią i nie odbudowano w szkle i stali. „Wyjrzyj – polecił mi tamten. – Czy to ci wygląda na dystopię?"

Wyjrzałem. Jednym z wielkich dysonansów Aszchabadu było to, że ludzie w strojach jak z XIX wieku chodzili po mieście o architekturze z XXII wieku. Patrzyłem z góry na kobiety w jaskrawych, wzorzystych chustach i sukniach, dźwigające wypchane plastikowe torby, na mężczyzn śmigających na zmotoryzowanych wózkach, na pokrzykujące do siebie dzieciaki. Dzień był słoneczny, rześki – do dziś, chociaż nie da się już pamiętać zimy, wspominam uczucie zimna, przypominając sobie tamtą scenerię: szkarłatne policzki grupki paplających nastolatek; starca przerzucającego z ręki do ręki świeżo upieczony ziemniak, który bucha mu parą w twarz; łopoczący skraj wełnianej chusty na czole kobiety.

Mężczyźnie nie zależało jednak na tym, żebym zobaczył zimno – chciał mi pokazać życie w zimnym kraju. Widziałem więc kobiety w średnim wieku, z torbami pękatymi od zakupów, plotkujące przed wymalowaną na niebiesko bramą; grupę chłopców grających w piłkę nożną; dwie dziewczyny idące ulicą pod rękę i zajadające bułki nadziewane mięsem – gdy nas mijały, jedna powiedziała coś do drugiej i obydwie zaczęły chichotać, zasłaniając usta dłonią. Był tam również żołnierz, ale stał oparty o ceglaną ścianę domu: z odchyloną głową, z przymkniętymi oczami i z papierosem balansującym na dolnej wardze relaksował się w bladym słońcu.

– Widzisz? – zapytał mój przygodny towarzysz.

Ostatnio często myślę o tamtej rozmowie i o milczącym pytaniu, którą była podszyta: „Czy to wygląda jak dystopia?". Pytanie to zadaję sobie nieraz w związku z tym miastem, w którym pod nieobecność sklepów wciąż kwitnie handel, wprawdzie teraz na placu, ale wciąż uczestniczą w nim tacy sami ludzie – spacerujące pary, marudzące dzieci, którym odmówiono lizaka, kostyczna dama targująca się z krewkim sprzedawcą o cenę miedzianego rondla – wszystko jak dawniej. Nie ma wprawdzie teatrów, ale są nadal ludzie uczęszczający na koncerty do domów kultury, które powstają we wszystkich strefach. Ponieważ dzieci i młodzieży jest nieproporcjonalnie mało, więc młodych ludzi, którzy pozostali, otacza się wzmożoną troską i miłością, chociaż wiem z doświadczenia, że troska bywa częstokroć bliższa dyktaturze niż miłości. Odpowiedź zawarta w pytaniu mojego rozmówcy brzmi następująco: dystopia nie wyróżnia się jakimś szczególnym wyglądem – potrafi wyglądać jak każda inna rzeczywistość.

A jednocześnie w jej wyglądzie jest coś szczególnego. To, co przed chwilą opisałem, to elementy życia usankcjonowanego, życia, które można nazwać naziemnym. Lecz kątem oka dostrzega się drugie życie toczące się fragmentarycznie, po trochu. Nie mamy na przykład telewizji, nie mamy internetu, a mimo to wiadomości wciąż krążą i dysydentom wciąż udaje się przekazywać doniesienia. Czytuję je czasami w naszych codziennych biuletynach informacyjnych. Chociaż wykrycie autorów trwa najczęściej zaledwie tydzień – może dziwić, że stosunkowo wielu z nich ma powiązania z pracownikami rządowymi – są tacy, którzy się nam wymykają. Jest zakaz podróży zagranicznych, a mimo to co miesiąc słyszymy o próbach nielegalnego przekroczenia granic, o łódkach wywróconych u wybrzeża Maine, Karoliny Południowej, Massachusetts czy

Florydy. Nie istnieją już obozy uchodźców, a jednak wciąż mamy doniesienia – to prawda, że jest ich mniej – o zbiegach z krajów nawet gorszych niż ten: są wyłapywani na lądzie, pakowani na liche łódeczki i odsyłani z powrotem na morze pod zbrojną strażą. Życie w miejscu takim jak to niesie ze sobą świadomość, że ten ledwie dostrzegalny ruch, to drgnienie, ten nikły komarzy brzęk to nie wytwory twojej wyobraźni, lecz dowody innego istnienia – istnienia kraju, który kiedyś znałeś i wiesz, że musi nadal istnieć, musi trwać gdzieś poza zasięgiem twoich zmysłów.

Dane, dochodzenie, analiza, wiadomość, plotka – dystopia wszystkie te pojęcia stapia w jedno. Jest to, co mówi państwo, i jest wszystko inne, a to wszystko inne podpada pod jedną kategorię: informacja. Ludzie w młodych dystopiach łakną informacji – są jej głodni, zabiliby za nią. Jednak z czasem głód ten słabnie, a po kilku latach nie pamięta się już, jak smakowała informacja, jak świetnie było być pierwszym jej odbiorcą, dzielić się nią z innymi, trzymać ją w sekrecie i zobowiązywać do tego innych ludzi. Uwalniasz się od brzemienia wiedzy; uczysz się nie tyle ufać państwu, ile mu ulegać.

Staramy się, żeby proces zapominania – oduczania się – przebiegał możliwie gładko. Dlatego wszystkie dystopie są tak ogólnikowe w swojej naturze i jej przejawach: likwidują środki przekazu informacji (prasę, telewizję, internet, książki – chociaż moim zdaniem telewizję powinni zatrzymać, bo może im się przydać), a za to kładą nacisk na to, co namacalne – zbieractwo i rękodzieło. Kiedyś w końcu te dwa światy – prymitywny i technologiczny – spotykają się w przedsięwzięciach w rodzaju Farmy, która wygląda jak projekt agrarny, ale wyposażona jest w najdoskonalszy system irygacyjny i klimatyzacyjny, na jaki stać nasze państwo. Jest nadzieja, że kiedyś w końcu pracujący tam ludzie zapomną, do czego dawniej stosowano tę technologię, co dzięki niej osiągano, jak dalece na niej polegano i jakich informacji dostarczała.

Patrzę na Ciebie i na to, co robisz tam u siebie, Peter, i wiem, że jesteśmy zgubieni. Oczywiście, że wiem. Ale co mogę teraz zrobić? Dokąd mogę się udać? W zeszłym tygodniu we wszystkich rządowych papierach zmienili mi zawód z „naukowiec" na „starszy administrator". „To awans. Gratulacje" – powiedział minister spraw wewnętrznych. Gdybym nadal zaliczał się do naukowców, teoretycznie mógłbym brać udział w zagranicznych sympozjach i konferencjach, chociaż na razie zaproszenia nie sypią się garściami. Nie ma natomiast powodu, abym ruszał się stąd gdziekolwiek jako administrator państwowy. Jestem ważną osobą w państwie, którego nie mogę opuścić, co z definicji czyni mnie więźniem.

Dlatego właśnie posyłam Ci tę rzecz. Nie sądzę, żeby kiedykolwiek mieli skonfiskować mi majątek. Ale to cenny przedmiot, a skłonny jestem przypuszczać, że jeśli nadejdzie dzień, w którym Charlie i ja będziemy mogli wyjechać, nie pozwolą nam wywieźć pieniędzy ani rzeczy. Możliwe, że w ogóle nie będziemy mogli zabrać niczego. Proszę Cię zatem, żebyś to dla nas przechował w bezpiecznym miejscu. Może kiedyś będę mógł to od Ciebie odebrać albo poproszę, żebyś to sprzedał, abyśmy mogli za te pieniądze urządzić się gdzie indziej. Rozumiem, że to brzmi jak naiwne mrzonki. Ale też wiem, że ty mnie nie wyśmiejesz, bo jesteś dobry. Martwisz się o mnie, wiem. Chciałbym móc Ci powiedzieć, że niepotrzebnie. Tymczasem wierzę, że ochronisz dla mnie ów drobiazg.

Całuję, Charles

Mój Kochany Peterze, 29 października 2077

przepraszam za milczenie i przyrzekam wysyłać Ci od dziś regularne komunikaty, choćby zaledwie z informacją „jestem tutaj i żyję", skoro jesteś tak dobry, że na nie czekasz. I dziękuję za nowego kuriera – o wiele bezpieczniej, jak sądzę, jest korzystać z usług osoby z Twojej strony niż z naszej, zwłaszcza teraz.

Tu wciąż wszyscy są zaskoczeni, że zrywacie z nami stosunki. Nie piszę tego w duchu pretensji, zresztą co za różnica – po prostu wydawało się, że to jedna z pogróżek, które nigdy nie zostają spełnione. Jakkolwiek przykre jest to, że nas nie uznajecie, to jeszcze przykrzejsza jest obawa, że za Waszym przykładem pójdą inne kraje.

A przecież doskonale rozumiemy, dlaczego tak się stało. Gdy sześć lat temu po raz pierwszy poddano pod dyskusję Ustawę o małżeństwie, wydawała się ona nie tylko niemożliwa, ale zwyczajnie głupia. Dysponowaliśmy przecież wynikami badań Uniwersytetu w Kandaharze, które pokazują na przykładzie trzech krajów, że wzrost niepokojów społecznych jest powiązany z liczbą nieżonatych mężczyzn powyżej dwudziestego piątego roku życia. W owych badaniach nie uwzględniono innych czynników destabilizacji społecznej, jak ubóstwo, analfabetyzm, epidemia i katastrofa klimatyczna, więc ostatecznie uznano je za niemiarodajne.

Przypuszczam jednak, że część członków Komitetu przejęła się nimi bardziej, niż sądziłem, ponieważ tego lata projekt ustawy został przedstawiony ponownie. W zmienionej wersji: małżeństwo, jako instytucja wspierana przez państwo, ma sprzyjać odtworzeniu populacji. Współautorami tego dokumentu są wiceminister spraw wewnętrznych i jego odpowiednik z ministerstwa zdrowia. W świetle ich wnikliwego i wręcz niepokojąco racjonalnego projektu małżeństwo nie jest wyrazem wzajemnego oddania, lecz odpowiedzią na zapotrzebowanie społeczne. Może to i prawda. Wspomniani wiceministrowie przedstawili funkcjonalny system nagród i bodźców skłaniających do małżeństwa, który ma scementować zjawisko populacji z koncepcją państwa opiekuńczego. Będą ulgi mieszkaniowe i tak zwane bodźce prokreacyjne, co w praktyce oznacza przyznawanie nagród w postaci przywilejów socjalnych lub pieniędzy za rodzenie dzieci.

– Nie myślałem, że doczekam dnia, w którym wolni czarnoskórzy będą nagradzani za rodzenie jeszcze większej liczby wolnych czarnoskórych – stwierdził cierpko jeden z ministrów sprawiedliwości.

Wszyscy zesztywnieli.

– Społeczeństwo potrzebuje ludzi wszystkich ras, które przyczynią się do jego odbudowy – powiedziała wiceminister spraw wewnętrznych.

– Widocznie desperackie czasy domagają się desperackich środków – mruknął pod nosem minister sprawiedliwości i zapadło pełne napięcia milczenie.

– Cóż, dobrze – odezwała się w końcu wiceminister spraw wewnętrznych.

Znowu zapanowała cisza, pełna niepokoju, ale i wyczekiwania, jakbyśmy wszyscy grali w sztuce i właśnie doszło do punktu kulminacyjnego, w którym jeden z nas zapomniał swojej kwestii.

Wreszcie ktoś wyrwał się z pytaniem:

– A jak ta ustawa definiuje małżeństwo?

Część z zebranych wbiła wzrok w stół, a druga część w sufit. Autor pytania był jednym z wiceministrów farmakologii, świeżo przybyłym z sektora prywatnego. Wiedziałem o nim właściwie tyle, że jest biały, na oko tuż po pięćdziesiątce, oraz że jego dwoje dzieci i mąż zmarli w roku siedemdziesiątym.

– Cóż… – przemówiła wreszcie minister sprawiedliwości, ale zaraz zamilkła, patrząc po zebranych z niemal błagalną miną, jakby czekała, aż ktoś dokończy za nią wypowiedź. – Oczywiście uznamy wszystkie wcześniej zawarte kontrakty małżeńskie – dodała po chwili. – Ale Ustawa o małżeństwie ma zachęcać do prokreacji, a zatem – znów rozejrzała się po sali, szukając pomocy, lecz znowu nie było chętnych – przywileje socjalne przyznawane będą wyłącznie związkom biologicznego mężczyzny z biologiczną kobietą. Co nie oznacza – dodała szybko, zanim minister farmakologii zdążył zabrać głos – że proponujemy jakiekolwiek moralne… kary dla osób niespełniających warunków tej definicji: pary tego rodzaju nie będą objęte państwowym systemem wsparcia.

Wszyscy naraz zaczęli wykrzykiwać pytania. Spośród trzydzieściorga dwojga zebranych co najmniej dziewięcioro z nas – w tym, byłem prawie pewien, mała kobieta o króliczej urodzie, jedna z autorek projektu – nie zostanie objętych ulgami socjalnymi, jeżeli ta ustawa przejdzie. Gdyby nas było jedynie dwoje albo troje, przejmowałbym się bardziej – w podobnych sytuacjach ludzie są skłonni głosować wbrew własnym interesom, licząc na większą ochronę osobistą. Jednak w tym przypadku jest nas za dużo do urzeczywistnienia tej propozycji, zwłaszcza że wiąże się z nią zbyt wiele pytań bez odpowiedzi. Czy to oznacza, że małżeństwa bezdzietne zostaną wyłączone z systemu dodatków socjalnych? A co z rodzicami jednopłciowymi, którzy już mają biologiczne dzieci i mogą mieć ich więcej? Co będzie z wdowami i wdowcami, których liczba jest rekordowa w historii? Czy w gruncie rzeczy mówimy o *płaceniu* obywatelom za rodzenie dzieci? A jeśli para będzie miała dzieci i te dzieci umrą – czy rodzice zachowają przywileje? Czy nie jest to w istocie zamach na prawo osoby płodnej do decydowania o tym, czy rodzić, czy nie rodzić? A jeśli osoba płodna będzie fizycznie lub umysłowo upośledzona – czy nadal mamy ją zachęcać do rodzenia dzieci? Co z rozwiedzionymi? Czy tą ustawą nie zachęcamy kobiet do trwania w związkach przemocowych? Czy będzie dozwolone małżeństwo osoby bezpłodnej z płodną? A jeżeli ktoś zmienił płeć – czy ta ustawa nie spycha go do szarej strefy? Skąd będą pochodzić pieniądze na sfinansowanie założeń proponowanej ustawy, skoro spodziewamy się, że dwóch naszych największych partnerów handlowych zerwie z nami stosunki? Skoro prokreacja jest tak istotna dla przetrwania państwa, to czy nie należałoby udzielić amnestii zdrajcom stanu i zachęcić ich do rozmnażania się, nawet w środowisku kontrolowanym? Dlaczego nie adoptujemy po prostu dzieci uchodźców, które zostały sierotami, albo nie zaimportujemy dzieci z obszarów zniszczonych przez katastrofę klimatyczną i tym samym nie oddzielimy idei rodzicielstwa od biologii? Czy autorzy projektu nie żerują na traumie egzystencjalnej wynikłej ze zniknięcia pokolenia dzieci, żeby promować projekt moralizatorski? Pod koniec posiedzenia oboje autorzy projektu mieli łzy w oczach. Wszyscy wyszli z zebrania zdegustowani.

Szedłem do samochodu, gdy usłyszałem, że ktoś woła mnie po imieniu. Odwróciłem się i ujrzałem ministra farmakologii. „Nie dojdzie do tego" – powiedział z taką pewnością, że prawie się uśmiechnąłem. Był młody i niezmiernie pewny siebie. Zaraz jednak przypomniałem sobie, że ten człowiek stracił całą najbliższą rodzinę, i choćby z tego względu należy mu się mój szacunek. „Mam nadzieję, że się pan nie myli" – odpowiedziałem. Kiwnął głową. „Nie mam najmniejszych wątpliwości" – oświadczył, skłonił się i odszedł do swojego samochodu.

Zobaczymy. Od lat zdumiewa mnie, zasmuca i budzi moje obawy niejednokrotnie dowiedziona uległość mas. Lęk przed chorobą i jakże ludzki instynkt zachowania zdrowia przyćmiły wszystkie niemal pragnienia i uznawane dawniej wartości, a także wiele swobód, dotychczas uważanych za niezbywalne. Ten lęk podziałał na państwo jak drożdże, ale teraz to państwo generuje własny lęk, czując, że lęk obywateli słabnie. W poniedziałek rozpocznie się trzeci tydzień dyskusji nad Ustawą o małżeństwie i wygląda na to, że jednak uda nam się ją zastopować. Twoja krytyka z całą pewnością pomogła. Nie wyobrażam sobie, żeby miała wejść w życie; przecież to odseparowałoby nas całkowicie od Starej Europy – chociaż przyznaję, że już nie raz się pomyliłem.

Trzymaj kciuki za nas wszystkich. W przyszłym tygodniu napiszę coś więcej. Przekaż moje serdeczności Olivierowi. Ale zostaw trochę dla siebie.

Charles

3 lutego 2078

Drogi Peterze – ustawa przeszła. Jutro zostanie ogłoszona. Brak mi słów. Więcej wkrótce. Charles

Kochany Peterze, 15 kwietnia 2079

jest bardzo wcześnie, dopiero świta, a ja nie mogę spać. Wydaje mi się, że od kilku miesięcy nie sypiam w ogóle. Próbuję kłaść się wcześniej, bliżej 11.00 niż po północy, a potem i tak leżę do rana. Czasami nie tyle zasypiam, ile zapadam w stan graniczny pomiędzy jawą a snem: mam wtedy jasną świadomość materaca, na którym leżę, i dźwięku wentylatora sufitowego. W takich godzinach robię sobie przegląd wydarzeń dnia, w którym sam występuję to jako uczestnik, to jako widz, nie mogąc nigdy przewidzieć momentu zwrotu kamery i zmiany perspektywy.

Wczoraj wieczorem spotkałem się znowu z C. Nie jest właściwie w moim typie ani zapewne ja w jego. Ale mamy to samo poświadczenie bezpieczeństwa i tę samą rangę, co znaczy, że możemy się nawzajem odwiedzać w swoich mieszkaniach, a nasze samochody mogą bez problemu i dodatkowych pytań parkować wtedy na ulicy, by po spotkaniu odwieźć nas do domu.

Człowiek zapomina czasami, jak wielką ma potrzebę bycia dotykanym. Bez jedzenia, wody, światła czy ciepła można żyć latami. Inaczej: ciało nie ma wspomnień po tych doznaniach. Robi ci tę uprzejmość, że pozwala zapomnieć. Za pierwszym i za drugim razem odbyliśmy szybki, niemal brutalny seks, jakby taka okazja miała się więcej nie powtórzyć, ale ostatnie trzy razy były spokojniejsze. C. mieszka w rządowej kamienicy w Strefie Czternastej; w jego mieszkaniu nie ma nic oprócz najpotrzebniejszych rzeczy. Z jednego prawie pustego pokoju przechodzi się do drugiego.

Po seksie udajemy, że urządzenia podsłuchowe nie istnieją – mamy i ten przywilej – i rozmawiamy sobie. On ma pięćdziesiąt dwa lata, więc jest ode mnie o dwadzieścia trzy lata młodszy, a zaledwie dwanaście lat starszy, niż byłby dzisiaj David, gdyby żył. Opowiada czasami o swoich synach, z których młodszy skończyłby w tym roku szesnaście lat, a więc byłby zaledwie o rok starszy od Charlie, która we wrześniu skończy piętnaście; mówi także o mężu, który pracował w dziale handlowym spółki farmaceutycznej, w której i on był wówczas zatrudniony. Kiedy wszyscy trzej zmarli w ciągu pół roku, C. rozważał samobójstwo, ale ostatecznie nie zdecydował się na ten krok, a teraz, jak mówi, już nie pamięta, dlaczego chciał się zabić.

– Ja też nie pamiętam, dlaczego się nie zabiłem – powiedziałem mu kiedyś i w tym samym momencie poczułem, że kłamię.

– Twoja wnuczka – odgadł, a ja skinąłem głową.

– Szczęściarz z ciebie – powiedział C.

Przypominasz sobie może, że to właśnie C. był tak pewny, że Ustawa o małżeństwie nie przejdzie. Nawet teraz, gdy spotykaliśmy się potajemnie, uparcie twierdził, że lada dzień zostanie wycofana. „Jaki jest sens udzielania ślubu ludziom, którzy nie będą mieli dzieci? – pytał retorycznie. – Skoro chodzi o wychowanie większej liczby dzieci, to czemu nie wykorzystają niektórych z nas jako opiekunów dziecka albo nie skierują do pełnienia innych funkcji pomocniczych? Czy nie chodzi o to, żeby maksymalnie wykorzystać wszystkich obywateli?" A gdy raz wyraziłem nieuchronną konkluzję, że pomimo obietnic Komitetu Ustawa o małżeństwie doprowadzi wyłącznie do kryminalizacji homoseksualizmu z pobudek moralnych – zaperzył się tak, że nie miałem innego wyjścia niż zebrać manatki i wynieść się od niego. „Jaki to ma cel?" – wypytywał mnie raz po raz. Gdy odpowiadałem, że celem jest to, co zawsze i wszędzie jest celem kryminalizacji homoseksualizmu: wskazać kozła ofiarnego, na którego można zwalić winę za słabość państwa – zarzucił mi, że jestem zgorzkniały i cyniczny. „Ja wierzę w to państwo" – oświadczył, a kiedy powiedziałem, że i ja kiedyś w nie wierzyłem, kazał mi się wynosić, krzycząc, że zanadto różnimy się w poglądach. Nie kontaktowaliśmy się przez kilka tygodni. W końcu jednak konieczność zbliżyła nas ponownie, a powodem było właśnie to, o czym już nie wolno nam było rozmawiać.

Po spotkaniu C. odprowadził mnie do drzwi, uściskaliśmy się bez całowania i potwierdziliśmy następne spotkanie. Na zebraniach Komitetu odnosiliśmy się do siebie serdecznie. Ani zbyt chłodno, ani zbyt przyjaźnie. Myślę, że nikt nie zauważył różnicy. Na ostatnim naszym spotkaniu C. powiedział mi o coraz liczniejszych bezpiecznych domach, usytuowanych przeważnie na zachodnich rubieżach Strefy Ósmej i przeznaczonych dla osób niemogących, tak jak my, spotykać się w prywatnych mieszkaniach.

– To nie są burdele – uściślił. – Raczej miejsca zgromadzeń.

– I co ludzie tam robią? – spytałem.

– To samo co my tutaj. Ale nie tylko seks.

– Nie? – zdziwiłem się.

– Nie – potwierdził. – Także rozmawiają. Przychodzą tam porozmawiać.

– O czym?

Wzruszył ramionami.

– O tym, o czym się rozmawia – odrzekł, a wtedy uświadomiłem sobie, że nie wiem już, o czym się rozmawia. Gdyby posłuchać nas na zebraniu Komitetu, można by pomyśleć, że ludzie rozmawiają wyłącznie o tym, jak obalić państwo, jak uciec z kraju, jak wywołać zamieszki. Bo o czym jeszcze można rozmawiać? Kina nie ma, telewizji nie ma, internetu nie ma. Nie da się, tak jak kiedyś, przez cały wieczór dyskutować o artykule albo o powieści czy chwalić się wakacjami w dalekim kraju. Nie można pogadać o osobie, z którą właśnie uprawiało się seks, ani o rozmowie kwalifikacyjnej w nowej pracy, ani o marzeniach nabycia nowego samochodu, mieszkania czy okularów przeciwsłonecznych. Nie da się, gdyż to są zjawiska już nieistniejące, przynajmniej jawnie, a wraz z ich wyeliminowaniem znikły całe godziny i dni konwersacji. Świat, w którym teraz żyjemy, skupiony jest na przetrwaniu, a przetrwanie to zawsze czas teraźniejszy. Przeszłość już się nie liczy; przyszłość się nie zmaterializowała. Przetrwanie pozwala mieć nadzieję – jest w istocie ufundowane na nadziei – ale nie pozwala mieć przyjemności, a jako temat rozmowy jest nudne. Rozmowa i dotyk to rzeczy, dla których wciąż na nowo schodziliśmy się z C. – gdzieś w centrum, w jakimś domu nad rzeką byli ludzie tacy jak my, rozmawiający tylko po to, żeby usłyszeć drugi głos, który im odpowiada, i zyskać dowód, że własne ja, które jeszcze pamiętają, mimo wszystko wciąż istnieje.

Potem wróciłem do domu. Miałem strażniczkę z ochrony, która czuwała na dole w te noce, kiedy wychodziłem. Oddaliłem ją, wszedłem na górę do pokoju Charlie i przysiadłem na skraju jej łóżka, żeby na nią popatrzeć. Charlie należy do dzieci, które nie są podobne ani do matki, ani do ojca. Być może nos odziedziczyła po Eden, a szerokie, wąskie usta po Davidzie, ale mimo to jej buzia żadnego z nich mi nie przypomina, za co jestem wdzięczny losowi. Jest oddzielną istotą, nieobarczoną przez historię. Spała w piżamie z krótkim rękawem, więc przesunąłem palcami po jej ramionach, usianych małymi kraterami blizn. Przy niej leżał rzężący mały kotek z ropiejącą przednią łapą i pomyślałem, że niedługo będę musiał zawieźć go do weterynarza, który mu wstrzyknie truciznę, a potem wymyślić kłamstwo, które powiem Charlie.

Leżąc w łóżku, myślałem o Nathanielu. Nieraz mam szczęście i umiem wyobrazić go sobie nie jako źródło mojego wstydu czy samobiczowania, lecz w sposób neutralny. Gdy jestem z C., potrafię czasem zamknąć oczy i udawać, że to pięćdziesięciodwuletni Nathaniel. C. wygląda, pachnie i brzmi całkiem inaczej niż Nathaniel, ale skóra to zawsze skóra. Nie śmiem przyznać się nikomu poza

Tobą (fakt, że nikt poza Tobą już nie został), że coraz częściej miewam sny, w których przeżywam na nowo sceny i momenty z życia z Nathanielem, ale David – a później Eden, a jeszcze później nawet Charlie – w moich snach nie występują, jakby nigdy nie istnieli. Są to przeważnie sny banalne: Nathaniel i ja coraz bardziej się w nich starzejemy, kłócimy się, czy posadzić w ogrodzie słoneczniki, czy nie, a raz nawet próbowaliśmy przepędzić szopa z naszego strychu. Mieszkamy w domku nad morzem w Massachusetts; nie wiem, jak domek ten wygląda z zewnątrz, ale wyobrażam to sobie.

Na jawie mówię często na głos do Nathaniela. Przez szacunek dla niego rzadko wspominam o pracy, bo wiem, że to bolesny temat. Podpytuję go za to o Charlie. Po tamtym pierwszym zdarzeniu z chłopcami zrobiłem jej solidny wykład o seksie i związanych z nim zagrożeniach. „Masz jakieś pytania?" – upewniłem się na koniec, a ona w milczeniu pokręciła głową. „Nie" – odparła. Wciąż nie lubi być dotykana, czego jej czasem współczuję, ale i zazdroszczę. Życie bez pożądania (nie wspominając o wyobraźni), które dawniej budziłoby litość, teraz może jej zapewnić przetrwanie – a przynajmniej zwiększyć jego szanse. Przykra przygoda nie zniechęciła jej jednak do samotnych wycieczek, więc po drugim zdarzeniu tego rodzaju usiadłem z nią znowu do poważnej rozmowy. „Koteczku..." – zacząłem i zabrakło mi słów. Jak miałem jej powiedzieć, że tym chłopcom wcale na niej nie zależy, że postrzegają ją wyłącznie jako obiekt do wykorzystania i odrzucenia? Nie mogłem, nie mogłem – czułem się zdrajcą nawet na myśl o tych słowach. W takich chwilach życzyłem sobie, żeby ktoś zapałał pożądaniem do Charlie, bo nawet gdyby było to pożądanie zaprawione okrucieństwem, to przynajmniej byłoby namiętnością, jakąś formą namiętności – oznaczałoby, że Charlie komuś wydała się śliczna i wyjątkowa, więc godna pożądania. Oznaczałoby, że pewnego dnia ktoś może ją pokochać tak mocno jak ja, a zarazem inaczej.

Ostatnio coraz częściej rozmyślam o tym, że z wszystkich okropieństw, którym winna jest choroba, najmniej omawia się błyskawiczną brutalność, z jaką podzieliła nas ona na kategorie. Pierwszy, najoczywistszy podział był na żywych i martwych. Dalej na chorych i zdrowych, pogrążonych w żałobie i oddychających z ulgą, wyleczonych i niewyleczonych, ubezpieczonych i nieubezpieczonych. Śledziliśmy te statystyki, notowaliśmy je. Ale nastąpiły także inne podziały, których lepiej nie odnotowywać: na żyjących z innymi i żyjących samotnie. Na zamożnych i ubogich. Na ludzi, którzy mieli znajomości, i ludzi, którzy ich nie mieli. Na ludzi, którzy mieli się gdzie przeprowadzić, i ludzi, którzy nie mieli dokąd pójść.

W dłuższej perspektywie podziały te nie miały aż takiego znaczenia, jak przewidywaliśmy. Bogaci również umierali, tyle że wolniej, niż powinni, a niektórzy biedni przeżyli. Po pierwszej fali wirusa, która przetoczyła się przez miasto, zagarniając najłatwiejszą zdobycz – nędzarzy, chorych i młodych – przyszła druga i trzecia, i czwarta, aż w końcu pozostali tylko najwięksi szczęściarze. A i ci nie mieli właściwie szczęścia: czy życie Charlie jest szczęśliwe? Może i tak – przecież istnieje na tym świecie, mówi, chodzi, uczy się, jest sprawna fizycznie i pogodna, jest kochana i, wiem o tym, zdolna do miłości. Ale nie jest tym, kim mogłaby być, ponieważ nikt z nas nie jest – choroba wszystkim nam coś odebrała. Dlatego nasza definicja szczęścia jest względna, jak to zawsze bywa w przypadku szczęścia: o jej specyfice przesądzają inni ludzie. Choroba odarła nas z pozorów: obnażyła fikcyjność naszego życia. Wykazała, że postęp i tolerancja niekoniecznie prowadzą do dalszego postępu i większej tolerancji. Wykazała, że dobroć nie rodzi większej dobroci. Obnażyła kruchość poezji naszego życia – przyjaźń okazała się chwiejna i warunkowa; partnerstwo okazało się zależne od kontekstu i okoliczności. Żadne prawo, żadna umowa, żadna miłość nie były mocniejsze niż nasza własna chęć przetrwania, a w przypadku altruistów – potrzeba zachowania przy życiu swoich bliskich. Wyczuwam niekiedy lekkie wzajemne zażenowanie między nami, którzy przeżyliśmy – którzy nie zawahaliśmy się pozbawić bliźniego, może nawet znajomego albo krewnego kogoś ze znajomych – leków, łóżka w szpitalu czy jedzenia, żeby ratować samych siebie. Nami, którzy donieśliśmy na znajomego, którego nawet lubiliśmy – sąsiada, kolegę z pracy – do ministerstwa zdrowia, i podkręcaliśmy głos w słuchawkach, żeby zagłuszyć jego błagania o pomoc, gdy prowadzono go do rządowej furgonetki, żeby nie słyszeć nieustającego krzyku, że to pomyłka, ktoś został źle poinformowany, że wysypka na ręce jego córki to uczulenie, a wrzód na czole syna to pryszcz trądzikowy.

A teraz choroba jest pod kontrolą, więc po raz kolejny wracamy do zajmowania się codziennymi drobiazgami: Czy uda się dostać w sklepie kurczaka zamiast tofu? Czy nasze dzieci zostaną przyjęte do wybranego college'u? Czy uda nam się wygrać tegoroczną loterię mieszkaniową i przeprowadzić się ze Strefy Siedemnastej do Strefy Ósmej albo ze Strefy Ósmej do Strefy Czternastej?

Wszystkie te troski i drobne niepokoje podszyte są jednak czymś głębszym: prawdą o nas samych, esencją naszej jaźni, tym, co wyłania się z człowieka, gdy cała reszta się wypaliła. Nauczyliśmy się dbać o tę personę najlepiej, jak się da, i ignorować swoją wiedzę o tym, kim jesteśmy w rzeczywistości. Przeważnie odnosimy sukces. Musimy odnosić sukces: udawanie jest ceną zdrowia psychicznego. Ale wszyscy wiemy, kim naprawdę jesteśmy. Jeśli przeżyliśmy, to dlatego, że jesteśmy g o r s i, niż nam się zdawało, a nie lepsi. Czasami wręcz czujemy, że wszyscy, którzy żyją, przeżyli dzięki temu, że byli wystarczająco chytrzy, nieustępliwi i podstępni, żeby przeżyć. Wiem, że ten pogląd sam w sobie jest szaleństwem, ale w chwilach większej fantazji wydaje mi się całkiem rozsądny – jesteśmy resztką, szumowiną, szczurami walczącymi o przegniłe ochłapy, ludźmi, którzy wybrali dalszy pobyt na ziemi, podczas gdy lepsi i mądrzejsi od nas odeszli w jakąś inną sferę, o której my możemy najwyżej pomarzyć – przekroczyli próg drzwi, które my nawet boimy się uchylić, żeby chociaż zerknąć do środka.

Charles

Kochany Peterze, 15 września 2081

jak zawsze dziękuję Ci za prezenty urodzinowe dla Charlie, w tym roku wyjątkowo pożądane. Racjonowanie jest już tak ścisłe, że od czternastu miesięcy Charlie nie dostała nic do ubrania – sukienka to marzenie ściętej głowy. Dziękuję Ci, że zgodziłeś się, żebym ofiarował jej te prezenty we własnym imieniu. Żałuję, że nie mogę jej o Tobie opowiedzieć, że nie mogę jej zapewnić, że gdzieś daleko żyje ktoś jeszcze, komu także na niej zależy. Wiem jednak, że nie byłoby to bezpieczne.

Byłem dzisiaj u niej w szkole na rozmowie z wychowawczynią. W ubiegłym roku, gdy Charlie była w jedenastej klasie, zacząłem podejrzewać, że szkoła zniechęca ją do pójścia na studia, chociaż wszyscy nauczyciele przedmiotowi bardzo ją w tym popierali, zresztą nawet bez ich poparcia oceny z matematyki i fizyki zagwarantowałyby jej przyjęcie przynajmniej do college'u technicznego.

Od lat próbuję ocenić szczerze sam przed sobą zakres ułomności Charlie. Jak wiesz, badania nad dalekosiężnymi skutkami podawania Xychoru dzieciom, które otrzymywały ten lek w roku siedemdziesiątym, wciąż są dość skąpe. Dzieje się tak po części dlatego, że przeżyło ich stosunkowo niewiele, po części zaś dlatego, że opiekunowie i rodzice ocalałych dzieci niechętnie poddają je dalszym badaniom i testom (sam się zaliczam do samolubów, którzy hamują postęp nauki, odmawiając zgody na badanie własnego dziecka). Niestety, artykuły, które się publikuje, pochodzące zarówno stąd, jak i z instytutów Starej Europy, są wprawdzie lepiej umotywowane, ale dla mnie mało pomocne: jeszcze nie odnalazłem mojej Charlie w żadnym z czytanych przeze mnie opisów. Muszę jednak zaznaczyć, że nie poszukuję wyjaśnień naukowych w przekonaniu, że jej zrozumienie pozwoliłoby mi bardziej ją kochać. Po prostu w głębi duszy stale mam nadzieję, że jeśli istnieją podobne przypadki, to Charlie spotka kiedyś kogoś podobnego do siebie, przy kim poczuje się jak w domu. Nigdy nie miała przyjaciela. Nie wiem, jak głęboko odczuwa samotność ani czy – w przeciwieństwie do swojego nieszczęsnego ojca – posiada zdolność rozpoznawania jej. Jednak moim największym życzeniem jest, żeby ktoś kiedyś uwolnił ją od tej samotności, najlepiej zanim sama rozpozna w sobie to uczucie.

Jak dotychczas nikt taki się nie znalazł. Wciąż nie mam pojęcia, jak dalece Charlie rozumie, że tak wielu rzeczy nie rozumie, jeśli wiesz, co mam na myśli. Nieraz myślę, że sam siebie oszukuję, dopatrując się w niej człowieczeństwa, które zostało całkowicie wyrugowane. Ale ona potrafi ni stąd, ni zowąd powiedzieć coś, co świadczy o zaskakującej spostrzegawczości, coś tak głębokiego, że drżę na myśl, że mogła wyczuć moje zwątpienie w jej człowieczeństwo. Zapytała mnie kiedyś, czy kochałem ją bardziej, zanim zachorowała. Wówczas poczułem, jakbym otrzymał cios w splot słoneczny: musiałem przytulić ją mocno do siebie, żeby nie zobaczyła mojej miny. „Nic podobnego – odpowiedziałem. – Kocham cię cały czas tak samo od dnia, w którym się urodziłaś. Nie chciałbym, żeby mój koteczek był jakiś inny". Nie mogłem jej powiedzieć – bo to by ją speszyło albo uraziło – że teraz kocham ją b a r d z i e j niż przedtem; że moja miłość budzi grozę, gdyż jest nieokiełznana, mroczna i kipiąca: jest bezkształtną masą energii.

W szkole wychowawczyni przedstawiła mi trzy college'e matematyczno-przyrodnicze, które uznała za odpowiednie dla Charlie: wszystkie znajdują się w promieniu dwóch godzin jazdy od miasta, wszystkie są małe i dobrze strzeżone. Każdy z nich gwarantował absolwentom zatrudnienie w instytucji co najmniej Trzeciego Stopnia. Najdroższy był uczelnią żeńską, i ten właśnie college wybrałem dla Charlie.

Wychowawczyni to odnotowała.

– Większość pracowników państwowych Pierwszego Stopnia decyduje się na dwudziestoczterogodzinną ochronę dla swoich dzieci – powiedziała. – Czy zechce pan skorzystać z usług college'u, czy też utrzyma, jak dotychczas, własną ochronę?

– Utrzymam własną – odpowiedziałem. Przynajmniej to opłacać mi będzie państwo.

Omówiliśmy jeszcze parę szczegółów, w końcu wychowawczyni wstała.

– Charlie kończy właśnie ostatnią lekcję – oznajmiła. – Czy mam ją wywołać, żebyście mogli wrócić do domu razem?

Zgodziłem się na to z chęcią, więc wychowawczyni wyszła z gabinetu, żeby wysłać po Charlie swoją asystentkę.

Pod jej nieobecność wstałem i obejrzałem wywieszone na ścianie zdjęcia uczennic. W mieście pozostały cztery prywatne szkoły żeńskie; ta jest najmniejsza i przyciąga tak zwane pilne dziewczynki, jakkolwiek słowo „pilne" jest tu eufemizmem – nie wszystkie uczennice są jednakowo chętne do nauki. Chodzi raczej o właściwą podopiecznym nieśmiałość, ich „obniżoną zdolność integracji społecznej".

Wychowawczyni powróciła z Charlie, pożegnaliśmy się i wyszliśmy.

– Do domu? – zagadnąłem ją w samochodzie. – Czy na lody?

Zastanowiła się.

– Do domu – odpowiedziała.

W poniedziałki, środy i piątki ma dodatkowe treningi komunikacji werbalnej i niewerbalnej z psychologiem. Zawsze jest po nich zmęczona – teraz także położyła głowę na oparciu i zamknęła oczy. Na pewno była rzeczywiście wyczerpana, ale przypuszczam, że chciała uniknąć moich pytań, których nie omieszkałbym zadać, żeby wyciągnąć z niej – z trudem – odpowiedzi. Co robiłyście dzisiaj w szkole? Jak było na muzyce? Czego słuchałyście? Jak się czułaś, słuchając tej muzyki? Jak myślisz, co wykonawca próbował wyrazić? Która część utworu podobała ci się najbardziej i dlaczego?

„Dziadku – przerwałaby mi w końcu sfrustrowana. – Nie umiem odpowiadać na twoje pytania". „Umiesz, umiesz, koteczku – zaprzeczyłbym. – I świetnie ci to wychodzi".

Coraz częściej zastanawiam się, jak będzie wyglądała jej dorosłość. Gdy wyszła z choroby, przez pierwsze trzy lata moją jedyną troską było utrzymanie jej przy życiu: kontrolowałem, ile je, ile śpi, sprawdzałem białka jej oczu i kolor języka. Ale od tamtego pierwszego zdarzenia z chłopcami położyłem największy nacisk na jej ochronę, chociaż tu nadzór był bardziej skomplikowany, gdyż polegał tak samo na mojej czujności jak na nadziei, że Charlie zrozumiała, komu może zaufać, a komu nie. Posłuszeństwo równa się bezpieczeństwo, ale czy nie nauczyłem jej p r z e s a d n e g o posłuszeństwa?

Po drugim zdarzeniu zacząłem martwić się o jej przyszłe życie – jak mogę ustrzec ją przed ludźmi, którzy chcą ją wykorzystać. Co stanie się z nią po mojej śmierci? Zawsze zakładałem, że Charlie zostanie ze mną na całe życie, nie dopuszczając do siebie myśli, że chodzi wyłącznie o moje życie, a nie jej. Mam prawie siedemdziesiąt siedem lat, a ona siedemnaście; nawet jeśli pożyję jeszcze dziesięć – nie umrę śmiercią naturalną ani nie zostanę usunięty tak jak C. – to jej zostaną jeszcze dekady samotnych zmagań z życiem.

Pocieszam się myślą, że życie w społeczeństwie przyszłości będzie dla niej pod pewnymi względami łatwiejsze. Już teraz wszędzie otwierają się biura pośrednictwa małżeństw (wszystkie na państwowych licencjach) obiecujące znaleźć współmałżonka dla każdego. Wesley zagwarantuje jej pracę, a system punktowy zapewni zawsze jedzenie i dach nad głową. Wolałbym żyć i czuwać nad nią do czasu, aż wejdzie w wiek średni, ale m u s z ę żyć tylko do momentu, gdy przekażę ją komuś, kto się nią zaopiekuje, i zapewnię jej pozycję gdzieś, gdzie wiem, że będzie dobrze traktowana. Ta świadomość ułatwia mi zadanie. Dawno przestałem wierzyć, że moja praca przysłuży się nauce, ludzkości, temu krajowi, temu miastu, ale świadomość, że wykonuję ją dla Charlie, dla jej bezpieczeństwa, czyni życie znośnym.

W każdym razie potrafię w to wierzyć – czasem bardziej, czasem mniej.

Ucałowania dla Ciebie i Oliviera. Charles

Mój Kochany Peterze, 1 grudnia 2083

najlepsze życzenia z okazji urodzin! Siedemdziesiąt pięć. Jeszcze smarkacz. Żałuję, że nie mam nic, co mógłbym Ci posłać, za to ty stale przysyłasz mi prezenty, jeśli zaliczyć do nich Twoje i Oliviera zdjęcie z wakacji. Dziękuję również za piękny szal, który wręczę Charlie za dwa tygodnie, gdy przyjedzie do domu na święta. Nawiasem mówiąc, nowy kurier sprawdza się doskonale – jest jeszcze bardziej dyskretny niż poprzedni i o wiele szybszy.

Dom jest już prawie całkiem przerobiony. Na forum Komitetu wygłoszono dwie mowy o mojej wielkoduszności, ale przecież tak naprawdę nie miałem wyboru – kiedy wojsko prosi o udostępnienie prywatnego domu, to nie jest prośba, ale rozkaz. I tak miałem szczęście, że utrzymałem go tak długo, zwłaszcza w czasie wojny. Poprosiłem o przydzielenie mi mieszkania, które sam sobie wybiorę. Prośba została spełniona: wydzielili z domu osiem mieszkań. Nasze znajduje się na trzecim piętrze, z widokiem na północ, i obejmuje dawną sypialnię Charlie i jej pokój do zabawy, który teraz stał się salonem. Do jej powrotu nocuję w sypialni, potem przeniosę się do salonu. Ponieważ dom został przepisany na nią, Charlie zatrzyma to mieszkanie po ślubie, a mnie przeniosą do innego mieszkania w tej samej strefie, co także było warunkiem porozumienia.

Mimo że teraz mieszkam właściwie w koszarach, po domu nie kręcą się żadni żołnierze. Pozostałe mieszkania przydzielono rozmaitym technikom operacyjnym: kiedy mijamy się na schodach, odwracają wzrok, a zza ich drzwi słyszę czasem piskliwą kakofonię zniekształconych meldunków radiowych.

W swoim ostatnim liście dziwisz się, że zachowuję stoicki spokój w całej tej sytuacji. Nazwij to raczej rezygnacją. Moją dumną naturę udobruchał fakt, że zarekwirowali mi dom jako jednej z trzech ostatnich osób w Komitecie, natomiast zmysł praktyczny pozwala mi myśleć, że skoro Charlie mieszka w college'u, nie potrzebuję tak wielkiej rezydencji. Zresztą dom nigdy nie był tak naprawdę mój: należał do Aubreya i Norrisa, a później do Nathaniela. Ja natomiast – niczym kolekcja Aubreya, której ostatnie eksponaty oddałem, jeden po drugim, do Metropolitan, a po zamknięciu tego muzeum przekazałem rozmaitym organizacjom prywatnym – jedynie zajmowałem tu miejsce, nigdy go nie posiadając. Z biegiem lat ten dom, niegdyś tak dla mnie symboliczny – repozytorium moich resentymentów, projekcja moich lęków – stał się po prostu domem: schronieniem, nie metaforą.

Martwię się jednak, jak zareaguje Charlie. Wie, że to się już stało. Kilka tygodni temu odwiedziłem ją na uczelni. Gdy ją zagadnąłem, czy chciałaby mnie o coś spytać, pokręciła głową. Staram się ułatwić jej sytuację, jak tylko mogę. Na przykład nie ma teraz na rynku dużego wyboru farb, ale powiedziałem jej, że może sobie wybrać dowolny kolor, a nawet możemy wymalować coś na ścianie sypialni, chociaż żadne z nas nie ma talentu do rysowania. „Co tylko zechcesz – powiedziałem. – To twoje mieszkanie". Raz potakuje i mówi: „wiem", a innym razem kręci głową. „Nie moje – poprawia mnie. – Nasze. Twoje i moje, Dziadku". W takich chwilach wiem, że Charlie wbrew sobie zastanawia się nad własną przyszłością, która ją przeraża. Wtedy szybko zmieniam temat i rozmawiamy o czymś innym.

C. zawsze był przekonany, że na wysokich szczeblach struktur państwowych pracuje więcej osób, niż sądzimy. Jego zdaniem to pogarsza naszą sytuację, zamiast ją polepszać, gdyż ci ludzie zechcą dla przykładu ujawnić każdego, kto rażąco naruszył prawo w obronie własnej – tak nakazuje chora logika zagrożonych. Twierdził, że Ustawa o małżeństwie nie przeszłaby nigdy bez naszej większości w Komitecie i poza nim, bowiem nasz ukryty wstyd i poczucie winy z powodu niemożności rozmnażania się doprowadziły do niebezpiecznej odmiany patriotyzmu kompensacyjnego, który nas pchnął do przyjęcia praw nam samym zagrażających. „Ale – dowodził – choćby było jak najgorzej, zawsze znajdą się dla nas jakieś luki, przynajmniej tak długo, jak publicznie będziemy przestrzegali prawa". Tak mówił na krótko przed swoim zniknięciem. Rok później, jak wiesz, zacząłem chodzić do jednego z bezpiecznych domów, o których mi opowiadał, gdyż pozostały one nietknięte, chociaż tyle innych zniszczono, przejęto lub przebudowano. Odkąd Charlie jest w college'u, bywam tam coraz częściej, a teraz, po zarekwirowaniu domu, moje wizyty staną się jeszcze częstsze.

Zmiany, które zaszły, przypomniały mi o Aubreyu i Norrisie. Nie myślałem o nich całe lata, ale ostatnio łapię się na tym, że głośno mówię, zwłaszcza do Aubreya. Ten dom wciąż wydaje mi się jego domem, chociaż tak długo w nim mieszkam – już prawie tak długo, jak mieszkał w nim Aubrey. W rozmowach ze mną Aubrey jest zły, lecz stara się to ukryć. W końcu jednak nie wytrzymuje. „Coś ty, kurwa, narobił, Charles? – krzyczy, co nigdy mu się nie zdarzało za życia. – Co zrobiłeś z moim domem?" A ja, chociaż powtarzam sobie, że zawsze miałem gdzieś opinie Aubreya, nigdy nie wiem, co mu odpowiedzieć.

„Co ty zrobiłeś, Charles? – pyta raz po raz. – Co ty zrobiłeś?" A ja za każdym razem otwieram usta, żeby coś powiedzieć, ale nic się z nich nie wydobywa.

Całuję Ciebie i O. – Charles

Kochany Peterze, 12 lipca 2084

śniły mi się dzisiaj Hawaje. Poprzedniej nocy byłem w swoim ulubionym domu złej sławy i spałem obok A., kiedy zaczęły wyć syreny.

– O Jezu, o Jezu – biadolił A., zbierając po omacku ubranie i buty. – To nalot.

Mężczyźni tłoczyli się w drzwiach, dopinając koszule i paski; miny mieli kamienne albo wystraszone. Podczas nalotów najbezpieczniej było milczeć, a mimo to ktoś – młodzieniec z departamentu prawa – powtarzał w kółko: „To, co robimy, nie jest nielegalne; to, co robimy, nie jest nielegalne", aż wreszcie ktoś inny syknął, żeby się zamknął, bo wszyscy już to wiemy.

Staliśmy tak w oczekiwaniu na wszystkich czterech piętrach; było nas około trzydziestu. Poszukiwany nie zawinił homoseksualizmem – mógł być podejrzany o przemyt, o fałszerstwo, o kradzież – ale chociaż nie mogli nas zamknąć za to, kim byliśmy, to mogli nas z tego powodu upokorzyć. Bo po cóż by inaczej aresztowali swojego podejrzanego właśnie tutaj, zamiast robić to po cichu w jego miejscu zamieszkania? Chodziło o spektakl: wyprowadzili nas z budynku jak przestępców, gęsiego, z podniesionymi rękami. Chodziło o perwersyjną przyjemność: skuli nam ręce i kazali uklęknąć na krawężniku. Chodziło o sadyzm: każdemu kazali powtarzać nazwisko – „głośniej, proszę, nie dosłyszałem" – które wykrzykiwali następnie do kolegi sprawdzającego nas w bazie danych: „Charles Griffith, plac Waszyngtona trzynaście. Podaje się za naukowca Uniwersytetu Rockefellera. Wiek: osiemdziesiąt, skończy w październiku". (A potem szyderczy uśmieszek: „Osiemdziesiąt? I robi jeszcze te rzeczy?". Jakby to było absurdalne, obsceniczne, że taki stary człowiek chce być dotykany, chociaż w tym wieku pragnie się tego tym bardziej). Później przez kilka morderczych godzin siedzieliśmy w kucki ze zwieszonymi głowami na ulicy, chociaż podejrzanego dawno już zabrano, i czekaliśmy, aż skończy się ten teatr, aż któryś z oprawców znudzi się i pozwoli nam odejść, a jego kompani z rechotem powsiadają do swoich pojazdów. Nigdy nie dokuczali nam fizycznie ani nigdy nas nie wyzywali – nie mogli sobie na to pozwolić, gdyż było wśród nas zbyt wielu ludzi władzy – ale jasne było, że nami pogardzają. Gdy w końcu wstaliśmy, żeby wycofać się do domu, ulica znowu pociemniała, ponieważ sąsiedzi, którzy bez słowa podglądali nas z okien, po zakończeniu spektaklu wrócili do łóżek. „Wolałbym już, żeby nas zdelegalizowali" – mruknął po ostatnim nalocie jakiś młodziak, ale grupa zaraz go zakrzyczała, nazywając ignorantem i głupkiem. Ja natomiast rozumiem, co chciał powiedzieć: otóż gdybyśmy byli nielegalni, wiedzielibyśmy przynajmniej, na czym stoimy. A tak byliśmy nikim – znano nas i tolerowano, ale nie brano pod uwagę. Żyliśmy w stanie ciągłej niepewności, czekając dnia, w którym zostaniemy okrzyknięci wrogami, czekając nocy, która w ciągu godziny, za sprawą jednego podpisanego dokumentu, zamieni nasze czyny z ubolewania godnych w przestępcze. Nawet samo określające nas słowo niepostrzeżenie znikło z codziennego języka – my sami określaliśmy się jako „nasi ludzie": „Znasz Charlesa? To nasz człowiek". Nawet my sami używaliśmy eufemizmu, nie mogąc nazwać rzeczy po imieniu.

Naloty prawie nigdy nie obejmowały wnętrza domu – jak już mówiłem, było wśród nas zbyt wielu ludzi władzy i funkcjonariusze prawdopodobnie wiedzieli, że znaleźliby w środku tak znaczne ilości kontrabandy, że spisywanie jej wyeliminowałoby ich z innych zajęć na co najmniej tydzień. W każdym pokoju znajdował się szyb, którym w razie potrzeby dało się spuścić swój dobytek. Dlatego pierwszym miejscem, które odwiedzaliśmy po nalocie, była piwnica z sejfem. Wydobywaliśmy z niego swoje książki, portfele, gadżety i wszystkie inne przedmioty, które powrzucaliśmy do szybu, a potem każdy wracał do siebie, często nie żegnając się nawet z partnerem, a gdy przychodziliśmy kolejny raz, nikt nie wspominał o nalocie – wszyscy udawaliśmy, że go nie było.

Dwie noce temu czekaliśmy trzy minuty na walenie do drzwi, na wywołanie naszych nazwisk przez megafony, zanim zorientowaliśmy się, że syreny jednak nie wyły z naszego powodu. Znowu odbyła się milcząca wymiana spojrzeń – mężczyźni z pierwszego i drugiego piętra patrzyli w górę na nas, mężczyzn z trzeciego i czwartego piętra, i wszyscy byliśmy niepewni – aż wreszcie młodzieniec z pierwszego piętra dyskretnie uchylił drzwi wejściowe, a po krótkiej pauzie dramatycznym gestem rozwarł je na oścież, stając pośrodku we framudze.

Krzyczał coś, więc zbiegliśmy na dół i widzimy, że Bank Street zmieniła się w wartką rzekę rwącą na wschód. „Hudson wylał" – usłyszałem czyjś cichy, zalękniony głos, a potem, niemal równocześnie, ktoś krzyknął: „Sejf!" i wszyscy rzuciliśmy się do piwnicy, która już napełniała się wodą. Utworzyliśmy ludzki łańcuch, którym przetransportowaliśmy na strych zgromadzone w sejfie książki i inne przedmioty, po czym stanęliśmy w oknach pierwszego piętra, obserwując, jak woda się podnosi. A. miał przy sobie urządzenie komunikacyjne, jakiego nigdy wcześniej nie widziałem, inne od mojego – nigdy go nie pytałem, czym się zajmuje, a on się nie chwalił – i wyszczekał w nie krótkie polecenie. Dziesięć minut później podpłynęła do nas flotylla plastikowych szalup.

– Wsiadać – zakomenderował A., którego dotąd znałem jako biernego marudę, niespodziewanie przeistoczony w surowego komendanta. Domyśliłem się, że to jego zawodowe wcielenie. – Ustawcie się w kolejce do łódek.

Woda już chlupała o schodki przed wejściem.

– A co z książkami? – spytał ktoś i wszyscy domyśliliśmy się, że pyta o książki ze strychu.

– Zajmę się nimi – powiedział dość młody mężczyzna, którego nigdy wcześniej nie widziałem, chociaż wiedziałem, że jest właścicielem domu, a może kierownikiem albo dozorcą; trudno orzec, w każdym razie zachowywał się odpowiedzialnie. – Wsiadajcie.

Tak zrobiliśmy. Tym razem, może dzięki A., a może dlatego, że kryzys wszystkich zrównuje, obyło się bez koszarowych dowcipów i szyderczych uśmieszków. Żołnierze wyciągali do nas ręce i pomagali nam zejść do szalup, a cała akcja była tak konkretna, tak koleżeńska – my potrzebowaliśmy ratunku, oni przybyli nas ratować – że ich wcześniejszą niechęć do nas można by uznać za zgrywę, ponieważ w istocie szanowali nas tak samo jak wszystkich innych obywateli. Za naszymi plecami nadpływała już następna flota szalup, z której ogłaszano przez megafon: „Mieszkańcy Strefy Ósmej! Ewakuujcie się z lokali! Czekajcie w wejściach na pomoc!".

Woda wzbierała już w takim tempie, że łódka podskakiwała jak na fali, a słaby motorek dławił się liśćmi i gałązkami. O przecznicę dalej na wschód, na ulicy Greenwich, dołączyły do nas inne zmotoryzowane szalupy dążące na wschód, z ulic Jane i Zachodniej Dwunastej: cała flota płynęła powoli ku ulicy Hudson, gdzie korpus żołnierzy budował tamę z worków piasku, usiłując powstrzymać żywioł.

Tam też czekały pojazdy ratownicze i karetki pogotowia, ale ja, wygramoliwszy się z łódki, ruszyłem pieszo na wschód, nawet się nie oglądając: najlepiej nie mieszać się w akcję, jeśli nie ma takiej konieczności. Nie przemokłem zbytnio, choć przy każdym kroku woda chlupała w moich skarpetkach. Całe szczęście, że pomimo upału wyszedłem z domu bez kombinezonu chłodzącego. Na rogu Zachodniej Dziesiątej i Szóstej Alei minął mnie biegiem pluton wojska: każda czwórka dźwigała nad głowami plastikową tratwę. Pomyślałem, że wyglądają na zmęczonych – jakżeby inaczej? Dwa miesiące temu pożary, miesiąc temu ulewy, w tym miesiącu powodzie. Kiedy wreszcie dotarłem do domu, w całym budynku panowała cisza, ale nie wiedziałem, czy to z powodu późnej godziny, czy dlatego, że część mieszkańców powołano do akcji ratunkowej.

Następnego dnia – czyli wczoraj, we wtorek – nie robiłem w pracy prawie nic innego, tylko słuchałem radiowych doniesień o powodzi, która zalała znaczną część Strefy Ósmej oraz całe strefy Siódmą i Dwudziestą Pierwszą, czyli od autostrady na wschód aż po ulicę Hudson. Dom na Bank Street zapewne legł w gruzach: ktoś mnie na pewno zawiadomi, co się z nim dzieje. Dwie osoby poniosły śmierć: w budynku przy Zachodniej Jedenastej staruszka spadła ze schodów i skręciła kark, spiesząc do szalupy, a na ulicy Perry'ego mężczyzna odmówił opuszczenia sutereny i utonął. Dzięki zwykłemu przypadkowi dwie ulice częściowo ocalały: w poniedziałek rano wojsko ścięło trzy potężne chore drzewa na rogu Bethune i Waszyngtona, natomiast na Gansevoort żołnierze kopali rów pod nową rurę kanalizacyjną – to także zminimalizowało szkody. Przed laty byłbym wściekle oburzony powodzią jako nieuchronnym skutkiem wieloletnich zaniechań i arogancji rządu – ale teraz nieoczekiwanie stwierdziłem, że nie zdołam wykrzesać z siebie gwałtowniejszych emocji. Doświadczałem właściwie swoistego znużenia, a i ono było nie tyle uczuciem, ile brakiem uczucia. Słuchałem radia i ziewałem, wyglądając przez okno gabinetu na rzekę East – którą David zawsze przyrównywał do mleka czekoladowego – i obserwując łódeczkę sunącą powoli na północ: może na Wyspę Davidów, a może nie.

Wprawdzie nie znajdowałem w sobie żadnych emocji w związku z powodzią, ale byli ludzie, którzy nie cierpieli na zanik uczuć: na placu codziennie gromadzili się protestujący, których wieczorem usuwano. Spodziewałem się ich, idąc do domu – już dawno odkryli, kto z nas zasiada w Komitecie, i dobrze wiedzieli, o której wracamy z pracy. Bez względu na to, jak często zmienialiśmy kierowców i skracaliśmy dzienny harmonogram zajęć, ilekroć nasz samochód zajeżdżał pod dom, oni zawsze tam byli ze swoimi transparentami i skandowanymi hasłami. Wolno im – mają zakaz gromadzenia się przed gmachami rządowymi, ale przed naszymi mogą protestować, co wydaje mi się nawet logiczne: architektów nienawidzą przecież jeszcze bardziej niż ich struktur.

Wczoraj wieczorem, o dziwo, nie było nikogo – na placu znajdowali się wyłącznie handlarze i ich klienci przy straganach. Oznaczało to, że powodzie dały władzom pretekst do urządzenia łapanki na protestujących. Korzystając z ich nieobecności, szedłem sobie niespiesznie ulicą, przyglądając się zwyczajnym ludziom robiącym zwyczajne rzeczy, zanim w końcu dotarłem do swojego mieszkania.

Tej nocy śniło mi się, że jestem nastolatkiem na farmie dziadków w Lāʻie. Był to rok pierwszego tsunami. Wprawdzie nie dotknęło nas bezpośrednio, bo farma znajdowała się dość (w sam raz) daleko od brzegu, jednak moi dziadkowie zawsze tego żałowali i powtarzali, że gdyby nie to, wzięlibyśmy kasę z ubezpieczenia i zaczęli wszystko jeszcze raz od początku albo wcale. A tak farma była w zbyt dobrym stanie, żeby ją zostawić, a zarazem w zbyt kiepskim, żeby znów wydać plony. Wzgórze ocieniające herbarium mojej babki zostało rozmyte, a kanały irygacyjne napełniły się słoną wodą, która po wypompowaniu znowu wracała – i tak miesiącami. Sól przylgnęła do wszystkich powierzchni: drzewa, zwierzęta, rośliny, ściany domu naznaczone były strugami bieli. Powietrze stało się lepkie od soli, a gdy wiosną dojrzały owoce, wszystkie mango, liczi i papaje miały słony smak.

Moi dziadkowie nigdy nie tryskali radością: kupili tę farmę w rzadkim porywie romantyzmu, ale romantyzm ma to do siebie, że jest ulotny. Mimo to pracowali na farmie jeszcze długo po tym, jak praca ta przestała im sprawiać przyjemność – trochę dlatego, że byli zbyt dumni, by przyznać się do porażki, a trochę z powodu ograniczonej wyobraźni – nie mieli po prostu innego pomysłu na życie. Chcieli żyć według marzenia swoich dziadków, jeszcze sprzed restauracji, ale chęć sprostania ambicjom przodków – spełnianie cudzych marzeń – to słaba motywacja. Krytykowali moją matkę za jej niedostateczną hawajskość, a gdy matka odeszła z domu, zostałem im ja na wychowanie. Wtedy mnie także zaczęli krytykować za niedostateczną hawajskość, zapewniając mnie jednocześnie, że nigdy nie stanę się prawdziwym Hawajczykiem, a kiedy i ja odszedłem z domu – bo po cóż miałbym zostawać w miejscu, które, jak mi wmawiano, nigdy nie będzie naprawdę moim? – również mieli o to pretensje.

Przyśnili mi się jednak nie tyle dziadkowie, ile bajka, którą w dzieciństwie opowiadała mi babka: o głodnej jaszczurce. Jaszczurka całymi dniami chodziła po ziemi i pasła się, czym mogła. Zjadała owoce i trawę, owady i rybki. Gdy wschodził księżyc, jaszczurka zasypiała i śniło jej się jedzenie. Potem księżyc zachodził, a jaszczurka budziła się i znowu zaczynała jeść. Przekleństwem jaszczurki było to, że nie mogła się najeść, ale jaszczurka nie wiedziała, że to jest jej przekleństwo: nie była dość inteligentna.

Pewnego dnia, po upływie wielu tysięcy lat, jaszczurka jak zwykle się obudziła i jak zwykle zaczęła rozglądać się za jedzeniem. Ale coś jej się nie zgadzało. Po namyśle zrozumiała co: nie było już nic do jedzenia. Nie było roślin, nie było ptaków, nie było traw ani kwiatów, ani much. Jaszczurka zjadła wszystko, nawet kamienie, nawet góry, nawet piasek, nawet ziemię. (W tym miejscu babka śpiewała mi refren starego hawajskiego protest songu: *Ua lawa mākou i ka pōhaku / I ka ʻai kamahaʻo o ka ʻāina*). Została tylko cienka warstwa popiołu, a pod popiołem – jaszczurka o tym wiedziała – znajdowało się jądro ziemi, całe z ognia. Jaszczurka, chociaż mogła zjeść wiele rzeczy, nie mogła zjeść ognia.

Mogła zrobić tylko jedno, i to zrobiła. Położyła się na słońcu i czekała, drzemiąc i oszczędzając siły. A nocą, kiedy wschodził księżyc, dźwignęła się na ogonie i połknęła księżyc.

Przez chwilę poczuła się cudownie. Nie piła przez cały dzień, a księżyc w jej brzuchu był tak chłodny i gładki, jakby połknęła gigantyczne jajo. Delektowała się tym doznaniem, gdy nagle coś się zmieniło: księżyc wciąż wschodził, próbując uciec z brzucha jaszczurki, żeby dalej odbywać swoją wędrówkę po niebie.

Nie pozwolę na to, pomyślała jaszczurka i szybko wykopała dziurkę w ziemi, wąską, lecz głęboką, w każdym razie tak głęboką, żeby dosięgnąć ognia w środku ziemi, i wetknęła tam swój pyszczek. To powstrzyma księżyc przed wycieczkami, pomyślała.

Ale myliła się. Bo tak jak naturą jaszczurki było jedzenie, tak naturą księżyca było wschodzenie i choćby jaszczurka nie wiem jak mocno zaciskała pyszczek, księżyc i tak wschodził. Jednak dziurka w ziemi, w której jaszczurka trzymała pyszczek, była tak ciasna, że księżyc nie mógł się tamtędy wydostać.

Tak więc jaszczurka eksplodowała, a księżyc wyskoczył z ziemi i udał się dalej w swoją drogę po nieboskłonie.

Potem przez wiele tysięcy lat nic się nie działo. Mówię wprawdzie, że nic się nie działo, ale przez ten czas wszystko, co zjadła jaszczurka, powróciło. Powróciły kamienie i ziemia. Powróciły trawy i kwiaty, i inne rośliny, i drzewa; powróciły ptaki, owady, ryby i jeziora. Wszystko to nadzorował księżyc, który co noc wschodził i zachodził.

Tu bajka się kończyła. Zawsze myślałem, że była to ludowa bajka hawajska, ale się myliłem, a gdy pytałem babkę, skąd zna tę bajkę, odpowiadała: „Od mojej babci". Studiując etnografię w college'u, poprosiłem raz babkę, żeby spisała mi tę bajkę. Ofuknęła mnie. „Po co? – spytała. – Przecież już ją znasz". Tak, tłumaczyłem, ale chciałbym ją mieć w twojej wersji, a nie tak, jak sam zapamiętałem. Nigdy nie spełniła mojej prośby, a mnie duma nie pozwoliła prosić ponownie – a potem kurs etnografii się skończył.

Kilka lat później – już prawie nie utrzymywaliśmy kontaktów, rozdzieleni wzajemnym brakiem zainteresowania i rozczarowaniem – babka przysłała mi mejl, a w tym mejlu była moja bajka.

Odbywałem właśnie swój rok podróży i, pamiętam, odebrałem ten mejl, siedząc z przyjaciółmi w kawiarni w Kamakurze, a przeczytałem go dopiero tydzień później na Czedżu. Miałem przed sobą tę dobrze znaną, starą, niezrozumiałą bajkę, dokładnie taką, jak ją zapamiętałem. Jaszczurka zdechła, tak jak zawsze zdychała; ziemia się odnowiła, tak jak zawsze się odnawiała; księżyc lśnił na niebie, jak zawsze miał lśnić. A jednak znalazłem różnicę. Kiedy już wszystko odrosło, pisała babka, jaszczurka też powróciła, chociaż tym razem nie była jaszczurką, lecz *he mea helekū* – tą, co chodzi wyprostowana. Nowe stworzenie zachowywało się dokładnie tak samo, jak jego dawny przodek: jadło i jadło, aż pewnego dnia rozejrzało się wokół siebie i zobaczyło, że nic już nie ma, więc i ono było zmuszone połknąć księżyc.

Wiesz oczywiście, o czym myślę. Bardzo długo zakładałem, że ostatecznie wszystkich nas wykończy wirus, że ludzkość zostanie pokonana przez istotę zarazem większą i znacznie mniejszą od człowieka. Dziś wiem już, że tak nie będzie. Jesteśmy i jaszczurką, i księżycem. Część z nas umrze, ale my, reszta, będziemy dalej robić to, co zawsze robiliśmy, pójdziemy dalej swoją drogą na zatracenie, posłuszni nakazom ludzkiej natury, niepoznawalni i niepowstrzymani w swoim rytmie.

Całuję, Charles

Drogi P,

2 kwietnia 2085

dzięki za mejl i za informację. Miejmy nadzieję, że to prawda. Mam wszystko na wszelki wypadek. Na samą myśl o tym wpadam w popłoch, więc nie będę się tu rozpisywał na ten temat. Wiem, że kazałeś mi nie dziękować, ale dziękuję. Naprawdę bardzo mi na tym zależy, bardziej niż przedtem, co zaraz wytłumaczę.

Charlie ma się dobrze, a przynajmniej tak dobrze, jak to możliwe w jej stanie. Wyłożyłem jej Ustawę o wrogach i jestem pewien, że zrozumiała, nie wiem natomiast, czy zdaje sobie sprawę z tego, jak ta ustawa wpłynie na jej życie. Na razie wie, że to był powód wydalenia jej z college'u na trzy miesiące przed dyplomem, a także podstemplowania jej dowodu tożsamości przez rejestratora naszej strefy. Nie sprawia jednak wrażenia szczególnie przejętej ani przybitej – co obserwuję z ulgą. „Przepraszam cię, koteczku, przepraszam" – kajałem się za każdym razem, a ona tylko kręciła głową. „To nie twoja wina, Dziadku" – powiedziała wreszcie, a mnie się chciało płakać. Ponosi karę za rodziców, których nawet nie znała – czyż to nie jest dostateczną karą samo w sobie? Ile jeszcze będzie musiała znieść? Poza tym ta ustawa to jeden wielki cyrk – nie powstrzyma przecież powstańców. Nic ich nie powstrzyma. Dotyka tylko Charlie i jej nowego plemienia wyjętych spod prawa: dzieci, braci i sióstr wrogów państwa, którzy w większości dawno już poumierali albo zniknęli. Na ostatnim posiedzeniu Komitetu powiedziano nam, że jeśli powstańców nie da się spacyfikować albo chociaż kontrolować, musimy się spodziewać wprowadzenia „surowszych restrykcji". Jakich – nie sprecyzowano.

Jak sam zapewne widzisz, jestem obecnie w znacznie gorszym stanie niż Charlie. Nieustannie myślę o jej przyszłości, która mnie chwilami przeraża. Charlie zawsze dobrze się uczyła – sprawiało jej to nawet przyjemność. Marzyłem, że zdobędzie dyplom magisterski, może nawet zrobi doktorat i znajdzie posadę w jakimś małym laboratorium w niezbyt prestiżowym instytucie bez spektakularnych osiągnięć. Mogłaby zatrudnić się w placówce badawczej którejś z mniejszych aglomeracji i wieść dobre, spokojne życie.

Teraz jednak nie pozwalają jej nawet ukończyć studiów. Natychmiast udałem się do znajomego w ministerstwie spraw wewnętrznych, żeby go błagać o zrobienie wyjątku. „To absurd, Mark" – przekonywałem go. Znał Charlie sprzed lat; gdy wyszła ze szpitala, podarował jej pluszowego królika. Sam stracił wtedy syna. „Dosyć tych wygłupów. Dajcie jej jeszcze jedną szansę".

Westchnął. „Gdyby sytuacja była inna, zrobiłbym to, Charles, przysięgam ci – powiedział. – Ale mam związane ręce, nawet w stosunku do ciebie". Potem dodał, że Charlie „zalicza się do szczęściarzy", bo już „pociągnął parę sznurków" w jej sprawie. Nie wiem, co miał na myśli, i nagle przestało mnie to obchodzić – zorientowałem się, że jestem spychany na boczny tor. Czułem to od jakiegoś czasu, ale teraz miałem dowód. Nie stanie się to z dnia na dzień, ale się stanie. Bywałem już tego świadkiem. Nie od razu traci się autorytet – dokonuje się to stopniowo, miesiącami i latami. Kto ma szczęście, tego po prostu przestają zauważać, dają mu jakąś nic nieznaczącą pracę gdzieś, gdzie nie może narobić szkody. Kto ma pecha, ten staje się kozłem ofiarnym, i właśnie ja, nie chwaląc się (chociaż byłaby to perwersja) – przez wzgląd na to, co wprowadziłem w życie, co planowałem, co nadzorowałem – jestem, jak sądzę, człowiekiem przeznaczonym do publicznego napiętnowania.

Muszę więc działać szybko – na wszelki wypadek. Po pierwsze, muszę załatwić jej pracę w instytucji państwowej. To będzie trudne, ale jeśli się uda, Charlie będzie bezpieczna, bo to są posady dożywotnie. Pójdę do Wesleya, który nie śmie mi odmówić, nawet teraz. A potem, chociaż brzmi to absurdalnie, muszę jej znaleźć męża. Nie wiem, ile zostało mi czasu – chcę mieć pewność, że dobrze ustawiłem ją w życiu. Przynajmniej tyle mogę dla niej zrobić.

Czekam na wieści od Ciebie.

Uściski dla Ciebie i Oliviera, C.

Mój Kochany Peterze, 15 stycznia 2086

wczoraj fala upałów nieco zelżała, od jutra ma przesuwać się na północ. Kilka ostatnich dni było prawdziwą torturą: oznaczały kolejne przypadki śmiertelne, a dla mnie konieczność wykorzystania części bonów towarowych na wymianę klimatyzatora. Oszczędzałem te bony, żeby kupić Charlie coś ładnego, jakiś ciuszek na nasze spotkanie. Wiesz, że nie lubię prosić Cię o takie rzeczy, ale czy zechciałbyś mi przysłać coś dla niej? Sukienkę albo bluzkę i spódnicę? Wynikiem suszy są między innymi skąpe dostawy tkanin do miasta, a ceny tego, co przychodzi, są astronomiczne. Załączam zdjęcie Charlie i jej wymiary. W normalnych okolicznościach miałbym dość pieniędzy, ale staram się jak najwięcej zaoszczędzić, żeby podarować jej w prezencie ślubnym, zwłaszcza że nadal płacą mi w złocie.

Pewnych wydatków nie da się jednak uniknąć. To A. przedstawił mnie temu nowemu pośrednikowi małżeństw, temu samemu, który zaaranżował jego własny ślub z owdowiałą lesbijką. Dowodem tego, że tracę reputację, był choćby fakt, że nie dostałem się od razu do pośrednika małżeństw, chociaż słynie on z tego, że pomaga wszystkim krewnym i znajomym wyższych urzędników ministerialnych. Potrzebna była interwencja A., z którym już prawie się nie widuję, żeby załatwić dla mnie konsultację.

Pośrednik ten nie spodobał mi się od pierwszej chwili. Kościsty dryblas, nienawiązujący kontaktu wzrokowego, na wszelkie sposoby dawał mi do zrozumienia, że robi mi łaskę, udzielając audiencji.

– Gdzie pan mieszka? – zapytał, chociaż wiedziałem, że podstawowe informacje o mnie są mu już znane.

– W Strefie Ósmej – odpowiedziałem.

– Przyjmuję zazwyczaj tylko klientów ze Strefy Czternastej – zaznaczył, mimo że to już wiedziałem z listu, który przysłał mi przed spotkaniem.

– Wiem i jestem panu ogromnie wdzięczny – odparłem, siląc się na neutralny ton. Na chwilę zapadła cisza. Ja nic nie mówiłem. On nic nie mówił. Wreszcie westchnął – cóż innego miał robić? – i wyciągnął notatnik, sygnalizując rozpoczęcie wywiadu. W gabinecie pomimo klimatyzacji było potwornie duszno. Poprosiłem o szklankę wody, a wówczas zrobił urażoną minę, jakbym zażądał Bóg wie czego, koniaku albo whisky, ale polecił sekretarce spełnić moją prośbę.

A później zaczęło się upokarzanie na całego. Wiek? Zawód? Ranga? Dokładny adres w Strefie Ósmej? Dochody? Przynależność etniczna? Gdzie się urodziłem? Kiedy zostałem naturalizowany? Od jak dawna jestem związany z Uniwersytetem Rockefellera? Czy jestem żonaty? Czy kiedykolwiek byłem żonaty? Z kim? Kiedy zmarł? Ile mieliśmy dzieci? Czy syn był moim biologicznym dzieckiem? Przynależność etniczna biologicznego ojca chłopca? Przynależność etniczna jego matki? Czy syn żyje? Kiedy zmarł? W jakich okolicznościach? Przychodzę w imieniu wnuczki, czy tak? Kim jest jej matka? Gdzie aktualnie przebywa? Czy żyje? Czy moja wnuczka jest biologicznym dzieckiem mojego syna? Czy ona lub mój syn cierpieli w przeszłości na jakieś przypadłości zdrowotne? Z każdą kolejną odpowiedzią czułem, jak powietrze wokół zmienia się i mrocznieje, a daty zderzają się i zazębiają.

Potem nastąpiły pytania o Charlie, mimo że pośrednik widział już jej akta ze szkarłatnym stemplem „Krewna Wroga" przekreślającym na ukos twarz na zdjęciu. Ile ma lat? Ile lat się kształciła? Wzrost i waga? Zainteresowania? Od kiedy jest sterylna, z jakiego powodu? Jak długo zażywała Xychor? I na koniec: jaka jest?

Dawno nie byłem zmuszony tak szczegółowo opisywać Charlie: jaka jest, jaka nie jest; co umie, czego nie umie; co przychodzi jej łatwo, a co sprawia trudność – ostatni raz zdarzyło się to chyba wtedy, gdy załatwiałem jej miejsce w szkole średniej. Najlepiej, jak umiałem, przekazałem pośrednikowi podstawowe dane, ale nie poprzestałem na tym i mimo woli mówiłem dalej – o tym, jak czule Charlie dbała o małego kota, jak chodziła za nim z pokoju do pokoju, kiedy umierał, zanim zrozumiała, że kot chce zostać sam. Mówiłem o tym, jak marszczy czoło we śnie i nie wygląda wtedy gniewnie, lecz na zamyśloną i zaciekawioną; o tym, że chociaż nie przytula się i nie całuje, to zawsze wie, kiedy jestem smutny albo zmartwiony, i przynosi mi wtedy filiżankę wody, a dopóki mieliśmy herbatę, to także herbaty. Mówiłem o tym, że w dzieciństwie, tuż po powrocie ze szpitala, opierała się o mnie po atakach epilepsji i pozwalała głaskać się po głowie, po jasnych, cienkich włoskach, miękkich jak puch; o tym, że jedyną cechą sprzed choroby, która jej została, jest zapach, ciepły, zwierzęcy, przywodzący na myśl czyste futro wygrzane na słońcu; o jej nieoczekiwanej zaradności – rzadko dawała się pokonać, zawsze próbowała. Nagle dotarło do mnie, że pośrednik od pewnego czasu już nie notuje, a w ciszy pokoju słychać tylko mój głos. Mimo to mówiłem dalej, chociaż z każdym kolejnym zdaniem miałem poczucie, że wydzieram sobie serce z piersi, a potem wciskam je tam z powrotem, i jeszcze raz, i jeszcze – ten straszliwy, dojmujący ból, ta zawrotna radość i smutek ogarniały mnie zawsze, ilekroć mówiłem o Charlie.

W końcu zamilkłem, a w ciszy tak zupełnej, że aż wibrowała, pośrednik zapytał:

– A czego ona spodziewa się po mężu?

I znów ścisnęło mnie to bolesne uczucie, ponieważ sam fakt, że to ja odbywałem spotkanie z pośrednikiem małżeństw, a nie ona, wystarczył za odpowiedź: sam ten fakt przyćmiłby wszystko, cokolwiek jeszcze powiedziałbym o Charlie.

Ale odpowiedziałem. Dobroci, powiedziałem. Opieki, przyzwoitości, cierpliwości. Mądrości. Nie musi być bogaty ani wykształcony, ani błyskotliwy, ani przystojny. Wystarczy, że obieca mi zawsze opiekować się Charlie.

– Co może mu pan zaoferować w zamian? – pytał dalej pośrednik. Miał na myśli posag. Mówiono mi już, że z uwagi na „przypadłość" Charlie prawdopodobnie będę musiał dać posag.

Rzuciłem więc propozycję z jak największą pewnością siebie. Pośrednik zawahał się z piórem uniesionym nad kartką, a potem zapisał.

– Muszę ją zobaczyć – rzekł na koniec. – Dopiero wtedy będę wiedział, czego poszukuję.

Wobec tego udaliśmy się tam wczoraj oboje. Zastanawiałem się, czy powinienem jakoś przeszkolić Charlie przed tą rozmową, ale postanowiłem tego nie robić, bo byłoby to bezsensowne, a dla niej denerwujące. W rezultacie sam denerwowałem się znacznie bardziej niż ona.

Wypadła dobrze, najlepiej, jak mogła. Mieszkam z nią i kocham ją od tak dawna, że kiedy obserwuję ją podczas spotkań z innymi ludźmi, za każdym razem zaskakuje mnie na nowo fakt, że oni postrzegają ją inaczej niż ja. Wiem, że tak jest, to oczywiste, ale pozwalam sobie na luksus niepojmowania. A potem patrzę na ich miny i znów dopada mnie to uczucie: serce wyrywa się z żył i tętnic, po czym wraca na swoje miejsce, wsysa się z powrotem w klatkę piersiową.

Pośrednik powiedział jej, żeby teraz posiedziała w poczekalni, a my dwaj sobie porozmawiamy. Uśmiechnąłem się do niej i skinąłem głową, zanim wszedłem za nim do gabinetu, powłócząc nogami, jakbym z powrotem był w szkole i dyrektor wezwał mnie na dywanik. Miałem ochotę zemdleć, zwalić się nagle na podłogę, zrobić cokolwiek, co zakłóci ten moment i zapewni mi odruch współczucia, odruch człowieczeństwa. Ale moje ciało jak zwykle zachowało się jak należy: siedziałem prosto i patrzyłem na człowieka, który mógł zapewnić bezpieczeństwo mojemu dziecku.

Przez dłuższą chwilę panowała cisza. Patrzyliśmy sobie w oczy, aż przerwałem milczenie. Miałem dość teatralności tego człowieka, który wyczuł naszą słabość i zdawał się nią delektować. Nie chciałem słuchać, aż powie mi to, co wiedziałem, że chce powiedzieć, a jednocześnie chciałem, żeby to wyartykułował, bo wówczas ten moment wreszcie by minął, stałby się przeszłością.

– Czy ma pan kogoś na uwadze? – zapytałem.

Znowu cisza.

– Doktorze Griffith – rzekł po chwili. – Przykro mi, ale nie sądzę, bym był dla pana odpowiednim pośrednikiem.

Znów nastąpiło to uczucie wyrywania serca.

– Dlaczego? – spytałem, właściwie wbrew sobie, bo nie chciałem usłyszeć odpowiedzi. „No mów – ponagliłem go w duchu. – Miej czelność to powiedzieć".

– Z całym szacunkiem, doktorze – odparł bez cienia szacunku w głosie – z c a ł y m szacunkiem, uważam, że powinien pan być realistą.

– To znaczy?

– Zechce mi pan doktor wybaczyć, ale pańska wnuczka jest…

– Jaka? Jaka jest moja wnuczka? – zaperzyłem się.

Znowu zapadła cisza.

Pośrednik się namyślał. Widziałem, że ocenia temperaturę mojego gniewu i dociera do niego, że szukam pretekstu do bójki; zaczął być ostrożny.

– Specyficzna – dokończył.

– To prawda – przyznałem. – J e s t specyficzna, jest wyjątkowa i potrzebuje męża, który zrozumie jej specyficzność.

Dzika furia musiała się odbić w moim głosie, bo pośrednik, do tej chwili pozbawiony współczucia, zmienił ton.

– Coś panu pokażę – powiedział i spod stosu zawalających biurko papierów wyszarpnął cienką kopertę. – Oto kandydaci, których znalazłem dla pańskiej wnuczki – rzekł, wręczając mi kopertę.

Otworzyłem ją. Wewnątrz były trzy karty zgłoszeniowe, takie, jakie składa się u pośrednika małżeńskiego: sztywne kwadratowe arkusze o boku osiemnastu centymetrów ze zdjęciem kandydata po jednej stronie i jego danymi po drugiej.

Obejrzałem je. Wszyscy kandydaci byli rzecz jasna sterylni – na ich czołach widniało czerwone „S". Pierwszy po pięćdziesiątce, trzykrotny wdowiec, zniechęcił mnie od razu – moja najstarsza, nielogiczna część mózgu przypomniała sobie wszystkie telewizyjne horrory o mężach mordujących kolejne żony, pozbywających się przemyślnie ich ciał i latami unikających sprawiedliwości – więc odłożyłem jego kartę zdjęciem w dół, nie czytając nawet reszty danych, które zapewne potwierdzały, że żony zmarły wskutek epidemii, a nie z ręki męża (to pech stracić kolejno aż trzy żony, ale, muszę przyznać, że pech graniczący z perwersją). Drugi mógł być, na moje oko, po dwudziestce, ale miał taką wściekłą minę – zacięte usta, wybałuszone oczy – że znów naszła mnie wizja rodem ze starych filmów telewizyjnych, które do dziś oglądam w pracy późną nocą, wizja tego mężczyzny katującego moją Charlie, tak jakbym z jego twarzy wyczytał wysoki potencjał agresji. Trzeci był nieco po trzydziestce i twarz miał pospolitą, spokojną, ale gdy wczytałem się w jego dane, zobaczyłem adnotację „NM": niepełnosprawny mentalnie. Pod tym pojęciem kryją się wszelkie defekty określane niegdyś ogólnym mianem choroby psychicznej, ale także upośledzenia umysłowego. Charlie nie ma takiej charakterystyki. Byłem gotów prosić Cię o przysłanie pieniędzy na łapówkę dla osoby, która o tym decyduje, ale ostatecznie okazało się to zbędne – Charlie zdała testy; wybroniła się.

– Co to ma być? – spytałem, przeszywając ciszę piskliwym głosem.

– To są jedyni trzej kandydaci, którzy zainteresowali się pańską wnuczką – odpowiedział pośrednik.

– Dlaczego poszukiwał pan kandydatów, zanim się pan z nią spotkał? – Zadając to pytanie, uświadomiłem sobie, że pośrednik wyrobił sobie zdanie o Charlie na długo przed spotkaniem z nią, prawdopodobnie nawet przed spotkaniem ze mną. I po rozmowie z nią nie zmienił zdania, a nawet się w nim utwierdził.

– Uważam, że powinien pan spróbować gdzie indziej – powtórzył swoją radę, wręczając mi kartkę z wydrukowanymi nazwiskami trzech innych pośredników małżeńskich; zrozumiałem wówczas, że już przed naszym spotkaniem wiedział, że mi nie pomoże. – U tych osób znajdzie pan kandydatów bardziej... stosownych do pańskich potrzeb.

Dzięki Bogu, że się nie uśmiechnął, bo jeszcze zrobiłbym coś głupiego, samczego i zwierzęcego: dałbym mu w łeb, oplułbym go albo zgarnął na podłogę wszystko z jego biurka – tak postępowali bohaterowie starych filmów telewizyjnych. Ale nie miałem się przed kim popisywać, kamer nie było – tylko ta jedna, maleńka, ukryta gdzieś między panelami sufitu i beznamiętnie rejestrująca scenę rozgrywającą się w gabinecie, w której dwóch mężczyzn, starszy i w średnim wieku, wymieniało się kartkami.

Rozluźniłem więc twarz i wyszedłem razem z Charlie. Trzymałem ją tak blisko, jak na to pozwalała. Zapewniałem, że znajdę jej kogoś, chociaż moja wewnętrzna pewność siebie sypała się w gruzy. A jeśli nikt nie zechce mojego koteczka? Niemożliwe; k t o ś przecież musi dostrzec, jaka jest kochana i dzielna. Przeżyła, ale jest teraz karana za przeżycie. Różni się od tych kandydatów – wyskrobków, szumowin, niechcianych. Tak o nich myślałem, chociaż wiem, że dla kogoś oni także nie byli niechcianymi wyskrobkami; ktoś nawet – znów to wyrywanie serca – mógł, patrząc na kartę Charlie, pomyśleć sobie: „Proponują mu kogoś t a k i e g o? Na pewno znajdzie się ktoś lepszy".

Co to jest za świat? Dla jakiego świata Charlie przeżyła? Powiedz mi, Peter, że wszystko się ułoży. Powiedz mi to, a uwierzę Ci – po raz ostatni Ci uwierzę.

Całuję, Charles

Och, Mój Kochany Peterze, 21 marca 2087

tak strasznie żałuję, że nie możemy porozmawiać przez telefon. Często mi się to zdarza, ale dzisiejszej nocy odczułem to wręcz desperacko, do tego stopnia, że zanim usiadłem, żeby do Ciebie napisać, przez pół godziny gadałem do Ciebie szeptem, żeby nie zbudzić Charlie, która śpi w drugim pokoju.

O szansach Charlie na zamążpójście mogłem napisać Ci więcej, ale wolałem poczekać, aż będę miał coś pomyślniejszego do zakomunikowania. Otóż jakiś miesiąc temu znalazłem nowego pośrednika, Timothy'ego, który specjalizuje się w „nietypowych przypadkach", jak je nazywa mój kolega. Owemu koledze Timothy znalazł kogoś dla syna, który miał kategorię NM. Trwało to prawie cztery lata, ale parę udało się dopasować.

W rozmowach z kolejnymi pośrednikami pozowałem na bardziej pewnego siebie, niż byłem w rzeczywistości. Przyznawałem się do wcześniejszych prób, ale nie precyzowałem, ile ich było. W zależności od osoby, z którą rozmawiałem, przedstawiałem Charlie jako wybredną, tajemniczą, błyskotliwą, wyniosłą. Jednak wszystkie te kontakty kończyły się jednakowo, niekiedy, jeszcze zanim sprowadziłem Charlie na spotkanie z pośrednikiem: prezentowano mi takich samych kandydatów, a czasem nawet tych samych. Tego młodego z kategorią NM pokazano mi trzy razy, odkąd zapoznałem się z jego kartą, i za każdym razem widok jego twarzy budził we mnie smutek pomieszany z ulgą: smutek, że on nie znalazł jeszcze swojej pary, a ulgę, że tą parą nie jest Charlie. Wyobrażałem sobie jej kartę, wystrzępioną już po brzegach, w rękach kolejnych klientów i ich krewnych, którzy ją odkładają, mówiąc: „Ta się nie nadaje, już ją widzieliśmy". A potem, w nocy, pocieszają się wzajemnie: „Ta dziewczyna, biedactwo, wciąż jest na rynku. Z naszym synem nie jest jeszcze tak źle".

Ale tym razem postawiłem na szczerość. Wyliczyłem wszystkich pośredników, z którymi miałem do czynienia. Powiedziałem o kandydatach, których przedstawiano mi pośrednio albo osobiście; o wszystkich miałem notatki. Pilnowałem się tylko, żeby z nadmiaru uczciwości się nie rozpłakać albo nie zaszkodzić Charlie. A gdy Timothy powiedział: „Przecież uroda to nie wszystko. Może ona jest czarująca?", odczekałem chwilę, by mieć pewność, że głos mi się nie załamie, zanim odpowiedziałem, że nie jest.

Na naszym drugim spotkaniu otrzymałem pięć kart, z których żadnej wcześniej nie oglądałem. Cztery pierwsze czymś mnie zniechęciły. Ale była jeszcze ostatnia: widniał na niej młody mężczyzna, zaledwie dwa lata starszy od Charlie, z dużymi ciemnymi oczami i wydatnym nosem. Patrzył prosto w obiektyw. Miał w sobie coś bezspornego – urodę, to pewne, ale i zdecydowanie, zupełnie jakby ktoś próbował go zawstydzić, a on postanowił, że nie będzie się wstydzić. Jego zdjęcie nosiło dwa stemple: oznakę sterylności i oznakę krewnego wroga państwa.

Podniosłem oczy na Timothy'ego, który mnie obserwował.

– Co jest z nim nie tak? – spytałem.

Wzruszył ramionami.

– Nic – powiedział. Po krótkiej pauzie jednak dodał: – Wysterylizował się na własne życzenie.

Zadrżałem lekko jak zawsze, gdy słyszałem o podobnym przypadku: znaczyło to, że płodności nie odebrała mu ani choroba, ani lek. Znaczyło to, że dał się wysterylizować, żeby nie odesłali go do ośrodka reedukacyjnego. Można było wybrać: ciało albo umysł. On wybrał umysł.

– Chciałbym prosić o zaaranżowanie spotkania – powiedziałem, a Timothy skinął głową, ale gdy już wychodziłem, przywołał mnie z powrotem.

– To zacny człowiek – powiedział, używając niedzisiejszego zwrotu. Przed pierwszym z nim spotkaniem sprawdziłem, kim był Timothy w poprzednim życiu: opiekunem społecznym. – Najważniejsza jest tolerancja, prawda?

Nie wiedziałem, o co mu chodzi, ale przytaknąłem, chociaż „tolerancja" także była anachronizmem, pojęciem, które dawno wyszło z użycia.

W dniu spotkania znów zacząłem się denerwować, i to porządnie. Poczułem, że dla Charlie, chociaż wciąż jeszcze jest młoda, kończą się możliwości wyboru. Jeśli ten nie wypali, będę musiał rozszerzyć poszukiwania poza naszą aglomerację, poza tę prefekturę. I mieć nadzieję, że Wesley odda mi jeszcze jedną przysługę po tym, jak przyjął Charlie do pracy, i to pracy, którą ona lubi. Musiałbym bowiem zabrać ją z tej pracy, przemeldować gdzie indziej, a potem znaleźć sposób na przeniesienie się tam za nią, i w tym właśnie potrzebowałbym pomocy Wesleya. To było wykonalne, ale niezmiernie trudne.

Kandydat już był na miejscu, kiedy tam się zjawiłem: siedział w małym, zgrzebnym pokoiku, jaki każde biuro pośrednika małżeństw rezerwowało na tego typu spotkania. Gdy wszedłem, wstał i ukłoniliśmy się sobie. Przyjrzałem mu się, gdy siadał z powrotem, a ja zajmowałem drugi fotel. Spodziewałem się, że apel Timothy'ego o tolerancję oznacza, że młodzieniec będzie wyglądał inaczej, gorzej niż na zdjęciu, ale tak nie było. Wyglądał dokładnie tak, jak na fotografii: schludny, przystojny, z tymi samymi bystrymi ciemnymi oczami o nieustraszonym wejrzeniu. Jego ojciec był potomkiem zachodniego Afrykanina i Europejki z południa, a rodzice matki pochodzili z południowej i wschodniej Azji – przypominał mojego syna, wprawdzie odrobinę, ale i tak musiałem odwrócić wzrok.

Sporo wiedziałem już o nim z karty, niemniej zadałem mu te same pytania: gdzie się wychował, co studiował, czym się zajmuje obecnie. Wiedziałem, że jego rodziców i siostrę ogłoszono wrogami państwa; wiedziałem, że zapłacił za to ostatnim rokiem studiów doktoranckich. Wiedziałem, że złożył apelację od tej decyzji, korzystając z przyjęcia Ustawy abolicyjnej. Wiedziałem, że wstawia się za nim jego profesor, znany mikrobiolog. Wiedziałem, że jeśli zgodzi się na małżeństwo, zechce odłożyć ślub na jakieś dwa lata, żeby dokończyć doktorat. Potwierdził wszystkie te informacje; jego relacja nie różniła się od tej, którą już znałem.

Zapytałem go o rodziców. Nie miał już najbliższej rodziny. Większość krewnych wrogów państwa na pytanie o bliskich reaguje albo złością, albo wstydem; dosłownie widać, jak przełykają nadmiar emocji, jak ćwiczą wyuczony mechanizm opanowania.

On jednak nie był ani zły, ani zawstydzony.

– Mój ojciec był fizykiem; matka była politolożką – powiedział. Wymienił nazwę uniwersytetu, na którym wykładali, prestiżowego do czasu, aż przejęło go państwo. Jego siostra była wykładowczynią literatury angielskiej. Wszyscy troje przystąpili do powstańców, tylko on jeden nie. Zapytałem go, dlaczego tego nie zrobił. Wtedy po raz pierwszy wydał mi się zakłopotany, chociaż nie wiem, czy z powodu kamery ukrytej w suficie, czy z powodu swojej rodziny.

– Ponieważ chciałem zostać naukowcem – odrzekł po chwili milczenia. – Ponieważ myślałem… myślałem, że więcej zdziałam jako naukowiec i w ten sposób się przyczynię. Ale w końcu… – Urwał, tym razem jednak miałem już pewność, że powodem jego zakłopotania były kamera i mikrofon.

– Ale w końcu się pan pomylił – dokończyłem za niego, a wtedy popatrzył szybko na mnie i na drzwi, jakby zaraz miał je wyważyć oddział funkcjonariuszy, którzy zawloką nas na Ceremonię. – Bez obaw – powiedziałem. – Jestem tak stary, że mogę mówić, co mi się podoba.

Chociaż sam wiedziałem, że to nieprawda. On także to wiedział, ale nie zaprzeczył.

Rozmawialiśmy dalej, teraz o jego niedoszłym doktoracie, o pracy, którą miał nadzieję załatwić sobie przy Stawie na czas apelacji. Rozmawialiśmy też o Charlie, o tym, jaka jest, o jej potrzebach. Byłem z nim szczery – wtedy jeszcze nie wiedziałem dlaczego – nawet bardziej szczery niż z Timothym. Nic go nie zaskakiwało. Zachowywał się tak, jakby znał już Charlie.

– Musisz zawsze się nią opiekować – powtarzałem mimo woli raz po raz, a on kiwał na to głową.

Wtedy zrozumiałem, że zgadza się na to małżeństwo, że w końcu jednak kogoś dla niej znalazłem. A w którymś momencie, nie wiem jak, uświadomiłem sobie coś jeszcze. Zrozumiałem, co Timothy próbował mi powiedzieć o tym młodym człowieku; uprzytomniłem sobie, co w nim rozpoznaję – i dotarło do mnie, dlaczego chciał się ożenić z Charlie. Z chwilą, gdy to pojąłem, wszystko wydało mi się całkiem oczywiste – wiedziałem to właściwie już przed spotkaniem.

Przerwałem mu w pół zdania:

– Wiem, kim jesteś – powiedziałem, a gdy nie zareagował, powtórzyłem: – Wiem, kim jesteś.

Jego usta nieznacznie się rozchyliły i zapadła cisza.

– Czy to bardzo widać? – zapytał cicho.

– Nie – odparłem. – Ja to wiem dlatego, że ja też.

Wyprostował się w fotelu i zauważyłem jakąś zmianę w jego spojrzeniu; patrzył na mnie teraz uważniej, inaczej.

– Czy mogę cię prosić, żebyś przestał? – spytałem, a ten niemądry chłopak popatrzył na mnie zdecydowanie, wyzywająco, śmiało.

– Nie – odpowiedział cicho. – Obiecuję, że zawsze będę się o nią troszczył. Ale przestać nie mogę.

Zapadło milczenie.

– Obiecaj mi, że nigdy nie wpędzisz jej w kłopoty – powiedziałem, a on kiwnął głową.

– Nie ma obawy. Umiem być dyskretny.

„Dyskretny" – co za przygnębiające słowo w ustach tak młodego człowieka. Słowo z epoki poprzedzającej czasy mojego dziadka, które nie miało prawa pojawić się w naszym słowniku.

Niesmak musiał się odbić na mojej twarzy, bo mój rozmówca wyraźnie się zaniepokoił.

– Panu coś jest?

– Nic, nic – odpowiedziałem i zaraz zapytałem go: – Gdzie chodzisz?

Speszył się.

– Chodzisz? – powtórzył jak echo.

– Tak – zniecierpliwiłem się i chyba było to słychać w moim głosie. – Gdzie chodzisz?

– Nie rozumiem.

– Owszem, rozumiesz – powiedziałem. – Na ulicę Jane? Na Horacego? Perry'ego? Bethune? Barrow? Gansevoort? Na którą z nich? – Przełknął ślinę. – I tak się dowiem – przypomniałem mu.

– Bethune.

– Aha. – To by się zgadzało. Na Bethune bywali intelektualiści. Tamtejszy dom prowadził kapryśny transwestyta Harry, wysoki urzędnik ministerstwa zdrowia, który na dwóch piętrach urządził biblioteki, jakby żywcem wyjęte ze staroświeckiej komedii obyczajowej życia wyższych sfer; sypialnie znajdowały się wyżej. Krążyły także plotki o piwnicy, ale podejrzewam, że rozpuszczał je sam Harry, chcąc dodać pikanterii całemu przedsięwzięciu. Ja sam uczęszczałem na ulicę Jane, gdzie obyczaje były raczej biznesowe: przychodzisz, zabawiasz się, wychodzisz. W każdym razie poczułem ulgę – nie uśmiechało mi się spotkanie z mężem mojej wnuczki w takim miejscu.

– Masz kogoś? – zapytałem.

Znowu przełknął.

– Tak – odpowiedział cicho.

– Kochasz go?

Tym razem się nie wahał. Spojrzał mi prosto w oczy i pewnym głosem odpowiedział:

– Tak.

Zrobiło mi się nagle przeszywająco smutno. Żal mi było mojej biednej wnuczki, którą wydawałem za kogoś, kto się nią zaopiekuje, ale nigdy jej nie pokocha, w każdym razie nie tak, jak wszyscy chcemy być kochani; i żal mi było tego biednego chłopca, który nigdy nie będzie mógł żyć tak, jak powinien. Miał zaledwie dwadzieścia cztery lata, a w tym wieku ciało dopomina się rozkoszy i człowiek jest nieustannie zakochany. Stanęła mi nagle przed oczami twarz Nathaniela z chwili naszego pierwszego spotkania, jego wspaniała ciemna cera, jego rozwarte usta i odwróciłem się z obawy, że mógłbym się rozpłakać.

– Proszę pana? – usłyszałem cichy głos młodzieńca. – Doktorze Griffith?

Pomyślałem, że takim głosem będzie przemawiał do Charlie. Zmusiłem się do uśmiechu i odwróciłem z powrotem do niego.

Tego samego popołudnia zawarliśmy ugodę. Nie zależało mu specjalnie na posagu. Podpisawszy dokumenty intencyjne, zeszliśmy razem po schodach; w teczce niosłem jego kartę małżeńską.

Na chodniku pożegnaliśmy się ukłonem.

– Nie mogę się doczekać spotkania z Charlie – powiedział, a ja go zapewniłem, że Charlie też na pewno będzie przejęta perspektywą spotkania z nim.

Już odchodził, gdy wezwałem go po imieniu, więc zawrócił. Nie wiedziałem, jak zacząć.

– Wytłumacz mi, proszę – zacząłem i urwałem. I nagle już wiedziałem, co chcę powiedzieć. – Jesteś młody. Jesteś przystojny. Jesteś inteligentny. – Ściszyłem głos. – Jesteś zakochany. Dlaczego decydujesz się na ten krok tak młodo? Nie zrozum mnie źle, ja się z tego cieszę – dodałem pospiesznie, chociaż wyraz jego twarzy się nie zmienił. – Cieszę się przez wzgląd na Charlie. Ale dlaczego?

Przybliżył się o krok. Był wysoki, ale ja byłem jeszcze wyższy. Przez sekundę pomyślałem komicznie, że teraz on mnie pocałuje, że poczuję muśnięcie jego ust, i zamknąłem oczy, ale zaledwie na moment, jakby dzięki temu pocałunek miał dojść do skutku.

– Ja też chcę być bezpieczny, doktorze Griffith – powiedział o ton głośniej od szeptu. I odsunął się o krok. – Muszę zadbać o swoje bezpieczeństwo. Inaczej nie wiem, co bym zrobił.

Dopiero w domu się rozpłakałem. Charlie, Bogu dzięki, nie wróciła jeszcze z pracy, więc byłem sam. Płakałem nad Charlie, nad swoją wielką miłością do niej, nad nadzieją, że Charlie zrozumie, że działałem dla jej dobra, wybierając bezpieczeństwo ponad spełnienie. Płakałem nad jej przyszłym (być może) mężem, nad jego przymusową troską o własne bezpieczeństwo, nad jego życiem okaleczonym przez aparat państwa. Płakałem nad jego ukochanym, który nigdy nie ułoży sobie z nim życia. Płakałem nad mężczyznami, których karty obejrzałem i odrzuciłem w imieniu Charlie. Płakałem nad Nathanielem i nad Davidem, i nad Eden, których już dawno nie było, których Charlie nawet nie pamiętała. Płakałem nad moimi dziadkami, nad Aubreyem i Norrisem, nad Hawajami. A przede wszystkim płakałem nad sobą, nad swoją samotnością i nad tym światem, który współtworzyłem, i nad minionymi latami; nad wszystkim, co umarło, zginęło, znikło.

Nieczęsto zdarza mi się płakać. Już zapomniałem, że oprócz dyskomfortu fizycznego w płaczu jest także pierwiastek euforii – uczestniczą w nim wszystkie części ciała, cała maszyneria układów wewnętrznych idzie w ruch, ujędrnia kanały płynami, nadyma płuca powietrzem, rozświetla oczy, pogrubia skórę pulsującą krwią. Złapałem się na myśli, że to koniec mojego życia, że jeśli Charlie przyjmie tego chłopca, mój ostatni obowiązek będzie spełniony – ustrzegłem ją przed najgorszym, doprowadziłem do dorosłości, znalazłem jej pracę i towarzysza życia. Nic już więcej nie mogłem zrobić, na nic więcej nie mogłem mieć nadziei. Dalsze życie byłoby mile widziane, ale nie jest konieczne.

Nie tak wiele lat temu, Peterze, miałem pewność, że jeszcze kiedyś Cię zobaczę. Zjemy razem lunch, Ty, ja, Charlie i Olivier, a potem może oni dwoje gdzieś pójdą, na przykład do muzeum albo do teatru (bo byłoby to oczywiście w Londynie, a nie tutaj), a Ty i ja spędzimy sobie razem popołudnie, robiąc coś, co dla Ciebie jest codziennością, ale dla mnie stało się egzotyką – dajmy na to, idąc do księgarni albo na kawę, albo do butiku, gdzie kupiłbym jakiś frywolny drobiazg dla Charlie – może naszyjnik albo sandały. Po długim popołudniu wrócilibyśmy do Twojego domu, którego nigdy nie zobaczę na własne oczy, a tam Olivier z Charlie szykowaliby kolację. Musielibyśmy wytłumaczyć Charlie część składników: „To jest krewetka, to jest jeżowiec, a to są figi". Na deser mielibyśmy tort czekoladowy i we trzech patrzylibyśmy, jak Charlie pałaszuje go po raz pierwszy w swoim życiu, obserwowalibyśmy jej twarz, na której malowałby się wyraz nieobecny, odkąd zachorowała, i ze śmiechem bilibyśmy jej brawo, jakby uczyniła coś wspaniałego. Każdy z nas miałby oddzielny pokój, ale Charlie przyszłaby do mnie, bo nie mogłaby zasnąć z nadmiaru emocji po wszystkich nowych obrazach, dźwiękach, zapachach i smakach, a ja utuliłbym ją do snu jak wtedy, kiedy była małą dziewczynką, czując drgania jej ciała od impulsów elektrycznych. A następnego dnia wstalibyśmy, by znów robić to samo, i tak mijałyby kolejne dni, aż nowe życie stałoby się dla niej normalnością – ja także oswoiłbym je w kilka dni, odnajdując w nim dawne wspomnienia – a mimo to z jej twarzy nie zniknąłby nowo nabyty wyraz radosnego zdziwienia, już zawsze patrzyłaby na świat z leciutko rozchylonymi ustami, zadzierając głowę do nieba. Obserwowalibyśmy to z uśmiechem; każdy by się cieszył. „Charlie! – wołalibyśmy, by wyrwać ją z transu zachwytu, przypomnieć jej, że jest tu i teraz, że jest sobą. – Charlie! To wszystko twoje!"

Całuję, C.

Najdroższy Mój Peterze, 5 czerwca 2088

tym razem już oficjalnie. Mój koteczek wyszedł za mąż. Dla mnie był to, jak pewnie sobie wyobrażasz, dzień emocjonalnie skomplikowany. Gdy stałem i patrzyłem na ich dwoje, doświadczyłem nadzwyczaj wyrazistego przeskoku w czasie, co ostatnio zdarza mi się coraz częściej – znalazłem się z powrotem na Hawajach, trzymałem za rękę Nathaniela i patrzyliśmy w stronę morza, na tle którego Matthew z Johnem ustawili bambusową chupę. Musiałem mieć dziwną minę, bo w pewnej chwili świeżo poślubiony mąż mojej wnuczki spojrzał na mnie i spytał, czy nic mi nie dolega. „Tylko starość" – odpowiedziałem, co mu wystarczyło: młodzi kojarzą starość ze wszystkim, co niemiłe. Z zewnątrz dobiegły nas odgłosy maszerującego wojska i dalekie okrzyki powstańców. Po podpisaniu aktu ślubu wróciliśmy wszyscy razem do domu, teraz już ich domu, i uraczyliśmy się ciastem na prawdziwym miodzie, które im zafundowałem na tę okazję. Od miesięcy żadne z nas nie kosztowało ciasta, więc chociaż wcześniej bałem się usztywnionej konwersacji, mój lęk okazał się zbyteczny, gdyż wszyscy troje tak skupiliśmy się na jedzeniu, że rozmowa była prawie niepotrzebna.

Powstańcy zajęli już plac. Chociaż okna mieszkania wychodzą na północ, słyszeliśmy ich skandowanie, przez które przebijał się głos z megafonów przypominający wszystkim, że o 23.00 zaczyna się godzina policyjna i każdy, kto jej nie przestrzega, zostanie natychmiast aresztowany. Dla mnie to był sygnał do powrotu do domu, do mojego nowego mieszkania, kawalerki w starej kamienicy na rogu Dziesiątej i Uniwersyteckiej, zaledwie cztery przecznice od Charlie. Wprowadziłem się tam w zeszłym tygodniu. Charlie prosiła, żebym chociaż tydzień pomieszkał z nimi, ale przypomniałem jej, że jest już dorosłą kobietą, a nawet dorosłą mężatką, i obiecałem przyjść do nich następnego dnia na kolację, tak jak to było umówione. „Och" – westchnęła i przez chwilę myślałem, że się rozpłacze, ta moja dzielna Charlie, która nie płacze nigdy; już byłem nawet gotów zmienić plany.

Lata minęły, odkąd spałem sam w domu. Leżąc w łóżku, myślałem o Charlie i jej pierwszej nocy w roli małżonki. Na razie mają tam u siebie tylko wąskie jednoosobowe łóżko Charlie i kanapę w salonie. Nie wiem, co zrobią: czy kupią łoże małżeńskie, czy też C. będzie po prostu wolała spać osobno – nie ośmieliłem się zapytać. Dla odmiany spróbowałem się skupić na obrazie ich dwojga w otwartych drzwiach mieszkania: machali mi, gdy schodziłem po schodach. W pewnym momencie spojrzałem w górę i zobaczyłem, że dotyka ręką ramienia Charlie, bardzo lekko, tak lekko, że może nawet tego nie poczuła. Przed ślubem odbyłem z nią rozmowę; powiedziałem, czego się może spodziewać – a raczej nie spodziewać.

Ale czy uzna to za dostateczne wytłumaczenie? Czy wyzbędzie się nadziei, że jej mąż zbliży się do niej inaczej? Że jej dotknie? A gdy tego nie zrobi – czy Charlie obwini za to siebie? Czy słusznie za nią zdecydowałem? Oszczędziłem jej bólu, ale zamknąłem drogę do ekstazy.

Jednak – muszę to sobie przypominać – Charlie przynajmniej kogoś ma. Nie tylko kogoś, kto się nią zaopiekuje, kto ją obroni przed światem, kto wyjaśni jej to, co dla niej jest zagadką. Chodzi mi o to, że Charlie należy teraz do wspólnoty, jaką kiedyś tworzyła ze mną, jaką ja tworzyłem z Nathanielem i Davidem. Społeczeństwo, w którym żyjemy, nie jest stworzone dla singli – dawniej zresztą także nie było, chociaż udawaliśmy wszyscy, że jest inaczej.

Kiedy ja byłem w wieku Charlie, krzywiłem się na małżeństwo, uważałem je za strukturę opresyjną; nie wierzyłem w relacje zatwierdzone przez państwo. Zawsze uważałem, że samotne życie nie jest wcale gorsze.

Aż pewnego dnia uświadomiłem sobie, że jednak jest gorsze. Było to podczas trzeciej kwarantanny roku pięćdziesiątego. Z perspektywy czasu widzę, że był to jeden z najszczęśliwszych okresów mojego życia. Owszem, czas wydawał się niepewny, niebezpieczny, wszyscy się bali. Ale wtedy po raz ostatni byliśmy razem jako rodzina. Na zewnątrz szalał wirus, powstawały ośrodki odosobnienia, ludzie umierali; w domu byliśmy my: Nathaniel, David i ja. Przez czterdzieści dni, a potem osiemdziesiąt, a potem sto dwadzieścia nie wychodziliśmy z mieszkania. Przez te miesiące David zmiękł i znów zbliżyliśmy się do siebie. Miał jedenaście lat i teraz dopiero rozumiem, że próbował dokonać wyboru, jakim będzie człowiekiem. Czy kimś, kto pójdzie za przykładem rodziców i będzie żył tak, jak myśmy tego oczekiwali? Czy może kimś, kto będzie inny niż my i znajdzie sobie odmienny model życia? Kim się stanie? Tym chłopcem, który rok wcześniej straszył kolegów z klasy strzykawką – czy chłopcem, który kiedyś posłuży się strzykawką inaczej, używając jej do tego, do czego strzykawka jest przeznaczona w laboratorium albo w szpitalu? W późniejszych latach nieraz myślałem sobie: gdybyśmy mieli kilka tygodni więcej tej bliskości z dala od świata. Gdybyśmy zdołali go przekonać, że bezpieczeństwo jest bezcenne i że właśnie my dwaj możemy mu je zapewnić. Ale nie mieliśmy kilku tygodni więcej, więc nie zdołaliśmy go przekonać.

W połowie drugiej czterdziestodniowej kwarantanny dostałem mejl od dawnej przyjaciółki z akademii medycznej, Rosemary, która – gdy ja wróciłem na Hawaje – przeniosła się do Kalifornii na studia podoktoranckie. Rosemary była błyskotliwa i zabawna; odkąd ją znałem, zawsze żyła sama. Zaczęliśmy korespondować, przeplatając uwagi o pracy prywatnymi wiadomościami z ostatnich dwudziestu lat. Pisała mi, że z jej personelu zachorowały dwie osoby, że jej rodzice i najbliższa przyjaciółka zmarli. Ja pisałem o sobie, o Nathanielu i Davidzie, o naszym życiu w niedużym mieszkanku. Pisałem, że właśnie sobie uświadamiam, że minęło prawie osiemdziesiąt dni, odkąd widziałem innego człowieka, co mnie zdumiewa, ale jeszcze bardziej zdumiewa mnie fakt, że za nikim nie tęsknię. Wystarczyło mi, że widuję Davida i Nathaniela.

Odpisała następnego dnia. Czy naprawdę nie ma nikogo, za kim tęsknię? Nikogo, z kim chcę się zobaczyć, zaraz gdy obostrzenia zostaną zniesione? Nie, odpisałem, nie ma. Byłem szczery.

Nie odezwała się więcej. Po dwóch latach dowiedziałem się od naszego wspólnego znajomego, że Rosemary zmarła rok wcześniej podczas jednego z nawrotów epidemii.

Od tamtego czasu często o niej myślę. Zrozumiałem, że była samotna. Niemożliwe, żeby jedynie we mnie próbowała odnaleźć osobę równie samotną jak ona sama – mieliśmy tak niewiele kontaktów, że musiała wypróbować kilkanaście innych adresów, zanim zwróciła się do mnie – a mimo to zrobiło mi się żal, że wtedy nie skłamałem: trzeba było jej napisać, że tęsknię do przyjaciół, że rodzina mi nie wystarcza. Żałowałem, że jej nie odszukałem, zanim poczuła się zmuszona odszukać mnie. W związku z jej śmiercią żałowałem, że byłem kiedyś zadowolony, że nie muszę żyć tak jak ona, że mam męża i syna, że nigdy nie będę aż tak samotny. Dzięki Bogu, myślałem sobie, dzięki Bogu, że to nie ja. Tę śliczną bajkę, którą opowiadaliśmy sobie w młodości: że naszą rodziną są nasi przyjaciele, z powodzeniem zastępujący nam współmałżonków i dzieci, pierwsza pandemia obnażyła jako kłamstwo. Okazało się, że najbardziej kochamy ludzi, których wybraliśmy sobie na wspólne życie – przyjaciele to miły nadmiar, luksus, a jeśli bezpieczeństwo rodziny wymaga porzucenia przyjaciół, bez wahania ich porzucamy. W sytuacji ostatecznej człowiek wybiera, ale nigdy przyjaciół – nie wtedy, gdy ma partnera lub dziecko. Idziesz dalej i zapominasz o przyjaciołach, przez co twoje życie wcale nie jest uboższe. Wstyd powiedzieć, ale w miarę jak Charlie przybywało lat, coraz częściej myślałem o Rosemary. Mówiłem sobie, że oszczędzę Charlie jej smutnego losu – zadbam o to, żeby nikt się nad nią nie litował, tak jak ja litowałem się nad Rosemary.

I zadbałem. Wiem, że obecność drugiej osoby nie wykorzenia całkowicie samotności. Wiem jednak także, że towarzysz życia stanowi tarczę – bez niej samotność, niczym upiór, przenika przez zamknięte okna i wciska ci się w gardło, napełniając cię smutkiem, na który nie ma lekarstwa. Nie mogę przysiąc, że moja wnuczka nie zazna samotności, ale zadbałem o to, żeby nie była sama. Dopilnowałem, żeby jej życie miało świadka.

Zanim udaliśmy się wczoraj do sądu, przejrzałem jej świadectwo urodzenia, które należało przedłożyć jako dowód tożsamości. Było to już nowe świadectwo urodzenia, wystawione dla mnie przez ministra spraw wewnętrznych w roku sześćdziesiątym szóstym i pozbawiające jej ojca praw rodzicielskich – chroniło ją przez jakiś czas, a potem już nie.

Wraz z wymazaniem ze świadectwa jej rodziców wymazano jej oryginalne imię: Charlie Keonaonamaile Bingham-Griffith, piękne imię, nadane jej z miłości – zostało ono urzędowo skrócone do Charlie Griffith. W ten sposób dokonała się redukcja jej osoby, ponieważ w tym świecie, do którego powstania się przyczyniłem, nie było miejsca na intencjonalny nadmiar piękna. To piękno, które pozostało, było incydentalne, przypadkowe, obecne w rzeczach, których nie da się unicestwić: barwie nieba przed deszczem, pierwszych zielonych listkach na akacji, która rośnie w Piątej Alei, zanim zostały oskubane.

Tak miała na imię matka Nathaniela: Keonaonamaile, pachnące maile. Dałem Ci kiedyś gałązkę maile – bluszczu, którego liście pachną pieprzem i cytryną. Przywdzialiśmy ich girlandy na nasz ślub – dzień wcześniej wyprawiliśmy się w góry, prowadząc za rączki Davida; powietrze było wilgotne – i wycięliśmy lianę łączącą dwa drzewa koa. Lei z maili przywdziewało się na ślub, ale także na uroczystość wręczenia dyplomów i na rocznice: była to roślina na specjalne okazje w czasach, gdy na świecie rosło tyle roślin, że niektóre uważano za specjalne, a inne nie; i zrywało się fragment tej rośliny z drzewa, a na drugi dzień się go wyrzucało.

Tamtego dnia schodziliśmy z gór i błoto chlupotało nam pod podeszwami, a David, idący w środku, obu nas trzymał za ręce. Nathaniel wyciął dość maile, żeby każdy z nas mógł zawiesić sobie lei na szyi, ale David uparł się, że swoje maile założy na głowę jak koronę. Nathaniel pomógł mu spleść witkę bluszczu i nasadzić ją na głowę.

– Jestem królem! – powiedział David, a myśmy się roześmiali.

– Tak, David – potwierdziliśmy. – Jesteś królem. Oto król David.

– Król David – obwieścił. – Tak się teraz nazywam. – Nagle spoważniał. – Tylko nie zapomnijcie. Macie mnie teraz tak nazywać, okej? Obiecujecie?

– Okej – powiedzieliśmy. – Nie zapomnimy. Obiecujemy.

Ale nigdy nie nazywaliśmy go w ten sposób.

Charles

Część IX

Jesień 2094

Przez następne tygodnie omawialiśmy z Davidem nasz plan. A raczej jego plan, którym David dzielił się ze mną.

Dwunastego października miałam opuścić Strefę Ósmą. Aż do ostatniej chwili nie chciał mi opowiedzieć o szczegółach. Do tego czasu miałam nie robić nic, co odbiegałoby od normy, czyli przestrzegać codziennej rutyny: chodzić do pracy, chodzić do sklepu, chodzić czasem na spacery. Z Davidem miałam spotykać się co sobota u opowiadacza, a gdyby chciał się ze mną skontaktować między spotkaniami, znajdzie sposób, by dać mi znać. Jeśli nie będzie od niego wiadomości, mam się nie martwić. Niczego nie miałam przygotowywać, nie pakować nic poza tym, co zmieści mi się do płóciennej torby na ramię. Nie muszę zabierać ubrań ani jedzenia, ani nawet dokumentów. Otrzymam nowe, gdy już znajdę się w Nowej Brytanii.

– Mam mnóstwo kwitów, które przez lata zaoszczędziłam – powiedziałam Davidowi. – Mogłabym je wymienić na bony na dodatkową wodę, a nawet cukier, mogą się przydać.

– Nie przydadzą się, Charlie – powiedział David. – Weź tylko to, co ma dla ciebie jakieś znaczenie.

Pod koniec pierwszego spotkania po tamtej rozmowie na ławkach, kiedy zaczęłam wierzyć Davidowi, zapytałam go, co będzie z moim mężem.

– Oczywiście twój mąż może iść z nami – odrzekł. – Na niego też jesteśmy gotowi. Tyle że, Charlie… on może nie chcieć.

– Czemu nie? – zapytałam, lecz David nie odpowiedział. – On kocha książki – dodałam.

Podczas tego spaceru po bieżni zadałam Davidowi masę pytań o Nową Brytanię, ale powiedział, że więcej opowie mi później, już w drodze – że zbyt niebezpiecznie jest udzielać teraz zbyt wielu informacji. Ale to jedno mi powiedział: że w Nowej Brytanii można czytać, co się chce i ile się chce. Pomyślałam o moim mężu, który nauczył się czytać powoli, bo wolno było wypożyczyć tylko jedną książkę na dwa tygodnie, a chciał, żeby mu każda wystarczyła do końca. Wyobraziłam go sobie przy naszym stole, z prawym policzkiem podpartym dłonią, kompletnie nieruchomego, z lekkim uśmiechem, zatopionego w lekturze, nawet jeśli książka dotyczyła hodowli jadalnych tropikalnych roślin wodnych.

– Rozumiem – odrzekł przeciągle David – ale czy jesteś pewna, Charlie, że on zechce wyjechać?

– Tak – zapewniłam go, chociaż wcale nie byłam pewna. – Przecież tam będzie mógł czytać wszystkie książki. Nawet te nielegalne.

– To prawda. Mogą jednak istnieć inne powody, dla których będzie wolał zostać.

Zamyśliłam się nad tym, ale żaden powód nie przyszedł mi do głowy. Mój mąż nie miał tutaj rodziny, miał tylko mnie. Nie widziałam powodu, żeby chciał zostać. A jednak, tak jak David, jakoś nie miałam pewności, że zechce wyjechać.

– Co masz na myśli? – spytałam Davida, ale nie odpowiedział.

Na następnym spotkaniu, zanim opowiadacz rozpoczął swój seans, David zapytał mnie, czy ma mi pomóc w przekonywaniu męża.

– Nie – odparłam. – Sama to załatwię.

– Twój mąż potrafi być dyskretny – powiedział David, a ja zdziwiłam się, skąd on to wie. – Więc na pewno zachowa się stosownie w tej sprawie.

Miałam wrażenie, że chce powiedzieć coś więcej, ale zamilkł.

Po sesji z opowiadaczem poszliśmy na spacer. Przypuszczałam, że nasze spotkania będą trudne, pełne informacji, które przyjdzie mi zapamiętać, a tymczasem było całkiem odwrotnie. Głównie polegały one na tym, że David mnie uspokajał, przypominał, żebym nic nie robiła i żebym mu ufała, chociaż nigdy nie pytał, czy mu ufam.

– Wiesz, Charlie – odezwał się nagle – że homoseksualizm jest legalny w Nowej Brytanii?

– Aha – mruknęłam. Nie wiedziałam, co jeszcze mogłabym na to powiedzieć.

– No właśnie – potwierdził. I znowu miałam wrażenie, że chce powiedzieć coś więcej, ale tak się nie stało.

Potem w nocy myślałam o tym, jak dużo David już o mnie wie. Było to w pewnym sensie niepokojące, nawet przerażające. A jednocześnie odprężające, przyjemne. Znał mnie tak, jak kiedyś Dziadek, i wiedzę tę czerpał od samego Dziadka. Nigdy się nie spotkali, ale pracodawca Davida znał Dziadka, więc poczułam się trochę tak, jakby Dziadek wciąż żył i był ze mną.

A przecież nie chciałam, żeby o pewnych rzeczach David się dowiedział. Zauważyłam już, że domyśla się, że mój mąż mnie nie kocha i nigdy nie pokocha tak, jak mąż powinien kochać żonę, jak miałam nadzieję być kochana. Wstydziłam się tego, bo chociaż kochać kogoś nie jest czymś wstydliwym, to wstydliwą rzeczą jest nie być kochaną.

Wiedziałam, że powinnam spytać męża, czy chce ze mną wyjechać. Ale dni mijały i nie pytałam.

– Spytałaś go? – zagadnął mnie na następnym spotkaniu David, a ja pokręciłam głową.

– Charlie – powiedział, nie gniewnie, ale i nie łagodnie – ja muszę wiedzieć, czy on jedzie. To zmienia sytuację. Pomóc ci?

– Nie, dziękuję.

Mój mąż mógł mnie nie kochać, ale mimo wszystko był moim mężem i do mnie należało odbycie z nim rozmowy.

– Czy wobec tego obiecujesz zapytać go dziś wieczór? Zostały nam już tylko cztery tygodnie.

– Tak. Wiem.

Ale nie zapytałam. Leżąc nocą w łóżku, zaciskałam w garści sygnet Dziadka, który trzymałam pod poduszką, wiedząc, że tam będzie bezpieczny. W drugim łóżku spał mój mąż. Znów był zmęczony i miał zadyszkę, a odnosząc naczynia do kuchni, potknął się i nie upuścił wszystkiego tylko dzięki temu, że przytrzymał się stołu.

– To nic – uspokoił mnie. – Miałem długi dzień.

Powiedziałam mu, żeby poszedł do łóżka, a ja pozmywam, na co zaprotestował, ale słabo, i poszedł się położyć.

Wystarczyłoby mi wymówić jego imię, a zbudziłby się i wtedy bym go spytała. Ale gdyby na moje pytanie odpowiedział „nie"? Gdyby zadeklarował, że chce zostać tutaj? „Zawsze będzie się tobą opiekował" – obiecywał mi Dziadek. Ale mój wyjazd oznaczałby koniec tego „zawsze" i zostałabym sama, całkiem sama, za jedynego obrońcę mając Davida, i już nikt nie pamiętałby, kim jestem, gdzie kiedyś mieszkałam i kim byłam. Bezpieczniej było wcale nie pytać – dopóki nie spytałam, byłam zarówno tutaj, w Strefie Ósmej, jak i gdzie indziej, a w miarę jak 12 października się przybliżał, wydawało mi się, że to dla mnie najlepsze miejsce. Trochę jak w dzieciństwie, kiedy wystarczyło, że wykonywałam polecenia i nigdy nie musiałam myśleć o tym, co dalej, ponieważ wiedziałam, że Dziadek już o wszystko zadbał.

———

Tygodniami trzymałam w sekrecie dwie sprawy: to, że wiem o nowej chorobie, i to, że wyjeżdżam. O tej drugiej wiedział poza mną tylko jeden człowiek, natomiast o tej pierwszej wiedziało wielu ludzi – wszyscy w moim laboratorium, wiele osób z Uniwersytetu Rockefellera, część pracowników rządowych, generałowie i pułkownicy, niewidoczne osoby z Pekinu i Pierwszej Aglomeracji, których twarzy nie umiałam sobie nawet wyobrazić.

I coraz więcej ludzi się dowiadywało. Nie ogłoszono tego oficjalnie w gazetach strefowych, nie było obwieszczenia przez radio, a mimo to wszyscy wiedzieli, że coś się dzieje. Pewnego dnia w końcu września wyszłam z domu i zobaczyłam całkowicie opustoszały plac. Znikli wszyscy handlarze i ich namioty, a nawet płonące stale ognisko. Plac był nie tylko pusty, ale i oczyszczony: żadnych trocin, skrawków metali, fruwających nitek. Wszystko znikło bez śladu, a przecież w nocy niczego nie słyszałam: ani spycharek, ani zamiatarek, ani polewaczek. Stacji chłodzących też nie było, a we wszystkich czterech wejściach na plac pojawiły się z powrotem dawno zdjęte bramy, i to zamknięte na kłódki.

Tego ranka atmosfera w wahadłowcu była mocno napięta. Jechaliśmy nie tyle w milczeniu, ile w martwej ciszy. Nie było protokołu gotowości na wypadek epidemii, ponieważ państwo znacznie się zmieniło od roku siedemdziesiątego, ale i tak wszyscy wiedzieli, co się dzieje, a nikt nie chciał usłyszeć potwierdzenia swoich podejrzeń.

W pracy zastałam kartkę wsuniętą pod jedną z mysich klatek – pierwszą, odkąd zaczęłam się spotykać z Davidem u opowiadacza. Przeczytałam: „Cieplarnia na dachu, 13.00", więc o 13.00 wyszłam na dach. Nikogo tam nie było poza ogrodnikiem w zielonym płóciennym ubraniu, który podlewał rośliny, ale zanim zdążyłam się zmartwić, jak znajdę następną kartkę od Davida w cieplarni, jeśli ogrodnik nie wyjdzie, ten się odwrócił i zobaczyłam, że to David.

Natychmiast podniósł palec do ust, nakazując mi milczenie, ale ja już szlochałam:

– Kim ty jesteś? Kim ty jesteś?

– Cicho, Charlie – powiedział, zbliżył się i usiadł przy mnie, bo osunęłam się na ziemię, i objął mnie ramieniem. – Już dobrze, Charlie. Już dobrze. – Przytulał mnie, kołysząc lekko, aż się uspokoiłam. – Unieszkodliwiłem kamery i mikrofony, więc mamy czas do trzynastej trzydzieści, bo wtedy wrócą Muchy. Widziałaś, co się dzisiaj stało – mówił, a ja kiwałam głową. – Choroba szaleje teraz w Prefekturze Czwartej i lada dzień dotrze tutaj. Im bardziej się nasili, tym trudniej będzie nam wyjechać. Dlatego data została zmieniona na drugi października. Dzień później rząd wyda oficjalne obwieszczenie, a wieczorem zaczną się testy i ewakuacja do ośrodków relokacji. W kolejnym dniu wejdzie w życie godzina policyjna. Uważam, że nasz nowy termin jest zbyt bliski tym datom, ale tak wiele trzeba było przeorganizować, że wcześniej nie dałem rady. Czy ty mnie rozumiesz, Charlie? Musisz być gotowa do wyjazdu drugiego października.

– Przecież to sobota!

– Tak, przepraszam – powiedział. – Przeliczyłem się; mówiono mi, że rząd wyda obwieszczenie najwcześniej dwudziestego października. Ale niestety. – Zaczerpnął tchu. – Charlie, rozmawiałaś już z mężem? – Ponieważ nie odpowiedziałam, odwrócił mnie do siebie za ramiona. – Posłuchaj mnie, Charlie – rzekł surowo. – Musisz mu powiedzieć. Dzisiaj wieczorem. Jeżeli nie, to przyjmę, że jedziesz bez niego.

– Nie mogę wyjechać bez niego – jęknęłam i rozpłakałam się na nowo. – Nie chcę.

– W takim razie musisz mu powiedzieć – podsumował David. Spojrzał na zegarek. – Musimy stąd iść. Ty pierwsza.

– A ty?

– O mnie się nie martw – powiedział.

– Jak się tutaj dostałeś?

– Charlie – zniecierpliwił się – wszystko ci powiem później. Teraz już idź. I porozmawiaj z mężem. Obiecaj mi, że to zrobisz.

– Obiecuję.

Ale nie dotrzymałam słowa. Na drugi dzień czekała na mnie nowa wiadomość: „Zrobiłaś to?". Zmięłam ją w kulkę i spaliłam nad palnikiem bunsenowskim.

To było we wtorek. W środę sytuacja się powtórzyła. A potem był czwartek, trzy dni do planowanego wyjazdu i wolna noc mojego męża.

I tej nocy mój mąż nie wrócił do domu.

Gdyby mnie ktoś zapytał, dlaczego zaufałam Davidowi, nie wiedziałabym, co odpowiedzieć. Bo prawda jest taka, że mu nie ufałam, przynajmniej nie do końca. Ten David różnił się od Davida, którego wcześniej znałam: był poważniejszy, mniej zaskakujący, budził lęk. Chociaż i tamten dawny David budził lęk – swoją beztroską, swoją niezwykłością. W pewnym sensie nawet łatwiej mi było akceptować tego nowego, chociaż czułam, że z każdym dniem znam go coraz mniej. Nieraz, ściskając w garści sygnet Dziadka, myślałam sobie o wszystkim, co David już o mnie wie, i mówiłam sobie, że David jest kimś, komu mogę wierzyć, kto mnie obroni, kto został przysłany do mnie przez zaufaną osobę Dziadka. Kiedy indziej, gdy mąż już zasnął, oglądałam sygnet pod kołdrą przy latarce i wątpiłam, czy to na pewno sygnet Dziadka. Czy tamten nie był większy? Czy złoto nie było lekko wklęsłe z prawej strony? Czy to oryginał, czy kopia? A jeśli Dziadek wcale nie posłał go przyjacielowi? Jeśli ktoś ukradł mu sygnet? Zaraz jednak myślałam: po co David miałby kłamać? Przecież nie byłam warta porwania. Nikt nie zapłaciłby za mnie okupu; nikt by za mną nie tęsknił. David nie miał powodu mnie porywać.

Nie miał także powodu mnie ratować. Skoro nie byłam warta uprowadzenia, to nie byłam też warta ratowania.

Nie umiem też powiedzieć, dlaczego zdecydowałam się wyjechać ani czy w ogóle się zdecydowałam. Plan Davida wydawał mi się odległy, nierealny, jak fantastyczna opowieść. Owszem, wiedziałam, że wyjeżdżam gdzieś, gdzie jest lepiej, gdzie Dziadek chciał, żebym wyjechała. Ale o Nowej Brytanii nie wiedziałam nic poza tym, że jest to państwo, które kiedyś miało królową, a potem króla, że tam także mówi się po angielsku i że nasz rząd zerwał stosunki z tym państwem pod koniec lat siedemdziesiątych. Chyba traktowałam to trochę jak grę, w którą kiedyś grałam z Dziadkiem – w udawane rozmowy; to też była udawana rozmowa, i mój wyjazd też będzie udawany. Na ostatnim spotkaniu posprzeczałam się z Davidem o te dodatkowe kwity, które kazał mi zostawić, mówiłam, że mogą mi się przydać po powrocie – wtedy David mi przerwał i powiedział:

– Charlie, ty już tutaj nie wrócisz. Gdy raz stąd wyjedziesz, twoja noga więcej tu nie postanie. Rozumiesz?

– A gdybym chciała?

– Nie sądzę, żebyś chciała – odrzekł powoli. – Tak czy owak, nie będziesz mogła. Gdybyś spróbowała, aresztowaliby cię i zabili na Ceremonii.

Powiedziałam, że rozumiem, i w rzeczy samej tak mi się zdawało, ale może wcale nie zrozumiałam. Którejś soboty zapytałam Davida, co będzie z embrionami, ale powiedział, żebym się o nie nie martwiła, bo zajmie się nimi jakiś inny technik. Zrobiło mi się przykro. Wprawdzie wiedziałam, że nie jestem jedyną osobą, która umie obchodzić się z embrionami, ale jednak czasami lubiłam udawać, że nią jestem. Lubiłam łudzić się, że najlepiej je preparuję, najstaranniej i najgruntowniej, że nikt nie potrafi mi dorównać.

– Masz rację, Charlie – powiedział David, a ja po chwili się uspokoiłam.

W czwartek, czekając na męża, myślałam o embrionach. Stanowiły tak ważną część mojego życia tutaj, że następnego dnia w pracy (David przypomniał mi, że to będzie mój ostatni w życiu dzień na Uniwersytecie Rockefellera) postanowiłam wykraść jedną szalkę Petriego z embrionami. Tylko jedną szalkę, z kilkoma zaledwie „paluszkami" w odrobinie soli fizjologicznej. David mówił, żebym wzięła wyłącznie to, co ma dla mnie osobiste znaczenie, a embriony takie znaczenie miały.

Było mnóstwo miejsca w mojej torbie. Spakowałam tylko połowę złotych monet, które trzymaliśmy pod moim łóżkiem, cztery pary majtek, sygnet Dziadka i trzy jego fotografie. David mówił, żebym nie brała ubrań, żywności ani nawet wody – wszystko to dostanę później. W trakcie pakowania przeszło mi przez myśl, żeby zabrać liściki przechowywane przez męża, ale zrezygnowałam z tego, podobnie jak z pomysłu, żeby wziąć wszystkie złote monety. Powiedziałam sobie, że jeśli mąż zdecyduje się wyjechać ze mną, sam zabierze drugą połowę. Po spakowaniu torba była wciąż taka mała i lekka, że mogłabym ją zwinąć w rulon i wcisnąć w kieszeń kombinezonu chłodzącego, który teraz wisiał w szafie.

Wiedziałam, że wieczorem trzeba będzie rozmówić się z mężem, dlatego zamiast przebrać się w piżamę, położyłam się na łóżku w ubraniu – uważałam, że będzie mi niewygodnie i nie zasnę. Ale zasnęłam, a kiedy się zbudziłam, poczułam, że jest bardzo późno – i rzeczywiście: zegar wskazywał 23.20.

Przestraszyłam się. Gdzie on się podziewa? Nigdy nie zostawał poza domem tak długo, przenigdy.

Nie wiedziałam co robić. Chodziłam po salonie, załamywałam ręce i zastanawiałam się głośno, gdzie on jest. Aż nagle uświadomiłam sobie, że wiem: był w domu przy ulicy Bethune.

Zanim zdążyłam się przestraszyć na nowo, dokumenty schowałam do kieszeni na wypadek, gdyby mnie zatrzymali. Wyciągnęłam latarkę spod poduszki. Włożyłam buty. Wyszłam z mieszkania i zeszłam po schodach na dół.

Na zewnątrz panowała głucha cisza i – bez ogniska płonącego na placu – kompletna ciemność. Jedynie co pewien czas reflektor omiatał powolnym kołem ścianę budynku, drzewo albo zaparkowany pojazd, które zaraz porzucał w ciemności.

Jeszcze nigdy nie chodziłam po ulicy tak późno – nie było to wprawdzie nielegalne, ale było nietypowe. Wystarczyło wyglądać na kogoś, kto wie, dokąd zmierza – a ja wiedziałam. Ruszyłam na zachód przez Małą Ósemkę, spoglądając w okna i zastanawiając się, które należy do Davida, przeszłam na drugą stronę najpierw Siódmej Alei, a następnie ulicy Hudson. Gdy przechodziłam przez Hudson, minął mnie oddział żołnierzy, którzy odwrócili się za mną, ale widząc małą, brzydką, ciemnoskórą Azjatkę, poszli dalej, nawet mnie nie zatrzymując. Na ulicy Greenwich skręciłam w prawo, na północ, a wkrótce potem skręcałam już w lewo, w ulicę Bethune, i zbliżałam się do numeru 27.

Już miałam wspiąć się po schodkach, gdy powstrzymał mnie nagły lęk, tak silny, że skuliłam się i przez chwilę kołysałam się w miejscu, słysząc własne popiskiwanie. Ale jednak weszłam, potykając się o wyszczerbiony drugi stopień, i wystukałam rytm zapamiętany miesiące temu: „puk-puk-pukpuk-puk-puk-puk-puk-pukpuk".

W pierwszej chwili odpowiedziała mi cisza. Zaraz jednak usłyszałam, że ktoś schodzi po schodach, małe okienko otworzyło się i ukazała się w nim chuda twarz mężczyzny, czerwonawa, o niebieskich oczach patrzących wprost na mnie. Mierzyliśmy się wzrokiem. Zapadła cisza. Nagle ów mężczyzna powiedział: „Nigdy nie było więcej początku niż teraz ani więcej młodości i starości niż teraz"*. Ponieważ nie odpowiedziałam, powtórzył te słowa.

– Nie znam odpowiedzi – przyznałam się, a gdy już chciał zamknąć okienko, dodałam: – Proszę… poczekać. Nazywam się Charlie Griffith. Mój mąż nie wrócił do domu i myślę, że jest tutaj, u pana. Nazywa się Edward Bishop.

Mężczyzna zrobił wielkie oczy.

– Jest pani żoną Edwarda? – spytał. – Mogę prosić o powtórzenie nazwiska?

---

* Walt Whitman, *Pieśń o sobie*, tłum. Andrzej Szuba.

– Charlie. Charlie Griffith.

Okienko się zatrzasnęło, a za to drzwi uchyliły się na kilkanaście centymetrów i wysoki biały mężczyzna w średnim wieku zaprosił mnie gestem do środka i zamknął za nami drzwi na klucz.

– Na górę – powiedział.

Idąc za nim, spojrzałam w lewo i zobaczyłam uchylone drzwi: przez szparę padał blask lampy.

Schody były wyłożone chodnikiem w ciemnoczerwono-niebieskie zawijasy i poskrzypywały pod naszymi stopami. Na drugim podeście, widząc następne drzwi, uświadomiłam sobie, że dom został przerobiony na mieszkania, po jednym na każdym piętrze, a zarazem zgodnie z pierwotnym założeniem wciąż był wykorzystywany jako jeden dom. Ściany pomalowano w różyczki aż po najwyższy poziom. Na balustradzie suszyło się pranie: skarpetki, koszule i męska bielizna.

Mężczyzna zapukał do drzwi na drugim piętrze, a jednocześnie przekręcił ich gałkę i weszłam za nim do środka.

W pierwszej chwili pomyślałam, że wróciłam do gabinetu Dziadka, a przynajmniej tej jego wersji, którą zapamiętałam sprzed choroby. Wszystkie ściany były zasłonięte przez regały z tysiącami książek. Na podłodze leżał dywan – większa i misterniejsza wersja chodnika ze schodów – a w jednym z kątów stały miękkie fotele oraz sztalugi z na wpół ukończonym portretem mężczyzny. Ogromne okna były ukryte za ciemnozielonymi storami, na niskim stole stało radio, leżały sterty książek i szachownica. A w kącie przeciwległym do tego ze sztalugami ujrzałam telewizor – przedmiot, którego nie widziałam od dzieciństwa.

Tuż przede mną stała kanapa, niepodobna do tej, którą mieliśmy w domu, bo z wyglądu miękka i wygodna, a na kanapie leżał mężczyzna. Był to mój mąż.

Podbiegłam i uklękłam tuż przy jego twarzy. Miał zamknięte oczy i pocił się, z trudem łapał powietrze półotwartymi ustami. Dłonie trzymał skrzyżowane na piersiach.

– Mangusto – szepnęłam, biorąc go za rękę, która była lepka i zimna. – To ja, Kobra.

Wydał cichy jęk.

Nagle ktoś wymówił moje imię. Podniosłam wzrok. Mężczyzna, którego wcześniej nie zauważyłam, ciemny blondyn o zielonych oczach, mniej więcej w moim wieku, także klęczał przy moim mężu, jedną ręką podtrzymując mu głowę, a drugą gładząc go po włosach.

– Charlie – powtórzył i ze zdumieniem dostrzegłam łzy w jego oczach. – Charlie, dobrze cię wreszcie poznać.

– Musicie go stąd zabrać – powiedział ktoś z boku, a odwróciwszy się, ujrzałam człowieka, który mnie tu wpuścił.

– Jezu, Harry – odezwał się inny głos. Spojrzałam w tamtą stronę i zobaczyłam w pokoju jeszcze trzech mężczyzn, którzy stali w pewnej odległości od kanapy i patrzyli na mojego męża. – Nie bądź bez serca.

– A ty mnie nie pouczaj – burknął ten przy drzwiach. – To m ó j dom. Jego obecność tutaj naraża na niebezpieczeństwo nas wszystkich. Musi stąd zniknąć.

Ktoś jeszcze zaczął protestować, ale ten, który głaskał mojego męża po głowie, uciszył go.

– W porządku – powiedział. – Harry ma rację; ryzyko jest zbyt duże.

– Ale gdzie wy pójdziecie? – spytał któryś z mężczyzn.

Wtedy blondyn odwrócił się do mnie.

– Do domu – odpowiedział. – Pomożesz mi, Charlie?

Kiwnęłam głową na znak, że pomogę.

Harry wyszedł z pokoju, a dwóch mężczyzn pomogło blondynowi podźwignąć mojego postękującego męża na nogi.

– Już dobrze, Edwardzie – mówił blondwłosy mężczyzna podtrzymujący go wpół. – Już dobrze, kochanie. Wszystko będzie dobrze.

Wszyscy razem zaczęli go wolniutko sprowadzać po schodach, chociaż stękał i dyszał przy każdym kroku. Blondyn pocieszał go i głaskał po twarzy. Na samym dole drzwi do parterowego mieszkania były już otwarte na oścież i jasnowłosy mężczyzna wszedł tam, mówiąc, że idzie po torby, swoją i mojego męża.

Bezwiednie poszłam za nim i nagle oprzytomniałam w pokoju pełnym mężczyzn, którzy się na mnie gapili. Było ich sześciu, ale nie zwróciłam uwagi na twarze, lecz na sam pokój, urządzony podobnie jak ten na górze, tyle że bardziej wystawnie, z wymyślniejszymi meblami i bardziej ozdobną tapicerką. Zaraz jednak zauważyłam, że wszystko jest wystrzępione: skraj dywanu, szwy kanapy, grzbiety książek. Podobnie jak na górze, polikwidowano tu ściany działowe, przekształcając kawalerkę w jedno wielkie pomieszczenie.

Mężczyźni już tłoczyli się w drzwiach, jeden przytulał blondyna.

– Fritz – mówił – ja znam kogoś, kto może pomóc. Pozwól, że go zawiadomię.

Ale blondyn pokręcił głową.

– Nie mogę ci tego zrobić – powiedział.

– Powieszą cię albo ukamienują razem z twoim przyjacielem – odrzekł tamten i jakby na potwierdzenie słuszności swoich słów skinął głową i odsunął się od blondyna.

Poczułam na sobie czyjś wzrok, więc obróciłam się w lewo i ujrzałam jednego z naszych doktorantów, tego, który zawsze wodził oczami za bratankiem wiceministra spraw wewnętrznych.

Przysunął się do mnie.

– Charlie, tak? – spytał cicho, a ja skinęłam głową. Wyjrzał do przedpokoju, gdzie dwaj mężczyźni nadal podtrzymywali mojego męża w pionie, otoczeni wianuszkiem pozostałych. – Edward to twój mąż?

Kiwnęłam głową. Nie mogłam mówić, nawet kiwanie głową przychodziło mi z trudem, ledwo oddychałam.

– Co mu jest? – zapytałam.

Pokręcił głową.

– Nie wiem – odparł ze stroskaną miną. – Nie wiem. Mnie to wygląda na zawał serca. W każdym razie wiem na pewno, że to nie choroba.

– Skąd to wiesz?

– Widzieliśmy już zarażonych – odpowiedział. – Objawy się nie zgadzają. Krwawiłby z nosa i ust, gdyby był chory. Charlie, pamiętaj: pod żadnym pozorem nie oddawaj go do szpitala.

– Dlaczego?

– Bo nie. W szpitalu z miejsca uznają go za zarażonego i odeślą do ośrodka odosobnienia.

– Nie ma już ośrodków odosobnienia – przypomniałam mu.

Znowu pokręcił głową.

– Są, ale zmieniły nazwę. Tam właśnie trzymają pierwsze przypadki, żeby je… badać. – Obejrzał się na mojego męża. – Weź go do domu. Pozwól mu umrzeć w domu.

– Umrzeć? On umiera?

Wtedy jednak znów podszedł do mnie blondyn, tym razem z dwiema torbami – swoją i mojego męża – przewieszonymi przez ramię.

– Charlie, musimy iść – powiedział, więc poszłam za nim, znów bezwiednie.

Część mężczyzn ucałowała blondyna w policzek; reszta ucałowała mojego męża.

– Żegnaj, Edwardzie – powiedział jeden z nich, a pozostali to podchwycili.

– Żegnaj, Edwardzie, żegnaj.

– Kochamy cię, Edwardzie.

– Żegnaj, Edwardzie.

A potem drzwi się otworzyły i we troje wkroczyliśmy w noc.

Szliśmy na wschód, blondyn po prawej stronie mojego męża, ja po lewej. Mąż zarzucił ramiona na nasze szyje, a my oboje obejmowaliśmy go w pasie. Ledwo szedł, pociągając stopami. Nie był ciężki, ale ponieważ blondyn i ja byliśmy od niego niżsi, trudno nam było go prowadzić.

Na ulicy Hudson blondyn rozejrzał się na wszystkie strony.

– Przetniemy Christophera, ominiemy Małą Ósemkę i pójdziemy na wschód Dziewiątą, a później skręcimy w Piątą na południe – zaplanował. – Gdyby nas zatrzymali, powiemy, że to twój mąż, który się upił, a ja jestem jego kolegą, dobrze?

Pokazywanie się publicznie w stanie upojenia alkoholowego było nielegalne, ale wiedziałam, że w tej sytuacji lepiej będzie powiedzieć, że mąż jest pijany, niż że jest chory.

– Dobrze – przyznałam.

W milczeniu szliśmy na wschód ulicą Christophera. Pustka i ciemność utrudniały orientację, a mimo to blondyn posuwał się naprzód szybko i pewnie, ja zaś starałam się za nim nadążyć. Wreszcie dotarliśmy na Waverly Place, gdzie przebiegała wysunięta najdalej na zachód granica Małej Ósemki, tak dobrze oświetlonej reflektorami, że musieliśmy mocno przysunąć się do ściany najbliższego budynku, żeby nie rzucać się w oczy.

Blondyn popatrzył na mnie.

– Jeszcze kawałeczek – powiedział, a potem znów z czułością zwrócił się do mojego męża, który kaszlał i stękał na przemian. – Ja wiem, Edwardzie. Już jesteśmy prawie na miejscu.

Szliśmy najszybciej, jak się dało. Z lewej strony widziałam wieżowce Małej Ósemki, z czarnymi już w większości prostokątami okien. Na wprost nas wznosił się duży gmach wybudowany kilkaset lat temu jako więzienie. Potem przekształcono go w bibliotekę. I znów w więzienie. Teraz był to budynek mieszkalny. Na jego zapleczu znajdował się plac zabaw, ale dzieci z powodu upałów rzadko z niego korzystały.

I właśnie gdy zbliżaliśmy się do tego budynku, zostaliśmy zatrzymani.

– Stać!

Wykonaliśmy rozkaz tak gwałtownie, że omal nie upuściliśmy mojego męża. Strażnik był odziany na czarno, co oznaczało, że jest funkcjonariuszem miejskim, a nie żołnierzem. Stanął przed nami z lufą broni na wysokości naszych twarzy.

– Dokąd idziecie o tej porze?

– Mam dokumenty, panie władzo – powiedział blondyn, sięgając po swoją torbę.

– Nie prosiłem o dokumenty – warknął strażnik. – Pytałem, dokąd idziecie.

– Wracamy do jej mieszkania – odrzekł blondyn. Czułam, że się boi, ale usiłuje tego nie okazać. – Jej mąż… jej mąż trochę za dużo wypił i…

– Gdzie? – przerwał mu strażnik z wyraźnym ożywieniem w głosie. Strażnicy dostawali dodatkowe punkty za aresztowanie winnych niewłaściwego stylu życia.

Zanim jednak zdążyliśmy odpowiedzieć, rozległ się inny głos:
– Aaa, tu jesteście!

Zabrzmiało to jak powitanie kogoś, kto spóźnia się na umówione wyjście na koncert lub na spacer. Odwróciliśmy się wszyscy troje. Ujrzałam Davida. Zbliżał się do nas od zachodu, nie w swoim szarym kombinezonie, lecz w błękitnej bawełnianej koszuli i spodniach – stroju podobnym do tego, który miał na sobie blondyn – i kroczył szybko, ale bez pośpiechu, uśmiechając się i potrząsając głową. W jednej ręce niósł termos, w drugiej – małą skórzaną teczkę.

– Mówiłem, żebyście nie ruszali się z miejsca; szukam was po całym osiedlu – rzekł z uśmiechem do blondyna, który najpierw rozdziawił usta ze zdziwienia, ale zaraz je zamknął i lekko pokiwał głową.

– Przepraszam bardzo – zwrócił się David do mężczyzny w czerni. – To mój niemądry brat z żoną i przyjacielem. Widzę, że trochę za dobrze się dziś bawił. Poszedłem do mieszkania po wodę dla niego, a gdy wróciłem, okazało się, że ci troje – uśmiechnął się do nas z czułością – postanowili wyruszyć beze mnie – mówiąc to, uśmiechnął się do strażnika, pokręcił głową i przewrócił oczami. – Proszę, oto są dokumenty nas trojga – dodał, wręczając teczkę strażnikowi, który cały czas nie opuszczał lufy broni i przyglądał nam się po kolei. Jednak przyjął teczkę i ją rozpiął. Gdy wyciągał papiery, dostrzegłam srebrny błysk.

Funkcjonariusz studiował dokumenty, a gdy doszedł do końca ostatniego, wyprężył się nagle jak struna i zasalutował.

– Proszę o wybaczenie – zwrócił się do Davida. – Nie wiedziałem, proszę pana.

– Przeprosiny niepotrzebne – odparł David. – Wykonujecie tylko swoje obowiązki.

– Dziękuję panu. Czy potrzebuje pan pomocy w doprowadzeniu go do domu?

– To miło z waszej strony, ale nie – rzekł David. – Dobrze się spisaliście.

Strażnik ponownie zasalutował, a David odpowiedział mu tym samym. A potem zajął moje miejsce po lewej stronie męża.

– Och, ty głupolu – powiedział do niego. – Chodź, zaprowadzimy cię do domu.

Żadne z nas się nie odezwało, dopóki nie przeszliśmy przez Szóstą Aleję.

– Kto pan… – zaczął blondyn, ale zaraz się zmitygował: – Dziękuję panu.

David pokręcił głową, już bez uśmiechu.

– Jeśli spotkamy innego funkcjonariusza, ja się tym zajmę – rzekł cicho. – Gdyby nas zatrzymali, niech nikt nie okazuje niepokoju. Macie wyglądać na… poirytowanych, okej? Ale nie przestraszonych. Charlie, rozumiesz, co mówię? – Kiwnęłam głową. – Jestem przyjacielem Charlie – powiedział do blondyna. – David.

Blondyn skłonił się lekko.

– Fritz – przedstawił się. – Jestem…

– Wiem, kim jesteś – przerwał mu David.

Blondyn spojrzał z kolei na mnie.

– Fritz – powtórzył, a ja skinieniem głowy okazałam mu, że rozumiem.

Dotarliśmy do domu bez dalszych zatrzymań. Kiedy drzwi się za nami zamknęły, David wręczył mi termos, a sam wziął na ręce mojego męża i zaniósł go po schodach na górę. Nie wiem, jak tego dokonał, bo byli prawie tej samej budowy, ale dał radę.

Zaniósł męża do naszej sypialni. Pomimo całego zamieszania poczułam się zażenowana, że David i Fritz widzą, jak sypiamy, nie dotykając się, w oddzielnych łóżkach. Zaraz jednak przypomniało mi się, że już to wiedzieli, i jeszcze bardziej się zawstydziłam.

Jednak żaden z nich nie zwrócił na to uwagi. Fritz przysiadł na łóżku koło mojego męża i znowu głaskał go po głowie. David trzymał mojego męża za nadgarstek i patrzył na swój zegarek. Po kilku chwilach odłożył delikatnie rękę męża wzdłuż jego boku, jakby mu ją oddawał.

– Charlie, przyniesiesz mi trochę wody? – spytał, więc wyszłam spełnić jego prośbę.

Kiedy wróciłam, David klęczał przy łóżku. Wziął ode mnie kubek i przystawił go do ust mojego męża.

– Edwardzie, możesz przełknąć chociaż łyczek? Dobrze, dobrze. Jeszcze trochę. Świetnie.

Odstawił kubek na podłogę koło siebie.

– Wiesz, że to koniec – powiedział. Nie wiadomo, czy do mnie, czy do Fritza.

Fritz się odezwał.

– Wiem – rzekł cicho. – Zdiagnozowali go rok temu. Ale myślałem, że wytrzyma trochę dłużej.

– Co zdiagnozowali? – spytałam bezwiednie.

Obaj spojrzeli na mnie jednocześnie.

– Zastoinową niewydolność serca – odpowiedział Fritz.

– Przecież to się leczy – zaprotestowałam. – Nawet operacyjnie.

Ale Fritz pokręcił głową.

– Nie, nie w jego przypadku. Nie leczy się krewnych zdrajców stanu – wyjaśnił i rozpłakał się.

– Nic mi nie mówił – wyszeptałam, gdy już odzyskałam głos. – Nic mi nie mówił.

Zaczęłam chodzić w kółko i wymachiwać rękami, powtarzając „nic mi nie mówił, nic mi nie mówił", aż Fritz odszedł od wezgłowia mojego męża i złapał mnie za ręce.

– Czekał na odpowiedni moment, żeby ci powiedzieć, Charlie – powiedział. – Nie chciał cię martwić. Nie chciał, żebyś się smuciła.

– Za to teraz się smucę! – wykrzyczałam, i tym razem trzeba było Davida, żeby mnie usadowić na łóżku i utulić, tak jak to robił Dziadek.

– Charlie, Charlie, byłaś taka dzielna – mówił, kołysząc moje ciało. – Już prawie po wszystkim, Charlie, już prawie po wszystkim.

A ja płakałam i płakałam, chociaż wstydziłam się płaczu i wstydziłam się, że płaczę w równej mierze nad sobą, co nad moim mężem: płakałam, bo wiedziałam tak mało i rozumiałam tak mało, i chociaż mąż mnie nie kochał, ja go kochałam i on chyba o tym wiedział. Płakałam, bo mój mąż kogoś jednak kochał, tego kogoś, kto wiedział o mnie wszystko, a ja o nim nie wiedziałam nic, i płakałam, bo ten ktoś w tej chwili także tracił mojego męża. Płakałam, że mój mąż był chory i nie chciał albo nie mógł mi o tym powiedzieć – czy jedno, czy drugie, nie miało to znaczenia. Nie wiedziałam.

Ale płakałam też, ponieważ wiedziałam, że mój mąż stanowił jedyny powód, dla którego zostałabym w Strefie Ósmej, a teraz on umierał, a ja stąd wyjeżdżałam. Płakałam, bo odchodziliśmy stąd oboje – do różnych miejsc i oddzielnie. Żadne z nas nie miało powrócić do tego mieszkania w tej strefie, w tej aglomeracji, w tej prefekturze – już nigdy.

Resztę nocy i cały piątek spędziliśmy w gotowości na rychłą śmierć mojego męża. Wczesnym rankiem David wyszedł do centrum, żeby zarejestrować nieobecność nas trojga w pracy. Fritz nie był żonaty i mieszkał, tak jak David, w Budynku Numer Sześć, więc nie musieliśmy się martwić, że żona zacznie go szukać.

David wrócił i napoił mojego męża odrobiną płynu z termosu. Twarz chorego się rozluźniła, a jego oddech stał się głębszy i dłuższy.

– Damy mu jeszcze trochę, gdyby naprawdę bardzo cierpiał – powiedział David, a Fritz i ja nie odezwaliśmy się.

W południe przygotowałam lunch, ale nikt go nie tknął. O 19.00 David podgrzał lunch w piekarniku i tym razem zasiedliśmy do niego wszyscy troje na podłodze w sypialni. Jedząc, obserwowaliśmy śpiącego Edwarda.

Milczeliśmy dość długo. W pewnej chwili Fritz zagadnął Davida:

– Jesteś z ministerstwa spraw wewnętrznych?

– Tak jakby – odparł David z uśmieszkiem, który odebrał Fritzowi ochotę do dalszych pytań.

– Ja pracuję w ministerstwie finansów – powiedział, a David skinął głową. – Przypuszczam, że o tym wiedziałeś – dodał Fritz.

Można się oczywiście zastanawiać, czy spytałam Fritza o to, jak i kiedy poznał mojego męża, jak długo się spotykali i czy to on przysyłał mu wiadome liściki. Ale nie spytałam. Jasne, że o tym myślałam, ale ostatecznie nie spytałam. Nie musiałam wiedzieć.

Spałam tej nocy w swoim łóżku. David nocował na kanapie w salonie. Fritz położył się koło mojego męża i przytulał go, chociaż nie mógł liczyć na wzajemność. Gdy usłyszałam swoje imię i otworzyłam oczy, stał nade mną David.

– Już czas, Charlie – powiedział.

Spojrzałam na męża, który leżał całkiem nieruchomo. Oddychał, ale ledwo. Podeszłam tam i usiadłam na podłodze przy jego głowie. Jego usta miały sinawy kolor, jakiego nigdy nie widziałam u człowieka. Wzięłam go za rękę, która była jeszcze ciepła, ale zaraz uprzytomniłam sobie, że jest ciepła, ponieważ trzymał ją Fritz.

Siedzieliśmy tak bardzo długo. O wschodzie słońca oddech mojego męża stał się chrapliwy. Fritz spojrzał na Davida, który siedział na moim łóżku, i powiedział:

– Już, David, proszę.

I spojrzał przy tym na mnie, bo przecież byłam żoną chorego, ale i ja skinęłam głową.

David rozchylił usta mojego męża. Wyjął z kieszeni skrawek płótna i zanurzył go w termosie, wycisnął płyn do ust mojego męża, a na koniec wtarł go w jego dziąsła, wnętrza policzków i język. Nasłuchiwaliśmy: oddech mojego męża był coraz wolniejszy i głębszy, jego częstotliwość spadała, aż całkiem ustał.

Pierwszy odezwał się Fritz – nie do nas, lecz do mojego męża.

– Kocham cię – powiedział. – Mój Edward.

Wtedy uświadomiłam sobie, że Fritz był ostatnią osobą, która rozmawiała z moim mężem: kiedy ja go wreszcie znalazłam, w czwartkową noc, już nie mógł mówić. Fritz się nachylił i pocałował mojego męża w usta – w tym momencie David dyskretnie się odwrócił, ale ja nie: nigdy nie widziałam, jak ktoś całuje mojego męża, i nigdy już nie zobaczę.

Fritz wstał.

– Co teraz zrobimy? – spytał Davida.

– Ja się nim zajmę – odparł David.

Fritz skinął głową.

– Dziękuję ci – powiedział. – Dziękuję ci bardzo, Davidzie. Dzięki. – Myślałam, że się znowu rozpłacze, ale tak się nie stało. – No to… – Popatrzył z kolei na mnie. – Żegnaj, Charlie. Dziękuję, że… że byłaś dla mnie taka dobra. I dla niego.

– Przecież nic nie zrobiłam – powiedziałam, ale Fritz pokręcił głową.

– Owszem, zrobiłaś – powiedział. – Jemu na tobie zależało. – Westchnął przeciągle, spazmatycznie, i podniósł swoją torbę. – Tak bardzo chciałbym mieć coś, co do niego należało, jakąś pamiątkę po nim.

– Weź sobie jego torbę – powiedziałam.

Przejrzeliśmy wcześniej torbę mojego męża, tak jakby mogła zawierać cudowny lek albo zapasowe serce, ale znaleźliśmy w niej tylko jego roboczy kombinezon, dokumenty, papierowe zawiniątko z orzechami nerkowca i zegarek.

– Naprawdę? – ucieszył się Fritz, a ja potwierdziłam. – Dziękuję – rzekł i starannie ułożył torbę mojego męża w swojej.

David i ja odprowadziliśmy Fritza do drzwi.

– No to... – zaczął znowu, tym razem jednak się rozpłakał. Skłonił się Davidowi, potem mnie. – Przepraszam – załkał, zawstydzony własnym płaczem. – Przepraszam, przepraszam. Ja go tak bardzo kochałem.

– Rozumiemy – rzekł David. – Nie trzeba przepraszać.

Nagle przypomniały mi się liściki.

– Zaczekaj – zatrzymałam Fritza. Poszłam do szafy, wyciągnęłam pudełko, otworzyłam kopertę i opróżniłam ją z liścików. – To twoje – powiedziałam, wręczając je Fritzowi, który na ich widok znów się rozpłakał.

– Dziękuję, dziękuję – powtarzał. Przez chwilę pomyślałam, że mnie dotknie, ale nie zrobił tego; nie wypadało.

A potem otworzył drzwi i wymknął się. Nasłuchiwaliśmy, jak schodzi po schodach, przemierza korytarz i otwiera drzwi, które się za nim zatrzasnęły. I już go nie było, znów zapadła cisza.

Pozostało już tylko czekać. Dokładnie o 23.00 miałam się znaleźć na brzegu rzeki u zbiegu ulic Charlesa i Hudson, gdzie podpłynie do mnie łódź. Łódź ta zabierze mnie do większej, znacznie większej łodzi i tą z kolei popłynę do kraju, o którym nigdy nie słyszałam, o nazwie Islandia. W Islandii spędzę trzy tygodnie w izolacji dla upewnienia się, że nie jestem nosicielką nowej choroby, a potem wsiądę na trzecią łódź i ta zawiezie mnie do Nowej Brytanii.

Ale David nie spotka się ze mną na wybrzeżu. Będę zdana na siebie. On ma tu jeszcze jakieś sprawy do dokończenia, więc zobaczymy się ponownie dopiero wtedy, gdy dobiję do brzegu Islandii. Słysząc to, znowu się rozpłakałam.

– Dasz radę, Charlie – uspokajał mnie. – Wiem, że potrafisz. Jesteś bardzo dzielna.

W końcu wytarłam oczy i pokiwałam głową.

Tymczasem, mówił David, mam zostać w domu i spróbować się przespać, pamiętając jednak o wyjściu z odpowiednim zapasem czasu. Obiecał, że dopilnuje zabrania i kremacji ciała mojego męża, ale dopiero po moim wyjeździe. Na szczęście, powiedział, pogoda nam sprzyja – ale i tak na zwłoki mojego męża nasunął kombinezon chłodzący, chociaż nie nałożył mu hełmu.

– Czas na mnie – powiedział. Staliśmy przy drzwiach. – Pamiętasz plan? – zapytał. Kiwnęłam głową. – Masz jakieś pytania? – Pokręciłam głową. David położył dłonie na moich ramionach; wzdrygnęłam się, ale ich nie cofnął. – Twój dziadek byłby z ciebie dumny, Charlie – powiedział. – Ja też jestem z ciebie dumny. – Zabrał ręce. – Do zobaczenia w Islandii – powiedział. – Będziesz wolną kobietą.

Nie wiedziałam, co ma na myśli, ale odpowiedziałam „do zobaczenia", a on mi zasalutował, tak jak tamtemu strażnikowi w czwartkową noc, i wyszedł z mieszkania.

Wróciłam do mojego męża, do pokoju, który był już tylko moim pokojem, a jutro będzie czyimś innym pokojem. Z szuflady pod łóżkiem wyjęłam trzy z pozostałych tam monet. Dziadek mówił mi, że w pewnych kulturach kładzie się zmarłym złote monety na powiekach, a niekiedy także pod język. Nie pamiętam, jaki to miało cel. Ale postąpiłam tak samo: po jednej monecie na każde oko i jedna pod język. Resztę monet wsypałam do torby. Szkoda, że nie pamiętałam, żeby zapasowe kwity dać Fritzowi.

Potem położyłam się obok męża. Objęłam go. Było to nieco utrudnione przez kombinezon chłodzący, ale jakoś mi się udało. Po raz pierwszy byłam tak blisko niego, po raz pierwszy go dotykałam. Ucałowałam jego policzek, był zimny i gładki jak kamień. Ucałowałam jego usta. Ucałowałam jego czoło. Dotknęłam jego

włosów, powiek, brwi, nosa. Całowałam i dotykałam go długo. Mówiłam do niego. Powiedziałam, że go przepraszam. Że wyjeżdżam do Nowej Brytanii. Że będę za nim tęskniła, że nigdy go nie zapomnę. Powiedziałam, że go kocham. Przypomniał mi się Fritz i jego słowa, że mojemu mężowi na mnie zależało. Nigdy nie przypuszczałam, że spotkam osobę, która pisała liściki do mojego męża, a jednak spotkałam.

Gdy się zbudziłam, było ciemno, więc obleciał mnie strach, bo zapomniałam nastawić budzik. Ale było dopiero parę minut po 21.00. Wzięłam prysznic, chociaż dzisiaj nie przypadał nasz dzień wodny. Umyłam zęby i schowałam szczoteczkę do torby. Bałam się położyć, żeby znów nie zasnąć, więc usiadłam na swoim łóżku i patrzyłam na męża. Po kilku minutach nałożyłam mu hełm chłodzący, żeby twarz i głowa nie zaczęły się rozkładać przed kremacją. Wiem, że jemu, i w ogóle wszystkim, było to obojętne, ale ja nie chciałam wyobrażać sobie, że jego twarz czernieje i mięknie. Jeszcze nigdy nie spędziłam tyle czasu z nieboszczykiem, nawet z Dziadkiem – jego kremacją zajął się mój mąż, bo ja byłam kompletnie rozbita.

O 22.00 wstałam. Miałam na sobie zwyczajną czarną koszulę i spodnie, zgodnie z instrukcją Davida. Zarzuciłam torbę na ramię. W ostatniej chwili włożyłam do niej swoje dokumenty – wprawdzie David powiedział, że już mi się nie przydadzą, ale wzięłam je na wypadek zatrzymania po drodze na zachodnie nabrzeże. Po chwili jednak znów wyjęłam je z torby i wetknęłam pod poduszkę. Pomyślałam o szalce Petriego z embrionami, której już nie zdobędę. „Żegnajcie, »paluszki« – powiedziałam na głos. – Żegnajcie". Serce biło mi tak szybko, że z trudem oddychałam.

Po raz ostatni zamknęłam swoje mieszkanie na klucz. Klucze wsunęłam pod drzwi.

Już po chwili byłam na zewnątrz i szłam na zachód, prawie tak jak dwie noce wcześniej. Księżyc nad moją głową świecił tak jasno, że nawet gdy snopy reflektorów się oddalały, widziałam, gdzie idę. David powiedział, że po 21.00 większość Much zostanie wycofana z okolicy, by uformować się w gromady wokół szpitali i stref gęsto zaludnionych, na okoliczność jutrzejszego obwieszczenia – widziałam jedynie dwie, które w dodatku nie buczały, lecz leciały cicho.

Do brzegu dotarłam o 22.45. Usiadłam na suchym skrawku ziemi, żeby nie łazić nerwowo w tę i z powrotem. Tu oświetlenia nie było już wcale. Nawet fabryki po drugiej stronie rzeki zostały wygaszone. Jedynym odgłosem był chlupot wody o betonowe zapory.

Nagle usłyszałam coś niewyraźnie. Brzmiało to jak szept albo jak wiatr. I coś zobaczyłam: rozmytą plamę żółtawego światła, która zdawała się sunąć ponad rzeką jak ptak. Niebawem urosła i nabrała wyraźniejszych kształtów. Okazało się, że to mała drewniana łódka, jaką znałam ze starych zdjęć – ludzie pływali takimi łódkami po Stawie w czasach, kiedy był jeszcze prawdziwym stawem.

Wstałam. Łódka podpłynęła do brzegu. Było w niej dwoje ludzi ubranych od stóp do głów na czarno; jeden trzymał w górze latarnię, którą opuścił niżej, gdy zbliżyli się do lądu. Nawet oczy mieli osłonięte cienkimi przepaskami z czarnej gazy, tak że ledwo mogłam ich dostrzec w marnym świetle.

– Kobra? – zapytał jeden z nich.

– Mangusta – odpowiedziałam, a wtedy ten, który rzucił hasło, wyciągnął rękę i pomógł mi wsiąść do łódki: zakolebała się pode mną tak, że o mało nie wpadłam do wody.

– Skulisz się tutaj – nakazał ten sam człowiek i pomógł mi wcisnąć się między siebie a drugiego wioślarza, a kiedy już to zrobiłam, narzucił na mnie kawałek plandeki. – Ani mru-mru – zarządził, a ja kiwnęłam głową, choć przecież nie mógł tego widzieć. Łódka odbiła od brzegu. Słychać było wiosła rytmicznie tnące wodę oraz oddechy mężczyzn – wdech, wydech.

Gdy David zawiadomił mnie, że nie będzie go na brzegu, spytałam go, jak poznam, czy ludzie, którzy po mnie przypłyną, są tymi właściwymi.

– Zorientujesz się – odpowiedział. – Nikogo innego nie ma na brzegu o tej godzinie. Ani o żadnej innej.

Upierałam się jednak, że muszę mieć pewność.

Dwa tygodnie po naszym ślubie był nalot na dom, w którym mieszkałam z mężem. Pierwszy mój nalot bez Dziadka, więc bałam się tak strasznie, że nie umiałam przestać jęczeć, wymachiwać rękami i kiwać się. Mój mąż nie wiedział, co robić, a gdy chciał złapać mnie za ręce, uderzyłam go.

Potem w nocy przyśniło mi się, że wróciłam z pracy i gotuję obiad, gdy nagle słyszę zgrzyt klucza w zamku. Drzwi się otwierają i zamiast mojego męża staje w nich grupa policjantów, którzy wrzeszczą i każą mi paść na podłogę, ich psy szarpią się na smyczach i ujadają. Zerwałam się z łóżka, wzywając Dziadka. Mąż podał mi szklankę wody, a potem siedział przy mnie, aż z powrotem usnęłam.

Na drugi dzień wieczorem gotowałam obiad, gdy nagle klucz zazgrzytał w zamku – oczywiście był to mój mąż, ale w pierwszym odruchu tak się przeraziłam, że upuściłam na podłogę rondel pełen ziemniaków. Mąż pomógł mi posprzątać, a gdy już jedliśmy, powiedział:

– Mam pomysł. Wymyślmy sobie dwa hasła, które będziemy wypowiadać przed wejściem do domu, żeby mieć pewność, że to naprawdę my. Co ty na to? Ja podam swoje hasło, ty swoje i oboje będziemy wiedzieli, że my to my.

– A jakie to będą hasła? – spytałam.

– Na przykład – odrzekł po namyśle mój mąż – ty mogłabyś być… niech się zastanowię… kobrą? – Widocznie zrobiłam zdumioną albo urażoną minę, bo uśmiechnął się do mnie. – Kobry są bardzo groźne – powiedział. – Małe, ale szybkie i zabójcze, gdy dopadną ofiarę.

– A kim ty będziesz?

– Pomyślmy… – odpowiedział, więc obserwowałam, jak się namyśla. Mój mąż lubił zoologię, lubił zwierzęta. W dniu, w którym się poznaliśmy, radio nadało wiadomość, że pingwiny magellańskie uznano oficjalnie za gatunek wymarły. Mój mąż ogromnie się tym zmartwił, mówił, że to były bardzo odporne zwierzęta, bardziej odporne, niż się ludziom zdawało, i znacznie bardziej ludzkie, niż ktokolwiek sądził. Chory pingwin, mówił, odchodzi od stada, żeby umrzeć w samotności i nie pokazywać się w tym stanie pobratymcom. – Ja będę mangustą – oświadczył po namyśle. – Mangusta może zabić kobrę, jeśli chce, ale bardzo rzadko chce. – Znów się uśmiechnął. – Za duży wysiłek. Dlatego raczej szanują się wzajemnie. A my będziemy kobrą i mangustą, które nie tylko się szanują, ale jednoczą się we wzajemnej dbałości o bezpieczeństwo przed całą resztą zwierząt w dżungli.

– Kobra i Mangusta – powtórzyłam po chwili milczenia, a mój mąż przytaknął ruchem głowy.

– To brzmi trochę groźniej niż Charlie i Edward – przyznał z uśmiechem, po którym poznałam, że się ze mną droczy, ale w miły sposób.

– Tak – potwierdziłam.

Opowiedziałam to Davidowi na jednym z naszych pierwszych spacerów, kiedy jeszcze pracował jako technik na Farmie. Dlatego stojąc ze mną przy drzwiach, powiedział tuż przed wyjściem:

– Możecie posłużyć się hasłami, na przykład Kobra i Mangusta. Dzięki temu zyskasz pewność, że ludzie, którzy po ciebie przybyli, to nie oszuści.

– Dobrze – zgodziłam się. Bo to był dobry pomysł.

Teraz kuliłam się pod środkową ławką łódki. A łódka podrygiwała i bujała się na fali, nie przestając jednak posuwać się naprzód dzięki rytmicznej pracy wioseł. Nagle przez dno usłyszałam warkot silnika. Stawał się coraz głośniejszy.

– Szlag by to! – zaklął jeden z mężczyzn.

– Może to któraś z naszych? – odezwał się drugi.

– Za daleko, żeby rozpoznać – stwierdził pierwszy i dorzucił kolejne przekleństwo.

– Czego tu szuka jakaś zafajdana motorówka?

– A cholera ją wie – odburknął pierwszy i znowu zaklął. – Nie ma jak uciec. Musimy ryzykować i mieć nadzieję, że to któraś z naszych. – Trącił mnie stopą, nie za mocno. – Hej tam, panna: cicho siedź i nie ruszaj się. Jak to nie nasi ludzie…

Reszty nie dosłyszałam przez warkot motoru. Dotarło do mnie, że nie spytałam Davida, co mam robić, jeżeli mnie złapią, a on sam nigdy o tym nie wspomniał. Czyżby był aż tak pewien, że wszystko pójdzie zgodnie z jego planem? A może to był prawdziwy plan i za chwilę zostanę wydana w ręce ludzi, którzy mnie skrzywdzą, wywiozą gdzieś i będą mi robić straszne rzeczy? Ale czy David, który tak mnóstwo wiedział i umiał przewidzieć, nie powiedziałby mi, co mam robić, gdyby coś poszło nie tak? I czy byłam aż taka beznadziejna, żeby go o to nie zapytać? Zaczęłam cicho popłakiwać, wpychając sobie w usta zwinięty skraj plandeki. Czy popełniłam błąd, ufając Davidowi? A może wcale nie; może coś mu się stało? Aresztowali go, zastrzelili, usunęli bez śladu? Co ja zrobię, jeśli mnie złapią? Oficjalnie byłam teraz nikim, nie miałam przy sobie dokumentów. Oczywiście nawet gdybym je miała, mogliby zrobić ze mną, co zechcą, ale bez dokumentów było to znacznie łatwiejsze. Pożałowałam, że nie trzymam w dłoni sygnetu Dziadka – ściskając go, mogłabym udawać, że jestem bezpieczna. Chciałam być w domu i mieć żywego męża, chciałam, żeby wszystko to, co widziałam i przeżyłam w ostatnich trzech dniach, nigdy się nie zdarzyło. Żałowałam, że spotkałam Davida; żałowałam, że nie ma go teraz ze mną.

Nagle jednak zrozumiałam: cokolwiek się stanie, to jest koniec mojego życia. Może dosłownie koniec. A może tylko koniec życia, jakie znałam. Tak czy inaczej, moje własne życie mniej teraz dla mnie znaczyło, skoro zabrakło osoby, dla której znaczyło ono najwięcej.

– Ty – dobiegł mnie czyjś głos, ale przez ryk silnika nie umiałam stwierdzić, czy powiedział to ktoś z naszej łódki, czy z tej drugiej, która, jak poczułam, zrównała się z nami burta w burtę. Nie wiedziałam także, do kogo się zwracał. Nagle ściągnięto ze mnie plandekę, poczułam na twarzy podmuch wiatru i podniosłam głowę, żeby przekonać się, kto do mnie mówi i dokąd mam teraz iść.

Część X

16 września 2088

Najdroższy Peterze,

piszę w pośpiechu, bo to dla mnie ostatnia szansa – osoba, która znajdzie sposób, by dostarczyć to do Ciebie, stoi w tej chwili pod moją celą, ale za dziesięć minut musi odejść.

Wiesz, że za cztery dni zostanę stracony. Powstanie potrzebuje twarzy, a państwo potrzebuje kozła ofiarnego – okazałem się kompromisowym rozwiązaniem. Od państwa i od powstańców udało mi się uzyskać pewne ustępstwa w zamian za publiczne powieszenie mnie na oczach rozwydrzonego tłumu: zostawią w spokoju Charlie i jej męża, Charlie nigdy nie poniesie kary za mnie, a Wesley zawsze będzie ją traktował przyzwoicie. Bez względu na to, która strona zatriumfuje, Charlie znajdzie się pod ochroną – a przynajmniej nie będą jej szykanować.

Czy im ufam? Nie. Ale jestem do tego zmuszony. Nie przejmuję się śmiercią, ale nie mogę znieść myśli, że zostawiam ją tutaj, w tym miejscu, samą. Oczywiście nie będzie sama. Ale on też nie może tutaj zostać.

Kocham Cię, Peter. Wiesz, że Cię kocham i zawsze kochałem. Wiem, że i Ty mnie kochasz. Proszę Cię, zaopiekuj się nią, moją Charlie, moją wnuczką. Proszę, znajdź sposób na wydostanie jej z tego kraju. Zapewnij jej życie, jakie wiodłaby, gdybym ja wyrwał się stąd wcześniej, gdybym zdołał ją ocalić. Wiesz, że Charlie potrzebuje pomocy. Proszę Cię, Peter. Zrób wszystko, co możesz. Ratuj mojego koteczka.

Kto by pomyślał, że akurat Nowa Brytania okaże się kiedyś rajem, a ten kraj tak dramatycznie pogrąży się w zgniliźnie? Oczywiście: ty tak myślałeś, wiem. I ja też. Więc przepraszam. Przepraszam za wszystko. Podjąłem złą decyzję, a potem podejmowałem już same złe decyzje, jedną po drugiej.

Mam jeszcze jedną prośbę – nie do ciebie, lecz do czegoś lub kogoś: abym mógł kiedyś powrócić na ziemię pod postacią sępa, harpii, gigantycznego nietoperza naszpikowanego mikrobami, jakiejś skrzeczącej bestii o gumowatych skrzydłach, która przelatuje nad spierzchniętą ziemią, wypatrując padliny. Gdziekolwiek się obudzę, przyfrunę najpierw tutaj, do tego miejsca, jakkolwiek by się wtedy nazywało: Nowy Jork, Nowy Nowy Jork, Prefektura Druga, Aglomeracja Trzecia, co kto chce. Minę mój stary dom przy placu Waszyngtona i tam jej poszukam, a jeśli nie znajdę, to polecę na północ, do Uniwersytetu Rockefellera i tam jej będę szukał.

Jeśli i tam jej nie zastanę, przyjmę najpomyślniejszą wersję zdarzeń. Nie że znikła bez śladu albo umarła, albo jest gdzieś internowana, ale że jest z tobą, że w końcu zdołałeś ją uratować. Nawet nie zatoczę koła nad Wyspą Davidów, nad krematoriami, wysypiskami, więzieniami, ośrodkami reedukacji i odosobnienia, bezskutecznie szukając tam jej zapachu i wzywając ją skrzekliwie po imieniu. Za to będę się radował. Zabiję szczura, kota, co tam dopadnę, i zjem, i nabiorę sił, i rozpostrę szeroko moje żebrowane skrzydła, i wydam głos – głos nadziei i radosnego przeczucia. A potem zwrócę się na wschód i podejmę długi lot przez morze, do Ciebie, do niej, może nawet do jej męża, aż do Londynu, do moich najukochańszych, do wolności, do bezpieczeństwa, do godności – do raju.

Podziękowania

Najserdeczniej dziękuję dr. Jonathanowi Epsteinowi z EcoHealth Alliance oraz naukowcom z Uniwersytetu Rockefellera, którzy udzielili mi cennych spostrzeżeń i wskazówek w początkowych stadiach moich dociekań, a byli to: dr Jean-Laurent Casanova, dr Stephanie Ellis, dr Irina Matos i dr Aaron Mertz. Wielkie podziękowania kieruję pod adresem dr. Davida Morensa z National Institutes of Health oraz National Institute of Allergy and Infectious Diseases, który pośredniczył w nawiązywaniu powyższych kontaktów, a ponadto życzliwie znalazł czas, by podczas rzeczywistej pandemii przeczytać o pandemii zmyślonej.

Moją głęboką wdzięczność zechcą też przyjąć: Dean Baquet, Michael „Bitter" Dykes, Jeffrey Fraenkel, Mihoko Iida, Patrick Li, Mike Lombardo, Ted Malawer, Joe Mantello, Kate Maxwell, Yossi Milo, Minju Pak, Adam Rapp, Whitney Robinson, Daniel Schreiber, Will Schwalbe, Adam Selman, Ivo van Hove, Sharr White, Ronald Yanagihara i Susan Yanagihara, jak również Troy Chatterton, Miriam Chotiner-Gardiner, Toby Cox, Yuko Uchikawa, i wszyscy z Three Lives Books w Nowym Jorku, za nadzwyczajne wsparcie, ufność i szczodrość, jaką mi okazali, zarówno w sferze zawodowej, jak i osobistej. Dziękuję też Tomowi Yanagiharze i Ha‘alilio Solomon za pomoc przy Ōlelo Hawai‘i. Wszelkie pozostawione w tekście błędy – nie mówiąc o decyzji zmiany topografii O‘ahu dla potrzeb narracji – przypisuję sobie.

Mam nadzwyczajne szczęście pracować z dwiema agentkami, Anną Stein i Jill Gillett, które nie tylko nigdy nie namawiały mnie do kompromisu, ale też okazały mi niewyczerpaną cierpliwość i oddanie. Jestem też szczerze wdzięczna Sophie Baker i Karolinie Sutton, które broniły tej książki i gorliwie o nią walczyły, jak również wszystkim moim redaktorom, wydawcom i tłumaczom zagranicznym, a szczególnie Catherine Bakke Bolin, Alexandrze Borisenko, Varyi Gornostaevej, Kate Greeb, Stephanowi Kleinerowi, Päivi Koivisto-Alanko, Line Miller, Joannie Maciuk, Charlotte Ree, Danielowi Sandströmowi, Victorowi Sonkine, Susanne van Leeuwen, Marii Xilouri, Anastasii Zavozovej oraz zespołowi oficyny Picador UK.

Gerry Howard i Ravi Mirchandani dali mi szansę, gdy nikt inny się na to nie zdobył; zawsze pozostanę im wdzięczna za doradztwo, zaangażowanie i wiarę. Z ogromną wdzięcznością myślę, że mam po swojej stronie Billa Thomasa, z jego wytrwałością i spokojem; dzięki Ci, Bill; dziękuję też wszystkim w wydawnictwie Doubleday and Anchor, a zwłaszcza Lexy Bloom, Khari Dawkins, Toddowi Doughty'emu, Johnowi Fontanie, Andy'emu Hughesowi, Zachary'emu Lutzowi, Nicole Pedersen, Vimi Santokhi i Angi Venezia, jak również Na Kim, Terry'emu Zaroff-Evansowi i, zawsze, Leonor Mamanna.

Nie wymyśliłabym tej książki, nie mówiąc o jej napisaniu, gdyby nie szereg zmieniających optykę rozmów z Karsten Kredel, którą mam przywilej nazywać niezawodną redaktorką i ukochaną przyjaciółką. Jednym z największych darów losu w ostatnim pięcioleciu jest dla mnie przyjaźń z Mikiem Meagherem i Danielem Romualdezem, których gościnność, doradztwo i szczodrość dają mi niezmierzone poczucie komfortu i przyjemności. Kerry Lauermann już od przeszło dekady jest dla mnie źródłem humoru i dobrej rady.

Na koniec: czuję się wyróżniona tym, że poznałam Daniela Roseberry'ego, którego mądrość, empatia, inteligencja, wyobraźnia, pokora i stałość wzbogacają i dopełniają cudami moje życie; nie zniosłabym ostatnich dwóch lat bez niego. Nie byłabym tym, kim jestem – ani redaktorką, ani pisarką, ani przyjaciółką – gdyby nie mój pierwszy i ulubiony czytelnik, Jared Hohlt, którego miłość i współodczuwanie podtrzymały mnie więcej razy i na więcej sposobów, niż potrafię zliczyć. Moje szczere oddanie, nie mówiąc o tej książce, jest dla nich.

Polecamy też

Redaktorka inicjująca: Joanna Maciuk
Redaktorki prowadzące: Magdalena Matuszewska,
Anna Kapuścińska

Przekład: Jolanta Kozak
Redakcja: Roman Honet
Korekta: Małgorzata Kuśnierz, Ewa Skibińska,
Anna Kapuścińska

Projekt okładki: Pei Loi Koay
Adaptacja okładki polskiego wydania: Paulina Piorun
Mapy: John Burgoyne

Skład i łamanie: Dariusz Ziach

Wydrukowano w Polsce

Grupa Wydawnicza Foksal sp. z o.o.
02-672 Warszawa, ul. Domaniewska 48
tel. 22 828 98 08
faks 22 395 75 78
biuro@gwfoksal.pl
www.gwfoksal.pl

ISBN: 978-83-8318-857-7

M0607